EDUARD MÖRIKE   WERKE UND BRIEFE

EDUARD MÖRIKE

WERKE UND BRIEFE

ACHTER BAND

DRITTER TEIL

KLETT-COTTA

STUTTGART

HISTORISCH-KRITISCHE GESAMTAUSGABE

IM AUFTRAG DES MINISTERIUMS FÜR WISSENSCHAFT UND KUNST

BADEN-WÜRTTEMBERG

UND IN ZUSAMMENARBEIT

MIT DEM SCHILLER-NATIONALMUSEUM MARBACH A.N.

HERAUSGEGEBEN VON

HANS-HENRIK KRUMMACHER HERBERT MEYER

BERNHARD ZELLER

ACHTER BAND

ÜBERSETZUNGEN

DRITTER TEIL

BEARBEITUNGSANALYSEN

HERAUSGEGEBEN VON ULRICH HÖTZER

VORBEMERKUNGEN DES HERAUSGEBERS

Mit den »Bearbeitungsanalysen« und den »Hinweisen zur Quellenbenutzung« deckt der Band 8,3 das von Mörike angewandte Verfahren des Übersetzens und Erläuterns auf. Vor allem bei den beiden ersten Übersetzungswerken formuliert Mörike seinen Text, indem er vorliegende Übertragungen und wissenschaftliche Darstellungen bearbeitet und kontaminiert. Diesen Vorgang der Textkonstituierung schlüsselt die editorische Darstellung der Bearbeitung und der Quellenbenutzung in allen Einzelheiten auf. Sie gibt damit Einblick in eine bisher unzugängliche Dimension von Mörikes Text.

Die »Bearbeitungsanalysen« zeigen, in welchem Umfange Formulierungen der »Textvorlagen« ausgewählt und zu einem neuen Übersetzungstext kontaminiert werden. Die »Hinweise zur Quellenbenutzung« legen in gleicher Weise für die erläuternden Teile die eingearbeiteten Quellentexte vor und weisen im einzelnen nach, wieweit Mörike Ergebnisse der philologischen Forschung übernimmt, und wieweit er Eigenes einbringt.

Als Kontamination von Übersetzungen entsteht der Text der »Classischen Blumenlese« und des »Theokritos«. Nur in einzelnen Fällen zieht Mörike den Originaltext bei. (S. die »Entstehungsgeschichte« der »Classischen Blumenlese« in Band 8,2.) Dagegen geht er beim »Anakreon« wohl immer auch vom griechischen Text aus. Hier übersetzt Mörike wirklich. Aber auch hier übernimmt er außerdem aus vorliegenden Übertragungen, was seiner Vorstellung von einer gültigen Anakreonübersetzung entspricht.

In den »Einleitungen« und »Anmerkungen« stützt er sich vor allem auf die Erläuterungen seiner Übersetzungsvorlagen. Dabei ist der Unterschied zwischen der »Classischen Blumenlese« und dem »Anakreon« offenkundig: Im »Anakreon« sind die erläuternden Teile viel selbständiger. Mörike trägt viel Eigenes bei. Deshalb hat seine Anakreonübersetzung ihre bleibende Bedeutung auch in der Geschichte der klassischen Philologie. (»Einleitung« und »Anmerkungen« zu »Theokritos« stammen von Notter. Sie erscheinen deshalb in Band 8,2.)

Durch den möglichen Einblick in die Textkonstituierung gewinnen Mörikes Übersetzungen, die bisher wenig beachtet worden sind, an Bedeutung. Der Leser kann jetzt durch Vergleich der »Bearbeitungsanalyse« mit der Fassung des Textes in Band 8,1 einen Blick in Mörikes Werkstatt werfen. Aber auch auf die »Einleitungen« und »Anmerkungen« zu den Übersetzungen fällt neues Licht. Durch die »Hinweise zur Quellenbenutzung« läßt sich

Mörikes eigener Anteil am Kommentar aus der Fülle des Übernommenen herausschälen.
Sein philologisches Wissen ist nun im Einzelfall nachweisbar.

Über das Verfahren der Bearbeitung äußert sich Mörike an mehreren Stellen. Er begrün-
det es in der »Vorrede« zur »Classischen Blumenlese«: Man findet hier nur wenige
ganz neue Übertragungen, und zwar aus dem einfachen Grunde, weil wir nicht
gemeint seyn konnten, das schon vorhandene Gute und Vortreffliche durch
Neues zu überbieten *(Band 8,1, S.11). Die Art der Bearbeitung beschreibt er an der*
gleichen Stelle: Es erscheinen nämlich die ausgewählten Stücke bei Weitem nicht
alle ganz in der Gestalt, in welcher sie der eine und der andere Übersetzer gegeben; vielmehr hat man mit einer großen Anzahl derselben den Versuch gemacht, verschiedene Übersetzungen in einander zu verarbeiten, auch vieles Eigene hinzugebracht *(ebenda S.11). Noch einmal kommt Mörike im »Vorwort« zu*
»Theokritos« auf sein anlehnendes Übersetzungsverfahren zu sprechen: Ist nun, wie ich
mich gründlich überzeugte, von den bisherigen Verdeutschern Theokrit's in
Einzelheiten oder stellenweise das erreichbare Maß des Geforderten wirklich
zum großen Theil erreicht, so daß diese Stellen im Wesentlichen auf keine andere
Art eben so gut, geschweige besser ausgedrückt werden können – eine Behaup-
tung, die lediglich nur durch die That widerlegt werden will –, was liegt alsdann
näher, und ... was ist vernünftiger, als das durch Meisterhand bereits Gewon-
nene bei einer neuen Bearbeitung ganz unbefangen zu nutzen und den Werth
desselben durch weitere Ausbildung und Ergänzung nach besten Kräften zu
erhöhen? *(Ebenda S. 287f.).*

Die benutzten Übersetzungen gibt Mörike mit unterschiedlicher Genauigkeit an. In der
»Vorrede« zur »Classischen Blumenlese« nennt er nur die Namen der Übersetzer, nicht
aber die Auflagen, die er herangezogen hat (Band 8,1, S.12, Z.14–22). Im »Vorwort«
zu »Theokritos« fügt er zu den Namen der Übersetzer das Jahr des Erscheinens und
eine knappe Charakterisierung der beiden wichtigsten Übersetzungen hinzu (Band 8,1,
S.287, Z.9–16 und S.288, Z.22–28). Am genauesten sind die Angaben zu »Anakreon«
(Band 8,1, S.399, Z.2–20). Es ist jedoch nachgewiesen, daß Mörike außer der angege-
benen Auflage von Degens Übersetzung (Leipzig 1821) auch die anderen Auflagen dieses
Werkes verwendet hat. Auch ist seine Äußerung im »Vorwort«, er habe jene von
Degen nicht berücksichtigten Fragmente, deßgleichen die Epigramme neu ...
übertragen, mißverständlich, weil er in die »Fragmente« und »Epigramme« nach-
weislich Thudichums Übersetzung eingearbeitet hat. Von dieser spricht er zwar im
gleichen Zusammenhang, läßt jedoch offen, ob er sie verwendet hat.

Alle von Mörike angegebenen, sowie die übrigen vom Herausgeber nachgewiesenen Über-
setzungen bilden als »Textvorlagen« die Grundlage der »Bearbeitungsanalysen«. Diese

schlüsseln den Text der Vorlagen nach übernommenen und nicht übernommenen Wendungen auf: Die nicht übernommenen Formulierungen stehen innerhalb der Hakenklammern. Alle außerhalb dieser Klammern stehenden Formulierungen sind übernommen. (Abweichungen der Interpunktion sind grundsätzlich nicht Gegenstand der »Bearbeitungsanalyse«.) Die typographische Form des Textes in Band 8,1 macht das Ergebnis der »Bearbeitungsanalysen«, soweit dies möglich ist, sichtbar: Der originale Wortbestand Mörikes erscheint in größerem Schriftgrad. Die aus Vorlagen übernommenen Wendungen sind dagegen in kleinerem Schriftgrad wiedergegeben.

Die Entscheidung, was der einen und der anderen Textkategorie zuzuweisen sei, orientiert sich nicht an der Wortform. Eine Abgrenzung des Textes der Vorlagen nach diesem Kriterium wäre kaum praktikabel und vor allem nicht instruktiv. Denn Mörike lehnt sich über weite Strecken seiner Fassung hin an die Vorlagen an, indem er deren Wortsubstanz, wenn z.T. auch in abgeänderter grammatischer Form, übernimmt. Diese weitgehende Abhängigkeit Mörikes von seinen Vorlagen würde im Ergebnis eines nach sprachformalen Kriterien aufschlüsselnden Verfahrens, das nur noch ein Minimum dieser Übernahme gelten ließe, völlig verschleiert. Deshalb richtet sich die angewandte Darstellungsweise nach der Wortsubstanz. Das bedeutet praktisch: Wenn Textvorlage und Mörikes Fassung dasselbe Wort in verschiedener grammatischer Form haben, gilt dieses Wort als übernommen. Wo Mörike dagegen durch Hinzufügen oder Weglassen einer Vor- oder Nachsilbe die Bedeutung eines Wortes verändert, gilt dies als Eingriff in die Wortsubstanz, weil durch diese Änderung ein neues Sinngebilde entstanden ist.

Auch bei dieser weiten Auslegung dessen, was unter übernommenem Text zu verstehen ist, bleiben im einzelnen noch viele Grenzfälle, die oft kaum mit Sicherheit zu entscheiden sind. So ist z.B. bei wenig variablen oder invariablen Wörtern die Grenze zwischen übernommener und eigener Formulierung meist nur schwer zu ziehen. Mit invariablen Wörtern sind solche Wörter gemeint, die nicht oder nur schwer durch Synonyma ausgetauscht werden können, wie z.B. Namen, Konjunktionen, Präpositionen, Possessivpronomina u.ä. Es handelt sich also um Wörter, die bei verschiedenen Übersetzungen desselben Grundtextes mit hoher Wahrscheinlichkeit immer wiederkehren, ohne daß hier eine Abhängigkeit vorliegen müßte. Der Herausgeber hat in solchen Fällen nach dem Umfeld entschieden: Invariables Wort in einem großteils aus übernommenen Formulierungen bestehenden Zusammenhang gilt als übernommen. Invariables Wort im Rahmen nicht übernommener Formulierungen gilt als nicht übernommen. Trotz dieser Schwierigkeiten im einzelnen können die folgenden Leitlinien festgehalten werden:
Als übernommene Textteile gelten alle Formulierungen in Mörikes Fassung und in den Vorlagen, die hinsichtlich ihrer Wortsubstanz übereinstimmen. Diese Textteile werden in Band 8,1 durch den kleineren Schriftgrad wiedergegeben. In Band 8,3 sind diese Textteile daran zu erkennen, daß sie nicht in Hakenklammern stehen.

Als nicht übernommene Textteile gelten alle Formulierungen der Vorlagen, bei denen eine derartige Übereinstimmung mit Mörikes Fassung nicht vorliegt. Diese Textteile stehen in Band 8,3 in Hakenklammern. Als eigene Formulierungen Mörikes gelten alle Textteile seiner Fassung, die sich in ihrer Wortsubstanz von den Vorlagen unterscheiden. Diese Textteile werden in Band 8,1 durch den größeren Schriftgrad wiedergegeben.

Die Darstellung der »Bearbeitungsanalyse« kann bei denjenigen Übersetzungen, die nur eine Textvorlage haben (»Homerische Hymnen I–III«, »Theognis«, »Catull« und – zum größeren Teile – »Anakreon«), soweit es sich um punktuelle Änderungen handelt, vom einzelnen Wort ausgehen. Das bedeutet paktisch: Die »Bearbeitungsanalyse« bringt dasjenige Wort bzw. diejenige Wortgruppe, die von der Vorlage abweicht, als Lemma. Das Lemma selbst enthält also nur Formulierungen Mörikes. Der entsprechende Text der Vorlage erscheint im Anschluß an das Lemma, und zwar in Hakenklammern, um anzuzeigen, daß dieser Wortlaut nicht von Mörike übernommen worden ist. Zwei Beispiele mögen dies deutlich machen:

31 segelberühmt] [schiffruchtbar] *Schw[1]* **81** Götter gewaltigen] [Seeligen mächtigen] *Schw[1] (Band 8,1, S. 26 und S. 27).*

Wo Mörikes Eingriff über die Änderung eines einzelnen Wortes oder einer Wortgruppe hinausgeht und einen ganzen Vers oder mehrere Verse umgestaltet, wird die entsprechende Stelle der Mörikeschen Fassung durch Angabe der Verszahlen und Doppelpunkt bezeichnet. Darauf folgt der Wortlaut dieser Stelle in der Vorlage. Die nicht übernommenen Textteile der Vorlage stehen in Hakenklammern. Also z.B.:

71–74: [(Kehrend von Grund aus um, er hinab] mich stoß' [in die Meerfluth.)]
Mir dann werden [allhier] ums Haupt [stets] Wogen die [Fülle]
Spülen, und er geht fort in ein anderes Land, wo es gut ihm
Däucht sich den Tempel zu gründen und heilige Waldbaumhaine. *Schw[1]*
(Band 8,1, S. 27).

Grundsätzlich gilt immer: Wenn zu einer Stelle keine »Bearbeitungsanalyse« erscheint, ist die Vorlage unverändert übernommen.

Für die meisten Übersetzungen zieht Mörike mehrere Vorlagen zu Rate. Weil diese aber nie alle über eine größere Sinneinheit hinweg denselben Wortlaut haben, weil sich Mörikes Fassung, auch wo sie Formulierungen übernimmt, also an jeder einzelnen Stelle von mindestens einer der Vorlagen unterscheidet, ist es unumgänglich, alle Vorlagen ungekürzt vorzustellen. Hinzu kommt, daß es sehr aufschlußreich ist zu wissen, welche Formulierungen Mörike nicht übernimmt. Deshalb folgen in diesen Fällen auf die Angabe der Verszahlen mit Doppelpunkt die entsprechenden Stellen aller Vorlagen. Die nicht übernommenen Textteile der Vorlagen stehen in Hakenklammern.

Dies ist die am häufigsten auftretende Form der »Bearbeitungsanalyse«. Daß in diesem Falle immer alle Vorlagen dargeboten werden müssen, hat noch einen weiteren Grund: Viele der benutzten Übersetzungen sind voneinander abhängig, haben also mindestens stellenweise gleichen Wortlaut. Wenn nun Mörike solchen Wortlaut übernimmt, ist es nicht möglich zu entscheiden, welcher Vorlage er folgt. Dies läßt sich mit einer gewissen Wahrscheinlichkeit, nie mit letzter Sicherheit, nur aus der mehrfachen Textgleichheit zwischen Mörikes Fassung und einer einzelnen Vorlage, also aus einer deutlichen Bevorzugung dieser Vorlage, erschließen.

Ein besonderer Fall von Abhängigkeit muß noch erwähnt werden: Mörikes Text der »Anakreontischen Lieder« geht vor allem auf die von ihm genannte Übersetzung Degens (Leipzig 1821: De^4) zurück. Doch sind daneben immer wieder auch eindeutig Formulierungen der früheren Auflagen (Anspach 1782: De^1, Altenburg 1787: De^2, Ansbach 1821: De^3) und der Übersetzung von Thudichum (Stuttgart 1859: Thu) übernommen. Es muß also in den »Bearbeitungsanalysen« dieses Werks die ständige Abhängigkeit der Mörikeschen Fassung von einer Leitvorlage und die sporadische Abhängigkeit von anderen Auflagen bzw. von einer anderen Übersetzung dargestellt werden. Dies geschieht dadurch, daß die »Bearbeitungsanalysen« derjenigen Lieder, für welche die Leitvorlage allein benutzt ist, nur diese heranziehen. Wo Mörike eine zusätzliche Vorlage aus dem Kreis der oben genannten bearbeitet, erscheint zunächst der übernommene Wortlaut dieser Vorlage und danach die entsprechende Formulierung der Leitvorlage. Also z.B.:

> 8: Bezecht von rothem Weine. *De^1*
> Bezecht von [goldnem] Weine. *De^4 (Band 8,1, S.416).*

Der Versuch, den Text aufzuschlüsseln nach dem Anteil des Übernommenen und des Eigenen und diese beiden Schichten im Textband typographisch kenntlich zu machen, kommt ziemlich schnell an die Grenzen seiner Möglichkeiten: Das Ineinanderflechten von ausgewählten Teilen mehrerer Vorlagen zu einer neuen Fassung, die Änderung der Wortfolge, der Silbenzahl oder der vokalischen Tönung eines Wortes lassen sich im Druckbild des Textbandes nicht wiedergeben, weil hier der Text in seiner Form zwar verändert, in seiner Substanz jedoch gleich geblieben ist. Dies gilt nach den dargelegten Regeln als Übernahme, nicht als eigener Beitrag. Dabei besteht Mörikes Anteil in den meisten Fällen gerade in Eingriffen dieser Art, die doch für ein Gedicht ganz wesentliche Veränderungen bringen können. Diese nimmt nur derjenige wahr, der alle Entscheidungen Mörikes bis zum Einfügen eigener Formulierungen Schritt für Schritt verfolgt durch ständigen Vergleich von Mörikes Fassung und der entsprechenden »Bearbeitungsanalyse«.

Beim »Anakreon« wird die Aufschlüsselung des Textes noch dadurch erschwert, daß Mörike hier immer auch den griechischen Text eingesehen hat. Es ist deshalb nicht möglich, übernommenen Text mit letzter Sicherheit von eigener Übersetzung zu unterscheiden. Manche als »übernommen« eingestufte Formulierung kann durchaus von Mörike stammen. Einmal gibt es viele Wörter und Wendungen, die beim Übersetzen wenig Wahlmöglichkeiten offen lassen. Zum andern ist es leicht denkbar, daß sich Mörike bei der

Wahl zwischen verschiedenen von ihm selbst gefundenen Übersetzungsmöglichkeiten für eine Wendung entschieden hat, die zufällig mit dem Text einer Vorlage identisch ist. Hier hat der Herausgeber jeden Fall einer Übereinstimmung von Mörikes Fassung und Vorlage als »übernommen« eingestuft. Daß auf diese Weise der Eigenanteil Mörikes an der endgültigen Fassung nicht in vollem Umfange sichtbar gemacht wird, ist nicht zu verhindern.

Die im 18. Jahrhundert übliche Druckgewohnheit, bei wörtlicher Rede jeden Versanfang mit Anführungszeichen zu versehen, ist in den »Bearbeitungsanalysen« stillschweigend aufgehoben und der jetzt bestehenden Regel angeglichen worden. Auch sind offenkundige Druckfehler der Vorlagen stillschweigend verbessert worden. Lücken im Text der Vorlagen und Quellen werden durch unterbrochene Linie (– – –) angezeigt.

Die »Nachträge« am Ende dieses Bandes bringen Berichtigungen zu der typographischen Darstellung im Textband. Auf alle derartige Fälle wird am Anfang der jeweiligen »Bearbeitungsanalyse« hingewiesen.

Auch die »Einleitungen« und »Anmerkungen« sind, wie schon zu Beginn ausgeführt, keine originalen Beiträge Mörikes, sondern großenteils in Anlehnung an vorhandene Arbeiten entstanden. Genauere Angaben über diese »Quellen« enthält freilich nur der »Anakreon«, wo ein »Vorwort« die verwendeten Arbeiten zusammenstellt. Für die »Classische Blumenlese« gibt Mörike im »Vorwort« lediglich den Hinweis: Einleitungen und Anmerkungen, meist den verschiedenen Erklärern entnommen, bieten dem Kundigen nichts Neues *(Band 8,1, S.13). Die »Hinweise zur Quellenbenutzung« zeigen, in welcher Weise und in welchem Umfang Mörike bei den erläuternden Texten inhaltlich und sprachlich auf Quellen zurückgreift. Im Unterschied zu den Übersetzungen wird das Ergebnis dieser Analyse im Textband nicht durch unterschiedliche Schriftgrade kenntlich gemacht. Einmal handelt es sich bei Gedichten und Erläuterungen um zwei grundsätzlich verschiedene Arten sprachlicher Äußerung. Hinzu kommt, daß der Umfang der Übernahme bei den erläuternden Texten nur sehr schwer abgegrenzt werden kann. Nicht selten läßt sich nämlich eine wörtliche Übernahme aus der Quelle zwar nicht mit Sicherheit nachweisen, doch ist deutlich zu erkennen, daß der Inhalt der Quellendarstellung übernommen wird. Hier kann Eigenes und Übernommenes nicht durch verschiedene Schriftgrade angezeigt werden. Und schließlich käme bei den Anmerkungen, die ja gegenüber dem Text der Übersetzungen in kleinerem Schriftgrad gesetzt sind, als Schriftgröße für die übernommenen Teile nur der noch kleinere Schriftgrad in Frage. Lettern dieser Größe sind jedoch bei so umfangreichem Text nicht praktikabel, weil nicht zumutbar. Die Darstellung der Quellenbenutzung wird in zwei verschiedenen Formen vorgelegt. Bei allen »Einleitungen« und bei einzelnen, exemplarisch ausgewählten »Anmerkungen« wird der verwendete Quellentext im erkannten Umfang der Benutzung wörtlich zitiert. Dabei stehen, wie in den »Bearbeitungsanalysen«, alle Textteile, die nicht von der Quelle übernommen sind, in Hakenklammern. Alle Formulierungen außerhalb der Hakenklam-*

mern sind also übernommen. Bei den fremdsprachigen Texten wird auf die Hakenklammer verzichtet, weil hier schon wegen des Unterschieds der Sprachen nicht in gleicher Weise von Übernahme gesprochen werden kann. Zudem fördert die notwendige Übertragung häufig ein höheres Maß an Selbständigkeit bei der Wiedergabe des Quellentextes. Wo eine Quelle nicht nachgewiesen ist, wird dies mit der entsprechenden Bemerkung angezeigt; doch kann das natürlich nicht heißen, daß hier die Möglichkeit einer Quellenbenutzung ganz ausgeschlossen ist. Wo eine Formulierung mit Sicherheit oder hoher Wahrscheinlichkeit von Mörike stammt, wird dies gleichfalls mit der entsprechenden Bemerkung angezeigt.

Bei allen »Anmerkungen«, für welche aus Gründen der Raumersparnis nicht diese ausführliche Analyse der Quellenbenutzung vorgelegt wird, ist ein anderes Verfahren angewandt: Zunächst werden alle »Anmerkungen« zusammengestellt, für die eine Quelle nachgewiesen ist, und zwar lediglich mit Angabe der Stelle in Band 8,1 (Seiten- und Zeilenzahl) und der Sigle der benutzten Quelle. Dann folgen alle »Anmerkungen«, für die eine Quelle nicht nachgewiesen ist, und die eindeutig von Mörike stammenden Bemerkungen (Stellenangabe nach Band 8,1). Den Abschluß bildet eine Liste derjenigen Erläuterungen in den verschiedenen Quellen, die Mörike nicht benutzt (Bezeichnung durch Verszahl und Sigle der Quelle). Eine vollständige Fassung der »Hinweise zur Quellenbenutzung«, welche für alle »Anmerkungen« den benutzten Quellentext zitiert, kann im Mörike-Archiv des Deutschen Literaturarchivs Marbach a.N. eingesehen werden.

Insgesamt kann die Analyse der Quellenbenutzung und deren editorische Darstellung nicht viel mehr sein als der Versuch, das Gewebe aus übernommenem und eigenem Wissen und Deuten Mörikes so weit als möglich aufzuflechten. Dabei sind dem Herausgeber Grenzen gesetzt: Mörike hat längst nicht alle benutzten Quellen genannt. Die meisten konnten zwar gefunden werden, doch wird es kaum je gelingen, alle zu erfassen. Trotzdem ist das Ergebnis im Entscheidenden hinreichend gesichert. Die Analyse der Quellenbenutzung belegt durch viele Einzelfälle, was ganz allgemein schon immer bekannt war: Mörike war nicht nur Kenner und Liebhaber antiker Dichtung, sondern zugleich ein kenntnisreicher Philologe. Vor allem sein textkritisches Bemühen um den echten Anakreon, die Einleitungen und Erläuterungen zu dessen »Fragmenten« und zu den »Anakreontischen Liedern« sind sprechende Zeugnisse für seine fundierte philologische Bildung. Der Nachweis dieser Kenntnisse und des textkritischen Umgangs mit antiken Gedichten mag auch dem Verständnis von Mörikes eigenem dichterischem Werk neue Wege weisen.

Ganz besonders aber können die »Bearbeitungsanalysen« der Übersetzungstexte dazu anleiten, Mörikes Dichtung aus der Einsicht in die hier wirksamen, Stil bildenden Kräfte zu verstehen. Wer sich als Leser geduldig auf den zunächst verwirrenden Ablauf dieser Analysen einläßt, wird recht bald in der Bearbeitung der Vorlagen das Auswechseln und Erproben vorgegebener und eigener Formulierungen, das Abwägen stilistischer Stimmigkeit von Wörtern und Wendungen und das Hinhören auf klangliche und rhyth-

mische Wirkungen entdecken; und er wird schließlich in solchem Experimentieren mit Sprachformen auch ein Moment des Spielerischen erkennen. Mörike geht als Übersetzer im Unterschied zu Hölderlin, den Weg des unsystematischen, gleichsam spielerischen Erprobens der Sprache und mischt dabei bedenkenlos Fremdes mit Eigenem, um in den z.T. recht unzulänglichen Versuchen seiner Vorgänger den steckengebliebenen Kern poetischer Wirkung freizulegen. In ähnlicher Weise verfährt er als Herausgeber von Waiblingers Gedichten (s. Band 9). Hier geht es ihm nicht darum, den originalen Wortbestand dieser Werke zu überliefern; vielmehr spielt er mit den Möglichkeiten, sie auf die in ihnen angelegte Stufe der Vollkommenheit hin zu Ende zu dichten.

Mörike kombiniert das Überlieferte mit Eigenem. Originales und Vorgeformtes haben für ihn gleichen Rang. Wieweit er mit dieser Schaffensweise des freien Verfügens über das Vorhandene im Gegensatz steht zum Originalitätsdenken seiner Zeit, dies wird künftige Forschung ebenso zu zeigen haben, wie es ihre Aufgabe sein wird, von dieser Einsicht her die aus frühen Epochen kommenden Traditionsströme nachzuweisen, die Mörikes Werk von Anfang an tragen.

BEARBEITUNGSANALYSEN
UND HINWEISE ZUR QUELLENBENUTZUNG

CLASSISCHE BLUMENLESE

Band 8,1 Seite 11–284

TEXTVORLAGEN UND QUELLEN

Ba CALLINI EPHESII TYRTAEI APHIDNEI ASII SAMII CARMINUM QUAE SUPERSUNT. DISPOSUIT EMENDAVIT ILLUSTRAVIT NICOLAUS BACHIUS. LIPSIAE 1831, SUMTIBUS FRID. CHR. GUIL.VOGELII

Bin Theokrits Idyllen und Epigramme aus dem Griechischen metrisch übersezt und mit Anmerkungen von Ernst Christoph Bindemann. Berlin 1793, in der Frankeschen Buchhandlung

Bo HOMERI CARMINA. RECOGNOVIT ET EXPLICUIT FRIDERICUS HENRICUS BOTHE. ODYSSEAE VOLUMEN TERTIUM, LIB. XVII–XXIV. BATRACHOMYOMACHIA. HYMNI. EPIGRAMMATA ET FRAGMENTA CARMINUM EPICORUM. LIPSIAE SUMTIBUS LIBRARIAE HAHNIANAE 1835

Br[1] Der Deutsche Horatius oder des Quintus Horatius Flaccus Lyrische Gedichte in den Versmaßen der Urschrift verdeutscht von Christian Wilhelm Binder, Doctor der Philosophie, ordentlichem Lehrer der deutschen Literatur und vaterländischen Geschichte am Gymnasio zu Biel in der Republic Bern. Zweite, vielfach verbesserte Auflage Bern bei C.A.Jenn. 1832
Die Textvorlagen von Br[1] haben unter der Überschrift das metrische Schema der verwendeten Odenstrophe.

Ge Quintus Horatius Flaccus sämmtliche Werke. In den Versmaßen der Urschrift deutsch von Fr. Gehlen. Erster Band. Oden, Epoden, Säculargesang. Essen gedruckt bei G. D. Bädeker. 1835
Die Textvorlagen von Ge haben unter der Überschrift z.T. das metrische Schema der verwendeten Odenstrophe, z.T. den Hinweis darauf, bei welcher vorausgehenden Ode dieses abgedruckt ist.

Jac[2] Leben und Kunst der Alten. Von Friedrich Jacobs. Ersten Bandes erste und zweyte Abtheilung. Der Griechischen Blumenlese I. bis XII. Buch. Gotha, Ettingersche Buchhandlung. 1824

Mi QU. HORATII FLACCI OPERA ILLUSTRAVIT CHR. GUIL. MITSCHERLICH, PROFESSOR PUBL. ORDIN. IN ACADEMIA GOTTINGENSI. TOMUS PRIMUS. REUTLINGAE, IN OFFICINA LIBRARIA MAECKENIANA 1815. TOMUS SECUNDUS 1816

Na   Theokritos, Bion und Moschos. Übersetzt und mit Biographieen der Dich-
          ter, Einleitungen und kurzen Anmerkungen versehen von Ämil Wilhelm
          Robert Naumann. Erstes und zweites Bändchen. Prenzlau, Druck und
          Verlag der Ragocyschen Buchhandlung 1828

Ra¹   Kajus Valerius Katullus in einem Auszuge Lateinisch und Deutsch. Von
          Karl Wilhelm Ramler. Leipzig, 1793. Bey Paul Gotthelf Kummer
          Die Textvorlagen von Ra¹ haben unter der Überschrift das metrische Schema des
          verwendeten Versmaßes.

Ra²   Horazens Oden, übersetzt und mit Anmerkungen erläutert von Karl
          Wilhelm Ramler. Erster und zweiter Band. Berlin bey Johann Daniel
          Sander. 1800
          Die Textvorlagen von Ra² haben unter der Überschrift das metrische Schema der
          verwendeten Odenstrophe.

Re   Alb. Tibullus. Nebst einer Probe aus dem Properz, und den Kriegsliedern
          des Tyrtäus. In der Versart der Urschrift übersetzt. Mit einem Anhang von
          eigenen Elegien. Von Karl Friedrich Reinhard. Zürich, bey Orell, Geßner,
          Füßli und Comp. 1783

Sche¹   Quintus Horatius Flaccus Oden und Epoden. Deutsch von Karl F. A. Schel-
          ler. Helmstädt 1821. In der C. G. Fleckeisenschen Buchhandlung

Sche²   Quintus Horatius Flaccus Sämmtliche Werke Deutsch von Karl F. A. Schel-
          ler. Zweite verbesserte Ausgabe. Halberstadt in H. Voglers Verlagsbuch-
          handlung. 1830

Schw¹   Die Homerischen Hymnen übersetzt und mit Anmerkungen begleitet
          von Konrad Schwenck. Frankfurt a. M. 1825. Gedruckt und verlegt bei
          H. L. Bronner

Schw²   Catullus übersetzt von Konrad Schwenck. Frankfurt am Main. Gedruckt
          und verlegt bei J. D. Sauerländer. 1829

Str   Des Albius Tibullus Elegieen, übersetzt und erklärt von Friedrich Karl
          von Strombeck. Zweyte, verbesserte Auflage. Göttingen, in der Dieterich'-
          schen Buchhandlung. 1825

Vo¹   ΥΜΝΟΣ ΕΙΣ ΤΗΝ ΔΗΜΗΤΡΑΝ. Hymne an Demeter. Übersezt und
          erläutert von Johann Heinrich Voss. Heidelberg bei Christian Friedrich
          Winter. 1826

Vo²   Theokritos, Bion und Moschos von Johann Heinrich Voss. Tübingen, in
          J. G. Cotta's Buchhandlung 1808

Vo³   Albius Tibullus und Lygdamus. Übersezt und erklärt von Johann Hein-
          rich Voß. Tübingen. In der J. G. Cottaischen Buchhandlung. 1810

Web Die elegischen Dichter der Hellenen nach ihren Überresten übersetzt und erläutert von Dr. Wilhelm Ernst Weber, des Gymnasiums der freien Stadt Frankfurt Prorektor und Professor. Frankfurt am Main, Verlag der Hermannschen Buchhandlung 1826

Wel¹ THEOGNIDIS RELIQUIAE. NOVO ORDINE DISPOSUIT, COMMENTATIONEM CRITICAM ET NOTAS ADJECIT FRIDERICUS THEOPHILUS WELCKER. FRANCOFURTI AD MOENUM SUMTIBUS ET TYPIS H.L.BROENNERI 1826

Wi Theokritos von Johannes Witter, Professor am Gymnasium zu Hildburghausen. Hildburghausen, im Verlag der Kesselringischen Hofbuchhandlung 1819

HOMERISCHE HYMNEN

Band 8,1 Seite 23–52

EINLEITUNG

Eine Quelle ist nicht nachgewiesen.

I. HYMNUS AUF DEN DELISCHEN APOLLON

(Vgl. »Nachträge« S. 569)

Benutzte Textvorlage: Schw¹

BEARBEITUNGSANALYSE

Überschrift: Hymnus] [Hymnos] *Schw¹*
14: *darüber fehlt* (Chor) *Schw¹* **18:** *danach normaler Zeilenabstand mit Einzug Schw¹*
20.21: (Denn dir [lieget o] Phöbos, [ja] allwärts [Liedergesang ob,]
  Auf rindweidenden Triften des Festlands, [so] wie den Inseln, *Schw¹*
24 Buchten] [Häfen] *Schw¹* **25** Sing' ich] [Ob] *Schw¹* **29:** *danach drei Sternchen Schw¹* **31** segelberühmt] [schiffruchtbar] *Schw¹* **32:** Ägä, Peiresiä auch, und nahe dem Meer Peparethos, *Schw¹* **35:** Skyros [benebst] Phokäa, [Autokane's] hohes Gebirg' [auch,] *Schw¹* **40** dann] [auch] *Schw¹* **45:** Diese betrat allsammt in [den] Wehen des Bogeners Leto, *Schw¹*
58: *danach*
  [(Immer ernährte der Gott, und die Himmlischen immer erhielten
  Dich von den Händen der Fremden, da nicht dein Boden geseegnet.)] *Schw¹*
71–74: [(Kehrend von Grund aus um, er hinab] mich stoß' [in die Meerflut.)]
  Mir dann werden [allhier] ums Haupt [stets] Wogen die [Fülle]

Spülen; und er geht fort in ein anderes Land, wo es gut ihm

Däucht sich den Tempel zu gründen und heilige Waldbaumhaine. *Schw 1*

77: Wagtest du aber [der Götter] gewaltigen Eid mir zu schwören, *Schw 1* **79:** *danach drei Sternchen Schw 1* **80:** [Unter] die [sämmtlichen] Menschen, dieweil vielnamig derselbe. *Schw 1* **81** Götter gewaltigen] [Seeligen mächtigen] *Schw 1*
82: Zeug' [itzt dieses] die Erd' und der wölbende Himmel da droben, *Schw 1*
93: *danach* [(Denn die saß im Pallaste des Wolkenversammlers Zeus dort.)] *Schw 1*
95 die] [sie] *Schw 1* **98:** *danach kein Absatz Schw 1* **99** Jene] [Die] *Schw 1* **103** dieselbe] [sie dann] *Schw 1*

104.105: Als nun alles vernommen die windschnelleilende Iris,

[Gieng] sie geschwind und [flugs] durchschritt sie den Raum, [der da-

zwischen;] *Schw 1*

107 der] [die] *Schw 1* **111:** *danach kein Absatz Schw 1* **117:** Da [nun] wuschen.

o Phöbos, mit lieblichem Wasser dich jene *Schw 1* **124:** *Kein Einzug Schw 1*

130–134:   Also sprach er und schritt nun auf der geräumigen Erde,

Phöbos der Schütze, der lockenumwallete, aber es staunten

Alle die Göttinnen sehr; und Delos wurde von Gold rings

[(Reichlich umstarrt, wie den Sohn sie des Zeus und der Leto erblickte,

Innig erfreut, daß er sie erkor sich die Wohnung zu gründen,

Unter den Landen und Inseln, und sie vorzog in dem Herzen.)

Ganz] umblüht, wie der Gipfel des Bergs von der blühenden Waldung.

Du doch, Fürst Ferntreffer, mit silbernem Bogen, Apollon, *Schw 1*

136: [Wiederum] schweiftest du [aber] zu Völkern und Meereilanden. *Schw 1*
137: *danach*

[(Dir sind alle die Warten geliebt und die spizzigen Kuppen

Hoher Gebirg', und hinab in das Meer sich ergießende Ströme.] *Schw 1*

152.153: Lobpreis sangen, ein Lied auf Männer und Fraun aus alter

Zeit anstimmen sofort, die versammelten Menschen entzückend. *Schw 1*

156: *danach normaler Zeilenabstand mit Einzug Schw 1*

158–160: [Ihr doch] Jungfraun seyd mir gegrüßt, und auch in [der Zukunft]

Denkt mein, wann euch einer der erdebewohnenden Menschen

Kommend hieher ausfraget, ein [leidengeprüfeter] Fremdling: *Schw 1*

163: Dann antwortet ihm alle gesammt mit den [glimpflichen] Worten: *Schw 1*
165: Dessen Gesänge [zumal bey der Nachwelt bleiben] die ersten. *Schw 1*

II. AUF APHRODITE

Benutzte Textvorlage: Schw 1

BEARBEITUNGSANALYSE

Überschrift: [Hymnos] auf Aphrodite *Schw¹*
18: *danach normaler Zeilenabstand mit Einzug Schw¹* **21** Aber] [Doch] *Schw¹*

III. AUF DIONYSOS

Benutzte Textvorlage: Schw¹

BEARBEITUNGSANALYSE

Überschrift: [Hymnos] auf Dionysos *Schw¹*
2: Jetzund, wie er erschien am Gestad' ödwogender Meerflut, *Schw¹* **6:** Schultern ihm ein; bald kamen jedoch auf treflichen Schiffen *Schw¹* **18** stattliche] [gezimmerte] *Schw¹* **22:** Aber wolan, entlassen wir ihn denn gleich [zu] dem dunkeln *Schw¹* **25** ihn] [den] *Schw¹*
26.27: Schau Du nur nach dem Wind, und [ziehe] das Seegelgewand auf,
          Nehmend die Taue zusammen; für den doch werden wir sorgen. *Schw¹*
30: Wird er uns wohl die Verwandten und sämmtliche Schätze gestehen, *Schw¹*
33 nun] [doch] *Schw¹* **40** auch] [doch] *Schw¹* **48** und] [doch] *Schw¹* **53:** Wo zu Delphinen sie wurden; des Steuerers [aber] erbarmend, *Schw¹* **56:** Ich [doch] bin Dionysos der lärmende, welchen gebohren *Schw¹* **57:** *danach normaler Zeilenabstand mit Einzug Schw¹* **59:** Daß man süßen Gesang anordene, deiner vergeßend. *Schw¹*

IV. AUF DEMETER

(Vgl. »Nachträge« S. 569)

Benutzte Textvorlagen: Schw¹, Vo¹

BEARBEITUNGSANALYSE

Überschrift: [Hymnos] auf Demeter *Schw¹* [Hymne an] Demeter *Vo¹*
1–11: Von der umlockten Demeter, der heiligen, heb' ich Gesang an
          Von ihr selbst und der Tochter, der herrlichen, die Aïdoneus
          Einst entführt; ihm gab sie der donnernde Herrscher der Welt Zeus,
          Als von Demeter entfernt, von der goldenen, [Früchteverleihrin,]
          Sie mit Okeanos Töchtern, den [niedriggegürteten,] spielte,
          Und sich Blumen gepflückt, Saffran, und Violen und Rosen,
          Auf weichschwellender Au, Schwerdtlilien und Hyakinthos,
          Auch Narkissos, welchen zur Täuschung der rosigen Jungfrau

Gäa gesproßt, Zeus Willen gemäß, Polydektes zu Liebe,
Blühend [in] herrlichem [Glanz,] zur Bewunderung allen zu sehen,
So den unsterblichen Göttern [zugleich,] wie den sterblichen Menschen;

Schw¹

[Fromm der hehren Demeter, der lockigen,] heb' ich Gesang an,
Ihr und der Tochter [zugleich, der ragenden,] die Aïdoneus
[Raubete, denn sie gewährte] der donnernde Herscher der Welt Zeus,
Als [abwärts von Demeter, die fruchtreich prangt mit dem Goldschwert,
Jene, zum Spiele gesellt des] Okeanos [stattlichen] Töchtern,
Blumen sich [las, zu der] Rose [die schöne] Viol' [und den Krokos,
Auf weichrasiger Wies', und Agallis samt] Hyakinthos,
Auch Narkissos, [den zeugte zum Trug dem] rosigen [Mägdlein
Gäa, nach Zeus Rathschluß willfährig dem Gott Polydektes;
Wahrlich] ein [Wundergewächs, daß der Schau nun] alles [erstaunt war,
Ewiglebende] Götter [sowohl, als] sterbliche Menschen; *Vo*¹

12–21: [Dem] von der Wurzel [empor] auch [sproßeten] hundert [der Häupter;
Und von dem Duft strahlt' oben in lachendem Schimmer der Äther,
Gleich wie die Feste] der Erd' und das salzige Meeresgewässer.
Jene von Staunen erfüllt nun streckete hurtig die Hände
Nach dem ergötzlichen Spiel; doch auf that flugs sich die weite
Erd' in der Nysischen Flur, und es stürmet heraus Polydegmon,
Mit den unsterblichen Roßen, der Sohn des erhabenen Kronos.
Raubend [die] Sträubende [aber entführt] auf goldenem Wagen
Er [sie,] die Jammernde, [dann;] und sie schrie laut auf mit der Stimme,
Rufend zu Vater Kronion empor, zu dem Höchsten und Stärksten. *Schw*¹
Ihm [aus] der Wurzel [entstieg ein hundertkroniges Dickicht,]
Daß von dem Balsamduft ringsum der gewölbete Himmel,
[Rings auch] lachte die Erd', und [die] salzige [Woge des Meeres.
Sie] nun streckte die Händ' [in Bewunderung beide zugleich aus,
Langend zum schönen Ergez.] Doch weit auf [gähnte das Erdreich
Durchs nyseïsche Feld, wo hervor Polydegmon der König
Fuhr] mit unsterblichen Rossen, [des Zeus vielnamiger Bruder.]
Schnell [dann raft' er mit Zwang] sie [hinweg, und im] goldenen Wagen
Führt er die jammernde fort; und sie schrie [hellgellendes Lautes,]
Rufend [den] Vater [um Schuz, den gewaltigsten] höchsten Kronion. *Vo*¹

22–29: Und der Unsterblichen keiner, und keiner der sterblichen Menschen;
Hörte der Jungfrau Ruf, und der schönen Gespielinnen keine;
Außer des Perses Tochter allein, die [genädiggesinnte,]
Hekate, hörts in der Grotte, die weißumschleierte Göttin;

26

Helios ferner der König, der strahlende Sohn Hyperions,
Als zu dem Vater Kronion sie rief; der aber befand sich
Von den Unsterblichen fern in gebetdurchhalletem Tempel,
Herrliche Opfer empfangend vom sterblichen Menschengeschlechte. *Schw*[1]
Kein Unsterblicher [aber, auch nicht ein] sterblicher Mensch [wo]
Hörte [den Laut, noch selbst der befruchtenden Nymfen Gesellschaft.
Nur Persäos] Tochter [vernahm aus der Höhle Geklüft ihn,
Hekate, zärtliches Sinnes,] die [fein umschleiert] Göttin,
[Helios auch voll Macht, Hyperions glänzender Sprößling,
Wie] zu dem Vater Kronion [die Jungfrau] rufte. [Doch abwärts
Saß er, den Göttern entfernt,] in [des Anflehns wimmelndem] Tempel,
Herliche Opfer [empfahend] von sterblichen [Menschenkindern.] *Vo*[1]

30–39: [Jene] die Sträubende [aber entführt'] auf [Zeus Eingebung]
Dort ihr leiblicher Öhm, der gewaltige Fürst Polydegmon,
Mit den unsterblichen Roßen, des Kronos herrlicher Sprößling.
Während das Erdreich nun und den sternigen Himmel die Göttin
Schauete noch, und des Meers fischwimmelndes weites Gewoge,
So wie des Helios Licht, und noch sie die theuere Mutter
Hoffte zu sehn, und die Schaaren der ewiglichlebenden Götter,
Sänftigte Hoffnung noch ihr Herz, obgleich sie betrübt war.

- -

Und es erschallten die Gipfel der Berg' und die Tiefen des Pontos,
Von der unsterblichen Stimm', und die würdige Mutter vernahm sie. *Schw*[1]
    [So durch Zwang und Gewalt, nach Zeus] des Kroniden [Berathung,
Führte der Oheim selber,] der [mächtige] Fürst [Aïdoneus,
Sie] mit unsterblichen Rossen, [des Zeus vielnamiger Bruder.]
Während [nunmehr] noch [Erd' und Sterngewölbe des] Himmels,
Und des [erregeten] Meers fischwimmelnde [Fluten] die Göttin
Schaut' [im Strale der Sonn',] und hofte, die [sorgsame] Mutter
[Wiederzusehn,] und die [Stämme] der [ewig waltenden] Götter;
[Labt' ihr die] Hofnung [mit Kraft den erhabenen Sinn auch im Unmut.
Laut nun hallten] die Gipfel der Berg', und die Tiefen [der Meerflut.]
Von [dem] unsterblichen [Ruf;] und die [herliche] Mutter vernahm [ihn.] *Vo*[1]

40–46: [Und herznagender Kummer erfaßte sie,] und sie zerriß [rings]
Um die ambrosischen Locken den Hauptschmuck ganz mit den Händen,
[Und warf über] die Schultern [sodann sich den] dunkelen Schleier,
Und eilt' über das Land und die See wie ein Vogel im Fluge,
Suchend umher; doch [wollte die Wahrheit] keiner [derselben
Kündigen,] weder von Göttern, noch auch von den sterblichen Menschen;

27

Noch kam irgend ein Vogel heran als kündender Bote, *Schw*[1]
[Scharf] durchzuckte [der] Schmerz ihr [Inneres;] und sie zerriß sich
Um [das ambrosische Haar] mit [eigenen] Händen [die Schleier;]
Dann mit dunklem [Gewand'] umhüllte sie beide die Schultern;
Eilete [dann,] wie ein Vogel, [durch trockenes] Land und [Gewässer]
Suchend umher. Doch war kein einziger, der ihr Gewißheit
Meldete, weder [ein] Gott, noch [ein] sterblicher [Erdebewohner;
Auch kein] Vogel [erschien zu verkündigen sichere Botschaft.] *Vo*[1]

47–53: Neun Tag' [itzt durchirrte] die heilige Deo den Erdkreis
Ringsum, haltend in Händen die hellauflodernden Fackeln;
[Weder Ambrosia je, noch lieblichzutrinkenden] Nectar
[Kostete gramvoll sie,] noch gab sie die Glieder dem Bad hin.
Als ihr aber zum zehnten die leuchtende Eos erschienen,
Nahete Hekate ihr, mit der strahlenden Fackel in Händen,
Und sie begann [botschaftend] also [zu derselben und sagte:] *Schw*[1]
　　Schon neun Tag' umschweifte die [ehrfurchtwürdige] Deo
[Rings die Erd',] in [den] Händen [das Licht hellbrennender] Fackeln;
Nie mit Ambrosiakost und lieblichem Tranke des Nektars
Labte die Traurige sich, noch [senkte den Leib] sie [in Bäder.
Doch wie] zum zehnten ihr [jezt aufstieg] die [Erleuchterin] Eos,
[Kam] ihr Hekate [her, Lichtglanz] in [den] Händen [erhebend,]
Und ihr Kunde zu melden begann sie und redete also: *Vo*[1]

54–61: [Hehre Demeter, des Jahrs Zeitführerin, Seegenverleihrin,]
Wer von den Himmlischen oder den sterblichgebohrenen Menschen
Raubte Persephone weg, und kränkte dich tief in dem Herzen?
Denn ich hörte das Schrei'n, doch [sah] ich [es] nicht mit den Augen,
Wer es gethan; [schnell] aber [verkündigte alles genau wohl]

- -

　　So sprach Hekate da; doch nichts antwortete Rheia's
Tochter, der lockigen, ihr; [nein stürmete hurtig] mit dieser
[Dort weg, haltend] in Händen die hellauflodernden Fackeln. *Schw*[1]
　　[Herliche] Zeitigerin reichglänzender Gaben, Demeter,
Wer von den Himmlischen [doch, o wer von sterblichen] Menschen
Raubte Persefone [dir, dein theueres] Herz [so betrübend?]
Denn ich hörte [den Ruf;] doch nicht mit den Augen ersah ich,
Wer es gethan. [Wol meldet] dir [der umständlich die Wahrheit.]
　　So sprach Hekate [nun.] Doch nichts [drauf sagte zur Antwort
Sie,] der lockigen [Rhea Geschlecht; nein] schleunig mit [jener
Stürmte] sie [fort,] in den Händen [das Licht hellbrennender] Fackeln. *Vo*[1]

28

62–73 : [Helios fanden sie dann,] der auf Götter und Menschen herabschaut,
[Stellten sich] vor das Gespann, und es fragte die herrliche Göttin:
   [Achte, beym Auge! du mein,] o Helios, wenn ich dir jemals
Ob durch Wort', ob Werke das Herz in dem Busen erfreuet,
Das ich gebahr, mein Kind, das geliebteste, herrlich von Ansehn,
Heftiges Rufen vernahm ich den Äther hindurch von der Tochter,
Gleich als zwänge man sie; doch sah ich es nicht mit den Augen.
Aber, du schaust ja über die sämmtliche Erd' und die Meerflut,
Hoch von dem heiligen Äther herab mit den leuchtenden Strahlen;
Sag' es in Wahrheit, mein lieb Töchterchen, ob du gesehn hast,
Wer sie entfernet von mir hat wider ihr Wollen gewaltsam
Raubend entführt, von den Göttern, den himmlischen, oder den Menschen.

Schw [1]

Jezo dem Helios nah, der [Sterbliche spähet und] Götter,
[Standen] sie [dort] vor [den Rossen; da] fragt [ihn] die [heilige] Göttin:
   [Helios, bei dem Gesicht, gieb Ehre mir,] wenn ich dir jemals
Herz [und Sinn mit] Worten [erheiterte, oder mit Thaten.
Die] ich [als Tochter] gebar, [mein Trautestes,] herlich [an Bildung,
Davon hört' ich ein ängstlich Geschrei durch die Wüste des Äthers,
Wie wenn Gewalt sie ertrug;] doch nicht mit den Augen [ersah] ichs.
[Auf denn,] hoch ja herab [auf das Land rings und das Gewässer]
Schaust du [aus] heiligem Äther mit leuchtenden [Sonnenstralen,
Treuen Bericht von dem Kinde gewähre mir, wenn] du gesehn hast,
Wer, [da] entfernt [ich weilte, mit Zwang] sie [ergreifend] gewaltsam
[Weggeführt, ob ein Gott, ob ein sterblicher Erdebewohner.] *Vo* [1]

74–81 : Sprachs; es erwiederte aber darauf der Hyperionide:
Tochter der lockigen Rheia, Demeter, erhabene Herrin,
Kund sey dir's; denn innig verehr' ich dich, und [ich bedaure
Dich,] die der Gram um die Tochter [bewältiget;] keiner von allen
[Ist der die] Schuld hat, [außer] der Wolkenversammler Kronion,
Der sie dem Aïdes schenkte, dem leiblichen Bruder zum holden
Ehegemahl; [doch dieser entführte sie dir in die dunkle
Nacht mit den Roßen hinunter, die lautaufschreiende raubend. *Schw* [1]

   [Jene] sprachs. Drauf [gab Hyperions Sohn ihr die Antwort:
Du,] der lockigen Rhea [Geschlecht, ehrsame Demeter,]
Seis dir [gesagt;] denn [traun] dich [ehr'] ich [mit Scheu und Erbarmung,
Die du betrauerst dein Kind hochragendes Ganges. Doch niemand]
Hat deß Schuld, als einzig der [Gott im Donnergewölk Zeus,]
Der sie dem Aïdes [gab zur blühenden Lagergenossin,

29

Ihm] dem leiblichen Bruder; und [tief in das nächtliche Dunkel
Führt' er geraubt sie] mit Rossen [hinab,] die [ein lautes Ió hob.] *Vo1*

82–89: Doch den gewaltigen Zorn nun sänftige; nimmer geziemt dirs
Rastlos Groll zu bewahren umsonst; kein schimpflicher Eidam
Ist [ja] unter den Göttern der mächtige Fürst Aïdoneus,
Er dein leiblicher Bruder und Blutsfreund; [und er erlangte
Herrschaft, da] wie zuerst dreyfältige [Theilung geschehen;]
Deren Beherrscher zu seyn ward ihm, bey denen er wohnet.

Redete so, und die Roße ermuntert er; unter dem Zuruf
[Fuhren] den hurtigen Wagen sie schnell, wie geflügelte Vögel. *Schw1*
[Auf denn, stille den Gram, o Herscherin; nicht ja] geziemt dir
[Fort zu tragen den] Groll [ins Unendliche. Würdiger] Eidam
Ist dir unter den Göttern der mächtige Fürst Aïdoneus,
Er [durch Blut und Geburt ein verbrüderter.] Königsehr' auch
[Hat er geloost, da] zuerst [dreifach dies alles] getheilt ward:
[Denen wohnt er gesellt, die das Loos zu beherschen ihm darbot.

Dieses gesagt, laut mahnt er] die Ross' [an; und vor] dem Zuruf
[Raften sie flugs das Geschirr,] wie [breitgeflügelte] Vögel. *Vo1*

90–97: [Ihr doch drang in das Herz weit schärferer, ärgerer Kummer.]
Zürnend [sofort] anjetzo dem schwarzumwölkten Kronion
Eilte sie, ganz von der Götter Verein aus dem weiten Olympos
Scheidend hinweg, zu den Städten und blühenden Fluren der Menschen,
Lange die göttliche Bildung verheimlichend; keiner der Männer
Kannte sie sehend, und keine der [niedriggegürteten] Frauen,
Ehe bevor sie [gekommen ins Haus] des verständigen Keleus,
[Welcher der Fürst da war] in [der opferumdampften] Eleusis. *Schw1*
[Doch graunhafterer Schmerz und ergrimmterer drang in die Seel' ihr.
Unmutsvoll nun] zürnend dem schwarzumwölkten Kronion,
[Von der Unsterblichen Rathe getrennt und] dem [hohen] Olympos
[Schied sie] zu Städten der Menschen hinweg [und fruchtbaren Äckern,
Ihre Gestalt] lang [hüllend in Schwächlichkeit.] Keiner der Männer
Hätte sie schauend erkannt, noch] der tiefgegürteten [Weiber,]
Ehe [zu Keleos Hause, des weisheitsvollen, sie ankam,]
Der damals in Eleusis, der [duftenden,] herschte [mit Obmacht.] *Vo1*

98–104: Neben den Weg [doch] setzte sie sich, Gram tragend im Herzen,
Bey dem Parthenischen Born, wo die Stadt sich holet das Wasser,
Nieder im Schatten, (es wuchsen des Ölbaums Äste darüber,)
Gleichend von Ansehn einer betageten, die vom Gebähren
Fern schon ist, und den Gaben der lieblichen Aphrodite,

So wie die Ammen der Kinder gesetzausübender [Herrscher]
Sind, [und] die Schaffnerin [auch] in den hallenden Königspallästen. *Schw¹*
    [Nahe] dem Weg nun [saß] sie, [das] Herz [voll großer Betrübnis,
Dort auf dem Jungfraunbrunnen, woher sich schöpften die Bürger,
Unter dem schattigen Laube des frisch aufsteigenden] Ölbaums,
[Ähnlich der Greisin an Wuchs, der] Betageten, die [des] Gebärens
[Jahre verlebt,] und die Gaben der [schön gekränzeten Kypris,]
So wie die Amme der Kinder gesezausübender Fürsten,
    [Und] wie die Schafnerin ist in den hallenden [Räumen der Wohnung.] *Vo¹*

105–111 : Sie nun [sahen die] Töchter des Eleusinischen Keleus,
    Welche zum lieblichen Born hereileten, Wasser zu holen
Heim in den ehernen Krügen, zum theueren Vaterpallaste.
(Vier, gleich Göttinnen [alle, der Jugend] Blüthe [besitzend,]
Demo, Kallidike und Kleisidike [ferner,] die holde,
So wie Kallithoë, welche die älteste war von den Schwestern)
Und sie erkannten sie nicht, schwer kennet die Götter ein Mensch ja; *Schw¹*
[Die sahn] Keleos Töchter, [des herlichen Sohns von Eleusis,
Die zu des Schöpfbrunns Flut herwandelten, daß sie sie trügen
In erzblinkenden Lasen zum traulichen Hause des Vaters,]
Vier, [wie] Göttinnen schön, jungfräuliche Blüte bewahrend,
Demo, Kallidike auch, und Kleisidike, [reizender Bildung,
Auch] Kallithoë [dann, die] die älteste war [vor den andern;]
Und nicht [kannten] sie [jene, denn] schwer [schaun] Menschen [die
                                                    Gottheit.] *Vo¹*

112–117 : [Und sie begannen zu ihr, nahstehnd,] die geflügelten Worte:
    Wer und woher doch bist du, o Weib, von der Zahl der Betagten?
Was doch hältst du dich fern von der Stadt auf, gehst zu den Häusern
Nicht [auch hin,] wo [der] Frauen in schattigen Wohnungen [viele]
Solche, wie du jetzt bist, und jüngere [werden gefunden,]
Die wohl gerne mit Wort und mit That dir Liebes erzeigten. *Schw¹*
Nah ihr traten sie nun, die geflügelten Worte beginnend:
    Wer und woher, o [Greisin des älteren Menschengeschlechtes?
Warum wandeltest du] von der Stadt fern, [ohne] den Häusern
[Anzunahn?] wo [Weiber] in schattiger Kühle der [Kammern,
Gleich an Jahren dir selbst,] und jüngere, leben gemeinsam,
Die wol Liebes dir [thun,] mit Worten [sowohl, wie] mit Thaten. *Vo¹*

118–122 :   Redeten so, und es sprach antwortend die heilige Göttin:
    Töchterchen, wer auch irgend ihr seyd von den blühenden Frauen,
Seyd mir gegrüßt; euch will ich es [kündigen;] nicht [unziemlich]

Ists, auf euere Fragen die Wahrheit euch zu verkünden.
Deo so heißt mein Name; die Mutter [ja] gab mir [denselben.] *Schw*[1]
   [Also] redeten [sie; drauf] sprach die [gebietende Göttin:
Kinderchen,] wer ihr [auch] seid von [zartgebildeten Weibern,
Freude zum Gruß!] Euch [sei] es [verkündiget. Wohl ja geziemt es,
Euch den fragenden hier] zu [verkündigen lautere] Wahrheit.
[Dois,] so heißt mein Nam'; ihn gab mir die theuere Mutter. *Vo*[1]

123–127: Jetzo von Kreta über den mächtigen Rücken des Meeres
Komm' ich [jedoch,] nicht [gern,] es [entführeten] aber gezwungen
[Räuber hieher] mit Gewalt mich [sträubende;] diese nun [fuhren
Dann mit] dem hurtigen Schiff [nach] Thorikon, wo die gesammten
Weiber ans Land ausstiegen sofort, und die Räuber mit ihnen.
_ *Schw*[1]
Jezo von Kreta's [Fluren auf weitem] Rücken des Meeres
Kam ich daher nicht [wollend; mit trozigem Zwange gewaltsam]
Führten mich Männer hinweg, seeräubrische. Diese nun endlich
Lenkten das hurtige Schif gen Thorikos: [alle] gesamt [dort
Traten] die Weiber [hinaus auf das Trockene, und auch sie selber.] *Vo*[1]

128–134: [Machten] das Essen [zurecht bey dem] Hinterverdecke des Schiffes;
Mir [doch] sehnte das Herz sich nicht nach lieblicher Speise;
Sondern geheim fortrennend indeß auf der Feste des Landes
Floh ich hinweg von den schnöden [Bewältigern, daß] sie [mit mir] nicht,
Mich ungekaufte verkaufend, [Gewinn sich möchten erwerben.
So denn kam ich] hieher [als Irrende, ohne zu wissen,]
Was für ein Land dies ist, und welcherley Menschen darin sind. *Schw*[1]
[Kost dann rüsteten sie] an [den haltenden Seiten] des Schiffes.
[Doch nicht fühlt ich Gelust nach mutauffrischender Nachtkost;]
Sondern geheim fortrennend [durch dunkelscholliges Erdreich]
Floh ich die [stolzen] Gebieter, damit nicht, [wenn sie umsonst mich
Weggehaschte verkauften, von mir sie genössen den] Vortheil.
Also gelangt ich verirrte zulezt hieher, und ich weiß nicht,
[Welcherlei] Land dies [sei, und was hier leben für Männer.] *Vo*[1]

135–144: Euch doch mögen die Götter, Olympischer Höhen Bewohner,
Jugendgemahle verleihen, und daß ihr Kinder gebähret,
Wie es die Eltern sich wünschen; dagegen erbarmt euch Jungfraun
Meiner mit gütigem Herzen, o Töchterchen, bis ich gelange
In die Behausung von Mann und Frau, wo ich ihnen die Arbeit
Thue mit Sorgfalt, was es für ältere Weiber zu thun giebt.
Wohl ja ein Kind, das eben zur Welt kam, würd' ich im Arme

Schön aufziehn als Wärtrin, und Obacht haben im Hause;
Und ich besorgte das Lager der Herrschaft auch in dem Innren
Ihres Gemachs, und lehrte die Weiber die Fraunarbeiten. *Schw*[1]
Euch [nun] mögen [gesamt der] olympischen Höhen Bewohner
[Blühende] Jugendgemahle verleihn und [Kindererzeugung,
Ganz nach] der Eltern [Begehr! Doch] mein, [o Mädchen,] erbarmt euch
[Freundliches Sinns, Kindlein,] bis [wo zu dem Haus'] ich gelangt [sei
Eines] Manns und [Weibes, zu fertigen] ihnen die Arbeit
[Willig, so viel arbeiten ein] Weib [kann ferne der Jugend.]
Wol als [Amm'] in den Armen [ein neugeborenes Knäblein
Möcht'] ich [geschickt] aufziehn, [auch wol vorstehen dem Haushalt,
Wol auch möcht'] ich das Lager [im Innersten fester] Gemächer
[Betten dem Herrn und wol auch Arbeit] lehren den Weibern. *Vo*[1]

145–155: Redete so; doch hurtig erwiederte dieser die Jungfrau
Drauf, die Kallidike, unter des Keleus Töchtern die schönste:
Mütterchen, was uns die Götter verleihn, das müßen wir Menschen
Tragen, wie sehr's auch kränkt; weit mächtiger sind sie wie wir ja.
Dies doch will ich dir alles verkündigen, und dir die Männer
Sagen in unserer Stadt, bey welchen die Herrschergewalt ist,
Und die dem Volk vorstehen, und unserer Stadt Ringmauern
Schirmen mit ihren Beschlüßen und gradausgehendem Rechte.
Dies ist erstlich der weise Triptolemos, zweytens Dioklos,
Polyxeinos sodann, und der edele Fürst Eumolpos,
Dolichos ferner, und endlich der treffliche Vater von uns auch. *Schw*[1]
[Jene sprach's; drauf wieder begann] die [unsträfliche] Jungfrau,
[Keleos blühende Tochter Kallidike, schön vor den andern:
Mutter,] was Götter verleihn, wie sehr [wir trauren, mit Zwang doch
Dulden] wir Menschen [es aus; denn weit vorwaltende sind sie.
Deß nun werd' ich genau dich verständigen, und dir benamen
Jeglichen Mann, der hier die obere Würde der Macht hat,
Und im Volk vorragt, und unsere Zinnen der Festung
Weiß zu schüzen durch Rath und geradurtheilenden Ausspruch:
Wo des Triptolemos weise Gewalt ist, und des Diokles,
Sein, des Polyxenos auch, und des weidlichen Manns Eumolpos,
Auch des Dolichos noch, und unseres edlen Erzeugers.] *Vo*[1]

156–159: Diesen zumal nun walten Gemahlinnen herrschend im Hause,
Deren gewiß nicht eine, sogleich beym ersten Erblicken,
Dein Aussehen verachtend, [vom Hause] dich würd' [entfernen;]
Sondern sie nähmen dich auf; denn traun gottähnlich ja bist du. *Schw*[1]

Diesen [gesamt wirtschaften vermählte Fraun in der Wohnung.
Keine davon wol möchte,] sogleich bei [der] ersten [Erscheinung
Deine Gestalt misachtend, den Hauseingang] dir [verweigern;
Nein] dich nehmen sie auf; denn [Göttinnen gleichst du von Ansehn.] *Vo¹*

160–168: Willst du jedoch, so verweile, damit wir zum Hause des Vaters
Kehren zurück, und dies Metaneira unserer Mutter
Alles genau [umständlich] verkündigen, ob sie vielleicht dich
Heißet zu uns eingehn, nicht andere [Wohnungen] suchend.
Ihr ist aber ein Knäbchen, in späteren Jahren geborhen,
In dem vortrefflichen Haus, das ersehnte, inniggeliebte.
Wenn du ihr das aufzögst, und es käm' in die Jahre des Jünglings,
Da wohl möchte dich manche fürwahr von den sämmtlichen Weibern
Preisen beglückt; so [vieler Erziehlohn würde dir werden.] *Schw¹*
Willst du [aber,] so [bleib; daß] wir zu [dem] Hause des Vaters
[Erst hingehn,] und [der] Mutter [in köstlichem Gurt] Metaneira
Alles [dies umständlich] verkündigen; ob sie vielleicht dich
Heißt [einkehren bei] uns, nicht Obdach suchen bei andern.
Ihr [im festen Gemach wird ein Sohn des höheren Alters
Aufgenährt, ein erflehter und sehr willkommener Spätling.]
Wenn du [diesen erzögst, und der Jugend Ziel er erreichte;
Traun] wol möchte dich manche [der zartgebildeten] Weiber
[Schauen mit Neid;] so reichlich belohnte sie dir die Erziehung. *Vo¹*

169–173: [Redete so,] und es nickte die [Himmlische; aber] die Mädchen
Trugen [mit Wasser] gefüllt, [stolz brüstend] die blinkenden Eimer.
Und zu des Vaters Pallast schnell kamen sie, sagten der Mutter
Hurtiglich, wie sie es sahen und höreten; diese befahl nun
Ihnen, geschwind hingehnd um gewaltigen Lohn sie zu rufen. *Schw¹*
[Drauf winkt' ihr mit dem Haupte die Herscherin. Jen'] an [dem]
Brunnen
Füllten [die blanken Geschirr'] und trugen sie [üppiges Mutes.
Rasch] zu [dem Vaterpalast enteilten] sie, [wo sie] der Mutter,
[Was] sie gesehn und gehört, [schnell meldeten;] diese [gebot dann
Schleunig zu gehn, und die Fremd'] um [unendlichen] Lohn zu [berufen.]
Vo¹

174–178: [Diese jedoch,] wie die Kälbchen, wie Hirsch' in den Tagen des Frühlings
Springen umher auf Wiesen, gesättiget reichlich mit Futter,
[So jetzt] hüpften, [die Falten des herrlichen Schleiers erhebend
Über] den Fahrweg [hurtig die Mägdelein,] und um die Schultern
Flatterten ihnen die Locken, der Saffranblüthe vergleichbar. *Schw¹*

34

Jene, wie [Hindinnen oft und mutige Kälber] im Frühling
[Hüpfen vor Lust] auf der Wies', [herzlabender Weide] gesättigt,
Also, die Säum' aufhebend der zierlichen feinen Gewänder,
[Stürmten sie] fort [in dem Gleise] des Fahrwegs; und um die Schultern
[Wehten die Haar' im Fluge, der Krokosblume] vergleichbar. *Vo[1]*

179–183: Und an dem Weg noch fanden die Göttin sie, [wo sie dieselbe
Hatten gelassen,] und führten zum theueren Vaterpallast sie
Heim dann; hinter denselben jedoch, Gram tragend im Herzen,
Schritt sie, von oben bis unten verhüllt, und der dunkle Peplos
Wallte herab bis rings um die herrlichen Füße der Göttin. *Schw[1]*
[Nahe] dem Weg' [annoch,] wie zuvor, die [gepriesene] Göttin
Fanden sie. [Jezo voran] zum [traulichen Hause des Vaters
Gingen sie ihr, die folgend, das] Herz [voll großer Betrübnis,
Dichtumschleiertes Haupts nachwandelte; und das Gewand floß
Dunkelschwarz, und umwallte] die [ründlichen] Füße der Göttin. *Vo[1]*

184–189: [Schnell] nun kamen sie hin zu des göttlichen Keleus [Behausung,]
Giengen die Halle hindurch, wo die würdige Mutter derselben
Saß dicht neben dem Pfosten des [trefflichgezimmerten] Saales,
Haltend [das Knäbchen] am Busen, den [Neuling;] diese nun liefen
Hin, doch jene betratt mit dem Fuße die Schwell' und zur Decke
Ragte das Haupt, und sie füllte mit göttlichem Glanze die Thüre. *Schw[1]*
    Bald [erreichten] sie nun des [gesegneten] Keleos Wohnung,
[Eileten dann durch] die Halle [dahin] wo die [herschende] Mutter
[Ihnen] saß [an] der Pfoste des wohlgebühneten Saales,
Haltend ihr Kind [im] Busen, das blühende; [und zu der Mutter]
Liefen [sie. Jezt trat] jene [zur] Schwell' [auf; sieh, und den Balken
Rührt' ihr] Haupt, und sie füllte mit göttlichem [Schimmer den Eingang.]
                                                        Vo[1]

190–196: Ehrfurcht aber ergriff und erbleichende Angst Metaneira;
Und sie erhub sich vom Sessel, und nöthigte jene zum Sitzen.
Aber Demeter, [des Jahrs Zeitführerin, Gebrin der Früchte,]
Wollte sich nicht hinsetzen aldort auf [glänzendem] Sessel;
Sondern sie blieb, demüthig, die herrlichen Augen gesenket,
Bis den gezimmerten Stuhl ihr die sinnige Magd Iambe
[Stellte dahin,] und darüber ein schneeiges Vließ ihr gebreitet. *Schw[1]*
[Dort von Erstaunen gefaßt, voll Scheu und bleichen Entsezens,
Wich ihr die Frau] vom Sessel, und nöthigte jene zum [Ausruhn.]
Aber die Zeitigerin reichglänzender Gaben Demeter
Wollte nicht [annehmen den Siz] auf dem schimmernden Sessel,

Sondern [verstummt dort] blieb sie, die [lieblichen] Augen gesenket;
Bis ihr [endlich Iambe, die Dienerin, treu und sorgsam,
Stellte] den Stuhl, [und deckte mit silberflockigem Schafvließ.] *Vo*[1]

197–205: Sitzend darauf nun hielt mit der Hand sie den Schleier vor's Antlitz;
Lang [doch] blieb sie verstummt und in Gram dort sitzen am Platze,
[Und sie] begegnete keinem mit freundlichen Worten [und] Werken,
Sondern sie saß, nicht lächelnd, der Speis und des Tranks sich enthaltend
Stille, von Sehnen verzehrt um die [niedriggegürtete] Tochter,
(Bis mit [verzogenen] Mienen die sinnige Magd Iambe
Allerley [Spottwerk] treibend die heilige, hehre, vermochte
Heiter zu schaun und zu lachen und fröhlich zu seyn in dem Herzen;
Die auch später dem Herzen der Himmlischen theuer geblieben.) *Schw*[1]
[Alda sezte sie sich,] mit der Hand [vorhaltend] den Schleier.
Lang' [ohn' einigen Laut auf dem Stuhl hier saß sie bekümmert,
Weder] mit Wort noch [That Zutraulichkeit einer gewährend;
Nein unerfreut, ungelabt von] Speise [sowohl wie Getränke,]
Saß sie, [verschmachtend in Gram] um die schöngegürtete Tochter;
Bis [sie mit Scherzen Iambe, die Dienerin, treu und sorgsam,
Viel mutwilliges redend, bewog, die lautere Göttin,]
Heiter zu [sein,] und zu lachen, [im Geist huldreiche Gesinnung:]
Die auch [jährlich hinfort ihr gefiel bei festlicher Feier.] *Vo*[1]

206–211: [Doch] Metaneira [gab] den Pokal voll lieblichen Weines
Ihr; [sie verweigert ihn aber,] es ziem' ihr, [sagte] sie, nicht [ja]
Purpurnen Wein zu genießen, und hieß ihr dagegen zum Tranke
Wasser und Gerste zu reichen, vermischt mit dem zarten Poleye.
Die nun macht' es und reicht es der Himmlischen, wie sie befohlen;
[Und sie] empfiengs [und erlangte den Festbrauch, Deo die hehre.] *Schw*[1]
Ihr [nun bot] den Pokal voll lieblichen Weins Metaneira.
[Aber] sie winkt' ihn hinweg; denn nicht ihr, sprach sie, geziem' es,
[Purpurwein zu empfahn. Doch Mehl] und Wasser [gebot sie,
Angemengt] mit zarter Polei, ihr zum [Trunke] zu [geben.
Jene mischt'] und reichte der [Herscherin,] wie sie [verlanget.]
Also empfing ihr Geweihtes zuerst die erhabene Deo. *Vo*[1]

212–217: [Unter denselben] begann [nunmehr] Metaneira [die Worte:
Gruß] dir, o Weib, nicht [hoff ich,] von [niederen] Eltern entstammst du,
Sondern von [guten vielmehr; traun Ehrfurcht] wohnet und Anmuth
Dir in den Augen, [so] wie bey den rechtaustheilenden Herrschern.
Was uns aber die Götter verleihn, das müssen wir Menschen
Tragen, wie sehr's auch kränkt; da das Joch uns liegt auf dem Nacken.
Schw[1]

36

[Jezo] begann die Fürstin [in] köstlichem [Gurt] Metaneira:
Heil dir, o Weib! nicht dünkst [du] mir [ja] von niedrigen Eltern,
[Nein] von edlen entstammt; denn [es glänzt] in den Augen dir [Anstand
Und einnehmender Reiz,] wie [gesezausübenden] Herschern.
Aber was Götter verleihn, wie sehr [wir trauren, mit Zwang doch
Dulden] wir Menschen [es aus;] uns lieget das Joch auf dem Nacken.

Vo[1]

218–223: Doch da du hier nun bist, soll alles dir seyn wie es mir ist.
[Doch] dies Knäbchen erziehe, das spät und ganz unverhofft mir
Haben die Götter [verliehen,] und das mir so innig erwünscht ist.
Wenn du mir dies aufzögst, und es käm' in die Jahre des Jünglings,
Da wohl möchte dich manche fürwahr von den sämmtlichen Weibern
Preisen beglückt; so [vieler Erziehlohn würde] dir [werden.] *Schw[1]*
[Jezt,] da du [hieher kamst, wird] dir, [was mir selber, gereicht] sein.
[Pflege des Sohnes mir nur, des Spätlings, den] unverhoft [nun
Selige] Götter geschenkt, und [der] mir [herzlich] erwünscht ist.
Wenn du diesen [erzögst,] und [der Jugend Ziel er erreichte,
Traun] wol möchte dich manche der [zartgebildeten] Weiber
[Schauen mit Neid;] so reichlich belohnt' ich dir die Erziehung. *Vo[1]*

224–230: Ihr antwortete aber die schönumkränzte Demeter:
[Gruß] auch dir, o [du] Weib; und [schenken dir Seegen] die Götter!
[Doch] dein Knäbchen [empfang'] und [erzieh] ich dir, wie du verlangest,
Gern; [und] ich [denk'] ihm [wird] durch mangelnde Sorge der Wärtrin
Keine Bezauberung schaden, und keins von den bösen Gewächsen,
Da mir ein Mittel dagegen bekannt weit stärker wie Waldkraut,
Und ich den trefflichsten Schutz vor der bösen Bezauberung kenne. *Schw[1]*
Ihr [nun sagte dagegen] die [schöngekränzte] Demeter:
Dir auch, o Weib, viel Heil, und segnende Gnade der Götter!
Gern dein [Kind hier will ich empfahn, und,] wie du verlangest,
[Auferziehn. Nicht,] hoff' ich, durch [unsorgfältige Wartung,
Wird je hämischer Bann ihn beschädigen, noch ein Gewürz auch.
Weiß ich ja doch Heilwurz,] weit [kräftiger, als die Verderbwurz;
Auch den gefährlichsten Bann wirksam zu bewältigen weiß ich.] *Vo[1]*

231–238: Also redete sie, und nahm's an den duftigen Busen,
In den unsterblichen Arm, [und es] freut' [in dem Herzen] die Mutter.
So [nun] pflegte dieselbe [den Sohn] des [verständigen] Keleus,
Ihn den Demophoon, den Metaneira hatte gebohren,
Sorgsam in dem Pallast; und er wuchs wie ein Gott in die Höhe,
Nichts von Speise genießend, gesäugt nicht, sondern Demeter

Rieb mit Ambrosia ihn, wie ein götterentsprossenes Knäbchen,
Sanft mit dem Mund anhauchend dabey und ihn hegend am Busen; *Schw*[1]
   Also [sprach] sie, und nahm [in das duftende Busengewand ihn,
Und die] unsterblichen [Hände;] da freute sich herzlich die Mutter.
So den Demófoon [nun,] des Keleos [glänzenden] Sprößling,
Ihn, den geboren [die Fürstin im köstlichen Gurt] Metaneira,
[Pflegete jen'] im Palast; und er wuchs, wie ein [himmlischer Dämon,
Weder] von Speise [genährt, noch saugend die Brust. Doch des Tages
Salbte sie] ihn [oftmals] mit Ambrosia, [gleich] wie ein [Gottkind,
Liebliche Kraft] anhauchend, und [sanft im] Busen ihn [haltend;] *Vo*[1]

239–247: Nachts doch steckte sie gleich wie den Holzbrand ihn in das Feuer,
Ganz vor den Eltern geheim; doch selbigen war es ein Wunder,
Wie er so rasch aufwuchs, und den Himmlischen ähnlich zu schaun war.
Sie [nun] macht' ihn gewiß zum Unsterblichen, frey von dem Alter,
Wenn nicht einst Metaneira, bethört in dem Wahne des Herzens,
Während der Nacht auflauernd, hervor aus ihrem Gemache
Schauete; laut [doch schrie] sie [empor] und schlug an die Hüften,
Wegen des Kindes entsetzt, und war voll Schrecken im Herzen;
Und sie erhub wehklagend [also] die geflügelten Worte: *Schw*[1]
Nachts [dann barg sie in Gluten des Heerdes ihn, ähnlich dem Glimmbrand,
Heimlich] vor [Vater und Mutter. Und groß däucht' ihnen das] Wunder
Wie er so [herlich erwuchs; denn] Himmlischen [glich er von Ansehn.]
Ja unsterblich [gemacht] ihn [hätte] sie, [und unveraltend,]
Wenn nicht [thörichtes Sinnes die edle der Fraun] Metaneira,
[Nächtlich einmal auflauschend,] hervor aus [der duftenden Kammer]
Schauete. [Hell nun schrie] sie, und [beide sich] schlug [sie] die Hüften,
[Bang um] das [trauteste] Kind, [und ganz wie zerrüttetes Geistes;]
Und [mit jammerndem Laut] die geflügelten Worte [begann] sie: *Vo*[1]

248–255:   Dich o Demophoon birgt in gewaltigem Feuer die Fremde,
Theueres Kind, und [erfüllt mit] Jammer [und schrecklichem Schmerz
                               mich.
So wehklagete die,] und die herrliche Göttin vernahm sie.
Aber erzürnt dann legte die schönumkränzte Demeter
Ihr lieb Kind, das ganz unverhofft im Pallast sie geboren,
Mit den unsterblichen Händen sogleich hinweg auf den Boden.
Aus dem umhüllenden Feuer, im Innersten heftig erzürnet;
Und sie begann alsbald zu der herrlichen Metaneira: *Schw*[1]
   Kind Demofoon [ach, wie] die Fremd' in [mächtiger Glut] dich
Birget, und mir [Wehklag'] und [traurigen Kummer] bereitet!

Also rief sie [bethränt; sie] vernahm die [erhabene] Göttin.

[Und voll Zornes entbrannte] die [schöngekränzte] Demeter,

[Daß sie den Sohn, den jen'] unverhoft im Palaste geboren,

[Schnell] mit unsterblichen Händen [von sich] auf [die Erd' hinlegte,

Da sie der Glut ihn entraft, im eifernden Grimme des Herzens;]

Und [so sprach] sie [zugleich] zur [edlen der Fraun] Metaneira: *Vo*[1]

256–259:   Thörigte Menschen, ihr ganz Blödsinnigen, weder des Guten

Schickung, weder des Bösen erkennet ihr, wann sie herannaht.

So hast du dir anjetzt durch Thorheit mächtig geschadet.

Denn dies zeuge mir Styx, der Unsterblichen heiliger Eidschwur: *Schw*[1]

[Alberne Söhne des Staubs, unkundige,] weder [ein] Gutes

[Das vom Geschick annaht, zu beherzigen,] weder [ein] Böses!

[Du auch mit thörichtem Thun hast unheilbar dich beschädigt.]

Denn, [bei der Ewigen Schwure, der Styx unfreundlichen Wassern,] *Vo*[1]

260–264: Ja unsterblich fürwahr und frey von dem Alter für immer

Hätt' ich den Sohn dir gemacht, und ihm ewige Ehre verliehen;

Jetzt doch gehts nicht, daß er dem Tod und den Keren entrinnet;

[Ewige] Ehre [jedoch, die] bleibet ihm, weil er gesessen

Hat auf unseren Knie'n, und in unseren Armen geschlummert. *Schw*[1]

[Selbst Unsterblichkeit traun, und niemals alternde Jugend,]

Hätt' ich [dem Kinde geschenkt, und Ehr' unvergänglicher Dauer.]

Jezt [unmöglich] entrinnt er dem Tod' und [dem grausen Verhängnis;

Doch] unvergängliche Ehre [begleitet ihn,] weil er [auf meinem

Schooße zu sizen vermocht] und [mir] in [den] Armen geschlummert.

Vo[1]

265. 266: [Drum mit der Jahrszeit Kehr, in dem Kreislauf rollender Jahre,

Werden Eleusis Söhne Gefecht und gewaltigen Schlachtkampf

Ihm stets unter einander begehn durch ewige Zeiten.]

Ich [doch] bin Demeter, die [heilige,] welche [der größte

Nutz] und Seegen den Göttern [und sterblichen] Menschen [geworden.]

Schw[1]

[Ihm in dem Zeitmaß aber, nach rollender Jahre Vollendung,

Werden Eleusis Söhne zu Krieg und gräßlichem Aufruhr

Stets durch heimische Rotten gewirrt sein alle die Tage.]

Siehe, Demeter bin Ich, die [geehrteste,] welche den Göttern

So wie den Menschen [zumeist Labsal und mutige Freud' ist.] *Vo*[1]

267–271: Aber wolan mir baue den mächtigen Tempel, und drinnen

Einen Altar, dies Volk, in der Nähe der Stadt und der Mauer,

Über Kallichoros Quell, dort auf dem erhabenen Hügel.

39

Selbst [doch werd'] ich euch lehren die Orgien, daß ihr sodann mir
Heiliger Weise die Opfer begehnd das Gemüth aussühnet. *Schw* [1]
[Auf, ein erhabener] Tempel [nunmehr] und drin ein Altar [sei]
Mir [vom] Volke [gebaut, an] der Stadt und [ragenden] Mauer,
Über Kallichoros [Born,] auf dem [steil vorlaufenden] Hügel.
[Dann verordn'] ich selber die Orgien, daß [in der Zukunft]
Ihr [nach] heiligem [Brauche das Herz] mir [sühnet mit] Opfern. *Vo* [1]

272–277:   Also sagte die Göttin, und wandelte Größ' und Gestalt um,
Streifend das Alter sich ab, und rings umhauchte sie Schönheit,
[Und ein erquicklicher Duft] von dem [wohlruchspreitenden] Peplos
[Wirbelte; aber] der Glanz vom unsterblichen Leibe der Göttin
Strahlete weit; und die Schultern [umflatterte blondes Gelock rings,]
Und es erfüllte das Haus Lichtglanz, wie vom Strahle des Blitzes; *Schw* [1]
Also sagte die Göttin, und wandelte Größ' und Gestalt um,
[Schnell aus dem] Alter [enthüllt,] und [ringsum athmete] Schönheit.
Anmutsvoller Geruch von [den] süßdurchdufteten [Kleidern
Breitete sich,] und [fern] vom unsterblichen Leibe der Göttin
[Leuchtete Glanz,] und Locken wie Gold umblühten die Schultern,
Und [durch das dichte Gemach fuhr blendender] Stral, wie des Blizes.
                                                              Vo [1]

278–280: Und sie begab sich hinweg; der [lößten sich aber] die Kniee.
Lang dann blieb sie verstummt und starrete, [und] sie gedachte
Nicht von dem Boden zu nehmen das spätergebohrene Knäblein. *Schw* [1]
[Jezt aus dem Haus' hin ging sie.] Doch ihr dort wankten die Kniee;
Lange verstummt dann blieb sie und [lautlos,] nicht [auch des Sohnes
Dachte sie, daß] von der Erde den theuren Spätling sie aufhub.] *Vo* [1]

281–285: Aber die Schwestern vernahmen die [klagende] Stimme desselben;
Und von dem Lager geschwind aufsprangen sie; eine sogleich nun
Nahm in die Arme das [Knäbchen,] und legt es sofort an den Busen;
Feuer beschickte die zweyte, geschwind [doch] rannte die dritte,
Wegzugeleiten die Mutter vom duftdurchwalleten Saale. *Schw* [1]
Aber die Schwestern vernahmen die klägliche Stimme [des Knäbleins;
Sieh' und den schwellenden Betten entsprangen sie;] eine sogleich [dann]
Nahm in die Arme das Kind, und [bargs in den Schooß des Gewandes;
Die] dort [zündete Glut; die flog mit niedlichen Füßen,
Daß sie] die Mutter [geweckt herrief' aus der duftenden Kammer.] *Vo* [1]

286–292: Aber das zappelnde Kind dann wuschen sie, ringsherstehend,
Ihm liebkosend zumal; doch [sänftigt'] es nicht [das Gemüth ihm;]
Denn weit schlechtere Ammen und Wärtrinnen pflegten es jetzo.

40

Sie nun sühnten die Nacht hindurch die erhabene Göttin,
Ganz durchschüttelt von Angst; doch gleich beym Erscheinen des Früh-
roths
Sagten sie alles genau [dies] an dem gewaltigen Keleus,
Wie es die Göttinn befohlen, die schönumkränzte Demeter. *Schw* [1]
[Jezo badeten sie den] zappelnden [alle versammelt,
Und] liebkoseten [sehr;] doch nicht zu besänftigen war [er;]
Denn [traun] schlechtere Ammen und [Pflegrinnen warteten seiner.

Ganz] die Nacht [durch] sühnten sie nun die [gepriesene] Göttin,
[Voll herzklopfender] Angst, doch [sobald aufschimmerte Eos,]
Alles dem Keleos [nun,] dem gewaltigen, sagten sie [wahrhaft,]
Wie es die Göttin [geboten,] die [schöngekränzte] Demeter. *Vo* [1]

293–295: Dieser [berief dann] gleich [die verschiedenen] Völker zum Markte,
Und der umlockten Demeter den stattlichen Tempel zu bauen
Hieß er sie, und den Altar dort auf dem erhabenen Hügel. *Schw* [1]
Dieser versammelte [stracks] unzählbares Volk, und [befahl dann,
Daß] der [gelockten] Demeter sie dort den stattlichen Tempel
Baueten, und den Altar, auf dem [steil vorlaufenden] Hügel. *Vo* [1]

296–301: [Diese gehorchten geschwind und befolgeten seine Befehle,]
Bauten [es, wie er befahl,] und [es] wuchs durch göttliche [Fügung.
Doch] nachdem sie's [gemacht,] und [die] Arbeit [hatten geendigt,]
Giengen sie [jeder nach Haus;] doch [sie] dort [nieder sich lassend,
Fern] von den Seeligen allen, die [blondumlockte] Demeter,
Blieb, [von dem] Grame [verzehrt] um die [niedriggegürtete] Tochter.
Schw [1]

Jene bewilligten schnell, und gehorsam seiner Ermahnung
Bauten sie nach [dem Gebot; und den Bau hub Segen der Gottheit.]
Aber nachdem sie vollendet, und Rast nun hatten der Arbeit,
Gingen sie [all' heimwärts.] Doch die goldumlockte Demeter,
Dort einnehmend den Siz, von den Seligen allen gesondert,
Blieb sie, verschmachtend in Gram um die schöngegürtete Tochter. *Vo* [1]

302–306: [Und das erschrecklichste] Jahr [itzt] schuf sie dem Menschengeschlechte
Auf vielnährender Erde, das gräulichste; nichts von dem Saamen
Sproßte das Land empor; denn sie, die Demeter, verbarg ihn.
Und umsonst zog viele gebogene Pflüge das Rindvieh,
Und umsonst ward viel in das Erdreich Gerste gestreuet. *Schw* [1]
Aber ein [grauliches] Jahr auf [der Nahrungsprossenden] Erde
Schuf sie dem Menschengeschlecht, [ein entsezliches: keinerlei] Samen
[Keimte der Grund; so barg] ihn die [schöngekränzte] Demeter.

41

[Eitel durchzogen das Feld mit] gebogenem Pfluge [die Rinder;
Eitel verstreuete man] viel [gelbliche] Gerst' in [die Saatflur.] *Vo*[1]

307–313: Ja nun hätte sie gänzlich der redenden Menschen Geschlechter
Aus durch schrecklichen Hunger getilgt, und der Gaben und Opfer
Herrliche Ehre geraubt der Olympischen Häuser Bewohnern,
Wenn nicht Zeus es bedacht, und es wohl in dem Herzen erwogen.
[Erst nun sendet' er Iris mit goldenen Schwingen,] zu rufen
Sie die umlockte Demeter, begabt mit der herrlichsten Bildung. *Schw*[1]
Ja [wol] hätte sie [alles] Geschlecht [viellautiger] Menschen
Schrecklich [mit] Hunger getilgt, und der [dankbar frommen Verehrung
Ganz] und [der] Opfer [beraubt] der olympischen [Höhen] Bewohner;
Wenn nicht Zeus es [bemerkt', und Rath im Innersten aussann.
Gleich] sie zu rufen entsandt' er die [goldgeflügelte] Iris
[Zur schönlockigen Deo, die reizvoll pranget an] Bildung,
Daß sie käm' [in die Stämme] der [endlos waltenden] Götter. *Vo*[1]

314–318: Sprachs; und jene gehorchte dem schwarzumwölkten Kronion,
Zeus, und den trennenden Raum durchlief sie geschwind mit den Füßen.
[Und sie gelangte zur Feste der duftumwallten Eleusis.
Dort] nun fand sie im Tempel die schwarzumhüllte Demeter,
Und sie begann so redend zu ihr die geflügelten Worte: *Schw*[1]
[Kaum gesagt, so] gehorchte dem [Donnerer] Zeus Kronion
Jen', und [in Eile] durchlief sie den [mittleren] Raum mit den Füßen.
[Bald zu] der Stadt Eleusis, [der] duftenden [war sie gelanget;
Dort nun] fand sie im Tempel die schwarz umhüllte Demeter;
Und [mit erhobenem Laut] die geflügelten Worte begann sie: *Vo*[1]

319–322: Höre Demeter, es ruft dich Zeus, der das Ewige denkt,
Hin zu den Schaaren zu kommen der ewiggebohrenen Götter.
Geh denn, laß mein Mahnen von Zeus nicht ohne Erfüllung.
Also sprach sie und bat; doch nicht ließ die sich bereden. *Schw*[1]
[Komm,] Demeter, dich ruft, der [Unfehlbares erkennt,] Zeus,
[Mitzugehn in die Stämme] der [endlos waltenden] Götter.
[Eile dann, und] nicht laß [unerfüllt mir das Wort] von [Kronion.]
Also sprach sie [mit Flehn;] doch nicht [ward jene beweget.] *Vo*[1]

323–326: [Drauf nun] sendete Zeus die unsterblichen, seeligen Götter
Alle sofort zu derselben; und die, hingehnd nacheinander,
Riefen sie denn, und [versprachen der herrlichen] Gaben und Ehren
[Alle so] viele sie [sich] nur unter den Göttern [erwählte;] *Schw*[1]
[Wieder darauf hieß] Zeus die unsterblichen seligen Götter
All' [hingehen] zu [ihr; und wechselndes Ganges genahet

Nöthigten sie,] und boten ihr viel hochherliche Gaben,

Und was für Ehren sie selbst [auswählete] unter den Göttern. *Vo[1]*

327–331: [Doch] nicht konnt' [auch] einer das Herz und die Seele [bereden]

Der in [dem] Busen erzürnten, und standhaft wies sie es all ab.

Denn nicht werde, so sprach sie, zum duftumwallten Olympos

Jemals eher sie gehen und Frucht entsenden dem Erdreich,

Ehe bevor sie mit Augen gesehn ihr liebliches Mägdlein. *Schw[1]*

Aber es konnt' [ihr keiner besänftigen] Herz und [Gesinnung,

Also tobte der Zorn; sie verwarf starr jeglichen Antrag.]

Denn [sie verhieß, niemals den duftigen Höhn des] Olympos

Eher [zu nahn, nie eher emporzutreiben die Feldfrucht,]

Eh sie gesehn mit [den] Augen ihr [holdanblickendes] Mägdlein. *Vo[1]*

332–337: [Doch] als [dieses] vernommen der donnernde Herrscher der Welt Zeus,

Schickt er zum Erebos [jetzo] den goldstabführenden Hermes,

Daß er den Aïs beredend mit sanfteinschmeichelnden Worten,

Möge vom [finsteren] Dunkel die heilige Persephoneia

Führen herauf an das Licht zu den Seeligen, daß mit den Augen

Möge die Mutter sie sehn und sodann ablaßen vom Zorne. *Schw[1]*

Als nun solches vernommen der donnernde Herscher der Welt Zeus,

Schnell zum Erebos [sandt' er des Goldstabs Schwinger Hermeias,

Der,] den Aïdes [etwa] mit [gütigen] Worten beredend

[Auf aus] nächtlichem Dunkel die [lautere] Persefoneia

[Brächte zum] Licht [in die Schaar der Unsterblichen;] daß, [wenn] die Mutter

[Jene] gesehn mit den Augen, [sie möcht'] ablassen vom Zorne. *Vo[1]*

338–343: Hermes aber gehorcht', und sogleich in die Schlünde der Erde

Stürmet' er [hurtig] hinunter, den Sitz des Olympos verlassend.

Dort nun fand er den König [daheim anwesend im Hause,]

Hin aufs Polster gelehnt mit der züchtigen Ehegemahlin,

Die nach der Mutter begehrend sich härmete; [(diese jedoch sann

Wegen der kränkenden That der Unsterblichen schrecklichen Rath aus;)]

Schw[1]

Hermes gehorcht' [ungesäumt, und hinab zu den Tiefen des Erdreichs

Fuhr er in stürmischer] Eile [vom seligen] Siz des Olympos.

Dort nun [traf er den Herscher] im Inneren seines Palastes,

[Wo auf dem Lager er saß] mit der [ehrfurchtwürdigen Gattin,

Ihr der unmutsvollen, aus Gram um die] Mutter; [denn endlos

Eiferte sie antobend dem Rath der unsterblichen] Götter. *Vo[1]*

344–354: Nah nun trettend hinzu sprach also der Argostödter:

Aïdes, dunkelgelockter, den Untergegangnen gebietend,
Vater Kronion hieß mich die herrliche Persephoneia
Führen zu ihnen hinauf aus dem Erebos, daß mit den Augen
Möge die Mutter sie sehn und den [himmlischen] Göttern vom Zorne
Und [von dem Groll] ablassen, dieweil sie Entsetzliches aussinnt,
Daß sie die schwachen Geschlechter der irdischen Menschen vertilge,
Bergend den Saamen im Land, und die Ehrengeschenke der Götter
Richtend zu Grund; und sie heget Erbitterung, und zu den Göttern
Gehet sie nicht, nein fern in dem [duftumwalleten] Tempel
Sitzt sie, bewohnend die [Feste der steingrundrauhen] Eleusis. *Schw*[1]
Nahe [trat und begann der tapfere Argoswürger:]

Hades, [o] dunkelgelockter, [der Abgeschiedenen König,
Zeus der Vater gebot dir,] die herliche Persefoneia
Ihnen [hinaufzusenden vom] Erebos; daß, [wenn] die Mutter
[Jene gesehn mit den Augen,] von Zorn und schrecklicher Rachsucht
[Sie den Unsterblichen ruhte. Denn groß ist die That die] sie aussann,
[Gar zu] vertilgen das schwache Geschlecht [erdsprossender] Menschen,
Bergend den Samen im Land', und [der Ewigen Ehre vertilgend.
Ja noch tobt sie in grauser] Erbitterung; [nie auch] den Göttern
[Nahet sie, sondern entfernt] in dem weihrauchduftenden Tempel
[Hält sie den Siz, obwaltend] der felsigen Stadt Eleusis. *Vo*[1]

355–360:   Sprachs, und es lächelte, [heiternd die Brau'n,] der [Beherrscher der
Todten,]
Fürst Aïdoneus, und er gehorchte des Königes Zeus Wort.
Hurtig befahl er sodann der verständigen Persephoneia:
Gehe Persephone hin zu der schwarzumhülleten Mutter,
Freundlichen Sinn und ein sanftes Gemüth in dem Busen bewahrend,
Und nicht hege [zu sehr auch] Unmuth über die Maaßen. *Schw*[1]

[Hermes] sprachs; [da klärte des Nachtreichs] Fürst Aïdoneus
Lächelnd die Stirn, und gehorchte des Zeus [machtvoller Verfügung.
Jezt unverzüglich] befahl er der [sinnigen] Persefoneia.
[Wandele,] Persefoneia, zur schwarzumhülleten Mutter,
Freundlichen [Mut im Herzen und mildere Neigungen hegend;]
Nicht [mehr] Unmut [zeige] so [sehr unmäßig vor andern.] *Vo*[1]

361–364: Nicht ja bin ich ein schlechter Gemahl dir unter den Göttern,
Der ich ein leiblicher Bruder von Zeus bin; [aber beherrschen]
Wirst du, [alhier seynd,] alles, [so viel nur] lebet und webet,
Und in dem Kreise der Götter die herrlichste Würde besitzen. *Schw*[1]
[Kein unwürdiger Gatte] dir unter den [Ewigen werd' ich,]

Leiblicher Bruder von Zeus, [dem erhabenen. Wenn] du [alhier] bist
[Machtvoll herschest du] allem, was [irgendwo] lebt und [sich regt;
Ehren auch hast du häufig, die größesten unter] den Göttern. *Vo[1]*

365–367: Die dich beleidigen, werden bestraft seyn immer und ewig,
Welche das Herz nicht werden mit heiligen Opfern dir sühnen,
Thuend nach heiligem Brauch, und geziemende Gaben dir weihend. *Schw[1]*
[Aber die Freveler trift vollgültige Straf' in der Zukunft,
Die] dir nicht [aussöhnen] das Herz [durch] Opfer [und Räuchwerk,
Übend den] heiligen Brauch, und [schuldige] Gaben [entrichtend.] *Vo[1]*

368–372: Sprachs, und es freuete sich die verständige Persephoneia,
Und sprang rasch in der Freude vom Bett auf; jener [jedoch] nun
Gab ihr heimlich zu kosten den lieblichen Kern der Granate,
[Sich vorsehend genau, daß] nicht [auf ewig] sie bleibe
Dort bey der züchtigen Mutter, der schwarzumhüllten Demeter. *Schw[1]*
[Jener] sprachs; [froh hörte] die [sinnige] Persefoneia,
Und sprang [hurtig empor in Entzückungen.] Aber [er] gab ihr
[Eines Granatkerns Kost voll Süße des Honiges] heimlich,
Sie nach der Seit' [herwendend; daß] nicht [sie weilte beständig]
Dort bei der [hehren] Demeter, der schwarzumhülleten Göttin. *Vo[1]*

373–377: Drauf dann holt' er [hervor] und schirrt an den goldenen Wagen
Seine unsterblichen Roße, der mächtige Fürst Aïdoneus.
Und sie bestieg das Geschirr, und der [mächtige] Argostödter,
Neben derselben, den Zaum und die Peitsch' in den Händen regierend,
Jagt' [itzt] aus dem Pallast; [nicht ungern flogen sie dannen,] *Schw[1]*
[Jezt] unsterbliche Ross' in [dem] Hof' an den goldenen Wagen
[Spannte des unteren Reichs vielherschender] Fürst Aïdoneus.
[Jene betrat] das Geschirr; und der tapfere [Argoswürger]
Neben [ihr, Seil' und Geißel gefaßt mit eigenen] Händen,
Jagt' aus dem Hof des Palastes; und gern hin flogen die Rosse. *Vo[1]*

378–381: [Und durchrannten den] Weg [aufs schleunigste;] weder die Meerflut
Weder der Ströme Gebraus, noch grasige Bergthalgründe
Hinderten, noch auch Höhen, den Flug der unsterblichen Roße;
Sondern darüber hinweg durchrannten sie schneidend die Lüfte. *Schw[1]*
Rasch unermeßliche Wege vollbrachten sie: weder die Meerflut,
[Noch ein gewaltiger] Strom, noch [Windungen] grasiger [Thäler,
Hemmeten,] noch [Berghöhen, den Schwung] der unsterblichen Rosse;
[Nein selbst über die Höhn durchschnitten sie rennend die Dunstluft.] *Vo[1]*

382–389: Doch alldort, wo Demeter, die schönumkränzte, verweilte,
Hielt er sie an, vor dem Tempel, dem duftigen; die es erblickend

Sprang gleich wie die Mänad' in dem wälderbedeckten Gebirge.
[Aber] Persephone [dann,] von dem Wagen herab sich stürzend,
[Eilte] der Mutter entgegen – – – – – – – – – – – – – – – –
– –
– –
– –
– – – – – – – – – – – – – und [die nun] sprach [zu derselben:] *Schw*[1]
   [Dort nun] hielt er, wo [weilte] die [schöngekränzte] Demeter,
Vor dem [geweiheten] Tempel, dem [duftenden. Jene, sie schauend,
Stürmte daher,] wie die [wilde] Mänad' in dem [schattigen Bergwald.]
Auch Persefone drüben, sobald sie das herliche Antliz
Sah der geliebtesten Mutter, herab von dem glänzenden Wagen
[Sprang] sie [zum Lauf] – – – – – – – – – – – – – – – – –
Ihr –
[Beiden –
Jezo] – *Vo*[1]

390–394: Töchterchen, [berge] mir nicht [ob] dort du Speise [genossen]
Hast, [nein sag es –
Denn] wo nicht –
[Dann] bey mir und dem Vater, dem schwarzumwölkten Kronion,
Würdest du wohnen von allen unsterblichen Göttern geehret. *Schw*[1]
   Töchterchen, hast du mir nicht bei Aïdes [etwas gekostet
Dortiger] Speis'? O [red – – – – – – – – – – – – – – – – –
Denn] so [möchtest du, Kind, da du aufstiegst, bleiben beständig,
Und] bei mir und dem Vater, dem schwarzumwölkten Kronion,
[Lebetest du,] von allen geehrt, den unsterblichen Göttern. *Vo*[1]

395–400: Aß'st du [jedoch,] dann wieder hinabgehnd, wirst du beständig
Wohnen die dritte der Horen des Jahrs in den Schlünden der Erde,
Zween [jedoch] bey mir und den [andern unsterblichen] Göttern.
Wann alsdann das Gefild mit den duftenden Blumen des Lenzes
[Blüht vielfältig empor,] dann kommst du vom nächtlichen Dunkel
Wieder herauf, [zum Erstaunen] den Göttern und sterblichen Menschen.
                              Schw[1]
[Hast du gekostet jedoch, um kehrest du, daß in dem Erdschlund
Künftig ein Drittel der Zeit vom kreisenden Jahre du] wohnest
Doch zwei [Theile] bei mir und [anderen] himmlischen Göttern.
Wann mit Blumen [die Erd' in des] duftenden Lenzes [Erneuung]
Tausendfältig erblüht, [alsdann aus dem] nächtlichen Dunkel
[Steigst du empor,] ein Wunder den sterblichen Menschen und Göttern. *Vo*[1]

401–407: –

Sage mit was für Betrug Polydegmon aber dich täuschte.

Dieser erwiederte aber die schöne Persephone also:

Dir ja will ich, o Mutter, in Wahrheit alles [vermelden:] *Schw¹*

[Und wie entrafte mit List dich der mächtige Fürst Polydegmon?

Ihr antwortete drauf Persefone, reizender Anmut:

Gern] will ichs dir, Mutter, [verkündigen, ganz nach der] Wahrheit. *Vo¹*

408–413: Als mir Hermes kam, der geseegnende, hurtige Bote,

Hin von dem Vater Kronion gesandt und den anderen Göttern,

[Und] aus Erebos [Nacht er] mich [führt',] auf daß du mit Augen

Mich nun schauend, den Göttern von Zorn und [von Groll] ablaßest,

Sprang ich geschwind in der Freude vom Bett auf; jener [jedoch] nun

Brachte mir heimlich bey den Granatkern, lieblich zu kosten. *Schw¹*

[Hermes, der Bringer des Heils, der meldete, schnell mir gesendet

Her] vom Vater Kronion und anderen [Uranionen,

Gehn] aus dem Erebos [sollt' ich, damit, wenn] du [selbst] mich geschauet,

[Du den Unsterblichen ruhtest] von Zorn und schrecklicher Rachsucht.

Ich [ungesäumt] sprang auf [in Entzückungen.] Aber [geheim] nun

[Fügete] jener mir [ein] den Granatkern, [süßer denn Honig,] *Vo¹*

414–417: Und ihn nöthigt' er mich ganz gegen den Willen zu essen.

Wie er jedoch mich raubend Kronions verständigem Rath nach,

Meines Erzeugers, [hinab] mich [fuhr] in die Schlünde der Erde,

Will ich dir sagen und alles verkündigen, wie du es fragest. *Schw¹*

Und mich [weigernde zwang er vorher zu kosten gewaltsam.]

Wie er jedoch mich [entraft, nach Zeus, des eigenen Vaters,

Weisem Entwurf, und] hinab mich geführt in die [Tiefen des Erdreichs,]

Sag' ich [anjezt,] und alles [erklär' ich genau,] wie du fragest. *Vo¹*

418–424: Sieh, wir spielten [zumal allsammt] auf lieblichem [Anger,]

Phaino, Leukippe sodann und Elektra auch und Ianthe,

(Melite ferner, Iache, Kalliroë auch und Rhodeia,)

Tyche, Melobosis [auch] und Okyroë, rosig von Antlitz,

Auch Chryseïs, Akaste, Admete, nebst Ianeira,

Rhodope, Pluto auch, und die anmuthvolle Kalypso,

Styx, und Urania, [ferner] die reitzende Galaxaure.

[(Pallas die Weckrin der Schlacht, und Artemis, die das Geschoß liebt.)]

Schw¹

Wir [Jungfrauen gesamt,] auf [der reizenden] Wiese [gesellet,]

Fäno, Leukippe [zugleich,] Elektra sodann, und Ianthe

Melite, Iache [dann,] Kalliroe [dann,] und Rhodeia

47

Tyche, Melóbosis dann, und Okyroe, rosiges [Ansehns,]
Auch Ianeír', [und] Akaste, Chryseïs [auch, und] Admete,
Pluto [mit] Rhodope [dann,] und die anmutsvolle Kalypso,
Styx und Urania dann, mit der [lieblichen] Galaxaura,
[Pallas die Streiterin auch, und Artemis froh des Geschosses,] *Vo[1]*

425–428: Wir nun spielten, und pflückten die lieblichen Blumen mit Händen,
Herrlichen Saffran, nebst Schwerdtlilien und Hyakinthos,
Untereinander, und Rosen und Lilien, Wunder zu schauen,
Auch Narkissos, welchen [wie Saffran] sproßte das Erdreich. *Schw[1]*
[Alle] wir spielten [umher,] und pflückten [uns] liebliche Blumen,
[Freundlichen Krokos gemischt, und Agallis samt Hyakinthos,
Auch die entknospete] Ros', und Lilien, Wunder [dem Anblick,]
Auch Narkissos, [erzeugt zu verderblichem Staunen vom] Erdreich. *Vo[1]*

429–433: Ich [voll Freude jedoch] nun pflückete, [aber] der Boden
[Sprang weit auf,] und heraus [itzt stürzte] der Fürst Polydegmon,
[Der] dann [unter] die Erde mich führt' in dem goldenen Wagen,
Die ich genug mich sträubt', und ich schrie hellauf mit der Stimme.
Dies, obgleich mit Betrüben, erzähl' ich dir alles [die Wahrheit.] *Schw[1]*
Ich nun pflückte vor allen mit Lust. Doch der Boden [hinabwärts
Wich,] und heraus fuhr plözlich der mächtige Fürst Polydegmon.
[Weg] dann führet' er, [unter] die Erd' im goldenen Wagen
Mich, die [vor Unmut tobt';] und ich [rief hellgellendes Lautes.]
Dies [dann hab' ich Betrübte] dir [wahrhaft] alles [gemeldet.] *Vo[1]*

434–440:   Also den Tag hindurch ganz eintrachtsvoll bey einander,
Füllten sie eine der andern das Herz und die Seele mit Freude,
Sich umfassend [mit] Liebe; vom Gram [doch] ruhte der Busen,
[Und von einander] empfiengen sie [Freud' und ertheilten sie wieder.]
(Hekate nahete [aber die weißumkränzte denselben,]
Und sie [umfaßte mit Liebe] die heilige Tochter Demeters;
[Wo denn dieser die Fürstin zur] Dienerin [ward] und Begleiterin.) *Schw[1]*
[So] den [völligen] Tag [mit zärtlichem Sinne vereinigt,
Eiferten jen' um einander sich Geist] und Seele [zu heitern,
Voll treuherziger] Lieb'; und vom [Schmerz nun] ruhte [die Seel' aus;]
Fröhlichen Mut nur empfingen und gaben sie eine der andern.
Hekate auch naht ihnen, die [feinumschleierte] Göttin;
Und sie umschlang herzinnig [das lautere Kind der] Demeter.
Seitdem Dienerin ihr und Begleiterin war sie beständig. *Vo[1]*

441–447: Doch als Botin entsandte der donnernde Herrscher der Welt Zeus
Rheia, die schönumlockte, zur schwarzumhüllten Demeter,

[Her] sie zu führen zum Götter-Verein, und versprach ihr zu geben
Ehren, soviel sie sich wählt' in dem Kreis der unsterblichen Götter.
Und er gewährte der Tochter, von jeglichem Jahre den dritten
Theil nur unten zu seyn in dem [finsteren] Dunkel der Erde,
Aber die zween bey der Mutter sodann und den übrigen Göttern. *Schw*[1]
[Jenen] entsandt' als Botin der donnernde Herscher der Welt Zeus
Rhea, [damit sie holte die] schwarzumhüllte Demeter,
Heimzuführen zum [Göttergeschlecht;] und Ehren [gelobt' er]
Ihr [zu verleihn, die sie selbst auswählete unter den] Göttern.
[Dann für die Jungfrau winkt' er Befehl, im gerolleten Jahrlauf
Zwar ein Drittel zu gehn] in [des Erebos] nächtliches Dunkel,
[Doch] zwei [Theile zu wohnen] bei [ihr] und [anderen] Göttern. *Vo*[1]

448–456:   [Sprach] also; und [des] Zeus [Botschaft nun] gehorchte die Göttin.
[Und sie enteilete hurtig im] Schwunge [den Höhn] des Olympos,
Kam nach Rharion dann, dem geseegneten Schoose des Feldes,
Ehmals, doch nicht jetzt ein geseegnetes, sondern geruhig
Lag es, gewächslos, da; und hielt das Getraide verborgen,
Nach Demeters Willen, der herrlichen; aber hernachmals
Sollt' es geschwind sich bedecken mit hochaufschießenden Halmen,
In dem erwachenden Lenz, und es sollten gedrängete Schwaden
Starren von [Halmen] im Feld, und in [Gärblinge werden gebunden.] *Schw*[1]
Also Zeus; [nicht aber entzog sich] die Göttin [der Botschaft.]
Stürmendes Schwungs entfuhr sie den Felsenhöhn des Olympos;
[Und] nach Rarion kam [sie, dem fruchtbaren] Felde [des Segens,
Vormals; aber anjezt kein fruchtbares!] sondern geruhig
[Stand's, ringsher unbegrünt; denn es hüllte die gelbliche Gerst' ein,
Durch der Demeter Beschluß, der erhabenen.] Aber [nach diesem]
Sollt' es [sogleich aufschossen mit üppigem Ährengewimmel,]
Im [anwachsenden] Lenz, und [der Flur die ergiebigsten] Schwade
[Strozend ruhn, und] in [viel schönährige] Garben geschnürt sein. *Vo*[1]

457–459: Dorthin kam sie zuerst aus der luftigen Öde des Äthers.
[Und sie erblickten] einander [mit Lust, und erfreuten sich herzlich.
Und] es begann zu derselben die weißumschleierte Rheia: *Schw*[1]
[Dort nun schwang sie] zuerst [sich herab] aus der [Wüste] des Äthers.
O wie vergnügt einander sie sahn, [mit wie herzlicher Wollust!
Ihr dann meldete dieses] die [feinumschleierte] Rhea: *Vo*[1]

460–466:   [Töchterchen] komm, dich [rufet] der donnernde Herrscher der Welt Zeus,
Daß zu der Götter Vereine du gehst, und versprach dir zu geben
Ehren, so viele du wählst in dem Kreis der unsterblichen Götter.

Und er gewährt [dir] der Tochter von jeglichem Jahre den dritten
Theil nur unten zu seyn in dem [finsteren] Dunkel der Erde,
Aber die zween bey der Mutter sodann und den übrigen Göttern.
– *Schw*[1]

    Komm, mein Kind, dich beruft der donnernde Herscher der Welt Zeus,
[Mitzugehn zum Göttergeschlecht;] und Ehren [gelobt' er]
Dir [zu verleihn, die du selbst auswähletest unter den] Göttern.
[Dann für die Jungfrau winkt' er Befehl, im gerolleten Jahrlauf
Zwar ein Drittel zu gehn] in [des Erebos] nächtliches Dunkel,
[Doch] zwei [Theile zu wohnen bei dir] und [anderen] Göttern.
Also bestimmt er das Loos mit gewährendem Winke des Hauptes. *Vo*[1]

467–470: [Doch] mein [Töchterchen] geh' [und folge mir,] zürne [so heftig
Nicht auch] über die Maaßen dem schwarzumwölkten Kronion.
Aber die nährende Frucht laß gleich itzt wachsen den Menschen.

    Sprach [so;] und [es] gehorchte die schönumkränzte Demeter. *Schw*[1]
Auf denn, gehe, mein Kind, in Gehorsam; [nicht so empört noch
Eifere fort ohn' Ende] dem schwarzumwölkten Kronion.
[Schnell auch] Frucht laß wachsen, den [sterblichen] Menschen [zur
                                           Nahrung.

    Rhea] sprach's; [gern folgt' ihr] die [schöngekränzte] Demeter. *Vo*[1]
471–475:   Schnell [doch] schickte die Frucht sie hervor aus scholligen Fluren.
Und dicht starrte von Blättern umher und von Blüthen das ganze
Erdreich; [jene jedoch] gieng hin und zeigte den Herrschern,
Ihm dem Triptolemos, so wie dem reisigen Fürsten Diokles,
[Und] dem Eumolpos [dann,] und [dem Volksanführer, dem] Keleus, *Schw*[1]
Schnell dann [ließ sie entkeimen die] Frucht [hochscholliger Äcker;
Und ganz ward von Gesproß und üppiger] Blüte das Erdreich
[Schwervoll. Sie nun gewandt zu den rechtausübenden Fürsten,
Wies dem Triptolemos an, und dem Kriegsgaultummler Diokles,]
Auch [dem Eumolpos voll Kraft und des Keleos herschender Obmacht,]
                                           Vo[1]

476–478: Heiliger Opfer Gebrauch und lehrte die Orgien alle,
[(Ihn den Triptolemos und den Diokles nebst Polyxeinos,)
Heilige,] die zu verletzen durchaus nicht, oder zu hören,
Oder zu plaudern erlaubt; denn sehr hemmt Scheu vor den Göttern. *Schw*[1]
Heilige [Dienstordnung; auch] Orgien [gab sie den Töchtern
Keleos, ältrer Geburt, der verständigen Diogeneia,
Holde Pammerope, dir, und Säsara, Krone der Anmut,
Ihm dem Triptolemos auch, dem Polyxenos, und dem Diokles:

50

Hehre, die man nicht füglich verabsäumt, oder erkundigt,
Oder betraurt;] denn [die Trauer der Göttinnen] hemmet [den Ausruf.]

Vo¹

479–483: [(Glücklich fürwahr wer diese gesehn von den irdischen Menschen;]
Wer theilhaftig der Weih'n, wer's nicht ist, nicht zu vergleichen
Ist ihr Loos, auch selber im Tod, in dem schaurigen Dunkel.)
Doch nachdem sie es alles, die heilige Göttin, geordnet,
[Giengen sie] zu dem Olymp, zu der anderen Götter Versammlung. *Schw¹*
Seliger, wer das schaute der sterblichen Erdebewohner!
[Wer ungeweiht, wer fremd ist dem Heiligen, nimmer gemeinsam
Hat er das] Loos, auch [ein Todter im dumpfigen Wuste des Nachtreichs.
Aber] nachdem [dies] alles [gelehrt] die [erhabene] Göttin,
Wandelten sie zum Olympos zur anderen [Götterversammlung.] *Vo¹*

484–488: Und dort wohnen sie nun bey dem donnernden Herrscher Kronion,
Heilig und hehr. [Der] ist ein Geseegneter, [welchen dieselben
Lieben mit Huld etwa von dem irdischen Menschengeschlechte.]
Schnell ja senden sie dem in das [herrliche Haus zum Genossen]
Plutos, welcher die Habe den sterblichen Menschen verleihet. *Schw¹*
Allda [hausen sie] nun [um] den [donnerfrohen] Kronion,
Hehr und [hochehrsam.] O [Seliger traun,] wen jene
Freundliches Sinns liebhaben, der sterblichen Erdebewohner!
Schnell [auch] senden sie [ihm zur] stattlichen Wohnung den Hausfreund
Plutos, welcher die Menschen [begabt mit gesegnetem Reichthum.] *Vo¹*

489–494: (Aber wohlan, o Herrin der duftumwallten Eleusis,
Und der [umbrandeten] Paros, und felsigen Insel von Antron,
Heilige, [Jahrzeitlenkrin, geseegnende, Königin] Deo,
O du [selbst,] und die Tochter, die herrliche Persephoneia,
Schenkt mir für meinen Gesang [huldvoll ein gemüthliches] Leben.
Doch ich selbst will deiner und anderen Liedes gedenken.) *Schw¹*
[Göttinnen, nun, die Eleusis, den duftenden Gau, ihr beherschet
Auch] die umflutete Paros, [zusamt der] felsigen Antron,
[Herliche] Zeitigerin reichglänzender Gaben, o [Deo,]
Du und die Tochter zugleich, die [reizende] Persefoneia,
[Huldreich] für [den] Gesang anmutiges Leben [gewähret!
Ich dann werd' auch] deiner und anderes [Sanges gedenk sein.] *Vo¹*

ANMERKUNGEN

Die Quellenbenutzung beschränkt sich bei allen Anmerkungen darauf, aus den angegebenen Werken auszuwählen.

Zu Hymne I

Benutzte Quellen: Schw¹, Bo

HINWEISE ZUR QUELLENBENUTZUNG

48,3–8: [Dieser Vers findet sich auch in dem Orphischen Weihgebet an Leto. Am]
verbreitetsten [war] die Ansicht [daß] Ortygia ein Name [von] Delos [selbst] war,
[wo Leto Artemis] und Apollo, (jene zuerst), als Zwillinge geboren. [. . .] *Schw¹*
48,9.10: Der Berg Kynthos, [von welchem Apollo CYNTHIUS und Artemis
CYNTHIA genannt ward, und an dessen Fuß die Stadt Delos lag, heißt hier groß,
und wird auch so von Strabo angegeben. Er] soll [jedoch klein] seyn, [und aus
buntem Marmor bestehen; der aber unberührt geblieben zu seyn scheint. – . . .]
Auch der Inopus [ist höchstens noch als Quelle vorhanden. Man gab von dem
unbedeutenden] Bache [vor, er wachse und falle zugleich mit dem Nil. . .] *Schw¹*
48,11–13: *Keine Quelle nachgewiesen* **48**,14.15 *Kreta bis* Meere] *Keine Quelle nachgewiesen* **48**,15–17 *Ägä bis* Thessalien] Αἰγαί. EUBOEAE OPPIDUM IN SINU OPUNTIO,
CLARUM NEPTUNI TEMPLO, A QUO OPPIDO MARE AEGAEUM APPELLATUM EST. – Εἰρεσίαι,
IRESIAS, THESSALIAE URBEM, MEMORAT LIVIUS 32,13; SED APTIOR HUIC LOCO EST
IRRHESIA INSULA IN SINU THERMAICO AP. PLIN. H. N. 4, 12. QUOD NOMINIS ALIQUA
EST DIVERSITAS, ID NEMINEM OFFENDET, QUI NOVERIT, QUAM VARIE NOMINA LOCORUM
SCRIBI SOLEANT; VELUT Πειρεσίαι, QUOD SUADET RUHNKEN. EP. CRIT. P. 8, APUD
STEPH. EST Πειράσια ETC . . . Bo **48**,17–19 *Peparethos bis* Meere] *Keine Quelle nachgewiesen* **48**,20 *Phokäa bis* Kane] Φώκαια, URBS NOTA AEOLIAE, CUJUS Κάνη SEU
Κάναι (STRAB. 13, P. 586) EST PROMONTORIUM . . . Bo **48**,20–23 *Imbros bis* gegenüber]
Keine Quelle nachgewiesen **48**,24 *Korykos bis* Ionien] Κωρύκου, IONIAE PROMONTORII ALTISSIMI Bo **48**,24–26 *Klaros bis* heißt] Klaros. [Hievon] hieß Apollo der
Klarische, und hatte [dort] ein Heiligthum und berühmtes Orakel, [welches auch
wegen der Nähe von] Colophon [letzterer] Stadt [zugeschrieben ward, so daß es
das Heiligthum des Klarischen Apollo zu Colophon heißt. . .] *Schw¹* **48**,26
Äsagea bis Kleinasien] Αἰσαγέης. MONS ASIAE . . . Bo **48**,26–29 *Samos bis* Karien]
Keine Quelle nachgewiesen **48**,29 *Karpathos bis* Rhodos] Κάρπαθος, INSULA . . . CRETAM INTER ET RHODUM . . . Bo **48**,30–32 *Rhenäa bis* weihen] Rhenäa liegt Delos so
nahe, daß Polykrates Tyrann von Samos sie durch eine (goldene) Kette soll haben

mit Delos verbinden lassen, [(Thucyd. III. 104)] um sie dem Apollo zu weihen. [...]
Schw¹ **48**,33.34: ... METUEBANT ISTAE INSULAE ET REGIONES, NE STERILE SOLUM SUUM
DISPLICERET LATONAE, MATRI APOLLINIS, DEI MAXIMI ... *Bo* **48**,35.36: *Keine Quelle
nachgewiesen* **49**,1: *Keine Quelle nachgewiesen* **49**,2.3: πολυώνυμος, MULTIS NOMINI-
BUS APPELLATUS, A CONSEQUENTE EJUS, QUOD COLETUR MULTIS IN LOCIS, VELUT COGNO-
MINATUS EST DELIUS, PYTHIUS, CLARIUS ETC. *Bo* **49**,4.5 *Themis bis* hatte] Ἰχναίη
Θέμις, AB ICHNIS, URBE THESSALIAE, UBI COLEBATUR... *Bo* **49**,5–8 *Stöhnend bis* Nr. 2]
Keine Quelle nachgewiesen **49**,9: [Apollo hieß vorzugsweise χρυσάωρ,] der goldne,
mit goldnen [Waffen oder goldnem Zeuge] versehene. *Schw¹* **49**,10.11: Themis.
Daß [diese Göttin] ihn pflegt, bezieht sich auf das Orakelsprechen des Apollo.
[Unter diesem Namen besaß die Göttin Erde] das Orakel vor ihm. [...] *Schw¹*
49,12: ... h.⟨oc⟩ e.⟨st⟩ INSULANOS ET ALIOS HOMINES, QUI CONTINENTEM INCOLUNT. *Bo*
49,13–16: Thucydides [III. 104 ...] Schon in alten Zeiten fand große Zusammenkunft der Ioner und benachbarten Inselbewohner auf Delos statt. [Denn sie un-
ternahmen mit Weibern und Kindern den Festzug dorthin, wie die Ioner jetzt zu
den Ephesien, und es war daselbst Wettkampf in Gymnastik und Musenkunst,
und die Städte führten Chöre auf. Daß dies aber so war, bezeugt vorzüglich Homer
in diesen Versen, die aus dem Hymnus auf Apollon sind: [... Solche] Beweise
[liefert] Homer [davon,] daß [schon ehemals große Zusammenkunft und Fest
auf Delos statt fand ...] *Schw¹* **49**,17–20: ... ATHENAEUS Κρέμβαλα AD INSTRU-
MENTA REFERT ..., QUORUM USUS ERAT IN SALTATIONE ... RESPONDENT EI INSTRU-
MENTI GENERI, QUOD *CASTAGNETTE* ITALI ET HISPANI VOCANT, ... IN DELIACIS SACRIS
MOS FUISSE VIDETUR, UT CHORUS, CUM LATONAE ERRORES CANEBAT, DIVERSARUM GEN-
TIUM, AD QUAS ILLA PRAEGNANS VENISSET, DIALECTOS ATQUE ALIA, QUAE IIS PECULARIA
ESSENT, PROPRIO GENERE SALTATIONIS IMITARETUR. *Bo* **49**,21: *Bemerkung Mörikes*
*Von Mörike nicht benutzte Erläuterungen der Quellen: Einleitende Bemerkung zum Hym-
nus Schw¹ Bo; v. 1–3, v. 16, v. 18, v. 19–28 Bo; v. 30, v. 42, v. 49 Schw¹; v. 53, v. 58.59,
v. 60, v. 84–86, v. 110, v. 114 Bo; v. 115 Schw¹; v. 120–129, v. 133 Bo; v. 135 Schw¹
Bo; v. 136, v. 137–139, v. 144.145, v. 147, v. 148, v. 150, v. 155, v. 156, v. 157 Schw¹
Bo; v. 160 Schw¹; v. 165–168 Bo; v. 172 Schw¹; v. 172.173, v. 176, v. 177–181 Bo*

Zu Hymne II

Benutzte Quelle: **49**,24 *Bo*
Keine Quelle nachgewiesen: **49**,23

Zu Hymne III

Benutzte Quelle: **49**,26–31 *Die bis* gedacht] *Schw¹*
Bemerkung Mörikes: **49**,31 (*S. bis* Weltk.)

Zu Hymne IV

Benutzte Quellen: **49**,33–**50**,12 *Vo¹* **50**,13 *Schw¹ Vo¹* **50**,14–18 *Vo¹* **50**,19.20 *Schw¹* **50**,21–24 *Vo¹* **50**,25 Die *bis* Jugendpflegerin *Vo¹* **50**,26–28 *Vo¹* **50**,30–35 *Vo¹* **50**,36 *Bo* **50**,37–41 *Vo¹* **50**,42–**51**,5 *Schw¹ Vo¹* **51**,7.8 *Vo¹* **51**,9–14 *Schw¹ Vo¹* **51**,15–28 *Vo¹* **51**,29–31 *Bo* **51**,32–36 *Vo¹* **51**,38–43 *Schw¹ Vo¹* **52**,3.4 *Vo¹* **52**,5.6 *Schw¹ Vo¹* **52**,7–19 *Vo¹*

Keine Quelle nachgewiesen: **50**,32.33; **51**,6; **51**,37

Bemerkungen Mörikes: **50**,25 Perses *bis* Anhang; **50**,29; **52**,1.2

Von Mörike nicht benutzte Erläuterungen der Quellen: v. 1–3, v. 3 Vo¹; v. 5 Schw¹ Vo¹; v. 1–7 Bo; v. 8 Schw¹ Vo¹; v. 8–13 Bo; v. 10–12 Vo¹; v. 13.14, v. 15.16, v. 17.18, v. 20.21 Vo¹; v. 21 Bo; v. 22.23 Vo¹; v. 23–26 Bo; v. 24 Schw¹; v. 26 Vo¹; v. 27–29 Bo; v. 30–32 Vo¹; v. 31–37 Bo; v. 33–39, v. 40–44, v. 44–46 Vo¹; v. 46 Bo; v. 47 Schw¹; v. 47.48 Vo¹; v. 47–54 Bo; v. 48.49 Schw¹; v. 49.50, v. 51–53, v. 54, v. 55, v. 57 Vo¹; v. 58 Bo; v. 62.63, v. 64.65, v. 66, v.67.68, v. 69.70, v. 71–73, v. 76, v. 77–81, v. 82, v. 83 Vo¹; v. 86 Schw¹; v. 87, v. 88.89 Vo¹; v. 90–99 Bo; v. 90, v. 91, v. 92, v. 93, v. 94 Vo¹; v. 97 Schw¹; v. 99 Vo¹; v. 102, v. 103.104, v. 105, v. 106.107, v. 108–110 Vo¹; v. 109 Schw¹ Bo; v. 111.112, v. 113 Vo¹; v. 113–117 Bo; v. 115, v. 116, v. 117 Vo¹; v. 118.119 Bo; v. 118, v. 119, v. 120 Vo¹; v. 122 Schw¹ Vo¹ Bo; v. 123–132 Bo; v. 123, v. 126–128, v. 128.129, v. 131.132 Vo¹; v. 134, v. 135, v. 137.138 Vo¹; v. 139.140 Bo; v. 140, v. 141–144 Vo¹; v. 144, v. 147.148, v. 147–164 Bo; v. 149–152, v. 156, v. 157, v. 159, v. 160, v. 161, v. 162, v. 164.165, v. 166–169, v. 168, v. 170, v. 172, v. 173, v. 174.175, v. 176–178 Vo¹; v. 176–183 Bo; v. 179, v.181–183, v. 184–187, v. 190.191, v. 192–194 Vo¹; v. 197–210 Bo; v. 198–201 Vo¹; v. 203 Schw¹; v. 202–205, v. 203.204, v. 204, v. 205, v. 206–210 Vo¹; v. 209 Schw¹; v. 211 Bo; v. 213–215 Vo¹; v. 215–221 Bo; v. 219.220, v. 221–223, v. 226.227 Vo¹; v. 227 Bo; v. 227–230 Vo¹; v. 228–230 Bo; v. 231.232, v. 233–235 Vo¹; v. 234 Schw¹; v. 235.236 Vo¹; v. 236 Bo; v. 236–238, v. 239 Vo¹; v. 239–258 Bo; v. 240.241, v. 242, v. 243.244, v. 245.246, v. 248.249, v. 251, v. 253.254, v. 256.257, v. 258 Vo¹; v. 259–261, v. 262–264 Vo¹; v. 265 Schw¹; v. 265–267 Vo¹ Bo; v. 268, v. 269 Vo¹; v. 269–275 Bo; v. 275–280, v. 275, v. 276, v. 277, v. 278. 279, v. 280, v. 281, v. 282. 283, v. 284, v. 285, v. 286–288, 287–301 Bo; v. 288, v. 289, v. 292.293, v. 294, v. 296, v. 297 Vo¹; v. 298 Schw¹; v. 299.300, v. 301, v. 302, v. 303.304, v. 305.306, v. 306.307 Vo¹; v. 308.309 Schw¹ Vo¹; v. 310–313 Vo¹; v. 311–325 Bo; v. 315, v. 320, v. 321, v. 322, v. 324, v. 325 Vo¹; v. 326, v. 327–329, v. 328.329, v.330.331, v.334, v. 336, v. 337–340, v. 338, v. 340, v. 341.342 Vo¹; v. 344.345 Bo; v. 345.346, v. 347 Vo¹; v. 347–351 Bo; v. 348, v. 349.350, v. 352, v. 353, v. 354, v. 357, v. 358 Vo¹; v. 361.362 Bo; v. 362, v. 363, v. 364. 365 Vo¹; v.364–386 Bo; v.365–367, v.368–370, v. 371.372, v. 372–374, v. 376.377, v. 378–380, v. 381–384, v. 385–387 Vo¹; v. 387–394 Bo; v. 388–393, v. 394.395, v. 396–398 Vo¹; v. 399–411 Bo; v. 399.400 Schw¹; v. 402–404, v. 405, v. 406, v. 407, v. 408–411 Vo¹;

v. 412 Vo¹ Bo; v. 412–414, v. 415–417 Vo¹; v. 418.419 Schw¹; v. 418–421, v. 422.423
Vo¹; v. 424 Schw¹ Vo¹ Bo; v. 425 Vo¹; v. 426. 427 Vo¹ Bo; v. 428, v. 429, v. 430,
v. 431, v. 432.433, v. 434, v. 435, v. 436, v. 437.438 Vo¹; v. 438 Schw¹; v. 439–441 Vo¹;
v. 439 Bo; v. 442–445, v. 442, v. 443.444, v. 446–448, v. 449 Vo¹; v. 449–455 Bo; v. 450,
v. 451, v. 454–457, v. 458, v. 459, v. 460, v. 461.462, v. 462.463 Vo¹; v. 463.464 Bo;
v. 464–466, v. 467, v. 468.469, v. 470, v. 471–474 Vo¹; v. 474–476 Schw¹; v. 474–478
Vo¹; v. 475, v. 476, v. 478–481 Bo; v. 481.482, v. 483, v. 486.487 Vo¹; v. 489 Schw¹;
v. 489–492 Vo¹; v. 490 Bo; v. 491.492 Vo¹; v. 491 Schw¹; v. 493, v.494, v. 495.496,
v. 497, v. 498 Vo¹

KALLINUS UND TYRTÄUS

Band 8,1   Seite 55–63

EINLEITUNG

Benutzte Quellen: Jac², Web

HINWEISE ZUR QUELLENBENUTZUNG

55, 2–5 *Kallinos bis* Charakter hatte] Kallinos, aus Ephesos, ein uralter Dichter, [welchen Franke (CALLINUS SIVE QUAESTIONIS DE ORIGINE CARMINIS ELEGIACI
TRACTATIO CRITICA. ALTONAE 1816) zwischen den Homer und Hesiodus setzt; der]
Erfinder der [Elegie,] welche bey ihm einen [rüstigen und] kriegerischen Charakter hatte, [den ihr auch] Tyrtäos, [und zum Theil noch Solon erhielt.] *Jac²*
55, 5–7 Er erlebte *bis* seine Vaterstadt] [Die beym Stobäos (FLORIL. TIT. 51) er-
haltene Elegie soll sich auf den] Einfall der Kimmerier [in Jonien beziehn; ...] *Jac²*
[Man hat nämlich die noch vorhandene größere Elegie ... lange Zeit auf den
Angriffskrieg der Ephesier gegen die Magneter bezogen, bis Franke überzeugend
dargethan, daß dieselbe vielmehr zu Vertheidigung wider den] Einfall der Kimmerier, [die] bereits Sardes [verwüstet] hatten, [aufgerufen habe.] *Web* **55,** 7–10
Bei dieser *bis* erhalten hat] *Keine Quelle nachgewiesen* **55,** 11 – **56,** 5 *Tyrtäos* war
bis gesungen wurden] Tyrtäos [von Athenä. Wenn dieser Dichter] nach [an-
deren] Angaben [für einen Milesier gehalten wird, so lassen sich die Ansichten
vereinigen, sobald man erwägt, daß Miletos eine Athenische Colonie war, ...]
Die Zeit seiner Blüthe wird durch den zweiten Messenischen Krieg [(Olymp. 23.,
4. bis 28., 1.] 685–668 vor Ch. [G.)] bestimmt. [Denn] als in diesem Kriege wegen
eines Feldherrn, der dem großen [Messenier] Aristomenes die Wage hielte, die
Spartaner das Orakel angegangen, dieses aber sie an die Athener gewiesen, sand-
ten letztere, die dem Gebote des Gottes nachkommen, aber den Lakedämoniern

auch nicht einen leichten Sieg gönnen wolten, den Tyrtäos, der Knaben das ABC
lehrte, ein lahmer, stiller Mann war, dem man nicht viel Geist zutraute. Was er
aber durch Waffen nicht leisten konnte, das leistete er mit der Rede, und begei-
sterte durch seine kriegerischen Gesänge Sparta's Jugend zum Kampfe, stärkte, als
trotz dem die Schlacht am Mahle des Ebers verloren gegangen war, den ge-
sunkenen Muth, und gewann, da jetzt die Wendung der Dinge günstig geworden,
den größten Einfluß daheim wie im Felde. [Denn als gegen Ende des Kriegs bei den
steten Streifzügen, die Aristomenes von Eira aus gegen Sparta's Gebiet machte,
ein Beschluß gefaßt worden, das Land gar nicht mehr zu bestellen, weil man
mehr für die Messenier, als für sich selbst arbeite, entstand eine Hungersnoth und
damit Empörung derer, die an den Folgen jenes Beschlusses litten. Da trat Tyrtäos mit einer Elegie auf und beschwichtigte die Gemüther. Dieß die] Erzählung
[des Pausanias, Reisebeschr. IV, 15 fgg., welche man als] ein Mährchen [theils
geradezu verworfen, theils allegorisch zu erklären versucht hat. Da indeß an
sich in diesen Umständen nichts Unbegreifliches liegt, so wird man sich bei der
Überlieferung zu beruhigen haben. –] Tyrtäos ward für seine Verdienste um
Sparta mit dem Bürgerrechte begabt, auch späterhin verordnet, daß im Felde
vor dem Zelte des Königes die Elegieen desselben in aller Krieger Gegenwart
[vorgetragen] würden, wie überhaupt seine Gesänge sich bis auf die spätesten
Zeiten im Munde der Spartanischen Jugend erhielten, über Tische aber von derselben in die Runde gesungen wurden. [...] *Web*

KRIEGSLIEDER

KALLINUS

I

Benutzte Textvorlagen: Jac², Web, Ba

BEARBEITUNGSANALYSE

1–6: Bis [wie lang nur lieget ihr träg?] wann [weckt ihr] den Muth [auf,]
 Jünglinge? Schämet ihr euch nicht vor den [Nachbarn umher?
 Daß ihr erschlafft, und] wähnet in [ruhigem] Frieden zu [sitzen,]
 Während des Krieges [Geschrey über] die Länder [ertönt?]
 –
 [Sterbend noch] werfe [der Mann gegen die Feinde den Speer!] *Jac²*
 Bis wann meint Ihr zu ruhn? Wann, Jünglinge, werdet den Muth Ihr
 Kräftigen? Schämet Ihr Euch vor den Umwohnenden nicht,

[Daß ungebührlich Ihr so hinschlaffetet?] Wähnt Ihr, im Frieden
[Sicher] zu ruhn, [und] der Krieg waltet [daher] durch das Land?

– –

– –

– –

– –

– –

Und Eur letztes Geschoß werft, wann das Leben entfleucht. *Web*
Bis wann [rastet ihr noch?] wann werdet ihr [kräftiges] Muths [sein,]
Jünglinge? Schämet ihr euch vor den Umwohnenden nicht,
Also [lässig] zu ruhn, [und] wähnt im Frieden [zu leben,]
Während doch [ringsum] der Krieg [decket] das [heimische] Land?

– –

– –

– –

Und [wenn er dann hinsinkt, schleudr' er das] letzte Geschoss. *Ba*
7–12: [Glorreich] ist es und [bringet ihm Ruhm, für den Boden der Väter,]
Kinder und [liebendes] Weib [rüstigen Kampf zu bestehn]
Gegen den Feind. [Es erreichet deshalb nicht früher der Tod ihn,
Bis] es die Moira [beschließt. Schreite] denn [Jeder voran,
Hochaufrichtend] den Speer; [bey der Feldschlacht erstem Beginnen
Unter dem schirmenden Schild drängend das] muthige Herz. *Jac²*
Denn preiswürdig ja ist's, und verherrlicht den Mann, zu verfechten
Sein heimathliches Land, Kinder und [junges Gemahl]
Gegen den Feind! Einst nahet das Ende sich, wann es die Moire
Über den Menschen verhängt: Grade denn stürmet dahin,
Hochher schwingend den Speer, und ein muthiges Herz an die Tartsche
Vestangedrängt, wann des Kampfs blutig Gewirr sich erhebt! *Web*
[Ruhmvoll traun für] den Mann und [erhebend auch] ist's zu verfechten
Sein heimathliches Land, Kinder und [ehlich Gemahl
Wider] des Feinds [Andrang; doch] einst [wird der Tod ihn erreichen,]
Wann es die Mören verhängt: [jeglicher] stürme [voran,]
Hochher schwingend den Speer, und ein [kräftiges] Herz [unterm Schilde
Regend, sobald anhebt] blutiges [Schlachtengewühl.] *Ba*
13–16: Denn [noch] keinem [beschied das Geschick, sich dem Tod zu entziehen,]
Wenn sein [Ahnherr] auch [stammte von Göttergeschlecht.]
Oftmals [flieht er den feindlichen Kampf und der Lanzen Getöse,
Aber im sichern Gemach wird er] dem Tode [zum Raub.] *Jac²*

Denn zu entfliehen dem Todesgeschick ward unter den Männern
 Keinem bestimmt, wenn auch schon Göttern entsprosste sein Stamm.
Oftmals blutigen Schlachten entflohn und dem Lanzengesause
 Kehrt er zurück, und daheim bringt ihm die Moire den Tod. *Web*
Denn zu entfliehen dem [Tode ist] keinem der Männer [beschieden,
 Selbst nicht,] wenn [sein Geschlecht göttlichen Ahnen entblüht.
Mancher zwar, feindlichen] Schlachten entflohn und dem Lanzengesause,
 Kehret zurück, und daheim [fasst] ihn die Möre des Tods. *Ba*

17–22: [Dafür folgt auch diesem beym] Volk nicht [Liebe noch Sehnsucht;]
 Jenen [betrauert der Greis, wie ihn der Knabe beweint.
Sehnsucht wecket] der Mann, [der muthigen Herzens im Kampf fällt,
 Jeglichem; als ein Gott wird er im Leben geehrt.
Denn er erscheinet der Übrigen] Aug' wie ein schützendes [Bollwerk,
 Weil er allein im Kampf Thaten von] vielen [vollbringt.] *Jac²*
Aber nicht ihn, traun, liebet das Volk, ihn sehnt es zurück nicht:
 Doch fällt jener, [so] klagt Niedrer und Hoher um ihn.
Denn es verlanget die Bürger zusammt nach dem tapferen Manne,
 Sank er, und lebend erscheint göttlicher Helden er werth.
Gleich wie ein [Bollwerk] ja [so] stehet er ihnen vor Augen,
 Denn was für Viele genügt, hat er als Einer gethan. *Web*
Aber nicht [wird er] geliebt [von der Stadt, noch jemals ersehnet;]
 Doch fällt jener, [so seufzt Kleiner und Grosser] um ihn.
[Sehnsucht regt sich im Volk] nach dem [tapfergemutheten] Manne,
 Sinkt er, und lebend erscheint göttlicher Helden er werth.
Gleich wie ein [Bollwerk] ja [so] stehet er ihnen vor Augen;
 Denn er, [ein einziger, thut,] was [schon] für viele genügt. *Ba*

TYRTÄUS

II

Benutzte Textvorlagen: Jac², Web, Ba

BEARBEITUNGSANALYSE

1–10: [Herrlich fürwahr ist sterben dem] Tapferen, [wenn in der Vorhut
 Muthig er Bürger und] Land [schützet, und kämpfend] erliegt.
Aber [das eigne Gebiet und die herrlichen] Fluren [der Heimath
 Meiden und] betteln [umher, bringet den bittersten Schmerz;
Irrend von Lande zu Land] mit der [liebenden] Mutter, [dem greisen
 Vater,] den Kindern [noch klein,] und mit dem blühenden Weib!

[Alle fürwahr, die bittend er heimsucht, hassen den Armen,
     Wenn er der Armuth Drang weicht und der feindlichen] Noth.
Schmach [auch bringt er dem Stamm; er beschimpft sein strahlendes
                                Antlitz;
     Schlechtheit] jeglicher [Art] folgt ihm [und herber Verdruß.] *Jac²*
Ja, ruhmwürdig erlag, wer ein tapferer Mann bei der Streiter
     Vordersten fiel, in dem Kampf schirmend das heimische Land.
Aber entflohn aus befreundeter Stadt und gesegneten [Fruchtaun]
     Betteln zu ziehn, das [nagt] herbe [vor jeglichem Gram:]
Wenn mit dem grauen Erzeuger er [schweift] und der lieben [Erzeugrinn,
     Lallenden] Kindern [dazu] und mit dem [jungen Gemahl.
Denn er erscheint ein Gräul Jedwedem ja,] welchen er antritt
     Durch schwerlastender Noth harte Bedrängniß verführt,
Decket mit Schmach sein Geschlecht, und entwürdigt den Adel der Bildung,
     Ihm folgt jeglicher Hohn, jede Verworfenheit nach. *Web*
[Ruhmvoll traun ist der Tod in den] vordersten [Reihen des Treffens,
     Wenn fürs] heimische Land [kämpfend der] Tapfere [sinkt;]
Aber [entfernt von der eigenen] Stadt und [den lachenden] Fluren
     Bettelnd zu ziehen [dahin,] das ist [der drückendste Gram,
Schweifend umher] mit der Mutter zumal und dem [greisen] Erzeuger,
     [Lallenden] Kindern [dazu] und mit dem [jungen Gemahl.
Denn als ein Feind wird er gelten Jedwedem, zu welchem er hinkommt,
     Von Drangsalen gebeugt und von entsetzlicher] Noth,
[Und er beschimpft das] Geschlecht und [befleckt] die [erhabene] Bildung,
     Ihm folgt jeglicher Hohn, jede Verworfenheit nach. *Ba*
11–20: [Niemand denket mit] Ehren des Mann's, [der also herumirrt;
     Auch nichts bleibet hinfort übrig von] achtender Scheu.
[Laßt uns kämpfen mit feurigem Muth für das Erbe der Väter;
     Gebt] für der Kinder [Geschlecht freudig] das Leben [dahin.]
Jünglinge, [auf und kämpft in geschlossenen Gliedern beharrend;
     Nimmer] gedenket [der Furcht, oder] der schändlichen Flucht;
Sondern [erstarket an] Muth, [und] die Brust [voll] kräftigen [Mannsinns,
     Lasset im Kampf mit dem Feind Liebe] des Lebens [zurück.
Niemals laßt] die Bejahrten [zurück] – nicht regen behend sich
     Ihnen die [Schenkel – und flieht nicht von] den Greisen hinweg. *Jac²*
[Mag sich darum für den so Umstreifenden] keinerlei [Achtung
     Zeigen und nimmer hinfort Scham bei den Menschen ihm] blühn,
Streiten um's Vaterland hochherzig wir, und für die Kinder
     Sinken wir hin, niemals feig um das Leben besorgt;

Nein, mit Beharrlichkeit fechtet, o Jünglinge, neben einander,
    Keiner gedenke zuerst schändlicher Flucht, [noch der Furcht.]
Sondern erregt hochsinnig den kräftigen Muth in der Brust Euch,
    [Liebet] das Leben [auch nicht,] streitend im Männergefecht.
Aber [den älteren Mann, dem] nicht mehr [hurtig die Schenkel,
    Weicht nie, wenn Ihr zurück hinter Euch ließet] den Greis. *Web*
So [wird] keinerlei [Achtung fürwahr] dem [umstreifenden] Manne
    Blühen und [nimmer hinfort Schaam bei den Menschen ihm sein.
Muthvoll wollen wir] streitend für [dieses Gebiet] und die Kinder
    Sinken [dahin,] niemals feig um das Leben besorgt;
Nein mit Beharrlichkeit [streitet, ihr] Jünglinge, neben einander,
    Keiner gedenke zuerst schändlicher Flucht [noch der Furcht;]
Sondern erregt hochsinnig [und] kräftig den Muth in der Brust euch,
    [Liebet] das Leben [auch nicht, wenn mit den Männern ihr kämpft;]
Aber [den älteren Mann, dem] nicht mehr [rührig] die Kniee,
    [Lasst nie fliehend zurück, ihn] den [ergraueten] Greis. *Ba*
21–30: [Schande ja] bringt es [dem Heer,] wenn [unter den Reihen der Vorhut
    Weit] vor den jüngern [voraus] liegt der [getödtete Greis,]
Weiß schon Scheitel [und Wangen umher von dem greisenden Alter,
    Und den gewaltigen Muth blutend] im Staube verhaucht.
[Schmählich die Schenkel entblößt.] Wohl [ziemt das] Alles dem Jüng-
                               ling;
    [Während die] Blüth' [ihn] noch [lieblicher Jugend bekränzt,]
Dünket er [stattlich] den Männern [zu schaun, und] den Frauen [erfreulich,
    Während] er lebt; [noch] schön, fiel er im [vordersten Glied.] *Jac²*
Denn viel bringet es Schmach, wenn in vorderster Reihe gefallen
    Vorn vor dem jüngeren Volk [bleibt] der [bejahrtere] Mann,
Welchem die Scheitel sich weiß, [dem sich] grau schon färbte das Barthaar,
    Und er [hinaus] in den Staub [hauchte] den muthigen Geist;
Da er die blutige Scham mit den eigenen Händen bedeckt hält,
    (Schmachvoll wahrlich und fluchbringend den Augen zu schaun!),
[Aber] der Leib nackt lieget; [doch Jegliches kleidet] den Jüngling:
    Wen ja der Jugendlichkeit [herrliche] Blüthe noch ziert,
[Achtbar ist solcher] den Männern [zu schaun,] liebreizend den Frauen,
    Weil er lebet, und schön, fiel er im Vordergefecht. *Web*
Denn Schmach bringt es [fürwahr,] wenn [unter den Streitern] gefallen
    Vorn vor dem jüngeren Volk liegt der [bejahrtere] Mann,
Welchem die Scheitel sich weiss und das Barthaar grau schon gefärbt hat,
    [Wie] er den [kräftigen Muth haucht] in dem Staube [heraus,

Wie| er die blutige Schaam mit den eigenen Händen bedeckt hält
(Schmachvoll wahrlich und [herzreissend] den Augen zu schaun!)
[Und wie entblösst ihm] der Leib; [doch] dem Jünglinge [ziemet sich] alles,
[Weil] noch [das heitere Loos reizender Jugend ihm blüht;
Denn preiswürdig] den Männern [zu schaun,] liebreizend den Frauen,
[Ist er im Leben,] und schön fiel er im Vordergefecht.
[Harre denn wohl ausschreitend ein jeglicher, beide die Füsse
Fest auf die Erde gestemmt, Zähn' in die Lippe gedrückt!] *Ba*

III

Benutzte Textvorlagen: Jac², Web, Ba

BEARBEITUNGSANALYSE

1–6: [Aber] ihr seyd ja des [stets obsiegenden] Herakles [Abkunft!
Also getrost! denn Zeus wendet die Augen nicht ab.
Fürchtet euch nicht, noch bebt] vor [der Schaar andringender] Männer,
[Sondern im] vordersten [Glied] halte [der Kämpfer] den Schild,
[Feindlich erachtend] des Lebens [Genuß,] und die Loose des [dunkeln
Todtengeschickes erwünscht,] wenn sie [die Sonne bescheint.] *Jac²*
Auf! das Geschlecht ja seyd Ihr des unbezwungnen Herakles,
Fasset Euch Muth, noch hält Zeus nicht den Nacken gewandt!
Nicht vor der Menge der Männer erbebt, [nicht wendet zur Flucht] Euch,
Nein, auf die Vordersten [rasch hebe die Tartsche der Mann,
Feindlich] dem Leben [gesinnt] und die finsteren Loose des Todes,
Wenn sie in Helios Strahl nahen, begrüssend mit Lust. *Web*
Auf! das Geschlecht ja seid ihr des [unbesiegten] Herakles,
[Vorwärts! denn] noch hält Zeus nicht den Nacken [gekehrt.
Banget euch] nicht vor der Menge der Männer, [noch fliehet] erbebend;
Stracks auf die Vordersten [los] halte der Streiter den Schild,
[Feindlich] das Leben [umphahend,] und finsteren [Keren] des Todes
[Unter des] Helios Strahl [freundlich entgegengewandt.] *Ba*

7–10: [Wisset ihr doch, wie schrecklich das Werk] des bejammerten Ares;
Wohl [auch] kennt ihr [die Art völkerverderbender Schlacht.
Unter] den Fliehenden waret [ihr schon, und bey] den Verfolgern;
[Beydes, ihr] Jünglinge, [schon] habt ihr [genügend erkannt.] *Jac²*
Denn hell sehet Ihr leuchten die Mühn des bejammerten Ares,
Und wohl kennt Ihr des Kriegs furchtbares Wogengesaus:
Wart mit Fliehenden auch und wart im Zug der Verfolger,
Jünglinge, beiderlei Loos habt Ihr zur Gnüge geprüft. *Web*

61

Denn [wie gefahrvoll Ares der thränenerregende, wisst ihr,]
  Und wohl kennt ihr [den Sturm schrecklich verwüstendes] Kriegs;
Wart mit fliehenden auch und wart im Zug der Verfolger,
  Jünglinge, [beider Geschick] habt ihr zur Gnüge [versucht.] *Ba*

11–16: [Die sich im Kampfe vertraun, und wanklos fest in dem Glied stehn,
  Stets in den vordersten Reihn gegen] die Feinde [gekehrt,
Retten das hintere Volk, und sie selbst trifft selten der Tod nur.
  Aber dem Bebenden weicht jegliche Tugend und] Kraft.
[Niemand möchte] mit Worten fürwahr [wohl] Alles [erzählen,
  Was, wer schändliches thut, schändliches wieder erfährt.] *Jac²*
Welche da kühn [ausharren] und vest an einander sich haltend
  [Zum Nähkampfe voran] stürzen in's Vordergefecht,
Deren erliegt ein geringerer Theil und sie schirmen den Nachhalt;
  Doch [Zaghaftigen welkt jegliche Tugend dahin.]
Keiner [ja mögte sie] alle [zu End' ausnennen die] Übel,
  [Welche betreffen den Mann, wies er sich feigegesinnt.] *Web*
[Die da muthig es wagen, gedrängt bei] einander [verharrend,
  Zum Nähkampfe zu geh'n und] in das Vordergefecht,
Deren erliegt ein geringerer Theil, und sie schirmen [die Nachhut;]
  Doch [Zaghaftigen welkt jegliche Tugend dahin.]
Keiner [wohl könnte sie] alle [zu End' ausnennen die] Übel,
  [Welche betreffen den Mann, wenn er der Schmach sich ergibt.] *Ba*

17–22: [Schmählich und grausvoll ist es fürwahr, wenn kämpfender] Feinde
  [Lanze] den [fliehenden] Mann hinten im [Nacken verletzt;
Schändlich auch ist des Gefallnen Gestalt, wenn todt er] im Staub liegt,
  [Und sein Rücken zerfleischt blutet von Feindes Geschoß.
Also stelle sich] Jeglicher [fest, und] die Füße [mit starkem
  Ausschritt wacker gestützt, beiß' er zusammen den Mund.] *Jac²*
Denn [unwürdig] ja ist's, wann, hinten im Rücken, des Feindes
  Schwert den entfliehenden Mann trifft im Getümmel der Schlacht:
Und scheuselig dem Blick liegt da im Staube der Leichnam,
  Welchen die Spitze [des Speers] zwischen den Schultern durchbohrt.
Dulde denn wohl ausschreitend ein Jeglicher, beyde die Füße
  Vestaufstemmend im Grund, Zähn' in die Lippen gedrückt; *Web*
Denn [schwer lastet der Schimpf, wenn zwischen den Schuldern getrof-
                                                              ffen
  Sinkt] der entfliehende Mann [mitten] in [feindlicher] Schlacht.
[Schmachvoll] liegt in dem Staube [gestreckt] der [entseelete] Leichnam,
  Welchem die Spitze [des Speers drang durch den Rücken hindurch.

62

Harre] denn wohl ausschreitend ein jeglicher, beide die Füsse
　　Fest [auf die Erde gestemmt,] Zähn' in die Lippe gedrückt, *Ba*
23–26: Aber die Brust und Schultern [und Bein'] und Schenkel [von unten
　　Wahre sich Jeder, bedeckt] mit [dem geräumigen] Schild;
　　[Schwing' auch mächtiger Lanze Gewicht] in der [kräftigen] Rechte,
　　Und [ihm über] dem Haupt [flattre der schreckliche] Busch. *Jac²*
Hüften [sodann] und die Schenkel hinab und die Brust und die Schultern
　　[Hinter] des räumigen Schilds Bauche [nach Wunsche] gedeckt;
　　[Und] in der Rechten erheb' er zum Schwung den erdröhnenden Schlacht-
　　　　　　　　　　　　　　　　　　　　　　　　　　speer,
　　Und graunregend daher wehe vom Haupte sein Busch. *Web*
Hüften [sodann] und die Schenkel hinab und die Brust und die Schultern
　　[Mit] des [geräumigen] Schilds Bauche [bedeckend zugleich;
　　Und mit] der Rechten [entschwing' er sofort die gewaltige Lanze,]
　,　Und [er errege den] Busch [fürchterlich über] dem Haupt; *Ba*
27–30: [Also] erlernend die Werke des Kriegs [in der] Thaten [Vollbringung,]
　　Und [mit] dem Schilde [bewehrt, weich' er den Pfeilen nicht aus.]
　　Sondern [heran, und] dem Feinde [genaht,] mit [der Schärfe] des Schwerdes,
　　Oder dem [ragenden] Speer, [schlag' er mit Wunden den Feind.] *Jac²*
　　[Furchtbare] Werke vollbringend erlern' er [im Kampf zu bestehen,]
　　Und nicht, fern dem Geschoß, [halt'] er im Arme den Schild.
　　Sondern, in's Antlitz tretend dem Feind, mit des mächtigen Speers Wucht
　　Treff' er ihn, oder das Schwert fassend, im [Nähegefecht.] *Web*
　　[Übergewaltige] Thaten [bestehend] erlern' er [zu kriegen,]
　　Und nicht fern dem Geschoss steh' er, den Schild in dem Arm;
　　Sondern [hervor nun schreitend und nah] mit dem Schwerte [verwundend]
　　Oder dem mächtigen Speer, [greif' er den feindlichen Mann;] *Ba*
31–34: Fuß an Fuß [ihm setzend,] und Schild [mit dem] Schilde [gestoßen,]
　　Helm an den [ehernen] Helm [stützend, und] Busch an [den] Busch;
　　Brust an Brust; so [nah' er im rüstigen Kampfe dem Feind sich,
　　Fassend des] Schwerdes [Gefäß,] oder den [schattenden] Speer. *Jac²*
Und Fuß pressend an Fuß, und [die Tartsch' andrängend der Tartsche,]
　　Flatternden Busch an [den] Busch, Helm [auch] dem Helme [gereiht,]
　　Und Brust klopfend an Brust, [ausring' er den Kampf mit] dem Gegner,
　　Hoch in der [Hand Schwertgriff,] oder [gewaltigen Schaft.] *Web*
Und Fuss pressend an Fuss, und [den] Schild [andrängend dem] Schilde,
　　Flatternden Busch an [den] Busch, Helm [auch] dem Helme [gereiht,]
　　Und [mit der] Brust [anschlagend die] Brust, [obsieg' er dem Feinde,
　　Schwingend empor Schwertgriff] oder [den mächtigen Schaft.] *Ba*

35–38: [Aber] ihr [Leichter'n, verbergt euch] hinter [dem] Schilde der Andern;
[Und] mit [des Steinwurfs Kraft bringet zum Wanken den Feind;
Auch hinschleudert den Speer, den] geglätteten, [gegen die Feinde,
Stets dem gepanzerten Mann fest an die Seite] gedrängt. *Jac²*
Ihr dann, rasche Gymneten, [ein] Anderer hinter der andren
[Tartsche] daniedergeduckt, necket mit grobem Gestein,
Und die geglätteten Schaft' in die Reihn unermüdlich entsendend
Schließet Euch nahe gedrängt an die Geharnischten an. *Web*
Ihr dann, [rüstige Knappen,] der andere hinter [dem] Schilde
Anderer niedergeduckt, [werfet] mit grobem Gestein,
Und [mit] geglättetem Schaft [im Wurfe erzielend die Feinde,]
Schliesset euch nahe gedrängt an die Geharnischten an. *Ba*

ANMERKUNGEN

Die Quellenbenutzung beschränkt sich bei allen Anmerkungen darauf, aus den angegebenen Werken auszuwählen.

I

Benutzte Quellen: Web, Ba

HINWEISE ZUR QUELLENBENUTZUNG

62,3–23: Jünglinge für kriegsfähige Mannschaft, [wie bei den Römern Juventus,] vom zwanzigsten zum vierzigsten Jahre; [...] Umwohnende heißen hier die Bewohner des platten Landes um Ephesos (Kolonie attischer Ionier in Kleinasien; [s. zu S. 36),] die von den griechischen Eroberern unterjochten und mit deren ärmerem Gefolge vermischten Ureinwohner. Diese mußten nach altgriechischer Sitte, die sich in einzelnen Gegenden noch spät erhielt, dem Ackerbau obliegen, von dem Ertrag ihrer Ärnten einen Zehenten an die herrschenden Städter entrichten, Handwerke und Viehzucht für sie treiben, waren vom Antheil an der Staatsverwaltung und vom Priesterthume ausgeschlossen, und hatten im Kriege bloß Heerfolge in leichter Bewaffnung zu leisten. Das Verhältnis war, nach den Bedingungen, welche die siegreich Eingedrungenen zugestanden hatten, härter oder milder, in einigen Gegenden eine völlige Leibeigenschaft, wie in Thessalien, in anderen an einem Theile selbst mit Antheil an bürgerlichen Rechten verbunden, an dem anderen sogar schmähliche Knechtschaft, wie in Sparta jenes mit den Perioiken, dieß mit den Heloten der Fall war. Wo frühzeitige Aufklärung, Milde der Sitten, lebhafter Verkehr diese Unterdrückten zeitig zu einem gewissen Wohlstande und dem Gewichte einer moralischen Macht gebracht hatten, wie in Athen, ward Ausgleichung der billigen Forderungen zwischen dienendem und herrschendem Stande frühzeitig erreicht, damit aber, nach der Natur menschlicher Entwickelung, auch der Sieg des demokratischen Elementes über das oligarchische unwandelbar, zum Gedeihen großartigen Staatslebens, entschieden. *Web*

62,24.25: Deest hexameter, quem Camerarius ita reponendum esse putavit:

Εὖ νύ τις ἀσπίδα θέσθω ἐν ἀντιβίοις πολεμίζων.

Sed nobis persuasissimum est non unius versus spatio suppleri hujus loci lacunam. *Ba* **62**,26: Tartsche, Schild *Web* **62**,27–31: *Für das Zitieren dieser* Parallel-Stelle *ist eine Quelle nicht nachgewiesen* **62**,32: ἄξιος ἡμιθέων, i.e. in eodem loco ponitur, quo heroes, par est heroibus, ... Quales intelligendi sint ἡμίθεοι, explicat Hesiodus Ἔργ. 158. sqq. ... *Ba* **62**,33.34: *Keine Quelle nachgewiesen Von Mörike nicht benutzte Erläuterungen der Quellen: v. 1, v. 2 Ba; v. 3 Web; v. 8 Ba; v. 9 Web; v. 11, v. 12, v. 13 Ba; v. 14 Web; v. 16, v. 17, v. 18.19, v. 20 Ba*

II

Benutzte Quelle: **63**,2–9 *Web*
Von Mörike nicht benutzte Erläuterung der Quelle Web: v. 12

III

Benutzte Quelle: **63**,11–24 *Web*
Von Mörike nicht benutzte Erläuterung der Quelle Web: v. 6

THEOGNIS

Band 8,1   Seite 67–92

EINLEITUNG

Benutzte Quelle: Web

Hinweise zur Quellenbenutzung

67,2–22 Die Geburtsstadt *bis* zurückgeben mußten] Theognis [von Megara.] Die Geburtsstadt [dieses] Dichters ist [das bekannte] Megara, die Nachbarinn von Athen, [wie er selbst durch mehrmalige Andeutungen von Ortsverhältnissen zu erkennen gibt ... Über Geburts- und Todeszeit des Theognis sind wir ohne Angaben; nur das wird im allgemeinen bemerkt, daß] er um die achtundfünfzigste Olympiade (548 bis 545) bekannt geworden. Aus seinen Gedichten ergibt sich, daß er eng in die politischen Wechsel seines Vaterlandes verflochten gewesen. Dieses hatte früherhin unter oligarchischer Herrschaft gestanden, [welche] um [Olympias

42] (vor Ch. 612 bis 609) in die Tyrannei des Theagenes übergegangen war. Durch Demokratischgesinnte ward letzterer gestürzt [(s. zu S.162),] aber bald darauf entlud sich der Haß der Menge wider Adel und Reichthum, in den wildesten Ausschweifungen gegen die vornehmen Geschlechter. Als die Megarenser, erzählt Plutarchos, den Tyrannen Theagenes verjagt hatten, bewiesen sie nur kurze Zeit Mäßigung in ihrem Staatswesen. Denn da ihnen die Demagogen den Wein der Freiheit, um Platons Ausdruck zu brauchen, reichlich und ungemischt einschenkten, kamen sie ganz außer sich, und die Armen verfuhren sowohl im Übrigen muthwillig wider die Reichen, als auch kamen sie in die Häuser derselben, ließen sich köstlich auftafeln, und schmausten. Wo man ihnen nicht willfahrte, ward Alles zertrümmert und verschändet. Zuletzt machten sie einen Volksbeschluß, vermöge dessen ihnen ihre Gläubiger die Zinsen, die sie ihnen gezahlt hatten, zurückgeben mußten. – [...] Web 67,22–27 Der Mißbrauch bis gelangten] Der Misbrauch demokratischer Freiheit erschöpfte sich in Ächtungen und Vermögenseinziehungen, welche die Folge hatten, daß die ausgetriebenen Geschlechter sich sammelten, die Gegner in einer Schlacht überwanden, und so zur Rückkehr und Wiederherstellung ihres Regiments gelangten. [...] Web 67,27.28 Allein bis Oligarchie] Keine Quelle nachgewiesen 67,29 Der Dichter bis Edlen] [Daß er] selbst [eigentlich] verbannt gewesen, [scheint auch aus dem räthselhaften Stücke S.208 Spotte mit u.s.w. unbedenklich angenommen werden zu können: ...] Web 67,29–68,2 Er machte bis aufgehalten zu haben] [... Als eine zuverlässige Thatsache giebt sich des Dichters Abwesenheit auf] Reisen [kund (S.165 und 184), wobei er einen] längeren [Aufenthalt] in Sicilien [gemacht] zu haben scheint. [...] Web 68,2–12 Die Zeit bis Jüngling] Keine Quelle nachgewiesen 68,12–17 Unter der Benennung bis deren Gegner, die Gemeinen] [... es ist eine folgenreiche Bemerkung von Welker, ... daß der Geist dieser Gedichte aristokratisch ist, und unter der Benennung Edle und Gute Theognis die adeligen Geschlechter, unter Feigen, Schelmen, Schnöden, Frevlern aber [(die deutsche Sprache konnte hier dem Doppelsinne griechischer Ausdrücke nicht immer nachkommen)] deren Gegner, die [Demokraten,] verstanden [hat.] Web 68,17–30 doch gilt bis anerkannt wurde] Keine Quelle nachgewiesen

I. AN KYRNOS

Benutzte Textvorlage: Web

BEARBEITUNGSANALYSE

Überschrift: fehlt Web

1

2: Und nach Olympischen Höhn kehrten die andren zurück. *Web*

7.8: Und ausstarb das Geschlecht Frommdenkender: weder der Themis

Ordnungen [kennt] man [noch an,] weder was Frommen geziemt. *Web*

12: *danach*

[Doch wohl merk' er die stets unlautere Rede der Bösen,

Welche durch Zorn niemals ewiger Götter bewegt

Fort und fort nur nach fremden Besitzungen trachten im Herzen,

Und, wie ihr Thun schandvoll, schmählich auch drehen ihr Wort.] *Web*

6

4: Folgt' ihm die Lüg', und entschlüpft' über die Lippen einmal. *Web*

11

10: *danach*

[Manchen besteht in Segen das Haus, doch die von verwognem

Thun abkehren den Sinn, dennoch ist Darben ihr Loos,

Mutter unwegsamer Noth, da ihr Herz der Gerechtigkeit hold ist,

Und die nun zu Vergehn dränget der Männer Gemüth,

Sinnige Trieb' in der Brust mit gebietrischem Zwange bestrickend,

Daß unwillig er viel Schimpfliches ladet auf's Haupt,

Weichend der Armuth Qual, die des Schandbaren mancherlei angiebt,

Lugwerk, trügerisch Thun, tödlichen Hader dazu,

Wollt' es auch anders ein Mann! ihr ist kein Übel vergleichbar;

Denn ihr selber entsteigt erst die gebietende Noth.] *Web*

12

3.4: Achten, daß wer da verhärtetes Sinns [leichtfertigen] Thaten

Sich hingäbe, getrost über der Götter Gericht, *Web*

9.10: (Daß sie vom Anfang gleich Rechtschaffenheit übten im Volke),

Keiner entgölte, was einst sündige Väter verwirkt. *Web*

13

4 weiß] [weist] *Web*

16

2: Welcher von Allen gelobt steige zum Aïs hinab. *Web*

20

2: Beides, der Jugend und schwerdrückendes Alters Geschick. *Web*

23

2 sie] [ihn] *Web*

39

3: So [hemmt] gleichergestalt [Hülflosigkeit] beiden [die Thatkraft,] *Web*

59

1: Auch nicht der Leu speist immer in Fleische sich, sondern er selbst auch,
                                                                          Web

61

3.4: Frieden der Heimath geb' ich, der strahlenden, weder dem Volke
             Weichend, noch auch zu [dem] Rath freveler Männer gewandt. *Web*

62

2: *danach*
       [Nichts ist, was da erscheine bei uns als geborgenen Männern,
            Sondern als dräue der Stadt bald unersetzlicher Fall.] *Web*

63

4: Streben zum Abgrund hin reichliches Jammergeschicks. *Web*

64

1–4: *Zwei aufeinanderfolgende, selbständige Disticha* *Web*

66

6: Thaten sie fort, der [die] Wacht übte mit kundigem Fleiß, *Web*

67

1: [Denn] ich wallete zwar fern auch zum Sikelischen Land' einst, *Web*

70

(Vgl. »Nachträge« S. 569)

79

6: Lieblicher Jünglinge Chor laut und melodisches Klangs *Web*
12: Über unwirthbares Meers fischebewimmelte Fluth; *Web*

II. AUS DEN GNOMEN AN POLYPÄDES

Benutzte Textvorlage: Web

BEARBEITUNGSANALYSE

1

2:   Welcher ein Bote daher zeitiges Säegeschäfts *Web*

III. TRINKLIEDER

Benutzte Textvorlage: Web

BEARBEITUNGSANALYSE

3

1.2:   Musen und Chariten, Kinder des Donnerers, welche zu Kadmos
Hochzeit [nahend daselbst] sanget ein [herrliches Lied:] *Web*

6

1:   Froh, da noch währt die Jugend, vergnüg' ich mich: werd' ich doch lange,
Web

IV. LIEBESGEDICHTE

Benutzte Textvorlage: Web

BEARBEITUNGSANALYSE

Überschrift: fehlt Web

1

1:   Nicht mehr trink' ich des Weines, da jetzt bei dem zierlichen [Mägdlein] *Web*

3

1:   *darüber* [Muse der Schönen] *Web*

5

2:   Leidiges Unverstands liegt auf dem Haupte Dir schwer, *Web*

69

ANMERKUNGEN

Die Quellenbenutzung beschränkt sich bei allen Anmerkungen darauf, aus den angegebenen Werken auszuwählen.

I

Benutzte Quellen: **89**,3–25 *Web* **89**,26 *Wel¹* **89**,27–**90**,1 *Web* **90**,2 *Wel¹* **90**,4–23 *Web* **90**,26–38 *Web* **90**,40–**91**,4 *Web*
Keine Quelle nachgewiesen: **90**,3; **90**,24.25
Bemerkung Mörikes: **90**,39
Von Mörike nicht benutzte Erläuterungen der Quelle Web: 1, v. 2, v. 4, v. 7; 7, v. 1; 9, v. 1; 18, v. 1; 21, v. 1; 25, v. 5; 35, v. 1; 37, v. 2; 38, v. 2; 40, v. 1; 48, v. 1; 64, v. 4; 66, v. 3, v. 8; 67, v. 3; 68, v. 2
Mörike hat nur an den zwei angeführten Stellen nachweislich die Anmerkungen von Wel¹ benutzt. Diese sind sehr ausführlich und bieten fast nur Textkritik. Eine Zusammenstellung aller nicht benutzten Erläuterungen kann hier nicht mehr Aufschluß geben über das Ausschöpfen der Quelle als diese allgemeine Angabe. Es wird deshalb darauf verzichtet.

II

Benutzte Quelle: **91**,6.7 *Vogel bis* Wintersaatzeit *Web*
Keine Quelle nachgewiesen: **91**,7–9 *Unglücksfahrt bis* worden

III

Benutzte Quelle: **91**,11–27 *Web*
Von Mörike nicht benutzte Erläuterungen der Quelle Web: 2, v. 5; 3, v. 1.2; 7, v. 3; 12, v. 3; 13, v.1

IV

Benutzte Quelle: Web

Hinweise zur Quellenbenutzung

91,29–**92**,2: [Nicht mehr trink' ich des Weines u.s.w. Zur] Auslegung dieses räthselhaftes Stückes [denkt sich] Passow [einen sinnreichen kleinen Roman, welcher zur Zeit noch jedem anderen Erklärungsversuche vorzuziehen sein mögte.] Theognis oder wer der Verfasser ist, liebt ein Mädchen geringer Abkunft, gewinnt sie, und führt ein vergnügliches Hetärenleben mit ihr. Die Ältern finden [das] auf die Länge mislich, und ahnden kein gutes Ende: darum verheirathen sie das Kind an einen Philister, der sich an Liebenswürdigkeit und Reichthum mit dem Theognis nicht messen kann, aber seiner Hausfrau ein kärgliches, doch sicheres

Auskommen giebt. Die Ältern, besser mit dem Schwiegersohne zufrieden, als das Mädchen und Theognis, lassen sich bei ihm kaltes Wasser so gut schmecken, als sonst den Wein des Theognis, und das arme Kind muß es selbst am Brunnen holen. Das thut sie denn unter großen Klagen, und sieht es gar nicht ungern, wenn der alte Freund sie bei dem ungewohnten Geschäft überrascht, und sie an die alte Zärtlichkeit erinnert. *Web* **92**,3: *Bemerkung Mörikes* **92**,4–8: Ilios, Troja, [das durch der Aphrodite Ränke unterging, weil] Paris [auf ihr Geheiß die Helene entführt hatte, und durch ihre Reize gefesselt sie nicht wieder herausgeben wollte. – Des] Ägeus [Sohn,] Theseus, [Fürst von Athen…] Aias, des Oïleus Sohn, Fürst der Opuntischen Lokrer [(am Euripos), Ilias II, 527 fgg.] riß bei Zerstörung Trojas Kassandra, des Priamos Tochter, durch ihre Schönheit ergriffen, vom Altare der Pallas, wohin sie sich geflüchtet hatte, [Virgil Än. II, 403 fgg., wofür er] durch Zorn der Götter auf der Rückfahrt im Meere unterging, [Odyssee IV, 499 fgg. Äneis I, 39 fgg.] *Web* **92**,9: *Bemerkung Mörikes*

Von Mörike nicht benutzte Erläuterungen der Quelle Web: 1, v. 4; 2, v. 1; 4, v. 1

THEOKRIT

Band 8,1   Seite 95–147

EINLEITUNG

Benutzte Quellen: Bin, Na

HINWEISE ZUR QUELLENBENUTZUNG

95,2–8 Der griechische Dichter *bis* Alter] Theokrit [lebte beinah] dreihundert Jahr vor Christo [und war aus] Syrakus, der Hauptstadt Siciliens, [gebürtig. Als seine Ältern nennt ein gewisses altes Epigramm den Praxagoras und die Philina.] Von seinen Lebensumständen wissen wir [nicht viel mehr, als daß] er [früh seine Vaterstadt verließ, und] sich lange [zu] Alexandria in Ägypten am Hofe des Königs Ptolemäus Philadelphus aufhielt; [daß er auch nach andern Griechischen Städten und Ländern Reisen gethan hat, und mit einigen der vorzüglichsten Dichter und Gelehrten seiner Zeit Bekanntschaft hatte, oder mit denselben in Freundschaft lebte. In den späteren Zeiten seines Lebens hielt er sich wieder zu Syrakus auf, da] Hiero der Zweite [daselbst als König regierte. Er] starb wahrscheinlich in einem hohen Alter. [. . .] *Bin* **95**,8–10 Die Notiz *bis* Irrthum] [Über seinen Tod finden sich bei den Alten sehr verschiedene Nachrichten, von denen die aber am wenigsten Berücksichtigung verdient, nach welcher] ihn Hiero [II. von Syrakus soll] haben hinrichten lassen, [denn dieses ist wahrscheinlich eine

Verwechslung mit dem schon erwähnten Theokritos aus Chios, einem Sophisten und Zeitgenossen des Aristoteles, welchen Antigonos] wegen einer [ihm zugefügten] Beleidigung [hinrichten ließ. . . .] *Na* **95**, 11–18: *Keine Quelle nachgewiesen*

I. DIE CHARITEN

Benutzte Textvorlagen: Bin, Vo², Wi, Na

BEARBEITUNGSANALYSE

Überschrift: Die [Grazien] *Bin*

1–4:   Immer bemüht es die Töchter des Zeus, und immer die [Dichter,]
        Götter zu preisen, zu preisen [der treflichen Sterblichen Ehre.]
        Himmlische sind sie, die Musen, und Himmlische singen von Göttern;
        Sterbliche nur sind wir, und Sterbliche singen von Menschen. – *Bin*
        Immer [erfreun] Zeus Töchter [des Amtes sich,] immer die Sänger,
        [Himmlischer Lob zu tönen, und Lob gutwirkender] Männer.
        [Göttinnen] sind sie, die Musen, und [Göttinnen] singen von Göttern.
        Wir sind Sterbliche nur, und Sterbliche singen von [Männern.] *Vo²*
        Immer [beeifern] die Töchter des Zeus [sich, auch] immer die Sänger,
        Götter zu preisen, zu preisen [den Ruhm guthandelnder] Männer.
        [Göttinnen] sind sie, die Musen, und [Göttinnen] singen von Göttern.
        Wir sind Sterblich', [auch sollen] von Sterblichen Sterbliche singen. *Wi*
        Immer [nur denken] die Töchter des Zeus [dies, so wie] die Sänger,
        [Daß sie der Seligen Lob und wackerer] Männer [erheben.
        Göttinnen] sind die Musen und [Göttinnen] singen die Götter;
        Wir sind Sterbliche nur und Sterbliche singen [die] Menschen. *Na*

5–12: Wer von allen [indeß,] so viele [der Morgen beglänzet,]
        Öffnet unseren [Grazien] wohl, und nimmt sie mit Freuden
        Auf in das Haus, und schickt sie nicht ohne Geschenke von dannen?
        Mürrisch kehren sie wieder mit nackten Füßen nach Hause,
        Schelten [zornig mit] mir, daß [ich immer vergeblich sie sende;]
        Setzen dann wieder sich hin [auf den] ledigen Boden des Kastens,
        [Überdrüssig, das Haupt] auf die kalten Kniee [gestützet:]
        Dort ist ihr trauriger Sitz, wenn nichts [den Gesendeten glückte.] *Bin*
        Wer doch [rings,] so viele der bläuliche Tag [auch bestralet,]
        Öfnet das Haus [zum Empfange den] Chariten unseres [Liedes,
        Herzlich vergnügt,] und [läßt] nicht ohne Geschenk sie [entwandern?
        Unmutsvoll dann gehn] sie mit nackenden Füßen nach Hause,

72

[Wo sie hart mir verweisen die eitele Mühe des Ganges.
Wiederum mit Verdruß] am Boden des ledigen Kastens
[Harren sie,] niedergebeugt auf [erkaltete] Kniee das Antliz.
[Wüst herbergen sie] dort, wann nichts [vollbrachte der Ausgang.] *Vo²*
Wer doch von allen, [die schaun zu dem] bläulichen [Himmel, empfängt]
          wohl
Unsere Chariten, öffnend [die Thüre,] mit [herzlicher] Freude
In [der Behausung,] und schickt nicht [wieder] sie ohne Geschenk [fort?]
Sie [nun] kehren [verdrießlich] mit nackenden Füßen [zur Heimath,
Viel] mich [verhöhnend, dieweil] den [vergeblichen] Weg sie gewandert.
[Schläfriggähnend sodann] an dem Boden [der] ledigen [Kiste,
Weilen sie wieder, das Haupt] auf die [frostigen] Kniee [gestemmet.]
Dort ist [trocken] ihr Sitz, wenn [ohne Gewinn sie gekommen.] *Wi*
[Wo bei denen,] so [rings von der] bläulichen [Eos] bescheint sind,
Öffnet [sich] wohl [ein] Haus, [das] unsere Chariten aufnimmt
[Liebenden Sinns] und [läßt] sie nicht ohn' [ein freundlich] Geschenk [gehn?
Sie dann wandern daheim] mit nackenden Füßen [in Anmuth,
Und dann] schelten [sie] mich, daß den Weg [vergebens sie thaten.
Wiederum] dann [mit Gram] am Boden [des leeren Behälters
Harren und senken den Kopf sie hinab] auf die [frostigen] Knien;
Dort ist ihr [ärmlicher] Sitz, wann gar nichts frommte [der Ausgang.–]
          Na

13–21: [Wer ist jetzo so groß?] wer liebet den rühmenden [Dichter?]
Keinen weiß ich: – es [streben] nicht mehr die Menschen, wie [ehmals,]
Eifrig nach Thatenruhm; [die] Gewinnsucht beherrschet sie [alle.]
Jeglicher [hält] die Arme verschränkt, und sinnet, wie [größer
Werde sein Schatz:] er verschenkte nicht Ein verrostetes Scherflein,
Sondern da heißet es gleich: [»sich selbst ist ein jeder der nächste,]
Hätt' ich selber nur [was!] den Dichter, den segnen die Götter:
Aber was brauchen wir ihn? Homeros [kann] allen genug seyn:
Der ist der beste der Dichter, der nichts von dem Meinen davonträgt.« –
          Bin

[Wer ist jetz ein solcher?] wer liebt [den Verkünder des Guten?
Nein,] nicht trachten [die Männer, um edele Thaten,] wie vormals,
[Jezo gepriesen zu sein;] sie [bewältigte] schnöde Gewinnsucht.
Jeglicher [hält im Busen die Hand, und] laurt, wie das Geld ihm
Wuchere; nicht [auch] verschenkt' er [den abgeschabeten Grünspan.]
Gleich [ist dieses sein Wort: Viel] näher [das Knie,] wie [das Schienbein!]
Hab' ich nur selbst [Auskommen; ein] Gott [mag] segnen die Dichter!

73

[Wer wollt' andere hören?] Genug ist allen Homeros!

[Das] ist der [treflichste] Dichter, der nichts [mir des Meinigen abnimmt!]
Vo²

    [Wer jetzt einer der Art?] wer liebet den rühmenden Sänger?

[Kenn' ich doch] keinen! Nicht mehr wetteifern die Männer, für edle
Thaten,] wie [früher, gepriesen zu werden:] sie [zwang die] Gewinnsucht.
Jeglicher [leget die Händ' in den Schooß, und spähet, woher sich
Mehre das Silber: den Rost selbst schabt' er nicht einem zur Gabe;]
Sondern [sogleich dann] heißt es: [Entfernter sind Waden,] wie [Kniee!]
Hab' ich nur selber [zu leben; die Sänger belohne die Gottheit!
Wer möcht' andre noch hören? Genüget doch] allen Homeros!
Der ist [unter den Sängern] der beste, der nichts von [mir wegträgt.] *Wi*

    [Wer ist jetzt also?] Wer [wird Wohlredende] lieben?

Weiß ich [nicht; denn] nicht mehr [um edele Thaten,] wie vormals,
[Streben die Männer nach Lob; ob siegete] schnöde Gewinnsucht.
Jeglicher [hat im Busen die Hand; schaut um,] wie [sein] Geld [sich
Mehre, und keiner bekommt nur den abgeschabten Grünspan,]
Sondern [sogleich spricht er: Das Knie] ist näher, wie's [Schienbein!]
Hab' ich nur selber etwas: [die Seligen ehren] die Dichter!
[Wer hört andere noch? O] genug ist allen Homeros!
[Das] ist der beste der Dichter, der [kostet mir] nichts von dem Meinen!
Na

22–28: Thoren! was [hilft es] euch denn, [daß] im Kasten [die Tausende liegen?]
Das ist nicht der Gebrauch, den [Weise] machen vom Reichthum,
Sondern [selbst zu genießen, und Dichter genießen zu lassen,]
Vielen Verwandten [zu helfen] und vielen der [übrigen] Menschen,
[Und mit] Opfern stets der Götter Altären [zu nahen.]
Nie unwirthlich [zu seyn, den Fremden nicht ziehen zu lassen,]
Wenn er [nach Hause begehrt, bis er erst sich] am Tische [geletzet;] *Bin*

    [Thörichte!] was [doch] nüzt [ein unendlicher Klumpen] des Goldes,
[Liegend daheim?] Nicht [brauchen] Verständige [also des] Reichthums!
[Lieber] ein Theil dem Herzen [geschenkt,] und ein Theil [auch dem
                                        Sänger!
Wohl] an vielen Verwandten, und [wohl an] vielen der andern
Menschen gethan; stets Opfer gebracht den Altären der Götter!
[Nicht] dem Gaste [gekargt mit Bewirtungen,] sondern am Tisch ihn
[Gütlich] gepflegt und entlassen, wann selbst er zu gehen verlanget! *Vo²*

    [Elende,] was denn [gewinnt ihr mit eurem unzähligen] Golde,
[Liegt es] im Kasten? Nicht [also benutzen die Klugen den] Reichthum!

[Einiges mußt du] dem Herzen, [und anderes spenden dem Sänger;
Wohlthun] vielen [der Freund'] und vielen der [übrigen Menschen;
Immer dann] bringen [die Opfergeschenke] den Göttern [zum] Altar;
[Auch nicht ein karger Bewirther] des Gasts [seyn;] sondern am Tisch' ihn
[Fröhlichgelabet entsenden,] verlanget er selber zu gehen; *Wi*

    [Thörichte! O] was nützt [doch daheim ein unendlicher Goldschatz
Liegend? Nicht braucht, traun, wer klug ist, also den] Reichthum,
Sondern [er schenkt] dem Herzen ein Theil, ein Theil [auch dem Dichter,]
Thut [den] vielen Verwandten [wohl] und vielen der andern
Menschen, [und zollt oftmals am] Altar Opfer den Göttern,
[Ist kein böslicher Wirth dem Gastfreund,] sondern am Tische
Pflegt und entläßt [er ihn,] wenn selber zu gehen er [Lust hat.] *Na*

29–33: Aber vor allem [zu] ehren die heiligen Priester der Musen:
Daß du, verborgen im Aïs, noch werdest gepriesen auf Erden,
Und nicht ruhmlos traurest an Acherons kaltem [Gewässer;
Wie] ein Mann, dem [die Hacke] mit Schwielen die Hände [genarbt hat,]
Weinet die väterererbte, die drückende [klägliche] Armuth. – *Bin*
Aber geehrt vor allen die heiligen Priester der Musen;
Daß [dir, auch] in [des] Aïs [Umnachtungen, gutes Gerücht sei,]
Und [du] nicht [ein Vergeßner] am [frostigen] Acheron trauerst:
Gleich wie ein Mann, dem die Hände [der] Karst [inwendig durch-
                                          schwielte,
Hülflos, und für ein Erb' armseligen Mangel beweinend.] *Vo²*
Aber [am meisten doch] ehren die heiligen Priester der Musen,
Daß [auch im Hades] verborgen, [ein gutes Gerüchte du habest,]
Und [du] nicht ruhmlos [jammerst] an Acherons kaltem [Gewässer,
Gleich dem,] der [mit] dem Karst' [an] den Händen [sich] Schwielen
                                        [gezogen,
Hablos, darbenden Mangel beweinend, ererbt von den Vätern.] *Wi*
Aber [verehre zumeist] die heiligen [Redner] der Musen,
Daß du, im Aïs [geborgen, als Edeler immer gerühmt wirst,]
Und nicht [sonder Ruhm du] am [kältenden] Acheron trauerst,
[Wie ein Armer, der ohne Besitz,] dem der Karst [in] die Hände
Schwielen [gemacht, die Noth, die von Vätern vererbte beweinet.] *Na*

34–39: In des Antiochos Haus' und des [Königs] Aleua [vertheilten]
Viele [der Diener in jeglichem Monde die Kost dem Gesinde,]
Viele Kälber auch [wurden zum Stall der Skopader] getrieben,
[Wandelten blökend einher den gehörnten] Kühen [zur Seite:]
Auf den [Kranonischen] Fluren [da weideten Hirten] die [schönsten]

75

Schafe zu tausend [vordem] den Kreondern, [den Freunden der Fremden;]

Bin

Viel in Antiochos Haus', und des mächtigen Fürsten Aleuas,
[Kamen,] die Monatskost [zu empfahn,] dienstpflichtige [Knappen;]
Viel auch einst, dem Skopadengeschlecht in die Hürden getrieben,
Brülleten Kälber daher um hochgehörnete Kühe;
[Zahllos durch die Gefild'] um Kranon ruhten im Mittags-
Schatten [erlesene] Schafe den [fremdlingsholden] Kreondern: *Vo²*
In des Antiochos [Burg] und des [Herrschers] Aleuas [vermaß sich]
Vieles [Gesinde nach Scheffeln die Nahrungsspende des Monats;]
Kälber [in reichlicher Meng'] auch [blöckten den Söhnen des Skopas,
Samt den gehörneten] Kühn [zu der bergenden Stallung] getrieben;
[Mittagsruhe vergönnten unzähligen] herrlichen Schafen
[Hirten] auf Kranons [Gefilde für Kreons bewirthende Sprossen.] *Wi*
[Aus] des Antiochos Haus und des [waltenden Herrscher] Aleuas
Holeten [Söldner in Menge] sich Monatskost [und Besoldung;
Und] dem Skopadengeschlechte, [hinein] in die Hürden getrieben,
Brüllten [in Menge die] Kälber daher [mit gehörneten Rindern;
Zahllos] auf [kranonischer Au' dort] ruhten im [Schatten
Hirten mit] herrlichem [Viehe, dem gastlichen Stamm] der Kreonder; *Na*

40–47: Aber die Freude daran ist [dahin,] da das liebliche Leben
Weg ist, die Seele den Kahn des traurigen Greises bestiegen.
[Ruhmlos hätten sie sicher] verlassen [den herrlichen Reichthum,]
Lägen [Äonen hindurch mit schlechteren] Todten [vergessen,]
Hätte der mächtige Sänger von Keos, [der reizende Lieder]
Zum vielsaitigen [Barbiton sang,] sie kommenden Altern
[Nimmer] gepriesen: es theilten den Ruhm die hurtigen Rosse,
Die mit Kränzen [für sie heimkehrten] von heiligen Spielen. *Bin*
[Doch nicht] Freud' [ist dessen, nachdem ihr Geist aus den Gliedern
Sehr ungern in die Fähre des schaudrichten Acheron einstieg.
Nimmer erwähnt, so] viel [auch] und köstliches [jene] verließen,
Lägen sie ewige [Tag' im] Schwarm [unedeler] Todten;
Wenn nicht der mächtige [Barde, der Keïer,] wunderbar tönend
Zur vielsaitigen Laute, sie [namhaft schuf bei den Männern
Jüngerer Zeit;] Ruhm [ward auch] den hurtigen Rossen [zum Antheil,]
Die [aus] heiligem [Kampf] mit [dem Siegskranz jenen gekehret.] *Vo²*
Aber [nicht] Freude [gewährte das ihnen, nachdem sie den süßen
Geist in den räumigen Nachen des finsteren Acheron leerten;
Sondern vergessen, getrennt von dem reichen und] köstlichen [Segen,]

Lägen sie ewige [Zeiten hindurch bei den kläglichen] Todten,
Wenn nicht der [treffliche] Sänger [aus] Keos, [der rasch in der] Laute
[Saitenfülle] getönt, sie [bei jüngergeborenen Menschen
Namhaft schuf, und] Ruhm [auch erlangten] die hurtigen Rosse,
[Welche zu ihnen bekränzet aus] heiligen [Kämpfen gekehret.] *Wi*
Aber [nicht freu'n sie sich des, seitdem sie die theuere] Seele
[Hin in des grausamen Acherons Boot, das geräumige, gaben.
Unerwähnt, so] vieles und [herrliches] sie auch verließen,
Lägen sie ewige [Zeit bei bedauernswerthen Verstorbnen,]
Wenn [kein gewaltiger] Sänger, [der Keïer, künstliches singend]
Zur [viellautigen Cyther] sie [unter den Männern verherrlicht,
Unter den späteren; Ehr' auch ward] den hurtigen Rossen,
Die [aus] heiligen [Kämpfen] zurück mit Kränzen gekehret. *Na*

48–57: Auch der Lykier Helden, wer kennte sie? wer die umlockten
Priamiden? und wer den Mädchenfarbenen Kyknos?
Hätte nimmer ein Dichter der Vorzeit Schlachten gesungen.
Auch Odysseus, der hundert und zwanzig Monden [umherzog
Unter] jeglichem Volke [der Erd',] und [lebendig] zum [tiefen
Aïs stieg] und der Höhle des [wilden] Kyklopen entflohe,
[Hätte verloren den] Ruhm, der Schweinhirt wäre vergessen,
Sein Eumaios, Philoitios auch, der den Herden der Rinder
Vorstand, selber sogar der großgesinnte Laërtes,
Hätte sie nicht der Gesang des Ionischen [Dichters gepriesen. –] *Bin*
Wer auch kennte [die] Helden der Lykier, wer die umlockten
[Söhne des Priamos wohl,] und den [jungfraurfarbigen] Kyknos;
Hätten [nicht Schlachtengewühl verewiget Barden] der Vorzeit?
Nicht auch Odysseus einmál, der hundert Monden und zwanzig
Irrte zu jeglichem Volk, [der] zum äußersten Aïdes einging,
Lebend annoch, und [den Klüften entrann des kyklopischen Unholds,]
Freute sich dauerndes Ruhms; [von dir, Sauhüter Eumäos,
Schwiege die Red', und dem Hirten Filötios, welcher des Hornviehs
Treu wahrnahm, ja sogar [vom hochbeherzten Laertes:]
Hätten nicht ihnen [gefrommt] des ionischen [Mannes] Gesänge. *Vo*[2]
Wer [doch] kennte [die Fürsten] der Lykier, wer die umlockten
[Söhne des Priamos auch,] und den Kyknos [von weiblicher Farbe,]
Hätten [nicht preisende Barden] gesungen [die] Schlachten der Vorzeit?
Auch nicht Odysseus, der hundert und zwanzig [der] Monden geirret,
[Nahend] zu [allerlei] Volk', und [bis] zu dem äußersten [Hades]
Lebend [gedrungen,] entflohn aus der Höhle des [wilden] Kyklopen,

Freute sich dauernden Ruhms; [so] wär' [auch] Eumäos, [der Sauhirt,
Gänzlich verhallet, mit ihm] auch Philötios, der [bei] den Rindern
[Werke verrichtet, ja] selbst der [gewaltigbeherzte] Laërtes,
Hätten nicht ihnen [genützt] des jonischen [Mannes] Gesänge. *Wi*
Wer [noch] kennte [die Fürsten] der Lykier, wer die umlockten
[Priamos-Söhne?] Wer [noch] den Kyknos, [an Farbe der Maid gleich?]
Hätten [die] Schlachten [der Ahnen nicht Sänger besungen im Liede!]
Nicht Odysseus einmal, der hundert und zwanzig [der] Monden
Irrte zu jeglichem [Menschen,] zum äußersten Aïdes einging
Lebend, und aus der Höhle entfloh des grausen Kyklopen,
[Wäre in bleibendem Ruf; man schweige dann von dem Eumäos,
Von dem Hirten der Sau'n, und Philötios, welcher des Rindviehs
Obhut hatte, und] selber [vom muthigen Manne Laertes:]
Hätte nicht [jenen genützt] der Gesang des ionischen [Mannes.] *Na*

58–65: Nur von den Musen [erhalten] die Menschen den [treflichen] Nachruhm,
Aber die Schätze der Todten [vergeuden] die lebenden Erben.
Doch [es ist eben so] schwer am Gestade die Wellen zu zählen,
[Wie] sie von blaulicher [See] der Wind [an das Ufer hinaufpeitscht,]
Oder im [schwärzlichen Wasser] den [frischen] Ziegel zu waschen,
[Als] zu dem Manne zu sprechen, den [schon] die Gewinnsucht [ver-
                                                    dorben. –]
Mag er doch gehn! und mag unendlich sein Geld sich vermehren!
Mag die Begierde nach mehr ihm [immer fesseln die Seele!] *Bin*
   [Traun, durch] Musen empfahn [die Sterblichen edelen] Nachruhm;
Aber [das Gut] verprassen [Gestorbenen] lebende Erben.
Doch gleich schweres Geschäft, an [dem Meerstrand] Wellen zu [mustern,
Welche] der Wind zum Gestad' [andrängt aus der] bläulichen [Salzflut,]
Oder im [dunkelen] Quell den [thonigen] Ziegel zu waschen;
Und zu [ermahnen] den Mann, den [tief durchdrang] die Gewinnsucht.
[Fahre denn hin ein solcher, und häufe sich jenem unzählbar]
Geld [auf Geld, und die Gier] nach mehrerem [quäl' ihn beständig!] *Vo²*
   [Mittelst] der Musen [erhalten ein gutes Gerüchte] die Menschen;
Aber die Lebenden [wandeln] die Schätze der Todten [in Nichts um.]
Doch gleich [ist ja die Müh',] an [dem Ufer] die Wellen zu [messen,
Die] zum Gestade der Wind [aus dem] bläulichen Meere daher treibt,
Oder [mit Veilchenwasser] die [schmuzige] Ziegel zu waschen,
Und der Gewinnsucht [Pfeil aus dem Innern] des Mannes [zu reißen!
Freud' ihm, welcher ein solcher! Dem häufe das Silber sich zahllos,
Und] ihm [feßle] das Herz die Begierde nach mehrerem [immer!] *Wi*

Herrlicher [Ruhm kommt] nur von den Musen den [sterblichen]
Menschen;
Aber [die Güter] der Todten [verschwenden] die lebenden Erben.
Doch [das] Geschäft [ist] gleich, am Gestade [die Wogen] zu zählen,
[Welche] zur [Küste] der Wind [aus] bläulichem Meere [emportreibt,]
Oder in [dunkeler Woge] den [lehmigen] Ziegel zu waschen,
Und [dann beizukommen] dem Mann, der [vom Geize berückt ist.]
Mag [denn selbiger sein, unzählbar möge das] Geld [ihm
Sein und werd' er immer von Sucht] nach mehrerm [getrieben!] *Na*

66–70: Ich will lieber die Ehr' und die freundliche Liebe der Menschen
Haben, als viele Gespanne von Rossen, und Mäuler in Haufen.
[Suchend forsch' ich umher,] wer [unter den Menschen mit meinen]
Musen willkommen mich heißt. Schwer sind sie die Pfade des Liedes,
Ohne [die Musen, die] Töchter [des Zeus,] des [allwaltenden] Gottes. *Bin*
[Aber] ich [selbst] will Ehr' und [gewogene] Liebe der Menschen
[Vorziehn allem Gewühle der] Ross' und [der trabenden] Mäuler.

Wem der Sterblichen [doch,] o sagt mir! [nah' ich bewillkommt,]
Ich in der Musen Geleit? Denn schwer sind die [Wege] des Liedes,
Ohne Kronions Töchter, [des hoch obwaltenden Herschers.] *Vo²*
[Aber ich wähle mir Huld und Achtung] der Menschen [vor] vielen
[Prangenden Maulthierzügen und stattlichen Rossegespannen.

Sinnend erforsch' ich, wo wohl mit] den Musen [ich einem der Männer
Nahete, herzlich erwünscht:] denn schwer sind [Sängern die Wege,]
Ohne [die] Töchter [des Zeus,] des [erhaben berathenden] Gottes. *Wi*
[Aber ich ziehe mir doch] die Ehre und Liebe der Menschen
[Allen den] Mäulern [zumal] und [stattlichen] Rossen [zugleich vor!]

Wem der Sterblichen [werd' ich doch annahn, frag' ich,] willkommen,
[Mit den singenden] Musen? Denn schwer sind [die Wege den Sängern
Sonder] Kronions Töchter, des [mächtiglich] waltenden Gottes. *Na*

71–75: Noch [ist] der Himmel [nicht müd' uns] Jahr und Monden [zu bringen,]
Noch wird [öfters das] Roß umrollen die Räder des Wagens.
[Sieh] es [erstehet] der Mann, der meines Gesanges bedürfe,
Wenn er [Thaten gethan wie Achilleus und Aias der Große,
Auf] des Simoeis Flur, [wo] des Phrygischen Ilos [Gebein liegt.] *Bin*
[Rastlos dreht] noch Monden und Jahr' [uns] der kreisende Himmel;
Manches Roß auch [künftig bewegt] úmrollende Räder.
[Einst] wird kommen der Mann, [dem noth ist] meines Gesanges,
Wann er vollbracht, was Achilleus der Held, und der trozige Ajas,
Dort in des Simois Flur, am Mal des frygischen Ilos. *Vo²*

Noch [nicht ermüdete,] Monden und Jahre [zu wälzen,] der Himmel;
Roß' auch werden [genug] noch [rollen] die Räder des Wagens.
[Aufstehn] wird [er,] der Mann, der meines Gesanges bedarf [einst,]
Wenn er [gethan, wie der große Achilleus und Ajas, der starke,]
Dort in des Simois Flur, an [dem Grabe] des [Phrygiers] Ilos. *Wi*
Immer [ja] kreiset der Himmel noch fort in Monden und Jahren,
[Viele der] Rosse noch werden das Rad umrollen am Wagen;
[Einst] wird [erstehen] der Mann, der [mich als Sänger gebrauchet,]
Wann er [Thaten] vollbracht, [wie Achilleus und Ajas, der kühne,]
In des Simois Flur, [bei Ilos', des Phrygiers, Denkmal.] *Na*

76–81: [Schon erbebet der Punier Volk,] das [die Länder bewohnet
Unter] der [westlichen] Sonn' auf der [Spitze] von Lybiens [Fuße,]
Schon [ergreifet] den Speer [bei] dem Schafte [das Volk Syrakusas,
Schwer die Schultern] belastet mit [weidengeflochtenen] Schilden.
[Unter ihnen erhebt sich in Waffen,] wie [Helden] der Vorzeit,
Hieron; [ihm umschattet] den Helm [der wallende Roßschweif. –] *Bin*
[Schon] der Föniker Geschlecht, das nah an der [tauchenden] Sonne
Wohnt auf der äußersten Ferse von Libya, starrt voll Schreckens.
Schon, [schon] gehn Syrakuser, die Speer' an der Mitte des Schaftes
Tragend einher, um die Arme mit weidenen Schilden belastet.
Hieron selbst in der [Meng',] an Gestalt wie Heroen der [Vorwelt,]
Stralet von Erz, auf dem Helme die schattende Mähne des Rosses. *Vo²*
[Jetzt schon zittern die Söhne Phönike's, die unter] der Sonne
Wohnen, [wo nieder sie taucht, an der] Libya äußerstem [Knöchel;
Und] schon tragen den Speer an der Mitte des Schafts Syrakuser,
[Hart an] den Armen [gedrückt von der Schwere der] weidenen Schilde:
[Hieron rüstet sich unter den Schaaren, den früheren Helden
Ähnlich; ihm decken] den Helm [die beschattenden Büsche von Roß-
                               schweif.] *Wi*
[Schon] der Phöniker Geschlecht, das, der [untergehenden] Sonne
Nah', [an] der äußersten Ferse von Lybien [hauset, erschaudert.]
Schon [faßt mitten] am Schaft [der] Syrakuser [die Lanze,
Und er] belastet die Arme mit [weidegeflochtenen] Schilden;
Hieron [ragt] in der [Mitte, der gleich den] Heroen [der Ahnen,
Waffengegürtet,] den Helm [umschattet] die Mähne des Rosses. *Na*

82–87: [Zeus, erhabenster Vater, du göttliche Pallas und Kore,]
Die du [zugleich mit] der Mutter [der reichen Bewohner Ephyras
Mächtige] Stadt dir erkorst an Lysimeleias [Gewässer!
Jagte doch wieder] die Feind' aus der Insel [ihr hartes Verhängniß]

Durch das Sardonische Meer, [den] Weibern und Kindern der Freunde
[Tod zu verkünden, vom mächtigen Heer ein] zählbares [Restchen!] *Bin*
    Wenn doch, o Zeus, ruhmvoller, und Pallas Athen', und o Tochter,
Die du, der Mutter gesellt, habseliger Efyräer
Große Stadt dir erkohrst an der flutenden Lysimeleia:
Wenn er die Feind' aus der Insel [mit graulichem Zwange verscheuchte]
Durch das sardonische Meer, daß der [Ihrigen Loos] sie erzählten
[Frauen] daheim [und Erzeugten,] ein zählbarer [Troß] von so vielen! *Vo²*
    Wenn doch, o Zeus, [preiswürdigster Vater,] und [hehre] Athene,
[Und Persephone,] die [mit] der Mutter [des reichen Ephyre
Mächtige Veste] du [schirmst] an der [wogenden] Lysimeleia,
[Harte Gewalt wegscheucht'] aus [dem Inselgebiete] die Feinde
Durch [die] sardonische [Fluth, um den Tod der Geliebten zu melden
Ihren Erzeugten und Fraun, sie] zählbare [nun] von so vielen, *Wi*
    [Daß] doch, [rühmlichster Vater Kronion] und [hehre] Athene,
Tochter, die du [mit] der Mutter [begüterter Ephyrer Stadt dir,
[Sie, die] große, [gewählt,] an [den Wogen] der Lysimeleia!
[Möge der schimpfliche Zwang] die Feinde [vertreiben vom Eiland]
Durch [die] sardonische [Flut,] daß der Freunde Geschick sie [verkünden]
Weib und Kindern daheim, ein zählbarer [Schwarm] von so vielen! *Na*
88–97: [Möchten] die vorigen Bürger [doch] wieder die Städte bewohnen,
Welche [von Grund aus jetzt die Faust] der Feinde [zertrümmert!]
Würden die grünenden [Äcker] gebaut! und blökten der Schafe
[Tausend' unzählbar im Thale,] gemästet [von Kräutern der Wiese!]
Möchten die Rinder doch wieder, in Herden zurück zu den Ställen
Kehrend, des langsamen Wanderers Fuß [mit] Eile [beflügeln!]
Würden die Brachen gepflüget zur [Saat,] wenn [nun] die Cicade
[Auf dem Felde die Schäfer] belauscht, [und] im Wipfel des Baumes
Singet ihr Lied! O dehnte die Spinn' ihr zartes Gewebe
Über die Waffen doch aus, und [verschwände der Name des Feldrufs! –]
                                                Bin
O daß wieder die Städte bewohneten vorige Bürger,
[So viel Städt' in den] Schutt [der Beleidiger] Hände [getrümmert!]
Daß sie in blühender] Flur [arbeiteten! daß ungezählte
Tausende doch] der Schafe, [von] grasiger [Weide] gemästet,
Durch [die Gefild' herblöckten; und mutige Küh' im Gedränge,
Kehrend zur Hürd', antrieben den] langsam [schreitenden] Wandrer!
[Daß sie] die Brach' [umkehrten] zur Einsaat, wann die Cikade,
Ruhende Hirten belauschend am Mittag, [hoch] in den Bäumen

[Tönt vom schwanken Gesproß! daß ämsig] die Spinn' [um] die Waffen
[Dünnes] Geweb' [ausstreckt',] und [genannt nicht würde] der Schlachtruf!

Vo²

[Und nun frühere] Bürger bewohneten wieder die Städte,
Welche [die feindliche] Hand [von dem ragenden Gipfel gestürzet,
Wieder] die grünende Flur [anbauend! O wenn doch] der Schafe
[Tausende, zahllos fett von den Kräutern der Aue geweidet,
Über die Ebene] blöckten, [und] Rinder, in Heerden zur [Stallung
Kommend,] zur Eil' [aufregten gemachhinschlendernde] Wandrer!
[Auch] zum [Besäen sie] pflügten [das Brachfeld,] wenn die Cikade,
[Sicher geschützt vor den] Hirten am Mittag, [innerst] der Bäume
[Zirpet auf Zweigen!] O, [wenn] doch die Spinnen ihr [dünnes] Gewebe
[Dehneten] über [die Wehr',] und des Schlachtrufs [Name verhallte!] *Wi*
[Möchten] die Städte [von neuem] die vorigen Bürger bewohnen,
[So viel ihrer von Grund die] Hände der Feinde [zerstörten,
Wieder bebauen] die grünende Flur und [unzählige] Schafe
[Tausend dort von der Weide der] grasigen [Auen] gemästet,
Durch die Felder blöcken, [und] Rinder, zur [Hürde hin schaarweis
Kehrend,] den [nächtlichen] Wandrer, [den Weg zu beschleunigen, mahnen!
Daß sie] zur [Saat aufbrechen das Brachfeld,] wann die Cicade
Hirten [der Fluren] belauscht am Mittag, [wann sie dahinschwirrt
Von hochwipfliger] Bäume [Gesproß! Daß] die Spinn' [um] die Waffen
[Spann'] ihr [dünnes] Geweb' und [der Name des Krieges verschwinde!] *Na*

98–103: Trügen [dem] Hieron dann [den gepriesenen Namen die Dichter]
Über das Skythische Meer und das Land, wo die [mächtige] Mauer
Festigend mit Asphalt, vor Zeiten Semiramis herrschte!
Einer der Dichter wär' Ich: doch lieben die Töchter Kronions
Auch viel andre, die alle Sikeliens Quell Arethusa
Singen, zusammt dem Volk und [des tapferen Hieron Thaten. –] *Bin*
[Daß] dann [herlichen] Ruhm [dem] Hieron trügen [die] Sänger
Über [die] skythische [Flut,] und [hin,] wo, [das breite Gemäuer
Bindend] mit [zähem] Asfalt, Semiramis [mächtig] geherschet!
Einer sei Ich! doch viel' auch der anderen lieben die Töchter
[Zeus; und] allen [gefeiert sei der Sikeler] Quell Arethusa,
[Und das umwohnende] Volk, und Hieron, [rasch in dem Speerwurf!] *Vo²*
Hierons [ragenden] Ruhm [auch verbreiteten] feiernde Sänger
Über das skythische Meer, und wo [breitlaufende] Mauern
[Küttend] mit [strengem] Asphalt, [die] Semiramis herrsch' [in der
Vorzeit!]

Einer bin ich; viel' andre [noch] lieben die Töchter [des Zeus] auch.
Allen [dann sey es Geschäft, daß] Sikelia's Quell Arethusa
[Feiernd sie weihn mit] dem Volk', und Hieron, [kundig des Speerwurfs!]

Wi

[Daß] dann [erhabenen] Ruhm [dem] Hieron tragen [die] Sänger
Über das skythische Meer und [dahin,] wo die [breitende] Mauer
Mit [dem] Asphaltos [fügend,] Semiramis [waltend] geherrscht hat.
Einer bin ich! Doch [es] lieben [noch] andere viele Kronions
Töchter, die alle [bedacht, den sikelischen] Quell Arethusa
[Und] das Volk [zu preisen sammt Hieron, kundig des Schlachtspeers!]

Na

104–109: Die ihr Orchomenos liebet, [das] Minysche, [das] den Thebaiern
[Einst so] verhaßt [war, ihr,] Eteokles [göttliche Töchter,]
Laßt [doch nimmergerufen] mich [bleiben,] doch [fröhlichen Herzens]
In der Rufenden [Haus] mit [meinen] Musen mich [kommen!]
Euch [verlaß] ich [wol nie:] was [haben] die Menschen [doch süßes]
Ohne [die Grazien?] – Könnt' ich nur stets mit den [Grazien] leben! – *Bin*

Mynische Huldgöttinnen, geheiliget von Eteokles,
Die ihr Orchomenos liebt, die verhaßte vordem den Thebäern:
Laßt, wenn keiner [beruft,] mich zurückstehn; doch in des freundlich
Rufenden [Haus mutvoll] mit unseren Musen [hineingehn!
Bleibt mir entfernt nicht Ihr!] Denn was, [wenn] die Chariten [fehlen,
Ist noch] holdes den Menschen? [O] stets [bei] den Chariten [sei ich!] *Vo²*

Die ihr Orchomenos liebt, o Eteokles [göttliche Töchter,
Früher der Minyer Burg, sie] die [vormals Thebe] verhaßte:
Laßt [ungeladen daheim] mich [verbleiben;] doch [wenn sie mich] rufen,
[Freudigen Muths] eingehn in [die] Wohnung mit unseren Musen!
Nimmer [verlaß'] ich [auch] euch! Was [wäre doch] holdes den Menschen,
Ohne die Chariten? Stets mit den Chariten [mög' ich vereint seyn!] *Wi*

[O] Eteokles' [Töchter, ihr] mynischen [Göttinnen,] die ihr
[Euch] Orchomenos [wähltet, das Theben dereinstens] verhaßt [war:
Bleiben will ich, so] keiner [mich] ruft; doch [aber] in's [Haus] der
Rufenden [geh' ich] getrost [hinein] mit unseren Musen!
Nimmer [verlaß] ich euch! Denn, was [ist] dem Menschen [noch theuer,
Wann ihm] die Chariten [mangeln? O wär'] bei den Chariten stets ich! *Na*

83

II. DER KYKLOP

Benutzte Textvorlagen: Bin, Vo², Wi, Na

BEARBEITUNGSANALYSE

1–6: Gegen die Liebe, mein Nikias, wächst kein [anderes Heilkraut,]
Giebt es nicht Salben noch Tropfen, die Musen nur können sie lindern.
Dieses [Mittel,] so [lind] und [so süß,] erzeugt sich mitten
Unter [uns Menschen, und doch ist's] jedem [zu] finden [so leicht] nicht.
Du, so mein' ich, du kennst [es] gewiß: wie sollt' es [ein] Arzt nicht,
Und ein Mann vor allen geliebt von den neun Pieriden? *Bin*
[Nie ward] gegen die Lieb' [ein anderes] Mittel [bereitet,]
Nikias, [weder in] Salbe, [so scheint es mir,] noch [in Latwerge,
Als Pieridengesang. Ein kräftiger Linderungsbalsam,
Wuchs er] unter [den Menschen;] wiewohl nicht jeder ihn findet.
[Doch] du kennst ihn, mein' ich, [genau, ein Vertrauter der Heilkunst,]
Und [so herzlich] geliebt von den neun [tonkundigen Schwestern.] *Vo²*
[Wider] die Lieb' [ist nirgend ein anderes] Mittel gewachsen,
Nicht [ja ein Salböl, dünkt mir, o] Nikias, [nicht ja ein Pulver,
Außer den Pierinnen. Erleichterung schafft das, und] lieblich
[Ist es bei Menschen; allein] nicht [leicht ist solches zu] finden.
[Doch] du kennest [es wohl, wie ich glaube, dieweil du ein] Arzt [bist,]
Und neun [Musen fürwahr ein] vor allen [erkorener Liebling.] *Wi*
[Nie ward] gegen die Liebe [ein anderes] Mittel [erfunden,]
Nikias! [sei es in] Salbe, [(so scheint mir), oder in Pulver,
Als die pierischen] Musen. [Das keimte so leicht und] so lieblich
Unter [den Menschen empor; doch] nicht [leicht ist es zu] finden.
[Daß] du [es] kennst, [das glaube ich wohl, dieweil du ein] Arzt [bist,]
Und [in der That] ein Geliebter [der] neun [hellsingenden Schwestern;]

                                                                           Na

7–11: [Leichter wurde bei uns Polyphemos, der Vorzeit Kyklopen,
Einst sein Leben dadurch: er liebte die Galate, da ihm
Eben das Milchhaar erst die] Schläf' und [die] Lippen [umbräunte.]
Rosen vertändelt' er nicht und Äpfel und Locken; ihn brachte
Ganz von Sinnen die Lieb' und alles vergaß er darüber. *Bin*
    Also schuf der Kyklop sich Linderung, unseres Landes
Alter Genoß Polyfemos, der [loderte] für Galateia,
Als kaum [jugendlich Haar] ihm Lipp' und Schläfen [umkeimte.]

Und] nicht [liebt' er mit] Rosen, [mit Äpfelchen, oder mit] Locken;
[Nein, mit verderblicher Wut;] und vergaß [sich selber und] alles. *Vo²*
   [So ja lebte bei uns der Kyklop mit erleichterter Mühsal,
Er, Polyphemos, da einst Galateia er liebt' in der Vorzeit,
Eben vom pflaumenden Bart' an dem Mund' und den] Schläfen [umbräunet.
Auch] nicht [liebt er mit] Rosen, und Äpfeln und [Lockengewinden,
Sondern mit schädlicher Wuth,] und alles [war Nebengeschäft ihm.] *Wi*
[Denn so wenigstens lebte] der alte Kyklop Polyphemos,
Unser [Landsmann, auch, da er in Galateia verliebt war,
Wie sein Haar nur zu] sprossen [begann] um [den Mund] und [die] Schläfe.
[Aber der liebete nicht mit Röslein,] Äpfeln und Locken;
[Nein, mit schädlicher Wuth, die] alles [für Nebengeschäft hielt.] *Na*

12–18: Oftmals kehrten die Schafe von selbst [von der blumigen Weide
Wieder zur] Hürde [zurück,] doch Er [lag, Galate singend,
Seit dem] Morgenroth, [und] schmachtet' am schilfigen [Ufer.
Ach! er trug von der mächtigen Kypris] die [schmerzende] Wunde
Tief in [dem Busen; sie hatte den Pfeil] in das [Herz] ihm gebohret.
Aber er fand [das heilende Kraut:] er saß auf dem [hohen]
Felsen, [und sah in die Wellen hinab und stimmte sein Lied an:] *Bin*
Oftmals kehrten die Schaf' am Abende selbst in die Hürde
Heim aus der grünenden Au. Doch er, Galateia besingend,
Schmachtete dort in Jammer am [Felsgestade voll Seemoos,]
Frühe vom Morgenroth, und krankt' an der Wunde des Herzens,
Welche der Kypris Geschoß ihm tief in das Leben gebohret.
Aber er fand [die Genesung;] denn hoch auf der Jähe des Felsens
Saß er, den Blick zum Meere gewandt, und hub den Gesang an: *Vo²*
Oftmals [giengen allein heimwärts zu] den Hürden die Schafe,
[Fort von] der grünenden Au; doch er, Galateia besingend,
[Härmete] dort [sich in Gram] an dem schilfigen Meeresgestade,
Früh [mit dem Morgen,] und [trug in] dem Herzen die [peinlichste] Wunde
[Von] der [gewaltigen] Kypris, [die] ihm [ihr] Geschoß in [die Brust stieß.
Doch er entdeckte das Mittel:] denn sitzend auf [ragenden] Felsen,
[Und hinschauend ins] Meer, [hub so er die Stimme des Liedes:] *Wi*
Oftmals [kehrten] die Schafe von selber [zurück] in die Hürde
Aus [dem] grünenden [Grase;] doch er, Galateia besingend,
Schmachtete dort [vor Liebe] am [meergrasreichen Gestade
Schon in der Früh', und er litt] an der [schrecklichsten] Wunde des Her-
                                          zens,
[Die] in [die Leber] ihm [schlug das] Geschoß [der großen Kythere.]

Aber er fand [ein Mittel,] denn [dort] saß er auf des Felsens
[Ragender Höh', er schaut' in die Flut] und hob den Gesang an: *Na*

19–24:   »Weiße Galate, [sage, was stößt] du den Liebenden [von dir?]
Bist so weiß wie geronnene Milch und so zart wie ein [Lämmchen,]
Munter und wild wie ein [Kalb,] und [blank] wie die [reifende] Traube.
[Öfters] kommst du hieher, wenn der liebliche Schlummer mich fesselt,
Aber du fliehest sogleich, wenn der liebliche Schlummer entweichet,
Eilst davon, wie ein Schaf, das die grauliche [Wölfinn] gesehn [hat.] *Bin*
     O Galateia, du weiße, den Liebenden so zu verschmähen?
Weiß wie geronnene Milch [von Gestalt,] und zart wie ein Lämmlein,
Und wie ein [Kalb mutwillig,] und prall wie [der] schwellende [Herling!]
Stets so] kommst du [zurück,] wenn der [süße Schlaf] mich gefesselt;
[Schnell dann eilst du hinweg,] wenn der [süße Schlaf mich gelöset;
Und du entfliehst,] wie ein Schaf, das den [falbigen] Wolf [kaum wahr-
                                                    nahm.] *Vo²*
     O Galateia, du weiße! [was scheuchst du] den Liebenden [von dir?]
Weißer [ja] bist [du zu schaun, als Käs',] und zarter, wie [Lämmchen,]
Munterer [noch,] wie ein [Kalb,] und [an Glanz vorstrahlend dem Herling!]
Hieher kommest du [dann,] wenn lieblicher Schlummer mich fesselt,
Aber [entweichest] sogleich, wenn lieblicher Schlummer [mich fliehet,
Und fleugst hin,] wie ein Schaf, das den graulichen Wolf [sich erschaut hat.]
                                                    Wi

     [Blendende] du, Galateia, den Liebenden so zu [verwerfen?]
Weiß, wie [Käse, zu schauen] und zarter [noch, als] wie ein [Lämmlein,
Lustiger,] wie ein [Kalb] und [üppig,] wie [reifende] Trauben!
[Stets so] kommst du hierher, wann lieblicher [Schlaf] mich gefesselt,
[Läufst von hinnen jedoch,] wann der liebliche [Schlaf von mir abläßt,
Fleuchst dann,] wie ein Schaf, [wann] den gräulichen Wolf [es erblickt hat!]
                                                    Na

25–29:   [Mädchen,] ich liebte dich [schon,] als du [hier das erstemal] herkamst,
[Von der] Mutter [geführt,] Hyacinthen [auf unserer Bergflur]
Dir zu pflücken; ich [war's, der damals die Steige] dir [zeigte.]
Nimmer [verlor] ich seitdem [dein Bild aus den Augen;] es [will nicht
Weichen:] doch du, beim Zeus! du [kehrst an das alles dich] gar [nicht.] *Bin*
Damals lieb' ich bereits dich, Mägdelein, als du mit meiner
Mutter zuerst herkamst, dir buschige Sträuß' Hyakinthen
Aus dem Gebirge zu pflücken, und ich die Wege dir nachwies.
Immer dich anzuschaun, [seit jenem Tage bis jezo
Hab' ich nicht] Ruhe [davor;] doch [traun!] nichts achtest du, gar nichts! *Vo²*

86

[Liebe durchdrang mich zu dir, o Jungfrau,] als mit [der] Mutter
[Jüngst du zum erstenmal giengst, Hyacinthenblätter] zu pflücken,
[Dort an der Seite des Bergs,] und [führend] den Weg ich [euch zeigte.]
Seitdem [kann] ich [nach] dir [nun förder zu blicken, ach, nimmer]
Lassen! [Allein,] bei dem Zeus! [dich rühret es nicht im geringsten.] *Wi*
Damals liebt' ich, [o Mädchen,] dich [schon, da] zuerst du mit meiner
Mutter [hierher einst kamst, von der sprossenden Blum'] Hyakinthos
[In] dem Gebirge zu pflücken, und ich die Wege dich [führte.
Aber ich kann nicht genug dich schauen, von damals bis jetzt noch,
Seit ich dich sah,] doch [kümmert es dich] gar [nicht,] bei dem Zeus [nicht!]
Na

30–35: [O,] ich weiß [es, du liebliches Mädchen,] warum du mich fliehest!
Weil mir die ganze Stirn die borstige [Braune bedecket,
Und] von Ohr zu [Ohr,] Ein mächtiger Bogen, sich [ausspannt;
Weil Ein] Aug' und breit auf [den Lippen] die Nase [mich mißziert.]
Aber so [häßlich] ich bin, [so] weid' ich [doch] Schafe [zu] tausend,
Trinke die fetteste Milch, [aus ihren Eutern] gemolken. *Bin*
Ach ich weiß, holdseliges Kind, warum du [entfliehest!]
Weil [mit] borstigem [Haare die Augenbraun' auf] der Stirn' [hin
Ganz] vom Ohre sich [streckt] zu dem anderen, [lang auslaufend;
Drunten] das einzige Aug', und die breite Nas' auf der Lefze!
Aber auch so, wie ich bin, ich weide dir Schafe bei Tausend:
Selbst [dann] melk [ich] von [diesen] die [köstlichste] Milch [mir zum
Leibtrunk;] *Vo²*
[Wohl doch] weiß ich, warum du, [o reizendes Mädchen,] mich fliehest!
Weil [auf] der [völligen] Stirne [mir Eine gewaltige Braune,
Laufend] von einem [der] Ohren zum andern, [so struppig] sich [ausdehnt,
Und Ein] Aug' [ich nur hab', auch] die Nase [sich stümpft an der Lippe.]
Aber [doch] weid' ich, [also gestalteter,] tausend [der] Schafe,
Und sie melkend, [genieß' ich] von ihnen [den köstlichsten Milchtrunk.] *Wi*
Weiß [gar wohl, liebreizende Maid,] warum du mich fliehest!
Weil die [struppige] Braue mir ganz [an] der [ragenden] Stirne
Von [dem] einen Ohre zum andern [in Länge] sich [hinzieht,
Und ein] Auge [daran] und die breite Nase [daraufsitzt.]
Aber, [obgleich] ich so bin, ich weide [ja] tausend [der] Schafe,
[Und ich] trinke die [herrlichste] Milch, [die ich] selber [mir] melke; *Na*
36–41: Käse mangelt mir nimmer im Sommer und nimmer im Herbste,
[Nie] im härtesten Frost, [schwer bleiben mir immer] die Körbe.
Kein Kyklope versteht [es,] wie Ich [auf der Flöte zu spielen,]

Wenn ich bis [spät] in die Nacht [oft] dich, [mein trautestes Lämmchen,]
Sing' und mich selbst dazu. Elf Kälber der Hindinn erzieh ich
Dir, mit [gesprenkeltem Fell,] vier Junge der Bärinn [nicht minder.] *Bin*
Käs' [auch] mangelt mir [nie,] im Sommer [nicht, oder] im Herbste,
Noch im härtesten Frost; schwervoll sind die Körbe beständig.
Auch die Syringe versteh' ich, wie keiner umher der Kyklopen,
Dir, o du Honigapfel, [zugleich] mir selber, [was] singend,
[Oft] in der Nacht [Ruhstunden! Auch eilf Hirschkälber dir nähr' ich,
All' um die] Hälse [Geschmuck,] und dann vier Jungen der Bärin. *Vo²*
Käs' [auch geht] mir [nicht aus, wie] im Sommer [nicht, so nicht] im Herbste,
[Oder im äußersten Winter: denn immer gefüllt] sind die Körbe;
[Und im Syringengetön steht mir hier jeder Kyklop nach,]
Wenn, [Süßapfel,] ich dich und [zugleich] mich selber [besinge,
Oft in der Spätnacht. Elf Wildkälber ernähr' ich daneben,
Alle mit Schmuck um die] Häls', und [noch] vier Junge der Bärin. *Wi*
[Weder zur Sommerszeit fehlt] Käse mir, [noch] in dem Herbste,
Noch in [dem Winter spät; stets übervoll] sind [mir] die Körbe.
Auch, wie kein Kyklop [weithin, zu flöten] versteh' ich,
Dich, o [lieblicher Apfel zugleich] und mich selber [besingend,]
Tief [zur nächtlichen Zeit! Auch zieh ich dir eilf Hirschkälber,
Alle mit Halsgeschmeid'] und [noch] vier Jungen der Bärinn. *Na*

42–49: Komm [doch, o Nymphe] zu mir, [und] du sollst nicht [weniger haben!]
Laß [die] blaulichen [Wogen nur immer das] Ufer [beschäumen. –
Süßer wirst du] die Nacht bei mir in der Höhle [verschlummern:]
Lorberbäume sind [hier,] und [hochgesproßte] Cypressen,
[Epheudunkel] ist [hier,] und [mit lieblichen Trauben der] Weinstock,
[Hier ein kühliger Quell,] den Ätna, [der Wälderumkränzte,
Hoch] aus [blendendem] Schnee zum Göttergetränk mir herabgießt.
O, wer wählte dafür sich das Meer und die Wellen zur Wohnung! *Bin*
Komm nur [gerne] zu [uns;] du sollst nicht schlechter es finden!
Laß du das bläuliche Meer, wie es will, aufschäumen zum Ufer:
Lieblicher soll in der Höhle bei mir [ja] die Nacht dir vergehen.
Dort sind Lorberbäum', und [dort auch geschlanke] Cypressen;
Dunkeler Efeu ist dort, und ein gar süßtraubiger Weinstock;
[Kalt dort] rinnet ein Bach, den mir der bewaldete Ätna
Aus hellschimmerndem Schnee, zu [ambrosischem Trunke, dahergießt.]
Wer [doch möchte] dafür sich Meer [auswählen und Fluten?] *Vo²*
[Auf denn!] Komme zu [uns! Nicht schlimmer ja wirst du es haben!]
Lasse das bläuliche Meer [anstürmen] zum Ufer [der Veste!

Fröhlicher wirst du] bei mir in der Höhle [durchleben die Nachtzeit.]
Lorbeerbäume sind dort, [dort] schlankgestreckte Cypressen;
Dort [grünt] dunkeler Epheu, ein Weinstock [lieblicher Frucht dort.
Frisches Gewässer ergießt sich] auch [dort, das] der [waldige] Ätna
Aus [weißglänzendem] Schnee, [den ambrosischen Trank,] mir [herab-
                            strömt.]
Wer [doch möchte] das Meer und die Wellen [vor diesem erwählen?] *Wi*
Komm [du] nur zu mir; du sollst nicht schlechter es [haben!]
Laß du [sie doch, die] bläuliche [Flut aufwogen] zum Ufer:
Lieblicher [wirst du] die Nacht bei mir in der [Grotte verleben!]
Dort sind Lorbeerbäume und [schlankgesproßte] Cypressen,
Dunkeler Epheu [auch] und [mit lieblichen Trauben] ein Weinstock;
[Dort ist] ein [kühlender] Bach, den der [vielbewaldete] Ätna
Aus [dem blendenden] Schnee, zu [ambrosischem Trunke, herabgeußt!]
(Wer [denn wollte vor diesen] die Wellen sich [wünschen und Meerflut?)] *Na*

50–59: Aber [wenn ich vielleicht,] ich selber, zu [haarig] dir [scheine,]
Hier ist eichenes Holz und glimmende Gluth in der Asche:
[Sieh,] ich [erduldet'] es gern, und wenn du [das Herz] mir versengtest,
Oder mein einziges Auge, [mein] Liebstes [von allem auf Erden.
Weh mir! o hätte] mich doch mit Flossen die Mutter geboren!
[Daß] ich [mich] tauchte zu dir, und mit Küssen die Hand dir [bedeckte,]
Wenn du den Mund nicht gabst. – Ich brächte dir [Liliensträuße,
Oder die Blume des] Mohns, [die zarte,] mit [röthlichem Klatschblatt.]
Aber es blühet im Sommer die eine, die andre [des] Winters,
[Also] könnt' ich zugleich nicht alle die Blumen dir bringen. *Bin*
Aber wofern ich selber dir zottiger [dünke] von Ansehn;
Eichene [Kloben] sind hier, in der Asch' [auch] glimmet [genug] Glut!
Gern, und [verbrennetest] Du mir die Seel' [auch, würd'] ich es dulden,
[Auch] mein einziges Auge, das mir [vor dem theuersten werth ist!]
Ach, daß die Mutter mich nicht [kiemöhrig] gebar [und] mit Flossen!
[Grundab] taucht' ich zu dir, und [küßte] die Hand dir mit [Inbrunst,]
Wenn du den Mund [mir entzögst!] Bald silberne Lilien brächt' ich,
Bald zartblumigen Mohn, mit purpurnem Blatte zum Klatschen.
[Doch] die blühn ja im Sommer, [und] die [bei winternden Schauern:
Wohl] nicht alle zugleich sie dir zu bringen [vermöcht'] ich! *Vo²*
[Dünk'] ich dir selber [jedoch von] zu zottiger [Bildung, so hab' ich
Eichholz, und mir erlöscht nie unter] der Asche [das Feuer.]
Dulden [ja könnt'] ich es, [daß du] mir [selber das Leben verbrenntest,
So wie] mein einziges Auge, das [süßeste, das] ich besitze!

[Wehe mir, weil] mich nicht [hat] mit [Kiemen] geboren die Mutter,
[Daß] ich hinab zu dir taucht', und [drückte den] Kuß [auf] die Hand dir,
Wenn du nicht [bietest] den Mund! [Weißschimmernde] Lilien brächt' ich,
[Oder auch weichlichen] Mohn dir, [gezieret] mit [röthlichem Klatschblatt.]
Aber im Sommer [nur] blühen die einen, die andern im Winter!
[Also vermöcht'] ich [es] nicht, sie alle zugleich dir [zu] bringen. *Wi*
Aber wofern ich dir selber zu zottig erscheine von Ansehn:
Hier ist [Eichenholz da, noch erlosch] in der Asche [die] Glut [nicht!]
Und wenn du mir die Seele [verbrenntest: würd'] ich es dulden,
[Auch] mein einziges Auge, das [doch vor allem] mir [werth ist!]
Ach, daß doch die Mutter mich nicht mit Flossen geboren:
[Dann in die Fluten] zu dir taucht' ich und [küßte] die Hand dir,
[Läßt] du den Mund [mir] nicht! Bald [glänzende] Lilien brächt' ich,
Bald [auch zarten] Mohn [und röthliche] Blätter zum Klatschen.
Aber die [sproßt] ja im Sommer [und] die [zur winternden Zeit nur:
Also] könnte ich dir nicht all [dies] bringen [auf einmal.] *Na*

60–66: Doch [noch jetzt –] ja, [Liebchen, gewiß,] ich lerne noch schwimmen, –
Steuert' ein [Fremder mir] nur [sein] Schiff an dieses Gestade,
Daß ich säh, was [es süßes euch ist] in der Tiefe [zu wohnen. –
Steig', o Galate, auf, und bist du am Lande,] vergiß [dann,]
(So wie ich, am Ufer hier sitzend,) nach Hause zu kehren.
Weide die Herde zusammen mit mir, und melke die Schafe,
Gieße das sauere Lab in die [Molken] und presse dir Käse! – *Bin*
Nun [dann, trautestes] Kind, [o sofort nun] lern' ich [die Schwimmkunst,
Wenn] einmal [seefahrend im] Schif [anlandet] ein Fremdling:
[Um doch zu] sehn, was [für Wonne des Abgrunds Wohnung euch darbeut.]
Komm hervor, Galateia, und kamst du hervor, so vergiß auch,
[Gleich mir selber alhier nun] sizenden, [heim dich zu wenden.
Möchtest du doch hier] weiden, [gesellt] mir, melken die [Euter,]
Und dir pressen die Milch, [von bitterem] Labe [geronnen!] *Vo²*
[Traun] nun [will] ich, ich [will nun, Jungfrau,] schwimmen noch lernen,
[Wenn hieher mit dem] Schiff [einst nahet ein segelnder] Fremdling,
Daß ich [doch] sehe, was [euch so reizet, zu wohnen] im [Abgrund!]
Komm, Galateia, [heraus!] Und [wenn] du gekommen, vergesse,
So wie ich [selber alhier jetzt] sitzend, nach Hause zu kehren!
Weide die [Schafe zugleich doch] mit mir, und melke die [Milch aus,
Mach' auch] Käse [davon, einmischend die Schärfe] des Labes! *Wi*
[Nur dann, Mägdlein, traun,] nun lerne [sofort] ich [das] Schwimmen,
[Wenn] ein [Fremder] einmal [allhier anlandet zu] Schiffe,

90

Daß ich sehe, [wie süß es auch sei,] in der Tiefe [zu wohnen.]
Komm, Galateia, [heraus,] und [bist] du gekommen, vergiß [dann,]
So wie ich [selbst] hier sitzend [es thu',] nach Hause zu [gehen.
Möchtest du] weiden [zugleich] mit mir und melken die [Euter,]
Und [dann] pressen [den] Käse, [mit bitterem] Labe [bereitet!] *Na*

67–71: Meine Mutter allein [nur] ist Schuld, und ich [schmähl' auch auf diese,
Weil] sie von mir [wohl nie] ein freundliches [Wort] dir [gesagt hat;]
Und doch sah sie dahin von Tage zu Tage mich schwinden.
Aber ich [klag' ihr gewiß, wie der] Kopf [und] die Füße mir [weh thun;
Dann] grämt Sie sich [auch; muß Ich doch beständig mich grämen. –] *Bin*
[Unglück bringt mir die] Mutter allein, und ich [tadle] sie billig:
Niemals sagte sie dir Ein freundliches Wörtchen von mir vor;
Sahe sie [gleich, wie] von Tage zu Tag' [ich schmächtiger einschwand!]
Sag' ich [denn, oben] im [Haupt und] hinab in die Füße mir klopf' es
Fieberisch: daß sie sich gräme; dieweil ich selber [vergrämt] bin! – *Vo²*
[Unrecht gegen mich übt nur die] Mutter allein, und ich [zürn'] ihr.
[Nie wohl sprach sie bei] dir [noch] von mir Ein freundliches Wörtchen!
Und doch sieht sie von Tage zu Tage mich [magerer werden.]
Sagen [ihr will] ich, [der] Kopf [und] die Füß' [auch zuckten mir beide
Fiebernd,] daß [Qual] sie [empfinde, da Qual] ich [ja] selber [erdulde!] *Wi*
[Unrecht thut mir die] Mutter allein und ich [tadle darob] sie;
Niemals [hat] sie [von] dir ein freundliches [Wort] mir [geredet,
Ob] sie [auch] sah, [wie] von Tage zu Tag' [ich mehr mich verzehrte!
Darum] sag' ich, es [schmerze das Haupt und beiderlei] Füße
Mir, [auf] daß sie sich gräme, [da] ich [auch] selber [mich gräme! –] *Na*

72–81: O Kyklope, Kyklope, [wie ist dein] Verstand dir [verflogen!]
Wenn du gingest und flöchtest dir Körb', und streiftest für deine
Lämmer dir junges Laub, [in Wahrheit] da thätest du klüger.
Melke das stehende Schaf: was willst du dem flüchtigen [folgen?
Eine zweite] vielleicht [und] schönere Galate findst [du.]
Laden mich Mädchen genug doch öfters zu nächtlichen Spielen;
[Geb'] ich ihnen [Gehör, so] kichern sie alle vor Freude.
Traun! ich gelte doch auch in diesem Lande noch etwas!« –
[Also] linderte [dort Polyphemos durch Lieder] die Liebe:
[Besser war ihm, als hätt' er den Arzt mit] Golde [bezahlet. –] *Bin*
O Kyklop, Kyklop! wo schwärmete dir der Verstand hin?
Gingst du [dafür an der] Körbe [Geflecht,] und [trügest den] Lämmern
[Abgeschnittenes] Laub; [wohl] thätest du klüger [bei weitem.
Erst die nächste] gemelkt! [Wozu dem Fliehenden] nachgehn?

91

Finden sich doch Galateien, vielleicht noch schönere, sonst wo!
[Oftmals] laden mich Mädchen [in] nächtlicher Spiele [Gesellschaft;
Hell dann] kichern sie alle, [wenn ich gutwillig gefolgt war.
Glaubt mir,] auch Ich [bin, scheint es,] in unserem Lande noch etwas.

[Also bezwang Polyfemos dir] einst die [schwärmende] Liebe
Durch den Gesang, und schafte sich Ruh, die das Gold nicht erhandelt. *Vo²*
O Kyklop, Kyklop! [Ach, wohin doch entfloh] der Verstand dir?
Giengst du, [zu] flechten [den] Korb, und [abgeschnittene Sprossen
Darzubringen den] Lämmern; [o wohl viel] klüger [dann wärst du!]
Melke das Schaf, [das du hast!] Was [rennst du nach dem, das dich fliehet?]
Findest vielleicht Galateia noch schöner [in einer der andern!
Locken] doch Mädchen genug mich, [mit ihnen zu scherzen] zur [Nachtzeit;
Und laut] kichern sie alle, [wenn] ihnen [den Wunsch ich erhöre.
Ist ja der klarste Beweis, daß] Ich auch im Lande [was] gelte!

[Also bezähmte der Hirt Polyphemos] die [glühende] Liebe
Durch den Gesang, und [lebte vergnügter, als einer, der] Gold [giebt.] *Wi*
O Kyklop, Kyklop! [wohin nur entfloh] der Verstand dir?
Gingest du [flugs zu der] Körbe [Geflecht] und [brächtest den Lämmlein
Frischgeschnittenes] Laub, [dann hättest du bess're Gesinnung!]
Melke [die nächste zuerst,] was willst du dem [Fliehenden folgen?]
Findest [ja anderswo auch] noch schönere, [als] Galateia!
[O] mich [rufen gar] oft zum nächtlichen Spiele [die Jungfraun,
Und] sie kichern [dann] alle, [wofern ich] ihnen [Gehör gab;
Freilich] ich [glaub'] auch etwas in unserem Lande [zu] gelten!

Siehe, so linderte einst der Kyklop [Polyphemos] die Liebe
[Singend, und lebte so ruhiger hin, als ob] Gold [er gegeben!] *Na*

III. DIE FISCHER

Benutzte Textvorlagen: Bin, Vo², Wi, Na

BEARBEITUNGSANALYSE

1–5: Armuth [ist es allein,] Diophantos, [welche] die Künste
[Aufweckt,] sie, die Mühen und Fleiß uns lehret; [denn nimmer
Lassen] den Arbeitsmann die [quälenden] Sorgen [entschlummern.]
Wenn auch einer bei Nacht den wenigen Schlummer erhascht [hat,
Stürmen die Sorgen doch bald auf ihn zu, und stören] ihn plötzlich. *Bin*
Armut nur, Diofantos, erweckt die betriebsamen Künste,
Sie, die [Lehrerin ist der Thätigkeit. Selber] der Schlaf nicht

[Wird] ja dem Arbeitsmanne [gegönnt von] der [finsteren] Sorge.
Wenn auch einer bei Nacht den [flüchtigen] Schlummer erhaschet,
Plözlich verscheucht ihn wieder die stets andringende Unruh. *Vo²*
Armuth [pfleget allein,] Diophantos, die Künste [zu wecken;
Lehrerin ist sie] der Müh'. [Ach, nimmer] vergönnen ja [Ruhe
Lohnarbeitenden Männern] die [finstergelauneten] Sorgen!
[Haschet] auch einer [die] Nacht [auf Minuten am Saume; so störet,]
Plötzlich [dem Lager genaht, ihm den Schlummer die bange Besorgniß.] *Wi*
Armuth, [o] Diophantos, [allein] erwecket die Künste,
[Lehrerinn ist sie allein der Arbeit. Nimmer] des Schlafes
[Ruhe gestatten] die Sorgen, [die schlimmen, betriebsamen Menschen.
Und] wenn einen [der Schlaf ein] wenig bei Nacht [ergriffen,
Dann] verscheuchen ihn wieder [die] plötzlich [erscheinenden Sorgen.] *Na*

6–13: Unter der Hütte geflochtenem Dach, auf trockenem Moose
Lag [ein bejahrtes Paar von Fischersleuten] beisammen,
[Hingelehnt] an die laubige Wand, und nahe bei ihnen
Lag am Boden ihr [Handwerksgeräth, die Körbchen und] Ruthen,
Angelhaken und [trügliche] Köder, umwickelt mit Seegras;
Schnür' und Bungen [dabei] und [aus Binsen geflochtene] Reusen,
[Garn' und] ein Fell, [auch stand] ein [bejahrter] Nachen auf [Walzen:
Kurze Matten stützten das Haupt,] und Kittel und [Mützen.] *Bin*
Zween [grauhaarige Männer des Fischfangs] lagen [gesellet,]
Unter der Hütte [Geflecht,] auf [der Streu von] trockenem [Meergras,]
Angelehnt an die Wand [des Reisiges.] Nahe bei ihnen
Lagen [der ämsigen Händ' Ausrüstungen: weidene] Körbe,
Angelhaken, [und Rohr', und mit Tang geröthete Kittel,]
Haarseil' auch, und Bungen, und [binsene Fanglabyrinthe,]
Schnüre [zugleich, Schafvließ',] und ein altender Nachen auf Stüzen;
Unter [dem Haupt ein Endchen von Matt',] und [hüllende] Filze. *Vo²*
Zwei schon [ergrauete Freunde des Fischfangs] lagen beisammen
[Einst] auf [getrocknetem Ried, das sie streuten] der Hütte [von Flechtwerk,]
Angelehnt an [die Seite von Blättern;] und nahe bei ihnen
Lagen [die Kampfgeräthe der Hände gebreitet,] die Körbe,
[Rohrstäb',] Angelhaken, auch [meertangschwere Gewande,
Pferdhaarseil'] und Reußen, [dazu Labyrinthe von Binsen,]
Schnüre, [zugleich auch ein Vließ] und ein alternder Nachen auf [Walzen;]
Unter [den Häuptern ein kurzes Geflecht, auch Kleider] und Filze. *Wi*
Zwo schon [ergreisende Männer des Fischfangs] lagen beisammen
[In] der geflochtenen Hütt' auf [der Streu von] trockenem [Meermoos,]

93

Angelehnt an die Wand [vom Baumreis.] Nahe bei ihnen
Lag [der Handarbeiten Geräth:] die [geflochtenen] Körbe,
[Angelruthen und Hamen, mit Tang] umwickelter Köder,
Auch [Haarschnuren] und Reußen, [so wie Labyrinthe von Schmeelen,]
Schnüre und Felle [von Schaafen,] ein alternder Nachen auf Stützen;
Unter [dem Haupt ein kleines Gedeck und Kleider] und Filze. *Na*

14–18: Dieß [war] aller [Erwerb] und die ganze Habe der Fischer:
Weder Topf noch Tiegel [war dort zu finden: das] alles
[Schien nur Überfluß ihnen,] und ihre [Gefährtinn] war Armuth:
Auch kein Nachbar [ringsum; es] spülte mit sanftem [Geplätscher
Um] die [verfallene] Hütte [von jeglicher Seite] das Meer [an.] *Bin*
Dieses [war] ganz der Fischer [Geräthschaft, dieses der Reichthum.
Auch nicht] Topf noch [Nössel] besaßen sie; alles, [ja] alles
[Reichlich genug schien jenen] der Fang: [die] Genossin war Armut.
Auch [war] keiner umher Nachbar; denn [nahe] gedrängt [rings]
Spülete gegen die Hütte [die] sanft anplätschernde [Meerflut.] *Vo²*
Dieses der Fischer errungner [Besitz] ganz, [dieses der Reichthum.
Keiner beherrschte da] Topf noch Tiegel: [sie fanden entbehrlich]
Alles, [ja] alles [beim] Fang'; und ihre [Gesellin] war Armuth.
Keiner auch Nachbar umher; denn [selbst zur bedrängeten] Hütte
Spületen ringsum [heran] sanft [rauschend die Wogen] des Meeres. *Wi*
Dies [war] der Fischer ganze [Geräthschaft, dieses ihr Reichthum.
Auch nicht] Topf, noch [Maaß hatt' einer; denn] alles in [Fülle
Schien] der Fang [schon ihnen] und Armuth war [die] Genossinn.
[Nicht war dort um sie ein] Nachbar; [überall] spülte
[An] die [beengete] Hütte das Meer mit sanftem [Gemurmel.] *Na*

19–21:   Noch war nicht auf der Hälfte der Bahn der Wagen des Mondes,
Als [schon wieder die Arbeit sie weckte, die Freundinn; sie] rieben
[Jetzt] von den Wimpern den Schlaf, zum Gespräch die Geister ermun-
ternd: Bin
Noch nicht [halb durchrollte Selene's] Wagen [die Laufbahn,]
Als ihr Geschäft die Fischer [ermunterte.] Schnell von den Wimpern
Rieben sich beide den Schlaf, [und regten die Stimm' in der Seel' auf.] *Vo²*
Noch nicht [durcheilte] der Wagen [Selene's die Mitte der Laufbahn,]
Als [der geliebte Beruf aufweckte] die Fischer. [Sie] rieben
Sich von den Wimpern den Schlaf, [und reizten das Lied in der Seele.] *Wi*
    Noch nicht [halb vollbrachte Selene's] Wagen [die Laufbahn,]
Als die Fischer [vom Schlafe die Arbeit weckte. Sie] rieben
Sich [aus] den Wimpern den Schlaf [und erweckten] den Geist zum [Gesange:]
Na

22: *darüber* [DER] ERSTE *Vo²* [ASPHALION] *Wi Na*

22–25: Alle lügen doch, [Freund,] die sagen, es würden die Nächte
Kürzer im Sommer, wenn Zeus uns längere Tage verleihet.
Tausend Träum' [erschienen mir schon,] und der Morgen ist fern noch.
[Täusch'] ich mich [nicht?] was ists? [verlängern sich etwa] die Nächte? *Bin*
[Unwahr] sagen doch alle, [mein Freund, daß] die Nächte [des] Sommers
[Eher vergehn,] wann Zeus [die] längeren Tage [gewähret.]
Tausende [schon von] Träumen [erschienen mir; aber der Tag säumt.]
Irrt' ich [vielleicht?] Was [heißt das?] Verziehn jezt länger die Nächte? *Vo²*
[Lügner sind] alle, [mein Freund,] die sagen, [daß] kürzer die Nächte
[Würden des] Sommers, wenn Zeus [die verlängerten] Tage [herbeiführt.
Sah] ich [unzählige] Träume doch [schon;] und noch [zögert] der Morgen.
[Täuscht'] ich mich [etwa? Wie ist denn die Sache? Ja,] lang [sind] die
                                                                          Nächte! *Wi*
[Freund, sie] lügen doch alle, [so meinen, daß] kürzer die Nacht [sei,
Während des] Sommers, wann Zeus uns längere Tage [gewähret.]
Tausend Träume [schon] hab' ich [gesehn] und [immer] noch [tagt's nicht.]
Irre ich mich? Was ist [das?] verziehen die Nächte [vielleicht] jetzt? *Na*

26: *darüber* [DER ANDERE] *Vo² Na* [SEIN FREUND] *Wi*

26–28: [Tadle nicht unverständig] den lieblichen Sommer: die Jahrszeit
Überschreitet [doch] nimmer den Lauf nach eigenem [Willen,]
Sondern die Sorgen verkürzen den Schlaf, und machen die Nacht lang. *Bin*
[Strafst du] den lieblichen Sommer, [Asfálion? Wandelt die Zeit doch
Nicht] nach eigener [Wahl aus der Laufbahn;] sondern [den Schlummer
Jagt nur] die Sorge [hinweg,] und macht [langwierig] die Nacht [dir.] *Vo²*
[Einzig nach Willkühr schiltst du] den [freundlichen] Sommer! [Die Zeit tritt
Über die Bahn nicht hinaus, o Asphalion;] sondern die Sorge
[Rüttelt gewaltsam am] Schlaf, und [dehnt dir] die Nacht [in die Länge.] *Wi*
[Tadelst, Asphalion, du] den [herrlichen] Sommer? [Die Zeit traun
Wandelt nicht, wie sie will, die Bahn; es scheuchet den Schlummer
Kümmerniß weg] und macht [dir also] länger die Nächte. *Na*

29: *darüber* [DER] ERSTE *Vo²* [ASPHALION] *Wi Na*

29–33: [Hast] du Träume [zu deuten gelernt?] ich sah dir ein [schönes]
Traumgesicht in der Nacht, das will ich zum Besten dir geben;
Wie in den Fang, so [können] wir ja in die Träum' uns auch theilen.
Dich [übertrifft] an Verstand [doch keiner,] und der ist der beste
[Deuter der Träume, bei] dem [der] Verstand [die Deutung ihn lehret.] *Bin*
[Hast] du [gelernt, wie man] Träum' [auslegt? Gar köstliches träumt' ich!
Billig ja wohl empfängst du ein Antheil meines Gesichtes.

95

So] wie den Fang, so [ehrlich] die Träum' auch [alle] getheilet!
[Wohl nicht einer besiegt] an Verstand dich. [Wahrlich] der beste
Traumausleger ist der, dem eigner Verstand [es gelehret.] *Vo²*
[Lerntest] du [je wohl] Träum' [auslegen? Denn] herrliche sah ich!
[Untheilhaftig nicht sollst du mir bleiben des nächtlichen Traumbilds.
Gleich] wie den Fang, so theile [du mit mir] die [sämtlichen] Träume!
[Denn nicht wirst du besiegt] an [Vernunft;] und der ist der beste
Traumausleger, [bei] dem [die Vernunft sich als Lehrerin einstellt.] *Wi*
[Hast] du [die] Träume [zu deuten gelernt? Denn Köstliches] sah ich!
[Du sollst untheilhaftig nicht sein an meinem Gesichte;
So] wie den Fang [wir theilen:] so theilen wir [jegliche] Träume!
[Niemand sieget] dir [ob] an Verstand. Der [nur] ist der beste
Traumausleger [fürwahr,] dem [Lehrer der] eigne Verstand [ward.] *Na*

34–38: Übrigens haben wir Zeit; was soll ein [Fischer] beginnen,
[Der] auf Blättern lieget am Meer, [und im Sande des Ufers
Nicht zu schlafen vermag?] Licht siehst du nur im Prytaneion;
Aber das hat auch beständigen Fang, so sagen die Leute.

ZWEITER FISCHER

Nun so erzähle den Traum, [und entdeck' itzt alles dem Freunde.] *Bin*
[Auch ist Muße genug;] denn was [hat] einer [zu thun wohl,
Der] auf Reisige liegt an [der Meerflut, ohne zu schlafen,
Hier auf dem Ufergerank? Doch brennendes] Licht – [ist] im [Stadthaus!
Schlaflos,] sagen [sie, leuchtet es dort!

DER ANDERE

Wohlan, das Gesicht denn,
Das du gesehn in der Nacht, verkündige] mir [dem Genossen.] *Vo²*
Übrigens [feiern] wir [auch.] Was [hätte doch] einer [zu schaffen,
Welcher] auf Blätter [gestreckt] an [dem Wogengeräusche, nicht schlummert
Fröhlich beim Rhamnosgeknister? Doch flackert die Kerz'] im [Gemeinhaus;
Denn stets] Fang, [wie man] sagt, [hält dieses!

SEIN FREUND]

Erzähle [doch endlich,
Mir die Erscheinung der Nacht, und melde du alles dem Freunde!] *Wi*
[Muße ja hat man genug.] Was sollt' [auch] einer [denn schaffen,
Wer im Laube da] liegt an [der Meerflut, ohne zu schlummern
Sanft auf [Rankengesprosse? Doch] Licht [ist] im Prytaneion,
[Stets ist Beute genug dort,] sagt [man!

96

DER ANDERE

Sage, wohlan denn,

Mir dein nächtlich Gesicht und verkündige alles dem Freunde!] *Na*

39: *darüber* [DER] ERSTE *Vo²* [ASPHALION] *Wi Na*

39–43: Gestern als ich [schlief,] von der nassen [Arbeit] ermüdet,

[(Überfüllet] hatt' ich mich nicht; wir aßen beizeiten

[Und nicht viel, erinnre dich nur!) da] däucht mich, ich stiege

Einen Felsen hinan; [dann] setzt' ich mich nieder, auf Fische

Lauernd, und schüttelt' am Rohr den trüglichen Köder hinunter. *Bin*

Als ich [am Abend] entschlief, von [Meerarbeiten ermattet;

(Traun, nicht reichlich genährt; denn wie früh wir nahmen die Nachtkost,]

Weißt du [ja, auch wie] des Magens geschont [ward:) sah ich mich selber]

Einen Fels [anstreben; und bald, auflaurend den] Fischen,

[Saß ich,] und [schwenkt'] an [dem] Rohre [hinab] den trüglichen Köder, *Vo²*

Als ich [am Abend] entschlief, [nach] ermüdender [Arbeit im Meere,]

(Übersättiget hatt' ich mich [traun] nicht! [Denn wir genossen

Zeitig das Mahl,] wenn du [dich] noch [erinnerst,] und schonten den Magen:)

[Siehe, da schaut' ich mich selbst in geschäftiger Hast an dem] Felsen;

[Sitzend dann späht' ich nach] Fischen, den [trügrischen] Köder am Rohre

[Niederschüttelnd;] *Wi*

Als ich [am Abend entkräftet] von [Meerarbeiten entschlummert;

(Nicht gar voll von Speisen, denn früh schon] aßen wir [beide,

Wie] du [ja] weißt und schonten des Magens:) [da sah ich mich selbst zum

Felsengeklipp anstreben, und, als ich sah,] da [erschaut' ich]

Fische und [warf hinab] an [der Ruthe] den trüglichen Köder, *Na*

44–47: Einer schwamm nun herzu: von [Wildbrett] träumet im Schlafe

[Immer] der Hund, [und träumend] hab' ich mit Fischen zu schaffen.

[Sieh, nun] hing er am [Hamen] mir fest, und [das rieselnde] Blut floß;

Und wie er zappelte, bog sich das Rohr in den haltenden Händen. *Bin*

[Dem ein leckerer] nun [nachtrachtete. Stets ja] im [Traum' auch

Hat ein] Hund von Brocken [Erscheinungen;] ich [von den] Fischen.

[Jener biß] an [die Angel mit Heftigkeit;] und [ihm entfloß] Blut;

[Aber] das Rohr [von dem Rucke des] zappelnden bog sich [mir nieder.] *Vo²*

[auch haschte darnach der Ernährenden] einer.

[Schmaus weissaget im [Traume sich jeglicher] Hund; ich [den] Fisch [mir!]

Fest hieng [jener sofort] an [dem] Angelhaken, und Blut floß;

[Auch] das [gehaltene] Rohr [ward krumm mir vom Zucken] gebogen. *Wi*

[Den ein Feister sofort gewahrete. (Denn wie im [Traume

Jeglicher] Hund von Brocken [was ahnt: so] ich [von den] Fischen.)

[Flugs] hing [jener sofort] an [der Angel] mir fest, [daß das] Blut floß.
Und, [indem er sich wand,] bog [krumm an] der Hand sich [die Ruthe.] *Na*

48–55: [Als ich] die Arm' [ausstreckte darnach, da fand ich ein Stückchen
Arbeit,] den [großen] Fisch mit den schwachen Eisen zu ziehen.
Konnt' er nicht auch mich verwunden? so dacht' ich, und: wirst du mich
beißen?
Rief ich, [dann] beiß ich dich wieder: er blieb, und ich streckte die Hand aus;
Sieh, da war es vollbracht, und es lag ein goldener Fisch da,
Über und über mit Golde [belegt:] doch hielt mich die Furcht noch,
Ob nicht Poseidon vielleicht den Fisch zum Liebling [gewählet,]
Ob Amphitriten, der blaulichen Göttinn, [dieß Kleinod gehöre.] *Bin*
Beid' anstrengend [die Händ' um das Unthier, fand ich zu thun izt,
Wie ich] den mächtigen Fisch [einholt' an den winzigen Häklein.
Hierauf kam mir die Wund' in Erinnerung: Willst] du mich beißen?
Wieder beiß ich dich [scharf! und zum nicht ausweichenden langt' ich.]
Siehe, vollbracht war [die That;] und [ich zog den] goldenen Fisch [auf,
Den rings funkelndes] Gold [umstarrete.] Furcht [nur bezwang] mich,
Ob [er geheiliget sei] zum [Lieblingsfisch dem] Poseidon,
[Oder ein] Kleinod [etwa] der bläulichen Amfitrite. *Vo²*
Beid' [ausstreckend die Händ' um das Meerthier, fand ich ein Kampfstück,
Wie ich] den mächtigen Fisch mit den schwächeren Eisen [erhaschte.
Als ich der Wunde sodann mich erinnerte:] Wirst du mich beißen?
Ich [auch] beiße dich [schwer! Nicht floh er, da spannt' ich den Rohrstab.
Spähend] vollbracht' [ich den Kampf; in die Höh' aufschnellt' ich den
Goldfisch,
Ringsum] mit Golde bedeckt. [Nun faßte] mich [bange Besorgniß,]
Ob nicht [ein Lieblingsfisch von] Poseidon [etwa er wäre,
Oder ein] Kleinod vielleicht [von] der bläulichen Amphitrite. *Wi*
[Strebend mit beiderlei Händen,] hatt' ich [jetzt] Noth [um das Unthier,
Wie ich] den mächtigen Fisch [aufbrächt' an dem schwächlichen Häckchen.
Dann auch gedacht' ich sofort der Verwundung:] wirst du mich beißen?
[Heftig dann] beiß ich dich wieder! [und hascht' ihn, da er nicht auswich.
Jetzt erst schaut' ich die Arbeit und zog den] goldenen Fisch [an,
Überall strotzend von] Go..... [Nur] hielt mich Furcht noch [befangen,]
Ob [er als Lieblingsfisch] nicht [geweihet sei dem] Poseidon,
[Oder] vielleicht Kleinod der bläulichen Amphitrite. *Na*

56–62: Sachte löst' ich ihn [drauf] vom [Hamen, damit] mir die Haken
Ja nicht etwas Gold aus den Kiefern des Fisches behielten;
[Und] dann trug ich im Netz ihn vollends hinauf an das Ufer.

Sieh [da] schwur ich, den Fuß [nicht mehr] in das Wasser zu setzen,
Sondern [am] Lande [zu] bleiben, und [fürstlich] mein Gold [zu] beherr-
schen.
Dieß erweckte mich denn: [du,] Freund, nun [suche das Herz mir
Aufzurichten, ich fürchte] den Eid, [den] ich [thöricht] geschworen. *Bin*
[Leise hatt' ich nunmehr] ihn [abgelöst] von der Angel,
Daß ja nicht [von dem Munde die Häklein] Gold mir behielten;
[Und mir huldigen ließ ich den treflichen Landbewohner.]
Nimmer [hinfort, so] schwur ich, [das Meer mit] dem Fuße [berühret;]
Sondern ich bleib' auf dem Land', und behersche [das] Gold wie ein
König!
Dieses [ermunterte] mich. Nun [richt' auf das übrige, Gastfreund,]
Deinen [Sinn; da] der Eid mich [ängstiget, den] ich geschworen. *Vo²*
[Aber ich löset'] ihn [ab] von der Angel [behutsam, damit] nicht
[Irgend vom] Golde [des Mundes die Angelhaken] mir [raubten;
Abwärts zog ich] ihn dann am [Gestade mit haltenden Seilen;]
Schwur auch, nimmer [hinfort mit] dem Fuße [das Meer zu berühren,]
Sondern [zu weilen am] Land', und [als] König [das] Gold [zu] beherrschen.
Dies [nun weckte] mich [auf; und übrigens, Trautester, stärke
Du mir den Sinn! Denn] mir [bangt vor dem Eidschwur, den] ich
geschworen. *Wi*
[Doch ich löste gemach] ihn [jetzo ab] von der Angel,
Daß mir die Haken nicht Gold [etwa vom Munde] behielten;
[Und ich zog am Seile sofort den Fisch] an [das Land an.
Gleich] schwor ich: [Nie will] ich in's [Meer hin fürder] den Fuß [thun,]
Sondern ich bleib' auf dem Land, ein König beherrsch' [ich den Goldschatz!
Und das weckte] mich [auf.] Nun, Freund, [auf's Übrige richte]
Deinen [Geist; denn der Schwur, den] ich schwor, [der ängstigt] mich
[heftig.] *Na*

63: *darüber* [DER ANDERE] *Vo² Na* [SEIN FREUND] *Wi*

63–67: [Fürchte dich nicht; das war ja kein Eid,] du fandest den goldnen
Fisch, wie du glaubtest, ja nicht; [die] Träume sind Lügen [vergleichbar.]
Spähst du wachend indeß, nicht träumend umher in der Gegend,
Dann zur Erfüllung des Traums nur fleischerne Fische gesuchet!
Daß du nicht Hungers stirbst bei all den goldenen Träumen. *Bin*
Sei [mir nicht so verzagt!] Nicht schwurest du! Nicht ja [den Goldfisch
Hast,] wie [geträumt, du erlangt! Traumbilder] sind [Täuschungen ähnlich!
Denn wo ein schlummernder du] die Gegenden [künftig durchforschest;
Hoffe nur Hofnung des Schlafs! Den] fleischernen Fisch [dir] gesuchet;

99

[Oder] du stirbst [vor] Hunger, [obgleich] bei goldenen Träumen! *Vo²*
[Zittre du nicht so in Angst!] Nicht [hast] du geschworen: [denn keinen]
Goldenen Fisch, [o du sahst es! gewannst du, und] Träume sind [Fäume!
Nur wo du] wachend [hinfort,] nicht [schlummernd,] die Gegend [durch-
forschest,
Blühet noch Hoffnung des Schlafs! Drum] suche [den] fleischernen Fisch
[auf,]
Daß du [vor] Hunger nicht stirbst, [wenn auch immer] bei goldenen
Träumen! *Wi*
[O, du fürchte dich nicht!] Du schwurst nicht! [Nimmer der Goldfisch
Ward,] wie du [träumt'st, dir zu Theil! Die] Träume sind [Täuschungen
ähnlich!
Denn, wenn] wachend, nicht [schlafend,] die Gegenden [hier du durch-
spähest;]
Spähe, dem Traume [vertrauend,] umher [nach dem] fleischernen Fische,
Daß du [vor] Hunger nicht stirbst, [obgleich] bei goldenen Träumen! *Na*

IV. DIE LIEBE DER KYNISKA

Benutzte Textvorlagen: Bin, Vo², Wi, Na

BEARBEITUNGSANALYSE

Überschrift: darunter [AISCHINES UND THYONICHOS] *Bin* Kyniska *Vo² Wi*
Kyniska's Liebe *Na*
1–4: Sei mir herzlich gegrüßt, Thyonichos!

THYONICHOS

Sei es mir gleichfalls,
Aischines!

AISCHINES

[O wie verlangt' ich nach dir!]

THYONICHOS

So? – [Nun] denn, was hast du?

AISCHINES

[Ach! mir] geht's nicht zum besten, Thyonichos.

THYONICHOS
                    Darum so mager
Auch, und so lang dein Bart, und so [wildverworren dein Haupthaar!] *Bin*
[Freude zum Gruß dem Manne Thyonichos!]

THYONICHOS
                        [Freude dir selber,
Äschines!]

ÄSCHINES
        [O wie so spät!]

THYONICHOS
            Wie so [spät?] Was [bekümmert dich also?]

ÄSCHINES
Hier gehts nicht zum besten, Thyonichos!

THYONICHOS
                    Drum auch so mager,
Und so [gewaltig der] Bart, und leer [von Glanze] die Locken! *Vo²*
[Freude die Fülle dem Manne Thyonichos!]

THYONICHOS
                    [Ja dir auch selber,
Äschines!]

ÄSCHINES
        [O wie so spät!]

THYONICHOS
        [Spät? Nun, was liegt dir am Herzen?]

ÄSCHINES
[Gar] nicht zum besten [ergehts uns, Thyonichos!]

THYONICHOS
                    Darum so mager,
Und so [entsetzlich der] Bart, [auch] so [ausgetrocknet] die Locken! *Wi*
Sei mir [innig] gegrüßet, Thyonichos!

THYONICHOS

[So wie du] selber,

Äschines!

ÄSCHINES

[Ei wie so spät!]

THYONICHOS

So [spät?] Was [bist du bekümmert?]

ÄSCHINES

's geht [mir] nicht zum besten, Thyonichos!

THYONICHOS

Drum [wohl] so mager,
[Drum der] Bart so [stark] und so struppig [das lockige Haupthaar!] *Na*
5–9: [Eben] so kam [hier jüngst ein Mann aus Pythagoras Schule,]
Bleich und ohne Schuh; er sei aus Athene gebürtig,
Sagt' er; es war ihm an Brot, so glaub' ich, am meisten gelegen.

AISCHINES

[Wie] du scherzest, o Freund! – Mich [höhnt] die schöne Kyniska.
Rasend macht es mich noch; kein Haar breit fehlt, und ich bin es. *Bin*
Neulich kam so einer hieher, ein Pythagoräer,
[Bleichgelb, und ungeschuht; er kam von Athen, wie er vorgab.
Er auch hatt' ein Gelust, mir schiens, nach geröstetem Mehle.]

ÄSCHINES

Du kannst scherzen; o Freund: mir [ward von] der [holden] Kyniska
[Bitterer Hohn! Unversehns, und ich rase dir! Nur noch ein] Haarbreit! *Vo²*
[Also gestaltet besuchte mich] neulich ein Pythagoräer,
[Blaßgelb und unbeschuht, und versichert',] er wär' [ein Athener.
Wahrlich auch er war, dünkt mir, ein Freund vom gerösteten Mehle!]

ÄSCHINES

[Bester,] du scherzest; [doch] mich [höhnt bitter] die [holde] Kyniska!
Rasend noch [werd' ich einmal unversehns! Ja nur noch ein] Haarbreit! *Wi*
[Eben] so kam [auch jüngst] hierher ein Pythagoräer,
Bleich und [unbeschuht;] er sagt', er sei [ein Athener.
Er auch (scheint mir) sehnete sich nach geröstetem Mehle.]

102

ÄSCHINES

Scherze [nur,] Freund, [wie gewöhnlich:] mich [hat] die schöne Kyniska
[Bitter gekränkt! Ich] rase, [bei einem] Haar, [eh' du denkst,] noch! *Na*

10–17: Immer [bist du] doch [so,] mein Aischines; [fürchterlich heftig;]
Stets soll alles nach [Wunsch] dir gehn. – [Doch] was giebt es denn neues?

AISCHINES

[Sieh,] der Argeier und ich, und dann der Thessalische Reiter
Apis, und Kleunikos auch, der Soldat, wir tranken zusammen
[Einst im Hause] bei mir: zwei [Hühner] hatt' ich geschlachtet,
Und ein saugendes Ferkel; auch stach ich Byblinischen Wein an,
[Der] vierjährig und [leicht] wie [ein eben gekelterter Most war.]
Zwiebeln auch langt' ich hervor, und Schnecken; ein herrlicher Trunk
war's! *Bin*

Immer der selbige doch, [Freund] Äschines! Plözlich in Feuer!
Gehn soll alles nach [Wunsch! Nun heraus!] was giebt es denn neues?

ÄSCHINES

Wir, der Argeier, und ich, und [zugleich] der thessalische Reiter
Apis, auch Kleunikos [der Heersmann,] tranken zusammen
[Jüngst] auf dem Lande bei mir. Zwei [Küchlein] hatt' ich geschlachtet,
[Ein Spanferkelchen] auch; [und ich öfnete feinen Bybliner,
Schön von Gedüft,] vierjährig beinah, und wie [frisch] von der Kelter;
Zwiebeln auch [wurden genascht, gleich kolchischen; süßes Getränk] wars!
Vo²

Immer [der nämliche] doch, [Freund] Äschines! [Ruhig und stürmisch!]
Alles [verlangst du] nach [Wunsch! Nun wohl denn! Sage,] was neues?

ÄSCHINES

[Er] der Argeier, und ich, dann [zugleich] der thessalische Reiter
Apis, und auch Kleunikos, der [Krieger,] wir tranken zusammen
[Dort,] auf dem [Gute] bei mir. Zwei [Junge des Huhnes erwürgt' ich,]
Und [noch] ein saugendes [Schwein; dann zapft' ich Bibliner] auch [ihnen,]
Lieblichen Duftes, [schon fast] vierjährig und wie von der Kelter;
Zwiebeln auch [wurden gelangt] und Schnecken: [der] Trunk war [behag-
lich.] Wi

[So bist du,] mein Äschines, [stets, jetzt ruhig, dann stürmisch!]
Alles soll gehn, [wie du willst! Doch sage,] was giebt es denn Neues?

103

ÄSCHINES

Der Argeier und ich und [noch] der thessalische Reiter
Apis und Kleunikos, der [Kriegsmann,] tranken zusammen
Auf dem Lande bei mir. Zwo [Küchlein] hatt' ich geschlachtet,
Auch ein säugendes Ferkel [und hatte Bybliner geöffnet,
Duftend, fast] vierjährigen [Saft, ganz] wie von der Kelter;
Zwiebeln langt' ich hervor und Schnecken; [der] Trank war [so lieblich!]
Na

18–22: Späterhin [gossen] wir [uns voll reinen] Weines die Becher
Auf der Geliebten Wohl, nur mußt' ein jeder sie nennen.
Und wir riefen die Namen und tranken nach Herzensgelüsten.
Sie kein Wort: – da saß ich – wie [glaubst] du [wohl,] daß mir zu Muth war?
»Bist du stumm, scherzt' einer, du sahst, wie es heißet, den Wolf wohl?« *Bin*
[Als so die Zeit fortging, da beliebten] wir lautren aufs [Wohlsein,
Wessen er wollt',] ein jeder; nur mußt' [auch, wessen, gesagt sein.
Laut nun] riefen wir [aus, und leereten, ganz] nach [der Willkühr.]
Sie kein Wort! da ich [neben ihr war! Was,] meinst du, [empfand ich?
Fehlt dir der Laut?] scherzt' einer: den Wolf wohl sahst du [im Sprichwort.]
Vo²

[Als so die Zeit hinschwand; da schenkten] wir [reinen] aufs [Wohlseyn,
Wessen ein jeglicher wollte,] nur [sollte dann, wessen, er sagen.]
Wir [nun nannten] und tranken, [so wie es im Herzen beliebte.]
Sie [nichts! Neben ihr ich!] Wie [glaubst] du [doch,] daß mir zu Muth war?
[Kannst du nicht reden?] Du sahst, scherzt' einer, den Wolf, wie [der Dichter
Spricht.] *Wi*

[Als die Zeit nun verging, da gossen] wir lauteren Wein [ein,]
Auf [wen jeglicher wollte, doch] mußte, [auf wen, man es sagen,]
Und wir [leereten aus mit schallendem Ruf] nach [Gefallen.]
Sie kein Wort, da ich [dort mit war! Was, glaubest du, dacht' ich?
Sprichst ja nicht?] (scherzete einer) Du sahst den Wolf wohl [im Sprich-
wort?] *Na*

23–26: Ha, wie sie glühte! du konntest ein Licht an der Brennenden zünden.
Lykos, das ist ihr der Wolf, des Nachbars Söhnchen, des Labas,
Schlankgewachsen und zart, [von] vielen für reizend gehalten.
[Nur um] diesen [allein zerschmolz sie vor glühender Liebe.] *Bin*
[Und sie entbrannt'; o] du konntest ein Licht [anzünden] am [Glutbrand!]
Lykos, der Wolf, [der] ist [es, der Sohn] des [benachbarten] Labas,
[Lang] und zart [von Gewächs, und, wie] viel' [urtheilen, ein Schöner.]
Diesem zerfloß ihr Herzchen [in so weltkündiger Sehnsucht.] *Vo²*

[Da entglühte sie ganz; leicht hätte sie Kerzen entzündet.
Wolf ists, ja] Wolf ist [es, der Sohn vom benachbarten] Labas,
Schlanker [Gestalt] und zart, für [schön auch von] vielen gehalten!
[Für ihn schmolz sie in jener so weithin berüchtigten Liebe.] *Wi*
[Und sie erglühte; man] konnte ein Licht [anzünden] an [jener!]
Lykos ist [es,] der Wolf, [der Sohn] des [benachbarten] Labas,
[Schmächtig gebauet] und zart, [der] vielen [ein schöner zu sein scheint.
Sie nun schmolz für jenen dahin in rühmlicher Liebe.] *Na*

27–33 : Heimlich kam mir einmal die schöne Geschichte zu Ohren,
Aber ich forschte nicht nach: ich, dem nur vergebens der Bart wuchs.
[Als es] uns [allen] nun schon zu Kopfe gestiegen, [da gab uns
Der von Larissa das Stück] von [meinem Lykos zum Besten. –
Ist] ein Thessalisches [Lied:] der Bube! – Doch meine Kyniska
Weinte [so bitterlich gleich, als] kaum sechsjährige Mädchen,
Wenn sie stehn, und der Mutter im Schooß [zu ruhen begehren.] *Bin*
[Auch] kam [solches] einmal zum Ohre mir, [ganz ingeheim so;
Doch nie] forscht' ich [den Grund,] ich [umsonst schautragend den Manns-
bart!]

Schon nun waren [wir viere vom Weintrunk tief in Beneblung,]
Als der Larisser von vorn sein Lied vom Wolfe mir anhub,
[Recht] ein thessalisches [Liedchen, der Hämische! Aber] Kyniska
[Platzte heraus,] und weinte [so bitterlich, als um] die Mutter
[Ein] sechsjähriges Mädchen, [indem auf] den Schooß [es] verlanget. *Vo²*
[Uns auch war es] einmal [ganz leise] zu Ohren gekommen;
Aber ich forschte nicht nach, [da umsonst mir] der [männliche] Bart wuchs.
[Jetzt] nun waren [wir vier' ins erhitzende Trinken vertiefet,]
Als mir der Larissäer von vorn [an wieder den] Wolf [sang,
Jenes] thessalische [Liedchen. Der Schadenfroh! Und] Kyniska
Weinte [dann stärker sogleich,] wie [zur Seite] der Mutter [ein] Mädchen
[Von sechs Jahren, indem auf] den Schooß [es] verlanget [mit Eifer.] *Wi*
[Nachher] kam einmal [insgeheim] mir [solches] zu Ohren,
[Doch] nicht forschte ich nach, [umsonst lang tragend den Bartwuchs!
Und schon] waren [wir vier ganz tief vom] Weine [berauschet,]
Als der Larissäer von [neuem das Liedchen] vom Wolf [sang,]
Ein thessalisches [Lied, der Schändliche! Aber] Kyniska
Weinete [plötzlich heraus, noch heftiger, als bei] der Mutter
[Ein] sechsjähriges Mädchen, [indem auf] den Schooß [es] hinauf [will.] *Na*

34–38 : Da – du kennst mich ja wohl – da schlug ich ihr wüthend die Backen
Links und rechts [mit der Faust:] sie nahm sich zusammen, und [eilte

Schnell hinaus. –] » Gefall' ich dir nicht, du schändliche Dirne?
[Liegt] dir ein anderer [näher am Herzen? So] geh denn und hege
Deinen [Trauten;] für ihn rinnt über die Wange [die Thräne.«] *Bin*
Ich [nun, welchen] du kennst, [o Thyonichos,] schlug ihr die Backe
[Eins, und abermal eins. Wohlan! die] Gewande [dir hebend,
Wandere schleunig hinaus!] Du [Plagerin,] nicht dir gefall' ich?
Taugt dir ein anderer [mehr] zum Schooßkind! Geh [zu dem andern!
Herz' ihn nach Lust!] Ihm [laß für Äpfelchen] rinnen die Thränlein! *Vo²*
[Drauf] schlug ich, [den] du kennst, [o Thyonichos, hinter das Ohr] sie
[Einmal, und einmal dann noch. Da raffte sie auf die] Gewande,
[Und gieng eilig hinaus. O mein Unglück,] nicht dir gefall' ich?
[Ruhet] ein andrer dir [lieber am Busen, so] geh', und [den andern
Lieben umarme! Von dir fließt jegliche Thrän' ihm als Apfel!] *Wi*
Ich, da kennst du, [Thyonichos,] mich, [gab] ihr [auf] den Backen
[Flugs einen Streich und noch einen; doch sie, auffraffend die Kleider,
Flog in Eile hinweg! Mein Unglück,] nicht dir gefall ich?
[Ist] dir ein anderer [lieber im Schooß: so] geh' [zu dem Theuern!
Kose mit ihm! Laß ihm die Thränen für Äpfelchen fließen!] *Na*

39–43: Wie die Schwalbe, die [itzt] den Jungen unter dem Dache
Atzung gebracht, [schnell eilt, um anderes] Futter [zu hohlen;]
So, und schneller noch, lief vom weichen Sessel [Kyniska]
Fort durch den Hof und [die äußerste Thür,] so weit sie [ihr] Fuß trug.
Weg ist der Stier in den Wald, so heißt es nicht unrecht im Sprichwort. *Bin*
[Oft wenn] die Schwalbe [geäzet die Nestlinge] unter dem Dache,
Fliegt [sie in] Eile zurück, [um andere Speise zu sammeln:
Hurtiger] noch lief [jene] vom [weichgepolsterten] Sessel
[Grad' aus der vorderen Thür' und dem Hofthor,] so [wie] der Fuß trug.
[Recht wohl lautet der Spruch: Weg floh auch] der Stier in [die Waldung.]
       Vo²
Wie [für] die Jungen [im Schirme] des Daches die Schwalbe nach Futter
[Eiligen Rückflug nimmt, um noch andere Speise zu sammeln:]
Schneller noch [eilte sie fort] von [dem hochaufschwellenden] Sessel
[Stracks] durch [die Flügelthür' und das Doppelthor, wie] der Fuß trug.
[Treffend] im Sprichwort [sagt man:] Der Stier [auch lief] in [die Waldung!] *Wi*
[So wenn] die Schwalbe den Jungen [im Dachnest Speise] gebracht [hat,
Eilig] zurück [dann] fleugt, [daß andere Speise sie sammle:]
So lief [jene,] noch schneller, [dahin vom schwellenden Sitze
G'rade] zur [Thüre] hinaus und den Hof, [wohin] sie der Fuß trug.
[So sagt man sprichwörtlich:] der Stier [auch floh] in [die Waldung.] *Na*

44–49: Zwanzig Tage, [noch] acht, und neun, zehn Tage dazu noch,
Heut ist der elfte, noch zwei, und es sind zwei völlige Monat,
Seit wir [uns trennten,] und [seit] ich [den Kopf nicht] Thrazisch geschoren.
Ihr ist Lykos nun alles: zu Nacht wird dem Lykos geöffnet;
Wir, wir gelten nun nichts, wir werden nun gar nicht gerechnet,
[Wie] Megareer so klein, nichts werth, und von allen verachtet. – *Bin*
Zwanzig [der] Tag', [und] acht, neun [andere,] zehn noch [darüber,]
Heute der elft'; [ein Paar nur hinzu:] zween Monate sind es,
Seit aus einander wir sind, und Ich kaum thrakisch das Haar schor!
Ihr ist Lykos nun alles, [auch Nachts] wird dem Lykos geöfnet!
Wir [sind weder der Schäzung gewürdiget, noch auch der Zählung,]
Megarer, [ganz armselig, und theillos jegliches Werthes!] *Vo²*
Zwanzig [der] Tage [schon sind es, und] acht, neun [andre,] dann [wieder]
Zehn, [und] der elft' ist heut', [auch] zwei noch [zu diesen gerechnet,
Traun] zwei Monate, seit wir [uns schieden,] und thrakisch [mein Bart
wächst.
Wolf gilt jetzt bei] ihr alles: [dem Wolf] wird [Nachts auch] geöffnet.
Wir [sind weder der Achtung gewürdiget, noch auch der Zählung,
Unglückselige Bürger von Megara, gänzlich verworfen!] *Wi*
Zwanzig Tage, [und] acht, und neun, [und] zehen noch [and're,]
Heute der eilft'; noch zween [hinzu:] zween [Monden vergingen,]
Seit [von einander] wir sind und ich [wie ein Thraker] das Haar [trug.]
Ihr ist Lykos nun alles, [bei] Nacht wird dem Lykos geöffnet!
Wir [sind ihr der Rede nicht werth, ganz sonder Bedeutung,
Megarervolk, armselig, vom allerniedrigsten Stande!] *Na*

50–56: Wär' ich nur kalt dabei, [dann würd' es auch alles recht gut gehn;
Doch nun] bin ich die Maus, die Pech, wie sie sagen, gekostet,
Weiß auch [gar nicht, wodurch] unsinnige Liebe geheilt [wird.]
Simos [indeß,] der [vordem] Epichalkos Tochter geliebt hat,
Kehrte [vom Seezug] gesund: [wir gleichen einander an Jahren. –]
Ich auch stech' in die See, der schlechteste unter den Kriegern
Nicht, und auch nicht der beste vielleicht; doch immer zu brauchen. *Bin*
Könnt' ich [das Herz abkälten, zum Besseren ginge] noch [alles.
Doch wie] die Maus, [nach der Sage, Thyonichos, nagten wir] Pech [an.]
Auch [kein] Mittel [erdenk' ich der ganz unheilbaren] Liebe;
[Eins] doch: Simos, [vom Mädchen des Epichalkos gefesselt,
Schifte] zum [Streit,] und kehrte gesund, mein Jugendgenosse.
[Selbst denn schiff' ich getrost durch die Meerflut: nicht der geringste,
Noch der erste] vielleicht, [so ein mittler Schlag vom Soldaten.] *Vo²*

Könnt' ich [die Liebe vergessen, ins Gleis bald kehrte dann alles.
Einmal, Thyonichos, schmeckten wir] Pech, wie die Maus, [nach der Sage.
Übrigens kenn' ich kein] Mittel zur [Heilung verzweifelnder] Liebe.
Simos [jedoch,] der [geglühet für Epichalkos Erzeugte,
Schifft' in die Fremd',] und kehrte gesund [heim, gleich mir an Jahren.
Über das Meer denn schiff'] ich auch [selber: gewiß nicht der feigste,]
Und nicht der [erste] vielleicht, doch immer [ein ebener Kriegsmann.] *Wi*
Könnt' ich [die Lieb' aufgeben, dann ginge] noch [alles zum Besten.
Doch] wie die Maus, sagt [man, o Thyonichos,] kosteten Pech [wir,
Und wo] ein Mittel [es gäbe für nicht] zu heilende Liebe,
Weiß [ich nicht;] Simos [jedoch! der] Geliebte [der Maid] Epichalkos,
[Schiffte hinweg] und kehrte gesund, mein [Jugendgespiele.]
Ich auch [schiff'] in die [Flut und will] nicht der schlechteste [Mann sein,
Freilich der trefflichste nicht,] doch [ein leidlicher unter den Kämpfern.] *Na*

57–61: Möge dir was du beginnst nach Wunsch gehn, Aischines; aber
Hast du's beschlossen einmal, [das Vaterland ganz] zu [verlassen,]
Sieh [dann lohnt] Ptolemaios [am besten mit] fürstlicher Großmuth.

AISCHINES

[Aber] wie ist er denn sonst, [der Mann mit der fürstlichen Großmuth?]

THYONICHOS

Gnädig, ein Musenfreund und liebenswürdig und freundlich; *Bin*
Möge nach [Herzenswunsch] dir [hinausgehn,] was du [verlangest,]
Äschines! [Wenns dir denn also gefällt,] in die Fremde zu [wandern;
Würdig belohnt] Ptolemäos, ein [edeler] Mann, [wie der beste!]

ÄSCHINES

Sonst denn [welcherlei Sinns?]

THYONICHOS

[Ein edeler Mann, wie der beste!
Huldreich, Freund des Gesanges, bezauberisch, äußerst gefällig;] *Vo²*
Möge nach Wunsch [ausgehn,] was [nur] du [im Herzen begehrest,]
Äschines! [Wenn dir denn also beliebt,] zu [besuchen das Ausland;]
Ist Ptolemäos [für Freie bei weitem der trefflichste Soldherr.]

ÄSCHINES

[Was für ein Mann] ist er sonst?

THYONICHOS

[Für den Freien unstreitig der beste,
Edel,] ein Musenfreund, [liebreich und äußerst bezaubernd;] *Wi*
Möge [es ganz] nach Wunsche dir gehn, [das,] was du [da wünschest,]
Äschines! [Wenn dir] aber [das Wandern gefällt] in [das Ausland:
Edle Besoldung ertheilt, wie der trefflichste] Mann Ptolemäos!

ÄSCHINES

[Was] ist er sonst [für ein Mann?]

THYONICHOS

[Ein edeler, so wie der beste!
Gütig, den Musen ein Freund, liebreizend und höchlich gefällig,] *Na*
62–67: Freunde kennt er genau und [die] heimlichen Feinde noch besser,
[Giebt so] vielen so viel, und verweigert dir nimmer die Bitte,
Wie's dem Könige ziemt; du mußt nur um alles nicht bitten,
Aischines. – [Willst du] nun [auf] der [rechten] Schulter das Kriegskleid
[Fest] dir [heften mit Spangen, und, trotzig] die Füße gestämmet,
[Stehn, und den kommenden Feind, den] beschildeten [Krieger, erwarten;]

        Bin

[Welcher die Liebenden] kennt, [und auch nicht liebende durchschaut;
Manchem auch manches gewährt, und dem bittenden] nimmer verweigert,
[Was] dem Könige ziemt; nur bitt' [ihn keiner] um alles,
Äschines! [Fühlest du denn ein Gelust,] dir [oben ein] Kriegskleid
Rechts um die Schulter zu schnallen, und [fest] auf die Füße gestemmet
[Auszuharren] den [graß mit dem Schild' anwandelnden] Streiter; *Vo²*
[Liebende] kennet er [wohl, nicht liebende dennoch genauer;]
Vielen [auch schenket er] viel, [und gebeten versaget er niemals,]
Wie es dem Könige ziemt: [denn jeglichen] muß [man] nicht bitten,
Äschines. [Wenn du demnach Lust hast,] dir [die Spitze des Pelzes]
Rechts um die Schulter zu schnallen, und [fest] auf die Füße [gestellet,
Du zu bestehn dir getraust den beherztandringenden Schildfeind;] *Wi*
[Welcher die Liebenden] kennt [und den nicht Liebenden] noch [mehr;]
Vielen spendet [er] viel [und wird er gebeten, gewährt er,]
Wie es dem Könige ziemt; nur bitt' [ihn keiner] um alles,
Äschines! [Drob, wenn dir es gefällt,] dir [da um] die [rechte]
Schulter [zu gürten den Mantel, und dann] auf [beiderlei] Füßen
[Fest zu erharren den Feind, den] beschildeten, [trotzig im Anlauf –] *Na*

68–70: Nach Ägyptos geschwind! Es [bleichet] das Haar um die Schläfe
Immer das Alter zuerst; dann schleichen die [weißenden] Jahre
Uns in den Bart: drum Thaten gethan, da die Kniee noch [fest sind!] *Bin*
[Ohne Verzug] nach Ägyptos! Zuerst [von] den Schläfen [beginnet
Allen] das [grauende] Haar; dann schleicht [allmählich zum Kinne]
Uns die bleichende [Zeit.] Drum [handele, welchem] das Knie grünt! *Vo²*
[Hurtig hinab] nach Ägyptos! [Wir färben uns all' an] den Schläfen
[Grau, und stürmenden Flugs holt ein] uns die bleichende [Zeit bald
Wangen und Kinn: o gewirkt,] da [frisch] noch grünen die Kniee! *Wi*
[Schnell] nach Ägypten [geeilt! Denn an] den Schläfen [ergreisen
Allesammt wir] zuerst [und flugs] dann schleichet [zum Kinne
Hin] die bleichende [Zeit.] Drum [handle, so lang'] noch das Knie grünt! –

Na

V. DIE SYRAKUSERINNEN AM ADONISFEST

Benutzte Textvorlagen: Bin, Vo², Wi, Na

BEARBEITUNGSANALYSE

Überschrift: Die Syrakuserinnen *darunter* [GORGO. PRAXINOA. EUNOA.
EINE ALTE. ZWEI FREMDEN. EINE SÄNGERINN] *Bin*
1–3: Ist Praxinoa drinnen?

EUNOA

O Gorgo, wie spät! Sie ist drinnen. –

PRAXINOA

Wirklich! du bist schon hier! Nun, Eunoa, hohle den Sessel!
Leg' auch ein [Küssen] darauf!

GORGO

Vortrefflich!

PRAXINOA

So setze dich [nieder!] *Bin*
[Weilt noch Praxinoa hier?]

EUNOA

O Gorgo, wie spät! [Ja sie weilt noch.]

PRAXINOA

[Wunder, daß endlich du kommst! Flink,] Eunoa, stell' ihr den Sessel;
Leg' auch ein Polster [zum Haupt.]

GORGO

[O genug schön!]

PRAXINOA

Seze dich, [Gorgo.]
Vo²

Ist [die] Praxinoa [hier?]

EUNOA

[Ei] Gorgo, wie spät! [Ja,] sie ist [hier!]

PRAXINOA

[Wunder, daß jezo du kommst! Auf, Eunoa, reich'] ihr den Sessel!
Leg' auch ein [Kissen zum Haupt!]

GORGO

[O schon gut so!]

PRAXINOA

[Lasse dich nieder.] *Wi*

Ist Praxinoa [da?]

EUNOA

O Gorgo, wie spät! [Ja,] sie ist [da!]

PRAXINOA

[Wunder, daß jetzt du noch kommst! Auf, Eunoa, setz'] ihr den Sessel!
Leg' auch ein Polster [dazu!]

GORGO

[O schön so!]

PRAXINOA

Setze dich also! *Na*

4–7: Ach! [hier galt es den Muth!] Praxinoa, Lebensgefahren

Stand ich aus, bei der Menge des Volks und der Menge der Wagen.
Stiefeln ⌈all⌉ überall, ⌈überall nur gepanzerte Männer!
Endlos dazu ist⌉ der Weg; du wohnst ⌈von⌉ mir gar zu entfernt auch. *Bin*
⌈Ha,⌉ das ⌈kostete Mut, Praxinoa! Kaum bin ich lebend
Angelangt, vor⌉ der Menge des Volks, und der Menge der Wagen!
⌈Voll ist alles der⌉ Stiefel, und ⌈voll der gemäntelten⌉ Krieger!
⌈Aber⌉ der Weg ⌈endlos!⌉ Auch gar zu ⌈ferne⌉ mir wohnst du! *Vo²*
⌈Ha, des unbändigen Muths! Kaum Leben, Praxinoa, hab' ich
Euch noch, vor wimmelndem⌉ Volk und ⌈wimmelnden Wagengespannen!
Rings nur⌉ Stiefel, und ⌈rings nur mäntelumhüllete Männer!⌉
Dann der unendliche Weg! ⌈Denn ferne⌉ mir ⌈bist du zu Hause!⌉ *Wi*
⌈O unbiegsamer Muth! Kaum bin ich, Praxinoa, glücklich
Durch das Gedränge⌉ des Volks und die Menge der Wagen ⌈gekommen!⌉
Überall ⌈ist doch gestiefeltes Volk und bemäntelte Männer!
Mühevoll ist⌉ der Weg, ⌈und⌉ du wohnst mir ⌈doch allzu⌉ entfernet! *Na*

8–12: Ja da hat der verrückte Kerl am Ende der Erde
Solch ein Loch, nicht ein Haus, mir genommen, damit wir doch ja nicht
Nachbarn würden; nur mir zum Tort, mein ewiger Quälgeist.

GORGO

Sprich doch, ⌈liebstes Kind,⌉ nicht so von ⌈dem⌉ Manne; der Kleine
Ist ja dabei. – Sieh ⌈Frau,⌉ wie der Junge verwundernd dich ankuckt! *Bin*
⌈Freilich, der quere Genoß!⌉ am ⌈äußersten⌉ Ende der ⌈Welt hier⌉
Nahm ⌈er⌉ ein Loch, ⌈kein⌉ Haus; ⌈daß⌉ wir nicht ⌈beide benachbart
Wohneten!⌉ mir zum ⌈Verdruß! der Peiniger, immer sich ähnlich!⌉

GORGO

⌈Rede⌉ von deinem ⌈Gemahl⌉ nicht ⌈also, liebe Diona!⌉
Ist ⌈doch⌉ der Kleine dabei! Sieh, ⌈Schwesterchen,⌉ wie ⌈er⌉ dich anguckt! *Vo²*
⌈Jener Verkehrte⌉ ja ⌈gieng, und⌉ nahm an ⌈dem⌉ Ende ⌈des Erdballs
Hier sich⌉ ein Loch, nicht ein Haus, ⌈nur daß⌉ wir nicht ⌈nahe beisammen
Wohnten!⌉ zum ⌈Ärger für⌉ mich! ⌈er⌉ mein ⌈neidisches Übel, sich stets
                                                        gleich!⌉

GORGO

⌈Rede⌉ von deinem ⌈Gemahl', o Liebe, dem Deinon,⌉ nicht ⌈also!⌉
Ist ⌈doch⌉ der Kleine dabei! ⌈O⌉ sieh, Weib, wie ⌈er⌉ dich ⌈anstarrt!⌉ *Wi*
Ja, ⌈der Unsinnige, dort⌉ am ⌈äußersten⌉ Ende der Erde
Nahm ⌈er⌉ ein Loch, nicht ⌈Wohnung,⌉ damit wir ⌈beide⌉ nicht ⌈wohnten
Nachbarlich!⌉ Mir zum Torte! ⌈Das⌉ ewig ⌈neidische Scheusal!⌉

GORGO

[Rede] nicht [also, o Liebe,] von deinem [Gemahle Deinonas!
Wenn] der Kleine [es hört;] sieh', [Theuere,] wie [er] dich [anschaut!] *Na*
13–17: Lustig, Zopyrion! [süßer Knab'!] ich meine Papa nicht.

GORGO

Ja beim Himmel! er merkt es, der Bube. – Der liebe Papa der!

PRAXINOA

Jener Papa ging neulich; (wir sprechen von neulich ja immer,)
Schminck' und Salpeter für mich aus dem Krämerladen zu hohlen,
Und kam wieder mit Salz; der dreizehnellige Dummkopf! *Bin*
Lustig, Zopyrion, [freundliches Kind!] Ich meine Papa nicht!

GORGO

[Wahrlich der Junge bemerkt,] bei [der Heiligen! Wacker Papachen!]

PRAXINOA

Jener [Genoß war] neulich, [(des] Neulichen [nur zu erwähnen!)]
Schmink' und Salpeter zu [kaufen, zur Krämerbude gewandert,]
Und kam wieder mit Salz, [ein] dreizehnelliges [Mannthier!] *Vo²*
[Ruhig, Zopyrion, süßes Geschöpfchen!] Ich meine Papa nicht!

GORGO

[Wahrlich der Knabe versteht,] bei [der Hochverehrten!] Papa [gut!]

PRAXINOA

[Ja der] Papa, [der] neulich [(von allem doch sagen] wir neulich!)
Gieng, Salpeter und Schmink' [in] dem Krämerladen zu [kaufen,]
Kam, und [brachte da] Salz, [er ein] dreizehnelliger [Schnurrbart!] *Wi*
Lustig, Zopyrion, Herzenskind! Ich mein' [den] Papa nicht!

GORGO

Bei [der Erhab'nen, es weiß] es [das Kind! Ja, schön ist] der Papa!

PRAXINOA

[Also] jener Papa ging neulich, (wir [nennen so alles]
Neulich) [um Sodasalz und Schmink' [an der Bude] zu [kaufen,
Fort] und [brachte mir] Salz, [das] dreizehnellige [Mannsbild!] *Na*

113

18–25: Meiner [ist eben so arg, Diokleidas, der saubre Verschwender.]
Sieben Drachmen bezahlt' er für fünf Schafsfelle [mir] gestern:
Hündische schäbige Klatten! Nur Schmutz! nur Arbeit auf Arbeit! –
Aber lege den Mantel doch an, und das Kleid mit den Spangen!
Komm zu des Königes Burg, Ptolemaios [des reichen Gebieters,]
Dort den Adonis zu sehn. Ich hör', ein prächtiges Fest giebt
Heut die Königinn [da.]

PRAXINOA

        Hoch lebt man im Hause der Reichen.
Aber erzähle mir was du gesehn; ich weiß noch von gar nichts. *Bin*
Grade so [hält] es der meine, der Geldabgrund Diokleidas!
Sieben Drachmen bezahlt' er für fünf [Hundsklatten] noch gestern,
[Alter gebrechlicher Schafe!] Nur [Unrath,] Arbeit auf Arbeit!
[Rasch nun,] lege den Mantel [dir] an, und das [Leibchen] mit Spangen.
[Gehn wir] zur Burg Ptolemäos, des hochgesegneten Königs,
[Anzuschaun] den Adonis. Ich hör', ein prächtiges [Schauspiel
Ordne] die Königin dort.

PRAXINOA

        [Bei] Reichen [ja waltet der Reichthum.
Sagst du] mir [nicht, du sahst ja, ein weniges,] was du gesehen? *Vo²*
Meiner [ist eben des Schlags, Diokleidas, das Silberverderben!]
Sieben [der] Drachmen bezahlt' er für fünf Schaffelle noch gestern,
[Hundshaar, Ranzen entzupft, ganz Unrath,] Arbeit auf Arbeit!
[Doch nun hülle du eilig dir] Mantel und [Spangengewand um!
Lasset uns gehn] zum [Palast] Ptolemäos, des [reichen Beherrschers,]
Dort den Adonis zu [schaun! Denn treffliche Sachen, so] hör' ich,
[Schmücket] die Königin [aus.]

PRAXINOA

        [Reich ist bei] den Reichen [ja alles!]
Was [man] gesehn [hat, kann man] erzählen [dem, der es nicht selbst sah!] *Wi*
G'rade so [treibt]'s [auch] meiner, [des Geldes Pest, Diokleidas!]
Gestern für fünf Schaffelle [von altem Viehe, wie Hundshaar,
Zahlte] er sieben Drachmen! Nur [Unrath!] Arbeit auf Arbeit! –
    Aber [wohlan,] den Mantel leg' an und [den Rock] mit den Spangen!
[Gehn] zum [Palast] Ptolemäos [wir hin,] des [gesegneten] Königs,
[Um] den Adonis zu [schaun. Wie] ich höre, [was herrliches ordnet]
Dort die Königinn [an.]

114

PRAXINOA

[Bei] Reichen [ist alles nur Reichthum!]
Was du sahst, [kannst du dem, der es nicht schaute, berichten.] *Na*
26–33: Mach'! es ist Zeit daß wir gehn: stets hat der Müßige Festtag.

PRAXINOA

Eunoa, bring mir das Becken! So, setz' es doch mitten ins Zimmer
Wieder, du [zieriges Mensch!] Weich mögen die Katzen sich legen.
Rühr dich! Hurtig das Wasser! Denn Wasser brauch' ich am ersten.
Wie sie das Becken trägt! So gieb! Unersättliche, gieß doch
Nicht so viel! [Du] Heillose, mußt du das Kleid mir begießen? –
Höre nun auf! Wie's den Göttern gefiel, so bin ich gewaschen. –
Nun, wo steckt denn der Schlüssel zum großen Kasten? So hohl' ihn! *Bin*
Zeit [wohl] wär' es [zu] gehn; [der] Müssige [kennet nur] Festtag.

PRAXINOA

[Eunoa, nim das Gespinnst! und leg' es mir, Träumerin,] wieder
So in [den Weg! Den] Kazen [ist] weich [zu liegen behaglich.
Rege] dich! [bringe mir] Wasser [geschwind';] erst Wasser [bedarf ich!]
Wie [am Gespinnste] sie [schleppt! Doch reiche nur! Halt, du beströmst
                                                              mich;]
Gieße [mit Maß!] Heillose, [warum] mir [den Rock so gefeuchtet?]
Höre [doch] auf! Wie den Göttern gefiel, so bin ich gewaschen!
Wo [ist] der Schlüssel zur [Lade, der] größeren? [Bring'] ihn [sogleich her!] *Vo²*
Zeit [wohl] ist es [zu] gehn; stets Festtag [haben die Faulen!]

PRAXINOA

[Eunoa, nehme das Garn, und leg' es, o schrecklich Verwöhnte,]
Wieder [zur Mitte!] Die Katzen [bedürfen des] weicheren [Lagers.]
Rühre dich! Hurtig [mir] Wasser [gebracht!] Erst Wasser [bedarf ich!]
Wie sie das [Garn] trägt! [Doch nur gereichet! Des Wassers zu] viel nicht
Gieß', Unersättliche, [mir!] Heillose, was [machst] du [mein] Kleid [naß?]
Höre [doch] auf! Wie den Göttern gefiel, so bin ich gewaschen!
Wo [ist] zur größeren [Lade] der Schlüssel? [Daher mir gebracht] ihn! *Wi*
Zeit [nun] wär' es [zu] gehn; die Müßigen haben [nur] Festtag.

PRAXINOA

[Eunoa, nimm das Gespinnst und dahin, du verzärteltes Mädchen –
Lege es weg!] Die Katzen [begehren behaglich zu ruhen. –

Spude] dich! [Bringe mir] Wasser [geschwind;] erst brauche ich Wasser.
Wie das [Gespinnst] sie trägt; gieb's [her doch! Zu] viel nicht! [Begießt mich!]
Gieße [mir ein! Unselige du,] was [machst] du [mein] Kleid [naß?]
Hör' auf! – Wie es den Göttern gefiel: so bin ich gewaschen!
Wo [ist] der Schlüssel zur [Lade, der] großen? [Den bringe hierher mir!] *Na*

34–37: [Schön,] Praxinoa, steht dir dieß faltige Kleid mit den Spangen.
Sage mir, Liebe, wie hoch ist das Zeug vom Stuhl dir gekommen?

PRAXINOA

Ach! erinnre mich gar nicht daran! Zwei Minen und drüber
Baar, und ich setzte beinah mein Leben noch zu bei der Arbeit. *Bin*
[Was, o Praxinoa, doch das] faltige [Spangengewand] dir
[Herlich] steht! [O] sage, wie hoch kam dirs von [dem Webstuhl?]

PRAXINOA

[Davon schweige mir, Gorgo! Noch mehr] baar [Geld, wie die] Mine,
[Oder auch] zwo; und ich [wagte das] Leben [sogar an] die Arbeit! *Vo²*
[Herrlich,] Praxinoa, steht dies faltige [Spangengewand] dir!
Sage, wie hoch [wohl] kam dir [dasselbe herab] von dem Stuhle?

PRAXINOA

[Schweige mir, Gorgo, davon!] Zwei Minen, und drüber, [an gutem
Geld',] und ich setzte [sogar an] die Arbeit [auch selber das] Leben! *Wi*
[Herrlich,] Praxinoa, steht [das] faltige Kleid mit den Spangen
Dir! [O] sage mir [doch,] wie hoch kam [solches] vom Stuhle?

PRAXINOA

[Laß das, o Gorgo, sein! Noch mehr] baar [Geld, wie die] Mine,
[Oder auch] zween; [das] Leben [sogar wagt' ich an] die Arbeit! *Na*

38–43: Aber sie ist [dir gerathen nach Wunsch.]

PRAXINOA

        [Ei, sieh doch!] sie schmeichelt. –
[Bring mir] den Mantel nun her und den [Sonnenhut! Recht wie es seyn muß]
Setz' [ihn mir auf! Du,] Kind, [bleibst hier.] Bubu da! das Pferd beißt!
Weine so [viel dir's beliebt! Lahm] sollst du mir [draußen] nicht werden. –
[Komm!] – Du, Phrygia, spiel' [unterdeß] mit dem Kleinen ein wenig,
[Rufe] den Hund [herein,] und verschließ die Thüre des [Vorhof's. –] *Bin*
Aber auch ganz [nach Wunsche gerieth] sie [dir.]

PRAXINOA

[Wahrlich, du] schmeichelst!
[Rasch mir] den Mantel [gereicht,] und seze den schattenden Hut auch
Ordentlich! Nicht [mitgehen,] mein Kind! Bubu da! Das Pferd beißt!
Weine, so lange du willst; [ein] Krüppel mir sollst du nicht werden!
Gehn wir denn! Frygia, [komm, und hübsch] mit dem Kleinen gespielet!
Locke den Hund in das Haus, und verschließ die [Pforte] des Hofes! *Vo²*
[Nun] sie [gelang dir nach Wunsch!]

PRAXINOA

[Wo hast du] den Mantel [gelassen?
Bring' auch den Sonnenhut, und] setz' [ihn mir auf nach der Ordnung!]
Nicht [dich, o herziges] Kind, mitnehmen! Bubu da! Das Pferd beißt!
Weine, so lange du willst; [doch] sollst du [ein] Krüppel nicht werden!
Gehen wir! Phrygia, [nimm zu dir hin da] den Kleinen [und] spiele!
[Rufe] den Hund [auch herein,] und verschließe die Thüre des Hofes! *Wi*
[Doch] sie [gerieth] auch ganz [nach Wunsch dir.]

PRAXINOA

[Wahrlich, du hast Recht! –
Bringe mein Oberkleid] und setze den schattenden Hut [mir
Schön auf!] Nicht mitnehmen, mein Kind! [Wau wau] da, das Pferd beißt!
Weine so [sehr, wie] du willst; [ein] Krüppel [darfst] du nicht werden!
Gehn wir! Phrygia, [nimm] den Kleinen [und] spiele mit [ihm dann!
Rufe] den Hund [herein,] und verschließe die Thüre des Hofes! – *Na*

44–50: Götter! welch ein Gewühl! Durch dieses Gedränge zu kommen,
Wie und wann wird das gehn? – Ameisen, unendlich und zahllos!
[Hast,] Ptolemaios, doch schon viel [löbliche Thaten verrichtet;]
Seit dein Vater den Himmel bewohnt, beraubet kein schlauer
Dieb den Wandelnden mehr, ihn fein auf Ägyptisch beschleichend:
Wie vordem aus Betrug zusammengelötete Kerle,
All' einander sich gleich, Spitzbuben! [schlechtes Gesindel! –] *Bin*
Götter, [o] welch ein Gewühl! Wie kommen [wir durch?] wann [entfliehn wir]
Diesem [Tumult?] Ameisen, [unzählbar rings] und unendlich!
Viel [hast Du, Ptolemäos, und herliche Thaten vollendet!]
Seit [mit Unsterblichen lebt, der dich zeugete, schadet dem Wandrer]
Kein [Heimtückischer] mehr, [der sacht anschleicht] auf ägyptisch:
[So] wie vordem aus Betruge [zusammengeknätete Gauner
Schalteten,] alle sich gleich, [Erzlotterer,] Rabengesindel! *Vo²*

117

Götter, [o] welches Gewühl! Wie kommen durchs [arge] Gedränge,
Wann [wir hindurch?] Ameisen, [unzählbar und ganz unermeßlich!]
Viele [vortreffliche Thaten] schon [hast du vollbracht,] Ptolemäos!
Seit dein [Erzeuger verweilt bei Unsterblichen, schadet] kein [Frevler
Weiter dem Wandrer,] auf [ächt] ägyptisch ihn [leise] beschleichend,
[So] wie vordem aus Betruge [zusammen geschmiedete Männer
Schändliche Diebskunst trieben,] sich gleich, [Mauskatzen sie] alle! *Wi*
Welch ein Gewühl', [o] Götter! [Ach] wie und [wo doch vermögen
Wir den] Gedrang zu [bestehen?] Ameisen [unzählig, im Unmaaß!]
Viel [sind herrliche Thaten von] dir [vollbracht,] Ptolemäos!
Seit [er verewiget ist,] dein Vater, [verletzet den Wandrer]
Kein [anschleichender Freveler] mehr auf ägyptische [Weise,
So] wie [vorher] aus Betruge [zusammengesetzte Männer
Raubten,] alle sich gleich [im Raub, unthätig Gesindel! –] *Na*

51–55: Süßeste Gorgo, wie wird es uns gehn! Da [kommen] des Königs
[Kriegesrosse.] Mein Freund, mich nicht übergeritten! das bitt' ich!
Sieh den unbändigen Fuchs, wie er bäumt! Du verwegenes Mädchen,
Eunoa, [willst] du nicht [fliehn?] Der bricht dem Reiter den Hals noch.
[O wie gut ist es] nun, daß [der Kleine zu Hause] geblieben! *Bin*
[Herzensfreundin, o Gorgo, was machen wir? Siehe,] des Königs
Reisige traben [daher! Nun sacht,] Freund, [reite] mich nicht [um!
Hochauf] bäumt [sich] der Fuchs! Wie [der rasende tobt!] Du verwegne
Eunoa, [willst] du nicht [fliehn?] Der [macht unglücklich den Lenker!]
Wahrlich [ein frommender Rath,] daß mir [mein] Junge daheim blieb! *Vo²*
[Herzige] Gorgo! [Was] wird [aus] uns [werden?] Da [kommen] des Königs
[Kriegesrosse!] Mein [Lieber,] mich [nur] nicht [niedergeritten!
Grad' auf] bäumt [sich] der Fuchs! Wie unbändig er [wüthet!] Du [freche]
Eunoa! [Fliehest] du nicht? [Aufreiben] noch [wird er den Lenker!
Sehr gut,] daß mir [das Kind dort in der Behausung zurückblieb!] *Wi*
[Trauteste] Gorgo [du,] wie wird's uns [ergehen?] Des Königs
[Reitervolk kommt daher! Halt,] Freund, [du trittst mit dem Pferd] mich!
Wie der Fuchs [da gerad' aufsteigt, der wilde!] Du [kühne]
Eunoa, [fliehest] du nicht? Der [wird] noch den Reiter [zermalmen!
O wie gut doch war es,] daß [ich] den Jungen [daheimließ!] *Na*

56–59: [Auf,] Praxinoa, Muth! wir sind schon hinter den Pferden;
Jene reiten zum Platz.

PRAXINOA

Ich erhohle mich [jetzt auch von selbst schon.]
Pferd' und kalte Schlangen, die scheu' ich [von allem] am meisten

Von Kind an. O [komm!] was dort für ein Haufen uns zuströmt! *Bin*
Mut [gefaßt! nun] sind wir, Praxinoa, [endlich dahinter;]
Jene [ziehn in das Feld.]

PRAXINOA

[Schon selbst] erhol' ich mich [jezo.]
Pferd' und [kältende] Schlangen, die scheut' ich immer am meisten,
[Schon als] Kind. O [geeilet! Wie dicht das Gedräng'] uns [heranströmt!] *Vo²*
[Schöpfe,] Praxinoa, Muth! [denn] wir sind [nun endlich im Rücken;]
Jene [gelangten ins Feld.]

PRAXINOA

[Auch von selbst schon faß'] ich mich [jezo.]
Pferd' und [schaurige] Schlangen, die [fürchtet'] ich immer am meisten,
[Schon als ein] Kind. [Doch geeilt! Welch starkes Gewühl auf] uns zuströmt!
Wi
[Liebe] Praxinoa, [muthig!] Wir sind [ja doch nun dahinter;]
Jene [sind 'naus in's Feld.]

PRAXINOA

[Nun erst] erhol' ich mich wieder!
Pferde und [eisige] Schlangen, die [hab'] ich von [Kindesgebein] an
[Heftig] gescheut. [Wir eilen! Wie strömt] uns [des Volkes Gedräng an! –] *Na*
60–62: Mütterchen, aus der Burg?

DIE ALTE

Ja, Kinderchen.

GORGO

Kommt man hinein denn

[Ohne Müh?]

DIE ALTE

Durch Versuche gelangten die Griechen nach Troja,
Schönstes Kind; [der] Versuch macht alles [auf Erden gelingen.] *Bin*
[Mutter, vom Hofe zurück?]

ALTE

Ja, Kinderchen.

119

GORGO

[Ist es bequem] noch
[Einzugehn?]

ALTE

[Mit] Versuch [erreichten die Danaer] Troja,
[Mein holdseliges] Kind; [mit] Versuch [wird] alles [erlanget.] *Vo²*
[Mutter, vom Hofe daher?]

ALTE

Ja, Kinderchen.

GORGO

[Ist] noch [gemächlich
Einzugehen?]

ALTE

[Versuchend] gelangten [Achaier gen] Troja.
[Reizendes] Kind, [mit] Versuch [wird jegliches wahrlich vollendet.] *Wi*
[Von dem Hofe, o Mutter?]

ALTE

Ja, Kinderchen.

GORGO

[Sage, gelangt] man
[Leicht ein?]

ALTE

Durch Versuch [kam der Achäer] nach Troja,
[Herrlichstes] Kind; [mit] Versuch [wird jegliche Sache vollführet!] *Na*
63–65: Fort ist die Alte, die uns Orakelsprüche [verkündigt.]
Alles weiß doch ein Weib, auch [die] Hochzeit [des] Zeus [und] der Hera.
Sieh, Praxinoa, sieh, was dort [für] Gewühl um die Thür ist! *Bin*
[Ei,] mit Orakelsprüchen [verläßt] uns die alte [Profetin!]
Weiß doch alles ein Weib, auch [wie] Zeus [liebkoste] mit Hera.
[O] Praxinoa, [schau] um die Thüre [da, welch] ein [Getümmel!] *Vo²*
[Göttlich begeistert entschwand] mit Orakelsprüchen die Alte.
Alles doch wissen [die Fraun,] auch [wie] Zeus [sich] mit Hera [vermählte!

Schaue,] Praxinoa, [welch] ein [Tumult ringsher] um die Thüre! *Wi*

Nur [Orakel verkündete] uns die Alte! [Weg] ist [sie!

PRAXINOA

Jegliches] wissen [die] Weiber, auch [wie] Zeus Here [geliebt hat.

GORGO

Schaue,] Praxinoa, dort [an den Pforten,] was [für] ein [Getümmel!] *Na*

66–71: Ach! ein erschrecklicher! – Gieb mir die Hand! Du, Eunoa, fasse

Eutychis an, und laß sie nicht los, [daß] du [nicht dich] verlierest.

Alle mit Einmal hinein! Fest, Eunoa, an uns gehalten! –

[Ach, ich arme Frau!] schon [ist mir] mein [Sommerkleid doppelt

Aufgerissen,] o Gorgo! – Bei Zeus, und soll es dir jemals

Glücklich gehen, mein Freund, so hilf mir [und] rette den Mantel! *Bin*

[Ha, zum Graun!] Gieb, [Gorgo,] die Hand mir! Eunoa, du [auch]

Fasse [mir] Eutychis an; [fest halte] sie, [daß] du [nicht abirrst!]

Alle [zugleich nun] hinein! [Dicht,] Eunoa, [schließe dich] uns an!

Weh mir [armen, o weh!] da [zerriß] mein Sommergewand schon

Mitten entzwei, o Gorgo! Bei Zeus, und [was du] dir [irgend

Wünschest zum Heil, du Guter, o] hilf mir retten den Mantel! *Vo²*

[Fürchterlich! Gorgo,] die Hand mir [gereicht! An die] Eutychis [schließe]

Du [dich auch,] Eunoa, [an! Wohl fasse] sie, [daß] du [nicht abirrst!

Einwärts] alle [zugleich!] Fest, Eunoa, halt' uns [umklammert!]

Wehe mir Unglückskind! Schon riß [mir das] Sommergewand da

Mitten entzwei, o Gorgo! Bei Zeus, und [wünschest du irgend]

Glücklich [zu werden, o Mensch,] so [beschütze] mir [sorgsam] den Mantel!

                                                                                Wi

[Graunvoll! Gorgo,] die Hand gieb mir, [und,] Eunoa, fasse

Du [auch mir] Eutychis an; [gieb Acht, auf daß] du [nicht abirrst!]

Alle [wir dringen] hinein! [Halt,] Eunoa, [faß' dich] an uns [an!

Ach,] ich Unglückskind! da riß mein Sommergewand [mir]

Mitten entzwei, o Gorgo! – Bei Zeus, [es] gehe dir [immer

Wohl, Fremdling, ich bitte, o] rette [mein Obergewand mir!] *Na*

72: *darüber* [FREMDLING] *Vo² Na* FREMDER *Wi*

72–77: [Ja wer's könnte;] doch will [ich versuchen.]

PRAXINOA

                             Ein [schrecklich] Gedränge!

Stoßen sie [doch] wie die Schweine.

121

DER FREMDE

[Nur Muth! schon sind] wir [in] Ruhe.

PRAXINOA

Jetzt und künftig sei Ruhe dein Loos, du bester der Männer,
Daß du für uns so gesorgt. – Der gute mitleidige Mann der! –
Eunoa [wird uns gedrückt! – Dich durchgedränget,] du [Feige!]
Schön, wir alle sind drinnen; so sagt, wer [die] Braut [hat verschlossen.] Bin
[Hier ist Rettung umsonst;] doch [es gilt!]

PRAXINOA

[O wie fürchterlich drängt man!]
Stoßen sie nicht, wie die Schweine?

[FREMDLING]

Getrost! nun haben wir Ruhe!

PRAXINOA

[Mögest du nun und immer,] du [Redlicher,] Ruhe [genießen,
Weil] für uns du gesorgt! [O wie edel] der Mann, [und wie liebreich!]
Eunoa steckt in der Klemm'! [Auf, Elende,] frisch! mit Gewalt durch!
Schön! wir alle darin! so sagt zu [der] Braut, wer sie einschloß. *Vo²*
[Nimmer vermag ich's;] doch will [ich beschützen!]

PRAXINOA

[Ha, welches] Gedränge!
[Schieben] sie [doch,] wie die Schwein'!

FREMDER

[O] getrost! nun [sind] wir [geborgen!]

PRAXINOA

Jezo [sogleich] und [hinfort] sey, bester der Männer, [geborgen,
Weil] du uns [schirmst! So ziemt es] dem [biedern und freundlichen]
Manne!
Eunoa [ist] im [Gedräng'! Auf, brauche] Gewalt, du [Verzagte!]
Schön! [sie] sind alle darin! so sagt, wer [die] Braut [mit sich] einschloß. *Wi*
[Steht nicht bei mir;] doch will [ich es thun!]

122

PRAXINOA

⌈Wie groß ist der Andrang!⌉
Stoßen sie ⌈doch,⌉ wie die Schweine!

⌈FREMDLING

Nur Muth!⌉ nun ⌈sind⌉ wir ⌈im Sichern!⌉

PRAXINOA

⌈Mögst du im Sichern hinfort und immer,⌉ du ⌈Theuerer, leben,
Da⌉ du für uns gesorgt! ⌈Ein braver⌉ Mann ⌈und so erbarmend!⌉
Eunoa ⌈dort wird gequetscht! Auf, brich, Elende,⌉ mit ⌈Kraft⌉ durch!
⌈Herrlich!⌉ wir alle sind drin! sagt, wer ⌈die⌉ Braut ⌈im Verschluß hat.⌉ *Na*

78–82: Hier, Praxinoa, komm, sieh erst den künstlichen Teppich,
⌈Sieh,⌉ wie ⌈reizend⌉ und zart; du nähmst es für Arbeit der Götter.

PRAXINOA

⌈Himmlische Göttinn⌉ Athena, wer hat die Tapeten gewebet?
Welcher Mahler ⌈hat hier⌉ so ⌈künstliche⌉ Bilder ⌈gezeichnet?⌉
Wie natürlich sie stehn, und wie sie natürlich sich drehen! *Bin*
⌈Komm doch,⌉ Praxinoa, komm; den künstlichen Teppich ⌈betracht'⌉ erst!
⌈Fein!⌉ und wie ⌈anmutsvoll! Ein Gewirk der Unsterblichen scheint dirs!⌉

PRAXINOA

Heilige Pallas Athene, ⌈wie kunstreich wirkten die Weiber!⌉
Welch ein Maler vermöchte, so lebende Bilder zu malen!
⌈Ganz Natur,⌉ wie sie stehn, und ⌈Natur in jeder Bewegung!⌉ *Vo²*
Komme, Praxinoa, ⌈her;⌉ erst schaue den künstlichen Teppich!
⌈Fein⌉ und wie lieblich! Du ⌈gleichest ihn leicht den Geweben⌉ der Götter.

PRAXINOA

⌈Hehre⌉ Athene, wer ⌈waren die Dienenden, die ihn gewirket!
Wo hat⌉ ein Maler so ⌈treu noch jemals⌉ Bilder gemalet?
⌈Sieh,⌉ wie natürlich sie stehn, wie natürlich sie sich ⌈auch bewegen!⌉ *Wi*
Komm ⌈nur,⌉ Praxinoa, ⌈her, und⌉ schaue den Teppich ⌈zuvörderst,
Fein⌉ und lieblich! Du ⌈glaubst, das sei ein Gewebe⌉ der Götter!

PRAXINOA

⌈Hoheitsvolle Athene! Wie herrlich die Weiber doch wirkten!⌉
Welch ein Mahler ⌈hat je⌉ so ⌈genau wol⌉ Bilder gemalet?
⌈Lebend ja⌉ stehen sie ⌈da⌉ und ⌈lebend bewegen⌉ sich ⌈jene!⌉ *Na*

83–88: [Das ist] beseelt, nicht gewebt! – [Welch] kluges Geschöpf doch der Mensch ist!
Aber er selber, wie reizend er dort auf dem silbernen Ruhbett
Liegt, und die Schläfe herab ihm keimet das früheste Milchhaar!
Dreimalgeliebter Adonis, der selbst noch im Hades geliebt wird!

ZWEITER FREMDER

Schweigt doch, ihr Klatschen, einmal mit eurem dummen Geschwätze!
Schnattergänse! Wie breit und wie platt sie die Wörter verhunzen! *Bin*
Wahrlich beseelt, nicht gewebt! Ein kluges Geschöpf ist der Mensch doch!
[Dann] wie [bewunderungswürdig] er selbst auf silbernem [Lager
Ruht, um] die Schläfen [gebräunt von der Erstlingsblüte der Jugend!]
Dreimal geliebter Adonis, im [Acheron] selber geliebt noch!

[EIN ANDERER]

Schweigt, [unselige dort,] ihr [endlos plappernden Weiber!
Turtelchen!] Breit [ausziehend, zerkauderwelschen] sie [alles!] *Vo²*
[Lebend,] nicht [eingewebt! Hoch raget] der Mensch doch [an Klugheit!
Und] wie er [wunderschön,] auf den silbernen [Sessel gelagert,]
Selber [da ruht, umpflaumt von dem ersten Gekräusel] der Schläfe!
Dreimal geliebter Adonis, [am Acheron auch] noch geliebter!

[EIN ANDERER]

Schweigt, [Unglückliche, dort,] ihr [unendlich geschwätzigen Turteln!
Alles ja werden sie noch mit dem] platten [Gewäsche verderben!] *Wi*
[Ja] beseelt, nicht gewebt! Ein [klügliches Ding] ist der Mensch doch!
[Und] wie [bewundernswerth] er selbst auf silbernem [Lager]
Liegt, ihm keimt [das Erste des Milchbarts dort um] die Schläfe!
Dreimal geliebter Adonis, [am Acheron] selbst noch geliebet!

[FREMDLING

Hört, Heillose,] doch [auf] mit [dem ewigen, eitlen Geklatsche,
Turteln gleich!] Sie [betäuben doch alles mit] plattem [Geschwätze!] *Na*
89–93: [Ba! Wer bist du,] Mensch? Was geht dich unser Geschwätz an?
Warte bis du uns kaufst: Syrakusern [willst] du befehlen?
Wiss' auch dieß noch dazu: [von Korinth stammt unser Geschlecht her,
Wo auch] Bellerophon war; wir reden Peloponnesisch.
Doriern wird's doch, denk' ich, erlaubt seyn, Dorisch zu sprechen? *Bin*
[Ba! von wannen, o] Mensch? was [schert] dich unser [Geplapper?
Eigenen Mägden gebeut!] Syrakuserinnen [gebeutst] du?

[Daß du] auch dieses [vernehmst:] Wir sind [von] korinthischer Abkunft,
Gleich wie Bellerofon war! wir reden [dir] peloponnesisch!
Wird doch dorische [Sprache dem] Dorier, denk' ich, erlaubt sein! *Vo²*
[Ba! von wannen] der Mensch? Was [kümmert es] dich, [wenn wir plaudern?
Deinen Ernährten befiehl!] Syrakuserinnen befiehlst du?

[Daß du dann] dieses noch wissest: Wir [stammen zuletzt von Korinth ab,]
Gleich wie Bellerophon [auch, und sprechen dir] peloponnesisch!
Dorier [dürfen] doch, denk' ich, [auch reden die] dorische [Sprache!] *Wi*
[Pah!] Mensch, [wo bist du her?] Was geht dich unser [Geklatsch'] an?
[Herrsche, wo Herr du bist!] Syrakuserinnen befiehlst du?

[Daß du] auch dies noch weißt: wir sind [von] korinthischem [Stamme,
So wie Bellerophon auch; doch] reden wir peloponnesisch.
[Ist] doch [das] dorische [auch den] Doriern, [dünkt mich, vergönnet!] *Na*

94–99: O Melitodes, [daß nimmer] uns [mehr als Einer beherrsche!]
Streich mir [das] ledige [Maß! das will ich noch ruhig erwarten.]

GORGO

Still, Praxinoa! Gleich wird nun von Adonis uns singen
Jene Sängerinn dort, [die künstliche] Tochter [Argeias,]
Die den Trauergesang auf Sperchis so treflich gesungen.
Die macht's [sicher recht] schön; schon prüft sie [in Trillern] die Stimme. *Bin*
[Komm'] uns [nie,] o du süße [Persefone, noch ein Beherscher!
Einer genügt!] Streich' [immer nach Lust] mir den ledigen Scheffel!

GORGO

Still, Praxinoa, [höre; sie will den Adonis besingen,]
Jene Sängerin dort, der Argeierin kundige Tochter,
[Welche jüngst auch den] Sperchis [im] treflichsten [Liede geklaget.]
Schön, [das weiß ich, erklingt ihr Gesang. Wie behende] sie trillert! *Vo²*
[Nie, Melitodes, erstehe, der weiter noch über uns Herr sey,
Außer dem Einen! Du wirst] mir den ledigen Scheffel [nicht] streichen!

GORGO

[Schweige,] Praxinoa, still! [Sieh,] dort [will] nun [den] Adonis
[Jener] Argeierin Tochter, [die sinnige] Sängerin, [feiern,]
Die [auch im] Trauergesang auf [den] Sperchis [errungen den Kampfpreis.
Lieblich ertönt, das weiß ich, ihr Lied. Schon wiegt sie das Köpfchen.] *Wi*
Süße [Persephone, möge] uns [nie ein Beherrscher erstehen,
Außer der eine! – Was sorg' ich? du schmälerst unser Geschlecht nicht!]

GORGO

[Schweig, Praxinoa, doch! Sie will den Adonis besingen,
Sie, die] Sängerinn dort, der Argeierinn kundige Tochter,
Die [am] trefflichsten [jüngst im Gesang den] Sperchis [beklagt hat.
Sie wird, weiß ich gar wohl,] schön [singen!] Sie [schicket sich an] schon. *Na*

100: *darüber* SÄNGERIN *Vo² Wi Na*

100–105:   Herrscherinn, die du erkorst Idalions [Fluren] und Golgos,
[Sammt] des Eryx [Höh,] du [spielend mit Gold',] Aphrodita!
Sage, wie kam dir Adonis zurück von [des] Acherons [Strome]
Nach zwölf Monden? [geführt von den Horen mit reizenden Füßen.]
Langsam gehn vor [den übrigen] Göttern die [lieblichen] Horen,
Aber sie kommen mit Gaben auch stets, und von allen ersehnet. *Bin*
[Hohe,] die Golgos erkohr, und Idalions Haine [beherschet,]
Auch des Eryx Gebirg, goldspielende du, Afrodita!
Wie [doch] kam dir Adonis von Acherons ewiger Strömung
Nach zwölf Monden zurück, im Geleit sanftwandelnder Horen?
Langsam gehn die Horen vor anderen seligen Göttern;
Aber sie kommen [erwünscht den Sterblichen, immer was bringend.] *Vo²*
Herrscherin, die du [mit Lust in] Idalion [weilest] und Golgos,
Auch [um] des Eryx [Gewölk,] Aphrodita, [spielend mit Goldglanz!]
Wie [den] Adonis [so schön] von [des] Acheron ewigen Fluthen
Dir [zartfüßige] Horen im zwölften [der Monate brachten!
Unter den] Seligen [nahen am trägsten] die [freundlichen] Horen,
Aber [den Sterblichen] allen ersehnt, und [immer was bringend.] *Wi*
Herrscherinn, die du Idalion [dir] und Golgos erkohren,
[Sammt] der [ragenden] Eryx, goldspielende [Göttinn Kythere!
Wir nur führten] Adonis [aus] Acherons ewigen Fluten
Nach zwölf Monden [zu] dir [zartwandelnde] Horen zurücke,
[Welche die trägesten sind in der] Seligen [Chor; doch] sie kommen
[Immer erwünscht, die theuern, den Sterblichen immer was bringend.] *Na*

106–111: Kypris, [Tochter] Dionens, du [hast zu] unsterblicher [Hoheit,
Wie es] die Sag' [uns erzählt, das Weib] Berenika erhoben,
Träufelnd [der Götter] Ambrosiasaft in [der] Sterblichen [Busen.]
Dir zum Dank, vielnamige, Tempelgefeierte Göttinn,
[Ziert] Berenikas Tochter Arsinoa, [welche der schönen]
Helena [gleicht,] mit [mancherlei] Gaben [den holden] Adonis. *Bin*
Kypris, Diona's Kind, du [hobst, wie] die Sage [verkündigt,
Zur] unsterblichen [Wonne den] sterblichen [Geist] Berenika's,
Sanft Ambrosiasaft in die Brust der Königin träufelnd.

126

Dir, [o] Göttin, zum Dank, vielnamige, tempelgefeirte,
Ehrt Berenika's Tochter, an Liebreiz Helenen ähnlich,
Ehrt Arsinoa heut mit allerlei [Gut den] Adonis. *Vo²*
Kypris, Diona's Kind, [zur] Unsterblichen [schufst] du, die sterblich
War, [wie] die Sage [der Menschen verkündiget, um] Berenika,
Träufelnd Ambrosiasaft in [den Busen der Erdegebornen.]
Dir zum [gefälligen] Dank, vielnamige, tempelgefeirte,
[Schmückt] Berenika's Tochter, an [Reizen der] Helena ähnlich,
[Sie die] Arsinoa [nun den] Adonis mit allerlei [Zierde.] *Wi*
Kypria, du [Dionäa,] erhebst, [wie der Menschen Gerücht geht,
Zu] der Unsterblichen [Chor ein] sterbliches [Weib,] Berenika,
[Ihr] in die Brust [einträufelnd Ambrosiaduft, der Beglückten.
Drob] zum Dank, vielnamige du [und tempelgepries'ne,
Schmückt] Berenikas Tochter, Arsinoa, Helenen ähnlich,
Heute [den schönen] Adonis mit allerlei [Ehrenbezeigung.] *Na*

112–117: [Früchte] liegen [bei] ihm, [so viele die Wipfel nur tragen,
Liebliche Gärten bei] ihm, [bewahrt] in silbergeflochtnen
[Körbchen, und] goldene [Flaschen,] mit Syrischer Narde gefüllet;
[Kuchen, so vielerlei Art die Weiber in Pfannen nur backen,]
Mischend mit weißestem Mehl [so] mancherlei [würzige] Blumen,
[Was sie aus] lieblichem Öl' und süßem Honig [bereiten;] *Bin*
Neben ihm [steht] anmutig, was hoch auf dem Baume gereifet;
Neben ihm auch Lustgärtchen, in silbergeflochtenen Körben
[Wohl umhegt; auch Syrergedüft in] goldenen Krüglein;
Auch des Gebackenen viel, was Fraun in [der Pfanne gebildet,]
Weißes Mehl mit der Blumen [verschiedener] Würze [sich mengend;
Was sie] mit [lauterem] Öle getränkt, und der Süße des Honigs: *Vo²*
Neben ihm liegt, was [reif von dem Gipfel] des Baumes [herabsank;]
Neben auch [liebliche Gärtchen, geheget] in [silbernen] Körben,
[Und Alabasterfläschchen, vergoldet,] mit syrischer [Salbe;
Speisen] auch, [wie sie mit Kunst] in den Formen [die Weiber] bereiten,
[Allerlei würzige Blüthen] mit [glänzendem] Mehle [vermischend,]
Oder [von] lieblichem Honig, und [in dem geschmeidigen] Öle; *Wi*
Neben ihm liegt, was hoch auf der Bäume [Gewipfel] gereift [ist;]
Neben ihm [zierliche Gärtchen, mit silberner] Körbe [Geflechte
Eingeschlossen, und auch im Goldkrug Syriens Salbe;
Dann noch] Gebackenes auch, was in [Pfannen die] Frauen bereiten,
[Buntes Geblüme von jeglicher Art] mit [glänzendem] Mehle;
[Was sie mit würzigem Seime gemacht und geschmeidigem] Öle; *Na*

118–122: Alles ist hier, das Geflügel der Luft und die [kriechenden] Thiere.
　　　　Grünende [Lauben sind hier, mit weichem] Dille [behänget;
　　　　Über sie flattern umher die jungen Götter der Liebe,
　　　　Wie] der Nachtigall Brut, im schattigen Baume [verstecket,]
　　　　Flattert von Zweig zu Zweig, die [wachsenden] Flügel versuchend. – *Bin*
　　　　Alles [erscheint wie] Geflügel und [wandelndes Leben um jenen.]
　　　　Grünende Laubgewölbe, vom zartesten Dille beschattet,
　　　　Bauete man; und oben, als Kinderchen, fliegen Eroten,
　　　　[So wie] der Nachtigall [Söhn',] im schattigen Baume [geherbergt,
　　　　Fliegen] von Zweig' [auf] Zweig, [die Fittige jugendlich prüfend.] *Vo²*
　　　　[Allerlei Vögel] sind hier und Thiere [der Flur ihm gesellet.]
　　　　Grünende Laubgewölbe, vom zartesten Dille [belastet,
　　　　Sind ihm] gebauet, [darüber auch flattern die jungen] Eroten,
　　　　Gleich wie [von] Nachtigallen [Gebrütete, sitzend auf] Bäumen,
　　　　Flattern von Zweige zu Zweig, die [noch] schüchternen Flügel versuchend.
　　　　　　　　　　　　　　　　　　　　　　　　　　　　Wi
　　　　[Allerlei] ist [da] Geflügel [um ihn] und [regsame] Thiere;
　　　　[Auch grünsprossende Lauben,] vom [üppigen] Dille beschattet,
　　　　[Sind da] gebaut, und [es fliegen] als [Knaben umher die] Eroten,
　　　　[So wie] der Nachtigall Brut, in [der] Bäum' [Umschattungen sitzend,
　　　　Wann sie den Ausflug wagt,] von Zweigen zu Zweigen [dahinhüpft.] *Na*

123–127: [O] des Ebenholzes und Goldes! des Adlers aus weißem
　　　　Elfenbein, der zu Zeus den reizenden Schenken emporträgt! –
　　　　Auf den purpurnen Teppichen hier – (noch [weicher als] Schlummer
　　　　[Rühmte] Miletos sie, und [jeder, den] Samos [ernähret,)]
　　　　Ist bereitet ein [Bett,] ein [andres] dem schönen Adonis. *Bin*
　　　　[O wie umher] Gold [pranget, und Ebenholz! O wie] die Adler,
　　　　[Schimmerndes] Elfenbeins, [hintragen das Kind] zu [Kronion!]
　　　　Auf [meerpurpurnem Glanze] der Teppiche (sanfter wie Schlummer
　　　　[Rühmt] sie [die samische Stadt,] und wer Miletos [bewohnet:)
　　　　Ward] ein Lager [gedeckt, und dabei] dem schönen Adonis. *Vo²*
　　　　Siehe das Ebenholz, und das Gold und die Adler [von] weißem
　　　　Elfenbeine, zu Zeus, [dem Kronion, entführend] den [jungen]
　　　　Schenken! [Auch] purpurne [Decken sind drüber] (noch sanfter, wie
　　　　　　　　　　　　　　　　　　　　　　　　　　　　Schlummer,
　　　　Nennte Miletos sie [wohl,] und wer [sich von Samia nähret:)
　　　　Ausgebreitet als] Lager, dem schönen Adonis ein [andres.] *Wi*
　　　　[O] das Ebenholz und das Gold! [Wie] die Adler [von] weißem
　　　　Elfenbein [dort] den Schenken, [empor] zu [Kronion erheben!

Aber den Purpurteppichen, (die] noch [süßer als] Schlummer
[Der Milesier rühmend erhebt und der samische Bürger)]
War ein [anderes] Lager dem schönen Adonis bereitet. *Na*

128–135: Hier ruht Kypris, und dort mit rosigen [Armen] Adonis:
Achtzehn Jahre nur zählt [der Bräutigam,] oder auch neunzehn;
Noch sticht [nicht] sein Kuß, noch [hängt] um die Lippen ihm Goldhaar.
Kypris [freue] sich jetzt des [wiedergeschenkten] Gemahles:
Wir [gehn] morgen [im Thau, und] tragen, [in Haufen gedränget,
Frühe den Holden] hinaus [zu den Uferbeschäumenden Wellen.
Lustig flattert das] Haar, um die Knöchel wallen die Kleider,
Bloß ist die Brust; so gehn wir, und stimmen den hellen Gesang an. *Bin*
Dort [hält] Kypris [die Ruh,] und hier [der holde] Adonis,
Ihr [rothwangiger Jüngling von] achzehn oder [von] neunzehn.
Kaum noch sticht sein Kuß, noch [blühts] um die Lippen ihm [röthlich.]
Jezo mag sich Kypris erfreun des schönen Gemahles.
Morgen wollen wir ihn, mit dem Frühthau alle versammelt,
Tragen hinaus in die [Woge,] die [wild am Gestad' emporschäumt:]
Alle mit fliegendem Haar, [und die Schöße gesenkt auf] die Knöchel,
[Alle mit offener] Brust; so [heben] wir hell den Gesang an: *Vo²*
Hier ruht Kypris, und dort, mit den rosigen [Armen,] Adonis,
[Dieser] ihr [achtzehn- oder auch neunzehnjähriger Gatte.]
Noch [nicht stachelt der] Kuß; noch [pflaumt's] um die Lippen ihm
[röthlich.]
Jetzt [ihn besitzend,] erfreue sich Kypris des [eignen] Gemahles;
[Früh dann] wollen wir ihn, mit [dem Morgenthaue] versammelt,
Tragen hinaus in die Fluth, die gegen die Küste heraufschäumt,
[Und] mit [gelösetem] Haar, [auf] die Knöchel [gesenket die Schöße,
Heben] wir, [offener] Brust, [helltönenden Feiergesang an:] *Wi*
Hier ruht Kypria, dort [der] rosige [Jüngling] Adonis,
[Er,] ihr [trautester acht- oder neunzehnjähriger Liebling.]
Noch sticht [nicht] sein Kuß, [denn blond ist's] ihm um die Lippen.
[Freue] sich Kypria jetzt, [sie hat den] schönen [Geliebten!]
Mit dem Frühthau wollen wir morgen [in Menge] hinaus [dich
Zu] der Flut [hintragen,] die [dort zum Gestad' aufschäumet:]
Fliegenden Haars, [da zum] Knöchel [herab das Busengewand hängt,
Frei und entblößeter] Brust, und wir [heben dann] hell den Gesang an: *Na*

136–144:　　Holder Adonis, du [kommst zu] uns [und zu] Acherons Ufer,
[Im Halbgötterchor der einzige, heißt's:] Agamemnon
Durfte dieß [nie, nicht] Aias, der große, [der muthige Kämpfer,]

Hektor auch nicht, von Hekaba's zwanzig Söhnen der erste;
Nicht Patroklos, noch Pyrrhos, der [wieder] von Troja [zurückkam,]
Nicht [in früherer Zeit] die Lapithen und Deukalionen,
Nicht [des] Pelops [Geschlecht,] noch die [alten] Pelasger in Argos. –
[Sei,] Adonis, uns [hold,] und bring' [uns auch Freuden auf's] Neujahr:
Freundlich kamst du [uns jetzt;] o komm, wenn du kehrest, auch
                                                        freundlich! *Bin*

   Holder Adonis, [o] du, [wie man] sagt, [der einzige] Halbgott,
Nahst bald uns, bald [wieder dem] Acheron. Nicht Agamemnon
[Traf] dies [Loos, nicht] Ajas, der große gewaltige Heros,
Hektor auch nicht, [ehrwürdig vor] Hekabe's zwanzig Söhnen,
Nicht Patroklos, noch Pyrrhos, der [stolz heimkehrte] von Troja,
Nicht die alten Lapithen, und nicht die Deukalionen,
Pelops Enkel auch nicht, nach Argos [Beginn,] die Pelasger.
Schenk' uns Heil, o Adonis, und bring' ein fröhliches Neujahr!
Freundlich kamst du, Adonis; o komm, wenn du kehrest, auch freundlich!
                                                        Vo²

   [Hieher kommst] du, [und auch zu dem] Acheron, holder Adonis,
[Von] Halbgöttern, [so] sagt [man, der Einzige;] nicht Agamemnon
[Hatte das Glück, nicht] Ajas, [der mächtige, rasende Kampfheld,]
Auch nicht Hektor, von zwanzig, [die] Hekabe [zeugte,] der erste,
Nicht Patroklos, noch Pyrrhos, der wieder von Troja gekehret,
Nicht [die noch früheren Menschen,] Lapithen und Deukalionen,
Pelops Enkel auch nicht, noch Pelasger, [von] Argos [der Urstamm.
Sey nun hold,] o [geliebter] Adonis, und [gnädig aufs] Neujahr!
[Ja jetzt] kamst du, Adonis, o komm, wenn du kehrest, auch freundlich! *Wi*

   [Komm, o theurer Adonis, so hier, wie an Acherons Strömung,
Einziger nur, wie man] sagt, Halbgott! [Selbst] nicht Agamemnon
[Ward] dies [zu Theil, nicht] Ajas, dem [heftig wüthenden] Heros,
Hektor nicht, [der würdig vor] Hekabens zwanzig Söhnen,
Nicht Patroklos [und] Pyrrhos, [daheim] von Troja [sich wendend,]
Nicht den Lapithen vordem und nicht den Deukalionen,
[Den Pelopiden] auch nicht [und] Pelasgern, [dem Stamme von] Argos.
[Sei] uns [günstig,] Adonis, und [hold im kommenden Jahre,]
Freundlich kamst du, Adonis; o kehr' auch freundlich [uns wieder!] *Na*

145–149:   Traun! ein trefliches Weib, Praxinoa! Was sie nicht alles
          Weiß, das glückliche Weib! wie [so] süß der Göttlichen Stimme! –
          Doch es ist Zeit, daß ich geh; Diokleidas erwartet das Essen.
          Bös' ist er immer, und hungert ihn vollends, dann bleib ihm vom Leibe! –

Freue dich, [trauter] Adonis, und kehre zu Freudigen wieder! *Bin*
[Was, o Praxinoa, gleicht doch jener an Kunst! O ein selig,
Überseliges] Weib! was sie weiß, und wie [hold ihr Gesang ist!]
Doch [heim rufet die Stund'; ungespeist noch harrt Diokleidas.
Heftig] ist immer [der Mann;] und hungert ihn, [wehe da lauft nur!]
Freue dich, lieber Adonis, und [komm] zu freudigen wieder! *Vo²*
[Weit, o Praxinoa, ragt dir vor andern an Klugheit die Frau dort!]
Glücklich [ist sie!] was sie weiß! [ganz glücklich! o] wie [sie so] süß [tönt!]
Zeit doch ist es [nach Haus; auf] das Essen [noch harrt] Diokleidas.
[Ganz] ist [Essig der Mann;] und hungert ihn, [nahe dich nur nicht!
Freude] dir, [holder] Adonis, und kehre zu freudigen wieder! *Wi*
[Was kann weiser doch sein, als das, Praxinoa! Selig
Ist dies] Weib! Was sie weiß! [Holdselige!] wie [sie so] süß [singt!]
Doch [daheim muß] ich gehn; [noch nichts aß heut'] Diokleidas.
[Essigsauer] ist [der] und, hungert er, [komme ihm keiner!]
Freu' dich, [geliebter] Adonis, und kehre zu [Fröhlichen] wieder! *Na*

VI. DAMÖTAS UND DAPHNIS

Benutzte Textvorlagen: Bin, Vo², Wi, Na

BEARBEITUNGSANALYSE

Überschrift: [Die Rinderhirten] *Vo² Wi Na*

1–5: Daphnis der Rinderhirt [trieb mit] Damoetas [einmal auf derselben
Trift] die Herde zusammen, Aratos; [der eine war bräunlich,]
Milchhaar sproßte dem [andern erst auf. Heiß brannte der] Mittag,
[Als sie beide, gelagert] am Quell, [im Gesange sich übten,]
Daphnis [begann nun] zuerst: denn zuerst bot [dieser den Kampf an:] *Bin*
Dafnis der Rinderhirt und Damötas [hatten] zusammen
[Einst] die Heerd', [o] Aratos, [vereiniget.] Diesem war röthlich
Schon das Kinn, dem sproßt' es von Milchhaar. [Beid'] an der Quelle
Hingelehnt im Sommer am Mittag, sangen sie also.
Dafnis zuerst hub an, denn zuerst auch [hatt'] er [gefodert.] *Vo²*
Daphnis, der Rinderhirt, und Damötas [trieben] zusammen
[Einst, o] Aratos, die Heerd' [auf einerlei Weide.] Das Kinn war
[Golden] schon [jenem, und halb erst diesem umpflaumet.] Im Sommer
[Beide zur] Quelle [gelagert] am Mittag, sangen sie also:
Daphnis zuerst hub an: denn zuerst auch [reizt'] er [zum Liede.] *Wi*

131

Damötas und Daphnis, der Rinderhirt, [hatten an einen
Ort] die Heerde [getrieben,] Aratos! [Dem einen von ihnen
War goldgelb der Bart,] dem sproßte [er. Beid'] an der Quelle
[Sitzend] im Sommer [um] Mittag, [begannen denn] also [zu] singen.
Daphnis zuerst [fing an, dieweil] zuerst er [gefordert:] *Na*

6–12: [Sieh,] Polyphemos, da wirft [dein Mädchen die Schafe] mit Äpfeln,
Galate [ruft] dich, und schilt [den Hirten der Ziegen gefühllos.]
Doch du [merkest es nicht, du trauriger Träumer;] du sitzest,
Flötend ein liebliches Lied. O sieh doch, da wirft sie schon wieder
Nach dem Hüther der Schafe, dem Hund: der bellet und blicket
[Stets] in das Meer, und es [mahlen die ruhigschwankenden Wogen
Hell im Wasser sein Bild, so] wie [er am Ufer dahinläuft.] *Bin*
Schaue, [sie] wirft, Polyfemos, mit Äpfeln [wirft] Galateia
Dir die Heerd', und sie [ruft:] O [zur Lieb' einfältiger] Geishirt!
Doch nicht siehst du sie an, Kaltherziger; sondern du sizest,
[Froh des Syringengetöns.] Schon wieder da, wirft sie den Hund [dir,]
[Welcher,] der Schaf' [Aufseher, dir nachfolgt. Aber er belfert,
Meerwärts wendend den Blick. Dort] zeigen [sie] liebliche Wellen,
Sanft am Gestad' aufrauschend, wie unter der Flut sie daherläuft. *Vo²*
[O] Polyphemos, dir wirft Galateia die Heerde mit Äpfeln,
Scheltend [den Ziegenhirten, den ganz für die Liebe verlornen!
Aber] du [blickst] sie nicht an, [Unglücklicher,] sondern du sitzest,
[Süß die Syringe durchhauchend!] Sie wirft nach dem Hunde schon wieder,
[Welcher als sorgsamer Wächter] der Schafe [dir folgt. Er belfert,
Wendend zum] Meere [den Blick; ihn] zeiget die [glänzende] Welle,
[Wie er so sacht hinschleicht an dem schallenden Wogengestade.] *Wi*
[Sieh',] Polyphem, Galateia da wirft mit [Äpfelchen deine]
Heerde und [ruft zur Lieb'] dich [unzärtlichen Hirten der Geißen.]
Du [schaust] sie, [Elender,] nicht an! [Elender!] du sitzest
Flötend ein liebliches Lied. Schon [wiederum] wirft sie den Hund [dir,
Welcher dir treu nachfolgt und] die Schafe [bewacht; doch er] bellet
[Schauend] in's Meer. [Dort] zeigen [die herrlichen Flutungen, wie sie]
An [dem] Gestad' [hinlauft, in] sanftaufrauschender [Brandung!] *Na*

13–16: Hüthe dich, daß er nicht gar in die Füße dem Mädchen noch fahre,
[Wenn es] dem Meer [entsteigt,] und [die liebliche Haut] ihm zerfleische.
[Schmachtend spielt sie ihr mädchenhaft Spiel,] so [recht] wie der Distel
Trockenes Haar sich wiegt, [vom] lieblichen Sommer gedörret. *Bin*
Hüte dich, daß er dem Mädchen [nur] nicht in [die Waden sich stürze,]
Wann aus dem Meere sie steigt, und den blühenden [Wuchs] ihr zerfleische.

132

Sie nun [schwärmt dir] von selber [in Üppigkeit,] wie [von] der Distel
[Flattert das] trockene Haar, wann der liebliche Sommer es dörret: *Vo²*
[Sieh,] daß nicht in [die Waden der Jungfrau etwa er renne,
Wenn sie den Fluthen entsteigt,] und den [reizenden] Leib ihr zerfleische.
[Ist sie doch gegen dich spröde] von selbst [schon, gleich] wie der Distel
[Ausgetrocknetes] Haar, [wenn senget] der [freundliche] Sommer! *Wi*
[Siehe nur zu,] daß er nicht [dem Mägdlein] fährt in [die Waden,
Welche den Wellen entsteigt,] und [den herrlichen Körper] zerfleische
Sieh', wie verbuhlt von selbst sie tändelt, wie [von] der Distel
[Fleugt das vertrocknete] Haar, [das] der [herrliche] Sommer gedörrt [hat.]
                                                                      Na

17–19: [Liebst du sie, siehe] sie flieht; und [liebst du sie nicht,] sie verfolgt dich,
[Zieht] von der Linie [weg mit] dem Stein: das Auge der Liebe
Nimmt, Polyphemos, so oft [das Häßliche] selber für Schönheit. *Bin*
[Dich den] zärtlichen flieht sie, [dem nicht mehr zärtlichen folgt sie;]
Ja sie [bewegt auch] den Stein von der Linie. [Wahrlich] der Liebe
[Hat] ja oft, Polyfemos, [nicht reizendes reizend geschienen.] *Vo²*
[Dich ja, den Liebenden,] flieht sie, [dem nicht mehr Liebenden folgt sie.
Also bewegt] sie den Stein von der Linie. [Wahrlich] der Liebe
[Hat nicht schönes doch schön schon] oft, Polyphemos, [geschienen!] *Wi*
[Dem nicht Liebenden folget sie nach, den Liebenden] flieht sie.
[Auch] von der Linie [wälzt] sie den Stein; [denn, traun, in] der Liebe
[Hat,] Polyphemos, [gar] oft [nicht liebliches lieblich geschienen.] *Na*

20–24: Ihm erwiederte drauf Damötas mit [lieblichem Liede.]

DAMÖTAS

Ja, beim Pan! ich hab' es gesehn, wie sie warf in die Herde,
Ja, es entging mir nicht, und dem süßen einzigen Auge.
[(Säh ich mit] diesem [nur] stets! [O, daß doch] nach Hause das Unglück
Telemos trüge, der [Unglücksprophet,] und den Kindern behielte!) *Bin*
[Jezo hub auch Damötas sein Vorspiel, und den] Gesang [an.]

DAMÖTAS

Ja, [wohl] sah ich, bei Pan! wie sie [herwarf unter] die Heerde!
[Nicht fehl schaute das Eine, mein] süßestes: [das] mir [zum End' hin
Schauen soll! Doch] der Profet, [der] Telemos, [welcher nur] Böses
[Weissagt, nehme das Böse zu] Haus', und [bewahr'] es den Kindern! *Vo²*
[Jetzt hub also nach] ihm Damötas [den] holden Gesang [an:]

133

DAMÖTAS

[Wohl] ja sah ich, bei Pan! wie die Heerde sie warf! Es entgieng nicht
Mir, [nicht] dem süßesten [Einen, mit welchem ich schaue zum Ende!]
Telemos [doch,] der Prophet, [der arges Verhängniß geweissagt,
Bringe das Arge] nach Haus', und [spar'] es den [eigenen] Kindern. *Wi*
[Jetzt nach dem Vorspiel hub auch] Damötas [schönen] Gesang [an:]

DAMÖTAS

Ja, beim Pan! Ich sah', wie [jetzt] sie die Heerde geworfen!
[Sah' es gar wohl mit] dem Auge, [dem einen] süßen, [womit ich
Schau' bis zuletzt!] Der Prophet, [der] Telemos, [aber, der immer]
Böses [nur sagt, er nehme das Böse zu] Haus [für] die Kinder! *Na*

25–28: Aber ich [quäle] sie wieder dafür, und bemerke sie gar nicht,
Sag' auch, ein anderes Mädchen sei mein: [doch] wenn sie das höret,
Paian! wie eifert sie dann, und schmachtet! Sie [springt] aus [dem Meere]
Wüthend [empor] und [blicket umher] nach Grotten und Herden. *Bin*
[Nur daß] ich [selber dagegen] sie ärgere, [seh' ich] sie nicht [an;]
Sag' auch, ein' andere sei mein [Trautelchen.] Wenn sie das höret,
[Eifersüchtig, o] Päan, [verschmachtet sie! Wild] aus der Meerflut
Stürmt sie hervor, [úmschauend zur Berghöhl'] und [zu] der Heerde. *Vo²*
[Nur daß] ich [selbst auch] wieder sie ärgere, [seh' ich] sie nicht [an;
Sondern ich] sag', [ich umbuhlet'] ein anderes [Liebchen.] Das hörend,
Eifert sie [auf mich, o] Päan, und [härmt sich, und] stürmt aus [dem Meere
Brausend herauf, umschauend zur Felskluft] und [zu] der Heerde. *Wi*
Aber ich [schaue] nicht wieder sie [an, nur um sie zu reizen;
Sondern ich] sage, [ich hätt'] eine andere [Maid. So] sie das hört,
[Eifersucht zehret sie auf, o] Päan! [Hervor] aus [dem Meere]
Stürmt sie [in Wuth] und schauet [zur] Höhle [daher] und [zur] Heerde. *Na*

29–31: [Reizt'] ich doch selber den Hund, ihr [entgegen zu] bellen: [ach!] ehmals,
Als ich sie liebte, [da] winselt' er freundlich [und leckt'] ihr die Hüfte.
Sieht sie mich öfter [das] thun, [so] schickt sie, [das hoff' ich,] mir [Bothen.] *Bin*
[Aber ich hißt' ihr zu] bellen den Hund [an.] Denn [da] ich [jene]
Liebete, [knurrt' er leise,] die Schnauz' an die Hüften ihr legend.
Sieht sie mich [also] thun, vielleicht noch [sendet sie oftmals]
Botschaft [her.]   *Vo²*
Laß' [auch ruhig] den Hund auf sie bellen! Denn als ich sie liebend
[Neulich umarmte, da knurrt' er, und hielt] an die Hüft' ihr die Schnauze.
[Wenn] sie [dann] sieht, [daß ich] oft so [handele, sendet sie wohl] noch
Botschaft.   *Wi*

[Ich aber reize geheim] den Hund [an.] Denn [da] ich [jene]
Liebte, [so] legt' [er] die Schnauz' ihr [mit leisem Geknurr] an die Hüften.
Sieht sie [nun solches] mich thun, vielleicht [dann] schicket sie [öfter]
Botschaft.   *Na*

32–35: Aber [gewiß,] ich verschließe die Thür, bis sie schwört, daß sie selber
Hier auf der Insel mir will [ein herrliches Bette] bereiten. –
[Traun!] ich bin doch so häßlich auch nicht, [als die Leute] mich [machen.
Neulich] sah ich im Meere [mein Bild,] da es ruhig und still war: *Bin*
          [Doch die Pforte] verschließ' ich [ihr,] bis sie geschworen,
Selbst mir [schön zu] bereiten das Brautbett, hier [in] der Insel!
Nicht von Gestalt auch bin ich so [unhold,] wie sie mich ausschrein.
[Denn ich schauete jüngst in die Meertief'; alles war windstill:] *Vo²*
          Aber ich [schließ' ihr das Thor zu,] bis sie geschworen,
Selber [im Eiland] hier mir [das herrliche Bette zu breiten!]
Bin ich so häßlich doch auch von Gestalt nicht, wie sie mich [schildern!
Denn jüngst schaut' ich] ins Meer: [ringsher] war [heitere Glätte:] *Wi*
          Aber ich [schließe] die Thür, bis [daß] sie geschworen,
Daß sie mir selber bereitet [ein herrliches Bett'] auf der Insel!
[Und] ich bin doch auch, [traun,] so häßlich nicht, [als sie es sagen.
Neulich, (es ruhte die Flut) schaut' ich in die Wasser hinunter:] *Na*

36–41: [Reizend wallte] mein Bart, [es blitzte] mein einziges [Auge
Reizend, (so dünkt' es mich [da)] und es strahlten im Wasser die Zähne
Weißer spiegelnd zurück, als Schimmer des Parischen [Steines.
Aber um sicher zu seyn vor Bezauberung,] spuckt' ich mir dreimal
Gleich in den Busen. Die alte Kotyttaris lehrte mich [dieses,]
Die am Hipokoon jüngst auf der Pfeife den Schnittern was vorblies. *Bin*
[Und] schön [zeigte der] Bart, [auch] schön mein einziger Lichtstern,
Wie mirs wenigstens däucht', [in der Tiefe sich;] und [von] den Zähnen
[Schien ein hellerer] Schimmer [empor, als] parisches Marmors.
Daß kein Zauber mich träfe, so [spüzt'] in den Busen ich dreimal.
[Denn] mir [hat] die alte Kotyttaris solches gelehret,
[Welche den Mähenden] jüngst am [Bach] Hippokoon vorblies. *Vo²*
[Und] schön [spielte der] Bart, [ja] schön [auch] mein [einer Gesichtsstern,]
Wie es mir [dünkte, darin; und unten die glänzende Tiefe
Schilderte] weißer [den] Schimmer der Zähn', als parischen Marmors.
Dreimal [auch] spuckt' ich, [damit ich beschrien nicht würd',] in den Busen;
[Denn] die Kotyttaris [hat, die betagte,] mich solches gelehret,
Die jüngst Schnittern am [Fluß] Hippokoon [blies] auf der [Flöte.] *Wi*
Schön [da zeigte der] Bart, schön [zeigte] mein einziges [Auge

Sich in der Flut, (so schien] es mir wenigstens) und [von] den Zähnen
Spiegelte [blendender Glanz, noch mehr] als der parische [Stein strahlt.]
Dreimal [spützte] ich [dann] in den Busen, [zu wehren dem] Zauber.
[Denn] die alte Kotyttaris [hat] mir solches gelehret,
Die am Hippokoon jüngst [ein Lied] den Schnittern [geflötet.] *Na*

42–46: So das Lied des Damötas: er küßte den Daphnis; die Flöte
Macht' er ihm drauf zum Geschenk, ihm ward die [liebliche] Pfeife.
[Daphnis, der Rinderhirt spielte die Flöt' und die Pfeife Damötas,]
Und es tanzten [alsbald] im [weichen] Grase die Kälber.
Keiner [hatte gesiegt,] sie waren sich beide gewachsen. *Bin*
  [Als den Gesang Damötas geendiget,] küßt' er den Dafnis.
[Dieser schenkt'] ihm die Pfeif', er [dem] die [gefügete] Flöte.
Pfeifend stand Damötas, es flötete Dafnis [der Stierhiert.
Ringsher] tanzten [sofort] in [dem] üppigen Grase die Kälber.
Sieger jedoch war keiner, [denn fehllos sangen] sie beide. *Vo²*
  [Als so Damötas sein Liedchen geendiget,] küßt' er den Daphnis,
[Gab die Syringe dann dem, und jener] die herrliche Flöt' ihm.
Daphnis, der Kuhhirt, [blies die Syringe, die Flöte Damötas.
Siehe, da] tanzten [sogleich] in [dem schwellenden] Grase die Kalben!
[Traun sie besiegte] kein [andrer, dieweil unbesiegbar] sie waren. *Wi*
  Damötas [nun] küßte [nach solchem Gesange] den Daphnis.
[Jener nun schenkt'] ihm die Pfeif'; er ihm die herrliche Flöte.
[Aber] Damötas pfiff, [und] es flötete Daphnis, der Kuhhirt,
[Daß] die Kälber [dabei froh hüpften] im üppigen [Grasfeld.
Aber es siegete] keiner, [und unüberwunden] war [jeder.] *Na*

VII. DIE ZAUBERIN

Benutzte Textvorlagen: Bin, Vo², Wi, Na

BEARBEITUNGSANALYSE

1–3: Auf! wo hast du den Trank? wo, Thestylis, hast du die Lorbern?
Komm, und wind' um den Becher die purpurne Blume [der Wolle,]
Daß ich den [Liebling,] der grausam mich quält, durch Zauber beschwöre! *Bin*
[Bringe mir rasch Buhlzauber, o Thestylis! bringe mir] Lorbern!
Wind' um den [Opferpokal] die purpurne Blume des Schafes!
Daß ich [meinen Geliebten,] der hart mich quälet, beschwöre: *Vo²*
Wo [sind] die Lorbeern? [Bringe sie,] Thestylis! [Wo sind] die Tränke?

[Hurtig die Schale bekränzt mit] der purpurnen Blume des Schafes!
Daß ich durch [Opfer den Mann, den so harten, mir theuern, bezwinge.] Wi
[Schaffe, o Thestylis, mir] Lorbern, [und schaffe mir Zauber!
Kränze den Opferpokal mit] purpurner [Wolle] des Schafes!
Daß den [unerbittlichen] ich, [den Geliebten,] beschwöre, Na

4–9: Ach! zwölf Tage sind's schon, seitdem mir der Bösewicht weg ist;
Seit er nicht weiß, ob am Leben [ich sei, ob lange] gestorben;
[Seit er] nicht [ungestüm] mehr an [meine] Thüre [gestürmet.]
Sicher lockt' ihm [zu andern] den Flattersinn Eros und Kypris.
Morgen mach' ich mich auf nach Timagetos Palästra,
Daß ich ihn einmal nur seh, und wie er mich quälet, ihn schelte. Bin
[Der] mir schon zwölf Tage, [der Elende! nimmer erscheinet,
Und] nicht weiß, ob [todt] wir [bereits sind,] oder [noch lebend,
Nie] an der Thür' [auch] lermte, der Leidige! Anderswohin [traun!
Lenkte sein Herz] ihm Eros, [dem Flatterer! und Afrodita!
Hingehn werd' ich am] Morgen [zu] Timagetos [dem Ringer,
Jenen zu schaun, und zu rügen mit Vorwurf, was er mir anthut!] Vo²
[Nun] zwölf Tage schon [kam ja der Sünder nicht Einmal zur Schwelle;
Holte nicht Kunde sich,] ob wir gestorben [sind,] oder [noch leben;
Rüttelte] nicht an der Thüre [belästigend!] Anderswohin [traun
Lenkete] Eros [den Sinn] ihm, [den flüchtigen, und Aphrodita!
Hin zu der Schule der Ringer des Timagetos entwandl' ich]
Morgen, [damit] ich ihn seh', und [tadele, was er an mir thut!] Wi
[Der] zwölf Tage [nun] schon, [der Erbärmliche! nicht mehr zu mir kommt,
Der] nicht weiß, ob gestorben wir [sind] oder [ob noch] am Leben,
[Und entfremdet] die Thür nicht [gepocht hat. Wahrlich! wo anders
Hin [hat Eros den schwankenden Sinn ihm gelenkt und Kythere!
In Timagetos' Ringschule will ich mich begeben]
Morgen [und selber ihn schauen und tadeln ob solcher Behandlung.] Na

10–13: Jetzo beschwör' ihn mein Zaubergesang. – O leuchte, Selene,
[Lieblich!] ich rufe zu dir in leisen Gesängen, o Göttinn,
[Und] zu [der] Stygischen Hekate [Thron,] des Schreckens der Hunde,
[Wenn] sie durch [Gräber] der Todten und [blutige Leichen] einhergeht. Bin
Jezo beschwör' [ich] ihn [in Beschwörungen! Auf denn,] Selene,
Leuchte [mir schön;] dir [heb'] ich, o [Himmlische,] leisen Gesang [an!
Drunten der] Hekate auch, [die winselnde] Hunde [verscheuchet,]
Wann durch Grüfte der Todten und dunkeles Blut sie einhergeht! Vo²
[Doch] jetzt [will ich durch Opfer] ihn [zwingen! Wohlan,] o Selene,
Leuchte [mir freundlich!] Ich [will nun] leise dir [singen,] o Göttin,

⌈So wie der Hekate unten, vor welcher auch zittern⌉ die Hunde,
⌈Wenn zu den Gräbern⌉ der Todten ⌈sie kommt⌉ und ⌈dem schwärzlichen⌉
Blute. *Wi*
Jetzt ⌈in Beschwörungen aber⌉ beschwör' ⌈ich⌉ ihn. ⌈Auf denn,⌉ Selene,
Leuchte ⌈du schön;⌉ dir ⌈heb'⌉ ich, o Göttinn, ⌈ein⌉ leises ⌈Gebet an!
Unten der⌉ Hekate auch, ⌈vor der selbst⌉ Hunde ⌈erzittern,
Wenn sie auf Hügeln⌉ der Todten und dunkelem Blute ⌈daherwallt!⌉ *Na*

14–17: ⌈Sei mir, schreckliche⌉ Hekate, ⌈hold,⌉ und hilf mir vollbringen!
Laß den Zauber noch kräftiger seyn, als jenen der Kirke,
Als Perimedens der blonden, und als die Künste Medeias!
Rolle, Kreisel, mir wieder zurück zu dem Hause den Jüngling! *Bin*
Hekate, Heil! ⌈Graunvolle! Sei uns bis zum Ende Gesellin;
Kräftige hier⌉ den Zauber ⌈nicht weniger,⌉ als Perimede's,
Als der Kirke ⌈Gemisch,⌉ und als der blonden Medeia!
⌈Zieh, umrollender⌉ Kreisel, ⌈den Mann⌉ mir zurück ⌈in die Wohnung!⌉
Vo[2]
⌈Furchtbare⌉ Hekate, Heil! ⌈Und folge⌉ du ⌈uns bis an's Ende!
Schaffe nicht schwächer⌉ den Zauber, als jenen, ⌈den früher gebrauchten⌉
Kirke, ⌈dann gleich ihr⌉ Medeia, und ⌈selbst⌉ Perimede, die blonde!
⌈Drehhals, ziehe den Mann dort her mir in meine Behausung!⌉ *Wi*
Hekate! Schreckliche! Heil! Du ⌈sey bei uns bis zu Ende!
Schaffe du selbst, daß dieses Gemisch nicht schwächerer Kraft⌉ sey,
Als Perimede, der blonden, ⌈es war⌉ und Medeia ⌈und⌉ Kirke!
⌈Ziehe du mir, o⌉ Kreisel, ⌈den Mann in meine Behausung!⌉ *Na*

18–22: ⌈Sieh, das⌉ Mehl verzehret ⌈die Gluth: o⌉ Thestylis, streue
⌈Neues darauf!⌉ Wo ist dein Verstand, du Thörinn, geblieben?
Bübinn, bin ich sogar auch dir zum Spotte geworden?
Streue ⌈das Salz⌉ und ⌈sprich:⌉ ich streue ⌈des⌉ Delphis Gebeine!
Rolle, Kreisel, mir wieder zurück zu dem Hause den Jüngling! *Bin*
⌈Schrot⌉ muß erst in der Flamme verzehrt sein! ⌈Auf denn,⌉ gestreuet,
Thestylis! ⌈Unglücksdirne, wohin⌉ doch ⌈entflog der⌉ Verstand ⌈dir!⌉
Bin ich ⌈vielleicht, Unholdin,⌉ auch dir ⌈ein Gelächter⌉ geworden?
Streu, und sage dazu: Hier streu' ich Delfis Gebeine!
⌈Zieh, umrollender⌉ Kreisel, ⌈den Mann⌉ mir zurück ⌈in die Wohnung!⌉ *Vo*[2]
Mehl ⌈wird⌉ erstlich im ⌈Feuer⌉ verzehrt! ⌈Drum⌉ hurtig gestreuet,
Thestylis! ⌈Unglückstochter, wohin doch entfloh der⌉ Verstand ⌈dir?⌉
Bin ich, ⌈o Schändliche, dir,⌉ auch dir zum ⌈Gespötte⌉ geworden?
Streu', und sage ⌈zugleich:⌉ Hier streu' ich ⌈des⌉ Delphis Gebeine!
⌈Drehhals, ziehe den Mann dort her mir in meine Behausung!⌉ *Wi*

138

Erst [wird Schrot vom Feuer] verzehrt, [das] streue [darunter,]
Thestylis, [wohin floh, Unglückliche, doch der] Verstand [dir?]
Bin ich [denn] auch, [o Schändliche,] dir zum [Gelächter] geworden?
Streu' und sage [zugleich:] ich streu' [die] Gebeine [des] Delphis!
    [Ziehe du mir, o] Kreisel, [den Mann in meine Behausung!] *Na*

23–27: Delphis [der hat] mich gequält; [nun will] ich [für] Delphis den Lorber
Jetzt verbrennen, wie [der, vom Feuer geglühet, zerknistert,
Schnell sich verzehrt,] und nicht [einmal Spur von] Asche zurückläßt,
Also [möge] des Delphis [Gebein] in [Flammen zerstäuben!]
    Rolle, Kreisel, mir wieder zurück zu dem Hause den Jüngling! *Bin*
Mich [hat] Delfis gequält: ich [will] auf Delfis den Lorber
[Brennen.] Wie jezo das Reis mit lautem Gekrach sich entzündet,
Plözlich sodann aufflammt, [daß] selbst nicht Asche [gesehn wird:]
Also müss' [auch] Delfis das Fleisch in der Lohe verstäuben!
    [Zieh, umrollender] Kreisel, [den Mann] mir zurück [in die Wohnung!]
                                                            Vo²

Mich quält Delphis; und [gegen den] Delphis verbrenn' ich den Lorbeer.
[Gleich] wie [vom Feuer entglühet,] mit lautem [Geprassel er knistert,
Und sich dann] plötzlich [entflammt, ja] selbst nicht Asche [zu schaun läßt:]
Also [auch] müsse [dir,] Delphis, das Fleisch in der [Flamme zerstäuben!]
    Drehhals, ziehe den Mann dort her mir in meine Behausung!] *Wi*
Delphis [hat] mich gequält: drum [will] ich auf Delphis den Lorbeer
[Brennen und] wie [er knisternd] mit lautem [Getöne] jetzt [aufgeht,
Dann urplötzlich verbrennt, daß wir] selbst nicht Asche [davon schaun:
So auch werde] des Delphis Fleisch in der [Flamme zerstöret!]
    Ziehe du mir, o] Kreisel, [den Mann in meine Behausung!] *Na*

28–32: Wie ich schmelze dieß wächserne Bild mit Hülfe der Gottheit,
Also schmelze vor Liebe sogleich der Myndier Delphis;
Und wie [Kypriens Macht] die eherne [Scheibe beflügelt]
Also [flügle] sich jener [zurück zu der Liebenden Thüre!]
    Rolle, Kreisel, mir wieder zurück zu dem Hause den Jüngling! *Bin*
Wie dies wächserne Bild ich schmelze mit [waltender] Gottheit,
Also schmelz' [in] Liebe der Myndier Delfis sogleich [hin!]
Und wie die eherne Rolle sich umdreht durch Afrodita,
Also drehe sich jener herum an unserer Pforte!
    [Zieh, umrollender] Kreisel, [den Mann] mir zurück [in die Wohnung!]
                                                            Vo²

Wie ich [das] wächserne Bild mit [der helfenden Göttin zerschmelze:]
Also [zerschmelze] sogleich [auch in] Liebe der [myndische] Delphis!

139

Und wie der eherne [Kreisel] sich umdreht durch Aphrodita:
Also [auch möge] sich jener an unserer [Thüre] herumdrehn!
  [Drehhals, ziehe den Mann dort her mir in meine Behausung!] *Wi*
[So] wie [selbiges Wachs] ich schmelze mit Hülfe der Gottheit:
Also schmelze [von] Liebe sogleich der Myndier Delphis!
Und wie das eherne [Rad] sich umherdreht durch Aphrodite,
Also drehe sich jener herum an unserer [Thüre!
  Ziehe du mir, o] Kreisel, [den Mann in meine Behausung!] *Na*

33–37: [Nun] die Kleie [verbrannt! –] Du, Artemis könntest ja selber
Jenen eisernen Mann im Hades und Felsen bewegen.
Thestylis, horch! [es bellen umher] in [den Gassen] die Hunde.
[Sicher ist dort] die Göttin im [Kreuzweg: hurtig die Cymbel!]
  Rolle, Kreisel, mir wieder zurück zu dem Hause den Jüngling! *Bin*
Jezt mit der Kleie gedampft! Dir, Artemis, [weicht] in [dem] Hades
Selbst [diamantene Kraft, und was noch sonst unverrückt starrt.]
Thestylis, horch, in der Stadt heult [Hundegeheul! O] die Göttin
[Trit] in [den] Dreiweg [ein! Auf, auf! mit dem Erze geläutet!
  Zieh, umrollender] Kreisel, [den Mann] mir zurück [in die Wohnung!]
                                                              Vo²

[Nun wird] Kleie [verbrannt!] Du, Artemis, kannst ja im Hades
[Biegen den härtesten Stahl und was sonst Festes darin trotzt.]
Thestylis, horch'! In der Stadt [dort] heulen die Hund'! [Auf dem] Dreiweg
Wandelt die Göttin! Geschwind laß tönen das eherne Becken!
  [Drehhals, ziehe den Mann dort her mir in meine Behausung!] *Wi*
Kleien jetzt [will ich opfern.] Du, Artemis, kannst in [dem] Hades
[Bändigen] selbst [diamant'ne Gewalt und was noch so fest ist.]
Thestylis, wie in der Stadt die Hunde [uns] heulen! Die Göttin
[Ist am] Dreiweg [jezt; auf schlage denn munter das Erz an!
  Ziehe du mir, o] Kreisel, [den Mann in meine Behausung!] *Na*

38–42: Sieh, [es] schweigen [die Wellen] des Meers und es schweigen die Winde.
Aber es schweigt [doch nie] in [meinem] Busen der [Kummer.]
Glühend vergeh ich für den, der, statt zur Gattinn, mich Arme
Ha! zur Buhlerinn macht', und [der] mir die Blume gebrochen.
  Rolle, Kreisel, mir wieder zurück zu dem Hause den Jüngling! *Bin*
[Schaue doch!] Still nun [ruhet] das Meer, [still ruhen] die Winde!
Mir [nur ruhet er] nicht im innersten Busen, der Jammer!
[Ganz in Glut] für [jenen zerloder' ich, welcher] mich Arme
Statt [der] Gattin gemacht zur [ausgeschändeten Jungfrau!
  Zieh, umrollender] Kreisel, [den Mann] mir zurück [in die Wohnung!]
                                                              Vo²

Sieh! Nun schweiget das Meer! [Nun] schweigen [die ruhigen Lüfte!]
Aber [mein bitterer Harm] schweigt [nimmer] im innersten Busen!
[Gänzlich verzehret mich Feuer] für [jenen,] der, [ach!] mich [Verlorne,]
Statt [sich] zur Gattin, gemacht [hat] zur [Sünderin und zur Entehrten!
    Drehhals, ziehe den Mann dort her mir in meine Behausung!] *Wi*
Siehe! [Es] schweigen [die Fluthen] des Meer's, es schweigen die Winde,
Aber es schweigt [noch] nicht [mein Schmerz] in [der Tiefe des Herzens,
Sondern] für [jenen verbrenne ich ganz,] der statt [der Gemahlinn]
Mich [armsel'ge entehrt] und gemacht zur [geschändeten Jungfrau.
    Ziehe du mir, o] Kreisel, [den Mann in meine Behausung!] *Na*

43–47: Dreimal [gieß'] ich den Trank, und dreimal ruf' ich, [o Göttinn:]
Mag ein Mädchen ihm jetzt, ein Jüngling ihm liegen zur Seite,
[O so werd' er vergessen,] wie [vormals] Theseus auf Dia,
[Nach der Sage,] vergaß Ariadnen, die [reizendgelockte!]
    Rolle, Kreisel, mir wieder zurück zu dem Hause den Jüngling! *Bin*
Dreimal spreng' ich des Tranks, und dreimal, Herliche, ruf' ich:
[Ob ihn eine Geliebte beselige, ob ein Geliebter;
Schnell betäube das Herz ihm Vergessenheit, so] wie in Dia
Theseus, sagt [man,] vergaß [der lockigen Braut] Ariadne!
    [Zieh, umrollender] Kreisel, [den Mann] mir zurück [in die Wohnung!]
                                                          Vo²
Dreimal, [Erhabene,] spreng' ich, und dreimal [erschallen die Worte:
Wenn] ihm zur Seite [gelagert ein Weib ruht, oder] ein Jüngling;
[Feßl'] in Vergessenheit [so,] wie [auch] Theseus, [meldet die Sage,
Früher] in Dia vergaß Ariadne, die zierlichgelockte!
    [Drehhals, ziehe den Mann dort her mir in meine Behausung!] *Wi*
Dreimal [spende ich dir] und dreimal, [Erhabene,] ruf ich:
[Sei er von einem Weibe anjetzt oder Manne geliebkost,
Jetzt] ergreife Vergessenheit ihn, wie sie sagen, daß Theseus
Einst in Dia vergaß Ariadne, die [herrlich gelockte.
    Ziehe du mir, o] Kreisel, [den Mann in meine Behausung!] *Na*

48–52: Roßwuth ist ein Gewächs in Arkadien; kosten's die Füllen,
Kosten's die flüchtigen Stuten, so rasen sie wild im Gebirge;
Also möcht' ich den Delphis hieher zu dem Hause sich stürzen
Sehen, den Rasenden gleich, aus dem schimmernden Hof der Palästra!
    Rolle, Kreisel, mir wieder zurück zu dem Hause den Jüngling! *Bin*
[Fern] in Arkadia [wächst Hippomanes, welches] die Füllen
[Alle zur Wut auf den Bergen und hurtige] Stuten [entflammet.
Schauet' ich so auch Delfis, und stürmt' er daher in die Wohnung,

Einem] Rasenden gleich, aus dem schimmernden Hofe [der Ringer!
   Zieh, umrollender] Kreisel, [den Mann] mir zurück [in die Wohnung!]
                                                    Vo²

Roßwuth [heißt] ein Gewächs in Arkadia's [Grenzen; es] rasen
[Sämtliche] Füllen [nach ihm auf] Gebirgen [und hurtige] Stuten.
Mög' ich den Delphis [auch] sehn, [wie er so herstürmet] zum Hause,
[Einem vergleichbar, der] rast, [von der glänzenden Schule der Ringer!
   Drehhals, ziehe den Mann dort her mir in meine Behausung!] *Wi*
[Bei den Arkadiern wächst Hippomanes, das die gesammten]
Füllen [und] flüchtigen Stuten [zur Wuth aufreizt] im Gebirge.
Möcht' ich [so] Delphis [schau'n, hinstürmend] zu [meiner Behausung,]
Gleich dem Rasenden, [wenn er] aus [glänzendem Ringerbezirk kommt.
   Ziehe du mir, o] Kreisel, [den Mann in meine Behausung!] *Na*

53–57: Dieses Stückchen vom Saum hat Delphis [vom] Kleide verloren;
[Jetzo] zerpflück' ich's und [geb']s [den wilden] Flammen [zur Speise.
Ach] unselige Liebe, was hängst du wie Igel des Sumpfes
Mir am Herzen, und saugest mir all mein purpurnes Blut aus?
   Rolle, Kreisel, mir wieder zurück zu dem Hause den Jüngling! *Bin*
Dieser [Streif der Verbrämung entsank dem Gewande des Delfis;
Jezo werd' er zerrauft, und geschnellt] in die [stürmische] Flamme!
Wehe [mir! tückischer Eros, wie hast du das] Blut [aus den Adern,
Angeschmiegt,] wie [ein Egel] des Sumpfs, mir alles [gesogen!
   Zieh, umrollender] Kreisel, [den Mann] mir zurück [in die Wohnung!] *Vo²*
Diese [Verbrämung des] Kleids hat Delphis [aus Myndos] verloren,
[Und] in die [Gluth] nun werf' ich [zerzupfend sie gegen den Wildfang!]
Wehe! [Wie hast du das] Blut [aus dem Körper, o quälende] Liebe,
[Dich] wie [ein Egel des Sees anhängend, so ganz] mir [gesogen!
   Drehhals, ziehe den Mann dort her mir in meine Behausung!] *Wi*
[Selbigen] Saum verlor Delphis [vom Obergewande,
Jetzo] werf ich [zerzaust ihn] hinein in die [heftige Lohe.]
Weh! [Weh! leidiger Eros!] Was [hast du, dem Egel im] Sumpf [gleich,]
Mir [das dunkele] Blut [ganz aus dem Körper gesogen!
   Ziehe du mir, o] Kreisel, [den Mann in meine Behausung!] *Na*

58–63: Einen Molch zerstampf' ich und bringe dir morgen den Gifttrank.
Thestylis, nimm [den giftigen Saft, und besprütze] die Schwelle
Jenes Verräthers damit! Ach! angekettet an diese
Ist noch immer mein Herz, doch er hat meiner vergessen.
Geh, spuck' [aus und sprich:] ich [besprütze] des Delphis Gebeine.
   Rolle, Kreisel, mir wieder zurück zu dem Hause den Jüngling! *Bin*

Morgen [zerreib' ich den] Molch, und [bringe] dir [schlimmes Getränk dar,]
Thestylis. [Jezo empfah dies Blumengerank, und] bestreich' [ihm
Unten] die Schwelle damit, [die obere, [wo mir] noch [jezo
Fest anhaftet das] Herz; doch [achtet] er meiner [so gar nichts!]
Sage [dann, spüzend] darauf: [Hier streich'] ich Delfis Gebeine!

[Zieh, umrollender] Kreisel, [den Mann] mir zurück [in die Wohnung!] *Vo²*
Morgen [zermalm' ich den] Molch, und bringe dir [arges Getränk zu!]
Thestylis, nehme [du nun hier] Kräuter, [und streich' an des Mannes]
Obere Schwelle [sie drüben,] an [die ich mit herzlicher Liebe]
Immer [gefesselt] noch [bin;] doch [macht er aus mir sich so gar nichts!
Und sprich,] spuckend darauf: [Hier streich'] ich des Delphis Gebeine!

[Drehhals, ziehe den Mann dort her mir in meine Behausung!] *Wi*
Morgen [bekommst du böses Getränk vom zerriebenen] Molche,
Thestylis! [Aber empfange] die Kräuter [anjetzt, und] bestreiche
Jenem die Schwelle damit, [die höhere, wo mir] noch [jetzo
Haftet das] Herz; doch meiner [bekümmert derselbe sich gar nicht.
Sprich dann speiend] darauf: ich [streiche] des Delphis Gebeine!

[Ziehe du mir, o] Kreisel, [den Mann in meine Behausung!] *Na*
64–69: Jetzo bin ich allein. – Wie soll ich die Liebe beweinen?
Was bejammr' ich zuerst? Woher [dieß schreckliche] Elend?
Eubulos Tochter Anaxo [betrat mit heiligem Korbe
Unsrer] Artemis Hain; dort wurden im festlichen [Pompe]
Viele Thiere geführt, [und unter den Thieren ein Löwe.]

Sieh, o Göttinn, Selene, woher mir die Liebe gekommen! *Bin*
[Nun] allein [und verlassen, woher] bewein' ich die Liebe?
[Welches] zuerst [wehklag' ich? Wer schuf dies Jammergeschick mir?]
Als Korbträgerin ging Eubulos Tochter Anaxo
[Uns] in [der] Artemis Hain; dort führten [sie andres Gewildes]
Viel in [dem] Zug [ringsher,] auch eine gewaltige Löwin.

[Denke,] woher die Liebe mir [nahete, hohe] Selene! *Vo²*
Jetzt bin ich [einsam! Woher doch] soll ich die Liebe beweinen?
[Wo doch soll ich beginnen? Wer hat mir den Jammer bereitet?]
Als Korbträgerin gieng [uns] Anaxo, die Tochter [Hybulos,
Jüngst] in [der] Artemis Hain, [und ringsher folgeten] viele
[Andere] Thiere [dem] Zug', auch [drinnen der] Löwinnen eine.

Siehe, [verehrte] Selene, woher mir die Liebe gekommen! *Wi*
[Nun da] allein ich bin, [woher] bewein' ich die Liebe,
[Von wo fange ich an? Wer schuf mir solche Betrübniß?]
In [der] Artemis Hain, [korbtragend wallte] Anaxo

[Uns, des] Eubulos Tochter; [da] führte [man] viele [der Waldthier']
Im [Festzuge umher,] auch eine Löwinn [darunter.]
   Siehe, woher mich die Liebe [ergriff,] o [hohe] Selene! *Na*

70–75: [Und] Theucharilas Amme, die selige T h r a k e r i n n [die] uns
[Nächste] Nachbarinn war, [die] bat und beschwor mich, [den Aufzug
Doch mit anzusehn; ich Unglückstochter,] ich folgt' [ihr;
Nieder wallte mein] Kleid, ein schönes, aus Byssos [gewebtes,]
Und [mich schmückte dazu Klearista's farbige Xystis.]
   Sieh, o Göttinn, Selene, woher mir die Liebe gekommen! *Bin*

[Auch] die thrakische Amme Theucharila, (ruhe sie selig!)
[Damals unserer Thür' Anwohnerin,] bat und beschwur mich,
Anzuschauen den Zug: und ich [unseliges] Mädchen
Folgete, schön nachschleppend ein Kleid von feurigem Byssos,
[Prachtvoll] drüber gehüllt das Mäntelchen von Klearista.
   [Denke,] woher die Liebe mir [nahete, hohe] Selene! *Vo²*

Aber die thrakische Amme Theucharila, (selig [entschlief sie!)]
Welche [mir nachbarlich wohnte,] beschwur mich, [und flehete dringend,
Daß ich doch sähe] den Zug; und ich, [die zum Jammer geborne,]
Folgt' [ihr,] ein [herrliches] Kleid nachschleppend von [köstlichem] Byssos;
Drüber [auch hatt' ich] gehüllet [das Feiergewand] Klearista's.
   Siehe, [verehrte] Selene, woher mir die Liebe gekommen! *Wi*

[Auch] die thrakische Amme Theucharila, [welche, nun] seelig!
[Nah' an unserer Thüre gewohnt hat,] bat und beschwor mich,
Anzuschaun den [festlichen] Zug; [ich aber,] ich [ärmste]
Folgete [ihr, ich] schleppte [das prächtige Byssosgewand] nach,
Schön [umhüllet zugleich mit dem langen Talar Klearista's.]
   Siehe, woher mich die Liebe [ergriff,] o [hohe] Selene! *Na*

76–81: [Und] schon [ging ich die mittelste Straße, wo Lykon sein Haus hat,
Ach! da] sah ich zugleich mit Eudamippos den Delphis.
[Ihnen lockte sich blonder als gelbe Narcissen das Milchhaar,]
Weißer glänzte die Brust, als deine Schimmer, Selene,
Wie sie kehrten [so] eben vom [rühmlichen] Kampfe [der Rennbahn.]
   Sieh, o Göttinn, Selene, woher mir die Liebe gekommen! *Bin*

Schon beinah um die Mitte des Wegs, am Palaste des Lykon,
Sah ich Delfis zugleich [und] Eudamippos einhergehn.
Jugendlich sproßt' ihr Kinn, wie die goldene Blum' Helichrysos;
[Beiden auch] glänzte die Brust [weit herlicher,] als [du] Selene,
[So] wie sie eben gekehrt von [der Ringschul' edeler Arbeit.
   Denke,] woher die Liebe mir [nahete, hohe] Selene! *Vo²*

Schon [zu] der Mitte [der Straße, zum Hause] des Lykon, [gelanget,]
Sah ich den Delphis, zugleich [auch den] Eudamippos, einhergehn.
Goldener, [als] Helichrysos, [umpflaumte das] Kinn [sich an ihnen;
Ihnen auch] glänzte die Brust [viel heller, wie du, o] Selene,
[Weil] sie [so] eben gekehrt von [dem] herrlichen Kampfe der Ringer.
   Siehe, [verehrte] Selene, woher mir die Liebe gekommen! *Wi*
[Da ich mitten] schon [war auf dem] Weg, am [Hause] des Lykon,
Sah ich den Delphis [sogleich und] Eudamippos [dahergehn.]
Goldener [denn] Helychrysos [entsprossete solchen der Bartwuchs,
Und] die Brust [erglänzete mehr,] als [du selber] Selene,
[Da] sie nur eben [verließen der Ringschul'] herrliche [Arbeit.]
   Siehe, woher mich die Liebe [ergriff,] o [hohe] Selene! *Na*

82–87: Sehn [und entflammen war Eins, und die Seele der Armen erkrankte,
Meine Schönheit verging und des Aufzugs hatt' ich vergessen:]
Wie ich nach Hause gekommen, [das] weiß ich [nimmer zu sagen:]
Mir [verzehrte das Gift des] brennenden Fiebers [die Kräfte,]
Und ich lag zehn Tage zu Bett, zehn Nächte [nicht minder.]
   Sieh, o Göttinn, Selene, woher mir die Liebe gekommen! *Bin*
O wie ich sah, wie ich tobte! wie schwang sich im Wirbel der Geist mir
Elenden! Ach die Reize verblüheten; nicht [des Gepränges]
Achtet' ich [dort annoch; selbst] nicht, wie [zu] Haus' ich gekommen,
Weiß ich: [sondern] mich [hatt'] ein brennendes Fieber [verödet:]
Zehn [der] Tag' [auf dem Lager, und] zehn [der] Nächte verseufzt' ich!
   [Denke,] woher die Liebe mir [nahete, hohe] Selene! *Vo²*
[Und] wie ich [schaute,] wie [rast'] ich! wie [wurde] mir [Armen so stürmisch
Umgetrieben das Herz! Hinschwand mir die Schönheit; ich sah nicht
Länger den Zug;] auch wußt ich nicht, wie ich [gekehret zur Heimath.
Aber] ein [hitziges] Fieber zerstörte mir [wüthend die Glieder;]
Zehn Tag' [und] zehn Nächte [durchschmachtet' ich siechend im] Bette.
   Siehe, [verehrte] Selene, woher mir die Liebe gekommen! *Wi*
[Und] wie ich sah, wie ich [raste,] wie [wurde] mir [Armen] der Geist [doch
Ganz ergriffen! es schwand die Schönheit, nimmer] des Festzugs
Achtete ich; nicht, wie ich [zurück] nach Hause gekommen,
Weiß ich, [denn] mich [hatte] zerstört ein brennendes Fieber.
Zehn Tag' [und] zehn Nächte, [gestreckt zum Lager, verbracht' ich.]
   Siehe, woher mich die Liebe [ergriff,] o [hohe] Selene! *Na*

88–93: [Ach! da] ward mir die Farbe der Haut, wie Thapsos so bleichgelb,
[Meine Locken entflossen dem] Haupt, [mein übriger Körper]
War nur [Knochen] und Haut: wo hätt' ich ein Haus nicht besuchet?

Wo ein Weib, das Beschwörung versteht, zu fragen vergessen?
[Lindrung spür’ ich nicht,] und [fliehend eilte die Zeit fort.]
  Sieh, o Göttinn, Selene, woher mir die Liebe gekommen! *Bin*
[Und] mir ward so [völlig] die Farb’, [als gilbender] Thapsos:
[Auch] die Haare vom Haupt [entschwanden] mir: [übrig zulezt] war
Haut nur noch und Gebein. [Bei wem nicht sucht’ ich Genesung?
Welches Mütterchens] Haus, das Beschwörungen [kannte, versäumt’ ich?
Doch ward nichts mir gehoben; die Zeit nur enteilete fliehend.
  Denke,] woher die Liebe mir [nahete, hohe] Selene! *Vo²*
[Oft war ich ähnlich an Farbe] der Farbe [des Krautes von Thapsos,]
Und mir [verrannen] vom Haupte die [sämtlichen] Haare; nur [Beine]
Waren noch [übrig] und Haut. [Wen sucht’ ich nicht auf, mir zu helfen?
Gieng ich vorüber das] Haus [nur einer beschwörenden Alten?
Doch ward Lindrung mir nirgend,] und [fliehend entschwanden] die Tage!
  Siehe, [verehrte] Selene, woher mir die Liebe gekommen! *Wi*
[Aber] die Farbe der Haut, [sie wurde dem] Thapsos [vergleichbar,]
Und [es verging] vom Haupte das Haar mir. [Aber zurückblieb]
Nur noch Gebein und Haut, [und wen zu befragen, versäumt’ ich?
Keiner alten Beschwörerin] Haus [zu] besuchen [versäumt’ ich,]
Aber [nicht Linderung fand ich; es floh im Fluge die Zeit hin.]
  Siehe, woher mich die Liebe [ergriff,] o [hohe] Selene! *Na*
94–99: Meiner Sklavinn gestand ich am Ende die Wahrheit und sagte:
Thestylis, schaffe mir Rath für [meine schreckliche Krankheit:]
Ganz besitzt mich Arme der Myndier. – Geh doch und [laure
Meinen Delphis itzt auf] bei Timagetos Palästra:
Dorthin [gehet] er oft, dort pflegt er gerne zu weilen.
  Sieh, o Göttinn, Selene, woher mir die Liebe gekommen! *Bin*
[Und so redet’ ich endlich zur Dienerin lautere Worte:
Auf nun,] Thestylis, [finde] mir Rath für [die peinliche Krankheit.]
Ganz [beherscht] mich [Verlorne] der Myndier. [Aber o] gehe,
Ihn zu erspähn, [dorthin zu] Timagetos [dem Ringer;
Denn da lernet er Kunst, da liebet er auch zu verweilen.
  Denke,] woher die Liebe mir [nahete, hohe] Selene! *Vo²*
[Und so erzählet’ ich denn die Geschichte der Dienerin treulich.]
Thestylis, [auf!] Mir [ein Mittel] geschafft für [die quälende Krankheit!
Gänzlich erfüllet] mich Arme der Myndier. [Aber o] gehe,
[Daß an der Schule der Ringer des Timagetos du lauerst:
Denn dort] wandelt er oft; dort [ist es ihm Freude] zu weilen.
  Siehe, [verehrte] Selene, woher mir die Liebe gekommen! *Wi*

[Und so sagte ich denn der] Sclavinn [lautere] Wahrheit:
Thestylis! [auf und] schaffe mir Rath für [die quälende Krankheit!]
Mich [hat] der Myndier ganz, [mich Unglücksdirne. Wohlan denn,]
Geh', und suche ihn [dort] bei Timagetos, [dem Ringer!]
Dorthin wandelt er [stets,] dort weilt er [stets mit Gefallen.]
    Siehe, woher mich die Liebe [ergriff,] o [hohe] Selene! *Na*

100–105: [Merkst du dort] ihn allein; [so] wink' ihm verstohlen, [und] sage:
[Lieber, es läßt Simaitha dich rufen, und führ' ihn hieher dann!]
Also [sagt'] ich; sie ging und [führte] den [blendenden] Jüngling,
[Führte] den Delphis [zu] mir: [doch als ich den kommenden hörte,]
Wie [sein schwebender] Fuß [itzt über die Schwelle] der Thür [sprang,]
    (Sieh, o Göttinn, Selene, woher mir die Liebe gekommen!) *Bin*
Und sobald du allein ihn antrifst, winke verstohlen;
Sag' ihm dann: Simätha begehrt dich zu sprechen! und bring' ihn.
Also sprach ich; sie ging, und brachte den glänzenden Jüngling
Mir in das Haus, den Delfis: [Allein] wie ich [eben] ihn sahe
[Über die Schwelle] der Thüre [mit] leichterem Fuße sich schwingen:
    [(Denke,] woher die Liebe mir [nahete, hohe] Selene!) *Vo²*
[Wenn du dann irgend] allein ihn [bemerkest; so] winke verstolen;
Sag' ihm: Simätha [verlangt] dich zu [sehn,] und [führe daher] ihn.
Also [begann] ich. Sie gieng, und brachte den glänzenden [Delphis]
Mir [zur Behausung; und als] ich ihn [schauete,] wie er [so eben,
Wechselnd mit hurtigem] Fuße, [hereintrat über die Schwelle;]
    (Siehe, [verehrte] Selene, woher mir die Liebe gekommen!) *Wi*
Und [so wie] du allein ihn [schau'st, so] winke [geheim ihm,
Also sprechend:] Simätha begehrt dein; bring' ihn [dann hierher.]
Also sprach ich; sie ging, und [führte] den [herrlichen] Jüngling
Delphis mir in das Haus. So wie ich ihn aber gesehen,
[Als er mit flüchtigem] Fuße [betrat die Schwelle] der Thüre:
    Siehe, woher mich die Liebe [ergriff,] o [hohe] Selene! *Na*

106–111: [O da starrt' ich noch] kälter [als] Schnee, mir troff von der Stirne
[Ängstlicher] Schweiß, [gleich perlendem] Thau, [ich konnte nicht sprechen,]
Nicht so viel als im Schlaf [ein Kind lallt, wenn es der] Mutter
[Busen verlangt; ich versteint', und am ganzen Körper der Bleichen
Ward die liebliche Haut] wie ein wächsernes Bild [so gefühllos.]
    Sieh, o Göttinn, Selene, woher mir die Liebe gekommen! *Bin*
Ganz [nun, mehr] wie der Schnee, [erkaltet' ich; und] von der Stirne
[Tröpfelte] nieder der Schweiß, [gleich rinnendem] Thaue [des Morgens.]
Keinen [Laut auch zwang] ich hervor, [selbst] nicht [wie] im Schlafe

Wimmernden Laut aufstöhnen zur lieben Mutter die Kindlein;
Starr wie ein [Püppchen von Wachs] war rings der blühende Leib mir.
   [Denke,] woher die Liebe mir [nahete, hohe] Selene! *Vo²*
Ganz [da erkaltet' ich, mehr,] wie der Schnee; [drauf rann] von der Stirne
[Träufelnd herab] mir der Schweiß, wie [die Tropfen des flüssigen] Thaues.
Nicht [ja vermocht' ich,] so viel [nur zu sagen,] als [träumend] im Schlafe
[Kinder mit murmelndem] Laut [aufjauchzen] zur [liebenden] Mutter;
Rings [an dem reizenden Körper erstarrt' ich, der Puppe von Wachs gleich.]
   Siehe, [verehrte] Selene, woher mir die Liebe gekommen! *Wi*
Ganz kalt wurde ich, [mehr denn] Schnee, [und herab] von der Stirne
[Floß] mir [flugs] der Schweiß, [dem] Thaue der Frühe [vergleichbar.]
Kein Wort bracht' ich hervor, [selbst] nicht so viel als im Schlafe
[Stöhnenden] Lauts [anreden die theuere] Mutter die Kindlein.
[Ganz] starr war mir der [herrliche] Leib, [der Puppe von Wachs gleich.]
   Siehe, woher mich die Liebe [ergriff,] o [hohe] Selene! *Na*

112–117: Als der Verräther mich sah, da schlug er die Augen zur Erde.
Setzt' auf [den Sessel] sich [nieder,] und sitzend begann er zu sprechen:
»Daß du jetzt in dein Haus mich geladen, noch eh ich von selber
Kam, da bist du so sehr mir zuvorgekommen, Simaitha,
Als ich neulich im Lauf dem schönen Philinos zuvorkam.«
   Sieh, o Göttinn, Selene, woher mir die Liebe gekommen! *Bin*
Als mich gesehn [der Verstockte; den Blick] zur Erde [gesenket,]
Sezt' [er] sich hin auf das Lager, und [redete] sizend [die Worte:
Traun, mir eiltest du vor nicht weniger,] als ich, Simätha,
Neulich im Lauf [voreilte] dem [anmutsvollen] Filinos,
Da du in deine [Behausung] mich [nöthigtest,] eh ich [daherkam.
   Denke,] woher die Liebe mir [nahete, hohe] Selene! *Vo²*
Als mich [der Kalte bemerkte,] da schlug er die [Blicke] zur Erde,
Setzte sich [nieder] aufs Lager, und sitzend begann er [die Worte:
Traun, o] Simätha, so [weit nur] bist du [voraus] mir [geeilet,]
Als ich im [Wettlauf jüngst voreilte] dem schönen Philinos,
[Her] mich [berufend] in deine [Behausung, bevor] ich von selbst kam.
   Siehe, [verehrte] Selene, woher mir die Liebe gekommen! *Wi*
[Wie] mich der [Grausame] sah [den Blick] zur Erde [gewendet,]
Setzt [er] sich hin aufs [Bett,] und sitzend [redet er also:
Traun,] Simätha, du bist zuvor mir gekommen, so [viel] als
[Jüngst] ich [bei dem] Laufen dem schönen Philinos zuvorkam,
Daß du [zu] deiner [Behausung] mich, eh' noch selber ich kam, [riefst.]
   Siehe, woher mich die Liebe [ergriff,] o [hohe] Selene! *Na*

118–123: »Bei [der Süße der Lieb',] ich wär', ich wäre gekommen,
[Selbst als dritter und vierter Geliebter, gekommen zur Nachtzeit!
Hätt'] im Busen [für dich] Dionysos Äpfel getragen,
[Hätte mein] Haar bekränzt mit Herakles heiliger Pappel,
Und [die Blätter ringsum] mit [purpurnen] Bändern durchflochten.«
    Sieh, o Göttinn, Selene, woher mir die Liebe gekommen! *Bin*
[Selbst auch] wär' ich gekommen, ja [trautester] Eros! [gekommen,]
Samt drei Freunden bis vier, [dein] Liebender, [gleich] in der Dämmrung,
Tragend die goldenen Äpfel des Dionysos im Busen,
Und [auf dem Haupt Weißpappel, den] heiligen [Sproß des] Herakles,
Ringsumher [durchwunden] mit purpurfarbigen Bändern.
    [Denke,] woher die Liebe mir [nahete, hohe] Selene! *Vo²*
[Denn,] bei [der wonnigen Liebe! von selbst auch] wär' ich [erschienen,
Gleich mit der dämmernden Nacht, als dritter, auch vierter der] Freunde,
[Bergend] im Busen [des Kleids] Dionysos, des [göttlichen,] Äpfel;
Und [auf dem Haupt Weißpappel, die] heilige [Pflanze] Herakles,
[Ringsum nach jeglicher Seite] mit [purpurnen] Bändern [durchwunden.]
    Siehe, [verehrte] Selene, woher mir die Liebe gekommen! *Wi*
Ja! [selbst] wär' ich gekommen, beim lieblichen Eros! [gekommen,
Mit] drei Freunden bis vier in der Dämmerung, liebenden Herzens,
[Hätte] im Busen [daher] Dionysos' Apfel getragen,
Mit [Weißpappel am Haupte, dem] heiligen [Baume] Herakles,
[Ringsum schön umwunden] mit purpurfarbenen Bändern.
    Siehe, woher mich die Liebe [ergriff,] o [hohe] Selene! *Na*

124–129: [»Ließet ihr] dann [mich hinein, wie] glücklich [wär' ich gewesen!]
Unter den Jünglingen allen da heiß' ich der schöne, der leichte:
Doch mich hätte befriedigt ein Kuß von dem reizenden Munde:
Hättet ihr Delphis verstoßen [und hättet] die Thür [ihm] verriegelt,
[Sicher] wären [zu] euch dann [Beil'] und Fackeln [gekommen.«]
    Sieh, o Göttinn, Selene, woher mir die Liebe gekommen! *Bin*
[Hättet ihr wohl mich] empfangen; [o Seligkeit! Denn ein gewandter
Werd'] ich genannt, und ein] schöner, [bei unseren] Jünglingen allen.
[Gute Nacht, wenn ich einzig] den [lieblichen] Mund [dir geküsset.]
Hättet ihr, [mich abweisend, die Pforte gesperrt mit dem Riegel:]
Sicherlich [kamen zu] euch [Streitäxt'] und [brennende] Fackeln.
    [Denke,] woher die Liebe mir [nahete, hohe] Selene! *Vo²*
[Hättet ihr ein mich gelassen,] dann [hätt' es gegolten, wie Freundschaft:
Artig ja werd' ich genannt und] schön [bei] den Jünglingen allen;
[Ruhig auch schlief ich, wenn nur ich die blühenden Lippen dir küßte.

Wieset] ihr aber [mich ab, und sperrte der Riegel] die Thüre;
[Traun] dann wären bei euch [auch Beil'] und Fackeln erschienen! *Wi*
[Wenn ihr mich auf nun nehmt, wie herrlich! denn ein behender
Und ein] schöner [genannt bin ich bei] den Jünglingen allen.
[Und ich hätte geruht, wenn] den [herrlichen] Mund [ich geküsset.
Wieset] ihr aber [mich ab, und schlosset] die Thür [mit dem Riegel,
Traun,] dann wär' [ich zu] euch [mit] Äxten und Fackeln [gekommen!]
Siehe! woher mich die Liebe [ergriff,] o [hohe] Selene! *Na*

130–135: »Jetzo gebühret zuerst mein Dank der [Göttinn von Kypros,]
Und [nach] dieser hast du mich, o Mädchen, den Flammen entrissen,
[Als] du den halbverbrannten [zu] deinem [Hause geladen.
Heißere Flammen entzündet der Gott der Liebe wol] öfters,
Als Hephaistos selbst [in den Feueressen Lipara's.«]

Sieh, o Göttinn, Selene, woher mir die Liebe gekommen! *Bin*
Dank [nun, Dank bekenn' ich] zuerst der erhabenen Kypris
[Schuldig zu sein;] nächst [Kypris entraftest] mich Du [aus dem Feuer,
Süßes Weib, mich herein] in dies dein Kämmerchen [ladend,
Mich schon halb versengten;] denn Eros [zündet] ja [wahrlich]
Oft [noch entflammtere] Glut, [wie] der Liparäer Hefästos.

[Denke,] woher die Liebe mir [nahete, hohe] Selene! *Vo²*
[Doch nun halt' ich] zuerst [mich zum] Danke der Kypris [verpflichtet;]
Und [nach der Kypris entrafftest] mich du [als zweite dem Feuer,
Her mich berufend,] o Mädchen, in deine [Behausung, den halb schon
Ausgebrannten:] denn [wahrlich der] Eros [entzündet] ja [oftmals
Heller den leuchtenden Strahl, wie] Hephästos [auf Lipara's Höhen!]

Siehe, [verehrte] Selene, woher mir die Liebe gekommen! *Wi*
Jetzo [bekenn' ich, zumeist] Dank [schuldig zu seyn der Kythere,]
Und [nach Kythere zunächst] hast d u mich den Flammen entrissen,
[Trautestes Weib, daß du mich hierher] riefst in [die Wohnung,
Mich helllodernden schon;] denn Eros [zündet] ja [oftmals
Hellere] Glut [noch an, denn] der Lyparäer Hephästos.

Siehe, woher mich die Liebe [ergriff,] o [hohe] Selene! *Na*

136–141: »Jungfraun treibt [sein] wüthender [Brand] aus [der] einsamen [Kammer,]
Frauen empor aus dem Bett, das vom Schlummer des Gatten noch warm

ist.«

[So sprach kosend] der Jüngling, und ich, [zu leicht überredet,]
Faßte [des Liebenden] Hand und [sank aufs] schwellende [Ruhbett.]
Bald [erwarmte nun Brust] an [Brust, die bebenden Wangen
Röthete heißere Gluth, und süßes] Flüstern [umflog uns;] *Bin*

Er [mit verderblicher Wut hat die] Jungfrau [selbst] aus [der Kammer,
Auch die Vermählte gescheucht,] das Bette noch warm [zu verlassen,
Ihres Gemahls! – So sprach er;] und ich schnellgläubige faßt' ihm
Leise die Hand, und beugt' ihn herab zum schwellenden Polster.
Bald ward Leib an Leib wie in Wonne gelöst, und das Antliz
Glühete mehr denn zuvor, und wir flüsterten hold mit einander. *Vo²*
Er [mit zerstörender Wuth scheucht fort] aus [der Kammer die] Jungfrau,
[Ja auch die Gattin, die] warm noch [das Lager des Mannes zurückläßt.]
Also [begann er;] und ich, [die zu eilig beredete,] faßte
Ihn [bei] der Hand, und [zog] zu [dem] schwellenden [Lager] ihn [nieder.
Schnell schmolz Körper] an [Körper, und röther entglühten die Wangen,
Als vorher, auch entspann sich ein trauliches, süßes Geflüster.] *Wi*
Er [hat ja mit schrecklicher Wuth] aus [der Kammer die] Jungfrau,
[Selbst die vermählte, geschreckt,] noch warm [zu verlassen das Lager
Ihres Gemahls. – So sprach er,] und ich [leichtgläubige] fasse
Ihn [bei] der Hand, und [ziehe] zum [Lager, dem weichen,] ihn [nieder.]
Bald ward Leib am Leibe [erwärmt] und [es] glühte das Antlitz
Mehr [noch,] denn zuvor, und wir flüsterten [liebliche Worte.] *Na*

142–148: [Und damit] ich dir nicht zu lange [schwatze,] Selene,
[Ja, wir kamen zum Ziel und [löschten] beide die [Flamme.]
Ach! kein Vorwurf hat mich von ihm, bis neulich, betrübet,
Ihn auch keiner von mir; [da] kam die Mutter [von] meiner
[Trautesten] Flötenspielerinn [heut, die Mutter] Melixo's,
[Als der Wagen der Sonne so] eben am Himmel [heraufstieg,]
Aus dem Ocean [tragend] die rosenarmige Eos, *Bin*
Daß ich nicht zu lange dir plaudere, liebe Selene;
Siehe, geschehn war die That, und wir stilleten beide die Sehnsucht.
[Nie ward] mir von [jenem ein] Vorwurf, [ehe denn gestern,
Noch] ihm [einer] von mir. Nun kam zum Besuche die Mutter
Meiner [guten] Filista, der [Flöterin,] und der Melixo,
Heute, [sobald] am Himmel [empor] sich schwangen die Rosse,
[Von] dem Okeanos [tragend] die rosenarmige Eos. *Vo²*
Daß ich [jedoch] nicht zu lange, [geliebte] Selene, dir [schwatze,
Selber das Höchste] geschah, und wir [ruhten im Schooße der Liebe.
Nie] bis [gestern noch wurde] von [jenem] mir [irgend ein] Vorwurf,
Keiner von mir ihm [gemacht. Jetzt nahte daher] mir die Mutter
Meiner [geliebten] Philista, der [Flöterin,] und der Melixo,
Heute, [da] eben [zum] Himmel [hinan] sich [erhuben] die Rosse,
[Von] dem Okeanos [bringend] die rosenarmige Eos, *Wi*

[Aber damit] ich [zuviel] nicht plaudere, liebe Selene,
Siehe [das Höchste] geschah, und wir [pflegeten] beide [der Liebe.
Nie] auch [that ich es] ihm. [Da] kam [denn] meiner Philista,
[Welche das Flötenspiel kennt,] und Melixo's Mutter zu mir [hin,]
Heute [sobald] am Himmel [zum Lauf anstiegen] die Rosse,
Aus [der Okeanosflut aufziehend] die [rosige] Eos. *Na*

149–154: Und erzählte mir vieles, auch daß mein Delphis verliebt sei.
Ob ein Mädchen ihn aber gefesselt, oder ein Jüngling,
Wußte sie nicht; nur [wußte sie,] daß er den Becher [der Liebe
Stets bis oben] gefüllt, [und am Ende treulos entflohn sei;]
Daß er mit Kränzen das Haus [des Geliebten zu] schmücken [versprochen.]
Dieses hat mir die Freundinn [erzählt, und sie redet die Wahrheit.] *Bin*

Und viel [anderes sagte] sie mir, [und wie] Delfis verliebt sei.
Aber ob [jezt] ein Mädchen ihn fessele, oder ein Jüngling,
Wußte sie nicht [so genau; dies eine] nur: Lauteren Wein [stets
Schenkt' er] für Eros sich [ein, und zulezt fort wandelt'] er [hastig,
Ja] er [verhieß,] mit Kränzen [ihm] dort [zu behängen die Wohnung.]
Dieses [that] die Freundin mir [kund;] und die Freundin ist wahrhaft. *Vo²*

Und viel [andres] erzählte sie mir, auch [wie] Delphis verliebt sey.
Ob ihn ein [Weib, ob etwa] ein Jüngling [durch Zauber] gefesselt,
Wisse sie [zwar] nicht [genau; doch pfleg' er gewöhnlich nur so viel]
Lautere [Liebe zu schenken, und] gehe [dann auf und von dannen;]
Sag' [auch,] er [habe] mit Kränzen [die Wohnungen] dort [zu umschatten.
Solcherlei] hat mir die Freundin [verkündiget,] und [sie] ist wahrhaft! *Wi*

Sie [nun sagte] viel [anderes] mir, [und] daß Delphis verliebt sei,
Ob ein [Mägdlein] aber ihn fessele oder ein [Mann auch,]
Wisse sie nicht [so genau, doch dieß] nur, daß er für Eros
Lauteren Wein [eingöss', und zulezt] in Eile [davon] ging,
[Und dann sprach,] er wolle [die Wohnung jenem bekränzen.
Selbiges] hat mir [erzählt] die Freundinn, und [sie] ist wahrhaft. *Na*

155–160: Dreimal kam er [wol sonst] und viermal, mich zu besuchen,
[Ließ so] oft [schon stehen] bei mir [den Dorischen Ölkrug:]
Und zwölf Tage sind's nun, seitdem ich ihn gar nicht gesehen.

Hat er nicht anderswo sicher was Liebes, und denkt an mich gar nicht?
Jetzo beschwör' ihn [mein Zauber, und bleibt er ferner noch treulos,
Ha!] bei den Moiren! [dann] soll er ans Thor [des] Aïdes [mir] klopfen! *Bin*

[Denn wohl] dreimal vordem und viermal [pflegt' er zu] kommen,
Oft bei mir hinsezend [das] dorische [Krüglein] mit [Salböl.
Nun] sind [schon] zwölf Tage, seitdem ich ihn [nimmer geschauet.]

Hat nicht [andere Lust er gesucht, und unser vergessen?]
Jezo mit Liebeszauber beschwör' ich ihn. Aber wofern er
[Mehr] mich [betrübt;] bei den Mören! an Aïdes Thor soll er klopfen! *Vo*²
[Denn sonst] kam er [zu] mir [ja] dreimal, [auch] viermal [des Tages,
Und stellt'] öfter mir [ein in die Wohnung den] dorischen [Ölkrug;
Doch] nun [seit] zwölf Tagen [schon hab'] ich ihn [nimmer] gesehen.
Hat er nicht [andere Freuden demnach und unser vergessen?
Bändigen will] ich ihn jetzt [durch Tränke. Doch quält] er mich [ferner,
Ja,] bei den Mören! [dann] soll er am Thore [des] Aïdes rütteln! *Wi*
[Denn] er kam [vorher zu] mir [wohl] dreimal und viermal,
[Und] oft setzt' [er] bei mir die dorische Flasche mit Öl hin.
[Schon] zwölf Tage [vergingen, daß] ich ihn [nimmer] gesehen.
Hat nicht [anderen Reiz er gefunden und meiner vergessen?
Auf!] mit [Zauber bann'] ich [anjetzt] ihn. Aber [so wie] er
[Ferner] mich kränkt, bei den Mören! er klopft an Aides [Pforte!] *Na*

161–166: Solch ein tödliches Gift bewahr' ich für ihn in dem Kästchen;
Ein Assyrischer [Gast,] o [Königinn,] lehrt' es mich mischen.
Nun [gehabe dich] wohl, und lenk' [in die Fluthen] die Rosse,
Himmlische, meinen Kummer, den werd' ich fürder noch tragen.
Schimmernde Göttinn, gehabe dich wohl! Gehabt euch, ihr andern
Stern' auch wohl, die der ruhigen Nacht den Wagen begleiten. *Bin*
Solch ein [verderbliches] Gift bewahr' ich ihm, [mein' ich,] im [Kästlein,
Wie] ein assyrischer Fremdling, o Herscherin, mir es gelehret.
    Lebe nun wohl, und hinab zum Okeanos lenke die Rosse,
[Herliche!] Ich [will] tragen mein [Elend, wie ich es aufnahm!
Lebe denn] wohl, [o Selene, du glänzende! Lebet] auch ihr wohl,
Sterne, [so viel] den Wagen der ruhigen Nacht [ihr] begleitet! *Vo*²
Solchen [verderblichen Zauber gedenk' ich] im [Kistchen zu bergen,
Den ich,] o Herrscherin, [von dem] assyrischen Fremdling [erlernet.
Aber du] lenke hinab zum Okeanos [freudig] die Rosse,
[Göttin!] Ich [selbst will] tragen mein [Unglück, wie ich versprochen!
Freude mit dir, o Selene, du glänzende! Freud'] auch, ihr andern
Sterne, [mit] euch, die den Wagen der [schweigenden] Nacht [ihr geleitet!] *Wi*
Solch ein Gift', [schwör' ich, soll] ihm im Kästchen bewahrt [seyn,
Wie der] assyrische Fremdling, o Herrscherinn, mir es gelehrt [hat.
    Aber du,] lebe nun wohl, zum Okeanos lenke die Rosse
[Hohe! Ich aber ertrage] mein [Unglück, wie ich es aufnahm!
Lebe du] wohl, [o Selene, du strahlende!] Auch ihr [Gestirne
Lebet nun] wohl, die den Wagen der ruhigen Nacht [ihr geleitet!] *Na*

VIII. DIE SPINDEL

(Vgl. »Nachträge« S. 569)

Benutzte Textvorlagen: Bin, Vo², Wi, Na
(Vo² hat zwei metrisch verschiedene Übersetzungen dieses Gedichts: eine Übersetzung
im größeren asklepiadeischen Vers und eine im Hexameter. Sie werden durch die Siglen
Vo²ᵃ und Vo²ᵇ unterschieden.)

BEARBEITUNGSANALYSE

Überschrift: darunter das metrische Schema des größeren asklepiadeischen Verses
Vo²ᵃ darunter [(In bekannterem Silbenmaße)] *Vo²ᵇ darunter das metrische*
Schema des größeren asklepiadeischen Verses Wi darunter [An die Theugenis, Gemah-
linn des Nikias] *darunter das metrische Schema des größeren asklepiadeischen Verses Na*

1–6: O Spindel, Wollefreundinn, du Geschenk
Athene's mit den blauen Augen, du,
Nach [der in] jeder [klugen Wirthinn Brust
Ein Wunsch sich regt, o] komm getrost mit mir
Zu Neleus [hochberühmter] Stadt, allwo
[Im schlanken Schilf der] Kypris [Lustsitz grünt! –] *Bin*
[Wollarbeiterin du,] Spindel, [der blauäugigen Göttin Gab',
Immer stehet den wirtschaftlichen] Hausfrauen nach [dir das Herz.
Folg' uns jezo] getrost [hin] zu [der stolzblühenden Neleusburg,
Wo der] Kypris [ein Prachttempel in hellgrünem Geröhr sich hebt.] *Vo²ᵃ*
Spindel, [der Wolle vertraut,] o Geschenk [der] blauen Athene,
Nach [dir stehet das Herz der wirtschaftkundigen Frauen:
Folg' uns jezo] getrost [in die blühende Veste des] Neleus,
[Wo der] Kypria Tempel [umgrünt von sprossendem Rohr ist.] *Vo²ᵇ*
Spindel, [Gabe der blauäugigen] Athene, [der Wolle hold,
Frauen häuslichen Sinns ziemet mit dir flinke Beschäftigung.]
Neleus [glänzender] Stadt [eile] mit [uns freudigen Muthes] zu,
[Wo der] Kypris [Altar stolz sich erhebt, grünend von weichem Schilf.] *Wi*
Du, [dem Spinnen geneigt,] Spindel [der blauäugigen Pallas Gab',
Den wirthschaftlichen Frau'n ziemet es dein sich zu befleißigen!
Muthig folge du uns hin] zu [der ruhmstrahlenden Neleusstadt,
Wo im] zarten [Geröhr] Kypria's [grünblühender] Tempel [steht.] *Na*
7–15: Dorthin erbitt' [ich mir] von [Kronos Sohn
Den besten Wind zur Reise,] daß ich bald

[Des Anblicks meines Lieben] mich [erfreu,
Und] Nikias, [der holde Göttersproß]
Der Charitinnen [mit dem süßen Mund
Die Liebe mir erwiedr'.] – Ich lege dann
Der Gattinn meines [Freundes] in die Hand
Zur Gabe dich, [des glatten] Elfenbeins,
[Des Mühevollen Tochter.]   *Bin*
Dorthin [richtend den Lauf, flehen] wir [schönathmenden Wind] von Zeus,
Daß ich [fröhlich den mitfröhlichen Wirt schaue,] den Nikias,
Den zum [Liebling mit Huld] weiheten [sanftredende] Chariten.
Dich dann, [welche der mühselige] Fleiß glättet' aus Elfenbein,
[Mög' als] Gab' in die Hand [Nikias Ehgattin von uns empfahn.] *Vo²ᵃ*
[Denn] dorthin [erflehn] wir von Zeus [schönathmenden] Fahrwind,
Daß ich [den Wirt als] Gast, [den fröhlichen fröhlich, besuche,]
Nikias, [welchen mit Huld sanftredende] Chariten weihten.
Dich dann, [welche der] Fleiß aus Elfenbeine geglättet,
[Nehm' als] Gab' in die Hände [des Nikias freundliche] Gattin. *Vo²ᵇ*
Dorthin [flehet] von Zeus [günstige Fahrt über das Meer mein Herz,]
Daß ich, [schauend den Freund, [Wonne genieß', und mit erwiedernder
Huld mich] Nikias auch [labe,] der [mildtönenden] Chariten
[Hehrer Sprößling, und] dich, [die du entflammst mühsamem] Elfenbein,
[Wir als] Gab' in die Hand [reichen der Ehgattin des Nikias.] *Wi*
[Daß] uns [günstig der Wind wehe zur Fahrt, flehen] wir [Zeus dich an,]
Daß den [gastlichen] Freund [fröhlich ich schau',] selbst ein willkommener Gast,
[Ihn] den Nikias, [den heiligen Sproß lieblicher] Chariten
[Und] dich, [welche viel] Fleiß [fertigte] aus [glänzendem] Elfenbein,
[Bringen wir als Geschenk Nikias' Ehfrau] in die Hände [dar.] *Na*

15–24:   Künftighin
[Wirst] du mit ihr zu [Männerkleidern oft,
Und] zarten [Röcken,] wie die Frauen [dort]
Sie tragen, schön vollenden [ein] Gespinst.
[Denn] zweimal müßten wohl in [Einem] Jahr
Der Lämmer Mütter auf [der Wiesen Grün
Geschoren werden, daß für] Theugenis
[Mit schönem Fuß] genug [der] Wolle [sei.
So arbeitsam ist sie;] sie liebet [nur]
Was kluge Frauen lieben.   *Bin*
[Viel] Gespinnstes [hinfort schafst] du mit ihr männlichem [Festgewand',]
Auch viel, [welches] die Fraun [ziere mit] meerfarbenen [Kleidungen.]

Zweimal [biete der] Schur [jährlich] des Lamms fromme [Gebärerin]
Weiche Woll' [in] der Au, [wegen der] nettfüßigen Theugenis;
[So gar eiferig wirkt' jen', und] sie liebt, was [die verständigen.] *Vo²ᵃ*
[Viel] Gespinnstes [hinfort] zu männlichen [Feiergewanden
Schaffst] du mit ihr, auch viel meerfarbene Hüllen [der Weiber.]
Zweimal [trage der] Schur [die Lämmergebärerin jährlich]
Weiche Woll' [in] der Au, [für] Theugenis, [niedliches Fußes;
So gar eiferig wirkt sie, und] liebt, was [verständige] Frauen. *Vo²ᵇ*
[Männerkleidern bestimmt, wirst du] mit ihr [enden der Werke viel,]
Auch manch [Schimmergewand,] wie [es ein Weib, um sich zu schmücken,]

trägt.

[Nun] muß zweimal im Jahr [bieten] des Lamms Mutter auf [grüner] Au
Weiche [Flocken] zur Schur, [wegen der schönfüßigen] Theugenis;
[So betreibt sie das Werk,] liebet [auch,] was [nur die Verständigen.] *Wi*
Mit ihr [vieles] Gespinnst männlicher [Staatskleidungen schaffest] du,
Auch viel, wie [es] die Frau'n tragen [zu flutfarbenen Kleidungen.
Mög'] auf [kräutriger] Au' weiches [Gefell geben das Mutterschaf]
Zu [zweimaliger] Schur [wegen der schönfüßigen] Theugenis.
Emsig [schafft sie ihr Werk, hold ist sie dem,] was [ein Verständ'ger ehrt!]

Na

24–32:   In ein Haus,
Wo [Trägheit herrscht und Müßiggang, da] hätt'
Ich [nimmer] dich gebracht, o Landsmänninn.
Dein [Vaterland] ist jene Stadt, die einst
Der Ephyraier Archias erbaut,
Das Mark Trinakria's, der Edlen Sitz.
Nun kommst du hin in jenes Mannes Haus,
Deß Kunst so manches schöne Mittel weiß,
Das von den Menschen böse Krankheit scheucht. *Bin*
[Nicht fürwahr] in ein Haus [ohne Geschäft, ohne Betriebsamkeit,]
Hätt' ich gern dich [geschenkt, weil du ein Kind unseres Landes bist.
Dir ist heimisch,] die einst [Efyra's Sohn] Archias [angepflanzt,
Als] Trinakria's Mark, [jene, der ehrliebenden Männer Stadt.]
Nun [Hausfreundin] des Manns, [welcher] so viel [Kräfte der] Kunst [gelernt,
Um der Sterblichen wehdrohende] Krankheiten [zu bändigen,] *Vo²ᵃ*
[Nicht fürwahr] in ein Haus, [das geschäftlos läg' und betrieblos,]
Hätt' ich gern dich [geschenkt, dich Zöglingin unseres Landes.
Dir ist heimisch die] Stadt, die der Efyrer Archias [weiland
Baute,] Trinakria's Mark, [die Gemein' ehrliebender Männer.]

156

Nun [Hausfreundin des] Manns, [der viel' und künstliche Mischung
Kennt im Geist, um zu wenden der Sterblichen traurige] Krankheit, *Vo²ᵇ*
[Nein nicht] Häusern, wo [herrscht Schläfrigkeit und gähnender Müssiggang,
Möcht' ich] gern dich [verleihn, weil dich mit uns einerlei Land erschuf:
Denn] dein [Vatergefild'] ist [sie,] die einst [Ephyra's] Archias
[Als] Trinakria's Mark [baute, der ruhmliebenden Männer Stadt.
Traun] im Hause [des] Manns,[welcher versteht trefflicher] Mittel [viel,
Abzuwehren] vom [Sohn irdischen Staubs trauriger Seuchen Wuth,] *Wi*
In ein [müßiges] Haus, wo [nicht Betrieb,] hätte ich [nimmer] dich
[Dargereicht als Geschenk, da du entsproßt unserem Lande bist.
Heimath] ist [dir,] die einst [Ephyra's Sohn,] Archias, [gründete,
Als] Trinakria's Mark, [welche die Stadt wackerer Männer ist.
Du, dort wohnend] im Haus [dessen, der viel Weises gelernt hat,
Abzuwehren das Weh, welches die] Krankheit [bei] den Menschen [schafft,]
                                                                          Na

33–41: Im lieblichen Miletos wohnst du dann,
Im Kreis der Jonier, daß Theugenis
Vor allen [ihres Volks] Besitzerinn
Der schönsten Spindel nun gepriesen sei,
Und daß du stets der Lieben ihren [Freund,]
Den Liederdichter, ins Gedächtniß rufst.
Denn mancher, der dich siehet, sagt gewiß:
[»O seht,] wie sie die kleine Gabe [liebt!
Wie] werth ist alles, was von Freunden kommt!« – *Bin*
Wohnst du dort in Milets [holdem Bezirk unter] Ioniern:
Daß [schönspindliche Frau] Theugenis [heiß'] allen [Genossinnen,]
Und [Andenken] du [ihr] stets [des gesangübenden] Gastes [seist.
Ihr] sagt [eine hinfort, schauet sie] dich: [Siehe,] wie [groß geschäzt
Wird ein] kleines [Geschenk!] Alles ist werth, was von [Geliebten] kommt!
                                                                          Vo²ᵃ

Wohnest du [unter] Ionen im [anmutsvollen] Miletos:
Daß [schönspindliche Frau den Genossinnen] Theugenis [heiße,]
Und du [ihr bleibst Andenken des liederkundigen] Gastes.
[Ihr] sagt [eine hinfort,] die dich [anschaut: Groß] doch [geschäzt wird
Solch ein] kleines [Geschenk!] Wie [geehrt] ist alles von Freunden! *Vo²ᵇ*
Dort im [holden] Milet wohnest du [nun unter] Ioniern,
Daß [auch] Theugenis [hab' unter den Landsmänninnen Spindelpracht,]
Und [Erinnrung] du stets [an den gesangliebenden] Gast [ihr weckst.]
Denn [so] sagt, [wer] dich sieht, [andern ins Ohr: Groß ja die Herrlichkeit

Mit dem] kleinen [Geschenk! Jegliches] kommt werth von [der Lieben Hand!]
                                                                   Wi

[Wirst bewohnen] Milet's liebliche [Stadt mit] den Ioniern,
Daß [schönspindlige] dann Theugenis [heiß' ihren Genossinnen]
Und [Andenken du ihr an den gesangliebenden Fremdling seist.
Dann] sagt [eine zu ihr,] die dich [erschaut:] Wie [ist] doch [angenehm
Ein] so kleines [Geschenk!] Alles ist werth, was von [den] Freunden [ist!] *Na*

IX. LIEBESKLAGE

Benutzte Textvorlagen: Bin, Vo², Wi, Na

BEARBEITUNGSANALYSE

Überschrift: [Liebeslied] *Bin* darunter [Ode] *darunter das metrische Schema des lyrischen daktylischen Pentameters* Vo² [Der klagende Liebhaber] *darunter das metrische Schema des lyrischen daktylischen Pentameters* Wi [An den Geliebten] *darunter das metrische Schema des lyrischen daktylischen Pentameters* Na

1–4: Im Wein ist Wahrheit, sagt man, lieber Knabe;
       Drum laß im Rausch' uns [treu der Wahrheit] seyn!
       Ich will dir jetzt was in geheimsten [Tiefen]
       Des [Herzens] mir verborgen lag, entdecken. *Bin*
       Wein, [o trautester] Knab', ist [gesellt mit der] Wahrheit [stets;]
       Uns auch [jezo geziemt, wie betrunkenen, wahr zu] sein.
       Ich [entlade das Herz, wo] geheim was im Winkel liegt. *Vo²*
       Wein, [o trautester] Knabe, [so] sagt man, [und wahres Wort;]
       Drum [geziemet] auch uns in [dem] Rausche [der wahre Spruch.
       Sagen] will ich [auch selbst,] was im Winkel der Seele [ruht.] *Wi*
       Wein, [o theuerer] Knab', [so ja] sagt man, [und Offenheit!]
       Auch [wir wollen, berauschten, vergleichlich, jetzt offen] sein,
       [Und] ich [sage heraus,] was im Winkel des [Herzens] liegt. *Na*

5–11: Du [wolltest] mir [von ganzer Seele] nie
       Die Lieb' erwiedern; lange weiß ich das;
       [Und diese] Hälfte [meines] Lebens [war
       Doch stets] von deinem Bilde [nur beseelt,]
       Die andre war dahin. – Wenn du es [willst,]
       So leb' ich einen Tag der Seligen,
       Im Finstern [schmacht'] ich, [wenn du kälter bist.] *Bin*

[Niemals] hast du [mit Ernst] mich [geliebt] aus [der Seele Kraft;]
Weiß ich [wohl;] denn [die] Hälfte, [die mir von] dem Leben [blieb,]
Lebt [in] deiner [Gestalt, doch das übrige schwand] dahin.
Wenns [einmal] dir gefällt, [o] den Seligen leb' ich [gleich
Jenen] Tag; [so] es nicht dir gefällt, [nur] in [Finsternis.] *Vo²*
[Lieben mochtest] du [nimmer] mich recht [von des] Herzens Grund;
[Wohl] weiß Ichs; denn [die] Hälfte des Lebens [nur hab' ich] noch;
[Nahrung giebt ihr] dein Bild, [doch das übrige schwand] dahin.
Wenn du [willst] so [verleb'] ich den Seligen [gleich den] Tag;
[Aber willst] du [auch] nicht, in [der äußersten Finsterniß.] *Wi*
[Nimmer liebest] du mich so aus [innerer Seele ganz;]
Weiß [gar wohl,] denn [die] Hälfte des Lebens, so mein [jetzt ist,]
Lebt [in] deiner [Gestalt] und das [übrige] ist dahin.
[O,] wenn du [nur] es [willst,] so [verlebe] ich, [göttergleich,]
Einen Tag; [so jedoch] du nicht [willst, nur] in [Finsterniß.] *Na*

12–17: Wie ziemt sich das, den Liebenden zu quälen?
Doch giebst du mir, der [Jüngling einem Manne,]
Gehör, so wirst du selbst es besser haben,
Und wirst mich loben noch: – O baue dir
Ein festes Nest einmahl auf Einem Baum,
[Zu dem] kein [schädlich Raubthier kriechen kann.] *Bin*
[Ist anständiger Lohn für] den Liebenden [Schmerz und Gram?
Auf, wenn] mir du [gehorchst, du ein] junger dem älteren;
Selbst noch hast du es besser [dabei,] und [du] lobest mich:
Bau ein [einziges] Nest [in dem selbigen] Baum [mit mir,]
Wohin [nimmer gelang' ein verderbliches] Raubgewürm! *Vo²*
Ziemt sich, [daß du] den Liebenden [Qualen zum Raube giebst?
O willst] du mir [gehorchen,] der junge dem älteren,
(Selber [glücklicher dadurch auch,] würdest du loben mich:)
[Nun dann] baust du ein [einziges Nestchen] auf einen Baum,
Wohin keine [zerfleischende Schlange dir dringen kann.] *Wi*
Wie [geziemet es] sich, [daß] dem Liebenden [Leid du schaffst?]
Doch [wenn] du mir [gehorchst, du ein] Jüngrer dem Älteren,
[Daß] du besseres selbst noch [bekommst] und mich [rühmen] wirst,
Bau' [mit mir] auf [dem] Baum, [auf demselben, zugleich] ein Nest,
[Wo] kein [schädlich Gezücht, das da kreuchet, je hingelangt.] *Na*

18–26: Nun aber reizt dich heute dieser Zweig,
Und morgen jener; immer flatterst du
Von einem so zum andern fort. – Es darf

Nur jemand deinen schönen [Gliederbau
Bewundernd] loben, und du bist [sogleich]
Mit ihm vertrauter [noch, als kenntest du]
Drei Jahr' [ihn schon:] wer dich [vorher] geliebt
Erhält die dritte Stelle. [Sieh,] es scheint,
[Als wärst du, Stolzer, leichten Stutzern hold.] *Bin*
[Doch] nun [wühlest du Flatterer] heute dir [dort den Ast,]
Morgen [dort, und enthüpfst] von [dem] einen zum anderen.
[Wenn] dein schönes Gesicht [ein erblickender etwa] lobt;
Gleich [dreijähriger] Freund und [ein] mehreres [wirst] du ihm;
Wer [zuerst] dich geliebt, [der bekömmt dir den] dritten [Plaz.
Auf großmächtige Männer,] es scheint, [ist gespannt dein] Sinn. *Vo²*
Aber [jezo bewohnest] du heute [den einen] Zweig,
Und [den anderen] morgen, [und suchest den neuen stets.]
Lobt [je einer erblickend das] schöne [Gesichtchen] dir;
Gleich [dreijähriger] Freund, [ja noch] mehreres [wirst] du ihm,
[Und dreitägiger wird dir der früher] dich Liebende.
[Traun du] scheinest nach [Männern zu schnauben mit Übermuth;] *Wi*
[Doch du wählest] dir [jetzo bald] diesen, [bald] jenen [Ast,]
Morgen [den und du suchst dir itzt den, itzt den] anderen.
[Wann] dich [einer erschaut und] dein schönes Gesicht [erhebt,
Wirst du solchen sofort auf noch] mehr, [wie] drei Jahre Freund;
[Doch der erst] dich geliebt, [dem ertheilst du den] dritten [Platz
Nur] nach [mächtigen Männern, so] scheinet es, [trachtest du.] *Na*

27–34: Doch [willst du glücklich seyn, so liebe] nur
Den Gleichen. Thust du dieß, [dann werden dich
Die Bürger loben, und die Liebe] wird
Dir keine [Qual bereiten; sie, die] leicht
Der Männer Herzen sich in Fesseln schlägt,
[Die] mich, [den eisernen bezwungen hat. –
Doch wie du seist,] an deinen [weichen Mund]
Gedrückt, [umschling'] ich dich – – – – – – –
– – – – – – – – – – – – – – – – – – – *Bin*
Doch, so lange du lebst, nur den Gleichen dir stets [erwählt!
Denn wenn also] du thust, [o ein biederer] heißest du
[Allem] Volk; [und es quält] auch [des] Eros [Gewalt] dich [nie;
Der] den Männern [das] Herz [ungebändiget unterjocht,]
Und zum [Weichlinge gar] mich [erschuf aus dem eisernen.
Dennoch] fest dir [umschling' ich den lieblichen] Rosenmund! *Vo²*

160

Doch so lange du lebest, [behalte] den Gleichen stets!
Thust du dieses, [so] wird dir [ein gutes Gerücht zu Theil
Von den Bürgern, und] Eros auch [möge nicht zürnen] dir,
[Der die] Herzen der Männer so leicht [zu bezwingen weiß,]
Und [auch] mich, der [von] Eisen [ich] war, ach, [so weich gemacht!
Denn kaum mächtig der Gluthen Kythere's, verfolg'] ich dich. *Wi*
[Besser] wähle, so lang du nur lebst, [dir] den Gleichen stets;
[Denn, wenn also] du thust, [als] ein wackerer [giltst] du [dann
In] dem Volk [und es trifft] dich [hinfort nicht des] Eros Leid,
[So] der Männer [Gemüth zu bezwingen gar] leicht [vermag,]
Und zum [weichen] mich [selber erschuf aus dem eisernen,
Dennoch hange] ich dir [unzertrennlich] am [zarten Mund!] *Na*

35–40:   [Erinnre dich, daß du vor wenig Zeit]
Noch jünger warst, [und daß das Alter uns
Zusammt den Runzeln unversehens kommt.]
Der Jugend [Jahre wieder einzusammeln
Ist uns versagt;] sie tragen an der Schulter
[Ein Flügelpaar, und viel] zu langsam sind
Wir [Menschen stets, die Flüchtigen zu haschen.] *Bin*
[Denk',] o denke, du warst [vor dem] Jahr noch ein jüngerer;
[Bald wirds grau um die Scheitel, bevor wir nur ausgespuckt,]
Und [uns runzelt] die Stirn: [doch] die Jugend [erhascht] man nicht
[Wiederum,] denn [sie eilt mit geflügelten] Schultern fort;
[Viel] zu langsam ist uns für [der] Fittige [Schwung der Schritt!] *Vo²*
Denke, [daß] du im vorigen Jahre noch jünger warst;
[Daß] wir altern, [noch] ehe [den Speichel wir ausgespuckt,
Dann bald runzeln, und wieder zu bringen] die Jugend, [nicht
Fähig sind:] denn sie trägt an den Schultern [ja] Fittige,
[Und] zu langsam sind wir, [zu erhaschen Geflügeltes!] *Wi*
Denke, [daß] du im vorigen Jahr noch ein jüng'rer warst,
[Und daß schnell wir ergrau'n, noch bevor du nur ausgespützt,
Dann bald Runzeln entstehn und] die Jugend [zurück sich] nicht
[Ziehn läßt; siehe, sie eilt mit beflügelten Schultern hin!
Viel] zu [träge] sind wir, [zu ergreifen] die Fittige! *Na*

41–46: [O] dieß bedenk', [und] werde milder nun,
Und gieb die treue Liebe mir zurück;
Damit [dereinst,] wenn [dir der Mannheit Haar
Das] Kinn [umlockt, Achilleus Freundschaft wieder
In uns ersteh.] – Doch giebst du meinen Rath

Zum [Spiel] den Winden hin, und denkst bei dir: *Bin*
[Sei, durch solches gewarnt, mir ein] milderer [Labetrunk,]
Und mir [liebenden beut du] die Lieb' [ungefälscht zurück:
Daß, wann künftig] dein Kinn [mit dem] männlichen [Haar] sich [bräunt,]
Wir doch [immer gepaart wie] achillische [Freunde sein.]
Doch [wofern] du [den] Rath [in verwehende] Winde [schlägst,]
Und [dein Herzchen mir sagt:]   *Vo²*
Dieses [mußt du] bedenken, [und] milder [mir seyn sodann,]
Und mich, [der ich dich liebe, drum lieben auch ohne Trug:
Daß,] wenn [künftig den] männlichen [Bart zu gezogen hast,]
Achilleïsche [Freunde] wir [dann für einander seyn.
Aber lässest du dieses] den Winden, [es wegzuwehn,]
Und [sprichst] bei dir [im Geiste:]   *Wi*
Dies bedenke [du wohl, damit freundlicher du mir] wirst,
Und mir [liebenden] treu [mit] der Liebe [entgegnen mögst,
Daß,] wenn einstens [am] Kinn sich [der] männliche [Bart dir zeigt,]
Wir [einander] doch [stets wie] achillische [Freunde sind.]
Doch [wenn selbiges Wort] du den Winden zum Raube [giebst,]
Und [dann sagest] bei dir: *Na*

47–53: »Was [quält] er mich, der Unausstehliche?«
So werd ich, – ging' ich gleich um deinetwillen
Zur goldnen Frucht der Hesperiden jetzt,
Zu Kerberos, der Todten Wächter hin, –
Gewiß alsdann, und wenn du selbst mich rufst,
Den Fuß nicht rühren. Weg ist dann gewiß
Der Liebe Sehnsucht, die mich so gequält. *Bin*
                     Was, [o Seltsamer,] plagst [du] mich?
Ging' ich [jezo für dich] zu [den] goldenen [Äpfeln auch,
Ja] zum [Todesbezirk und dem bellenden] Kerberos;
[Nie dann,] riefest du [auch, an die Pforte des Hofs hinan
Möcht' ich kommen, geheilt von der sehnenden Liebespein.] *Vo²*
                     Was, [Elender, quälst du] mich?
[Traun] so [könnt'] ich [für dich] zu [den] goldenen [Äpfeln] gehn
Jezo, [und] zu [dem Hüter] der Todten, [dem] Kerberos;
[Dann hingegen nicht gieng ich, auch] wenn du mich riefest, [bis
An die Thüre des Hofes, erstickend die harte Gluth.] *Wi*
                     was [belästigest, Thor, du] mich?
[Würd'] ich jetzo [sofort] zu [den] goldenen [Äpfeln] gehn,
[Wegen deiner sogar zu] den Todten, zum Kerberos,

[Und dann, ob] du [auch] riefst, [zu der Thüre des Hofes käm'
Nie ich hin, da ich frei von der] quälenden Sehnsucht [wär'!] *Na*

X. BRAUTLIED DER HELENA

Benutzte Textvorlagen: Bin, Vo², Wi, Na

1–8: Einst im Königspallast Menelaos des blonden zu Sparta
[Stellten] sich Mädchen im [Chor an] der neuverziereten Kammer,
[Tragend im weichen Gelock hyacinthene blühende Kränze;]
Zwölfe, die ersten der Stadt, [die Krone] Lakonischer [Weiber,]
Als [der] jüngere [Sohn] des Atreus Tyndaros [holde]
Tochter, [die] Helena, [freit', und] nun in [die Kammer sie einschloß.]
Alle sangen [ein Lied nach einerlei Weisen, und tanzten
Mit verschlungenem] Fuß, daß die Burg vom [Brautgesang] hallte: *Bin*
[Dort in Sparta vordem, bei dem bräunlichen Held Menelaos,
Hatten] das Haar [Jungfrauen gekränzt] mit [der Blum' Hyakinthos,
Und frohlockten] im Tanz vor der [neugemaleten] Kammer;
Zwölf, die ersten der Stadt, ein Stolz der lakonischen [Mägdlein:]
Als in dem Brautgemach, mit Tyndareos [lieblicher] Tochter
Helena, nun sich verschloß des Atreus jüngerer Sprößling.
Fröhlich sangen sie all' in [vereinigtem Ton,] und es stampfte
Laut der [geschmeidige] Fuß, daß die [Wohnung erscholl] von dem Braut-
lied: *Vo²*

[Bei Menelaos in Sparta, dem bräunlichgelockten, erhuben
Jungfraun, von Hyacinthen umgrünt in] den [duftenden] Haaren,
[Früher den Reigentanz] vor der [neugemaleten] Kammer,
Zwölf, [in der Veste] die Ersten, ein [Schatz] der lakonischen [Mütter,]
Als im [Gemache] verschloß Tyndareos reizende Tochter
Helena, [ihr] sich [vermählend,] des Atreus jüngerer Sprößling.
All' [auch] im Einklang sangen sie [dann, mit umflochtenen] Füßen
[Klappend dazu, und rings scholl wieder die Wohnung] vom Brautlied: *Wi*
[Bei Menelaos in Sparta dereinst, dem bräunlichgelockten,
Kränzten] das Haar [Jungfrauen] mit [sprossender Blum' Hyakinthos,
Und] vor [dem frischgemalten Gemache begannen sie Reihntanz,]
Zwölf Jungfrauen der Stadt, [die herrlichsten von Lakedämon:]
Als Tyndareos' Tochter, [die] Helena [er] in [die Kammer

163

Schloß, die liebliche Braut,] des Atreus jüngerer Sprößling.

Alle [nun] sangen [ein Lied] und im Einklang stampften sie [alle

Mit verschlungenen] Füßen, [es tönte im Hause das] Brautlied: *Na*

9–15:   Trauter Bräutigam, wie? so früh schon bist du entschlummert?

Ist dir der Schlaf so lieb? und sind dir die Kniee so müde?

Oder trankst du zu viel, daß du nun aufs Lager dich hinwarfst?

Konntest [ja, wolltest du's so,] allein [bei Zeiten zu Bett] gehn,

Und bei der zärtlichen Mutter [im Kreise der Mädchen die Jungfrau]

Spielen lassen bis dämmert der Tag: denn morgen und [künftig,]

Und [von] Jahr [zu] Jahr ist dein, Menelaos, [die Gattinn.] *Bin*

Schon so [gar frühzeitig, o] Bräutigam, bist du entschlummert?

[Fühlst du vielleicht in] den Knieen dich [bleischwer, oder] so [schläfrig?]

Oder auch trankst du zu viel, daß [dort] auf das Lager du [hinsankst?

Wolltest du schlafen denn gehn zur Stund', o] du konntest allein gehn,

Lassend das Kind mit den Kindern [annoch] bei der zärtlichen Mutter,

Spielen bis [hoch zur Helle!] Denn übermorgen wie morgen,

Und [von] Jahre [zu] Jahr, ist dein, Menelaos, die Braut nun! *Vo²*

Trautester Bräutigam, schon so [zeitig verfielst du in Schlummer?

Bist du] so [schwer an] den Knien, und [liebst du] den Schlaf so [gewaltig?]

Oder auch trankst du zu viel, daß du [schon] auf das Lager dich hinwarfst?

[Schlafen ja solltest du selbst, wenn du es zur Stunde bedurftest,

Doch] bei der zärtlichen Mutter [die Jungfrau] lassen mit [Jungfraun

Scherzen,] bis [leuchtet] der Tag! Denn übermorgen und morgen,

Und Jahr [aus] Jahr [ein bleibt sie,] Menelaos, die Braut [dir!] *Wi*

Schon so frühe bist du, [o] Bräutigam, Theurer, [entschlafen?]

Sind dir die Knien [vielleicht sogar schwer? Bist du] so [schläfrig?]

Oder trankst du zu viel, daß du [matt] auf's Lager dich hinwarfst?

[Wolltest du schlafen zur Stunde, so mußtest du, Trauter,] allein gehn,

[Aber] das Kind mit den Kindern noch lassen bei [liebender] Mutter

Spielen bis [früh an den Morgen!] Denn übermorgen und morgen

Und [von] Jahre [zu] Jahr, Menelaos, [gehöret] die Braut [dir!] *Na*

16–21: Glücklicher [Bräutigam, traun!] dir nies'te zu guter [Vollbringung,]

Als du gen Sparta kamst, dem Lande der Helden, ein Edler.

Du von allen Heroën allein wirst Eidam Kronions;

[Einerlei Decke mit] dir [verbirgt des Mächtigen] Tochter:

Schön wie diese betritt kein Weib den Achaiischen Boden.

[Großes] gebiert sie dir einst, wenn [die Kinder] gleichen der Mutter. *Bin*

Glücklicher Mann, dir nieset' ein Edeler, als du gen Sparta

Kamst, [wo auch andere sind der Gewaltigen; daß du es ausführst!]

Dir [der] Heroen allein wird [Zeus] Kronion [ein Schwäher!]
Dir nur gesellt Zeus Tochter sich unter dem selbigen Teppich,
Wie kein [anderes] Weib den achaiischen Boden [umwandelt!
Wohl was] herliches wahrlich gebäre sie, glich' es der Mutter! *Vo²*
Glücklicher [Eidam,] dir niest' ein [Gewogener,] als du [nach] Sparta
Kamst, [wo die Heldenschaar sich versammelte, daß du vollbrächtest!]
Dir von [den Helden] allein ward [Zeus, der] Kronion, [ein Schwäher!]
Dir nur [hat] sich [genaht] Zeus Tochter [zu einerlei Decke,]
Wie [das] achaische [Land mit dem Fuß sonst] keine berühret.
[Treffliches zeugte sie traun] dir, [erzeugte sies ähnlich] der Mutter! *Wi*
[Sel'ger Gemahl!] Dir nieste ein Edeler, als du [nach] Sparta
Kamst, [wo auch andere kamen, Gewaltige; du nur erlangst es!]
Von [Halbgöttern nur] du [hast Zeus, den Kroniden, zum Schwäher!
Mit] dir [deckt] sich [allein] Zeus Tochter [mit gleichem Gewande,]
Wie kein [andres] achäisches Weib [im Lande umhergeht!
Traun, was großes] gebäret sie dir, wenn der Mutter es gleichet! *Na*

22–31: Viermal sechzig Mädchen sind unser, die weibliche Jugend,
All' an Jahren uns gleich, und all' [in der Kunde des Wettlaufs,
Wenn wir] nach [Jünglingsart uns] gesalbt [bei den Wellen] Eurotas;
[Dennoch,] vergleichst [du] mit Helena [sie,] ist [tadellos] keine.
Wie der göttlichen Nacht die strahlende [Frühe das] schöne
Antlitz enthüllet, der lachende Lenz dem scheidenden Winter,
So erglänzten [auch] uns der goldigen Helena Reize;
Wie die [hohe] Cypresse dem üppigen Felde zur Zierde,
Oder dem Garten prangt, [Thessalische Rosse] dem Wagen,
So prangt Helena auch, die rosige Zier Lakedaimons. *Bin*
[Wir] sind alle [gesamt gleichaltrige;] einerlei [Laufbahn]
Übten [wir, männlich] gesalbt am [badenden Strom] Eurotas;
Viermal sechzig [der] Mädchen [an Zahl, jungfräuliche] Jugend:
[Doch] ist kein' untadlich, [wenn] Helena [uns sich] vergleichet!
[Heilige] Nacht! wie, [wenn schimmernd der Lenz [aufsteiget vom] Winter,
Eos, [am Himmel erhöht, vorglänzt mit herlichem] Antliz:
[Also glänzte] vor uns die [goldene] Helena [weiland!]
Wie [sich ein Schwad hinschwingt im fruchtbaren großen Gefilde,
Wie] die Cypress' [im] Garten, ein Thessalerroß an den Wagen:
So [mit] rosigem [Wuchs schien] Helena [vor] Lakedämon! *Vo²*
[Gleichjung blühn wir gesamt, die] einerlei [Lauf wir beginnen,
Männlicher Weise] gesalbt an Eurotas [strudelnden Bädern,
Vierfach] sechzig [der] Mädchen, [ein] weibliches [Jünglingsgefolge:]

Aber untadelich wäre, verglichen mit Helena, keine!
[Gleich] wie die [kommende] Eos ihr [herrliches] Antliz [heraufstrahlt,
Oder] die [heilige] Nacht, [wenn] der Winter [den funkelnden Morgen
Weckt;] so [strahlte] vor uns [auch] die [goldene] Helena [immer!
Gleich] wie die schlanke Cypresse [dem fruchtbaren Acker der Flur ragt,]
Oder dem Garten [ein Schmuck,] und dem Wagen [Thessalia's Prachtroß;]
So Lakedämon [ein Schmuck] auch der rosigen Helena [Liebreiz!] *Wi*
[Wir] sind all' an [Alter] uns gleich und einerlei [Laufbahn]
Übte [uns, männlich] gesalbt, am [Bade des Stromes] Eurotas,
[Mägdlein,] viermal sechzig [an Zahl, zartweibliche] Jugend;
Aber verglichen mit Helena ist [nicht eine] untadlich!
[Herrliche] Nacht! Wie [wenn schimmernd] der Lenz [den winternden
                                                          Sturm beugt,
Auf dem] Eos [sich taucht und zeigt] ihr [herrliches] Antlitz,
[Glänzte in unserer Mitte] die [goldene] Helena [einstmals;]
Wie die schlanke Cypress' [als] Zierde [auf] üppigem [Saatland,]
Oder [im] Garten und [schön] am Wagen ein Thessalerroß [steht:]
So [war] die rosige Helena auch [ein Schmuck] Lakedämons! *Na*

32–37: Keine verwahret so feingesponnene Knäuel im [Körbchen,]
Keine webt' im künstlichen Stuhl mit dem Schiffchen ein dichter
Zeug, und schnitt das Gewebe von langen Bäumen herunter;
Keine rühret die Zither, die [hochgebrüstete] Pallas
Singend, [oder] der Artemis Lob, [wie sie] Helena [rühret,
Welcher die Götter der Liebe die reizenden Augen umlagern.] *Bin*
Keine [häuft] in [dem] Korbe so [schöngesponnene] Knäuel;
Keine [vermöcht' ein so feines Gewand auf] künstlichem [Webstuhl,
Fest] mit [der Spuhle gewirkt,] vom langen Baume [zu] schneiden!
Keine versteht so lieblich die [tönende Laute] zu rühren,
Singend der Artemis Lob und der [kriegrischen Männin Athene:]
Als, o Helena, du, die nur Anmut blicket und Liebreiz! *Vo²*
Keine [doch haspelt] im Korbe so [herrliche Werke zum Einschlag,
Oder verfertigt so] dichtes [Geweb' an dem] künstlichen Stuhle
[Rasch] mit dem Schiffchen, und schneidet [es ab] von [den mächtigen]
                                                          Bäumen!
Keine verstehet [fürwahr] so die klingende Cither zu rühren,
Artemis singend und [dich, breitbrüstige Göttin Athene,
Wie] du, o Helena! [Alle Eroten bewohnen dein Auge!] *Wi*
Keine [hat je] im Korbe so [schönes Gewebe gehaspelt,]
Kein' [auch] schnitt ein [festeres] Zeug [vom] künstlichen [Webstuhl,]

Dicht [an der Weberspule] gewebt, vom [ragenden] Baum [ab.]
Keine versteht so [schön] die [tönende] Zither zu [schlagen,
Wann sie die Artemis preist und Athene mit wölbendem Busen,]
Als [wie] Helena! [Jeglicher Reiz aus den Augen entstrahlt ihr!] *Na*

38–42: [Mädchen, so lieblich, so schön,] du bist zur Frau nun geworden,
Aber wir, wir werden nach Blumen der Wiesen im Frühthau
Traurig schleichen, [um] dort süßduftende Kränze zu winden.
Deiner gedenken wir dann, o Helena, wie nach den Brüsten
Ihres [Mutterschafs] die saugenden [Lämmchen] verlangen. *Bin*
O holdseliges Kind, du [schon Hausmütterchen jezo!]
Wir [nun] werden [zur Bahn, wann es tagt, und zu blumigen] Wiesen,
Traurig [gehn,] uns Kränze [von lieblichem Dufte] zu [sammeln,
Viel ach!] deiner gedenkend, o Helena: [so] wie [die Lämmer,
Säuglinge noch, an] die Brust [des Mutterschafes sich sehnen!] *Vo²*
O [liebreizendes] Kind, [du Holde, so] bist du [schon Hausfrau!]
Aber wir [anderen gehn zu der Bahn und zu Kräutern] der Wiese
[Früh mit dem Morgen, um] Kränze [von wonnigem Dufte] zu [pflücken,]
Deiner, o Helena, [häufig] gedenkend, wie saugende [Lämmer,
Wenn an] die Brust [sie] verlangen [des Mutterschafes] mit [Sehnsucht!] *Wi*
[Schöne du, liebliches Mädchen,] du bist [Hausmutter anjetzt schon!
Doch] wir werden [zur Bahn hin früh und zu sprossenden Auen
Wandeln, um] Kränze zu [pflücken von süß anathmendem Dufte.]
Dein, o Helena, [denken] wir dann: [so] wie [sich die Säuglings-
Lämmer euch] nach der Brust [hinsehnen der blöckenden] Mutter! *Na*

43–48: Draußen flechten wir dir aus [kriechendem] Lotos den ersten
Kranz, und hängen ihn auf an [die Zweige des schattigen Ahorns,]
Nehmen aus silberner Flasche für dich der lieblichen Narde
Erstlingstropfen, und träufeln sie aus am [schattigen Ahorn;
Auch soll] Dorische [Schrift,] in die Rinde geschnitten, dem Wandrer
[Sagen: »Ehre] mich [hoch; ich] Baum [bin] Helenen [heilig!«] *Bin*
Dir [zuerst wird ein] Kranz [von niedrig sprossendem] Lotos
[Wohl gefügt,] und [gehängt] an die schattenreiche Platane;
[Dir zuerst wird Würze des Öls] aus silbernem [Krüglein
Niedergetröpft] am Fuße der [schattenreichen] Platane!
[Auch sei gekerbt] in die Rinde [Geschriebenes, daß, wer vorbeigeht,]
Lese das dorische Wort: Gieb Ehre mir, Helena's Baume! *Vo²*
Dir [erst wird dann ein] Kranz [von am Boden erwachsendem] Lotos
[Künstlich gereiht und gehängt] an die schattenreiche Platane,
[Dir erst schmeidiges Öl, in dem] silbernen [Kruge verwahret,

Ausgeschöpft und getropft] an die [schattenreiche] Platane!
[Aber] die Rinde [bezeichne die Aufschrift] dorisch, [damit sie]
Lese der Wandrer: [Erweise] mir Ehr'; [ich bin] Helena's [Pflanze!] *Wi*
Flechten dir [einen] Kranz [dann zuerst von niedrigem] Lotos
Und ihn hängen wir [dir im Schatten] der [hohen] Platan' auf;
[Dir wird geschmeidiges Öl zuerst] aus silbernem [Fläschchen
Dort in] der [hohen] Platan' [Umschattungen niedergeträufelt,]
Und in die Rinde [geschrieben] die Worte, [daß, wer da vorbeigeht,]
Lese [auf] dorisch; [Verehre du] mich, [da ich] Helena's Baum [bin!] *Na*

49–58: Heil dir, o Braut, [und] Heil dir, [du hochverschwäherter] Eidam!
[Schöne] Kinder [die] geb' euch [die Kinderpflegerinn] Lato,
Kypris, die göttliche Kypris, euch gleich einander zu lieben,
Zeus, Kronides Zeus, [der segn' euch mit dauerndem] Reichthum,
[Daß ihn] ein edles Geschlecht [von] edlen [Ahnen ererbe.
Schlummert und haucht in [die Brust] euch süßes Verlangen und Liebe;
Doch vergesset auch nicht am [Morgen das Wiedererwachen!]
Wir auch [kehren am Morgen] zurück, [wenn] der [erste der] Sänger
[Recket den bunten Hals und krähet, erwachend vom Schlafe. –]
Hymen, o Hymenaios, [o jauchze] dieser Vermählung! *Bin*

   Heil dir, o Braut! Heil dir, Eidam des erhabenen [Schwähers!]
Leto verleih', [o] Leto, die Pflegerin, [edle Geburt] euch;
Kypris, die göttliche Kypris, euch gleich zu lieben einander;
Zeus dann, Zeus der [erhabne] Kronid', unvergänglichen Reichthum,
[Daß er von] edlem Geschlecht auf edles Geschlecht [sich] vererbe!
Schlaft, in das Herz [einander] euch Lieb' einathmend und [Sehnsucht!]
Schlaft! doch auch zu erwachen am Morgenschimmer vergeßt nicht!
Wir auch kommen zurück, wann der tagankündende Sänger
Wach aus der Ruh aufkräht, schönfiederig wölbend den Nacken.
Hymen, o Hymenäos, [erfreue] dich dieser Vermählung! *Vo²*

   [Freue] dich, Braut! O [freue] dich, Eidam des [herrlichen Schwähers!]
Leto verleih' euch, [ja] Leto, die Pflegerin, Segen der Kinder;
Kypris, die göttliche Kypris, [in Gleichheit] einander zu lieben,
Zeus [auch,] Zeus, [der dem Kronos entstammt',] unvergänglichen Reichthum,
[Daß er von Edelgebornen] auf [Edelgeborne] vererbe!
Schlafet, euch Lieb' in [die Brust einhauchend] und süßes Verlangen
[Beide!] Vergesset [jedoch] nicht, [aufzuwachen] am [Morgen!]
Wir auch [kehren] zurück [ganz früh, wenn] der [erste der] Sänger
[Lärmend vom Lager den Hals mit dem schönen Gefieder emporbläht.]
Hymen, o Hymenäos, [erfreue] dich dieser Vermählung! *Wi*

Heil dir, Braut! Heil dir, Eidam des [glücklichen Schwagers!]
Leto [aber, o] Leto, [die Kindernährerinn,] geb' [auch
Schöne Geburt, und] Kypris, die göttliche Kypris, einander
Gleich euch zu lieben, [und] Zeus, der Kronid' Zeus [dauernden Wohlstand,
Daß er von] edlem Geschlecht auf edles Geschlecht [sich erstrecke!]
Schlaft [und athmet] in's Herz [einander] euch Lieb' und Verlangen,
[Aber] vergeßt auch nicht [beim Morgenroth] zu erwachen!
Auch wir [kehren] zurück, [wenn es tagt und wenn frühe] der Sänger
[Von dem Lager her kräht,] schönfiedrig den Nacken [erhebend.]
Hymen, o Hymenäos, [erfreue] dich dieser Vermählung! *Na*

XI. HERAKLES ALS KIND

Benutzte Textvorlagen: Bin, Vo², Wi, Na

BEARBEITUNGSANALYSE

Überschrift: [Der kleine] Herakles *Vo² Na* [Der junge] Herakles *Wi*

1–5: Ihren Herakles legt' Alkmene, [die Frau von] Midea,
Ihr zehnmonatlich Kind, mit Iphikles, [der] jünger um e i n e
Nacht nur [war, als sie] beide gesättigt mit Milch und gebadet,
Einst auf den ehernen Schild, die herrliche Waffe, die ehmals,
Da Pterelaos fiel, dem Amphitryon wurde zur Beute. *Bin*
Ihr [zehnmondliches] Kind, [den] Herakles, [nahm in die Arm'] einst
Midea's Fürstin Alkmen', [und den jüngeren Bruder] Ifikles,
Jünger um Eine Nacht, [und wusch und säugete] beide,
Legte [die satten sodann] auf den ehernen Schild Pterelaos,
[Den] Amfitryon [raubte, des] Fallenden herliche [Rüstung.] *Vo²*
[Niederlegte] Alkmene [von] Midea einst [den] Herakles,
[Alt zehn Monate jetzt, und zugleich den] Iphikles, um eine
Nacht nur jünger, [nachdem sie sie] beide gebadet, [und reichlich
Beide genähret] mit Milch, [in] den ehernen Schild, Pterelaos
Herrliche Waffe, die [von dem] Gefallnen Amphitryon raubte; *Wi*
[Den zehnmondlichen Knaben] Herakles legte Alkmene,
[Die Mideaterinn, sammt dem] Iphikles, [der] jünger um eine
Nacht, [da sie] beide [gewaschen und satt] mit Milch [dann gesäuget,
Dort hinein in] den Schild, [den] ehernen, [des] Pterelaos,
[Welchen] Amphitryon [nahm, des] Gefallenen [köstliches Rüstzeug.] *Na*

6–10: [Sanft berührend] das Haupt der Knaben flüstert die Mutter:

»Schlaft, [ihr Kinder,] o schlaft [den] süßen, den [leichtesten] Schlummer!

Schlaft, Herzlieben, ihr Brüder, ihr [wohlverwahreten] Kinder!

Schlummert in [Frieden] nun ein und [seht] in [Frieden den Morgen!]«

Also die Mutter] und wiegte den Schild; [da schliefen die Kleinen.] *Bin*

Leise das Haupt anrührend den [Kindelein, sagte] die Mutter:

Schlaft mir, Kinderchen, süß, o schlaft den erquickenden Schlummer

[Trauteste,] schlaft, [o Seelchen,] ihr [Zwillinge, keck und voll Lebens!

Liegt] in [seliger] Ruh, und erreicht in Ruhe das Frühlicht!

Sprachs, und wiegte den Schild, den gewaltigen; und sie entschliefen. *Vo²*

|Und] anrührend das Haupt [der Erzeugten, begann so] die Mutter:

Schlafet, [ihr Liebchen, in] süßem, [Erwachung gewährendem] Schlum-

mer!

Schlafet, ihr [Herzchen,] ihr [Zwilling', als wohlbehaltene] Kinder!

[Ruhet] im [Frieden!] im [Frieden gelanget zum grauenden Morgen!]

Sprachs, und wiegte den Schild, den gewaltigen; [Schlummer beschlich

sie.] *Wi*

[Dann den Kindern berührend] das Haupt, [sprach also] die Mutter:

Kinderchen [mein,] süß [ruhet im Schlaf und erwachet gestärkt mir,]

Schlaft, ihr [Herzchen, sanft,] ihr [Zwillinge, muntere Kindlein!

Ruhet ihr selig und selig gelangt zum dämmernden Morgen!]

Sprach's und wiegte den [mächtigen] Schild, und [Schlummer ergriff

sie.] *Na*

11–16: Aber [als] sich [der Bär um Mitternacht] gegen Orion

Neigt', [und Orion selbst] die [große] Schulter nur sehn ließ,

Siehe da wälzten auf Hera's Geheiß, der listigen Göttinn,

Zwei erschreckliche Drachen, in blaulichten Kreisen sich windend,

Gegen die Schwelle sich [hin] und die hohlen Pfosten [der Hausthür;]

Ungeheuer: sie sollten den kleinen Herakles erwürgen. *Bin*

[Doch] wenn [im Mittel] der Nacht sich westwärts [drehet] die Bärin,

Gegen Orion hin, der die mächtige Schulter [emporhebt,]

Siehe da [trieb] zwei [Gräuel die trugaussinnende] Hera,

[Furchtbar starrende] Drachen in [dunkelblauem Geringel,]

Her [zu] der [breiten] Schwelle, [wo] hohl die Pfosten des Eingangs

[Waren am Saal, androhend, zu fressen das Kind,] den Herakles. *Vo²*

Aber [um Mitternacht,] wenn die Bärin sich [wendet zum Abend]

Gegen Orion, [und dieser] die mächtige Schulter [emporhält,

Sandte] die listige Hera [mit fürchterlich drohenden Worten]

Zwei [der entsetzlichen] Drachen, [die starrten] in bläulichen [Ringeln,

Hin zu] der Schwelle, [der breiten, wo ragten die Pfeiler des Thores]
Hohl [an dem Königspalast, zu verschlingen] den [Säugling] Herakles. *Wi*
Wann [um die] Mitte der Nacht [nach Abend] die Bärinn sich [wendet
Nach dem] Orion hin, der [dann zeigt] die mächtige Schulter:
Da [trieb] zwei [Ungeheuer die] Here, die [immer auf List denkt,
Drachengezücht, groß starrend, daher, mit dunkelm Geringel,
Zu] der [breiten] Schwelle, [wo] hohle Pfosten [der Thüre
Waren im Hause, bedräuend, zu fressen das Kind] Herakles. *Na*

17–22: Beide [wälzten sie nun die] Blutgeschwollenen Bäuche,
[Windend am Boden, daher; ein verzehrendes] Feuer entblitzte,
Wie sie kamen, den Augen, sie spieen [den giftigsten Geifer.
Aber] als sie mit züngelndem [Rachen] den Knaben [sich] nahten,
[Da erwachten alsbald] Alkmene's [liebliche] Kinder,
[(Waltend schützte sie] Zeus) und [Licht] durchstrahlte die Wohnung. *Bin*
Beide, sich lang ausrollend mit [blutverschlingenden] Bäuchen,
Schlängelten über [die Erd';] und [entsezliche Glut aus] den Augen
[Blizte den] kommenden [vor, und] sie spien scheuseliges Gift aus.
Als sie den Knaben nunmehr mit züngelndem Maule genahet;
Plözlich, geweckt durch Zeus den allwissenden, [wachten] Alkmene's
[Trauteste] Kinder [vom Schlaf;] und Glanz durchstralte die Wohnung. *Vo²*
[Siehe, sie wälzten am Boden, ins Weite gerollet, die] beiden
[Blutgenähreten] Bäuch'; [ein verderbliches] Feuer entblitzte
[Ihren, der] Kommenden, Augen; sie spien [todbringendes] Gift aus.
Als sie mit [zuckenden Zungen zur Nähe] der Knaben [gelangten;
Traun da erwachten, dieweil] Zeus [alles so fügte,] die [lieben]
Kinder Alkmene's, und [durch den Palast hin schimmerte Lichtglanz.] *Wi*
[Sie jedoch rollten] beide mit [blutverschlingenden] Bäuchen
[An der Erde] sich [windend dahin,] und [es zückte ein Strahl graß
Aus] den Augen [den] kommenden [vor, die schreckliches] Gift spien.
Wie sie [nun aber] den Knaben genaht mit [leckendem] Maule,
[Sieh', da erwachten sofort (denn es wußte Kronion von allem)
Sie,] die [theueren] Kinder Alkmenens und [Licht ward im Hause.] *Na*

23–29: [Kaum erblickt'] auf [der Höhlung] des Schildes Iphikles [die grausen
Drachen] und [sah das Gefletsche] der Zähne, [so] schrie [er vor Schrecken,
Strampfte zurück] mit [den Füßen] die [weiche Decke des Schildes,
Strebend nach Flucht;] doch [sein Bruder] Herakles [stämmte] die Hände
[Ihnen entgegen,] und zwang in [feste Bande] sie [beide;
Mächtig hielt er] die Gurgel gedrückt, wo die schrecklichen Schlangen
Tragen ihr tödtendes Gift, das [auch von] Göttern [gehaßt wird.] *Bin*

171

Aber Ifikles schrie, [da] die gräßlichen Thier' er geschauet,
Auf dem gehöhleten Schild', und die graunvoll nahenden Zähne,
Schrie, und zurück mit den Fersen die wollige Decke sich stampfend,
Zappelt' er, als zu entfliehn. Doch es strebt' entgegen Herakles,
Faßte [sie beid'] in die Händ', und zwang sie in engender Fessel,
Hart an der Gurgel gedrückt, wo [die Kraft des] schrecklichen Giftes
[Wohnt unseligen] Schlangen, [ein Abscheu] selber den Göttern. *Vo²*
Aber Iphikles [sogleich,] wie er schaute die [häßlichen] Thiere
Auf den gehöhleten Schild', und die [gierigen] Zähne [bemerkte,]
Schrie, und [stampfte hinweg] mit [den Füßen] die wollige Decke,
[Strebend] zu [fliehen. Jedoch mit] den Händen [ergriff der] Herakles
[Gegenüber sie beid',] und zwang sie [mit drückender] Fessel,
Hart an [dem Schlunde gepackt,] wo schreckliches Gift [sich erzeuget
In] den [verderblichen] Schlangen, das selber die Götter [auch hassen.] *Wi*
[Doch der schrie flugs auf,] wie die [schrecklichen] Thier' er [erkannte
Über der Wölbung] des Schilds [mit] den [trotzigen] Zähnen, Iphikles,
Und [er stieß] mit [den Füßen zurück] die [krausige] Decke,
[Strebend] zu [fliehn.] Doch Herakles [mit beiden] Händen [entgegen]
Faßte [sie fest] und engte sie [ein] in [drückende] Fessel,
An der Gurgel [gepackt, allwo das traurige] Gift [ist,
Bei] den [verderblichen] Schlangen, [die] selbst die Götter [verabscheun.] *Na*

30–34: [Aber die Drachen umschlangen] in [Kreisen aufs neue] den Säugling,
Welchen mit Schmerzen die Mutter gebar, der nie nach ihr weinte;
Doch sie ließen ihn bald, [die Schuppen des Rückens] erschlafften,
[Wie sie vergebens der zwingenden Hand] zu entschlüpfen [versuchten.

Schlummernd] vernahm Alkmene [das Schrein,] und erwachte die erste: *Bin*
Beide sie [wanden nunmehr die] gewaltigen [Kreis' um das Knäblein
Später Geburt,] den Säugling, der nie [zur Wärterin] weinte.
Doch bald [lösten] sie [wieder,] erschlaft um die Wirbel des Rückgrats,
Und arbeiteten nur, der zwängenden Faust zu entschlüpfen.

[Jezo] vernahm Alkmene [den Ruf, und wachte zuerst auf:] *Vo²*
[Drauf nun wälzten] in [Kreisen sich] beid' [um den spätergebornen
Knaben,] den Säugling, der nie [sonst neben der Pflegerin] weinte,
[Wanden auch wieder sich ab, wenn schmerzten] die Wirbel des Rückgrats,
[Ringend, Erlösung zu finden von hartbedrängender Fessel.]

Aber Alkmene vernahm das Geschrei, und erwachte [zuvörderst:] *Wi*
[Und] sie [rollten sich] beide in [Kreisen umher um den Knaben,
Ihn, den später] gebornen, der nie [bei der Wärterinn] weinte.
[Aber] sie [lösten sich] bald [kraftlos an] den Wirbeln des Rückgrats

Und [bestrebten sich] nur [die zwingende Fessel zu lösen.]

Aber [es hörte] Alkmene [den Schrei] und [sie wachte zuerst auf:] *Na*

35–40: »Auf, Amphitryon, [auf!] mich hält [die zögernde Furcht hier:

Auf, und] binde nicht erst die Sohlen dir unter die Füße!

Hörst du nicht [das bange Geschrei] des jüngsten [der Kleinen?]

Siehst du nicht, wie tief in der Nacht die Wände des Hauses

Alle [strahlen, und doch die leuchtende Frühe] noch [fern ist?

Hier ist's sicher] im Haus', [ist's sicher nicht richtig,] Geliebter!« *Bin*

[Geh,] Amfitryon, geh! mich hält der betäubende Schrecken!

Geh doch, [ohne] den Füßen [Sandalien unterzubinden!]

Hörst du die [Kinderchen] nicht, wie laut der jüngere schreiet?

[Schauest] du nicht, wie [umher] in der Nacht [Ruhstunden] die Wände

Hell sind alle von Glanz, eh noch Frühröthe sie anstralt?

[Traun, mir] im Hause geschieht was besonderes, [traun, du] Geliebter!

Vo²

[Stehe,] Amphitryon, [auf! denn] mich [fesselt der lähmende] Schrecken!

[Auf! und] binde nicht erst [um] die Füße die [schirmenden] Sohlen!

Hörst du [das Jammergeschrei] denn nicht [von] dem jüngeren [Sohne?

Merkest] du nicht, [daß hier] in [den mitternächtlichen Stunden]

Alle die Wände [sich spiegeln, auch ohne das heitere Frühlicht?

Seltsames ist mir] im Haus', [ach, seltsames, bester der Männer!] *Wi*

[Stehe,] Amphitryon, [auf!] Mich [befängt ein dumpfes Entsetzen!

Steh' auf!] Binde dir nicht die [Sandalien] erst [an] die Füße!

Hörst du nicht, wie laut er schreit, der jüngere Knabe?

Siehst du nicht, wie [hier bei unzeitiger] Nacht [in Erleuchtung]

Alle die Wände [erglänzen, auch ohne die heitere Eos?]

In dem Haus' [ist gewiß, o trautester Mann, etwas Neues!] *Na*

41–46: Also sprach sie, [er stieg aus dem Bett, der Gattinn] gehorchend,

Faßte sogleich empor nach dem künstlichen Schwerte, das immer

Über dem [Bettgestell vom] cedernen Nagel [herabhing.]

Mit der [Rechten] ergriff er das neugewirkte Gehenk [itzt,]

Hob [mit der Linken] die [mächtige] Scheide, [die Arbeit] von Lotos.

Aber [das weite Gemach ward] wieder mit Dunkel [erfüllet.] *Bin*

Also [jen'; und] dem Lager entsprang ihr Gatte gehorchend.

[Auf dann grif er zum] Schwerte, dem künstlichen, [welches beständig]

Über dem Lagergestell am cedernen Nagel ihm dahing.

[Siehe da streckt' er die Hand zum] neugewirkten Gehenk [aus,]

Und in der anderen hob er die Scheid', [aus geglättetem] Lotos.

[Doch] die [umfassende] Hall' [erfüllte] sich wieder mit Dunkel. *Vo²*

173

Also [begann] sie; [da stieg er, der Gattin] gehorchend, [vom] Lager,
[Schnell zu] dem künstlichen Schwerdt [hineilend,] das über dem [Bette]
Immer am Nagel ihm [hieng, der von Cedernholze geschnitzt war.
Rasch dann streckt' er die Hand nach] dem neugewirkten Gehenk' [aus;]
Hob [mit] der andern die Scheid' [auch, das große Gebilde] von Lotos.
Aber [das weite Gemach ward] wieder [erfüllet] mit Dunkel. *Wi*

    Sprach['s; da entstieg, willfährig der Gattinn, jener] dem Lager;
[Flugs griff er] nach dem Schwerdt, [dem] künstlichen, [welches] ihm [oben]
Über dem [Lager beständig] am cedernen Nagel [herabhing;
Dann auch griff er sofort nach dem neugefertigten Schwertgurt,]
Hob [mit] der anderen [Hand] die [mächtige] Scheide von Lotos –
|Siehe, da] füllte sich wieder die räumige Halle mit Dunkel! *Na*

47–52: Und nun rief er die Knechte, die [lagen und schnarchten den] Schlaf [aus:]
»Auf, ihr [Sklaven,] und bringt, [so hurtig] ihr könnet, mir Feuer!
[Nehmt es] vom Herd' und stoßt von der [Thür] die mächtigen Riegel!
Auf, ihr [Knechte, vom Bett, ihr Arbeitgewöhnten!«] Er [rief es,]
Und es erschienen alsbald mit [brennenden Leuchten] die Knechte,
Wirres Gedräng' erfüllte [das Haus,] wie jeglicher eilte. *Bin*

    Und nun rief er den Knechten, die schwer [aushauchten den Schlummer:]
Bringt mir [Flamm' in der Eile, dem] Heerd' [entraffend, zur Leuchtung,
Dienende! dränget zurück] die [sperrenden] Riegel der Pforte!
Auf, ihr wackeren [Diener,] erhebet euch! – Also gebot er.

    [Rasch nun kamen] die Knechte mit flammenden Bränden [zur Leuchtung
Alle hervor,] und es [wühlte] der Saal [von dem hastigen Zulauf.] *Vo²*
[Drauf] nun rief er den Knechten, die [schnarchten im lastenden] Schlafe:
Bringet mir Feuer [in Eil', es entraffend dem lodernden] Heerde,
[Trauteste Knecht',] und [sprengt] die [gediegenen] Riegel [der Thüren!
Stehet, o duldsame Knechte, doch auf! So lärmte der König.

    Siehe, da kamen sogleich] mit [den] flammenden [Kerzen] die Knechte;
[Angefüllet auch ward das Gemach, weil] jeglicher eilte. *Wi*
[Laut jetzt] rief er den Knechten, die schwer [den] Schlaf [aushauchten:
Nehmt in Eile sofort] vom Heerde mir Feuer und bringt es,
[Knechte,] und [stoßet zurück] die [kräftigen] Riegel [am Thore.
Steht doch auf,] ihr [Knechte, der Arbeit gewohnte! – So rief] er.

    [Flugs nun waren sie da,] die Knechte, mit [brennenden Leuchten,
Sämmtlich und] jeglicher [eilte herbei, daß die Halle sich füllte.] *Na*

53–58: Aber [als] sie [nun itzt] den kleinen Herakles erblickten,
Wie er die [Thiere] so fest [mit] den [zarten] Händen [gewürgt] hielt,
[Schrieen] sie alle [vor Schreck;] doch [jener reichte] dem Vater

Seine Schlangen nun hin, und [sprang] vor kindischer Freude
Hoch empor; [dann] streckt' [er] die scheußlichen Drachen, in tiefem
Todesschlummer versenkt, Amphitryon lachend zu Füßen. *Bin*
Aber [sobald] sie [gesehn] den [milchernährten] Herakles,
Wie er die zwei Unthiere so fest in den [Händchen] gedrückt hielt;
[Jauchzten] sie [heftig bestürzt.] Doch dem Vater [Amfitryon jezo]
Zeigt' [er die Ungeheuer,] und hoch vor kindischer Freude
Hüpft' er empor, und lachend [hinab vor die] Füße [des Vaters
Warf er, vom Tode betäubt, die entsezlichen Riesenschlangen.] *Vo²*
[Als] den Herakles sie [sahn, den Mutterbrüste noch nährten,]
Wie [mit] den [kindlichen] Händen [die Drachen er beide] so [festhielt;
Schrien] sie [erschrocken:] doch [er, zu] dem Vater [Amphitryon reichend
Beide die Kriechenden,] hüpft' [in die Höhe, sich freuend der Jugend;]
Und [vor die] Füße [des Vaters dann legt' er mit lächelndem Munde,
Eingeschläfert zum Tode, die schrecklichen Ungeheuer.] *Wi*
Aber, [so wie] sie [erschaut das noch säugende Kind] Herakles,
Wie er die zween Unthier' in den [zärtlichen] Händen so fest hielt:
[Schlugen] sie [jauchzend zusammen die Händ'. Er] zeigete [aber
Ihm, dem Amphitryon, froh die] Schlangen und hüpfte vor Freude,
[Kindlich] empor und [legte mit Lachen dahin vor die] Füße
[Seinem Vater, betäubt vom Tode, die grassen Gethüme.] *Na*

59–62: Aber es legt' Alkmene [darauf sogleich] an den Busen
Ihren von [ängstlicher Furcht] schon halbentseelten Iphikles.
Über den anderen [warf] die [wollene] Decke der Vater,
Ging dann wieder zu Bett und gedacht' aufs neue des Schlummers. *Bin*
[Mütterlich] legte sofort an den [stillenden] Busen Alkmene
Ihren von Angst [erschöpften und ungestümen] Ifikles.
[Aber] den anderen legt' [Amfitryon unter des Lammes]
Wollige Deck'; [und] zum [Lager gewandt nun, dacht' er der Ruhe.] *Vo²*
[Drauf von dem Boden erhub] an den [stillenden Busen Alkmene
Ihren [vor lechzender Furcht ganz unmuthsvollen] Iphikles.
[Aber Amphitryon hüllt' in die Lammvließdecke] den andern
[Sohn, und dachte, genaht] zu [dem Lager, von] neuem [der Ruhe.] *Wi*
[Alsobald nun nahm] an [ihren] Busen Alkmene
Ihr vom [Schreck erblaßtes und furchtsames Kind] Iphikles;
[Aber Amphitryon] legte den anderen [unter des Lammes]
Decke, und, [wiedergekehrt] zum [Lager,] gedacht' er der Ruhe.] *Na*

63–66:   Als zum dritten der Hahn [die] dämmernde [Frühe nun kund that,
Hatt' Alkmene] den [Greis] Teiresias zu sich [beschieden,

Jenen wahrhaftigen⌉ Seher, ⌈erzählt'⌉ ihm das ⌈seltsame⌉ Wunder,
Und begehrte von ihm, wie ⌈es⌉ enden nun würde, zu wissen. *Bin*
    ⌈Dreimal⌉ krähten die Hähne ⌈die schon hellwerdende Dämmrung,⌉
Als den Teiresias schnell, den wahrheitredenden Seher,
Rufen ⌈hieß Alkmen',⌉ und das ⌈neuliche⌉ Wunder ⌈erzählte,⌉
Und von ihm ⌈den Bescheid, wo hinausgehn würde das Schicksal,
Forderte:⌉   *Vo²*
    ⌈Jezo⌉ zum ⌈drittenmal⌉ krähten die Hähne den ⌈äußersten⌉ Morgen:
⌈Da⌉ ließ rufen ⌈Alkmene⌉ den Seher, ⌈der alles nach Wahrheit
Sprach,⌉ Teiresias. ⌈Diesem erzählend den neulichen Vorfall,
Rief sie⌉ ihn ⌈auf, ihr zu deuten,⌉ wie ⌈nun⌉ das endigen würde: *Wi*
    ⌈Dreimal⌉ kräheten ⌈schon⌉ die Hähne ⌈das nahende Frühlicht,⌉
Als den Seher ⌈sofort,⌉ Teiresias, ⌈welcher da wahr spricht,⌉
Zu sich ⌈Alkmene beschied⌉ und ⌈erzählt'⌉ ihm ⌈das neue Begebniß.
Daß er ihr Ausspruch thäte, was einst vollende die Zukunft,
Bat sie:⌉   *Na*

67–71: »Scheue dich nicht; auch wenn mir die Götter ⌈was⌉ Böses bereiten,
Dennoch verheele mir's nicht: es vermögen die Menschen ja nimmer
Dem zu entgehn, was die Moire ⌈nun schon an der⌉ Spindel ⌈gesponnen.⌉
Doch, Euereus Sohn, was will ich den Weisen belehren?«
    ⌈So⌉ die Fürstinn ⌈zu ihm;⌉ und ⌈dieser erwiedert der Seher:⌉ *Bin*
    ⌈Nimmer,⌉ auch ⌈selbst⌉ wenn ⌈Trauriges ordnen⌉ die Götter
Mir ⌈aus Scheu⌉ es verhehlt! ⌈Wie ganz unmöglich⌉ die Menschen
Dem entgehn, was die Möre mit rollender Spindel beschleunigt,
⌈Soll⌉ ich, Euereus Sohn, ⌈dich kundigen dessen erinnern?⌉
    Also sagte die Fürstin; und drauf antwortete jener: *Vo²*
Wenn mir die Götter ⌈vielleicht aussinnen ein Jammerverhängniß,
O so verbirg⌉ mir es nicht ⌈aus Scheu! Denn daß nicht entrinnen
Können die Sterblichen⌉ dem, was ⌈am Rocken⌉ die Möre beschleunigt,
⌈Lehr'⌉ ich, Euereus Sohn, ⌈das dich, den verständigen Seher?⌉
    Also ⌈der Königin Wort',⌉ und jener ⌈erwiedert' ihr also:⌉ *Wi*
    ⌈Nimmer,⌉ auch wenn die Götter ⌈was Übles beschlossen,⌉
Scheue dich mir es ⌈zu künden! Denn, wie⌉ es ja nimmer ⌈vergönnt sei
Sterblichen,⌉ dem zu ⌈entfliehn,⌉ was ⌈die⌉ Spindel der Möre ⌈betreibe,
Seher,⌉ Eueres ⌈entsproßt, soll, Kundiger, dies⌉ ich ⌈dir lehren?⌉
    Also ⌈der Königinn Wort; doch er⌉ antwortete ⌈also:⌉ *Na*

72–76: »Muthig, Perseus Blut, du glücklichste unter den Müttern!
Ja bei dem lieblichen Licht, das lange mein Auge verlassen,
⌈Künftig trillet gewiß wol⌉ manche ⌈der Frauen Achaia's⌉

Zwischen den Knieen das [weiche] Gespinnst [mit] den Fingern, [und] singet
[Spät] Alkmene's [Ruhm;] dich wird [die Argeierinn ehren.] *Bin*
Mutig, o [Weib,] du [Heldengebährerin, Same des] Perseus!
[Traun] bei dem [freundlichen] Lichte, das längst [aus den] Augen [mir
                                                                       abschied!]
Manche Achaierin wird [ihr weiches] Gespinnst um die Kniee
[Einst in der Hand umdrehen] am Abende, singend Alkmene
[Namentlich; und mit Erstaunen verehren] dich Töchter von Argos. *Vo²*
[Muth,] o [des trefflichsten Sohnes Gebärerin, Sprosse vom] Perseus!
[Traun] bei dem [freundlichen] Licht, das längst [von den] Augen [mir
                                                                      hinschwand,]
Manche Achaierin wird um das Knie [her schmeidige Fäden]
Drehn [mit der Hand, dich,] Alkmene, [besingend] am [kommenden] Abend
[Namentlich einst, und den Frauen] von Argos [zur Heiligen wirst du!] *Wi*
Muthig, o [Weib,] du Mutter [der Trefflichsten, Same des] Perseus!
Ja, bei dem lieblichen Lichte, das [einst von den] Augen [mir abwich,
Viele achäische Frau'n,] wenn das zarte Gespinnst um die Kniee
[In der Hand] sie drehen am Abende, werden Alkmenen
Singen [und nennen im Lied, du Geehrte der Frauen] von Argos! *Na*
77–83: Solch ein Mann wird dieser dein Sohn, den sternigen Himmel
Wird er ersteigen dereinst, ein breitgebrüsteter Heros.
Keines der [reißenden Thier' und] keiner der [Menschen] besteht ihn:
Zwölf [mühselige Thaten erwerben ihm Wohnung im Himmel;]
Aber [das] Sterbliche alles verzehrt der Trachinische Holzstoß.
Eidam nennen ihn dann die Unsterblichen, welche, den Knaben
Jetzt zu würgen, hervor aus den Höhlen die Drachen gesendet. *Bin*
Solch ein Mann wird [jener zum sternumleuchteten] Himmel
[Steigen hinfort,] dein Sohn, [ein Held breittrotzendes Busens,
Welcher die Unthier' all' und andere] Männer [bezähmet.]
Zwölf [der Kampfarbeiten vollendet er, daß er in Zeus Burg]
Wohne, sein Sterbliches alles [geraft von] trachinischer [Flamme.]
Eidam [heißt er nunmehr] den Unsterblichen, welche [gereizet
Jenes Gewürm] aus den Höhlen, [um auszutilgen den Säugling.] *Vo²*
[Solcherlei] Mann wird [der zu dem sternebekränzeten] Himmel
[Aufwärts steigen,] dein Sohn, [als ein Held breitbrüstiger Fülle,
Welchem die Raubthier' all' und die anderen] Männer [erliegen,
Hat] er vollbracht zwölf [Kämpfe, dann] wohnt [er] bei [Zeus, nach dem
                                                                Schicksal;]
Alles sein Sterbliches [raubt ihm der Scheiterhaufen von Trachin.]

177

Eidam [auch wird] er genannt der Unsterblichen, welche [die Schlangen,
Hausend im Felsengeklüft', aufregten, dem Säugling zu schaden.] *Wi*
Solch ein Mann wird dieser dereinst [zum] sternigen Himmel,
Dein Sohn, [wandeln, der] Heros, [der breit am gewölbeten Busen,
Welcher die Unthier' alle und sämmtliche] Männer [bekämpfet!]
Zwölf Arbeiten vollbringt er und wohnet [sodann im Palaste
Zeus'; was] sterblich [an ihm, hat] alles [das Feuer von Trachis.]
Eidam [wird er heißen den Seligen, die] aus den Höhlen
[Diese Gethüm hertrieben, damit sie vertilgten das Kindlein.] *Na*

84–90: Kommen wird einst der Tag, [wo] der Wolf mit schneidenden Zähnen
Sieht im Lager das Junge des [Reh's,] und es [scheut zu verletzen.]
Aber, o Königinn, laß in der Asche dir Feuer bereit seyn,
Schaffet [auch] trockenes [Reis] vom [Strauch der Genisten und Hagdorn,]
Oder vom [Bromberbusch und den dürren wankenden Disteln.]
Du verbrenn' auf dem [wilden Gesträuch um die Mitternachtsstunde
Diese] Drachen, sie [wollten] den Sohn dir [um Mitternacht] morden. *Bin*
Einst wird kommen der Tag, da den [kindlichen] Hirsch in dem Lager
[Ohne Beleidigung schauet] der Wolf [scharfzahniges Rachens.]
Aber, o [Weib,] laß [Glut] dir [unter] der Asche bereit sein;
Schaft dann trockenes Holz von Aspalathos, oder von Stechdorn,
Brombeern, oder im Winde gewirbeltes Reisig der Waldbirn.
Dann verbrenne [sie] beid' auf wildernder [Scheiter] die Drachen,
Mitternachts, da [jene das Kind] dir zu morden getrachtet. *Vo²*
Einst wird kommen der Tag, [wo, schauend] im Lager [das Wildkalb,
Scharfgezähnete] Wölf' es [zu würgen nicht Neigung empfinden.
Auf denn,] o Königin! [Unter] der Asche [bereite] dir Feuer;
Schaffet [getrocknetes] Holz von [dem Kreuzdorn,] oder vom [Schleestrauch,]
Brombeern, oder [auch dürren, vom] Winde [gedreheten Birnbaum;
Und] auf den wildernden [Scheitern] verbrenne du beide die Drachen
Mitternachts, da sie selbst dir den Sohn zu [vertilgen gestrebt.] *Wi*
Einst wird [sein] der Tag, [wo das Hirschkalb dort auf dem] Lager
Der [scharfzahnige] Wolf [anschaun wird sonder Verletzung.]
Aber, o [Weib, halt' unter] der Asche dir Feuer [bereitet;
Holet] dann trockenes Holz vom Aspalathos, oder vom [Dornstrauch,]
Brombeer, oder [das stürmebewegte Reiß von] der Waldbirn;
[Und] die Drachen verbrenn' [im gespaltenen, stürmischen Brennholz
Um die Mitte der Nacht, wo] sie selbst [Mord drohten den Kindlein.] *Na*

91–96: Frühe sammle dann eine der [Mägde] die Asche des Feuers,
Trage sie [hin zu dem Fluß,] und [streu mit dem Wehen des Windes]

Alle von [Klippen des] Felsen sie [aus:] dann [kehre sie wieder,]
Ohne zu wenden den Blick. Mit [reinem] Schwefel durchräuchert
Erst das Haus, dann sprenget mit grünendem [Laube gekränztes]
Reines Wasser, mit Salze gemischt, nach der Weise der [Sühne:] *Bin*
Früh dann sammle die Asche [der Glut] ein [dienendes Mädchen,]
Trage sie über den Strom, und [schwinge] sie alle behutsam
Vom vorstarrenden Fels [aus der Grenz' hin,] gehe zurück dann,
[Ungewandt! Jezt räuchert] mit lauterem Schwefel [die Wohnung]
Erst; [und drauf,] nach der [Sitte, wann heiliges] Salz [ihr] gemischt [habt,]
Sprengt mit [dem Busch ringsher das umwundene] Wasser der Sühnung. *Vo²*
Früh dann sammle die Asche des Feuers der [Dienenden] eine,
Trage sie über den Strom, und werfe sie alle [mit Vorsicht,
Auf dem zerrissenen] Fels, [hin über die Grenzen,] und [kehre
Ungewendet zurück;] mit [geläutertem] Schwefel [auch sühnet
Erstlich] das Haus; [drauf] sprengt, nach der [Sitte,] mit Salze [vermischtes
Blinkendes] Wasser, [umkränzt] mit [dem] grünenden [Sprößling des
Baumes.] *Wi*
[Doch in dem Frühlicht] sammle der Sclavinnen eine die Asche,
Trage [gesammt] sie über den [Fluß] und [streue sodann] sie
[Über das schroffe Geklipp jenseit der Gränze] und [kehre,
Nicht sich] wendend, [zurück! Dann räuchert die Wohnung] mit [reinem]
Schwefel [zuerst,] dann mischet [das] Salz [so, wie es der Brauch heischt,]
Sprengt mit [dem laubigen Sproß in Fülle das lautere] Wasser, *Na*
97–100: Opfert [ein männliches Schwein dem erhabenen König des Himmels,]
Daß [er euch] über die Feind' [auf ewige Zeiten erhebe.«
Also der Seher,] und ging, [in den] elfenbeinernen [Wagen
Wieder zu steigen, obschon von der Last der Jahre gedrücket.] *Bin*
Zeus dann werd' ein Eber, dem hocherhabnen, geopfert;
Daß stets über die Feind' ihr hocherhaben [emporragt.]
Sprachs; und hinweg sich wendend vom elfenbeinenen Sessel
Ging Teiresias heim, achtlos schwerlastendes Alters. *Vo²*
Zeus dann, dem [überlegnen, geschlachtet zum Opfer den] Eber!
Daß ihr [selber] auch [seyd] stets [überlegen] den Feinden.
Sprachs, und [zurück drauf ziehend den] elfenbeinernen Sessel,
Gieng Teiresias, [schon von der Fülle der Jahre gebeuget.] *Wi*
[Und] dem [erhabenen] Zeus [bringt dar ein männliches Ferkel,]
Daß ihr über die Feinde [beständig erhaben hervorragt!]
Sprach's und [schob den] Sessel [von Elfenbein weg und nach Hause
Wandte] Teiresias sich, [ob belastet von manchem der Jahre.] *Na*

179

100: *danach*

[Doch den Herakles erzog wie ein junges Bäumchen im Garten
Seine Mutter, er hieß Amphitryons Sohn, des Argeiers.
Mancherlei Wissenschaft lehrte den Knaben der Sohn des Apollon,
Linos der Greis, der wachsamsorgende, treffliche Lehrer.
Aber den Bogen zu spannen, und sicher zu schnellen die Pfeile,
Lehrt' ihn Eurytos, reich an Väterererbten Gefilden.
Sänger zu seyn, und richtig die Finger der Laute von Buxbaum
Einzusetzen, das lehrt' ihn Eumolpos, der Philammonide.
Wie sich die Männer von Argos in hurtiger Wendung der Schenkel
Ringend werfen zu Boden, was irgend die Streiter im Faustkampf,
Furchtbar im Riemengeflecht, und was die zum Boden gesenkten
Pankratiasten erfanden, die Kunstvollendenden Kämpfe;
Solches lehrt' ihn wol alles Harpolykos, Hermes Erzeugter,
Aus Phanote, den keiner im Kampf der ringenden Stärke
Muthigen Herzens bestand, wer nur in der Fern' ihn erblickte;
Also lag ihm die Augenbraun' auf trotzigem Antlitz. –
Aber am Wagen die Rosse zu treiben, und dicht um die Ziele
Sicher zu biegen und stets zu bewahren die Nabe des Rades,
Lehrt' Amphitryon selber den Sohn aus zärtlicher Liebe.
Denn in Argos, dem Lande der Rosse, da trug er des schnellen
Laufes Preise sehr viele davon; die Wagen des Helden
Brachen ihm nie, obschon sie vor Alter die Riemen zerrissen.
Doch mit vorwärtsgeworfenem Speer nach dem Feinde zu zielen,
Hinter dem Schilde den Rücken geschüzt, die Hiebe des Schwertes
Aufzuhalten, zu ordnen die Schar, und zum Angriff des Feindes
Abzumessen die Reihen und wohl zu befehlen den Reitern,
Lehrt' ihn Kastor, der Rossebezähmer, ein Flüchtling von Argos
Kommend: das ganze Gebiet und das Rebengefilde besaß itzt
Tydeus, es gab ihm Adrastos das Roßumtummelte Argos.
Kastorn gleich im Kampf war keiner von allen Heroën,
Eh ihm das Alter die blühende Kraft der Jugend verzehrte.
    Also erzog die zärtliche Mutter den jungen Herakles.
Statt des Bettes war ihm dicht neben dem Lager des Vaters
Hingebreitet ein Löwenfell, ihm selber das liebste.
Mittags nährt' ihn gebratenes Fleisch, und ein Dorisches Brot im
Korbe, so groß wie es kaum der Gräber im Garten verzehrte;
Aber ein kaltes und sparsames Mahl nur aß er am Abend:
Nur ein schlechtes Gewand hing über die Mitte des Beins ihm.] *Bin*

[Aber Herakles erwuchs, wie im Garten ein Sproß, von der Mutter
Aufgenährt, und er hieß Amfitryons Sohn, des Argeiers.
Kunde der Schrift vertraute der greisende Linos dem Knaben,
Föbos Apollons Sohn, der schlaflos sorgende Heros;
Dann vom gespannten Geschoß wohlzielende Pfeile zu schnellen,
Eurytos, reich vom Vater an ausgebreiteten Feldern.
Drauf zum Sänger erschuf ihn, und bildet beid' ihm die Hände
Zur buxbäumenen Laute Filammons Sohn Eumolpos.
Doch wie mit fertigem Fuß raschhüftige Männer von Argos,
Schränkend die Bein', hinwerfen die Ringenden; und wie des Faustkampfs
Meister im Riemengeflecht, und wie andere, fallend zur Erde,
Faustschlag üben zugleich mit Wendungen künstliches Ringens:
Solches lernt' er gesamt von Harpalykos aus Panopea,
Hermes weidlichem Sohn, den niemand, ferne nur schauend,
Kühn zu bestehn sich vermaß im Heldenspiele des Wettkampfs:
Also droht' ihm gerunzelt die Brau' im düsteren Antliz.
Aber die Ross' am Geschirre beschleunigen, und um das Ziel her
Sicher die Fahrt umlenken, das Rad mit der Nabe bewahrend;
Solches lehrte dem Sohn Amfitryon freundliches Sinnes
Selbst: denn häufig und viel in der roßernährenden Argos
Nahm er aus hurtigen Kämpfen sich Kleinode; und ungebrochen
Blieb das Geschirr, das ihn trug, bis alt ihm die Riemen gemodert.
Aber den Speer vorstreckend, den Schild auf den Rücken geworfen,
Abzureichen den Mann, und den Hieb zu fassen des Schwertes,
Anzuordnen die Schaar, und wohl zu ermessen im Angrif
Feindlichen Hinterhalt, und dem reisigen Zeug zu gebieten:
That der Reisige Kastor ihm kund, ein Flüchtling aus Argos,
Als das Erbe gesamt und die Rebenpflanzungen Tydeus
Einnahm, welchem Adrastos verliehn die durchtrabete Argos.
Niemand war dem Kastor, so viel Halbgötter erwuchsen,
Gleich in der Schlacht, eh Alter die Jugendkraft ihm gelähmet.
    Also erzog den Herakles mit liebender Pflege die Mutter.
Stets war Lager dem Sohn, an des Vaters Seite, des Löwen
Hingebreitetes Fell, gar sehr willkommen ihm selber;
Mittagskost Bratfleisch, und im Korb' ein mächtiger Brotleib,
Dorischer Art, der leicht auch den Weinberggräber gesättigt;
Spät auf den Tag war spärlich ohn' einiges Feuer die Nachtkost;
Und kunstloses Gewand umhing ihm die Mitte des Beines.] Vo²
    [Aber Herakles gedieh, von der Mutter gepflegt, wie ein junges

181

Bäumchen im Garten, und hieß des Amphitryon Sohn, des Argeiers.
Kunde der Schriften ertheilte dem Knaben der alternde Linos,
Phöbos erhabener Sohn, der besorgte, der wachsame Kampfheld.
Ferner im Bogenspannen und Treffen mit zielenden Pfeilen
Übet' ihn Eurytos, reich durch die Väter an weiten Gefilden.
Aber zum Sänger erzog ihn, und bildet' ihm beide die Händ' aus
Auf der Gitarre von Buchs des Philammon Erzeugter, Eumolpos.
Alle die Ränke, durch die beinstellende Männer von Argos
Niederstürzen einander, und die faustkämpfende Helden,
Furchtbar im Riemengewind', und krachend zur Erde gesunkne
Kämpfer der Faust aussannen, als kunstbefördernde Ränke,
Sie auch lernt er gesamt, von Hermeias Erzeugtem gelehret,
Jenem Harpalykos aus Phanotea, den keiner, ihn fernher
Schauend, vermessenen Muths aushielt in dem Streite des Wettkampfs:
Also umdüsterte finster die Braune sein schreckliches Antliz.
Aber die Kunst, an dem Wagen hinauszutreiben die Rosse,
Und festlenkend ums Ziel, zu bewahren dem Rade die Büchse,
Lehrte den eigenen Sohn der Amphitryon, freundlich gesinnet,
Selbst: denn Kleinode viel in dem roßernährenden Argos
Trug er aus hurtigen Kämpfen davon; ihm zerbrachen die Sessel
Nie, auf welchen er fuhr, bis das Alter die Riemen zernagte.
Aber mit ragender Lanz', auf dem Rücken geschützt mit dem Schilde,
Anzugreifen den Mann, zu bestehen der Schwerdter Zerfleischung;
Reihen zu ordnen der Schlacht, und den Hinterhalt zu ermessen,
Gegen die Feind' anstürmend, auch Wagenkämpfer zu lenken,
Wußt' er, geübet durch Kastor, den Ritter, der flüchtig aus Argos
Kam, da das Erbe gesamt und das ausgebreitete Weinland
Tydeus nahm, von Adrastos beschenkt mit dem reisigen Argos.
Ähnlich auch war in den Schlachten dem Kastor kein anderer Halbgott,
Ehe das Alter zermalmt' ihm die rüstige Stärke der Jugend.
    Also erzog den Herakles mit zärtlicher Liebe die Mutter.
Stets an der Seite des Vaters, dem Sohne gebreitet zum Lager,
Starrte die Löwenhaut, recht herzlich erwünschet ihm selber.
Mittags aß er gebraten das Fleisch und im Korbe das große
Dorische Brodt, das wohl auch dem Gärtner zur Sättigung gnügte.
Aber als Spätkost nahm er nur weniges, ohne das Feuer.
Kunstlos hieng das Gewand auch ihm über der Mitte des Schienbeins.] Wi
    [Aber Herakles gedieh, dem Pflänzchen vergleichlich im Saatland,
Bei der Mutter und hieß des Argeiers Amphitryon Sprößling.

In der Schrift belehrte den Knaben der greisende Linos
Von dem Apollon gezeugt, der rastlos sorgende Heros;
Dann den Bogen zu spannen und wohl mit dem Pfeile zu treffen,
Eurytos, reich von den Ahnen schon her an weitem Gefilde.
Aber ihn machte zum Sänger und bildete beide die Hände
Zur buxbaumenen Zither Philammons Sohn Eumolpos.
Doch wie, mit den Schenkeln gewandt, die Männer von Argos
Nieder einander sich strecken zur Erd', was im schrecklichen Faustkampf
Riemenumwundene Kämpfer, und was hinfallend zur Erde
Andere mit kunstmäßiger List ausdachten im Ringen:
All dies lernte er vom trefflichen Sohne des Hermes,
Vom Panopeer Harpalykos, den, von fern nur erschauend,
Niemals einer bestand, mit Muth ankämpfend im Wettstreit:
Also kündigten Trotz die Brauen am finsteren Antlitz.
Aber die Rosse vom Wagen zu lenken, und dann um das Ziel her
Sicher zu beugen und wohl die Nabe des Rades zu wahren,
Lehrte mit gütigem Sinn Amphitryon seinem Erzeugten
Selbst: weil er gar manch Kleinod in hurtigen Kämpfen
In der reisigen Argos gewann; und nimmer zerbrach der
Wagen ihm, wo er fuhr, die Zeit nur lös'te das Riemzeug.
Dann mit gestrecketem Speer, mit dem Schild den Rücken bedeckend,
In dem Männergewühl die Hiebe der Schwerter zu wehren,
Auch die Reihen zu ordnen der Schlacht und der Feinde Geschwader
Beim Ankampf zu ermessen und Reisigenschwarm zu gebieten,
Lehrte der reisige Kastor ihm, der Flüchtling von Argos,
Als Tydeus das sämmtliche Erb' und mächtige Weinland
Einnahm, welcher empfing vom Adrastos die reisige Argos.
Kein Halbgott war aber dem tapferen Kastor vergleichbar,
War er im Kampf, eh' Alter die Kraft der Jugend noch tilgte.
    Also zog den Herakles herauf die liebende Mutter.
In des Vaters Näh' war dem Sohne ein Lager bereitet,
Fell der Löwen, ein ihm gar sehr willkommenes Lager;
Kost war gebratenes Fleisch und ein mächtiges Brot in dem Korbe
Dorischer Art, so gewiß den Gartengräber gesättigt;
Sonder Feuer ein spärliches Mahl am Abend genoß er,
Und einfaches Gewand umgab die Mitte der Beine.] Na

XII. HYLAS

Benutzte Textvorlagen: Bin, Vo², Wi, Na

BEARBEITUNGSANALYSE

1–4: Uns ward nimmer allein, wie wir wähneten, Eros geboren,
Nikias, wer von den Himmlischen auch den Knaben gezeugt hat:
Uns hat [nimmer] zuerst [das Reizende reizend gedünket,]
Uns, die sterblich [nur] sind, und [nicht wissen was] morgen [geschehn
wird;]   *Bin*
[Nicht] uns [einzigen nur,] wie wir wähneten, [brachte den] Eros,
Nikias, [irgend ein Gott,] weß [Sohn] auch der Knabe [hervorging;]
Nicht wir haben zuerst, was schön ist, schön auch geachtet,
Die wir Sterbliche sind, und kaum bis morgen voraussehn: *Vo²*
[Nicht für] uns [einzige nur,] wie wir wähneten, zeugte [den] Eros,
Nikias, [irgend ein Gott, dem früher das Knäblein entkeimte;]
Nicht [für] uns [scheinet] zuerst, was [reizend] ist, [reizend gebildet,]
Die wir [nur] Sterbliche sind, und [nicht] bis morgen [hinausschaun;] *Wi*
[Nicht] allein uns [nur,] wie wir [meineten,] zeugte [den] Eros,
Nikias, [je ein Gott, von] wem [das Kind nur entsproßt ist;]
Nicht hat uns zuerst, was schön ist, schön auch [geschienen,]
Die wir Sterbliche [wurden,] und [nicht, was] morgen, [vorhersehn;] *Na*

5–9: Sondern der Sohn Amphitryons selbst, mit dem Herzen [von Eisen,]
Welcher den wüthenden Löwen bestand, er liebte den Knaben,
[Liebte den reizenden Hylas, den ringelnde Locken umflogen.]
Alles lehrt' er ihn [früh,] wie Väter [es lehren] die Söhne,
Was ihn selber zum Helden gemacht, [und den Ruhm ihm erworben.] *Bin*
[Auch] Amfitryons Sohn, [der ehernherzige Streiter,]
Welcher den Löwen bestand, [den entsezlichen,] liebte den Knaben,
Hylas den anmutsvollen, mit schöngeringeltem Haupthaar.
Alles auch lehret' er ihm, wie dem Sohn ein liebender Vater,
Was er selber [gelernt, um gut zu werden] und ruhmvoll. *Vo²*
Sondern Amphitryons Sohn [auch, der Mann] mit dem ehernen Herzen,
Welcher den Löwen bestand, [den ergrimmeten] liebte den Knaben
Hylas [von holder Gestalt,] mit [dem lieblichen Lockengewinde;
Und] wie ein Vater den Sohn, [den] geliebten, [so] lehrt' er ihn alles,
Was er auch selber [erlernt', und gut und liedergerühmt ward.] *Wi*
Sondern [auch er, des] Amphitryons Sohn, mit ehernem Herzen,

184

Welcher den [Leuen, den wilden, bekämpft', der] liebte den Knaben
Hylas, den [liebreizvollen, der herrlich geflochtenes Haar trug.]
Alles auch lehrte er ihm, wie ein Vater dem [theuern] Sohn [lehrt,]
Was er [gelernt, und wie] so [brav und rühmlich er wurde.] *Na*
10–15: [Nimmer] wich er von ihm, nicht wenn [nun] der Mittag [herankam,]
Nicht wenn Eos mit weißem Gespann [zu Kronion emporfuhr
Nicht] wenn wieder ihr Nest die [zirpenden] Küchlein sich suchten,
[Und] auf rußiger Latte die Mutter [mit Flügeln umherschlug:]
Daß er sich [selber] nach [Wunsch] den Knaben [zu ziehen vermöchte,]
Dieser dereinst, [durch sein Muster geweckt,] ein [wahrhaftiger] Mann sei.

Bin

[Nie auch war er getrennt,] nicht wann aufstralte der Mittag,
[Noch] wann Eos mit weißem Gespann Zeus Himmel hinanfuhr,
Noch wann wieder [nach Ruhe] sich [umschaun] piepende Küchlein,
Während die Fittige [regt] auf russigem [Wiemen] die Mutter:
Daß ihm ganz nach dem Herzen [gefertiget würde der Zögling,
Und, unverwandt hinfurchend, zum redlichen] Manne [gediehe.] *Vo²*
[Nimmer auch] wich er von ihm, nicht wenn [sich erhebet] der Mittag,
[Oder] mit weißem Gespann [zu des] Zeus [Burg] Eos [hinaneilt,
Oder zur Lagerstätte hinaufsehn] piepende Küchlein,
Während die Fittige schwingt auf [der] rußigen [Stange] die Mutter:
Daß ihm nach [Herzenswunsch würd' ausgebildet] der Knabe,
[Und wohl ziehend mit ihm, aufblühte zum wackeren] Manne. *Wi*
Niemals [schied] er von ihm, nicht, wann der Mittag [sich anhub,]
Nicht, wann Eos mit weißem Gespann [zum Palaste des] Zeus [stieg,
Nicht,] wann [nach dem] Neste sich [umsahn] piepende Küchlein,
Während auf rußigen Latten die Fittige schwinget die Mutter;
Daß ihm ganz nach [Wunsche] der Knabe [gebildet heranwüchs',
Und im geraden Zuge zum wackeren] Manne [er würde.] *Na*
16–20: [Aber] als [nun] nach dem goldenen Vließ [die Wellen] Iason,
Aisons Erzeugter, [befuhr,] und die edelsten [Helden] ihm folgten,
[Ausgewählet] aus jeglicher Stadt, die Tapfersten alle:
Kam zu [der reichen] Stadt Iaolkos der Mühen erfahrne
Sohn Alkmenens auch [hin, der Heroinn vom Thale Mideas.] *Bin*
Als nach dem goldenen Vließe nunmehr aussteuert' Iason,
Äsons [Sohn,] und [jenem] die edelsten Jünglinge folgten,
All' aus jeglicher Stadt die [erlesensten, deren ein Nuz war;]
Kam auch der [Arbeitkühne] zur seligen Stadt Iaolkos,
Er der Alkmene Sohn, der mideatischen Heldin; *Vo²*

185

[Aber da nun ausfuhr] nach dem goldenen Vließe Iason,
Äsons Erzeugter, und ihm [sich gesellend] die Edelsten folgten,
[Sie] aus jeglicher Stadt die [erkornen, die Nutzen verhießen;]
Kam auch der [Thatenfreund] zur [gesegneten Burg] Iaolkos,
Er der Alkmene [Geschlecht,] der [von Midea stammenden] Heldin. *Wi*
   [Aber da nun zum] goldenen Vließ [fortschiffte] Iason,
[Äsons Sohn,] und [zugleich] die edelsten [Männer ihm] folgten,
Auserlesen aus jeglicher Stadt, [ein Heer, so was nutz war,]
Kam auch der [Mühsaldulder] zur [reichen] Stadt Iaolkos,
Er, Alkmenen [entsproßt,] der mideatischen Heldinn. *Na*

21–24: Hylas [stieg mit ihm] in die [festgezimmerte] Argo.
[Die ward nicht] vom [Gedränge der Kyaneen zerschellet,
Sondern sie flog durchhin und lief in den fluthenden] Phasis,
Wie [durch die Lüfte der] Aar, [seit der Zeit] standen die Felsen. *Bin*
Auch trat Hylas zugleich in die [ruderbänkige] Argo:
Welches Schif unberührt von der prallenden Klippen Gewalt blieb;
Stürmend durchflogs, hineilend zum tiefausströmenden Fasis,
Schnell wie ein Aar, das Gestrudel; und seitdem stand [das Geklipp fest.]
                                                    Vo²

Auch [stieg] Hylas [mit ihm] in die [wohlgebordete] Argo;
[Und nicht rührte das] Schiff [die zusammengeschleuderten Felsen;
Sondern es stürmte hindurch, und stieß in den strudelnden] Phasis,
Wie [in die Fluthen der] Aar; seitdem [nun] standen die [Klippen.] *Wi*
Hylas [stieg mit ihm] in die Argo [mit herrlichen Sitzen,
Die] die [kyanischen] Klippen, [die schlagenden, nimmer berühret,
Sondern sie fuhr schnell hin und lief in den strudelnden] Phasis,
[So] wie ein Aar, [die gewaltige Flut; da] stand [das Geklipp fest.] *Na*

25–31: Als nun das Siebengestirn am [Himmel] sich [zeigte, die letzten
Blumen der Au] das Lamm [beim Scheiden des] Frühlinges [nährten,
Da] gedachte der Fahrt die göttliche Blüthe der Helden.
Alle [setzten sich ein in] die [hohle] Argo, [und kamen
Zum] Hellespontos bald; drei Tage wehte der Südwind.
[An des] Propontis [Gestaden da hielten sie,] wo der Kianer
[Furchen breitet] der Stier, [in den Boden drückend] die Pflugschar. *Bin*
   [Wann der Plejaden Gestirn] sich [emporhebt,] und [in] den Angern
Weidet das [kindliche] Lamm, nach schon gewendetem Frühling;
Jezo gedachte der Fahrt [der] göttliche [Kern der Heroen.]
All' auf Bänke [gesezt in] die [hohlgebordete] Argo,
[Sahn] sie den Hellespontos, [vom Süd] drei Tage [geführet;]

186

Kamen sodann zur Propontis, und landeten, wo den Kianern
Breit das Gefild' auffurchen die Stier', abreibend die Pflugschar. *Vo²*
    [Wenn der Plejaden Gestirn] sich erhebt, und am Saume des Angers
Weidet das zärtliche Lamm, nach schon [abgewendetem] Frühling;
Jezo gedachte der Fahrt [auch] die göttliche Blüthe der Helden.
[Niedergelagert] auf Bänk' [in] die räumige Argo [erreichten
Jene] den Hellespontos [am dritten der] Tage [mit] Südwind,
[Stellten darauf in die Bucht der] Propontis [das Schiff,] wo Kianern
[Ziehn breitlaufende Furchen] die Stier', abreibend die Pflugschar. *Wi*
    [Wann das Plejadengestirn] nun [auftaucht] und [auf den Äckern]
Weidet das zärtliche Lamm, [wann] schon [der Lenz sich] gewendet,
[Allda] gedachte [die blühende Schaar der Heroen der Schiffarth,
Und sie, allgesammt in] die [höhlende] Argo [sich setzend,
Kamen zum] Hellespont; drei Tage schon [hauchte] der Südwind;
Kamen zum [Hafen] sodann [der] Propontis, [allwo] den Kianern
Breit [die Furchen] die Stiere, [den Pflug] abreibend, [dahinziehn.] *Na*
32–38: [Alle stiegen] ans [Land und gedachten selbander der Mahlzeit
Spät am Abend; es ward] Ein Lager [für viele bereitet:]
Denn zu den Polstern verhalf die [naheliegende] Wiese:
[Igelsknospen] schnitten [sie dort] und [Binsen die Fülle.]
Jetzt ging Hylas der blonde, das Wasser zum Mahle zu hohlen –
Für den Herakles selbst, und den muthigen Telamon, [welche
Stets] an [Einen] Tisch als [Kriegesgefährten sich setzten, –] *Bin*
    Dort an den Strand aussteigend, beschickten sie ämsig die Nachtkost,
Paar und Paar; auch häuften sich viel' Ein Lager gemeinsam.
Denn [ringsum war] die Wiese [gedrängt voll grünes Gepolsters,]
Wo man Butomosblätter sich schnitt, und wuchernden Galgant.
Hylas der blond' [auch] ging, [daß er] holete Wasser zur [Mahlzeit,]
Für den Herakles selbst und Telamon, [tapferes Mutes,
Die stets] beid' als [Freunde den] selbigen Tisch [sich bestellten.] *Vo²*
Dort an [das Ufer gestiegen, bestellten sie Abends] die Nachtkost,
[Paarweis'; und] Ein Lager auch [thürmten] sich viel' [an dem Boden:]
Denn [sehr föderlich lag] zu [dem Streubett' ihnen] die Wiese,
Wo [sie] sich [Butamos] schnitten, [den scharfen,] und [stämmigen] Galgant.
    Jetzt gieng Hylas, der blonde, das Wasser zum Mahle zu holen
Für den Herakles selbst und den Telamon, [der nicht zurückwich;
Denn] an [dem nämlichen] Tisch [stets aßen die] beiden Genossen. *Wi*
    Dort [nun] stiegen sie aus [zum Gestad', je zween] beschickten
[Nächtliche Kost, doch] viele [bereiteten all'] sich ein Lager,

Denn [es breitete dort die Aue] zum [Lager bequem sich.
Butomos] schnitten [sie] sich und [hochgesproßten Kypeiros.]
Hylas, der Blonde, [nun] ging, [um] Wasser zu holen zum Mahle,
Für den Herakles selber und Telamon, [tapferen Sinnes,
Welche] an [einem] Tisch [stets treue] Genossen [sich waren,] *Na*

39–45: Tragend den ehernen Krug. [Dem Suchenden both sich] ein Quell [dar,
Welcher dem] Abhang [entfloß. Mohnblumen wuchsen] in Menge
[Dort, und] grünende [Raut'] und dunkelfarbiges Schöllkraut,
[Blühender Eppich] auch, und [festumrankende Winden.
Aber mitten] im [Wasser begannen die] Nymphen den [Reigen,]
Nymphen sonder Ruh, gefürchtete Wesen dem Landmann:
Malis war's, Eunika, und [hold wie der Frühling] Nycheia. *Bin*
[Eilend mit] ehrnem [Geschirr,] erspähet' [er jezo die] Quelle
Am [abhängigen Ort;] und [umher wuchs viel des Gesprosses,]
Grünender Adiant, und [dunkellaubiges] Schöllkraut,
Auch [umkriechende Queck',] und [des Eppiches fröhliche Triebe.]
Doch in der Mitte des Borns [vollendeten] Nymfen den Chorreihn,
[Stets unruhige] Nymfen, [die Graungottheiten] des Landmanns,
Malis und, [samt] Eunika, die frühlingshafte Nycheia. *Vo²*
Tragend den ehernen [Eimer,] erspähet' [er bald auch die] Quelle,
An [abhängiger Stätt';] und [ringsher waren gewachsen
Dunkeles Schwalbenkraut, viel] Binsen und [grünendes Fraunhaar,
Lachender Eppich] und [weit in dem Sumpf fortwucherndes Feldgras.]
Doch in der Mitte [der Quelle bereiteten] Nymphen den [Reigen,]
Nymphen, [entfremdet dem Schlaf, Schreckgöttinen Ackerbebauern,]
Malis, Eunika [zugleich,] und [schön, wie der Frühling,] Nycheia. *Wi*
[Mit] dem ehernen Kruge, [und bald erschaut er die] Quelle
Am [abschüssigen Ort, wo] Binsen in Menge gesprosset,
Grünendes [Kraut] Adiant und dunkelfarbiges Schöllkraut,
[Blühender Eppich zugleich] und weithin wuchernde Quecken.
[Dort] in der Mitte des [Quells,] da [führeten] Nymphen den [Reigen,
Niemals rastende] Nymphen, [den Ackersleuten erschrecklich,
Sammt] Eunika, Malis und [frühlingsschön] die Nycheia. *Na*

46–51: Und schon [nahte der Jüngling den räumigen Krug] zu [dem Wasser,]
Eilig ihn niederzutauchen; da hingen sie all' ihm [im Arme.]
Allen [bestrickte die] zärtlichen [Herzen die Liebe des schönen]
Knaben [von Argos: sie zogen ihn jach] in das [schwärzliche] Wasser.
[Also stürzet wol jach] ein [röthlicher] Stern in des Meeres
[Wellen] vom Himmel [herab; dann ruft ein Schiffer [den Leuten:] *Bin*

[Jezo] neigte der [Jüngling] zur Flut den geräumigen [Krug] schon,
Niederzutauchen [bereit;] da [ergriffen] sie alle die Hand ihm:
Allen [zugleich entbrannte das] zärtliche [Herz in der Sehnsucht]
Nach dem argeiischen [Kind'; und] er glitt in das dunkele Wasser,
Jähes Falls: wie wenn funkelnd ein Stern abgleitet vom Himmel
Jähes Falls in das Meer, und ein [Schiffender] sagt zu [dem] andern: *Vo²*
[Drauf nun senkte] zum [Trank] den geräumigen Eimer der Knabe,
Eilig [zu schöpfen; doch fest] an die Hand ihm [hiengen sich] alle:
[Denn hoch pochten in] allen die zärtlichen [Herzen vor Liebe
Für] den argeiischen Knaben; er [stürzt'] in das dunkele Wasser
[Heftig hinunter,] wie wenn [sich] ein [röthlicher] Stern von [dem] Himmel
[Heftig] ins Meer [hinstürzt.] Zu [den] Schiffern [begann ein Genosse:]   *Wi*
Und schon [war] der Knabe [am Quell,] den [räumigen] Eimer
Niederzutauchen, [und, siehe,] da hingen sie all' an der Hand ihm,
[Denn es] ergriff die zärtliche Brust ein Liebesverlangen
Nach dem argeiischen Knaben, er glitt in die dunkelen [Fluten
Vorwärts,] wie ein [Gestirn] vom Himmel [mit] funkelndem [Glanz fällt
Vorwärts nieder zum] Meer, und es [spricht] ein Schiffer zum andern: *Na*

52–57: »Loser, ihr [Leute,] das Segel gemacht! [ein günstiger Wind weht!«]
Aber es saßen die Nymphen und hielten den weinenden Knaben
Auf dem Schooß, und sprachen ihm zu mit kosenden Worten.
Doch Amphitryons Sohn, voll [ängstlicher] Sorg' um den Liebling,
Ging, nach Art [der Maioter] den [zierlichgekrümmeten Bogen
Fassend, zugleich] mit der Keule, die stets in der Rechten ihm [drohte.]   *Bin*
Loser die Segel gemacht, ihr Ruderer; nah ist der Fahrwind!
[Freundlich] hielten [nunmehr die Quellnajaden den Jüngling]
Dort auf dem Schooß, und sprachen dem weinenden Worte [des Trostes.
Aber] Amfitryons Sohn, voll stürmischer Sorg' um den [Knaben,
Wandelte, wie ein Mäot,] mit dem wohlgekrümmeten Bogen,
Und mit der Keule bewehrt, die er stets in der Rechten gefaßt hielt.   *Vo²*
Loser die Segel gemacht, [o Jüngling'! Uns wehet] der Fahrwind!
[Doch] dort [wiegten] die Nymphen den weinenden Knaben [im] Schooße,
Sprachen [auch Trost] ihm zu mit [sich sanft einschmeichelnden] Worten.
[Aber] Amphitryons Sohn, [sehr ängstlich besorgt] um den [Knaben,]
Gieng, nach mäotischer Art, mit dem wohlgekrümmeten Bogen
Und mit der Keule bewehrt, die stets ihm die Rechte gefaßt hielt.   *Wi*
Macht, ihr [Jünglinge, leichter] die Segel, [da günstig der Wind] ist! –
Aber [im] Schooße [nun hatten] die Nymphen den [herrlichen] Knaben,
Und den weinenden [trösteten sie] mit [schmeichelnden] Worten.

Doch [der Amphitryonid', im Geist] um [den Knaben bekümmert,
Schweifete, wie ein] mäotischer [Mann,] mit [gekrümmetem] Bogen
Und der Keule, die er in der Rechten [beständig] gefaßt [hat.] *Na*

58–63: Dreimal rief er [den] Hylas [so laut es die] Kehle [vermochte,]
Dreimal hört' [es] der Knab', und es kam aus dem Wasser empor ein
Leises Stimmchen; so nah er auch war, so schien er entfernt doch.

Wie wenn höret von fern ein [schöngemähneter] Löwe
Einer Hindinn Geschrei, ein reißender Löw' im Gebirge,
[Wie er] vom Lager sich [reißt,] und [eilt] zur [willkommenen Mahlzeit,] *Bin*
Dreimal ruft' er Hylas mit tief aushallender Kehle;
Dreimal hört' ihn der Knab', und [kleinlaut tönte die Stimme
Her] aus [der Flut; und] so nah' er [dabei] war, schien er entfernet.

Wie wenn ein bärtiger Löwe von fern hertönen gehöret
Einer Hindin Geschrei, ein [zerreißender] Löw' im Gebirge,
Und von dem Lager in Hast zum bereiteten Schmause sich aufraft: *Vo²*
Dreimal [den] Hylas [berief er aus völliger Weite des Schlundes;]
Dreimal [auch Antwort gab] ihm der Knabe: [doch scholl] aus [der Quelle]
Leise [die Stimme herauf; und] so nah' er war, [dünkt'] er doch [ferne.]

Wie wenn ein bärtiger [Leu, das] Geschrei [in der Ferne vernehmend,
Welches vom Reh] hertönt, ein [zerreissender Leu] im Gebirge,
[Hastig] vom Lager sich [stürzt] zu [dem sicher] bereiteten [Mahle:] *Wi*
Dreimal rief er [dem] Hylas mit [tief austönender] Kehle;
Dreimal hört' [es] der Knab' und es [drang die schwächliche Stimme]
Aus dem [Borne] empor [und, ob] nah [gleich,] schien [es] entfernt doch.

[So,] wann ein [schönbärtiger Leu'] von ferne gehört [hat]
Einer Hindinn [Getön,] ein reißender, [wilder Gebirgsleu,]
Und vom Lager [sofort, des Mahles gewärtig, emporspringt:] *Na*

64–67: Also stürzte der Held durch wildverwachsene Dornen,
[Suchend] den Knaben, und [lief] in weiter Strecke [das Feld durch.]
Unglückselige [Liebe! Wie irrt'] er [mit Qual und Beschwerde]
Durch [das] Gebirg und [den] Wald! Ihn kümmert' Iason nicht weiter. *Bin*
Also [durchdrang Herakles die pfadlos wildernden] Dorne,
Sehnsuchtsvoll nach dem Knaben, und [stürzte sich] weit in die Gegend.
Unglückselig, wer liebt! Was [duldete jener doch] alles,
[Irrend] durch Wald und Gebirg'! [und] Iasons [Sache war nichts ihm.] *Vo²*
[So auch strebte] durch [nicht zu bewandelnde] Dornen [Herakles,
Schmachtend,] den Knaben [zu schaun,] und irrete weit in die Gegend.
[Hart ist] Liebender [Loos!] Was alles [erduldet'] er, schweifend
[Über] Gebirg' und Wald! [Und die letzte der Sorgen war] Jason. *Wi*

Also [Herakles auch;] durch [undurchgängliche] Dornen
Irrt' nach dem Knaben [er hin] und [streifte umher] in der Gegend.
[Unglück ist es, zu] lieben! Was [hat] er [irrend geduldet
In dem] Gebirg und Wald! [Nichts war ihm die Sache] Iasons. *Na*

68–75: [Aber es hing] die Rah' in dem wartenden Schiffe [vom Mastbaum,
Mitternachts säuberte noch die Jugend des Schiffes die Segel,
Auf Herakles harrend. – Der irrte, wohin] ihn [sein] Fuß [trug,
Rasend umher: ein grausamer] Gott [zerfleischte das] Herz ihm.

So ward [nun] der Seligen [einer] der [reizende] Hylas:
Aber Herakles, [den] schalten den Schiffentlaufnen die Helden,
Weil er die Argo verließ, die mit dreißig Rudern daherfuhr.
Kolchos erreicht' er zu Fuß, und den Strom des unwirthlichen Phasis. *Bin*

Hoch in dem wartenden Schif der Versammelten schwebte die Rah nun,
Und die Jünglinge fegten bis Mitternacht das Getäfel,
Stets den Herakles erwartend: doch wild, wie der Fuß ihn umhertrug,
[Schweift'] er in Wut; schwer hatte der Gott sein Herz ihm verwundet.
So wird Hylas der schöne gezählt zu den seligen Göttern.
[Ihn dort] schalten die Helden den [Schifverlasser] Herakles,
Weil er [geheim sich entzogen] der [dreißigbänkigen] Argo.
[Wandelnd kam er gen] Kolchis, und [zum] unwirtlichen Fasis. *Vo²*

[Dort] nun [weilte] das Schiff [mit] schwebender Rahe; [da wuschen,
Decken] bis Mitternacht der Versammelten Jünglinge, [wartend
Auf] den Herakles; [allein er enteilte, wohin] ihn die Füße
[Trugen,] in Wuth, [da das] Herz ihm [die grausame Göttin] verwundet.
So wird Hylas, der schöne, gezählt zu der Seligen [Schaaren.
Doch den] Herakles [verschrieen als Schiffverlasser] die Helden,
Weil er [sich weggewandt von] der [dreißigrudrigen] Argo.
[Aber] er [kam nach] Kolchis zu Fuß [zum] unwirthlichen Phasis. *Wi*

[Dort nun harrete sein] im [ragenden] Schiffe [die Mannschaft,]
Und [es reinigten spät] die Jünglinge [noch das Gebäue,
Wartend auf ihn; der aber] in Wuth, [wohin] ihn der Fuß [trug,
Schweifte er hin;] sein Herz [war] schwer [vom] Gotte verwundet.
So wird Hylas, der schönste, gezählt zu den seligen Göttern,
[Und die Heroen] schalten den [Schiffeverlasser] Herakles,
Weil [von dem Schiffe er ging, von] der [dreißigbänkigen] Argo.
[Wandelnd kam] er [nach] Kolchis und [zum ungastlichen] Phasis. *Na*

XIII. DER TODTE ADONIS

Benutzte Textvorlagen: Bin, Vo², Wi, Na

BEARBEITUNGSANALYSE

Überschrift: [Auf den Tod] des Adonis *Bin darunter das metrische Schema des katalektischen iambischen Dimeters Vo² Wi* [An] den todten Adonis *darunter das metrische Schema des katalektischen iambischen Dimeters Na*

1–10:

Als Kypris den Adonis
[Entseelt] nun liegen sahe,
Mit wildverworrnen [Haaren,]
Und [todtenbleichen] Wangen,
[Gebot] sie, [daß] den Eber
[Die Liebesgötter] brächten.
Sie liefen gleich geflügelt
Umher im ganzen Walde,
Und fanden den Verbrecher,
Und banden ihn mit Fesseln. *Bin*

Als Kypris den Adonis
Nun [schaute kalt und leblos,
Von Wust erfüllt sein Haupthaar,]
Und [abgebleicht die] Wange;
Zu bringen ihr den Eber,
Befahl sie den Eroten.
[Doch jene rasch] geflügelt
[Durchliefen rings die Waldung;
Bald ward gehascht das Unthier,]
Gebunden [und gefesselt.] *Vo²*

Als Kypris den Adonis
Nun todt vor sich [erblickte,]
Mit [staubbefleckten] Locken
Und [bleichgefärbten] Wangen;
Befahl sie den Eroten,
Den Eber ihr zu [holen.
Da eilten] sie geflügelt
[Schnell durch die] ganze [Waldung.
Sie] fanden den [Verhaßten,]
Und banden ihn mit Fesseln. *Wi*

[Wie] Kypris den Adonis
Nun [schaute, den gestorb'nen,]
Mit [schmutzerfülltem Haupthaar]
Und [todtenbleicher] Wange:
Den Eber ihr zu bringen,
Befahl sie den Eroten.
[Doch die beschwingten eiligst
Durchliefen] ganz [die Waldung,
Bis sie das Thier] gefunden,
Und banden [und umbanden.] *Na*

11–20:
Der eine zog am Seile
Gebunden den Gefangnen,
Der andre trieb von hinten,
Und schlug ihn mit dem Bogen.
Des Thieres Gang war traurig,
Es fürchtete Kytheren.
Zu ihm sprach [Aphrodite:]
»Du [schlimmstes aller] Thiere,
Du schlugst in diese Hüfte?
Du raubtest mir den Gatten?« *Bin*
Der eine zog am Seile
[Geknüpft den Kriegsgefangnen;]
Der andre [folgte] treibend,
Und schlug mit [Pfeil und] Bogen.
[Der Eber ging erblödet;
Denn Afrodite scheut' er.]
    Ihm [sagte] nun [Kythere:]
Du böses Thier, du Unthier!
[In jenen Schenkel hiebst du?]
Mir [schlugest] du den Gatten? *Vo²*
[Der mit dem Strick ihn schnürte,
Zog ihn] gefangen [nach sich;
Ein] andrer trieb [im Rücken,]
Und [peitschte] mit dem Bogen.
[Der Eber gieng verzaget:]
Er fürchtete Kythere.
    Ihm [sagte Aphrodita:]
Du [häßlichstes der] Thiere,
Du [hast verletzt die] Hüfte?

193

[Du meinen Mann geschlagen?] *Wi*
Der eine zog [gefesselt]
Am Seile den Gefang'nen,
Der andre trieb von hinten,
Und schlug mit [den Geschossen.
Mit Furcht schritt her der Eber,
Denn die] Kythere [scheut' er.]
  Zu ihm sprach [Aphrodite:]
Du, [schändlichstes der] Thiere,
Du [letztest jenen Schenkel?
Hast meinen Mann geschlagen?] *Na*

21–31:

[Drauf ihr das Thier erwiedert:]
»Ich schwöre dir, Kythere;
Bei dir, bei deinem Gatten,
Bei diesen meinen Fesseln,
Und hier bei diesen Jägern!
Ich wollte deinen schönen
[Gemahl ja] nicht verletzen.
[Ich sah ihn – und versteinte. –
Ich hielt den Brand der Liebe
Nicht aus, und] küßte [wüthend]
Des Jägers nackte Hüfte. *Bin*
  [Das Thier erwiedert' also:]
Ich schwöre dir, Kythere,
Bei dir [und] deinem Gatten,
[Und] hier bei meinen Fesseln,
Und dieser [Jagdgesellschaft!
Den jungen Mann, den] schönen,
[Gar] nicht [verwunden] wollt' ich.
Ihn [sah] ich für ein Bildnis;
[Und ganz von Glut bewältigt,
Wo] nackt [er trug den Schenkel,
Tobt'] ich hinan, zu küssen: *Vo²*
  [Drauf] sprach der [Keuler also:]
Ich schwöre dir, Kythere,
Bei dir [und dem Gemahle,
Und] diesen meinen Fesseln,
Und hier [auch] diesen Jägern!
Ich wollte [den Gemahl dir,

Den] schönen, nicht [verwunden.]
Ich [sah in] ihm [ein Bild nur;
Und meiner Gluth nicht mächtig,
Rast' ich mit wildem Feuer
Zum Kuß der] nackten Hüfte: *Wi*
  [Das Unthier] sprach dagegen:
Ich schwöre dir, Kythere,
Bei dir [und] bei [dem Manne,
Und] diesen meinen Fesseln,
Und hier bei diesen Jägern,
[Den Mann, den] schönen, wollt' ich
[Dir, wahrlich,] nicht [verwunden!]
Ich [hielt] ihn für ein Bildniß,
[Und, nicht die Hitz' ertragend,
Wollt' ich den] nackten [Schenkel,
Von Wuth entflammt, ihm] küssen, *Na*

32–39:
Da [schlug] mein [Zahn die Wunde. –]
Nimm [diese nun,] o Kypris,
[Und] reiß sie aus zur Strafe,
(Was [nutzen sie] mir [fürder?)]
Die buhlerischen Zähne,
[Und] wenn dir [dieß] nicht [gnüget,]
Auch [diese] meine [Lefzen.
Was wagt' ich's auch zu küssen?« –] *Bin*
Da [schadet'] ihm mein Hauer.
Hier nim sie [nun,] o Kypris!
[Hier strafe] sie, [entreiß sie!]
Was soll mir [doch der Auswuchs?]
Die buhlerischen Zähne!
Wenn das dir nicht genug ist,
Nim hier auch meine Lippen!
[Was wagten sie] den Kuß [auch?] *Vo²*
Da [schadet'] ihm mein [Hauzahn.
So] nimm sie denn, o Kypris,
[Und strafe] sie, [und schneide
(Wozu des Überflusses?)
Sie aus, die Buhlerzähne!
Doch] wenn dir das nicht [gnüget,]
Auch [diese] meine Lippen!

195

[Was wagten sies, zu küssen?] *Wi*
Da traf ihn [denn] mein Hauer.
[Auf! diese] nimm, o Kypris,
[Auf! diese straf', entreiße]
(Was [trag' ich sie unnöthig?)]
Die buhlerischen Zähne!
[Wann dies] dir nicht genug ist,
Auch [diese] meine Lippen;
[Was wagten sie zu küssen?] *Na*

40–46:
[Doch sein erbarmt sich Kypris,
Und] heißt die Liebesgötter
[Die Fesseln] ihm [zu] lösen.
Nun folgt' es [stets] der Göttinn,
Und ging zum Wald nicht [fürder,]
Und [bei dem Scheiterhaufen]
Verbrannt' es seine Liebe. *Bin*
    [Mitleidig sah ihn Kypris,
Und sagte den Eroten,]
Ihn [zu befrein der Fessel.
Stets] folgt' er nun der Göttin,
Und [kehrte nie] zur [Waldung.
Dem] Feuer selbst [genahet,]
Verbrannt' er seine [Sehnsucht.] *Vo²*
    [Doch seiner sich erbarmend,
Rief Kypris den Eroten,
Die Fesseln] ihm [zu] lösen.
[Von Stund an] folgt' er [ihr] nun,
Und [kehrte] nicht zum Walde.
[Dann hingenaht zum] Feuer,
Verbrannt' er seine [Gluthen.] *Wi*
    Das jammerte [die Kypris.]
Sie [sagte den Eroten,
Die Fesseln] ihm [zu] lösen.
[Seitdem] folgt' er [ihr treulich]
Und ging nicht [mehr] zum Walde.
[Zum] Feuer selbst [hingehend]
Verbrannt er seine Liebe. *Na*

ANMERKUNGEN

Die Quellenbenutzung beschränkt sich im allgemeinen darauf, aus den angegebenen Werken auszuwählen.

I

Benutzte Quellen: Bin, Na

HINWEISE ZUR QUELLENBENUTZUNG

138,3–6: Dieses [ganze] Gedicht ist dem Lobe [des] Hiero, Königs von Syrakus gewidmet. Die Grazien sind hier die personifizierten Reize der Dichtkunst. [Sie werden als dienstbare Geister vorgestellt, die der Dichter in die Häuser der Großen schickt, um ihm Geschenke zu ersingen.] *Bin* **138**,7: [Die] Töchter des Zeus [sind] die Musen. *Bin* **138**,8.9: [Sich selbst ist ein jeder der nächste.] Im Griechischen heißt das Sprichwort eigentlich: das Schienbein [ist] mir [weiter] als das Knie. *Bin* **138**,10–13: [Antiochus und Aleua waren reiche Könige. – Ihr] Reichthum wird [hier] durch die Menge ihrer [Sklaven] angedeutet. Die Skopader [waren eine sehr reiche und berühmte Thessalische Familie:] Skopas, [von dem sie den Namen führen,] war [aus der Thessalischen Stadt] Kranon [gebürtig und] ein Sohn [des] Kreon. *Bin* **138**,14: Der Greis ist Charon. *Bin* **138**,15–17 Simonides *bis* genommen] [Der Sänger] von Keos [ist der berühmte Dichter] Simonides, [der aus] der Insel [Keos] (Ceos, [Cea) gebürtig war. Er hatte Lobgesänge zu Ehren vieler Thessalier verfertigt,] die in den Wettspielen den Preis davon getragen hatten. *Bin* **138**,17.18 Die Pferde *bis* bekränzt] Die Pferde, mit denen man [in den Kampfspielen] gesiegt [hatte,] wurden bekränzt [und sonst noch auf andere Weise geehrt.] *Na* **138**,19–28: Diese [drei] Verse deuten auf die Iliade Homers, so wie die folgenden sieben auf die Odyssee. – Die Helden der Lykier sind vorzüglich Sarpedon, Glaukus und Pandarus. [Die Lykier waren] Bundesgenossen der Trojaner. – Kyknos (Cycnus) [war] ein Sohn [des] Neptun und von sehr zarter Schönheit. [Er] war im Heere der Trojaner und wurde vom Achilles erlegt. – [Die] Priamiden [sind] die Söhne des Trojanischen Königs Priamus, von denen [vorzüglich] Hektor und Paris berühmt [sind. –] Odysseus (Ulysses), [der bekannte Fürst der Insel Ithaka, dessen Reisen und Schicksale eben die Odyssee des Homer besingt. –] Der Kyklope ist der bekannte Polyphem. – Eumaios und Philoitios [spielen in der Odyssee eine nicht unbeträchtliche Rolle. Sie waren] dem Odysseus [behülflich sein von] den Freiern [seiner Gemahlinn] Penelope [besetztes Reich wieder zu bekommen. –] Laërtes [ist der] Vater des [Odysseus.] *Bin* **138**,29: Homer war [wahrscheinlich zu Smyrna in Ionien [gebürtig.] *Bin* **138**,30–34: *Keine Quelle nachgewiesen* **138**,35.36: [Der] Simoeis [war ein] Fluß [in der Gegend von] Troja. [Auf der Ebene an seinem Ufer fielen die Schlachten vor, welche Homer besungen hat. –] Ilos [war ein] Sohn des [Trojanischen] Königs Tros, [ein Bruder des Ganymedes. Er hat] Troja [erbaut, oder erweitert.] *Bin* Sohn des Tros und [der Kallirhoe, war der] Erbauer von Troja; sein Grabmal [nebst seiner Bildsäule] stand vor [Troja.] *Na* **139**,1.2: Die Karthaginienser [(Punier) hatten damals mit] den Syrakusern [Krieg. Sie] wohnten [diesen gegen Abend] in Afrika (Lybien). *Bin* **139**,3.4: [Kore] ist Proserpina, die mit ihrer Mutter Ceres auf Sicilien und besonders auch zu Syrakus vorzüglich verehrt wurde. – *Bin* **139**,5.6: Syrakus war eine Korinthische Kolonie [(s. Id. 15. V. 91)] und Korinth [hieß in] alten [Zeiten] Ephyra. – *Bin* Ephyra ist der alte Name von Korinth, [so genannt von der Tochter des Okeanos, Ephyra.] *Na* **139**,7: Lysimeleia [soll] ein [Sumpf in der Gegend von] Syrakus [gewesen seyn.] *Bin* Ein See [an der Mündung des Anapos] bei Syrakus. [Eine Kolonie der Korinthier aber hatte Syrakus gegründet . . .] *Na* **139**,8: Sardonisch [ist so viel als] Sardinisch. *Bin* **139**,9.10: [Den Fuß des langsamen Wanderers mit Eile beflügeln.] Der Wanderer eilt [entweder, um noch bei Tage an Ort und Stelle zu seyn,] da das Eintreiben [der Rinder] ihm von allen Seiten den Abend verkündigt, [oder vielleicht auch, um von der Menge] des Viehes [nicht umgelaufen und gestoßen zu werden.] *Bin* **139**,11.12: Das Skythische Meer [ist wahrscheinlich] das schwarze. *Bin* **139**,13.14 Die Assyrische *bis* erbauen] Semiramis [herrschte, wie bekannt, in] Babylon, [dessen] Mauern [sie] von gebrannten Steinen, [die] mit Asphalt, [(Erdpech) untereinander befestigt wurden, aufbauen] ließ. *Bin* [Eine Art] Erdharz, [Judenpech.] *Na* **139**,14.15 Sie waren *bis* konnten] *Keine Quelle nachgewiesen* **139**,16.17: *Keine Quelle nachgewiesen* **139**,18–23: Eteokles, [ein Orchomenischer] König [brachte] den Grazien [das erste Opfer, oder] stiftete [ihnen den ersten Tempel. Daher heißen sie seine Töchter: das ist hier so viel als, Freunde . . .] Den [Thebaiern] (Thebanern) war Orchomenos verhaßt, weil ein [Orchomenier Orgilos,] um den Tod seines Vaters zu rächen, [den] die Thebaner erschlagen [hatten,] Theben eroberte und [sich] zinsbar machte. Erst Herkules [machte] durch Besiegung der Orchomenier Theben von diesem Tribut [frei.] *Bin* [Sohn des Andreos und der Euippe, war] König in Böotien [und führte nach dem Berichte des Pausanias (BOEOT. 34 und 35) zuerst] den Dienst der [Chariten ein in] Orchomenos [(Orcomeno), einer Stadt in Böotien, welche von dem Sohne des Minyas, Orchomenos, ihren Namen erhielt und von den] Thebanern [einmal ganz zerstört wurde.] *Na*

Von Mörike nicht benutzte Erläuterungen der Quellen: v. 10, v. 30 Bin; v. 34, v. 36, v. 38 Na; v. 45 Bin; v. 48 Na; v. 62, v. 68 Bin; v. 85 Na; v. 101 Bin

II

Benutzte Quellen: **139**,25.26 Bin **139**,28.29 Bin Na **139**,30 Seine *bis* Thoosa *Bin* **139**,32
Bin **139**,35.36 *Bin* **139**,37 *Bin*

Keine Quelle nachgewiesen: **139**,33.34

Bemerkungen Mörikes: **139**,27; **139**,30.31 Hyakinthen *bis* Anm.

Von Mörike nicht benutzte Erläuterungen der Quellen: Einleitung Bin; *v. 7* Bin Na; *v.*
19 Na; v. 21, v. 31, v. 33, v. 41, v. 45 Bin; v. 51 Na; v. 61, v. 67, v. 79 Bin; v. 81 Bin Na

III

Benutzte Quellen: **139**,39 Bin **139**,40.41 *Bin* **140**,1–6 Bin Na **140**,9–12 Wenn *bis*
machen *Bin*

Keine Quelle nachgewiesen: **140**,7.8; **140**,12 Übrigens *bis* Stücks

Von Mörike nicht benutzte Erläuterungen der Quellen: v. 10, v. 12, v. 15, v. 20, v. 43,
v. 54 Bin; v. 55 Na

IV

Benutzte Quellen: **140**,15–18 *Bin* **140**,21.22 Bin Na **140**,23–26 *Bin* **140**,27–29 *Bin*
Na **140**,32–36 Bin **140**,37.38 Na **140**,39 *Bin*

Keine Quelle nachgewiesen: **140**,14; **140**,19.20; **140**,30.31

Von Mörike nicht benutzte Erläuterungen der Quellen: Einleitung Bin; *v. 5 Na; v. 17,*
v. 22 Bin; v. 30 Na; v. 38, v. 42, v. 49, v. 51 Bin

V

Benutzte Quellen: **141**,2–17 *Bin* **141**,20–33 *Bin* **141**,34 Syrakus *bis* Colonie Bin Na
141,34.35 Bellerophon *bis* Königssohn Bin Na **141**,38.39 *Melitodes bis* pflegten
Bin **141**,39–**142**,2 Streich mir *bis* kann Bin **142**,3–8 Na **142**,9–12 Bin Na **142**,
14–19 Na **142**,20.21 Bin **142**,22–25 Bin Na **142**,27–41 *Bin*

Keine Quelle nachgewiesen: **141**,18.19; **141**,35–37 Die Dorier *bis* bemächtigt

Bemerkung Mörikes: **141**,39 S. *bis* Anm.; **142**,13; **142**,26

Von Mörike nicht benutzte Erläuterungen der Quellen: v. 16 Na; v. 17 Bin; v. 23 Na; v. 24,
v. 38–43, v. 44, v. 46, v. 72, v. 77, v. 102 Bin; v. 103 Bin Na; v. 112 Bin; v. 114 Na; v. 136
Bin Na

VI

Benutzte Quellen: **143**,2.3 Bin **143**,4–6 Na **143**,12–14 Bin **143**,15–17 Bin Na
143,21–25 Bin **143**,26.27 Bin Na **143**,28 Bin

Keine Quelle nachgewiesen: **143**,7–11; **143**,18–20; **143**,29.30

Von Mörike nicht benutzte Erläuterungen der Quellen: v. 2 Na; v. 6, v. 15 Bin; v. 18 Na;
v. 41, v. 42 Bin

VII

Benutzte Quellen: **143**,32.33 Bin **143**,36 Bin **143**,37–40 Die purp. bis will Bin Na **144**,1–8 Bin **144**,9.10 Bin Na **144**,11–15 Bin Na **144**,19 Bin **144**,20 Bin Na **144**,23. 24 Bin **144**,27 Bin **144**,33 Bin **144**,34–39 Bin Na **144**,41–43 Bin Na **145**,2 Bin Na **145**,6–8 Na **145**,9–11 Bin **145**,12.13 Bin Na **145**,14 Bin **145**,15–17 Er blieb bis berühmt Bin **145**,18 Bin

Keine Quelle nachgewiesen: **143**,34.35; **143**,40.41 Die rothe bis Bezauberungen **144**,16–18; **144**,21.22; **144**,26; **144**,29–32; **144**,40; **145**,1; **145**,3–5

Bemerkungen Mörikes: **144**,25; **144**,28; **145**,17 Öl bis 51

Von Mörike nicht benutzte Erläuterungen der Quellen: Einleitung Bin; v. 1 Na; v. 11 Bin; v. 12 Na; v. 13, v. 18, v. 36, v. 45 Bin; v. 46 Na; v. 48 Bin Na; v. 53, v. 62, v. 70 Bin; v. 79 Na; v. 119, v. 125, v. 128, v. 136, v. 148 Bin

VIII

Benutzte Quellen: **145**,20–24 Theokrit bis gemacht Bin **145**,25.26 Bin Na **145**,27 Bin **145**,28.29 Bin **145**,30–32 Bin **145**,33 Bin Na

Bemerkung Mörikes: **145**,20 Dieß bis Versmaß

Von Mörike nicht benutzte Erläuterungen der Quellen: v. 2 Bin; v. 7 Na; v. 15 Bin; v. 17 Bin Na; v. 31.32, v. 34 Bin

IX

Benutzte Quelle: **145**,35 Bin

Von Mörike nicht benutzte Erläuterungen der Quelle Bin: Einleitung, v. 35, v. 50, v. 51

X

Benutzte Quellen: **145**,37–40 Na **146**,1 Bin **146**,3–6 Bin Na **146**,9 Bin

Keine Quelle nachgewiesen: **146**,2; **146**,8; **146**,10–13

Bemerkung Mörikes: **146**,7

Von Mörike nicht benutzte Erläuterungen der Quellen: v. 2, v. 5, v. 13 Bin; v. 16, v. 19 Na; v. 36 Bin; v. 43, v. 44 Na; v. 48, v. 50 Bin; v. 58 Na

XI

Benutzte Quellen: **146**,15.16 Midea bis gehörig Bin (bei Bin als Anmerkung zu Id. XIII, v. 20; vgl. in Mörikes Zählung XII, v. 20 und die Anmerkung dazu in Band 8, 1, S. 147, Z. 12.) **146**,17–19 Na **146**,21 Als bis hinabsank Bin **146**,23–25 Bin **146**,26.27 Na **146**,28–30 Bin Na **146**,31 Bin **146**,33.34 Trachin bis ist Bin Na **146**,37–40 Na

Keine Quelle nachgewiesen: **146**,20; **146**,21.22 Im Sternbild bis aus **146**,32 Achaierin bis Peloponnes **146**,35.36; **146**,41–**147**,4

Bemerkungen Mörikes: **146**,15 Herakles bis Herkules **146**,33 S. bis Anh.

Von Mörike nicht benutzte Erläuterungen der Quellen: Einleitung Bin; v. 2 Na; v. 7, v. 13, v. 69, v. 70, v. 73, v. 84 Bin; v. 85 Na

XII

Benutzte Quellen: **147**,6–9 *Bin* **147**,10.11 *Iaolkos bis* Iason *Bin Na* **147**,13–18 *Bin* **147**,19 *Bin Na* **147**,22.23 *Kianer bis* Propontis *Bin Na* **147**,25.26 *Na* **147**,27 *Na* **147**,28 *Bin Na* **147**,29 *Bin* **147**,32–34 *Bin Na* **147**,35.36 *Bin* *Keine Quelle nachgewiesen:* **147**,11 *Selig,* reich **147**,20.21; **147**,22 *Propontis bis* Marmorameer **147**,24; **147**,30.31 *Bemerkung Mörikes:* **147**,12 *Von Mörike nicht benutzte Erläuterungen der Quellen: v. 6, v. 11, v. 12.13 Bin; v. 22, v. 25 Na; v. 32 Bin; v. 35, v. 41, v. 42 Na; v. 48, v. 50, v. 75 Bin*

XIII

Benutzte Quelle: **147**,38–41 *Bin* *Von Mörike nicht benutzte Erläuterung der Quelle Bin: Einleitung*

BION UND MOSCHUS

Band 8,1 Seite 151–165

EINLEITUNG

Benutzte Quelle: Na

HINWEISE ZUR QUELLENBENUTZUNG

151, 2–4: *Von den beiden bis* Freunde] *Keine Quelle nachgewiesen* **151**, 4–8 Bion war *bis* gedichtet] [... Wie aus Moschos II, 116ff. hervorgeht,] starb Bion an [beigebrachtem] Gifte, [...] Moschos war [nach dem einstimmigen Zeugnisse aller Alten aus] Syrakus [gebürtig und ... ein, wiewohl] jüngerer, [Zeitgenosse des Bion und Theokritos ... Suidas sagt er sei ein Schüler des Grammatikers Aristarchos gewesen, ... Allein gewiß ist das Zeugnis des Suidas ungültig und gültiger das, was er selbst in seinem dritten Gedichte (Vs. 102) von sich ablegt, wo er sich für einen] Schüler Bions [... ausgiebt, den er Vs. 100 erwähnt...] Na

BION

I. DER VOGELSTELLER

Benutzte Textvorlage: Vo²

BEARBEITUNGSANALYSE

6 hier] [dort] *Vo²* **8:** [Schwenkte] die Rohre hinweg, und lief zu dem [altenden] Pflüger, *Vo²*

II. DIE SCHULE DES EROS

Benutzte Textvorlagen: Vo², Na

BEARBEITUNGSANALYSE

1–3: Neulich im Morgenschlummer erschien mir die mächtige Kypris,
Führend an niedlicher Hand den noch unmündigen Eros,
Welcher zur [Erd' hinnickte;] da [redete also] die Göttin: *Vo²*
[Jüngst, ich schlummerte noch,] erschien mir die mächtige Kypris,
Führend an [reizender] Hand [den kindischen Sprößling,] den Eros,
Welcher zur [Erd' hinschaute, und sie sprach selbiges Wort mir:] *Na*

4–8: Nim ihn, redlicher Hirt, und lehr' ihn mir singen, den Eros.
Jene sprachs, und entwich. Doch was ich von Hirtengesang weiß,
Lehrt' ich thörichter nun, als ob ers wünschte, dem Eros:
Wie die Schalmei Athenäa erfand, wie die krumme Schalmei Pan,
Wie die [Gitarr'] Apollon, und Hermes die wölbende Laute: *Vo²*
Nimm den Eros, [o theuerer] Hirt, und lehre ihn singen!
Sprach's und [wandelte fort.] Doch ich, [Thor,] was von Hirtengesang ich
Weiß, [das] lehrte [ich] dem Eros, als ob er es wollte:
Wie Athene [die Flöt' und] Pan die Schalmeien erfunden,
Wie die Laut' Hermes und die Zither [der liebliche Phöbos.] *Na*

9–13: All das lehret' ich ihm. Er achtete nicht [der Belehrung;]
Selber vielmehr, mit Gesang voll Zärtlichkeit, lehrete jener
Mir, was Götter und Menschen entzückt, und die Werke der Mutter.
Jezo vergaß ich alles, so viel ich dem Eros gelehret;
Was mir Eros gelehret von Zärtlichkeit, alles behielt ich. *Vo²*
[Selbiges] lehrte ich ihm. [Doch] achtet' er nicht auf [die Worte,

Sondern er sang von der Liebe mir vor und] lehrte mich [kennen,
Nach] was Götter und Menschen [sich sehnen] und [Thaten] der Mutter.
[Da nun] vergaß ich [es wol, was] ich den Eros gelehret;
[Doch,] was Eros von [Liebe] mir [sang, das lernte ich] alles. *Na*

III. RUHE VOM GESANG

Benutzte Textvorlagen: Vo², Na

BEARBEITUNGSANALYSE

Überschrift: [Des Dichters Abschied] von [den Musen] *Na*

1–3: Wenn nur schön mir gelangen die Liederchen, sind sie genug schon,
[Meinen] Ruhm zu [erhöhn,] den zuvor mir die Möre bestimmet.
Wenn nicht [süß] sie getönt, wozu noch mehrere schaffen? *Vo²*
[Sind die Liedlein] schön, [die ich singe, so] sind sie [allein] schon
G'nug, zu [gewähren] den Ruhm, den zuvor mir die Möre bestimmt hat.
Wenn sie [süß] nicht [sind, was soll ich] noch mehrere schaffen? *Na*

4–7: Denn wenn doppeltes Leben uns gönnete Zeus der Kronide,
Oder des Wandelgeschicks Austheilerin, um zu vollenden
Dies in herzlicher Lust und Behaglichkeit, jenes in Arbeit;
Dann würd' einem hinfort nach der Arbeit guter Genuß auch. *Vo²*
Denn, wenn doppelte [Frist zum] Leben [gewährte Kronion,]
Oder [die Möre, die vielumwandernde, die] zu vollenden
[Hoch in Freude und Wonnegefühl und diese in Trübsal:
Könnte, wer Trübsal litt, nachher in Herrlichkeit leben.] *Na*

8–12: Doch wenn ein einziges Leben den Sterblichen winkende Götter
Ordneten, und dies eine so kurz, so verkümmert um alles;
Wozu wollen wie Armen Geschäft aufsuchen und Mühsal?
Was doch wenden wir lang' auf werbsame Kunst und Erfindung
Unseren Geist, nachgierend dem stets anwachsenden Wohlstand? *Vo²*
[Aber da eine Frist zum] Leben [nur liehen die Götter]
Sterblichen, und [auch] dieses [noch] kurz [und geringer, denn] alles,
Wozu [suchen] wir Arme [uns Arbeit denn] und Geschäfte?
[Wozu werfen] wir unsern [Sinn] auf [Wucher] und Künste
[Rastlos, immer bedacht auf noch mehr Hab' und Besitzung?] *Na*

13.14: Traun so vergessen wir alle, der Sterblichkeit sein wir geboren,
Kurz nur habe die Möre den Raum uns beschieden des Lebens! *Vo²*
Alle vergessen wir [es, daß sterbliche Menschen wir wurden,
Und wie] kurz [die Zeit, die] die Mör' uns [verliehen zum] Leben! *Na*

IV. DIE JAHRESZEITEN

Benutzte Textvorlagen: Vo², Jac¹, Na

BEARBEITUNGSANALYSE

Überschrift: Die Jahrzeiten *Vo² fehlt Jac¹*

1–8: Was ist, Myrson, im Herbst, und im Frühlinge, was in dem Winter,
Oder im Sommer dir lieb? wer [macht] dich [froher im] Annahn?
Reizet der Sommer dich mehr, der zeitiget, was wir bestellten?
Oder der freundliche Herbst, [wann Sättigung reifet den Männern?]
Liebst du [der winternden Tag' Unthätigkeit? Denn auch] im Winter
[Labt] sich mancher [gewärmt,] der behaglichen Ruhe genießend.
Oder scheint dir der Lenz anmutiger? Rede, wohin [dir
Trachte] dein Herz; uns ladet die müssige Stunde zum Plaudern. *Vo²*
Was [von dem Lenz] und Winter, [o] Myrson, oder [dem] Sommer,
[Oder dem] Herbst [dünkt süß] dir [zu seyn? Was wünschest du] mehr [dir?]
Reizt dich der Sommer [vielleicht,] der [jegliche Mühe vollendet?]
Oder der [liebliche] Herbst, wo drückender Hunger entfernt bleibt?
[Oder] der [schleichende] Winter? [Da vielen] ja [selber der] Winter
[Frohes Behagen gewährt in dem müssigen Brüten der Trägheit.]
Oder [gefällt] dir der Lenz [vor den übrigen? Welche der Zeiten
Wünschest du mehr? Nicht fehlt] zu dem [kosenden] Plaudern [die Zeit]
uns. Jac¹

Was ist, [o] Myrson, dir lieb im [Lenz,] und was in dem Winter,
[Was] im Herbst, im Sommer? wer freuet dich mehr, wenn er [nahet?
Ob] der Sommer, [wenn alles nun reif wird,] was wir [beschickten?]
Ob der [liebliche] Herbst, [der entnimmt den Männern den Mangel?
Ob] des Winters [unthätige Zeit; denn viele] im Winter
Pflegen sich [wohlgewärmt, der trägen Unthätigkeit lebend.]
Oder [gefällt] dir der [herrliche] Lenz [mehr? Sprich, was das] Herz [dir
Wählt; denn] uns [bringen] die Stunden [der Muse] zum [traulichen]
Plaudern. Na

9–11: Nicht uns Menschen geziemt, zu würdigen Werke der Götter;
[Alle sind] heilige [Werk'] und liebliche. Dir zu gefallen
Sag' [ich indeß, Kleodamos,] was mir [am lieblichsten scheinet.] *Vo²*
[Sterblichen] ziemet [es] nicht, [der Unsterblichen] Werke zu [richten;
Hehr] und lieblich, o Freund, ist Jegliches, was du genannt hast.
Doch sey dir zu gefallen gesagt, was süßer mir [scheinet.] *Jac¹*

[Nimmer] geziemt [es dem] Menschen, [die göttlichen] Werke zu [meistern;
Denn dies alles] ist heilig und lieblich. Doch dir zu Gefallen
[Künd' ich,] o [Kleodamos,] was [lieblich zumeist] mir [geschienen.] *Na*

12–18: [Unlieb kommt] mir der Sommer, dieweil mich die Sonne versenget;
[Unlieb kommt] mir der Herbst, denn Krankheit zeugen die Früchte;
Auch der verderbliche Winter, mit Reif und Gestöber, erschreckt mich.
Lenz, der dreimal [ersehnte, durchwalte mir immer den Jahrkreis,]
Wann uns weder der Frost, noch [dörrende] Sonne belästigt.
Alles [verjüngt sich] im Lenz, [mit dem] Lenz [blüht alles, was schön ist;]
Auch [wird] gleich den Menschen die Nacht, [und gerade das Tagslicht.] *Vo²*
Nicht ist Sommer mir lieb, [weil Helios Gluthen] mich [sengen.]
Nicht lieb ist mir der Herbst, [weil] Krankheit zeuget [die Jahrzeit.]
Winter [und Schnee] auch [fürcht' ich und starrenden Frost zu erdulden.]
Aber der Lenz ist dreymal geliebt, – o blieb er das Jahr durch!
[Wo kein starrender] Frost, noch [Helios brennende Gluth drückt.]
Alles [erzeugt sich] im Lenz, und das Süßeste keimet im Lenz auf.
Gleich ist [dann] für die Menschen die Nacht, [gleichmäßig] der Tag auch. *Jac¹*
Nicht ist der Sommer mir lieb, [weil da] die Sonne mich [ausdörrt,]
Nicht ist der Herbst mir lieb, [was er zeitiget, bringet uns] Krankheit;
Auch [vor] dem [schädlichen] Winter mit [Schnee und Frösten erbeb' ich,
Wär mir doch immer im] Jahre [der dreimalersehnete Frühling,
Wo] uns weder der Frost, noch [die sengende] Sonne [zur Last fällt.]
Alles [erwacht] im Lenz, im Lenz keimt [alles mit Anmuth,
Und] den Menschen ist gleich die Nacht [und gleich] auch [das Tagslicht.] *Na*

V. AN DEN ABENDSTERN

Benutzte Textvorlagen: Vo², Jac¹, Na

Überschrift: fehlt Jac¹

1–8: Hesperos, goldenes Licht der reizenden Afrogeneia,
Hesperos, heiliger Schmuck der dunkelen Nacht, o Geliebter,
[Gegen] den Mond so [trübe,] wie [hell vor anderen] Sternen,
Trautester, [Heil! Doch] leuchte [zum Jünglinge, statt] der Selene,
Mich [mit nächtlichem Reihn hinwandelnden! Jene, von neuem
Lichte bestralt, senkt] heute zu frühe [sich.] Nicht [ja zum] Diebstahl
[Ging ich heraus, noch im Dunkel] den [reisenden] Mann [zu belauern;]

Sondern ich lieb'! [O wie schön, des] Liebenden [Liebe zu theilen!] *Vo²*
Hesperos, goldenes Licht der [beglückenden] Aphrogeneia;
Hesperos, [Holder,] der Nacht, [der umschatteten,] heilige [Zierde;]
Herrlichster unter den Sternen [so] weit du am Glanze dem Mond weichst,
Sey mir gegrüßt! und [während] ich [jetzt] zu dem Hirten den Festreihn
Führe, [verleihe] mir [Licht; denn eiliger birgt sich Selenes
Leuchte, da] heute [den Lauf sie begann.] Nicht will ich auf Diebstahl
Ausgehn, oder dem wandernden Mann nachstellen zur Nachtzeit;
Sondern ich liebe, und dir ziemt's Liebenden freundlich zu helfen. *Jac¹*
Hesperos, goldenes Licht [der lieblichen Göttinn von Kypros,]
Hesperos, heiliger Schmuck der dunkelen Nacht, o [du Trauter,]
So [viel dunkeler als] der Mond, wie [hell vor] den Sternen,
[Heil dir,] Trauter! [Ich geh'] zum [fröhlichen Schmause der] Hirten.
[Spende] du [statt] der Selene mir [Licht, weil jene] zu frühe
Heute hinab im Neulicht sank. Nicht [führet zum] Diebstahl
[Mich mein Pfad, noch auch zu berücken den nächtlichen Pilger,]
Sondern ich liebe! [Wie schön, zugleich mit dem] Liebenden [lieben!] *Na*

MOSCHUS

I. EUROPA

Benutzte Textvorlagen: Vo², Na

BEARBEITUNGSANALYSE

1–5: Kypris schuf der Europa vordem ein liebliches Traumbild,
Wann das [endende] Drittel der Nacht [annahet] dem Frühroth;
Wann mit des Honiges Süße der Schlaf umschwebend die Wimpern
Alle Gelenk' [auflöset,] und sanft die Augen verbindet.
[Jezo da untrughafter Erscheinungen Trupp sich umherschwingt,] *Vo²*
Einen lieblichen [Traum erregt' einst] Kypris Europen,
Wann [mit] dem [letzten] Drittel der Nacht [annahet das Frühlicht,]
Wann [noch süßer, wie] Honig, der Schlaf [auf] den Wimpern [uns ruhet,]
Sanft [uns fesselt] die Augen und [mild auflöset die Glieder,]
Und [umher dann schwärmet das Volk untrüglicher] Träume. *Na*

6–12: [Lag vom Schlummer betäubt] im Obergemach des Palastes
Fönix [Kind,] die [annoch] jungfräuliche Europeia;
Und ihr däucht', als stritten um sie zwo [Vesten] der Erde,

Asia [samt der entgegnen, in weiblicher Bildung] erscheinend.
[Jene trug die Geberde der Fremdlingin; diese] war heimisch
Anzuschaun, vorstrebend die eigene Tochter zu halten;
[Denn] sie sprach, wie sie solche gebar, [wie] selber auch aufzog. *Vo²*
Da [schlief dort] im Palast [und pflegte der nächtlichen Ruhe]
Europeia, die noch jungfräuliche Tochter des Phönix,
Und ihr [schien,] als stritten um sie zween Länder der Erde,
Asien und was entgegen ihr steht, [sie beide] wie Weiber.
Fremd war der einen [Gestalt,] die andere aber [erschien ihr,]
Heimisch [zu sein, denn sie] hielt [mehr über] die eigene Tochter,
Und sie sprach, wie sie solche gebar und [groß sie gezogen.] *Na*

13–20: Aber die andere, stark mit gewaltigen Armen sie fassend,
Rafte die [nicht unwillige] fort; denn sie sagte, bestimmt sei
Ihr vom Donnerer Zeus als Ehrenloos die Europa.
Auf von dem [Lagergewand' entsprang] die erschrockene Jungfrau,
Und ihr klopfte das Herz; denn sie sah als wach die Erscheinung.
Lange saß sie vertieft und sprachlos; beide noch immer
Schwebten den offenen Augen sie vor, die Gestalten der Weiber.
Endlich begann ausrufend mit ängstlicher Stimme die Jungfrau: *Vo²*
Aber die andere [riß] mit [kräftigen Händen gewaltsam]
Die [nicht sehr] sich sträubende [weg;] denn, sagte sie, [Schicksal
Ist es, daß der Europa Kronion Ehre gewähre.]
Auf [jetzt] sprang [voll Furcht Europa] vom [nächtlichen] Lager
Und ihr [pochte] das Herz, denn wach [noch] sah sie [das Traumbild.]
Lange [noch] saß sie [da] und [schwieg dann.] Beide die Weiber
Schwebten noch immer [ihr] vor, [obschon] die Augen [geöffnet.
Aber zuletzt] begann mit [furchtsamer] Stimme die Jungfrau: *Na*

21–27: Wer hat solche Gesichte gesandt mir unter den Göttern?
Welcherlei sind, die eben vom [Lagergewand'] in [der Kammer]
Aus so lieblichem Schlummer empor mich schreckten, die Träume?
Wer die [Fremdlingin] doch, [die] hell im Schlafe mir vorkam?
Wie sie das Herz mir erfüllte mit Sehnsucht! wie sie auch selber
Liebevoll mich empfing, und als ihr Töchterchen ansah!
O daß doch zum Guten den Traum mir wenden die Götter! *Vo²*
   Wer [doch] hat [dies Bild] mir gesandt [von den Uranionen?
Was sind das für] Träume, die in [der Kammer] vom Lager,
[Da so süß in Ruhe ich schlummerte, auf mich gescheuchet?
Und] wer [war] die Fremde, [die ich] im Schlafe [gesehen?]
Wie [mein] Herz [nach ihr doch] Sehnsucht [trug!] Wie sie selber

Liebevoll mich [aufnahm] und als ihre [Tochter mich] ansah!
O daß doch zum Guten die [Seligen] wenden [das Traumbild!] *Na*

28–32: Dieses gesagt, auf sprang sie, und suchte sich traute Gespielen,
Gleich an Alter und Wuchs, [treuherzige,] edeler Abkunft.
[Welchen sie stets mitspielte,] so oft zum [Ringen] sie [vortrat,
Auch wann sie klärte den Reiz] im Vorgrund stürzender Bäche,
Oder in grünender Au sich duftende Lilien abbrach. *Vo²*

[Sprach's und raffte sich auf, und spähte nach theuern] Gespielen,
[Jungfraun, ihr gleichaltrige, von] edlem [Geblüte] und [fröhlich,]
Ihr [stets, wenn sie den Reih'n anordnete, treue Gespielen]
Oder [auch, wann sie] ging, in [ruhigen Fluten zu] baden,
Oder [auf sprossender] Au' [balsamische] Lilien [pflücken.] *Na*

33–36: [Jen' erschienen ihr bald;] und jegliche trug in den Händen
Einen Korb für Blumen. Hinaus zu den Wiesen am Meerstrand
Gingen sie nun, wo stets sie [vereiniget] pflegten zu wandeln,
Um sich der rosigen Blüte zu freun, und des Wellengeräusches. *Vo²*

[Und sie erschienen ihr flugs] und jegliche trug [an] den Händen
Einen [geflochtenen] Korb für [die] Blumen, [und hin] zu [den Auen]
Gingen sie an [das Gestad,] wo sie [immer zusammen in Eintracht
Kamen und] sich [am] Wellengeräusch' [und an Rosen ergötzten.] *Na*

37–42: Einen goldenen [Korb auch führete] Europeia,
[Herliches Wundergebildes,] ein mühsames Werk des Hefästos:
Den er der Libya [schenkt',] als [jen' in das Lager] Poseidons
Wandelte; sie dann schenkt' ihn der reizenden Telefaessa,
Welche [versippt] ihr war; und der unverlobten Europa
Bot das berühmte Geschenk die Erzeugerin Telefaessa. *Vo²*

Aber Europa selbst, sie trug ein güldenes Körbchen,
Wundersam schön gefertigt, ein [herrliches] Werk des Hephästos,
Den er Libya [schenkte, da sie des Erdenerschüttrers
Lager bestieg; die gab] es der [herrlichen] Telephaessa,
[Ihrem Geblüte] verwand, und der unverlobten Europa
[Schenkt' es – ein rühmlich] Geschenk – die [Mutter] Telephaessa. *Na*

43–47: [Drauf war] viel kunstreiches [gefertiget, stralender Schönheit.
Drauf] war hell aus Golde zu schaun die Inacherin Io,
Noch als |Stärke] gestaltet, und nicht in weiblicher Bildung.
Ungestüm mit den Füßen durchrannte sie salzige Pfade,
Einer schwimmenden gleich; und blau war die Farbe des Meeres. *Vo²*

Viel |war wundersam dran mit glänzendem Reize gefertigt,
Dran] war [gülden gebildet die Tochter des Inachos] Io,

[Wie sie] Färse [noch ist, noch ohne] die weibliche Bildung.
[Wüthend lief sie daher durch die] salzigen Pfade [der Meerflut,]
Einer schwimmenden gleich, und [es] war die Farbe [der Flut] blau. *Na*

48–52: Auch zween Männer erhöht auf [der oberen Stirne] des Ufers
Standen [zugleich,] und staunten das meerdurchwandelnde Rind an.
Dort war Zeus, wie er sanft mit göttlicher Hand liebkoste
Jener inachischen Kuh, die am siebenmündigen Neilos
Aus [schönhörniger Stärk'] er [umschuf] wieder zum Weibe. *Vo²*
Auch zwo Männer standen [dort] auf [der Höh' des Gestades]
Bei einander, und [schauten die flutdurchschwimmende Kuh an.]
Dort war Zeus, [der Kronide, der] sanft mit den Händen [die Io
Streichelte,] die er [dort] am siebenmündigen Neilos
Aus [schönhörniger] Kuh zum Weibe [hinwiederum umschuf.] *Na*

53–57: Silbern wand sich der Neilos, als flutet' er; aber die Kuh war
Schön von Erz; und selber in goldener Bildung erschien Zeus.
Nah [auch,] unter dem Kranze des wohlgeründeten Korbes
War Hermeias geformt; und neben ihm streckte sich langhin
Argos, bestellt zum Wächter mit nie einschlafenden Augen. *Vo²*
Silbern [waren die Fluten des Neilosstroms, doch die Stärke
Ehern; doch war von Golde der Herrscher Kronion gebildet.]
Unter dem Kranze [jedoch] des [rundgewundenen] Korbes
War Hermeias [gebildet] und [bei] ihm streckte sich Argos
Lang hin, [welcher getrieben] mit [rastlos wachenden] Augen. *Na*

58–62: Ihm aus purpurnem Strome des Todesblutes erhub sich
In vielfarbiger Blüte der Fittige prangend ein Vogel,
Aufgerollt das Gefieder; und gleich dem geflügelten Meerschif
Überwölbt' er den Rand des goldenen Korbs mit den Federn.
Solch ein Korb war jener der lieblichen Europeia. *Vo²*
[Diesem] erhob sich [empor] aus [purpurfarbigem Blute]
Ein [stolzprunkender] Vogel [mit blumigem Glanze der Schwingen,
Schön den Schweif ausbreitend, dem eilendsegelnden Schiff] gleich,
[Überdeckt er damit die Wölbung] des güldenen [Körbchens.
Also] war [der] Korb der [herrlichen] Europeia. *Na*

63–70: Als sie nunmehr des Gestads vielblumige Wiesen erreichet;
Jezo das Herz mit Blumen erfreuten sie, [andre mit andern.
Diese] brach sich Narkissos, den duftigen; [jen'] Hyakinthos;
Jene Serpyll, und jene Violen sich: vielen der Kräuter
Sank zur Erde das Haupt in den lenzgenährten Wiesen.
Andren gefiel auch, dem Krokos die goldene Krone voll Balsams

Rasch zu entziehn um die Wette. Die Herscherin selbst in der Mitte
Stand, mit den Händen die Pracht der feurigen Rose sich pflückend: *Vo²*
    Als sie [aber] nunmehr [zu den blumigen Auen gekommen,
Labten sie sich an dem bunten Gemisch der sprossenden] Blumen.
Die brach sich [den] Narkissos, den duftigen, die Hyakinthos.
Jene Violen und [die] Serpyll', [daß manche der Blätter
Erdwärts] sanken [auf] den [vom Lenze genähreten] Wiesen.
Andere [nun, das balsamische Haar des] güldenen [Safrans
Sich zu pflücken bemüht, wetteiferten, aber die Fürstinn]
Stand in der Mitt' [und] pflückte [den Glanz] der feurigen Rose. *Na*

71–76:   Anmutsvoll, wie im Kreise der Chariten stralt Afrodite.
Lang' ach! sollte sie nicht ihr Herz mit Blumen erheitern,
Noch unverlezt ihn bewahren, den heiligen Gürtel der Keuschheit.
Denn der Kronide fürwahr, so wie [jen'] er geschaut, [so entbrannt'] ihm
[Jählich] das Herz, durchdrungen vom unversehnen Geschosse
Pafia's, welche allein auch den Zeus zu bewältigen Macht hat. *Vo²*
[So] wie in der Chariten [Chor die Kypria vorstrahlt.]
Lange nicht sollte sie [mehr] ihr Herz [an] Blumen [erfreuen,
Nicht] den Gürtel [der Jungfraunschaft rein ferner bewahren.]
Denn [da] sie der Kronide geschaut: [wie wurd' er getroffen
Im Gemüth und gebändigt] vom unverseh'nen Geschosse
[Kyprias,] welche allein auch Zeus zu [bändigen] Macht hat. *Na*

77–83:   [Siehe zugleich auslenkend] dem Zorn der eifernden Here,
Und [auch] des Mägdeleins junges Gemüt zu verleiten begierig,
Barg er den Gott in fremde Gestalt, und machte zum Stier sich:
Nicht wie einer im Stalle genährt wird, [noch] wie [gestaltet]
Einer das Brachfeld furcht, den gebogenen Pflug hinziehend;
Auch nicht, wie in der Heerd' ein weidender, oder wie jener,
Welcher gespannt in das Joch am belasteten Karren sich abmüht. *Vo²*
[Nun, auf daß er miede] den Zorn der eifernden Here,
[Da er das] junge Gemüth [der Jungfrau wollte berücken:
Tauscht' er das Aussehn,] bergend den Gott, und [wurde] zum Stiere,
Nicht wie einer im Stalle gezogen wird, [noch] wie [da] einer,
[Der das Gefild' durchfurchend, dahin] den [gekrümmeten] Pflug [zieht,]
Auch nicht, wie in der Heerd' [er] geweidet [wird, noch auch] wie [einer
Unter] dem [drückenden] Joch [den lastenden Wagen dahinschleppt.] *Na*

84–88:   Ihm war der übrige Leib ringsum hellbräunliches Haares;
Aber ein silberner Kreis durchschimmerte mitten die Stirne;
Bläulich glänzten die Augen, und [voll ausfunkelnder] Sehnsucht;

Gleich gekrümmt mit einander entstieg das Gehörne der Scheitel,
Wie im [gehalbeten Rande] die [kreisenden] Hörner des Mondes. *Vo²*
[Nein, es] war [sein] übriger Leib [hellröthlicher Farbe,]
Aber [es schimmerte an] der Stirn ein silberner Kreis [vor,
Doch] den bläulichen Augen [entfunkelten Liebe] und Sehnsucht.
Gleich einander [erhob das Hörnerpaar sich am] Scheitel,
Wie des [gehörneten] Monds [halb durchgetheilete Scheibe.] *Na*

89–92: [Also] kam er zur Wies'; und gar nicht schreckte die Jungfrau
Seine Gestalt; nein allen gelüstete, nahe zu wandeln,
Und zu [betasten] den Stier [voll Reiz,] deß ambrosischer [Anhauch
Fernher] schon [auch] der Au balsamische Würze besiegte. *Vo²*
[Jetzo] kam er zur [Aue, doch nimmer erschracken] die Jungfraun,
[Wie sie ihn sahn und] alle [begehreten, ihm sich zu nähern,]
Und zu berühren den reizenden Stier, der, ambrosisch von fern schon
Duftend, [auch] selbst [den süßen Geruch der Wiese] besiegte. *Na*

93–96: Er nun trat vor die Füße der tadellosen Europa,
Leckt' ihr dann sanftmütig den Hals, liebkosend dem Mägdlein.
Jene streichelt' ihn rings, und sanft mit den Händen vom Mund' ihm
Wischte den häufigen Schaum sie hinweg, und küßte den Stier nun. *Vo²*
[Jetzo ging er hin] vor die Füße der [keuschen] Europa,
[Und beleckt'] ihr [sanft] den Hals, [zu schmeicheln der Jungfrau.]
Jene [betastet'] ihn rings und [strich] ihm sanft mit den Händen
[Ab] vom Munde den häufigen Schaum und küßte den Stier [dann.] *Na*

97–101: Aber mit lindem Gebrumm antwortet' er: daß man melodisch
Aus mygdonischem Horne den Wohllaut wähnte zu hören.
Dann vor die Füß' ihr [hockend, betrachtet'] er Europeia,
Hoch den Nacken gedreht, und zeigt' ihr den mächtigen Rücken.
Jezo erhob sie die Stimm' in der Schaar tieflockiger Jungfraun: *Vo²*
[Drob brummt jener] mit [lieblichem Ton, so] daß man [vermeinte,
Den wohltönenden Laut der] mygdonischen [Flöte] zu hören,
Kniet' ihr dann vor die Füße [und schaute zu] Europeia
Hoch [mit] dem Nacken [empor] und zeigt' ihr den [wölbenden] Rücken.
[Und sie sprach also zu den] tieflockigen Jungfraun: *Na*

102–107: Freundinnen, kommt, ihr trauten Gespielinnen, daß wir auf diesem
Stiere zusammen gesezt uns belustigen! Alle ja wahrlich
Nimt er auf, wie ein Schif, mit untergebreitetem Rücken.
Fromm ist dieser zu schaun, [der] freundliche, [welcher so] gar nicht
[Gleich ist] anderen Stieren: er scheint, wie ein Mann, so verständig.
[Schicklich ja läuft er umher; und] ihm fehlt nichts weiter, denn Sprache!
Vo²

Kommt, ihr Freundinnen, [her, ihr] traute [Gespielen, damit] wir
Uns auf [den] Stier [hier setzend] belustigen. Alle [gesammt] ja
Nimmt er auf, wie ein Schiff, [auf] untergebreitetem Rücken.
[Sanft] ist [er anzuschaun und geduldig, so] gar nicht den andern
Stieren [vergleichbar ist er: Verstand hat er,] wie ein Mann [hat.
Ehrbar geht er umher,] ihm fehlt [nur menschliche] Sprache. *Na*

108–112:   Also redete [jen',] und bestieg holdlächelnd den Rücken;
Auch die anderen wollten. Da sprang wie im Fluge der Stier auf,
[Weil er geraubt, die er sucht';] und rasch zu dem Meere gelangt' er.
Rückwärts wandte [sich] jen', [und] den trauten Gespielinnen rief sie,
Bange die Händ' ausbreitend; doch konnten [sie] nicht sie [erreichen.] *Vo²*

[Sprach's und lächelte sanft und setzte sich hin auf] den Rücken;
Auch die anderen wollten – [doch] da sprang [eilends] der Stier auf,
[Raubend, die er gewollt,] und [schnell] zum Meere gelangt er.
[Doch sie] wandte [zurück sich und] rief den trauten [Gespielen,
Streckte] die Hände [nach ihnen,] doch konnten ihr diese nicht folgen. *Na*

113–120:   Als [die Gestad'] er ereilt, fort stürmet' er, gleich dem Delfine.
Nereus Töchter enttauchten der Salzflut; alle [gesamt] dann,
Sizend auf schuppigen [Rücken der Scheusale,] fuhren sie ringsher.
Auch er selbst auf den Fluten, der tosende Ländererschüttrer,
Ebnete weit das Gewog', und ging durch salzige Pfade
Seinem Bruder voran; [um] ihn [auch] zogen [versammelt]
Tritons Söhn', [im Gewässer] der Meerabgründe [geherbergt,]
Aus langwindenden Schnecken die Brautmelodie auftönend. *Vo²*

[Wie zur Küste er kam,] fort [tummelte] er, dem Delphin gleich;
[Auch die Nereïden] enttauchten [dem Meer, und sie] alle
[Schwammen in Reihen umher] auf [Wallfischrücken gesetzet,
Über] der Flut, selbst [der schwertosende Erdenerschüttrer,]
Ebnet' [die Wogen] und [führte die] Pfade [der] salzigen [Meerflut]
Seinem [leiblichen] Bruder, und mit ihm zog [das Geschwader
Der Tritonen,] Bewohner [des tiefhinflutenden Meeres,
Blasend ein Hochzeitlied auf langem Gewinde der Muscheln.] *Na*

121–126:   Jene nunmehr, wie sie saß auf Zeus stierförmigem Rücken,
Hielt [sein] Horn [in der Hand, das ragende, und] mit der [andern]
Zog sie des Purpurgewandes [Umfaltungen, daß] ihr den Saum nicht
[Feuchtete, schlagend empor, das Geschäum] unermeßlicher Salzflut.
[Hochauf schwoll] um die Schulter das weite Gewand der Europa,
Gleich wie ein Segel des Schifs, und [hob] die [erleichtete] Jungfrau.

Vo²

[Sie nun,] wie sie saß auf Zeus' [stierartigem] Rücken,
Hielt mit der Rechten sich fest an dem mächtigen Horn, mit der Linken
[Hob] sie [die Falten] des Purpurgewands, damit ihr der [grauen]
Salzflut [großes Gewässer] nicht [etwa das schleppende näßte.
Auf] den Schultern [bauschte] das weite Gewand der Europa,
[Wie] ein Segel des Schiffs und [erleichterte also] die Jungfrau. *Na*

127–130:   Aber nachdem sie [ferne] vom [heimischen Lande] getrennt war,
Und kein Ufer erschien [voll Brandungen, oder] ein Berghaupt,
Oben nur Luft, und unten der endlos wogende Abgrund;
Jezo sich weit umschauend, erhob sie die Stimm', und begann so: *Vo²*

   Aber nachdem sie nun weit vom Vatergefilde [entfernt] war,
[Da das Gestade, bespült von der Salzflut, schwand und die Berghöhn,
Und von] oben nur Luft, und unten [die mächtige Flut war,]
Schaute sie weit um sich und begann [dann also zu reden:] *Na*

131–139:   Göttlicher [Farr, o] wohin? wer warest du? [wie doch,] o Wunder!
Mit schwerwandelnden Füßen hindurchgehn, ohne des Meeres
Woge zu scheun? Nur Schiffe ja gehn die verstattete Meerbahn,
Renner der Flut! doch Stiere verabscheun salzige Pfade.
Wo wird süßes Getränk, wo Speise dir sein in [der Salzflut?]
Bist du ein Gott? Warum ungöttliche Thaten verübet?
Nie doch wagen Delfin' auf dem Lande wo, nimmer auch Stiere
Über die Fluten zu gehn: du aber [auf] Land und [auf Meerflut]
Stürmst ungenezet einher; und es sind dir die Klauen wie Ruder. *Vo²*

   [Gottstier,] wohin führest du mich? Wer bist du? [Wie gingst du]
Mit [den langsamen] Füßen [den Pfad, und] scheutest [dich nimmer
Vor der Flut?] Nur Schiffe ja gehen die [Bahnen des Meeres,
Flüchtige; aber die] Stiere, [sie scheuen die Wege der Salzflut.
Was für lieblich] Getränk, [welch Labsal hast du] im Meere?
Bist du ein Gott? [Was] verübest [du] Thaten, [die Göttern nicht ziemen?
Niemals wandeln] Delphine [der Flut] auf dem Lande, [und] Stiere
[Niemals in dem Meere:] du [läufst auf dem] Land und im Meere
[Unbenetzet daher;] und die Klauen, [sie] sind dir [die] Ruder. *Na*

140–144: Bald vielleicht [auch] über die bläuliche Luft dich erhebend,
Wirst du mir hoch auffliegen, wie raschgeflügelte Vögel!
[O] mir [ganz und durchaus unglücklichen! die] von des Vaters
[Wohnung ich fern abscheid',] und, angeschmieget dem Rind' hier,
[Diese befremdende] Fahrt [vollend', und irre] so [einsam!] *Vo²*

[Wirst du nicht flugs in die Höh'] dich [über den] bläulichen [Äther
Heben und weithin fliegen, den flüchtigen] Vögeln [vergleichbar?]

Wehe! [Wie bin ich doch ganz unglücklich! Was hab' ich] des Vaters
[Wohnung verlassen,] und [bin] hier [selbigem Stiere gefolget?
Fremd ist mir] die [begonnene] Fahrt [und ich irre allein hier!] *Na*

145–148: Aber, o du, [Obwalter] des grauenden Meers, o Poseidon,
[Mögst voll Huld] mir begegnen! Denn [anzuschauen] erwart' ich
Ihn, der einher mir bahnet die Fahrt, Vorläufer des Weges!
Nicht ohn' [einigen Gott] durchwandel' ich flüssige Pfade! *Vo²*
Aber du, [Erdenerschüttrer,] Beherrscher [der gräulichen Salzflut,
Stehe] du [günstig] mir [bei!] Denn ich [hoff',] ihn selber zu schauen
[Den] Vorläufer [von mir, den Lenker von unserer Meerfahrt;
Denn mit göttlicher Hilfe durchgeh' ich die] Pfade [der Fluten!] *Na*

149–157: Jene sprachs; ihr rufte der Stier mit hohem Gehörn zu:
Fröhliches Muts, Jungfrau! nicht angst vor dem Wogengetümmel!
[Sieh',] ich selber bin Zeus, und nahe dir schein' ich von Ansehn
Als ein Stier; denn ich kann in Gestalt mich bergen nach Willkühr.
Schmachtend um dich durchwandr' ich die ungeheueren Wasser,
Anzuschaun wie ein Stier. Doch bald empfänget dich Kreta,
Welche mich selbst auch genährt, wo schon ein bräutliches Lager
Deiner harrt; denn du sollst mir herliche Söhne gebären,
Welche mit Stäben [der Macht] all' einst [obwalten] den Völkern. *Vo²*
Sprachs; ihr rief [dies Wort] der [breitgehörnete] Stier zu:
Muth, Jungfrau! [Du fürchte dich] nicht vor [den brausenden Wogen!]
Zeus bin ich selbst, [ob ich auch] ein Stier [in der Nähe erscheine;]
Denn ich kann in [jeder] Gestalt nach [Willen erscheinen.
Aber mich trieb Sehnsucht nach dir, zu messen die weite
Flut in Stieresgestalt. Jetzt wird] dich Kreta empfangen,
[Die] mich auch selber genährt, [allwo dein] bräutliches Lager
[Sein wird; von] mir [wirst] du [treffliche Kinder] gebären,
[Deren Scepter dereinst die Sterblichen] alle [beherrschen.] *Na*

158–162: Also der Gott; und es ward, wie er redete. Denn es erschien nun
Kreta; und Zeus, von neuem in andre Gestalt sich verwandelnd,
Lösete jener den Gurt, und ihm rüsteten Horen das Lager.
Jene, zuvor Jungfrau, ward bald die Verlobte Kronions,
Und sie ruhte bei Zeus, und bald auch wurde sie Mutter. *Vo²*
[Sprach's, und was er gesprochen, das wurde vollendet; es zeigte
Kreta sich, Zeus nahm wieder die vorige Göttergestalt an,]
Lösete [ihr den Gürtel,] ihm [ordneten] Horen das Lager.
[Und sie, vordem] Jungfrau, ward bald die [Braut des] Kronion,
Ward bald Mutter und [Kinder gebar sie Zeus, dem Kroniden.] *Na*

II. SEE UND LAND

Benutzte Textvorlagen: Vo², Jac¹, Na

BEARBEITUNGSANALYSE

Überschrift: [Die Gegend am Meer] *Vo² fehlt Jac¹* [Des Dichters Wünsche] *Na*

1–3: [Wann] das bläuliche Meer [die Zefyre leise bewegen;
Ach mein] Herz, [wie sehnlich] verlanget [es!] Nicht [das Gefild'] ist
[Weiter] mir lieb; mehr locket [die] heitere [Stille der Wasser.] *Vo²*
Wallet das blauliche Meer von dem kräuselnden Wehen des Westwinds,
Regt sich mir süße [Begier] in dem schüchternen Herzen; das Festland
Ist nicht länger mir lieb; mehr lockt mich das heitre Gewässer. *Jac¹*
Reget [die] bläuliche [Flut so sanft] das Wehen des [Windes,
O mein armes] Herz, [wie] verlanget [es dann,] nicht [die Erde]
Ist mir [noch] lieb, [dann reizt uns] mehr [die Stille des Meeres!] *Na*

4–8: Aber sobald [auftoset] die [grauliche] Tief', und [der Meerschwall
Übergewölbt anschäumt,] und die Brandungen toben von weitem;
[Bang' izt schau' ich das Land] und [die Bäum' an, fliehend] die Salzflut.
Nur das treue Gefild', und die schattige Waldung gefällt mir:
Wo, wenn der Sturm auch [weht mit Gewalt,] mir [die Pinie säuselt.] *Vo²*
Aber sobald aufbrauset die dunkelnde Tief', und [das Meer] sich
[Schaum aufwerfend erhebt,] und die tobenden Wogen [sich strecken,]
Schau ich nach Ufer und Bäumen zurück, und entfliehe der Salzfluth.
[Lieb dann ist mir das Land] und die schattigen [Wälder erfreun] mich,
Wo, [selbst unter] dem Sturm, [doch lieblicher] Fichten [Gezweig tönt.] *Jac¹*
[Doch, wenn] die [gräuliche] Tief' [aufstöhnt] und [die Fluten des Meeres
Hohl aufschäumen zum Strand] und [es wüthen] von [Ferne die Wogen:
Schau' ich zur Erde sodann und zum Hain hin, fliehend die Meerflut,
Und das freundliche Land] und [das] schattige [Wäldchen] gefällt mir,
Wo, [wann] auch der Sturm [laut braust,] die Fichte [doch] lispelt. *Na*

9–13: [Kümmerlich, traun! wie] ein Fischer doch lebt, dem Wohnung [die Barke,]
Dem das Gewerbe die See, [dem] Fisch' ein trüglicher Fang sind!
Mir [ist behaglich der Schlaf] in des [Ahorns dunkler Umlaubung;
Und ich liebe den Quell in der Nähe [mir] rauschen [zu hören,
Welcher erfreut mit Geriesel den Ländlichen, nicht ihn erschrecket.] *Vo²*
[Schlimm ist warlich des] Fischers [Geschick! Sein Haus ist der Kahn ihm;
Arbeit gibt ihm das Meer] und der [schweifenden] Fische [Berückung.]
Möge mich immer der Schlummer, so süß, in des Platanos Laubdach,

Immer des Bergquells Rauschen erfreun in der Nähe des Lagers,
Der [süß murmelnd] ergötzt den Entschlummerten, aber nicht aufschreckt.

Jac¹

[Schlimm ist traun das] Leben [des] Fischers, des Wohnung der Nachen,
[Arbeit aber das Meer] und der Fisch [der] trügliche Fang ist.
[Mir ist unter der dichtbelaubten] Platane [der Schlaf] süß,
[Lieb,] in der Nähe des [Quelles das Murmeln des Wassers zu hören,
Dessen Geplätscher den Landmann] ergötzt, [doch ihn nimmer erschrecket.] *Na*

III. DER PFLÜGENDE EROS

Benutzte Textvorlagen: Vo², Na

BEARBEITUNGSANALYSE

Überschrift: Eros [am Pfluge] *Na*

1–6: Fackel und Pfeil' ablegend, ergrif den Stecken des Treibers
Eros der Schalk, und ein Sack hing ihm die Schulter herab.
Als in das Joch er gespannt den [duldenden] Nacken der Stiere,
Streuet' er Weizensaat über der Deo Gefild.
Auf zum Zeus [nun] blickt' er, und [redete:] Fülle die Furchen!
Oder ich hole dich gleich, Stier der Europa, zum Pflug! *Vo²*
Fackel und Pfeil' [hinlegend,] ergriff den [treibenden] Stecken
Eros, [der schlimme,] ein Sack hing ihm die Schulter [hinab.
Wie] er das Joch nun [gelegt auf] den duldsamen Nacken der Stiere,
Streut' er [in's furchichte Feld Waizen] der Deo [hinein.]
Auf dann blickend zu Zeus, rief er: [Du,] fülle die Furchen!
Oder ich [joch' an] den Pflug, Stier der Europa, dich gleich! *Na*

ANMERKUNGEN

Zu Bion V

Keine Quelle nachgewiesen

Zu Moschus I

Benutzte Quelle: **165**,6–11 *Na* **165**,17.18 *Na*
Keine Quelle nachgewiesen: **165**,13.14; **165**,15.16 *Serpyll bis* Frühlingssafran
165,19–24

Bemerkungen Mörikes: **165**,12; **165**,15 *Narkissos bis* Anm.
Von Mörike nicht benutzte Erläuterungen der Quelle Na: v. 44, v. 66

Zu Moschus III

Bemerkung Mörikes: **165**,26

CATULL

Band 8,1 Seite 169–195

EINLEITUNG

Eine Quelle ist nicht nachgewiesen.

I. HOCHZEITLICHER WETTGESANG

Benutzte Textvorlage: Ra¹

BEARBEITUNGSANALYSE

Überschrift: Wettgesang [bey einer Hochzeitfeier] *Ra¹*

1–4: Hesperus läßt sich am Himmel sehn: ihr Jünglinge, laßt uns
Aufstehn; Hesperus [schüttelt] die längst erwartete [Fackel:
Laßt uns aufstehn; laßt uns] die [fette] Tafel verlassen.
[Bald] erscheint die Braut, [bald] stimmt man [den Hochzeitgesang] an. *Ra¹*

5: *darüber* [DER] CHOR *Ra¹* **5** o Bringer des Heils] [du Stifter der Ehen!] *Ra¹*
6 o Schwestern] [ihr Jungfraun:] *Ra¹* **7** erglänzt die Ötäische Fackel] [erhebt sich
vom Öta die Leuchte] *Ra¹*

8.9: Saht ihr es nicht? sie sprangen schnell auf; wahrhaftig [sie sprangen
Nicht vergebens auf:] sie singen [gewiß was sich sehn läßt.] *Ra¹*

10: *darüber* [DER] CHOR *Ra¹* **10** u.s.w.] [du Stifter der Ehen! komm, mächtiger Hymen!] *Ra¹*

11.12: Brüder, [die Siegespalme wird uns zu gewinnen] nicht leicht [seyn:
Seht,] wie die Jungfrau [sinnen.] Sie haben etwas ersonnen, *Ra¹*
13 kommen besondere Dinge] [muß der Mühe wohl werth seyn.] *Ra¹*

14–16: [Und] kein Wunder: sie [richten alle Gedanken auf Eines;
Aber] wir haben [oft hier] das Ohr und [dort] die Gedanken:
[Billig besieget man uns; der] Sieg [wird mit Arbeit erkaufet.] *Ra¹*

17 wenigsten] [mindesten] *Ra¹* **18:** Denn sie singen [gar bald, und heischen
Gegengesänge.] *Ra¹* **19:** *darüber* [DER] CHOR *Ra¹* **19** u.s.w.] [du Stifter der

217

Ehen! komm, mächtiger Hymen!] *Ra¹*   20: *darüber* DIE JUNGFRAUEN *Ra¹*
20 Lichter] [Feuer] *Ra¹*

21–24: [Mütterlichen Armen kannst du die Tochter entreißen?

    Mütterlichen] Armen [die widerstrebende Tochter?

    Überlieferst ein] keusches [Mädchen] dem [brünstigen] Manne?

    Geht [wohl ein] Feind so grausam mit [einer] eroberten Stadt um? *Ra¹*

25: *darüber* [DER] CHOR *Ra¹* 25 u.s.w.] [du Stifter der Ehen! komm, mächtiger
Hymen!] *Ra¹* 26 Lichter] [Feuer] *Ra¹* freundlich?] [liebreich?] *Ra¹*

27–30: [Durch] dein [Licht] bekräftigest [du] die [geschloßnen] Verträge.

    Was die [Männer gelobten, und vor die Ältern] gelobten,

    [Das] vollzieht man nicht eher, als bis dein Stern sich erhebet.

    [Wünscht man wohl mehr von] den Göttern, [als ein so] seliges Stündlein?

                                    Ra¹

31: *darüber* [DER] CHOR *Ra¹* 31 u.s.w.] [du Stifter der Ehen! komm, mächtiger
Hymen!] *Ra¹* 32: *darüber* DIE JUNGFRAUEN *Ra¹*

32–35: Hesperus hat uns eine von unsern Gespielen [geraubet.]

    Wache [hält man sonst vor mitternächtlichen] Dieben:

    [Aber wer kann vor dir sich hüten? du stiehlest des Abends,

    Hesperus, stiehlest] auch [unter] verändertem Nahmen des Morgens. *Ra¹*

36: *darüber* [DER] CHOR *Ra¹* 36 u.s.w.] [du Stifter der Ehen! komm, mächtiger Hymen!] *Ra¹* 37 Göttlicher] [Hesperus,] *Ra¹* 38: [Herzlich mögen sie wohl
nach eben dem Gotte] sich sehnen, *Ra¹*

38: *darunter*

    [Den sie so grausam tadeln. Vielleicht, daß jede sich heimlich

    Wünschet, auf gleiche Weise von dir gestohlen zu werden.

                  DER] CHOR *Ra¹*

39 u.s.w.] [du Stifter der Ehen! komm, mächtiger Hymen!] *Ra¹* 40: *darüber*
DIE JUNGFRAUEN *Ra¹* 40 still] [frisch] *Ra¹* emporblüht] [emporsteigt,] *Ra¹*

41–43: [Keiner] Heerde [bekannt ist,] von [keinem] Pfluge [verletzt wird,

    Die] der Regen [erzeugte,] die Sonne stärket, die Luft [kühlt, –

    Viele] Jünglinge reizet, [von vielen] Mädchen [gesucht wird;] *Ra¹*

44 mit leichtem Finger] [vom scharfen Nagel] *Ra¹* dahinwelkt] [verblühet,] *Ra¹*

45–48: Keinen Jüngling reizet [von] keinem Mädchen [begehrt wird:

    So] die Jungfrau, die, [unberühret, den Ihrigen werth ist;

    Aber wenn] sie, befleckt, [die] Bluhme der Keuschheit verloren,

    Weder [so reizend den Jünglingen] bleibt, noch den Mädchen [so werth ist.]

                                      Ra¹

49: *darüber* [DER] CHOR *Ra¹* 49 u.s.w.] [du Stifter der Ehen! komm, mächtiger Hymen!] *Ra¹*

50–59: Wie die Rebe, gewachsen auf nackter [Fläche] des Feldes,
Einsam sich [nimmer] erhebt, nie liebliche Trauben [erzielet,
Unterliegend] der Last den zarten Körper herabsenkt;
[Wenn sie so mit dem hohen Zopfe die] Wurzel [berühret,
Suchen sie keine] Pflüger [und keine Stiere der Pflüger;
Aber] hat man sie mit [dem starken Ulmbaum vermählet,
Suchen sie viele Pflüger und viele Stiere der Pflüger:]
So [veraltet, unachtbar,] die nie berührte Jungfrau;
[Hat sie, zur Ehe reif, ein glückliches Bündniß getroffen:
Ist] sie [dem Manne] werther, und [weniger] lästig der Mutter. *Ra¹*
60 Doch, du Liebchen] [Aber, Jungfrau,] *Ra¹* rechten] [streiten.] *Ra¹* **61:** [Un-
recht,] mit [dem zu streiten,] dem selbst dein Vater dich schenkte, *Ra¹* **62** nicht
minder die] [deine] *Ra¹* **63:** [Jungferschaft ist] nicht ganz [dein, ein Theil] gehöret
[den Ältern;] *Ra¹* **64** Drittel] [Drittheil *Ra¹* Drittel] [Drittheil,] *Ra¹* **65** Drit-
tel] [Drittheil *Ra¹* **66:** [Die mit] der Mitgift ihr [Recht dem Schwiegersohne vertrauten.] *Ra¹* **67:** *darüber* [DER] CHOR *Ra¹* **67** o Bringer des Heils] [du Stifter
der Ehen!] *Ra¹*

II. NÄNIE AUF DEN TOD EINES SPERLINGS

Benutzte Textvorlage: *Ra¹*

BEARBEITUNGSANALYSE

7–9:   [Denn] er [rührte] sich [nicht] von ihrem Schooße;
[Nein, er trippelte munter auf dem Schooße
Hiehin, dahin und dorthin; nickt' ihr immer
Mit] dem [niedlichen] Köpfchen, piept' [ihr immer.] *Ra¹*
13 gleich] [flugs] *Ra¹* **15** Unglücksel'ger] [armer Sperling!] *Ra¹*

III. AN LESBIA

Benutzte Textvorlage: *Ra¹*

BEARBEITUNGSANALYSE

Überschrift: An [sein Mädchen] *Ra¹*

2–4:   Und der mürrischen Alten [Tadel] auch nicht
Eines [kupfernen Asses würdig] achten.
Sieh, die Sonne geht [unter] und kehrt wieder; *Ra¹*
9 aber] [wieder] *Ra¹* **13:** Wenn er weiß, [daß] der Küsse so gar viel sind. *Ra¹*

IV. QUINTIA UND LESBIA

Benutzte Textvorlage: Ra¹

BEARBEITUNGSANALYSE

Überschrift: [Von der] Quintia und Lesbia *Ra¹*

1–6: [Vielen ist] Quintia schön; [mir] weiß [und] lang [und geraden
    Wuchses. Dieses sag' ich.] Einzelnes [geb'] ich ihr [zu;]
    Aber [das Ganze, das Schönseyn, läugn' ich.] Gar nichts von Anmuth,
    Nicht ein Körnchen Salz [heget dieß] große Gewächs.
    Schön ist Lesbia ganz; so [schön, daß wir glauben, sie habe]
    Alles, was [Grazie heißt; Allen auf einmal] entwandt. *Ra¹*

V. DER FELDGOTT

Benutzte Textvorlage: Ra¹

BEARBEITUNGSANALYSE

Überschrift: Der [Gartengott] *Ra¹*

1–21: [Jünglinge!] diesen [Ort, dieß] Meierhöfchen im [Bruche,
    Das] mit Riedgras gedeckt [ist] und mit geflochtenen Binsen,
    [Hab' ich] gesegnet, [ich, weiland] trockener [Eichstamm, gebildet
    Durch] ein ländliches Beil, und [werd'] es ferner noch segnen:
    Denn die [Herren der armen Hütte,] Vater und Sohn, sind
    Meine Verehrer, und grüßen mich Gott. – – – – – – – – – –
    [Jener gätet fleißig, und] räumt von meiner Kapelle
    [Alle] Dornen weg und [alle stachligen Kräuter;
    Jener] bringt mit reichlicher Hand mir kleine Geschenke.
    Mein ist das erste [Bluhmenkränzlein] im blühenden Frühjahr;
    [Grün] noch werden mir Ähren mit zarten Spitzen [verehret,]
    Mir der [gelbe] Mohn und mir die [gelbe] Viole;
    [Mir weit kriechende] Kürbisse, lieblich duftende Quitten,
    Purpurtrauben, [im Schatten der breiten] Blätter [erzielet.]
    Auch [hat] diesen Altar mir oft ein bärtiges Böcklein
    [(Aber plaudert nicht nach!)] und ein [hüpfendes] Zicklein gefärbet.
    Ehret man so Priapen, so muß er für alles auch einstehn;
    Muß das Gärtchen des Herrn und [seinen] Weinberg [auch schützen.]

Hier, muthwillige Knaben, enthaltet euch also des Stehlens.

[Neben] an ist ein Reicher, und ein Priap, der nicht aufpaßt:

Nehmt euch dort was; dann [könnt] ihr [diesen] Fußsteig zurückgehn. *Ra¹*

VI. AN FABULLUS

Benutzte Textvorlage: Ra¹

BEARBEITUNGSANALYSE

Überschrift: An [den] Fabullus *Ra¹*

1–3:   Herrlich sollst du, Fabull, [in wenig'] Tagen,

            [Mit der Hülfe] der Götter, bey mir schmausen:

            Wenn du [deinem Katull ein gutes Nachtmahl] *Ra¹*

6 wirst] [sollst] *Ra¹*   **10** köstlicher] [lieblicher] *Ra¹*   delicater] [ausgekernter,]

Ra¹   **12** Amoretten] [Die Kupidchen] *Ra¹*   Charitinnen] [Charitinnchen] *Ra¹*

14: Rufen: Macht mich [doch] ganz zur Nas', ihr Götter! *Ra¹*

VII. ENTSCHLUSS

Benutzte Textvorlage: Ra¹

BEARBEITUNGSANALYSE

Überschrift: [Abschied von der Geliebten] *Ra¹*

16: Wer wird nun zu dir [eingehn?] wem du schön seyn? *Ra¹*

VIII. AN AURELIUS UND FURIUS

Benutzte Textvorlage: Ra¹

BEARBEITUNGSANALYSE

Überschrift: An [den] Aurelius und Furius *Ra¹*

1–4:   Mein Aurel und Furius, – ihr Gefährten

            Eures Freundes, ging' er auch [bis] zum [Ganges,

            Ging' er] ans Eoische Meer, das fernher

                Brausend den Strand peitscht; *Ra¹*

7 Nilus] [Nilgott] *Ra¹*   **14:** Mit [mir zu] bestehen [nicht säumen] würdet: – *Ra¹*

21: Soll [auf] meine Liebe nicht ferner [hoffen,] *Ra¹*

IX. ZWIESPALT

Benutzte Textvorlagen: Ra¹, Schw²

BEARBEITUNGSANALYSE

Überschrift: [Von seiner Liebschaft] *Ra¹* [Auf seine Liebe] *Schw²*
1.2: Hassen muß ich und lieben. [Du fragst,] warum [ich es müsse.]
      Weiß ich es [selbst?] ich fühl's aber, und [martere mich.] *Ra¹*
   [Haß durchglüht mich, und Liebe] zugleich. [Weshalb? ja] ich weiß [nicht;]
   Aber ich fühl's, [so ist's,] und [ich empfinde die Qual.] *Schw²*

X. AN CORNIFICIUS

Benutzte Textvorlage: Ra¹

BEARBEITUNGSANALYSE

Überschrift: An [den] Kornificius *Ra¹*

XI. AN DIE HALBINSEL SIRMIO

(Vgl. »Nachträge« S. 569)

Benutzte Textvorlage: Ra¹

BEARBEITUNGSANALYSE

1–14:   O Sirmio, du Perlchen aller Halbinseln
       [Und aller] Inseln, [die] Neptun in Landseen
       [Und] großen Meeren hegt! [wie gern,] wie [frohlockend]
       Besuch' ich dich! Noch [kann] ich kaum mir selbst [trauen,]
       Daß ich der Thyner und Bithyner Flur [wirklich
       Verlassen hab' und] dich [nun] ungestört sehe.
       Wie selig machen überstandne Drangsale.
       Wenn man [die Bürde ganz vom Herzen wegwälzet,
       Von fremder] Arbeit [müde] zu [den Hausgöttern]
       Zurückkehrt, wieder im erwünschten Bett [ausruht!]
       Und dieß ist auch für aller [Arbeit Last alles.]
       O schönes Sirmio, sey [mir] gegrüßt! freue
       Dich deines Herren! Ihr, [des] regen Sees Wellen,
       Seyd fröhlich! Scherze meines Hauses, lacht alle! *Ra¹*

XII. AUF SEIN SCHIFFCHEN

Benutzte Textvorlage: Ra¹

BEARBEITUNGSANALYSE

Überschrift: Auf sein Schiffchen. [Nach vollbrachten Reisen.] *Ra¹*
2: [sagt,] daß er [von den] Schiffen [das geschwindeste] *Ra¹* **12:** Oft mit dem
[lauten Haare brav gesauset hat.] *Ra¹* **16:** Stand er auf deinem Gipfel, taucht' in
deinen [Sund] *Ra¹*

21. 22: Auch durft' er keiner Gottheit der Gestade je
Gelübde thun, vom Anfang seiner Reisen an, *Ra¹*

25–27: Doch alles das ist nun vorbey; nun altert er,
[Begraben] in die tiefste Ruh, und weihet sich
Dir, Kastors [Zwillingsbrüderchen,] und Kastor, dir. *Ra¹*

XIII. AKME UND SEPTIMIUS

Benutzte Textvorlage: Ra¹

BEARBEITUNGSANALYSE

Überschrift: [Von der] Akme und [dem] Septimius. [In dem vorhergehenden
Sylbenmaße.] *Ra¹*

1–27: [Als] Septimius Akmen, seine [Liebe,]
Auf dem Schooße [hielt,] rief [er:] Akme! [lieb'] ich
Dich [nicht sterblich,] und [fahre fort mit jedem]
Jahre [sterblicher, als man] jemahls [liebte,]
Dich [zu] lieben: [so wünsch' ich] einsam [irrend –]
Sey's in Libyen, sey's [am] heißen [Indus –
Dem gläräugigen Löwen zu] begegnen.
[Sprachs: und] Amor [begab sich von der Rechten
Schnell zur Linken, und] nies'te [seinen Beyfall.
Akme beugte das Haupt sanft um,] mit jenem
Purpurmunde die trunknen Augen ihres
[Holden Jünglings zu] küssen, [rief dann schmachtend:
O] Septinchen, mein Leben! [so laß] ewig
Diesem [einzigen] Herrn [uns] dienen, als [es
Wahr ist, daß] mir ein [ungleich stärkers] Feuer

223

[In dem Innersten der Gebeine lodert.
Sprachs: und Amor begab sich von der Rechten
Schnell zur Linken, und] nies'te [seinen Beyfall.
Nach] so [glücklichen] Zeichen [lieben] beide,
[Beide werden geliebet. Ihrem armen
Liebeskranken Septim ist Akme theurer,
Als Brittinnen und Syrerinnen; Akmen,
Der Getreuen, ist ihr Septimchen alles,
Alle Freude des Lebens, alle Wollust.
Wer] hat [seliger jemahls Menschen, wer hat
Einen himmlischern Liebesbund] gesehen? *Ra*[1]

XIV. AN DEN JUNGEN JUVENTIUS

Benutzte Textvorlage: Ra[1]

BEARBEITUNGSANALYSE

Überschrift: An [Äglen] *Ra*[1]

1.2:   [Ägle,] Bluhme [von allen hübschen Mädchen,]
                 Nicht den [heutigen] nur, auch die einst waren, *Ra*[1]

7 Mensch] [Herr] *Ra*[1]   **9** und dreh's und wend' es] [veracht' es immer] *Ra*[1]

XV. DIE SCHÖNEN AUGEN

Benutzte Textvorlage: Ra[1]

BEARBEITUNGSANALYSE

Überschrift: [An die Neära] *Ra*[1]

1.2:   Gäbe [jemand] mir deine süßen Augen
                 Nach Gefallen zu küssen: [o Neära!] *Ra*[1]

3 doch] [noch] *Ra*[1]   **4** Nun und nimmer es] [Dieses Küssens nicht] *Ra*[1]

XVI. AN VARRUS

Benutzte Textvorlage: Ra[1]

BEARBEITUNGSANALYSE

Überschrift: An [den] Varrus *Ra*[1]

1: Suffenus, [den] du kennst, [mein Varrus,] ist galant, *Ra¹* **2:** artig] [höflich] *Ra¹*

8: Von Bimsstein, und die Zeilen nach der [Schnur gemacht.] *Ra¹*

9–21:   Doch lies sein Werk: der Weltmann, der so [höfliche]

          Suffenus ist ganz [Schäferknecht;] nicht [gröber] ist

          Ein Karrenschieber: so verwandelt ist er, so

          Nicht mehr er selbst. Was [heißt das? der von lustiger –

          Ja, mehr noch, – possenhafter Laune war, der ist

          Noch ungeschliffner,] als das [ungeschliffne] Dorf,

          So bald er Verse macht; [fühlt bey den Versen sich

          Glückseliger, als jemahls: so herzinniglich

          Vergnügt er sich, so sehr bewundert er sich selbst. –]

          Doch [jeder fehlt auf gleiche Weise; niemand lebt,]

          Der nicht in irgend einem Stück Suffenus ist.

          [Sein eigner Irrthum, scheints, ist jedem ausgetheilt:]

          Nur sehn wir nicht den Sack, der uns vom Rücken hängt. *Ra¹*

XVII. WIDER EIN GEWISSES WEIB

Benutzte Textvorlage: Ra¹

BEARBEITUNGSANALYSE

1.2:   Kommt zusammen, [ihr Hendekasyllaben,

          Daher, dorther, so viel ihr seyd,] kommt alle! *Ra¹*

3 narren] [aufziehn] *Ra¹* **5** Ei] [Traun] *Ra¹*

6.7:   Fodert, was sie [geraubt hat, wieder. –] Fragt ihr,

          Wer sie ist? – Die so schamlos dort einhergeht, *Ra¹*

16.17:   [Wenns nicht mehr ist, so] wollen wir [doch Röthe]

          In dieß eiserne Petzenantlitz jagen. *Ra¹*

22.23:   Ändert [also] den Angriff, und versuchet,

          Ob ihr [fähig] seyd [etwas auszurichten. –] *Ra¹*

XVIII. VON EINEM UNBEKANNTEN UND DEM REDNER
CALVUS

Benutzte Textvorlage: Ra¹

BEARBEITUNGSANALYSE

1: Lachen [mußt' ich, ich weiß nicht über welchen,] *Ra¹* **5** [Welch beredtes Pusillchen, große] Götter! *Ra¹*

225

XIX. AUF DEN ARRIUS

Unter den oben genannten Übersetzungen ist eine Textvorlage nicht nachgewiesen.

ANMERKUNGEN

Mörike beschränkt sich bei der Quellenbenutzung im allgemeinen darauf, aus dem ange-
gebenen Werk auszuwählen. Doch an einer Stelle fordert ihn die Deutung von Ra^1 zum
Widerspruch heraus (194,7–13). Mehrere sachliche Einzelerklärungen gehen nicht auf
Ra^1 zurück. Es ist nicht auszuschließen, daß Mörike in diesen Fällen eine oder mehrere
Quellen benutzt hat, die nicht nachgewiesen sind.
Bemerkung Mörikes: **193**,2.3

I

Benutzte Quelle: **193**,5–9 *Ra^1* **193**,14.15 *Ra^1*
Keine Quelle nachgewiesen: **193**,10–13
Von Mörike nicht benutzte Erläuterungen der Quelle Ra^1: Dialogsprecherangabe über
v. 5, v. 7, v. 42 (38), v. 60 (56), v. 63 (59) Ra^1 (Die eingeklammerten Verszahlen geben
die Stellen in der Zählung Mörikes an, welche nach der im Urtext lückenhaften Stelle
von der Zählung bei Ra^1 abweicht.)

III

Benutzte Quelle: **193**,17–19 *Ra^1*
Von Mörike nicht benutzte Erläuterung der Quelle Ra^1: v. 3

V

Benutzte Quelle: **193**,23.24 *Ra^1*
Keine Quelle nachgewiesen: **193**,21.22
Von Mörike nicht benutzte Erläuterungen der Quelle Ra^1: v. 1, v. 4, v. 6

VI

Keine Quelle nachgewiesen: **193**,26.27
Von Mörike nicht benutzte Erläuterungen der Quelle Ra^1: v. 3, v. 7, v. 14

VIII

Benutzte Quelle: Ra^1

HINWEISE ZUR QUELLENBENUTZUNG

193,29 Asiatische *bis* Völker] *Keine Quelle nachgewiesen* **193**,29.30 *Eoisches bis*
aufstieg] [An den] Ocean, [der Asien auf] der östlichen [Seite umgiebt.] *Ra^1*

193,30–**194**,4 Die *Hyrkaner bis* gibt] *Keine Quelle nachgewiesen* **194**,5–7 Von Gallien *bis* kannten] [... Als] Cäsar über den Rhein in Deutschland eindringen [wollte, bauete er eine der merkwürdigsten Brücken über den Strom; ... Was die ehrgeizige und unnütze Überfahrt] nach Britannien [betrifft, so kehrte er von dannen, nachdem er einige Örter verbrannt hatte, nach] Gallien [zurück; und ob er gleich das Jahr darauf abermahls hinüber setzte, so sagt doch Tacitus von dieser ganzen Unternehmung nicht mehr, als daß der vergötterte Julius den Nachfolgern Britannien mehr gezeigt, als überliefert habe. ...] *Ra¹* **194**,7 *Ehrenmäler bis* Siegeszeichen] *Keine Quelle nachgewiesen* **194**,7–13 Ramler *bis* schließen] *Bemerkung Mörikes (s. die Erläuterung der Stelle in Band 8,2) Von Mörike nicht benutzte Erläuterungen der Quelle Ra¹: v. 20, v. 24*

X

Benutzte Quelle: **194**,15.16 *Ra¹*
Von Mörike nicht benutzte Erläuterung der Quelle Ra¹: v. 1

XI

Benutzte Quelle: **194**,18.19 *Ra¹* **194**, 20–24 *Ra¹*
Von Mörike nicht benutzte Erläuterungen der Quelle Ra¹: v. 3, v. 13

XII

Benutzte Quelle: **194**,27 *Ra¹* **194**,32.33 Zu einem *bis* kann *Ra¹* **194**,34.35 *Ra¹*
Keine Quelle nachgewiesen: **194**,28–31; **194**,33 *Behaart bis* belaubt **194**,36
Bemerkung Mörikes: **194**,26; **194**,37; **194**,38
Von Mörike nicht benutzte Erläuterungen der Quelle Ra¹: v. 21, v. 24, v. 27

XIII

Benutzte Quelle: **195**,3 *Ra¹*
Keine Quelle nachgewiesen: **195**,2
Von Mörike nicht benutzte Erläuterungen der Quelle Ra¹: v. 7 (8), v. 11 (13), v. 18 (19), v. 26 (27) (Die eingeklammerten Verszahlen geben die Stellen in der Zählung Mörikes an, welche von der Zählung bei Ra¹ abweicht.)

XIV

Keine Quelle nachgewiesen: **195**,5
Von Mörike nicht benutzte Erläuterung der Quelle Ra¹: v. 10

XVI

Benutzte Quelle: **195**,7–11 *Kleinere bis* hießen *Ra¹* **195**,17–19 *Ra¹*

Keine Quelle nachgewiesen: **195,**11–16 Die zusammengeleimten *bis* Bimsstein
Von Mörike nicht benutzte Erläuterungen der Quelle Ra¹*: v. 7, v. 12, v. 15, v. 17, v. 18*

XVII

Keine Quelle nachgewiesen: **195,**21–26
Von Mörike nicht benutzte Erläuterungen der Quelle Ra¹*: v. 8, v. 13, v. 24*

XVIII

Benutzte Quelle: **195,**28.29 *Calvus bis* Person *Ra¹* **195,**31.32 *Ra¹*
Keine Quelle nachgewiesen: **195,**29.30 Auf einem *bis* gehalten

XIX

Keine Quelle nachgewiesen: **195,**35–37
Bemerkung Mörikes: **195,**34

HORAZ

Band 8,1   Seite 199–251

EINLEITUNG

Eine Quelle ist nicht nachgewiesen.

I. AN KALLIOPE

(Vgl. »Nachträge« S. 569)

Benutzte Textvorlagen: Ra², Sche¹, Sche², Br¹, Ge

BEARBEITUNGSANALYSE

Überschrift: An [die] Kalliope Ra²

1–4:   O steig' herab vom Himmel, Kalliope!
      Stimm' an die Flöte, Königinn! oder sing'
        Ein [Jubellied] mit [süßer] Stimme,
          Sing' und begleit' es mit Phöbus Saiten. – *Ra²*
      Vom Himmel [steig,] Kalliope, Königinn!
      Ein [längres] Lied [beginne mit Flötenton,]
        Mit heller Stimm' [auch, willst du's lieber,]
          Oder [auf] Saiten, [auf] Phoebus [Leyer!] *Sche¹*

228

Vom Himmel [steig,] Kalliope, Königinn!
Ein [läng'res] Lied [heb an du mit Flötenton,]
   Mit heller Stimme, [willst du's lieber,]
      Oder [zu] Saiten, [zu] Phöbus [Leyer!] *Sche*²
Herab vom Himmel steig', [und zur] Flöte stimm'
Ein [langes] Lied an, [Göttin] Calliope!
   [Gefällt dir's, auch] mit heller Stimme,
      [Oder auf] Saiten [und Spiel des] Phöbus. *Br*¹
Vom Himmel [steig' und hebe zum Flötenton]
Ein [langes] Lied [an, Göttin] Calliope,
   [Auch, ziehst du's vor, zur] hellen Stimme
      [Oder zur] Sait' [und des] Phöbus' [Cither.] *Ge*

5–8:   [Ist's] oder täuscht ein [Taumel der Wonne] mich?
[Schon] hör' ich [sie, schon wall' ich durch] selige
   [Lusthaine mit ihr, dort,] wo [steile
      Bäche sich wälzen und Weste gaukeln;] *Ra*²
[O hört] ihrs? oder täuschet [entzükkende
Begeist'rung] mich? [Schon wähn' ich,] ich höre [sie;
   Ich] wandl' in [heil'gen Hainen, um mich
      Liebliche Bäche mit sanften] Lüftchen. *Sche*¹
[Hört, hört] ihr's [wol? wie,] oder [betrüget] mich
Ein [holder Wahn? Schon wähn' ich,] ich höre [sie,
   Ich] wandl' in [heil'gen Hainen, um mich
      Liebliche Bäche mit sanften] Lüftchen. · *Sche*²
Vernehmt ihr? oder täuscht mich ein [wonniger]
Wahnsinn? Zu hören glaub' ich die [Irrende]
   Im [heil'gen] Götterhain, wo linde
      Säuselnde Lüftchen und Wasser strömen. *Br*¹
Vernehmt ihr's? oder täuscht mich ein [süsser Wahn?]
Ich hör' [sie, deucht mich, durch die geweiheten
   Lusthaine irren,] wo [mit Anmuth
      Bäche sich winden und Lüfte] säuseln. *Ge*

9–12:   [Dort,] wo mich Knaben, [als] ich von Spiel und Schlaf
Bezwungen da lag, [außer der Vatererd']
   Apuliens [an] Vulturs [Hange,]
      Tauben mit dichtrischem [Laube] deckten: *Ra*²
Vom Spiel und [Wachen] dekkten [ermüdet] mich
[Den] Knaben [einstmal ausser dem Mutterland]

Mit [jungem Laube Dichtertauben]
　　Auf [des Appulischen] Vulturs [Höhe –] *Sche 1*
Vom Spiele [müd'] und [Wachen bedekkten] mich,
　[Den] Knaben, [einstmal außer dem Mutterland]
Mit [jungem Laube Dichtertauben]
　　Auf [des Appulischen] Vulturs [Höhe,] *Sche 2*
Mich [haben] auf dem Voltur Apuliens,
　[Allwo der Heimath Schwellen] ich ferne [sass,]
　　Von Spiel und [Schlummer matt, gepries'ne]
　　　Tauben mit [grünendem Laub, mich] Knaben
[Bedeckt.]　　　　　　　　　　　　*Br 1*
Mich deckten auf dem Vultur Apulia's,
　[Als dieser Heimath Gränzen ich überschritt,
　　Den] Knaben, [lass] vom Spiel und [Schlummer,
　　　Mythische Täubchen] mit [jungem Reisig,] *Ge*
13–20: Ein Wunder allen, [die den] Bantiner [Wald,
Die heerdenvollen Auen des niedrigen
　Ferent bewohnen und] das [über-
　　hangende] Felsennest Acherontis,
Wie sicher ich vor Ottern und Bären schlief,
Wie mich geweihter Lorber umschattete
　Und [frische Myrte, mich,] ein Kind, [nicht
　　Ohne die Götter voll hohen Muthes.] *Ra 2*
Ein Wunder Allen, [welche bewohnen die]
Bantiner [Wälder, sammt] Acherontia,
　Dem hohen Felsennest, [sowie den
　　Fetten Gefilden Forents, des niedern:
So dass] vor Bären sicher ich [schlummerte]
Und [schwarzen Nattern, reichlich bedekket mit
　Gehäufter Myrt' und heil'gem] Lorbeer,
　　[Nur durch die Götter ein kühner Knabe.] *Sche 1*
Ein Wunder Allen, [welche bewohnen die]
Bantiner [Waldung] und Acherontia,
　Das hohe Felsennest, [sowie die
　　Fetten Gefilde Forents, des niedern:]
Wie sicher ich vor [Nattern, den schwarzen, dort,]
Und Bären schlief, [ich reichlich bedekket mit
　Gehäufter Myrt' und heil'gem] Lorbeer,
　　[Götterbegabet ein kühner Knabe.] *Sche 2*

Ein Wunder allen Bewohnern, traun,
Des hohen Fels'nests von Acherontia,
    Und denen auf Bantiner Waldhöh'n,
        Und in der üppigen Trift Forentums,
[Dass, unverletzt von] Bären, ich [schlummerte,
Und schwarzen Nattern; dass] mich [der heilige]
    Lorbeer und [Myrthe schützte, nicht ohn']
        Göttlichen Schutz ein [so] muthig [Knäblein.] *Br*[1]
Ein Wunder war's [für] Alle, [die irgend nur
Auf steilem] Felsennest Acherontia,
    Bantiner Waldhöh'n, und [den fetten
        Fluren des niedern Forentums wohnen:
Dass ich geschirmt] vor [schwärzlicher Natterbrut]
Und Bären [einschlief: heiliges Lorbeerreis]
    Mich [drückt', und, aufgehäuft, die Myrte
        Nur mit den Göttern] ein muthig [Kindlein.] *Ge*

21–28:
[Durch] euch, [Kamönen, leb'] ich; mit euch besteig'
Ich [die Sabiner] Hügel [und] Tiburs [Flur,]
    Irr' in Pränestens Hainen, [ruhe
        In dem durchwässerten Thale] Bajens.
Mich, eurer [Chör' und heiligen] Quellen Freund,
Hat [bey] Philippi [keine verlorne] Schlacht
    Erlegt, [kein fluchbeladner Baum,] kein
        Schiffe zerschellender Palinuros. *Ra*[2]
[O euer,] Musen, [euer, erklimm' ich die
Sabiner-Höhen, oder gefallen mir
    Pränestes kühle Schatten, oder
        Tibur, das steil', oder Bajäs Quellen!]
Mich, eurer [heil'gen] Quellen [und Chöre] Freund,
Hat [bei] Philippi [fliehendes Treffen] nicht
    [Vertilgt, der fluchbelad'ne Baum] nicht,
        [Nicht Palinur in Siculer-Fluten.] *Sche*[1]
[Kamönen, eu'r, o euer erklimm' ich die
Sabiner Anhöhn, oder gefallen mir
    Pränestes kühle Schatten, oder
        Tibur, das steile, die Quellen Bajäs!]
Mich, eurer [Chör' und heiligen] Quellen Freund,
Hat [bei] Philippi [fliehendes Treffen] nicht

[Vertilgt, der fluchbeladne Baum] nicht,
[Nicht Palinur in Siculer Fluten.] *Sche²*
Euch, euch gehörend, Musen, [erheb' ich zu
Sabinerhöh'n mich; mag mich das luftige
    Präneste, mag] mich [Tiburs Abhang
        Oder das fliessende] Bajä [locken.]
Mich, eurer Quellen, euerer Reigen Freund,
Hat nicht Philippi's rückwärts gewandte Schlacht,
    Nicht jener Unglücksstamm [vernichtet,
        Noch Palinur in Siculerwogen.] *Br¹*
[Der Eure, o Camönen, der Eur' erklimm']
Sabinums [Höh'n, ich, oder das eisige
    Präneste, oder jähe Tibur
        Lade] mich, [oder das klare] Bajä.
Mich, eurer [Born' und Chöre Befreundeten,]
Hat nicht Philippi's [weichender Schlachtenzug
    Getödtet,] nicht [der Baum des Fluches,
        Nicht Palinurus' Sicanerwoge.] *Ge*

29–36: [Begleitet] ihr mich, wag' ich den Bosporus
In einem Nachen sonder Gefahr, und geh'
    Mit [einem] Stabe durch den [öden]
        Sand der Assyrischen Ufer, suche
Den Britten auf, den Mörder der Fremdlinge,
Und die mit Blut der Rosse sich letzenden
    Concanen, der Gelonen [Köcher,]
        Und [an des Tanais Quell] den Scythen. *Ra²*
[Wenn] Ihr mit mir seid, wag' ich, [ein fröhlicher
Pilot,] den [tobend brausenden] Bosporus,
    [Ich wag' ein Wandrer mich in heissen]
        Sand [an Assyriens Meeres-Ufer:]
Den [wilden] Britten, [lieblos für] Fremdlinge,
[Besuch' ich, sammt] Concanen, [am Pferdeblut]
    Sich letzend, [unversehrt] der Scythen
        Strom, und Gelonen, die Köcherträger. *Sche¹*
[Wenn] Ihr mit mir seid, wag' ich [als fröhlicher
Pilot] den [tobend brausenden] Bosporus,
    [Ich wag' ein Wandrer kühn Assyrus]
        Glühenden Sand [an des Meeres] Ufer:

Der Britten [Land, für Gäste so ungeschlacht,
Besuch' ich, sammt] Concanen, [am Pferdeblut]
    Sich letzend, [unversehrt] der Scythen
        Strom, und Gelonen, die Köcherträger. *Sche²*
Wo ihr mit mir seyd, [will] ich, [ein Schiffer, gern]
Den [ungestümm aufbrausenden] Bosporus
    [Versuchen, auch die Glut] des Sandes
        [An dem] Assyrischen [Strand, ein Wand'rer.
Ich will] dem Fremdling [grause Britanner schau'n,]
Und den [nach Rossblut lüsternen] Konkaner,
    [Will schau'n im Köcherschmuck] Gelonen,
        Und [ungefährdet] den Strom der Scythen. *Br¹*
Wo [immer] ihr [auch nahe] mir seiet, [gern
Versuch'] ich [dort wildflutenden] Bosphorus,
    [Ein Segler, und glutvolle Sandhöh'n
        Auf dem Assyrierstrand, ein Wand'rer;
Ich will dem Gastfreund grause Britannier
Erschau'n und rossblutlüsterne Concaner,
    Will schau'n beköcherte Geloner
        Sonder Gefahr, und] den Strom der Scythen. *Ge*

37–40: Ihr laßt den großen Cäsar, so bald der Held
Das müde Kriegesheer in die Städte legt,
    Und seiner Arbeit Ende [wünschet,]
        In den [Aonischen] Grotten ausruhn. *Ra²*
Den [hocherhab'nen] Caesar [erquikket] ihr,
[Hat er die Schaaren,] müde [vom langen Krieg,
    Verlegt] in Städt' und [wünscht der Lasten]
        End', in Pierischer [Felsengrotte.] *Sche¹*
Den [hohen] Cäsar, [hat er die Schaaren lass
Vom langem Krieg] in Städte gelegt, und [wünscht
    Er nun der Lasten] End', [erquikkt] ihr
        In der Pierischen [Felsengrotte.] *Sche²*
Ihr [gönnet] Cäsar'n, [wann er von Krieg und Dienst
Erschöpfte Heeres-Schaaren] in Städte legt,
    Und seiner [Drangsal] Ende suchet,
        In der Pierischen Grott' [Erholung.] *Br¹*
Ihr [leiht] dem Cäsar, [wenn der Erhabene
Vom Feldzug matte Streiter] in Städten [barg,]

Und [er zu enden strebt die Mühsal,]
In der Pierischen Grotte [Labung.] *Ge*

41–48:   Ihr [gebt gelinden] Rath, [ihr holdseligen!]
Und freut euch eures Rathes. – Doch wissen wir,
    Der frevelnden Titanen Rotte
       Schlug er mit schmetterndem Blitze nieder,
Er, der den [trägen] Erdball, das [wilde Meer,]
Und Städt' [und bange] Reiche [der Könige]
    Regiert, und alle Götter, alle
       Menschen beherrscht mit gerechtem Zepter. *Ra²*
O sanften Rath ertheilt ihr [Beglükkenden,]
Und freut euch [dess.] Wir wissen, [wie mächtig er]
    Mit [schnellem Wetterstrahl, die Frevler-
       Rotte] der [grausen] Titanen [stürzte,]
Er, der [die träge Erde, das wilde Meer,
Die] Städte, [sammt dem traurigen Schattenreich,
    Der] Götter und [der] Menschen [Schaaren,
       Einzig] beherrscht mit gerechtem [Stabe.] *Sche¹*
O sanften [Rathschlag gebt] ihr [Beglükkenden,]
Und freut euch [dess.] Wir wissen, [wie mächtig er]
    Mit [schnellem Wetterstral die Frevler-
       Rotte] der [grausen] Titanen [stürzte,]
Er, der [das Sturmmeer lenket, die träge Erd',]
Und Städte, [sammt dem traurigen Schattenreich,
    Der] Götter und [der] Menschen [Schaaren
       Einzig] beherrscht mit gerechtem [Stabe!] *Sche²*
Ihr [gebet milden] Rath [ihm,] und euer Rath
Freut euch, [ihr Holden. Wohl ist bekannt, wie] der
    Titanen [fluchbeladne] Rotte
       Mit [dem geschleuderten] Blitz er [aufrieb.]
Er, der des Erdballs Massen, das stürmische
Weltmeer beherrscht, und Städt' [und] das Reich der Nacht,
    Und Götter, [so wie Staubbewohner
       Einzig] regiert mir gerechter [Herrschaft.] *Br¹*
Ihr [spendet, Holde, lieblichen] Rath, und [seid
Der Spende froh,] wir wissen, der [frevelen]
    Titanen [ungeheu're] Rotte
       Schlug mit [entschwungenem Strahle] nieder,

Der [träges Erdreich, der das empörte Meer]
Und Städte [lenkt, und finstere] Reiche, [der
    Die Schaar der] Götter [und der] Menschen
      [Einzig regieret] mit [gleicher Herrschaft.] *Ge*

49–52: Groß war sein Schrecken, als [die verschworne Schaar
Der Brüder] anhub, [trotzend] auf [ihre Kraft
    Und] Arme, den [mit Wald bedeckten]
      Pelion auf den Olymp zu wälzen. *Ra²*

[O wie erschrak er,] als auf der Arme Macht
Vertrauend, jene [schrekkliche] Jugend [sich,
    Die Brüder, müh'ten,] den [bewachs'nen]
      Pelion auf den Olymp zu [setzen!] *Sche¹*

[Der sehr erschrak,] als [trotzig] der Arme Macht
Vertrauend [nun die schrekkliche] Jugend [sich,
    Die Brüder, müh'ten,] den [bewachs'nen]
      Pelion auf den Olymp zu [setzen.] *Sche²*

[Gewalt'gen] Schrecken [brachte dem Jupiter
Die junge Heerschaar, trotzend] auf [Armeskraft
    Und Brüder, die gestrebt,] zu wälzen
      Pelion auf des Olympus [Waldhöh'n.] *Br¹*

[In] grosses [Schreckniss jagten den Juppiter
Die grause] Jugend, [trotzig] auf [ihren] Arm,
    [Und Brüder, strebend] auf Olympus'
      [Waldung] den Pelion [hinzuwälzen;] *Ge*

53–60: Doch was vermochte Typhons und Mimas [Wuth?
Und] was [der Riesenkörper] Porphyrions?
    Was [Rhökos] und mit ausgerißnen
      Eichen Enceladus [da,] wo Pallas
[Mit] ihres [Vaters Allmacht die] donnernde
[Agide schwenkte?] – Rüstig stand hier Vulcan,
    Hier Juno, hier der auf der Schulter
      Keinen unthätigen Bogen führet; *Ra²*

Doch was vermöchte Mimas und Typhons Kraft,
Was mit dem [dräu'nden Körper] Porphyrion,
    Was Rhötus und mit ausgeriss'nen
      [Stämmen] Enceladus [muthig] schleudernd,
[Was gegen] Pallas [tönende Ägis sie
Eindringend?] Hier stand rüstig Vulcanus, hie

[Der Götter Fürstinn] Juno, hie der
    [Nie von der Schulter den] Bogen [fernet,] *Sche* 1
Doch was vermag Typhöus und Mimas Kraft,
Was [wol] mit [droh'ndem Körper] Porfyrion,
    Was Rhötus und mit ausgeriss'nen
        [Stämmen] Enceladus [muthig] schleudernd,
[Was gegen] Pallas [tönende Ägis sie
Eindringend?] Hie stand rüstig Vulcanus, hier
    [Der Götter Fürstinn] Juno, hier der
        [Nie von der Schulter den] Bogen [fernet,] *Sche* 2
Doch, was [bewirkte] Typhons und Mimas Kraft,
Was [durch der Stellung Drohen] Porphyrion,
    Was Rhötus, und [durch Stammentwurzlung
        Jener] Enceladus, [kühn im] Schleudern,
[Da sie der] Pallas [tönendem] Götterschild
[Entgegenstürmten?] Hier stand [in Kampfbegier]
    Vulkanus, hier [die Herrin] Juno
        [Und, der den] Bogen [nie legt, Apollo,] *Br* 1
Doch was vermag Typhöus' und Mima's Kraft,
[Und] was [in droh'nder Stellung] Porphyrion,
    Was Rhötus und Enceladus, [der
        Kühn die entwurzelten Bäum' entschleudert,
Als wider] Pallas' [tönende Ägis an
Sie stürmten?] Hier, [voll Schlachtenbegierde,] stand
    Vulcanus, hier [die Herrin] Juno
        [Und, an] den Schultern [den] Bogen [ewig,] *Ge*

61–64: Den Delius sein grünender Mutterhain,
Und Patareûs [der Lycier] Strand [begrüßt,]
    Der seines Hauptes goldne Locken
        In die Kastalischen Fluthen tauchet. – *Ra* 2
Der [mit dem Silberquelle Castaliens]
Sein [Lokkenhaar netzt badend,] und Pataras
    [Bebuschte Flur und den Geburtshain
        Delos beherrschet – Apollo Phoebus.] *Sche* 1
Der [mit dem Silberquelle Castaliens]
Sein [Lokkenhaar netzt badend,] und Pataras
    [Bebuschte Fluren, den Geburtshain
        Delos beherrschet – Apollo Phöbus!] *Sche* 2

Der im [krystall'nen Quelle Kastalia's
Das lose Haupthaar badet, der Lycien's
   Gebüsch] bewohnet [und Geburtswald,
     Delier und Pataräer Schutzgott.] *Br¹*
Der [loses Haupthaar] taucht in [Castalia's
Kristall'nen Thau,] der [Lycia's Dorngebüsch]
   Bewohnt, und [seiner Heimath Waldung,]
     Delos' und Patareus' [Hort, Apollo.] *Ge*

65–68: Macht ohne Rath stürzt unter der eignen Last;
Mit Rath geführte Macht wird von Göttern selbst
   [Befestigt;] doch verhaßt ist ihnen
     Alle Gewalt, die nach Unheil trachtet. *Ra²*
Macht [sonder Weisheit] stürzet [von] eigner Last;
[Von ihr gemässigt heben die] Götter [sie
   Noch mehr empor:] verhasst ist ihnen
     [Jegliche Kraft,] die [nur Frevel sinnet.] *Sche¹ Sche²*
[Kraft] ohne [Klugheit] stürzet [durch] eig'ne Last,
[Kraft, die Verstand lenkt, heben die] Götter selbst
   Empor:] doch [hassen] sie [die Kraft auch,]
     Die [nur auf Frevel und] Unheil [sinnet.] *Br¹*
[Kraft sonder Klugheit] stürzet [durch] eigne Last,
[Kraft wohlgemässigt, heben die] Götter [hoch,]
   Doch [hassen eben sie die Kräfte,
     Welche auf jegliche Unthat sinnen.] *Ge*

69–72: Bewährt der [hunderthändige] Gyas nicht
Den Spruch der Weisheit? Lehrt ihn Orion nicht,
   Der keuschen Cynthia Versucher,
     Durch den jungfräulichen Pfeil gebändigt? *Ra²*
[Es zeugt] der hundertarmige [Gyges mir
Den Ausspruch, zeugt] der [züchtigen] Cynthia
   Versucher, [den] der Pfeil [der Jungfrau
     Bändigt',] Orion, [der Allbekannte.] *Sche¹ Sche²*
[Mir zeugt] der hundertarmige [Gyges für]
Des Spruches [Wahrheit, und der berüchtigte]
   Versucher der [Diana,] durch jung-
     fräuliche Pfeile [bezähmt,] Orion. *Br¹*
[Für meinen] Spruch [ist Gyges] der [Hundertarm
Der Zeug',] Orion [ist's,] der [verrufene]

Versucher [an Diana's Keuschheit,
Aber] gebändigt [vom] Pfeil [der Jungfrau.] *Ge*

73–76:   Noch seufzt [die Erd' auf eigene] Brut [gestürzt,]
Klagt [ihr Gezücht noch, welches der Donnerstrahl]
Zur [Hölle schlug; den aufgelegten]
Ätna durchfressen [umsonst die Flammen;] *Ra²*

Die [eignen] Ungeheuer bedekkend seufzt
[Die] Tellus, klagt die [Kinder, vom] Blitz [gestürzt]
Zum bleichen Orcus; [nie durchzehrt die
Flamme] den [übergeworf'nen] Ätna. *Sche¹*

Die [eignen] Ungeheuer bedekkend [stöhnt
Die] Tellus, klagt die [Kinder vom] Blitz [gestürzt]
Zum bleichen Orcus: [nie durchzehrt die
Flamme] den [übergeworfnen] Ätna. *Sche²*

[Gestürzt auf ihre Wüthriche,] klagt [die Erd']
Die Brut [betrauernd, welche] der Blitz gesandt
Zum bleichen Orkus. Noch durchfrass nicht
[Eilendes] Feuer die Last des Ätna. *Br¹*

[Die Erde weint auf eigene Missgeburt
Gewälzt,] und klagt [um Söhne vom] Blitz gesandt
Zum [fahlen] Orcus; nicht [die rasche
Flamme] durchfrass [den Bedecker] Ätna; *Ge*

77–80:   Der [Aar,] bestellt zum Rächer der Schuld, verläßt
Des zügellosen Tityos Leber nicht,
Und ewig drücken den verwegnen
Buhler Pirithous hundert Ketten. *Ra²*

Bestellt zum [Bosheitsrächer] verlässt der [Aar]
Des zügellosen Tityus Leber [nie:
Dreihundert] Ketten [fesseln hart] den
Buhler Pirithous, den Verweg'nen. *Sche¹*

Bestellt zum [Bosheitsrächer] verlässt der [Aar
Die] Leber [nie vom lüsternen] Tityos:
[Dreihundert] Ketten [fesseln hart] den
Buhler Pirithous, den verweg'nen. *Sche²*

Des [Tugendschänders] Tityos Leber nicht
Verlässt der Geier, [schändlichem Thun] bestellt
Zum [Hüter; dreimal] hundert Ketten
[Halten] Pirithous [fest,] den Buhler. *Br¹*

Des zügellosen Tityos Leber nicht
Verlässt der [Vogel, welcher der Frevelthat
    Zur Hut gestellt, dreihundert] Ketten
        [Zwängen] Pirithous [ein,] den Buhler. *Ge*

II. AN THALIARCHUS

Benutzte Textvorlagen: Ra², Sche¹, Sche², Br¹, Ge

Überschrift: An [den] Thaliarchus *Ra²*

1–4:   Du siehst Soractens [Gipfel mit Schnee bedeckt
Von weitem schimmern, siehst wie] der schweren Last
    Der Wald [erliegt und von dem] scharfen
        [Frost der geschlängelte Fluß erstarrt ist.] *Ra²*
Sieh, [wie vom hohen Schnee der] Soracte [glänzt,
Wie] die [gebeugten] Wälder [vermögen kaum]
    Die Last [zu tragen, wie die Flüsse
        Stehen erstarret vom] scharfen [Froste!] *Sche¹*
Sieh [den] Soracte [glänzen vom hohen Schnee,
Sieh, wie] die Last [kaum können noch tragen] die
    [Gebeugten] Wälder, [wie die Flüsse
        Stehen erstarret vom] scharfen [Froste!] *Sche²*
Du siehst [von hohem Schnee den] Soracte [weiss
Dasteh'n, du siehst, wie] unter der Last [mit Müh']
    Der Wald [sich aufrecht hält, von] scharfer
        Kälte [die Ströme zusammenfroren.] *Br¹*
Du siehst [wie hellherleuchtend] im [hohen Schnee,]
Soracte [ragt, wie ringend] die Wälder [kaum
    Die Bürd' ertragen, und die Ströme
        Unter der schneidenden] Kälte [starren.] *Ge*

5–8:   Vertreib den Winter! [thürme] des Herdes Holz
[Hoch auf, und gieb] uns aus dem [gehenkelten
    Sabiner Krug', o] Thaliarchus!
        [Deinen] vierjährigen [milden Festwein.] *Ra²*
[Verscheuch die Kälte, lege] mit [milder Hand]
Holz [auf] den Heert, und reichlicher [mögest du,

239

Als sonst, mein] Thaliarch, [zweijähr'gen]
Wein [vom] Sabinischen [Fasse zapfen.] *Sche* [1]
[Die Kälte scheuch dann, lege] mit [milder Hand]
Holz [auf] den Heert, und reichlicher [mögest du,
Als sonst, mein] Thaliarch, [zweijähr'gen]
Wein [vom] Sabinischen [Fasse zapfen.] *Sche* [2]
[Den Frost zu lindern, lege du] Holz [zum] Heerd
[In reicher Fülle; geuss,] Taliarchus, [auch
Freigebig] uns vierjähr'gen Weines
Aus dem [gestilpten Sabinerkruge.] *Br* [1]
[Thau' auf den Frost, und schichte dem Feuerheerd
Des] Holzes reichlich, [o] Thaliarchus, [auf,
Und gastlich geuss] vierjähr'gen [Firner]
Aus dem Sabinischen Henkelkruge. *Ge*

9–12: [Empfiehl] den [großen] Göttern das Übrige.
So bald der [wellenbrechenden] Stürme Kampf
Ihr Wink [gestillt hat,] ruhen alte
Äschen und [grüne] Cypressen wieder. *Ra* [2]
[Das andre lass dem Himmel zur] Sorge: [denn]
Sobald den Stürmen, [kämpfend mit wilder Flut,
Er Ruh gebeut,] Cypressen [schwanken –
Schwanken nicht mehr die bejahrten] Eschen. *Sche* [1]
[Das andre lass zur] Sorge [dem Himmel; denn,]
Sobald [der Windsbraut, kämpfend mit wilder Flut,
Er Ruh' gebeut,] Cypressen [schwanken –
Schwanken nicht mehr die bejahrten] Eschen. *Sche* [2]
Befiehl der Götter Sorge das Übrige,
Sobald nach ihrem Winke die [Wogen] ruh'n
Vom Kampf der Stürme, [steh'n] Cypressen,
[Steh'n unbeweget die] alten Eschen. *Br* [1]
Den Göttern [lass das Andere heimgestellt,]
Sobald die Stürm' [im] Kampfe [mit siedender
Meerflut sie stillten: nicht] Cypressen
[Regen sich dann, noch bejahrte Ornen.] *Ge*

13–16: Was morgen seyn wird, [forsche] nicht; [wuchere
Mit] jedem Tage, den dir das [Schicksal gönnt.
Geneuß] der [süßen] Lieb' [in grünen
Jahren, und munterer] Reihentänze, *Ra* [2]

Was Morgen sein wird – [meide zu forschen, und
Zähl zum Genusse jeglichen] Tag, den dir
   Das [Schikksal giebt, verschmäh'] die [süsse]
      Liebe, [den heiteren Tanz] nicht, [Jüngling!] *Sche¹*

Was morgen sein wird – [meide zu forschen, und
Zähl zum Genuss du jeglichen] Tag, den dir
   Das [Schikksal giebt, verschmäh'] die [süße]
      Liebe, [den heiteren Tanz] nicht, [Jüngling!] *Sche²*

Was morgen seyn wird, [forsche] du nicht; Gewinn
Sey jeder Tag dir, den das Geschick verleiht,
   Und nicht der Liebe Lust, o Knabe,
      Achte gering, noch die Reigentänze, *Br¹*

Was morgen sein wird, [forsche doch heute] nicht:
[Und] jeder Tag [vom Loose] dir [zugewandt,]
   Sei Dir Gewinn, nicht [süsse] Liebe
      [Oder den Reigen verschmäh',] o [Jüngling,] *Ge*

17–20: [Weil noch die Stirn kein mürrisches] Alter [pflügt,
Und noch die Zeit ist, Marsfeld und Tummelplatz,]
   Und [Abends] zur [gesetzten] Stunde
      Flisternde [Spiele zu wiederhohlen,] *Ra²*

So lang' der Jugend [Blüthe] dem Alter [nicht,
Dem mürr'schen, weicht. Jetzt müsse das Marsfeld dich,
   Die Kampfbahn,] und zur [sichern] Stunde
      Leises [Geflüster am Abend letzen,] *Sche¹*

Solang' der Jugend [Blüthe] dem Alter [nicht,
Dem mürr'schen, weicht. Itzt müsse das Marsfeld dich,
   Die Kampfbahn,] und zur [sichern Stunde]
      Leises [Geflüster am Abend letzen,] *Sche²*

So lang die Jugend [blühet,] und ferne sind
Des Alters Launen. Kampf, und das Feld des Mars,
   Und Nachts der Liebe leises Flüstern,
      Suche [du jetzt] zu besprochener Stunde: *Br¹*

So lang' der Jugend [mürrisches Greisenthum
Noch] fern ist. [Jetzt nur Campus und Wandelort,]
   Und, [bei der Dämm'rung,] leis [Geflüster
      Öfter] gesucht zu [versproch'ner] Stunde; *Ge*

21–24: Und jenes [feine Lachen] vom Winkel her,
Wo das versteckte Mädchen sich selbst verräth,

Und du vom Arm und von dem [falsch] sich
    [Sträubenden] Finger das Pfand ihr abziehst. *Ra*[2]
[Jetzt] des verstekkten Mädchens verrathendes
Und süsses [Lachen tief in dem] Winkel [dich,
    Sowie] das Pfand, [dem] Arm' [entwendet,
    Oder] vom Finger sich [scheinbar sträubend.] *Sche*[1]
[Anitzt] verstekkt [im] Winkel das Mädchen [tief,
Wann dir es] süß sich selber verrathend [lacht,
    Itzt, wenn ein] Pfand vom Arm du [reißest,
    Oder] vom Finger – sich [scheinbar sträubend.] *Sche*[2]
[Jetzt] süsses Lächeln, [welches] das Mädchen [dir,
Wenn auch der tiefste] Winkel [sie birgt,] verräth;
    Das Pfand [auch, das dem] Arm [geraubt wird,
    Oder] dem Finger, [der übel] spröd [ist.] *Br*[1]
[Jetzt] süss [Gekicher heimlichen Mägdeleins,
Das] sich verräth vom [innersten] Winkel her,
    Und [Liebespfand, dem] Arm [entwunden,
    Oder] dem Finger, [der bös] sich [sträubet.] *Ge*

III. AN LYDIA

Benutzte Textvorlagen: Ra[2], Sche[1], Sche[2], Br[1], Ge

BEARBEITUNGSANALYSE

Überschrift: An [die] Lydia *Ra*[2]

1–4:   [Wann] dir, Lydia, Telephus
        Rosennacken [gefällt,] Telephus Arme [wie]
          Wachs [dir scheinen:] o dann empört
        Sich die schwellende Brust eiferer Galle voll; *Ra*[2]
          Wenn du, Lydia, Telephus
        Rosennakken [erhebst,] Telephus [weissen] Arm,
          [Ha,] dann [schwillet von zorniger]
        Galle [heftig in mir kochend die Leber auf,] *Sche*[1] *Sche*[2]
          Wenn du, Lydia, Telephus
        Rosennacken, [wie] Wachs [schimmernd des] Telephus
          Arme lobest, [wie] schwillt [mir] dann
        Voll [von Ärger und Zorn wüthend die Leber an!] *Br*[1]

Wenn, [o] Lydia, Telephus'
Rosennacken, [die Wachsarme des] Telephus
  Du [anpreisest, ach wehe,] dann
Schwillt [erglühend die schwarzgallige Leber mir.] *Ge*

5–8:
  Dann vergehen die Sinne mir
Und die Farbe; dann schleicht heimlich ein Tropfen sich
  Auf die Wang' und verräth den Brand,
Der mir langsam das Mark in den Gebeinen frißt. *Ra²*
  Dann [entweicht die Vernunft, verlässt]
Mich die Farbe, [hinab gleiten] die Wange dann
  Heimlich [Thränen,] und [deuten mir,
Welche zehrende Glut nage mein Inneres.] *Sche¹*
  Dann [entweicht die Vernunft, verlässt]
Mich die Farbe, [hinab gleiten] die Wange dann
  Heimlich [Tränen,] und [deuten mir,
Was für zehrende Glut nage mein Inneres!] *Sche²*
  Dann [hält weder Verstand noch] Farb'
Mir [ein richtiges Maas, und von] der Wange [rollt]
  Heimlich [nieder die Thrän' und zeugt
Wie] mir langsame [Glut] Mark [und] Gebein [verzehrt.] *Br¹*
  Dann [hält weder Besonnenheit
Noch] die Farbe mir [Stand, über] die Wange schleicht
  [Eine Zähre, für dich Beweis,
Wie mein Inneres langglimmendes Feuer zehrt.] *Ge*

9–12:
  [Oft] entbrenn' ich, [den Schwanenhals]
Dir vom trunkenen Kampf schändlich entstellt zu sehn,
  [Es] zu sehn, wie der Wüthende
Deinem Munde des Zahns [Merkmahl] zurücke ließ. *Ra²*
  [Hat] die [blendenden] Schultern dir
[Ausgelassener Zwist schändend beim Wein verletzt,
  Oder kniff des Unbändigen]
Zahn [ein bleibendes Maal dir auf die Lippen, dann,
  Dann] entbrenn' ich!   *Sche¹ Sche²*
  [Wuth ergreift mich, so oft den Glanz
Deiner] Schultern [der Knab',] trunken [zum Streit gereizt,
  Frech] entstellt, [und] des Wüthenden
Zahn [ein dauerndes Mahl dir in die Lippe drückt.] *Br¹*
  Ich [erglüh', wenn] die [schneeigen]
Schultern dir [des Gelag's stürmender Zwist] entstellt,

[Wenn des rasenden Jünglings] Zahn
Deinen [Lippen ein Merkzeichen sich eingeprägt.] *Ge*

13–16:

    Hoffe keinen Bestand von dem,
Der – ein rauher Barbar – Lippen entweihen kann,
    Denen Venus [der Süßigkeit]
Ihres Nektars [von neun Theilen fünf Theile gab.] *Ra²*

        [Wie sollte] der
[Treue Liebe dir weihn, welcher so grob verletzt
    Süsse] Lippen, die Venus [mit]
Ihrem Nektar [so sehr reichlich befeuchtete?] *Sche¹*

        [Wie sollte] der
[Treue Liebe dir weihn, welcher so grob versehrt
    Süße] Lippen, die Venus [mit]
Ihrem Nektar [so freigebig befeuchtete?] *Sche²*

    [Nicht – wofern du mich hören magst –]
Hoff' [ihn ewig getreu, welcher den süssen Kuss
    Schnöd' entstellt dem der] Venus [Huld]
Ihres Nektars ein Fünf-Theilchen verliehen hat. *Br¹*

    [Nicht, wofern du mich hörest,] hoff'
[Ewig Treue] von dem, [welcher den süssen Mund]
    Rauh entweih'te, [den Cypria
Mit dem Fünftel besprengt eigenes Nektarsafts.] *Ge*

17–20:

    [Mehr als dreymal beglücktes] Paar,
Das ein [Liebesband knüpft, welches kein Überdruß,
    Keine Hadersucht trennete,]
Und [was] Amor erst lös't, wann sich das Leben schließt. *Ra²*

    [O ihr Überbeglükkten, die
Unauflöslich] ein Band [einet,] vom bösen Zwist
    Nie zerrissen, [die Liebe nur]
Erst [am scheidenden Grab' hauchen aus ihrer Brust!] *Sche¹ Sche²*

    [Dreimal glücklich und weiter noch,
Wen untrennbar] ein Band [fesselt, und nicht, gelöst
    Durch unselige Zwistigkeit,
Eh' der Tage Beschluss nahet, die Liebe trennt.] *Br¹*

    [Dreimal selig und seliger,
Die unlösliches] Band [einet, und deren Herz]
    Nie [durch leidigen] Zwist [getrennt,]
Sich [am letzten der Tag', aber nicht früher] lös't. *Ge*

IV. AN POMPEJUS GROSPHUS

Benutzte Textvorlagen: Ra^2, $Sche^1$, $Sche^2$, Br^1, Ge

Überschrift: An [den] Pompejus [Varus] Ra^2 An Pompejus $Sche^1$ An Pompeius
[Varus] $Sche^2$

1–4:   O [der] du oft [in Todesgefahr] mit mir
         [Von unserm Feldherrn] Brutus geführet [bist!]
            Wer [giebt] dich, [endlich frey gelassen,
              Theurer Pompejus,] den [Landesgöttern
         Zurück?] Ra^2
         O dich Quiriten, [welchen so] oft mit mir
         [Zum Tod' ins Treffen] Brutus geführet [hat,]
            Wer gab [des Vaterlandes Göttern]
              Dich und Italischem Himmel wieder? $Sche^1$
         O, [welchen] Brutus führte [so] öfters [hin]
         Mit mir [zum] Tod' [ins Treffen,] Quirite du,
            Wer gab dich [Vaterlandes-Göttern,
              Dich dem] Italischen Himmel wieder? $Sche^2$
         O du, dem Tod oft nahe mit mir geführt,
         Da Brutus Leitung folgte das Kriegesheer;
            Wer [gab] dich [nun,] Quirit, [der Heimath
              Göttern zurück] und [dem] Himmel [Romas?] Br^1
         O, oft mit mir [zur äussersten Fährlichkeit]
         Geführt, [als] Brutus [lenkte] das Kriegsheer,
            [Wer schenkte, Römer, dich zurücke
              Italerlüften und] Heimathgöttern, *Ge*

5–8:   [dich] ersten meiner [Gefährten?] dich,
         Mit dem ich oft den [zögernden] Tag [durch Wein
            Verjagte, die getränkten Haare]
              Von der Assyrischen Narde [duftend?] Ra^2
         Pompejus! meiner [Freunde der] erste du,
         Mit dem [so] oft den [zögernden] Tag [mit Wein]
            Ich [kürzte, mit] bekränzten [Haaren,
              Schimmernd] vom [Syrischen Malobathrum?] $Sche^1$
         Pompejus! [o] mein erster [der Freunde] du,
         Mit dem [so] oft den [zögernden] Tag [mit Wein]

Ich [kürzte, mit] bekränzten [Haaren,
　　Schimmernd] vom [Syrischen Malobathrum?] *Sche*[2]
Pompejus, erster [aller] Genossen [mir!]
Mit dem ich oft [langweilige] Tag' [im Wein
　　Abkürzte,] wann bekränzt die Locken
　　　Glänzten von [Syrischem Malobathrum.] *Br*[1]
Pompejus, erster meiner Genossen, du
Mit dem ich oft beim Becher den langen Tag
　　[Gekürzt, indess] bekränzt [mein Haupthaar]
　　　Glänzte von [Syrischem Malobathrum,] *Ge*

9–12:　Wir [sahn] Philippi, [sahn] die [geschwinde] Flucht,
Wobey – nicht fein! – das Schildchen verloren ging,
　　Als hoher Muth erlag, der Trotzer
　　　[Antlitz] den blutigen Boden [küßte.] *Ra*[2]
Philippi fühlt' [ich, fühlte] die [schnelle] Flucht
[Mit Dir, als mir unrühmlich der Schild entfiel,
　　Da] Muth [entwich und droh'nder Krieger
　　　Kinne] den blutigen Boden [drükkten.] *Sche*[1] *Sche*[2]
Phillippi fühlt' [ich,] und die [geschwinde] Flucht
[Mit dir, da feig ich von mir] das Schildchen [warf;
　　Da Männertugend sank, und drohend
　　　Schändlichen] Boden [ihr Kinn berührte.] *Br*[1]
[Mit dem] Philippi und die [beeilte] Flucht
[Ich] fühlte, [wo,] nicht [wacker, den Schild ich warf]
　　Als [Männermuth sank, als die Droher
　　　Schimpfliches Feld mit dem Kinn berührten.] *Ge*

13–16:　[Noch bebt' ich angstvoll, als] mich Mercurius
In dichtem Nebel schnell [durch] die Feinde [trug,
　　Da] dich [aufs] neu [der Fluthen] Strudel
　　　In [den verlassenen Krieg zurückriß.] *Ra*[2]
Mich [hob] im dichten Nebel, den [Bebenden,]
Merkur, [der] Schnelle, [zwischen] den Feinden [aus;]
　　Dich [riss zurükk auf wilden] Wogen
　　　[Schlingender] Strudel [zum Kriegeskampfe.] *Sche*[1]
Im dichten [Hehrrauch hob] mich, den [bebenden,
Der] schnelle [Hermes zwischen] den Feinden [aus;]
　　Dich [riss zurükk auf wilden] Wogen
　　　[Schlingender] Strudel [zum Kriegeskampfe.] *Sche*[2]

Doch mich enthub Merkurius schnell dem Feind,
In dichten Nebel hüllend den Ängstlichen:
    Dich trug in neuen Kampf die Woge,
        Die dich im brausenden Strudel fortriss. *Br¹*
Doch mich, den [Bangen, raffte] Mercurius
[Behend'] in dichter [Wolke] die Feind' [hindurch:]
    Dich, [wieder hin zum] Kampfe [spülend,]
        Trug [auf erbrausendem Sund] die Woge. *Ge*

17–20: [Bezahle nun] dein Opfermahl [Jupitern,
Und laß, von] langem [Kriegesdienst] müde, [dich]
    Hier unter meinem Lorber [nieder;]
        Schon' auch der [Flaschen] nicht, die dein warten. *Ra²*
[O] gieb [dann] Zeus [das] schuldige [Mahl, und ruh'
Nun aus die] müden [Glieder vom] langen [Krieg]
    Hier unter meinem Lorbeer, [noch] auch
        Schone der [Flaschen,] die [Dir geweiht sind.] *Sche¹*
[O] gieb [dann] Zeus [ein] schuldiges [Mahl, und ruh'
Die Glieder aus nun,] müde [vom] langen [Krieg,]
    Hier unter meinem Lorbeer, [noch] auch
        Schone der [Flaschen,] die [Dir geweiht sind.] *Sche²*
[Die Schuld des Festmahls zahle dem Jupiter
Und, den des Kriegsdiensts Länge geschwächt,] den Leib
    [Leg'] unter meinen Lorber, [und] nicht
        [Spare] die Krüge, die [dir bestimmt sind.] *Br¹*
[Drum] gib dem Zeus dein schuldiges Opfermahl,
Nach langem Feldzug' [lag're] den müden Leib
    [Du] unter meinem Lorbeer, [und] nicht
        Schone der Krüge, der [dir geweihten;] *Ge*

21–24: Füll' an mit [sorgestillendem Firnewein]
Die blanken [Stutzer; leere das Schneckenhaus
Von Salben.] Wer [besorget] hurtig
    Kränze von Myrten, [von frischem] Äppich? *Ra²*
Füll' an die [glatten Becher] mit [Massischem
Vergessenstranke,] giesse [die Salben du]
    Aus weiten [Schaalen! O] wer [eilet]
        Kränze [zu winden aus] feuchtem Eppich
Und Myrte? *Sche¹*
Die [glatten Becher] fülle mit [Massischem
Vergessens-Trank] an, gieße [die Salben du]

247

Aus weiten [Schaalen! O] wer [eilet,]
　　Kränze [zu winden aus] feuchtem Eppig
Und Myrte?　　　　　　　　　　　　　　*Sche*[2]
[Gefüllt] mit sorgenbrechendem Massiker
Die blanken [Becher!] Giesse den Salbenduft

　　Aus weiten Muscheln. Wer [beeilt sich,]
　　Kränze [zu] flechten [aus] feuchtem Eppich
Und Myrthen?　　　　　　　　　　　　　*Br*[1]
Füll' an mit sorgenbrechendem Massiker
Den blanken [Trinkkelch,] giesse des Salbendufts

　　Aus weiter Muschel! Wer [sorgt] Kränze
　　　　[Eilig zu] flechten [aus] feuchtem Eppich
Und Myrthen?　　　　　　　　　　　　　*Ge*

25–28: Wen giebt [der Venuswurf] uns zum Könige
Beym Trunke? Schwärmen will ich bacchantischer,
　　Als ein Edone. Süßes Rasen,
　　　　Nun ich den trautesten Freund empfange!　*Ra*[2]

　　　　Wen [erkieset] zum Könige
[Des Weines] Venus? [Gleich den] Edonen will
Ich [jauchzen: Wonne ists zu] schwärmen,
　　　[Da] ich [ihn wieder] den Freund nun [habe!]　*Sche*[1]

　　　　Wen [o kieset] zum Könige
[Des Weines] Venus? [Gleich den] Edonen will
Ich [jauchzen: Wonne ist's zu] rasen,
　　　[Da] ich [ihn wieder,] den Freund, nun [habe!]　*Sche*[2]

　　　　[Welchen] König [mag] Venus uns
Bei'm Trunk [erwählen? Mässiger werde nicht]
Geschwärmt, als [bei'm Edonengastmahl:]
　　　Süss [ist ein Rausch nach] des Freundes [Rückkehr.]　*Br*[1]

　　　　Wen [wol] Venus zum Könige
[Des] Trunks [erwählt? Nicht] will ich [besonnener
Nun] schwärmen als Edoner. [Mir ist's
　　　Wonne zu] rasen [auf] Freundes [Rückkehr.]　*Ge*

V. NEREUS' WEISSAGUNG

Benutzte Textvorlagen: Ra², Sche¹, Sche², Br¹, Ge

Überschrift: Nereus Weissagung [der Zerstörung Trojas] *Sche¹ Sche²* Nereus
Weissagung [von Troja's Sturz] *Br¹*

1–8: Mit dem Weibe des Gastfreundes durchschnitt die Fluth
Auf [Idäischem Kiel treulos ein Rinderhirt:]
Da hieß Nereûs die laut schwärmenden Winde ruhn,
  Daß er diesem sein schreckliches
Schicksal sänge. »Du führst unter verderblichem
Zeichen heim, die mit [Heerschaaren dir Gräcien
Nimmt,] verschworen dein Fest bald zu [zerstören, sammt]
  Priams [mächtigem Königreich.] *Ra²*
[In gehässige Ruh fesselte] Nereus die
[Schnellen] Winde, dass er sänge [das] schrekkliche
[Weh, als treulos] der Hirt [führt'] auf [Idaischen
  Schiffen über] die Fluten [die
Gastverwandte.] »Du führst, [wehe! zur Heimath die,]
Die mit [kriegrischem Heer Gräcia] wiederheischt,
[Fest] verschworen, [dass es tilge] dein [Ehebett,
  Tilge] Priamus altes Haus. *Sche¹*
[In gehässige Ruh' fesselte] Nereus die
[Schnellen] Winde, dass er sänge [das] schrekkliche
[Weh, als treulos] der Hirt [führt'] auf [Idaischen
  Schiffen über] die Fluten [die
Gastverwandte. »Zu Haus bringest du, wehe!] die
Bald mit [kriegrischem Heer Gräcia] wiederheischt,
[Fest] verschworen, [dass man tilge] dein [Ehebett,
  Tilge] Priamus altes [Reich.] *Sche²*
[Als durch] Fluthen der Hirt auf dem Idäerschiff
[Treulos fuhr] mit [der gastfreundlichen Helena;
Jetzt in lästige Ruh' senkte] der Winde [Flug]
  Nereus, dass er sein [Schreckensloos
Ihm ansagte: »Nach Haus] führst du [mit bösem Flug
Sie,] die Hellas mit Macht [wieder begehren wird,]

Schon verschworen [zum Bruch] deiner [Verehlichung,
    Und des] Priamus altem [Reich.] *Br* [1]
[Als] der [tückische] Hirt [fort im] Idäerschiff
[Fuhr durch Wogen die gastfreundliche Helena,
Hemmte Nereus die Eilwinde mit widriger
    Ruh',] dass [grausiges] Schicksal [er
Ihm weissage:] »du führst unter [dem bösen Flug
Die] heim, [welche] bald [rückfordert] mit [starkem Heer]
Hellas, [einig im Schwur, dass es] dein [Eheband
    Lös' und] Priamus altes [Reich.] *Ge*

9–12:
Ha! wie [schwitzet, wie keicht] Roß und [Mann! o] wie viel
Leichen [thürmest] du [auf unter den Dardanern!]
Pallas rüstet mit [Streitwagen,] Ägid' und Helm
    [Und mit flammendem Eifer] sich. *Ra* [2]
[Ach!] wie [drükket der] Schweiss [Männer] und Rosse! [Ha!
Sieh! sie fallen –] wie viel Leichen [der Dardaner!]
Schon [bereitet den] Helm Pallas, [die] Ägis, [den]
    Wagen, [zornige Rache sie!] *Sche* [1] *Sche* [2]
Ha, wie triefen von Schweiss Reiter und Ross zumal,
Wie der Leichen so viel häufst du dem Dardaner-
Volk! Schon rüstet mit Helm, Wagen und Ägis sich
    Pallas, [und mit Gewalt des Kampfs.] *Br* [1]
[Ach,] wie Rossen [der] Schweiss, [wie er den Mannen rinnt,]
Wieviel Leichen [erschaffst Dardanus Volke] du!
Pallas rüstet [bereits] Helm und Ägide sich,
    [Kriegeswagen und Schlachtenwuth.] *Ge*

13–20:
[Nur vergebens so kühn] auf [die Beschützerinn
Venus,] lockst du [dein] Haar, stimmst zur unkriegrischen
Zitther süße Gesäng' unter den Weibern an.
    [Nur vergebens beschirmet] dich
Vor [dem] Kretischen Pfeilhagel, [dem klirrenden
Schwert] und [Speer,] und dem schnell folgenden Ajax [dein
Brautbett: spät (ach,] zu spät!) werden die reizenden
    Buhlerlocken mit Staub befleckt. *Ra* [2]
[O] du [schmükkest] umsonst, [muthig in Venus] Schutz,
[Dir] das Haar, [und vertheilst] unter die Weiber [die]
Süssen [Lieder] zur [nichtkriegrischen] Cither [aus,
    Fliehst] umsonst [die beschwerlichen

Spiess'] im [Zimmer verstekkt, Gnossische Pfeil', umsonst
Das Getümmel,] den schnell folgenden Ajax du:
[Dennoch schwärzest du ach! dir] mit [des Kampfes] Staub
   [Dein eh'brech'risches Haar] zu spät. *Sche* [1]
[O] du [schmükkest] umsonst [muthig in Venus] Schutz
[Dir] das Haar, [und vertheilst] unter die Weiber [die]
Süßen [Lieder] zur unkriegrischen Cither [aus,
   Fliehst] umsonst [die beschwerlichen
Spieß'] im [Zimmer verstekkt, Gnossische Pfeil', umsonst
Das Getümmel,] den schnell folgenden Ajax du:
[Dennoch schwärzest du ach! dir] mit [des Kampfes] Staub
   [Dein ehbrechrisches Haar] zu spät. *Sche* [2]
[Fruchtlos] dann, auf den Schutz Cypria's allzukühn,
Lockst du üppig das Haar, [singest den Weiberreihn]
Zum unkriegrischen [Spiel] süsse Gesänge [vor:
   Fruchtlos suchst du der Speere Dräu'n,
Und des Gnossischen Rohrs Spitzen] im Brautgemach
[Auszuweichen, dem Kriegs-Lärmen und eilenden]
Aiax: [dennoch,] zu spät, wird [die verbuhlete
   Kleidung schändlich] mit Staub befleckt. *Br* [1]
[Ja,] dann [wirst] du umsonst, [trotzig] auf [Venus Schirm,
Zierlich kämmen] das Haar, [Frauen gefällige
Lieder spenden auf kampfscheuender Laute, du
   Wirst vergebens] im Brautgemach
[Meiden grausigen Speer, Gnossisches Pfeilgeröhr,
Schlachtgewühl,] und den [rasch feindeverfolgenden]
Ajax, [sicher,] o [weh! kleben am] Staube [noch]
   Wird [dein buhlerisch Haar zuletzt.] *Ge*

21–28:

Siehst du nicht [den] Ulyß, deines [Volks Untergang?
Und] aus Pylos den [muthvollen] Neliden nicht?
Rastlos ängstet dich hier Salamis wackrer Held
   Teucer; Sthenelus [dort, der Schlacht
Nicht unkundig, noch Streitrosse zu bändigen
Träg';] auch lernst du den [Pfeilschützen] Meriones
Kennen. Siehe! dich [sucht] Tydeûs Sohn, tapferer
   Als [sein] Vater, [voll Ingrimm auf;] *Ra* [2]
[Achtest, Paris,] du nicht [Nestor, den Pylier?]
Nicht [das Weh] deines [Volks dort des Laërtes Sohn?

Unerschrokken bedrängt] Teucer [von] Salamis
    [Kampferfahren] dich, Sthenelus,
Er, [der fertig zugleich und unverdrossen] die
Rosse lenket. Du [wirst kennen] Meriones!
Siehe, [wie] dich [voll Wuth furchtbar ein Diomed,]
    Tapfrer [Er wie] der Vater, sucht! *Sche¹*
[Achtest, Paris,] du nicht [Nestor den Pylier?]
Nicht [das Weh] deines [Volks dort, des Laërtes Sohn?
Unerschrokken bedrängt] Teuker [von] Salamis,
    [Kampferfahren] dich Sthenelus,
Er, [der fertig zugleich und unverdrossen] die
Rosse lenket. Du [wirst kennen] Meriones!
Siehe, [wie] dich [voll Wuth schrekklich ein Diomed,]
    Tapfrer [Er wie] der Vater, sucht! *Sche²*
Nicht [ihn,] deines Geschlechts Tilger, [Laërtes Sohn;]
Nicht aus Pylos den [Greis Nestor ersiehest du?
Unerschrocken bedrängt] Teucer [aus] Salamis
    Dich, auch Stenelus, [er] im [Kampf]
Wohlerfahren, und [gilts,] Rosse [zu bändigen,
Kein unfeiner Genoss'.] Auch den Meriones
[Kennst] du. [Stürmend zum Kampf] suchet dich Tydeus Sohn,
    [Edler] noch als der Vater war. *Br¹*
[Schaust] Ulysses du nicht, [welcher Verderben droht]
Deinem [Volke, und] nicht [Nestor den Pylier?]
Dich [drängt, nimmer verzagt,] Teuker [von] Salamis,
    [Dich drängt] Sthenelus, [kampfgeübt,
Oder,] wenn [es ja gilt] Rosse [zu] lenken, [kein
Träger Wagengenoss, lernst] auch Meriones
[Dann.] Sieh', dich [zu erspäh'n, ras't des Tydiden Wuth,
    Der] den Vater noch [überragt.] *Ge*

29–32:
Dem du [Weichling,] dem Hirsch [gleich, der] den [fernen] Wolf
Sieht, [und zitternd] des Thals [Weide] vergißt, [mit hoch
Aufgerecketem Haupt schnaufend] entfliehen [wirst,
    Anders als du es] Deiner [schwurst.] *Ra²*
[Vor ihm fliehest du tief keuchend, du Weichling du!]
Wie [ein] Hirsch [vor] dem Wolf, [den er erblikkt an der
Gegenseite] des Thals, [und von der Weide lässt.
    Dies] versprachst du der Deinen nicht! *Sche¹ Sche²*

Dem du, feig wie der Hirsch, welcher das Gras vergisst,

Wann den Wolf in des Thals anderm End' er sieht,

    Tief aufathmend vor Angst, schnell zu entfliehen suchst:

       Das versprachst du der Deinen nicht. *Br1*

Dem du, [ähnlich] dem Hirsch, welcher [auf] anderer

[Thalesseite] den Wolf [schaut und] das Gras vergisst,

    Feig entfliehest [mit tief keuchendem Athem] (nicht

       [Diess verhiessest] der Deinen du!) *Ge*

33–36:   Zwar verzögert Achills zürnende Flotte noch

Troja's Schicksal, verschont Phrygiens Mütter noch:

    Doch bestimmt ist der Tag, wo das Achaische

       Feuer Ilions Thürme frißt.« *Ra2*

Noch [verschiebet] Achills [zornige] Flotte [den

Tag für Ilion und] Phrygiens [Weiber; doch

    Nach gezähleter Zeit brennet Achivische

       Glut die Häuser von Pergamus.«] *Sche1 Sche2*

[Weiter rücket] Achill's zürnende Flotte zwar

Trojas Müttern [der Stadt endlichen Tag hinaus;]

    Doch [nach sicherer Frist äschern] Achaische

       [Flammen Pergamus Häuser ein.«] *Br1*

Zwar [wird] zürnen Achill's Flotte, [und Ilion

Und den Phrygischen Frau'n zögeren jenen Tag;]

    Doch Achaischer [Brand sengt nach gezählten

       Wintern Pergamus Burgen auf.«] *Ge*

VI. AN DIE FREUNDE

Nach dem Sieg über die Kleopatra

Benutzte Textvorlagen: Ra2, Sche1, Sche2, Br1, Ge

BEARBEITUNGSANALYSE

Überschrift: An [seine] Freunde *Sche1 Sche2* An [seine Genossen] *Br1* An die
[Gefährten] *Ge*

1–4:   [Nun] laßt uns trinken! [Nun] mit [vergnügtem] Fuß

Den Boden stampfen! Freunde, [nun] ist es Zeit

    [Den Himmlischen ein] Saliarisch

       [Köstliches Opfermahl anzurichten.] *Ra2*

Jetzt [müsst ihr] trinken, stampfen mit [freiem] Fuss
Den Boden; [schmükket] mit Saliarischen
   [Gerichten, schmükkt] der Götter [Tische,
      Traute Genossen, an diesem Feste!] *Sche¹*
Itzt trinken [müsst ihr,] stampfen mit [freiem] Fuß
Den Boden, [itzund schmükken] mit [Salier
   Gerichten auf] der Götter [Tische,
      Traute Genossen, an diesem Feste!] *Sche²*
Jetzt [gilt's zu] trinken, jetzt mit entbund'nem Fuss
Den [Grund zu] stampfen: jetzt ist es hohe Zeit
   Der Götter Polster auszuschmücken
      Mit Saliarischem Mahl, [Genossen!] *Br¹*
[O] jetzt getrunken, [jetzo] mit [freiem] Fuss
Gestampft den [Erdgrund!] Jetzo, [Genossen,] wär's
   [Die] Zeit, der Götter [Pfühl zu schmücken]
      Mit Saliarischen [Freudenmahlen.] *Ge*

5–12:   Jüngst war [Falerner aus dem Urahnherrnfaß
Zu schöpfen Sünde, da noch] dem Capitol
   Die tolle Königinn den Umsturz,
      Tod und Verderben dem Reiche drohte
Mit ihrer siechen Heerde [Verstümmelter;]
Bethört von wild ausschweifenden Hoffnungen,
   Und trunken aus dem Kelch des Glückes.
      Aber der rasende Taumel schwand bald, *Ra²*
[Vorhin] wars [Sünde, zapfen den] Caecuber
Von [unsrer Väter Schläuchen, als wahnsinnsvoll]
   Die Königinn dem Capitole
      [Trümmer, und Leichen dem Staate,] drohte
Mit ihrem [Schandgesindel entkräfteter
Halbmänner. Jede] Hoffnung [zu nähren kühn
   War sie] und [süßen] Glükkes trunken,
      Aber [es ward ihr die Wuth gedämpfet,] *Sche¹*
[Vorhin] wars [sündhaft, zapfen den] Cäcuber
Von [unsrer Ahnherrn Schläuchen, da wahnsinnsvoll]
   Die Königinn dem Capitole
      [Trümmer und Leichen] dem Reiche drohte
Mit ihrem [Schandhauf scheuslich entkräfteter
Halbmänner! Tollkühn Alles zu hoffen war

Sie, war vom süßen] Glükke trunken:
    Aber [ihr wurde die Wuth gedämpfet,] *Sche²*
Jüngst war es Frevel, altenden Cäcuber
  [Aus] Kellern holen, während dem Capitol
    [Der Fürstin Wahnsinn Einsturz] drohte,
      [Trauriges Ende der Römerherrschaft]
Mit [schmachbedeckter] Herde verschnittener
  [Krankhafter Männer: jegliche] Hoffnungen
    [Blind hegend,] und [vom süssen] Glücke
      Trunken, [doch minder berauscht,] *Br¹*
[Sonst] war's [Vergeh'n, zu langen den] Cäcuber
  [Aus Ahnenkellern,] während die Königin
    Dem Capitol [sinnlosen] Umsturz,
      [Selber] dem Reiche [Verderbniss] drohte
Mit ihrem [Heertrupp schändlich erkränkelnden
Halbmannsgezüchts, denn Alles zu hoffen war
    Kühn sie,] und [süssen] Glückes trunken;
      Aber [gedämpfet hat ihr den Wahnsinn] *Ge*

13–20: Als kaum den Feuerflammen ein Schiff entrann.
Bald jagte Cäsar ihr, die der [Nilweingeist]
    Verwirrte, wahre Furcht ein; drang ihr,
      [Die von Italien gern zurückfloh,]
Mit schnellen Rudern nach, wie der [feigen] Taub'
Ein Habicht, und dem Hasen im Schneegefild'
    Ämoniens ein rascher Jäger,
      Ketten der [Unglückshyäne] drohend. *Ra²*
Als kaum ein [einz'ger Nachen der Glut] entrann.
[Den Geist, berauschet vom Mareoterwein,
    Erfüllte] Caesar ihr [mit Schrekken,]
      Drang [der Entfliehenden] nach [durch] Ruder.
[So fällt auf schwache] Tauben [der] Habicht [hin,
So ein der Weidmann] in [den Haemonischen
    Beschneiten Feldern auf] den Hasen.
      [Binden das schrekkliche Ungeheuer
Wollt' er in Fesseln:]   *Sche¹*
[Da] kaum [der Glut] ein [einziger Kiel] entrann.
[Den Geist, berauscht vom Mareotider] Wein,
    [Erfüllte] Cäsar ihr [mit Schrekken,]
      Drang [der Entfliehenden] nach [durch] Ruder.

[Auf schwache Täublein stürzet der] Habicht [so,
Also der Weidmann] in [den Hämonischen
   Beschneiten Feldern auf] den Hasen!
      [Binden das schrekkliche Ungeheuer
In Fesseln wollt' er;]   *Sche*[2]
                [da sicher]
Kaum [Eins der] Schiffe [flohen der Flammen Wuth;
Der Sinne Taumel, den Mareotiker
   Erzeugte, ward zu] wahrem [Schrecken,]
      Als sie, dem Italerstrand enteilend,
Mit Rudern Cäsar [drängte – dem] Habicht [gleich,]
Der zarten Tauben, [oder dem Jägersmann,
   Der] Hasen [nachjagt durch das Schneefeld
      Thraciens – dass er in] Ketten [würfe]
Das [arge] Scheusal: *Br*[1]
[Das] kaum [vom Brand sich rettende] Eine Schiff;
[Und wie sie zaget voll Mareoterwein's,
   Jagt] Cäsar sie [in] wahre [Schrecken,
      Drängt, die Italien räumt, zu Schiffe
– Gleichwie der] Habicht [schüchterne] Tauben, wie
[Der] rasche [Waidmann auf der beschneieten
   Hämonerflur] dem Hasen [nachjagt –,
      Dass er in Kettengewinde schlage
Des Unglücks] Scheusal;   *Ge*

21–24: Doch edler [nun zu s t e r b e n bereit,] erblaßt
Sie [weder weibisch] vor dem [geschärften] Stahl,
   Noch sucht sie mit geschwinden Schiffen
      Hinter entlegenen Küsten Zuflucht; *Ra*[2]
          [aber sie fürchtete
Das Schwerdt] nicht [weibisch,] suchte mit [rascher Flucht
Nicht ihre sichernden Gestade,
   Rühmlicher'm Tode entgegengehend.] *Sche*[1]
          [aber sie fürchtete
Das Schwerdt] nicht [weibhaft,] suchte mit [schneller Flucht
Nicht ihre sichernden Gestade,
   Rühmlicher itzo bereit zu sterben.] *Sche*[2]
          [welche, mit grössrem Ruhm
Zu sterben trachtend, weder] nach Weibes Art

[Das Schwerdt gescheut,] noch [auch verborg'ne]
Küsten mit [eilender Flott' erspähte:] *Br*[1]
[aber erhabener
Zu enden sucht sie: weder erzittert sie
Dem Schwerte weibisch,] noch [erstrebt sie
Heimliche] Küsten [auf rascher Flotte;] *Ge*

25–32: Sieht ihres Thrones [Umsturz, Heldinnen gleich,]
Mit heitrer Stirn an; [reizet mit sichrer Hand
Beschuppte Nattern, bis vom schwarzen]
Gift in den Adern [das Blut erstarret.]
Zum Tod' entschlossen [gönnte die Trotzende]
Den letzten Sieg der Flotte nicht, wollte nicht
Herabgewürdigt vor des Siegers
Wagen – kein niedriges Weib! – einherziehn. *Ra*[2]
Mit heiterm [Blikk erkühnte sie anzusehn
Voll Heldenmuths sich,] ihre [verheerte Stadt,
Hielt Todesschlangen in der Rechten,
Um ihr die Brust mit dem schwarzen] Gifte
[Zu tränken, muth'ger nach dem beschlossnen] Tod';
[Denn] sie [missgönnte, nicht ein gemeines] Weib,
[Zum stolzen Siegsgepräng' entwürdet
Hin sie zu führen, den wilden Schiffen.] *Sche*[1]
Mit heiterm [Antlitz wagte sie an zu sehn
Voll Heldenmuths nun] ihre [verheerte Stadt,]
Die [grausen] Schlangen [an zu legen,
Tränken die Brust mit dem schwarzen] Gifte,
[Mit größrer Kühnheit nach dem beschloss'nen] Tod.
Kein [niedres] Weib [missgönnte] sie [nämlich hin
Zum stolzen Siegsgepräng' entwürdet
Fort sie zu führen den wilden Schiffen.] *Sche*[2]
[Dahingeworfen] sieht [sie den Königsthron]
Mit heitrer [Miene,] muthig das schreckliche
Gezücht der Schlangen fassend, [dass sie]
Tödtendes Gift in [den Körper söge,
Nach festgesetztem] Tode [noch muthiger,
Weil] sie [Liburnerschiffen es] nicht [gegönnt,
Entthront, im stolzen Siegstriumphe,
Sie, das erhabene] Weib, [zu führen.] *Br*[1]

257

[Sie wagt's hinab zur sinkenden Burg zu schau'n]
Mit heiterem [Antlitz:] muthig [erfasst sie dann
Furchtbare Nattern, dass ihr schwarzes]
    Gift in [den Körper hinab sie sauge.
Nach abgewog'nem] Tode [noch] trotziger;
[Und nicht der Wuth Liburnischer Jachten gönnt's
Die Thronberaubte,] sie, kein [nied'res]
    Weib [zu entführen im Prachttriumphzug.] *Ge*

VII. AN DEN LIEBHABER DER JUNGEN LALAGE

Benutzte Textvorlagen: Ra², Sche¹, Sche², Br¹, Ge

BEARBEITUNGSANALYSE

Überschrift: [Auf] Lalage *Sche¹ Sche²* Lalage *Ge*
1–12:   Noch [ungezähmt] wird Diese [dem] Joche nicht
      Den Nacken [bieten;] wird des Gespannes Pflicht
        Nicht halb erfüllen; kann [des Stieres
          Brünstigen Anlauf unmöglich ausstehn.]
      Die junge Färse [liebt] nur den Wiesenplan,
      [Erfrischt] im Bach [sich, wann sie die] Hitze drückt,
        [Und hat nur] Lust im [Weidenbruche
          Wild] mit [den] Kälbchen [umher zu springen.
Bezähme deine Lüsternheit,] rascher Freund!
Die Traub' ist unreif. Kurze Geduld, so hat
    Der farbenreiche Herbst die blaue
      Beere mit Purpur dir überzogen. *Ra²*
[O] noch [vermag] nicht [auf dem gebeugten Hals]
Das Joch [zu tragen, gleich mit den übrigen
    Zu thun die Arbeit, nicht die Last des
      Brünstigen Stieres das Rind zu dulden.]
Es [sehnt sein Herz] nach [grünen Gefilden sich,
Kühlt itzt] in [Flüssen] drükkende Hitze [ab,
    Itzt hagt's ihm,] in [den] feuchten [Weiden-
      Büschen zu spielen] mit [jungen Rindern.
O unterdrükk, vertilg die Begierde zur]
Unreifen Traub': [es wird] dir der [bunte] Herbst

Mit [Purpurfarbe bald] die [blassen]
    Beeren [bemalen;]   *Sche*[1]
Noch [kann] das Joch nicht [tragen das] junge [Rind
Auf zahmem Hals,] noch [gleich mit den übrigen]
    Nicht [thun die Arbeit, noch die Last nicht
        Dulden, die schwere, vom brünst'gen Ochsen.]
Es [sehnt sein Herz nach grünen Gefilden sich,]
In [Flüssen kühlt's itzt] drükkende Hitze [ab,
    Itzt hagt's ihm,] in [den] feuchten [Weiden-
        Büschen zu spielen] mit [jungen Rindern.
O unterdrükk dann, tilg die Begierde zur]
Unreifen Traub': [es wird] dir der [bunte] Herbst
    Mit [Purpurfarbe bald] die [blassen]
        Beeren [bemalen;]   *Sche*[2]
[Ihr] ungebeugter Nacken [erträgt] noch nicht
Das Joch, [sie] kann nicht [Dienste dem Mitgespann
    Gleich leisten, noch aussteh'n des Stieres
        Last, der in brünstiger Lust heranstürzt.]
Nach [grünen Fluren stehet der Sinn allein
Dem] jungen [Thier, das] drückende Hitze bald
    Im Bache lindert, bald im feuchten
        Weidengebüsche mit [Kälbern] tändelt.
Voll Lust und [Wohlsinn. Sage dem Streben ab
Nach ungereiften] Trauben; der [bunte] Herbst
    [Wird bald den mattgebläuten Herling]
        Dir mit [der Farbe des] Purpurs [malen.] *Br*[1]
Noch nicht [vermag ihr] Joch [der gebeugte Hals
Zu tragen,] nicht [zu leisten dem Mitgespann
    Den gleichen Dienst, und nicht des muthig
        Rennenden Stieres Gehörn zu dulden.
Auf grüne Anger sinnet dein] junges [Thier,
Das] bald im [Strome] drückende [Gluten kühlt,
    Und] bald [nach Scherz und Spiel] mit [Kälbern
        Unter den träufenden Weidenbüschen
Sich wonnig sehnt. O,] zähme [die Lüsternheit
Nach roher] Traube: [bald ja bemalet] dir
    Der [farbenbunte] Herbst die [schon sich
        Bläuende] Beere mit [Purpurröthe.] *Ge*

13–24:   [Die krafterfüllte Jugend, im Laufe schnell,

Giebt] ihr an Jahren, was sie [dir abgewinnt:

Dann] folgt sie dir, [dann] sucht mit kecker

Stirne sich Lalage selbst den Gatten;

Noch mehr geliebt, als Pholoe, [wann sie] flieht,

Als Chloris, deren Schulter dem Monde gleicht,

Der Nachts im Meere widerscheinet,

Oder dem [Cnidischen] jungen Gyges.

[Verborgen] unter [blühender] Mädchen [Trupp,

Entdeckten den die schlauesten Gäste nicht:]

So flattern ihm die los gebundnen

Haare, so [täuschet] das Zwitterantlitz. *Ra*²

bald [wird] dir folgen,

[(Das unbeugsame Alter es eilt dahin]

Und [giebt] ihr Jahre, [die es dir] nehmend [raubt,)]

Bald [wird verlangend einen] Gatten

Lalage [fordern] mit [kühner] Stirne.

[So wird die spröde] Pholoë, Chloris [nicht,]

Geliebt, [sie,] deren Schulter [erglänzet, wie

Die wolkenfreie Luna leuchtet

Über dem nächtlichen] Meer, [noch] Gyges

[Aus Gnidus,] der [mit] täuschendem [Antlitz und

Gelöstem] Haar den [schlauesten] Fremdling, [sein

Unkundig, wenn du ihn verstekktest]

Unter die [lieblichen] Mädchen, tröge! *Sche*¹

bald [wird] dir folgen,

[(Das widerspenst'ge Alter, es eilt dahin,]

Und [giebt die] Jahr' ihr, [die es dir] nehmend [raubt,)]

Bald [wird verlangend einen] Gatten

Lalage [fordern] mit [kühner] Stirne,

[Sie, die] geliebt [ist heißer wie] Pholoë,

[Die spröd', und] Chloris, [welcher die] Schulter [glänzt,

Wie die entwölkte Luna leuchtet

Über dem nächtlichen] Meer, als Gyges

[Aus Gnidus,] der [mit] täuschendem [Angesicht

Und losem] Haar [die schlauesten Fremden, sein

Unkundig, wenn du ihn verstekkest]

Unter die [lieblichen] Mädchen, tröge! *Sche*²

Bald folgt sie selbst dir; denn mit Gewalt entflieht
Die Zeit, und setzt ihr, was sie von deinen nahm,
　　An Jahren zu: bald sucht mit kecker
　　　　Stirne sich Lalage selbst den Gatten;
Noch mehr geliebt als Pholoë, hold im Flieh'n,
Als Chloris, deren Schulter [so weiss erglänzt,
　　Wie silberrein bei] Nacht im Meere
　　　　[Strahlet] der Mond, [und] der Gnider Gyges;
Der, [wenn gesellt er würde dem Mädchenkreis,
Gar sehr den Scharfsinn] täuschte der Fremdlinge,
　　[Schwer kenntlich ob] des losgebund'nen
　　　　Haar's, [und der Zwittergestalt des Ausseh'ns.] *Br¹*
Bald folgt sie dir [nach,] (denn [es entrollt] die Zeit
[Des Trotzes,] und was [diese] an Jahren [dir
　　Raubt, schenkt] sie ihr:) bald [wird] den Gatten
　　　　Lalage suchen mit [kühner] Stirne.
[Nicht ward also die flüchtige] Pholoe
Geliebt, [nicht] Chloris, [welche von Schulterschnee
　　Wie Luna hell] im [Nachtmeer schimmert,]
　　　　Oder der [Gnidierknabe] Gyges,
Der, [zugesellt den Reihen] der Mädchen, [selbst]
Den [ungewöhnlich listigen] Fremdling täuscht,
　　[Kaum unterscheidbar durch des Hauptes
　　　　Loses Gelock' und das Mädchenantlitz.] *Ge*

VIII. AN POSTUMUS

Benutzte Textvorlagen: Ra², Sche¹, Sche², Br¹, Ge

Überschrift: An [den] Postumus *Ra²*

1–4:　　　Ach! [allzu bald, mein] Postumus, [allzu bald]
　　　　Entfliehn die Jahre. Frömmigkeit hält umsonst
　　　　　　Das Alter, das die Schläfe furchet,
　　　　　　　　Hält den unbändigen Tod umsonst auf. *Ra²*
　　　　Ach! [flüchtig gleiten,] Posthumus, Posthumus,
　　　　[Dahin] die Jahre: Frömmigkeit [hilft uns nicht,

Kann Runzeln nicht und nahes] Alter,
　[Nicht] den unbändigen Tod, [verzögern;] *Sche¹*
Ach! [flüchtig gleiten,] Posthumus, Posthumus,
Die Jahre [hin, und weder die Runzeln kann
　Der fromme Sinn, noch nah'ndes] Alter,
　　[Noch] den unbändigen Tod [verzögern;] *Sche²*
Ach, wie im Fluge, Postumus, Postumus,
Entflieh'n die Jahre! Frömmigkeit [fernet nicht
　Die Runzeln, nicht des Greisenalters
　　Nähe, noch lehrt sie] den Tod [Erbarmen.] *Br¹*
Ach, [flüchtig rollen,] Postumus, Postumus,
Die Jahr' [hinab, nicht bringet die] Frömmigkeit
　[Den Furchen Halt, nicht nah'ndem] Alter,
　　[Oder] dem Tode, [dem unbezwung'nen.] *Ge*

5–12: Und brächtest du zur Sühnung [gleich] jeden Tag
Dreyhundert Opferstiere dem [Höllengott,]
　Der, [durch kein Flehn gerührt,] den [dreyfach
　　Mächtigen] Géryon und [die Stärke]
Des ungeheuren Tityos [durch] den Strom
[Im Zaum] hält, den [wir,] die wir der Erde Frucht
　Genießen, Fürstenkinder oder
　　Dürftige Pflüger, [befahren müssen.] *Ra²*
Auch [nicht, wenn] jeden Tag [Hekatomben] du
Dem [mitleidslosen Pluto] zum [Opfer] bringst,
　Ihm, der den dreigestalt'ten Riesen
　　[Zähmt, den] Geryon, [mit Schrekkensströmen
Des Styx, sowie] den Tityos. Alle, [ach!]
Wir [Erdbewohner müssen] den [schwarzen] Strom
　[Hinüberschiffen, sei's ein König,]
　　Oder [ein ärmlicher Landesbauer!] *Sche¹*
Auch [nicht, wenn Hekatomben] du jeden Tag
Dem [unerweichbar'n Pluto] zum [Opfer] bringst,
　Ihm, der den dreigestalt'ten Riesen
　　Geryon [zähmt mit dem Schrekkensstrome
Des Styx, sowie auch] Tityos. Alle, [ach!]
Die [uns die Erdfrucht nähret,] wir [müssen ihn
　Hinüberschiffen, sei ein König,]
　　Oder [ein ärmlicher Landesbauer!] *Sche²*

[Nicht, wenn] dreihundert [Stiere] du jeden Tag,
[O Freund,] dem [harten Pluto] zum [Opfer] bringst,
    Der [thränenlos] den [dreifach grossen]
        Geryon, Tityos [auch gebannt] hält
[Mit dunkler Welle, welche] wir [allesammt,
Soviel'] der Erde [Gaben] geniessen, [einst]
    Beschiffen [müssen, sey'n wir Fürsten,
        Seyen wir] dürftige [Landbebauer.] *Br*[1]

[Nein, Freund,] und [wenn] dreihundert [der Farren] du
Dem [Pluto sühnend opfertest] Tag [für Tag,
    Dem Thränenlosen,] der den [Dreileib]
        Geryon [sammt] dem Tityos [einschränkt
Mit finst'rer Woge, welche] wir Alle, [glaub's,
So Viel' auch unser nähret] der Erde Frucht,
    Beschiffen, [mögen Herrscher wir sein,]
        Oder [nur ärmliche Landbesteller.] *Ge*

13–16: Vergebens, Freund, entgehn wir der Wuth des Mars,
[Dem Sturz der Wellenberge] des Adria;
    Vergebens sichern wir im Herbstmond'
        Uns vor den schädlichen Mittagswinden: *Ra*[2]

[Umsonst entfliehn dem blutigen Mavors] wir,
Den wildgebrochnen Fluten [von] Adria.
    [Umsonst scheun] wir im [Herbst des Austers]
        Schädliches [Wehen für unsern Körper.] *Sche*[1]

Den [blut'gen Mavors fliehen] vergebens wir,
Den [Wogenbruch vom brausenden] Adria,
    [Umsonst scheu'n] wir im [Herbst des Austers]
        Schädliches [Wehen für unsern Körper.] *Sche*[2]

[Umsonst entzieh'n] dem [blutigen] Mars wir [uns,]
Den wildgebrochenen Fluthen des Hadria,
    [Umsonst befürchten wir des Herbstwinds
        Schadende Kälte für uns're Körper.] *Br*[1]

[Umsonst wird] unser [schonen] der [blut'ge] Mars,
[Und Wogenbruch auf brausendem] Hadria,
    Vergebens [werden] wir im [Herbste
        Meiden des Leibes Gefahr, den Auster:] *Ge*

17–20: Wir müssen doch den schwarzen Cocytus sehn
In krummen Ufern schleichen, des Danaus

Verruchte Brut, den Äoliden

Sisyphus, ewig verdammt zur Arbeit. *Ra*²

Im [trägen Strom hinirren] den [düsteren]

Cocytos siehst [du, schauest] des Danaus

Verruchte [Töchter und] zu [langer

Mühe] verdammet den Äoliden. *Sche*¹ *Sche*²

Wir seh'n [mit dunkelm Strome] den [langsamen]

Cocytus [irren,] Danaus [Schandgeschlecht

Und] Sisyphus, den Äoliden,

[Immer und] ewig verdammt zu Arbeit. *Br*¹

[Schau'n] musst [du einst wie säumigen Stromes sich]

Cocytus schwarz [fortwindet, und] Danaus'

Verruchten [Stamm,] den Äoliden

Sisyphus, ewig verdammt zur [Mühsal;] *Ge*

21–24:   Verlassen mußt du [Hufen] und Haus, und ach!

Dein süßes Weib; der Bäume, [von] dir gepflegt,

Wird keiner seinem kurzen Eigner

Als die verhaßte Cypresse folgen. *Ra*²

[Die Welt] verlassen musst du, [die] Häuser, [die

Geliebte Gattin;] keiner der Bäume wird

[Dem] kurzen [Herrn aus deiner Pflanzung,]

Als die verhasste Cypresse, folgen. *Sche*¹

[O lassen] musst du [Erde, wie] Haus und [die

Geliebte Gattinn;] keiner der Bäume wird

[Dem] kurzen [Herrn aus deiner Pflanzung,]

Als die verhasste Cypresse, folgen. *Sche*²

Du [läss'st die Erde,] Haus und [geliebtes] Weib,

Und ach! [von diesen] Bäumen, die du [gepflanzt,]

Wird, [ausser düstern Thränenweiden,]

Keine [dem] kurzen [Besitzer] folgen. *Br*¹

Verlassen musst du [Erd'] und [die Wohnung,] und

[Das liebe] Weib; der Bäume, die du gepflegt,

Wird keiner [dir, dem] kurzen Eigner,

Als die verhasste Cypresse folgen. *Ge*

25–28:   Ein klügrer Erbe [leert den Fundaner aus,]

Den hundert Schlösser hüten, und [tüncht] mit [Most,]

Den edler nicht der Oberpriester

Tafel gewähret, den Marmorästrich. *Ra*²

Ein ⌈werth'rer⌉ Erbe trinket den Caecuber,
⌈Verwahrt durch⌉ hundert Schlösser; mit ⌈reinem⌉ Wein
   Netzt ⌈er⌉ den ⌈stolzen Estrich, besser
      Als bei dem Mahle der Hohenpriester.⌉ *Sche*[1]
Ein ⌈werth'rer⌉ Erb', ⌈ach!⌉ trinket den Cäcuber,
⌈Verwahrt durch⌉ hundert Schlösser; mit ⌈reinem⌉ Wein
   Netzt ⌈er⌉ den ⌈stolzen Ästrich, besser
      Als bei dem Mahle der Hohenpriester.⌉ *Sche*[2]
Dann trinkt ein klüg'rer Erbe den Cäcuber,
Den ⌈Du mit⌉ hundert ⌈Riegeln verschlossen hast,⌉
   Und netzt den ⌈Estrich stolz⌉ mit Weine,
      ⌈Wie ihn kein priesterlich Mahl bescheret.⌉ *Br*[1]
⌈Verzechen wird⌉ ein ⌈wertherer⌉ Erbe dann,
Den hundert ⌈Riegel⌉ hüten, den Cäcuber,
   Mit Wein den Marmorestrich netzen,
      ⌈Welchem die Pontifexmahle nachsteh'n.⌉ *Ge*

IX. AN MERCURIUS

Benutzte Textvorlagen: *Ra*[2], *Sche*[1], *Sche*[2], *Br*[1], *Ge*

BEARBEITUNGSANALYSE

Überschrift: ⌈Loblied auf den⌉ Mercurius *Ra*[2] ⌈Hymne auf⌉ Merkur *Sche*[1] *Sche*[2]
1–4:   Atlas kluger Enkel, Mercur, ⌈erfindsam
        Das noch rohe Menschengeschlecht zu⌉ bilden
        Durch ⌈der⌉ Sprache ⌈Werkzeug⌉ und durch ⌈den Anstand
           Deiner Palästra!⌉ *Ra*[2]
        ⌈Dich,⌉ Merkur, ⌈des⌉ Atlas ⌈beredten⌉ Enkel,
        Der die wilden Sitten der ⌈neuen Menschen⌉
        Durch ⌈die⌉ Sprache bildet' und durch ⌈die schönheit-
           gebende Kampfbahn;⌉ *Sche*[1]
        ⌈O⌉ Merkur, ⌈dich⌉ Atlas ⌈beredten⌉ Enkel,
        Der ⌈du⌉ klug durch Sprache die wilden Sitten
        ⌈Und mit schönheitgebender Kampfbahn neuen
           Menschen⌉ gebildet, *Sche*[2]
        Redegott, Mercurius, Atlas Enkel,
        Der ⌈mit weisem Sinne⌉ der ⌈frühern⌉ Menschheit

[Rohen Brauch] durch [Red'] und [Leibes Übung]
Zierlich gebildet; *Br¹*
[O] Mercur, [des] Atlas [beredter] Enkel,
Der die [rohen] Sitten der [neuen] Menschheit
[Du geschickt] durch Sprache [geformt,] und [Übung
Zierender] Ringbahn, *Ge*

5–8: Dich, des großen Zevs und [des ganzen Himmels
Boten,] dich, [den Schöpfer] der krummen [Leyer,]
Sing' ich, [der du,] was dir gefiel, [zum] Scherz [oft
Listig entwandtest. –] *Ra²*
Dich, des grossen Zeus und der Götter [Bothen,]
Sing' ich, dich, [den] Vater der krummen [Leyer,
Der du listig Alles durch losen Diebstahl
Weisst zu entwenden.] *Sche¹*
Dich [besing'] ich, [Bothe] des großen Zeus, der
Götter, dich, [du] Vater der krummen [Leyer,
Der durch List du jedes mit losem Diebstahl
Weißt zu entwenden.] *Sche²*
Dich, des Zeus Herold und der grossen Götter,
Sing' ich jetzt, dich, Vater der krummen Lyra,
Vielgewandter, was dir gefällt, im Scherze
Heimlich zu stehlen. *Br¹*
Dich [erhebt mein Lied, o] des Zeus [Gesandter]
Und der Götter, dich, der [gewölbten] Lyra
Vater, [der] was [immer behagt, du schalkhaft
Weisst zu entfremden.] *Ge*

9–12: Phöbus, [der] dich Knaben [im Zorn bedrohte,
Ihm] die Rinder wiederzugeben, [die du schalkhaft
Fortgetrieben,] lachte, [sobald er seinen]
Köcher [entführt sah.] *Ra²*
Als dich [einst,] den Knaben [bedräuend,] schrekkte,
[Dass zurükk du gäbest] die [schlau entwandten]
Rinder, Phoebus, [musste,] beraubt des [eignen]
Köchers, [er] lachen. *Sche¹*
[Da,] als [einst] dich Knaben [bedräuend] schrekkte,
[Dass zurükk du gäbest] die [schlau entwandten]
Rinder, Phöbus, [musste] beraubt des [eignen]
Köchers [er] lachen. *Sche²*

Als er dich, den Knaben, mit droh'nder Stimme
Schreckte, wenn du nicht die geraubten Rinder
Wiedergäbst, da lachte, beraubt des Köchers,
        Phöbus Apollo. *Br 1*

Als Apollo: – [»gäbest] du nicht die [listvoll
Weggeführten] Rinder [zurück«] – dich Knaben
Schreckt' [im Drohwort, sah er sich seines] Köchers
        [Ledig, und lächelt'!] *Ge*

13–16:   [Auch als Priam goldreich aus Trojens] Burg [zog,
Täuscht' er unter deinem Geleit der Feinde
Lager,] Atreûs Söhne, [der Myrmidonen
        Wachende Feuer. –] *Ra 2*

[Ja der reiche Priamus liess die] Burg von
Dir geleitet, [täuschte die stolzen] Söhne
Atreus, [trog der Thessaler Feuer sammt dem
        Feindlichen Lager.] *Sche 1*

[Ja, die] Burg [ließ Priamus] selbst, [der reiche,
Deiner Führung täuscht' er] des Atreus [stolze]
Söhn', [und trog Thessalische Feuer, trog das
        Feindliche Lager.] *Sche 2*

Selbst des Atreus Söhne betrog der König,
[Als er zog aus Troja,] von dir geleitet,
Auch die Feuerwachen und Feindeslager
        Griechischer Schaaren. *Br 1*

[Ja,] von dir geleitet, [berückt'] des Atreus
[Stolze] Söhne [Priam', als Troja goldreich
Er] verliess: auch [Thessaler Feu'r und Troern
        Feindliche Lager.] *Ge*

17–20:   Du [führst] fromme Seelen zum Sitz der Freuden,
[Treibst] die leichten [Schaaren] mit goldner [Ruthe
Vor dir her, den Himmlischen und des Orcus]
        Göttern [willkommen.] *Ra 2*

Zu [den sel'gen Wohnungen leitest] Du [die]
Frommen Seelen, [zähmest] die leichten [Schaaren]
Mit der goldnen [Ruthe,] den obern Göttern
        [Lieb] und den untern. *Sche 1*

[Sel'gem Ruhsitz leitest die] frommen Seelen
Du [hinzu, du zähmest] die leichte [Schaar] mit

Goldner [Ruth', o Du, den] die obern Götter
[Lieben] und untre. *Sche²*
Fromme Seelen bringst du zum Sitz der Freude,
[Leitest auch] mit goldenem Stab die [Schaaren]
Leichter Schattenbilder, der obern Götter
    Freund, und der untern. *Br¹*
Du [bestattest all' die gerechten] Seelen
[Auf beglückten] Sitzen, [und zähmst] mit gold'nem
Stab den leichten Schwarm, [du der Höh' und Tiefe]
    Göttern [ein Liebling.] *Ge*

X. AUF BACCHUS

Benutzte Textvorlagen: Ra², Sche¹, Sche², Br¹, Ge

BEARBEITUNGSANALYSE

Überschrift: [Lob des] Bacchus *Ra²* [An] Bacchus *Ge*

1–4:   Ich sah den Bacchus: – [Afterwelt, sag' es nach! –
    Von] fernen [Felsen hallte sein hohes Lied;
    Und] Nymphen sah [ich, sah mit spitzem]
       Ohre [gehörnete] Satyrn lauschen. *Ra²*
    Ich sahe Bacchus, [da er am] fernen [Fels
    (O] glaub' [es Nachwelt!) Lieder] den Nymfen [sang:]
    Wie lauschten [sie, wie horchten ziegen-
       füssiger] Satyrn gespitzte Ohren! *Sche¹*
    Ich sahe Bacchus, [als er am] fernen [Fels
    (O] glaub' [es Nachwelt!) Lieder] den Nymfen [sang:]
    Wie lauschten [sie! wie horchten ziegen-
       füßiger] Satyrn gespitzte Ohren! *Sche²*
    Den Bacchus sah ich fern in der Felsenkluft
    Gesänge lehren, – glaube mir, Enkelwelt! –
    Sah, wie die Nymphen [lernten] und Gais-
       füssige Satyr'n die Ohren spitzten. *Br¹*
    Den Bacchus sah ich lehren [auf] fernem [Fels
    Die Chorgesänge] – glaubet [es, Enkel,] mir! –
    Die Nymphen [lernten, und die Geissbock-
       Füssigen Faunen] gespitztes Ohres. *Ge*

5–8:   [O] evohe! [noch schaudert] die Seele mir;
Ich fühle noch voll seliger Trunkenheit
      Den Gott im Busen. Schone, L i b e r!
        Schone, du schrecklicher Thyrsusschwinger! *Ra²*
Evö, [noch bebt vor Schrekken] die Seele mir,
Noch [taumelt,] voll [von Bacchus, die frohe Brust!
      Evö! verschone,] schone, Liber!
        Schone du [furchtbarer] Thyrsusschwinger! *Sche¹*
Evö! [noch bebt vor Schrekken] die Seele mir,
Noch [taumelt] voll [von Bacchus die frohe Brust!
      Evö! verschone,] schone Liber!
        Schone du [schrekklicher] Thyrsusschwinger! *Sche²*
Evö! [von] neuem [Schauer] noch [bebt das Herz,
Und] voll [des Bacchus, jauchzt es in stürmischer
      Entzückung! Evö!] schon', [o] Liber,
        Schone, du [furchtbarer] Thyrsusschwinger! *Br¹*
Evoe! noch [bebt] die Seele [in frischer Angst,
Und bacchusvoll in stürmischer Seligkeit.
      Frohlockt sie. Evoe!] schone, Liber!
        Schone, du [Schrecker mit mächt'gem Thyrsus!] *Ge*

9–12:   Nun darf ich singen, wie die Thyade ras't,
Und wie der Wein vom Felsen herunter rinnt,
      [Die] Milch in Bächen fleußt, und Honig
        Aus der gehöhleten Eiche [strömet;] *Ra²*
[O] singen [will] ich [wilde] Thyaden, [will
Den Weinquell, sammt den Strömen, von] Milch [geschwellt,
      Erheben, will besingen süßen]
        Honig, [entrinnend den hohlen Stämmen!] *Sche¹*
[O] singen [will] ich [wilde] Thyaden, [will,
Zusammt dem Weinquell, Ströme von] Milch [geschwellt
      Erheben, will besingen süßen]
        Honig [entrinnend den hohlen Stämmen!] *Sche²*
Ich darf [besingen,] wie der Thyade [tobt,]
Wie Wein [entquillet, und] wie in Bächen Milch
      [Hinfließt, erheben,] und [wie] Honig
        Aus dem gehöhleten [Stamme] träufelt; *Br¹*
Ich darf [den endlos wilden Thyadenschwarm,]
Des Weines [Born, und reichliche] Bäche Milch

[Besingen, auch wie hohlem Stamme]
　　Honig [enttäufelt, im Lied erneuern;] *Ge*

13–16:　　Darf deiner Gattinn [strahlenden Hochzeitschmuck,
　　Der Sterne neues Kleinod,] und Pentheûs Burg
　　　[In Trümmern,] und Lykurgs, des [wilden]
　　　　Thraciers, [Frevel und Strafe] singen. *Ra²*

[So auch den Schmukk der glükklichen] Gattinn, [zu
Den Sternen hin versetzet,] des [Thracischen]
　　Lycurgus [Untergang,] und singen
　　　[Furchtbar zertrümmert die Wohnung] Pentheus! *Sche¹*

[Hinaufgesetzt auch unter die Sterne der
Beglükkten] Gattinn [Schmukk,] und des [Thracischen]
　　Lycurgus [Untergang,] und singen
　　　[Grässlich zertrümmert die Wohnung] Pentheus! *Sche²*

[Ich auch der] Gattin himmlischen Ehrenkranz,
Im Sternenschimmer strahlend, und Pentheus Burg,
　　[Durch nicht gelinden Sturz zertrümmert,]
　　　Und des Lycurgus Geschick, des Thrakers. *Br¹*

[Ich] darf [von] deiner [seligen] Gattin [Schmuck,
Der Sternenkrone,] singen, und Pentheus' Burg,
　　[Wie sie durch] schweren [Sturz zertrümmert,]
　　　Und [wie] Lycurgus [verdarb,] der Thraker. *Ge*

17–20:　　Dir weichen Ströme, Meere gehorchen dir;
　　[Gefahrlos wird die Natter, mit welcher du
　　Das] Haar der Bistoniden [bändigst,]
　　　Wann sie dir nach von den Bergen taumeln. *Ra²*

Du [lenkst die] Ströme, [beugest das wilde] Meer,
[Weintriefend windest Nattern du unverletzt
Ins] Haar der Bistoniden [schürzend
　　Auf den entleg'nen Gebürgesgipfeln!] *Sche¹*

[Die] Ströme [lenkst] du, [beugest das wilde] Meer,
[Und Nattern flichtst weintriefend du unversehrt
Ins] Haar den Bistoniden [windend
　　Auf den entlegnen Gebürgesgipfeln!] *Sche²*

Du [lenkest] Ströme, du [das Barbarenmeer;]
Du [knüpfest] schadlos, triefend von Rebensaft,
　　[Auf fernen Höh'n] der Bistoniden
　　　Haare [zusammen in Vipernflechten.] *Br¹*

Du [lenkst die] Ströme, [lenkest das Barbarmeer,]
Du [schlingest weinnass auf den entlegenen
   Berghöh'n ins] Haar der Bistoniden
     [Nattergeflechte, doch sonder Nachtheil.] *Ge*

21–24: Du warfst den Rhötos – als der Giganten Schaar
Dem Thron des Vaters [tollkühn entgegen stieg –]
   Mit Löwenklauen durch den Äther
     Und mit entsetzlichem Löwenrachen. *Ra²*

Als der Giganten [frevelnde] Schaar [erstieg
Die Burg] des Vaters, stürmend [auf steiler Bahn,
   Da stürztest] Du [zurükk] den Rhötus,
     [Furchtbar] mit [Klauen] und Löwenrachen! *Sche¹*

Als der Giganten [frevelnde] Schaar [erstieg]
Des Vaters [Burg, aufstürmend die steile Bahn,
   Da stürztest] Du [zurükk] den Rhötus
     [Schrekklich] mit [Klauen] und Löwenrachen! *Sche²*

Du [hast, da sündhaft strebend auf steiler Bahn
Gigantenandrang drohte] des Vaters [Reich,]
   Mit Löwenklau'n [zurück] den Rhötus,
     Und mit [dem Schreckensgebiss gestossen,] *Br¹*

Du [hast,] als [deines] Vaters [Gebiet hinan
Auf Jäh'n die] Schaar [gottloser] Gyganten [klomm,]
   Den Rhötus mit [des Löwen Klau'n] und
     [Gräulichem Rachen zurückgeschleudert;] *Ge*

25–28: Zwar wähnten dich die Streiter zum Reihentanz,
Zum Scherz und Spiele tüchtiger, als zum Kampf:
   [Allein] du zeigtest dich im Frieden
     Und im Getümmel der Schlacht gleich [rüstig.] *Ra²*

[Wiewol man] Dich [geschikkter] zum Reihentanz,
Zu Spiel' und Scherzen, wähnte, [und weniger]
   Zum Kampfe [taugend: doch derselbe
     Warst] du im Frieden, [sowie] im [Kriege.] *Sche¹*

[Wiewol man] Dich zum [Reigen geschikkter und]
Zu Spiel und Scherz [Dich] wähnte, [dich weniger]
   Zum Kampfe [taugend: doch derselbe
     Warst] du im Frieden, [sowie] im [Kriege.] *Sche²*

[Obgleich] zum Reih'ntanz tüchtiger [und] zu Scherz
Und Spiel du [galtest, minder gewandt man dich

Im] Kampfe wähnte: [dennoch warst] du
[Lenker des] Friedens [zugleich] und [Krieges.] *Br*[1]
[Obgleich für] Reihntanz, Scherze und Spiele [du
Gewandter galtest, minder] zum Kampf [geschickt
Man] dich gewähnt, du [warst derselbe
Doch] in [des Kampfs wie des] Friedens [Mitte.] *Ge*

29–32:   Dich, [angethan] mit goldenem Horne, sah
Der Höllenhund, lief friedsam mit regem Schweif
Dich an, und leckte mit drey Zungen
Sanft dir den Fuß, da du wieder auffuhrst. *Ra*[2]
Dich sah [geschmükkt der friedliche Cerberus]
Mit goldnem Horn, [und wedelte sanft den] Schweif.
[Dreizüngig] lekkte Dir [sein Rachen
Schenkel und] Füsse [bei deiner Rükkkehr.] *Sche*[1] *Sche*[2]
Dich [schaute] friedsam [Cerberus, wie von Gold
Das] Horn [dich] zierte, [wedelte sanft] dich [an,]
Und leckte, da du [kehrtest,] mit [drei-
züngigem Rachen] dir Fuss [und Schenkel.] *Br*[1]
Dich sah [geschmückt] mit goldenem Horne, [fromm
Und sanft den] Schweif [anschmiegend der Cerberus
Und seines Rachens Dreigezüngel
Küsste des Scheidenden] Fuss [und Schenkel.] *Ge*

XI. HORAZ UND LYDIA

Benutzte Textvorlagen: Ra[2], Sche[1], Sche[2], Br[1], Ge

BEARBEITUNGSANALYSE

Überschrift: [Wechselgesang] *Sche*[1] *Sche*[2] [Wechselgespräch] *Br*[1] [An] Lydia *Ge*
1: *darüber* HORATIUS *Br*[1] *Ge*
1–4:   Als mir Lydia günstig war,
Und kein trauterer Freund seinen verliebten Arm
Um den glänzenden Nacken schlang,
[War der Perser Monarch] glücklicher [nicht,] als ich. *Ra*[2]
Als ich Lydien [theuer] war,
Und kein trauterer Freund schlang um den glänzenden
Nakken [zärtlich den] Arm: [o da
War der Perser Monarch] glükklicher [nicht,] als ich! *Sche*[1] *Sche*[2]

Als ich [dir noch Geliebter] war,

Und kein [Jüngling vor mir dir den geschlanken] Arm

Um den glänzenden Nacken schlang:

[Mehr denn] Persiens [Herr schwelgt' ich in Seligkeit.] *Br¹*

[Während] ich [dein Geliebter] war,

Und [die] Arme kein [liebwertherer Jüngling dir]

Um den [schimmernden] Nacken schlang,

[Da war] Persiens [Schach minder beglückt] als ich. *Ge*

5–8: Als du ganz für mich glühetest,

Keine Chloe den Rang Lydien abgewann,

Da war Lydiens Nahme groß;

Nicht Roms Ilia [ward] höher [verehrt,] als ich. *Ra²*

Als du glühtest für mich [allein,

Und noch Lydia nicht einer Geliebtern wich,]

Da war Lydias Name [hehr,

Und die] Ilia Roms [minder berühmt, wie] ich, *Sche¹*

Als du glühtest für mich [allein,

Und noch Lydia nicht einer Geliebtern wich,]

Da war Lydiens Name [hehr,

Und die] Ilia Roms [minder berühmt wie] Ich. *Sche²*

Als kein [anderes Mädchen] du

[Heisser liebtest, und nicht] Lydia Chloën [wich:]

Da [galt] Lydia's Name [viel,]

Nicht Rom's Ilia war höher geehrt als ich. *Br¹*

[Während] Keine dir [theurer war,

Und noch] Lydia [nicht unter der] Chloe [stand,]

Da war Lydia's Name gross,

[Und die] Ilia Rom's [minder berühmt] als ich. *Ge*

9: *darüber* HORATIUS *Br¹ Ge*

9–12: [Ja!] die Thracische Chloe [siegt.

Rührend tönet ihr Lied, rührend ihr Saitenspiel.]

Freudig litt' ich den Tod für sie,

Wenn [das Schicksal] nur ihr Leben verlängerte. *Ra²*

Jetzt beherrscht mich die Thracische

Chloë; [o! wie sie singt! wie sie die Cither spielt!

Für sie scheu' ich zu sterben nicht,]

Wenn [vom Schikksal] nur Ihr Leben [verschonet wird.] *Sche¹ Sche²*

Mich beherrscht jetzt die [Thrakerin,

Süsse Weisen gelehrt, kundig des Lautenspiels:

273

Gern] für sie [in] den Tod [ging] ich,
[Schonte mir das Geschick länger das theure Herz.] *Br¹*
Mich [lenkt] Chloe, die [Thrakin,] itzt,
[Süssen Tönen vertraut, kundig der Cither auch,
Nimmer scheu'] ich für sie den Tod,
[Schenkt dem Liebchen das Loos längeres Leben] nur. *Ge*

13–16: Mit gleichseitiger Liebesgluth
Hat des Thuriers Sohn Kalais mich entflammt.
Zweymal [litt'] ich den Tod für ihn,
Wenn die [Parce] nur sein Leben [verlängerte.] *Ra²*
Mit [erwiederter] Liebesglut
[Füllt] mich Calais [an, eines] Thuriners Sohn;
[Doppelt litt] ich den Tod für ihn,
Wenn [vom Schikksal] nur Sein Leben [verschonet wird.] *Sche¹ Sche²*
Mich entflammt mit [Wechselglut
Jetzt] des [Ornytus] Sohn, [Thurium's] Calais:
Zweimal [litt] ich den Tod für ihn,
[Schonte doch das Geschick länger den Jüngling mir.] *Br¹*
Mich [entzündet] mit [Wechselglut
Nun] des [Ornytus] Sohn, [Thuriums] Calaïs,
Zweimal [duld'] ich für ihn den Tod,
[Schenkt dem Jüngling das Loos längeres] Leben nur. *Ge*

17: *darüber* HORATIUS *Br¹ Ge*

17–20: Wie? wenn Amor zurücke kehrt?
In [ein] ehernes Joch [beide] Getrennte [spannt?]
Die [gelblockige] Chloe weicht,
[Das verschlossene Thor] Lydien [offen steht?] *Ra²*
Wie, wenn [Cypria wiederkehrt,]
In [das] eherne Joch [beide] Getrennte [zwingt?
Wie,] wenn Chloë, die Blonde, weicht,
[Die verschlossene] Thür Lydien [offen steht?] *Sche¹ Sche²*
Wie, wenn [wieder die Liebe kehrt?]
Und in's eherne Joch neu die Getrennten schmiegt?
Wenn nun Chloe, die Blonde, weicht,
Und [die] Thür, wie [zuvor,] Lydien [offen ist?] *Br¹*
Wie, wenn [vorige Liebe kehrt,]
Und in's eherne Joch [wieder] Getrennte [fügt,]
Wenn [man] Chloe, die blonde, [jagt,]
Und [mein Pförtchen,] wie sonst, Lydien [offen steht?] *Ge*

21–25: Zwar [lacht] jener, wie Hesperus;

Du bist schwankend wie Rohr, zorniger als die Fluth

Des aufbrausenden Adria:

Doch gern lebt' ich für dich, stürbe [vergnügt] mit dir. *Ra²*

[Schöner glänzt er, als Sterne,] zwar,

Du bist [leichter, als Kork,] zornig [erbrausender,]

Als das [tükkische] Adria,

[Dennoch] lebte ich gern, stürbe [vergnügt] mit Dir. *Sche¹*

[Schöner glänzt er als Sterne] zwar,

Du bist [leichter als Kork,] zornig [erbrausender]

Als das [tükkische] Adria,

[Dennoch] lebt' ich [so] gern, stürbe [vergnügt] mit Dir. *Sche²*

[Lieblich] zwar wie [der Sterne Glanz

Ist der Thurier,] du [leichter als Kork, und wild

Wie die Brandungen] Hadria's:

Gern doch leb' ich [mit] dir, sterbe mit dir [auch] gern. *Br¹*

[Ist gleich schöner als Sternen er,]

Du [noch leichter als Kork, aber erbrausender

Als] der [tobende] Hadria;

Leben [möcht'] ich [mit] dir, stürbe [so] gern mit dir. *Ge*

XII. AN DEN BANDUSISCHEN QUELL

Benutzte Textvorlagen: Ra², Sche¹, Sche², Br¹, Ge

BEARBEITUNGSANALYSE

Überschrift: An den [Blandusischen] Quell *Ra²* Dem Bandusischen Quell *Sche¹*
Sche² An den [Bandusiaquell] *Ge*

1–8: O Blandusiens Quell, glänzender als Krystall,

Werth des süßesten Weins, festlicher Kränze werth!

Dein sey morgen ein Böcklein,

Dessen Stirne schon Hörner keimt;

Das schon Kämpfe beschließt, rüstige Kämpfe mit

Nebenbuhlern: umsonst! weil der [muthwilligen]

Heerde Liebling mit Blut dir

Deine Wellen bepurpurn soll. *Ra²*

[Dir,] Bandusiens Quell, glänzender [noch] als [Glas,]

Süssen Weines – [o] werth, [blumenbekränzt zu sein,

Weih' ich] morgen ein Bökklein,
   Dem [die schwellende] Stirne schon
Hörner [kündet und Glut, muthige] Kämpfe mit
Nebenbuhlern – Umsonst! [Färben] mit [rothem] Blut
   Soll der [üppigen] Heerde
      [Spross] dein [kühlendes Wasser] dir. *Sche¹ Sche²*
O, Bandusia's Quell, glänzender als Crystall,
Werth [du lieblichen] Weins, werth [auch des Blüthenschmucks,]
   Morgen [opfr' ich] ein Böcklein,
      Dessen Stirne schon Hörner [zeigt,]
Das [auf] Kämpfe [bereits und auf Begattung sinnt.
Ach,] umsonst! [denn] mit Blut soll dir [die kühlende
   Strömung röthlich benetzen
      Er,] der [scherzenden] Heerde [Sohn.] *Br¹*
O [Bandusiaquell, heller] als [Spiegelglas,]
Werth des [lieblichen] Wein's, [kränzender Blumen] werth,
   [Dir fällt] morgen ein Böcklein,
      Dem [von Hörnchen die] Stirne [schwillt,
Die auf Liebesverkehr und die Gefechte] schon
[Zielt: vergebens: denn roth färben] mit Blute [wird]
   Dir [die kühlenden Bäche
      Bald] der [üppigen] Heerde [Spross.] *Ge*

9–16: Dich trifft Sirius nicht, ob er [verderbliche]
Flammen sprühet; du reichst [Kühlung und Labsal] dar
   Dem ermüdeten Pflugstier
      Und [dem schwärmenden Wollenvieh.]
Auch dein Nahme wird groß unter den Quellen seyn:
Denn ich singe den Hain und den beschatteten
   Hohlen Felsen, aus welchem
      Dein [sanft murmelndes] Wasser springt. *Ra²*
[O es können] dich nicht treffen [des drükkenden
Hundsterns Gluten;] du reichst liebliche [Kühlung den
   Pflugermüdeten Stieren
      Wie dem irrenden Wollenvieh.]
Werden [wirst du berühmt] unter den Quellen auch;
Denn ich singe [die Steineiche,] beschattend [die
   Felsengrotte,] aus welcher
      Dein geschwätziges Wasser springt. *Sche¹ Sche²*

276

[Niemals rühret das heissbrennende Hundsgestirn]
Dich: du reichest dem [Stier] liebliche Kühle dar,
   [Wann er, müde des Pfluges,
      Ruht, du schweifenden Heerden auch.]
[Einst] auch [nennet man dich einen gepries'nen] Quell,
Denn ich singe [die Stein-Eiche, die mächtig ragt
   Auf der felsigen Höhlung,
      Wo] dein Wasser geschwätzig [strömt.] *Br¹*
Nicht [der Siriusglut drückende Stunde weiss]
Dich [zu] treffen, du reichst liebliche [Kühlung] dar
   [Pflugermatteten Stieren]
      Und [dem schweifenden Wollenvieh.]
[Dich] auch [reih' ich hinfort edelen] Quellen [an,
Wann ich preise die Steineiche, der Felsenkluft
   Aufgepflanzet,] aus welcher
      Dein geschwätziger [Sprudel hüpft.] *Ge*

XIII. AN TELEPHUS

Benutzte Textvorlagen: Ra², Sche¹, Sche², Br¹, Ge

BEARBEITUNGSANALYSE

Überschrift: An [den] Telephus *Ra²*

1–4:   Viel [erzählst] du: [vom] Inachus
      [Bis zum] Codrus, der [freywillig] für sein [Athen]
        Starb, von Äacus [Heldenblut,]
      Und [dem langen Gefecht vor der Burg Ilion;] *Ra²*
        Wie viel Jahre nach Inachus
      Codrus lebte, der kühn starb für [das] Vaterland,
        Vom Geschlechte des Äacus
      Und vom Trojischen Krieg, [kannst] du [erzählen] nur, *Sche¹*
        [Bloß] wie [lange] nach Inachus
      Codrus lebte, der kühn starb für [das] Vaterland,
        Vom Geschlechte des Äacus,
      Und vom Trojischen Krieg [weißt zu erzählen] du, *Sche²*
        Wie [entfernt von dem] Inachus
      Codrus [seye,] der kühn starb für [das] Vaterland,

[Meldest] du, [und] des Äakus

[Stamm,] und [wie um die Burg Ilium's Kampf getobt;] *Br* [1]

Wie [entfernet vom] Inachus

Codrus [stehe,] der kühn starb für [das] Vaterland,

[Meldest] du, [und] des Äacus

[Stamm,] und Kriege [gekämpft unter der heil'gen Burg;] *Ge*

5–8:   Doch wie theuer man Chier Wein

Kauft, wer Wasser [uns warm hält,] und sein Haus uns leiht,

Daß ich dieser Pelignischen

Kälte trotzen [kann: dieß sagst] du mit keinem Wort. – *Ra* [2]

[Schweigst uns aber vom] Chierwein,

[Seinem Preise,] wer [uns] Wasser zum Bade wärmt,

[Unserm Wirth', und in welcher Zeit

Der] Pelignische [Frost weichend von mir entflieht.] *Sche* [1] *Sche* [2]

Doch, wie theuer [ein Fässchen wir]

Chiërweines [ersteh'n,] wer [uns das] Wasser wärm',

[Wer] uns [wirthlich empfang', und wann

Mich] Pelignischer [Frost meide, verschweigest] du. *Br* [1]

Doch wie theuer [ein Chierfass

Wir erhandeln, und] wer Wasser [am Feuer] wärmt,

[In wess] Hause, [zu welcher Stund',]

Ich Pelignischem [Frost wehre, das schweigest] du. *Ge*

9–14:   Hurtig [trinket] dem [frühen] Mond

[Und] der Mitternacht [dann, dann dem] Muräna [zu,

Unserm] Augur! [Mit] drey auch neun

[Schöpfern füllt] den Pokal! Schenkt dem begeisterten

Dichter – [schenkt ihm] heut dreymal drey

Nach der [heiligen] Zahl seiner [Göttinnen] ein! *Ra* [2]

Hurtig, Knabe, den Becher [für]

Den aufgehenden Mond! den für die Mitternacht!

Für den [Deuter] Murena den!

[Füllt die Becher aus] drei [Flaschen und] neunen [sie!

Wer unpaare] Camönen [liebt,

Nimmt] begeistert [allein Flaschen sich] dreimal drei. *Sche* [1] *Sche* [2]

[Gib mir rasch für] den [neuen] Mond

[Einen] Becher, [o] Knab', [gib] für die Mitternacht,

[Gib] für Augur Muräna drei

Schalen [Weines!] auch neun, [mischen bequem den Kelch.

Wer der Musen ungleiche Zahl

Liebt, ein Sänger voll Glut, fordere] dreimal drei

[Becher.]   Br 1

Hurtig [schenk auf] den [neuen] Mond,

[Auf] die Mitternacht [ein,] schenke, [mein] Knabe, [mir

Auf] Muräna, den Augur, ein:

Drei [der] Schalen, auch neun, [mischen die Becher gut.

Wer unpaare] Camönen [liebt,

Heischt der] Schalen dreimal drei, [ein] begeisterter

[Seher,]   Ge

15–17:   Mehr als drey hat die Grazie

Und ihr reizendes Paar Schwestern aus Furcht vor [Zank]

Anzurühren euch untersagt. Ra 2

Mehr als drei [o verwehret die

Haderscheuende Huldgöttinn zu nehmen, mit]

Ihren [nakkenden] Schwestern [eins.] Sche 1

Mehr als dreie [verwehret die

Haderscheuende Huldgöttinn zu nehmen, mit]

Ihren [nakkenden] Schwestern [eins.] Sche 2

Drei [nur vergönnt, nicht mehr,

Weil sie Hader und] Streit [fürchtet,] die Grazie,

[Nackter] Schwestern [Verein gesellt.] Br 1

[über je] drei [verbeut

Anzutasten] die [zankfürchtende] Grazie

[An der nackenden] Schwestern [Arm.] Ge

18–20:   [Rasen laßt] uns! Warum tönet [das] Phrygische

[Horn] nicht? [Hängt doch] die Leyer dort

An der Wand bey der [hell gellenden] Flöte [stumm.] Ra 2

[Lustig] schwärmet! Warum [schweigen die Töne] der

[Berecyntischen] Pfeifen dort?

Was [hängt still] an der Wand [Saiten- und Flötenspiel?] Sche 1 Sche 2

Schwärmen [möcht' ich so gern; wie? Berezyntische

Flötenklänge, sie säumen noch?

Wie?] bei schweigender [Laut' hänget] die Pfeife [da?] Br 1

Auf, [geraset!] Warum [säumt Berecyntischer

Hörner Blasen? Weswegen hängt]

Dort die Flöte, [gesellt] schweigendem [Barbiton?] Ge

21–24:   Tödtlich haß' ich die müßigen

Hände. Rosen gestreut! Lycus voll [inneren

279

Grimms] hör' unsern Tumult; es [hör'
　Ihn die Nachbarinn an, Chloe,] dem Alten [gram!] *Ra²*
　[Karge] Hände, die [knikkernden,]
Hass' ich: Rosen gestreut! Hören [den wilden Lärm
　Soll der neidische] Lycus, [ihn,]
Die [zum] Alten [nicht passt,] hören [die Nachbarinn!] *Sche¹ Sche²*
　[Müssiggehenden] Händen [Feind
Bin] ich. Rosen gestreut! hören [den rasenden
　Lärm soll] Lykus, [der Neider mir,
Und, nicht Lycus, dem Greis, passend, die Nachbarin.] *Br¹*
　Hände [sonder Geschäftigkeit]
Hass' ich: Rosen gestreut! Lycus, [der neidische,]
　Hör' [das wilde Gelärm, und sie,
Nicht für Lycus den Greis passend, die Nachbarin!] *Ge*

25–28:　Dich [mit glänzendem dichtem Haar,]
Du dem [Abendstern] gleich schimmernder Telephus!
　[Dich wünscht Chloe, zur Liebe reif;
Ich bin fühllos für sie:] Glycera [sengt] mich [noch.] *Ra²*
　Dir, volllokkigter Telephus,
[Der] du [gleichest] dem [hellglänzenden] Hesperus,
　Glüht die reifende Rhode: ach!
Mich [brennt zehrende Glut,] Glyceras [Liebe mich!] *Sche¹ Sche²*
　Dir, [den wallendes Haar umglänzt,]
Dir, [o] Telephus, gleich [Strahlen des Abendsterns,
Geht] die [bräutliche] Rhode [nach;]
Mich [rafft] Glycera [durch] langsame [Glut dahin.] *Br¹*
　Dir, [im Glanze des dichten Haars,]
Dir, [o] Telephus, gleich [strahlendem] Hesperus,
　[Geht] die [zeitige] Rhode [nach;]
Mich [verzehret die lauliebende] Glycera. *Ge*

XIV. AN DEN MÄCENAS

Benutzte Textvorlagen: Ra², Sche¹, Sche², Br¹, Ge

BEARBEITUNGSANALYSE

Überschrift: An den Mäcenas *darunter* [Über die Seelenruhe] *Ra²* An Mäcenas
Sche¹ Sche² An Mäcenas *Ge*

1–8:   Urenkelsohn Tyrrhenischer Könige,

Mäcenas! deiner harret ein volles Faß

    Gelinden Weins, und für dein Haupthaar

        [Balanusöhl] und geschonte Rosen.

[Entferne,] was dich [aufhält; betrachte] nicht

Das wasserreiche Tibur und Äsula's

    [Fruchtbare Thäler] und des Vater-

        mörders Telégonus Bergflur täglich. *Ra*[2]

[Abkömmling von] Tyrrhenischen Königen!

[Schon lange] harret deiner ein [milder] Wein

    [Auf unberührtem] Fass', und Rosen,

        [Sammt dem gepressten Myrobelöle]

Für deine [Haar'. Entreisse den Haften] dich;

[Betrachte stets] nicht Tibur, das [feuchte, du,]

    Und Äsulas [abschüss'ge Felder,]

        Telegons [Hügel,] des Vatermörders. *Sche*[1]

[Abkömmling von] Thyrrhenischen Königen!

[Schon lange] harrt [hier] deiner ein [milder] Wein

    [Auf unberührtem] Fass', und Rosen

        [Sammt dem gepressten Myrobel-öle]

Für deine [Haar'. O zögre nicht länger mehr;]

Das [feuchte] Tibur [schaue] nicht [immer an,

    Noch] Äsulas [abschüssige Felder,]

        Telegons [Hügel,] des Vatermörders. *Sche*[2]

[Tyrrenerfürsten-Sprössling, bereit für] dich

[Ist milder] Wein [aus noch ungewandtem] Fass,

    [Nebst Rosenblüthen, mein] Mäcenas,

        [Auch] für [die Haare gepresster Balsam

Schon lange bei mir: ende die Zögerung;]

Nicht [stets] das [feuchte] Tibur, und Äsula's

    Gefild am Abhang, und des Vater-

        Mörders Telegonus [Flur] beschaue! *Br*[1]

[Tyrrhener Königsenkel, es] harret dir

[Im unberührten] Fasse [der milde] Wein,

    Und [Rosenblüten, und der Bennuss]

        Öle [gepresst] für dein [Haar,] Mäcenas,

[Schon länger bei mir: raff' dich vom Säumen auf,]

Nicht [ewig] Tiburs [Wässer] und Äsula's

　　　　　　　[Abhängig Feld betrachtet,] und [nicht]
　　　　　　　　Telegon's [Hügel,] des Vatermörders. *Ge*
9–12:　　　[Verlaß den ekeln] Überfluß, [und den Thurm,
　　　　　　　Der über Donnerwolken das Haupt erhebt,
　　　　　　　　Und staune] länger nicht Roms Schätze,
　　　　　　　　　Rauch und [Getümmel und stolzen Pomp an.] *Ra²*
　　　　　　　[Verlass den ekelwekkenden] Überfluss
　　　　　　　[Und deinen Pallast, der zu] den Wolken [reicht;
　　　　　　　　Lass ab, den] Rauch, [das Lärmgetös,] die
　　　　　　　　　Schätze des [glükklichen] Roms [zu wundern.] *Sche¹*
　　　　　　　[Den] Überfluss, [der Ekel nur wekket, lass,
　　　　　　　Lass deinen Pallast, der zu] den Wolken [reicht;
　　　　　　　　Lass ab, den] Rauch, [das Lärmgetös,] die
　　　　　　　　　Schätze des [glükklichen] Roms [zu wundern.] *Sche²*
　　　　　　　[Verlass' den Reichthum, welcher dir Eckel schafft,
　　　　　　　Den Thurm, der hochaufragend] die Wolken [rührt;]
　　　　　　　　Bewund're länger nicht die Schätze,
　　　　　　　　　Rauch und Geräusch der beglückten Roma. *Br¹*
　　　　　　　[Verlass den ekelzeugenden] Überfluss,
　　　　　　　[Und deinen Palast,] hohem [Gewölke nah;
　　　　　　　　Lass ab] der [sel'gen] Roma Schätze,
　　　　　　　　　Rauch und [Getümmel nun anzustaunen.] *Ge*
13–16:　　Den Reichen ist [der Wechsel oft angenehm.]
　　　　　　　Oft hat in kleinen [Hütten] ein reinlich Mahl
　　　　　　　　Ohn' [allen] Purpur, ohne Teppich,
　　　　　　　　　Ihnen die [finstere] Stirn erheitert. *Ra²*
　　　　　　　[O süsser Wechsel scheuchet] dem Reichen oft
　　　　　　　[Von] der [bewölkten] Stirne [die Runzeln weg]
　　　　　　　　In [niedrer Hütte bei des Armen]
　　　　　　　　　Reinlichem Mahl ohne [Purpurdekken.] *Sche¹*
　　　　　　　[Ein süßer Tausch o scheuchet] dem Reichen oft
　　　　　　　[Die Runzeln weg von finster bewölkter] Stirn
　　　　　　　　In [niedrer Hütte, bei des Armen]
　　　　　　　　　Reinlichem Mahl ohne [Purpurdekken.] *Sche²*
　　　　　　　[Gewöhnlich lieben] Reiche Veränderung,
　　　　　　　Ein reinlich Mahl im [ärmlichen] Hüttchen hat,
　　　　　　　　Auch ohne Teppich, ohne Purpur,
　　　　　　　　　[Manche bekümmerte] Stirn' [geglättet.] *Br¹*

Oft hat [der Wechsel, welchen] der Reiche [liebt,
Und unterm Hüttlein Armer] ein [reines] Mahl,
   Auch ohne [Baldachin und] Purpur
     Ihm die [bekümmerte] Stirn entfaltet. *Ge*

17–20: Schon [hebt sein Haupt] der Vater Andromeda's
[Empor;] schon [raset] Procyon, und [der] Stern
   Des [zornerfüllten] Löwen [läßt uns
     Brennende] Sonnen [aufs neue fühlen.] *Ra²*
Schon zeigt der [helle] Vater Andromedas
[Sein heimlich] Feuer, wüthet, [mit] Procyon,
   Des [grimmen] Löwen Stern, [und Phoebus
     Bringet schon wieder des Jahres Dürre.] *Sche¹*
[Es] zeigt schon [hell] der Vater Andromedas
[Sein heimlich] Feu'r, schon wüthet [mit] Procyon
   Des [grimmen] Löwen Stern, [und Phöbus
     Bringet schon wieder des Jahres Dürre.] *Sche²*
Schon zeigt der hehre Vater Andromeda's
Verborg'nes Feuer; Procyon wüthet schon,
   Und auch des wilden Löwen Stern, wann
     Trockene Tage die Sonne herführt. *Br¹*
Schon zeigt der [helle] Vater Andromeda's
Verborg'ne [Glut;] schon [raset mit] Procyon
   [Das Sternenbild] des [grimmen] Löwen,
     [Nun mit den sengenden] Tagen [Sol kehrt;] *Ge*

21–24: Schon [sucht] der matte Hirt und sein lechzend Vieh
[Die Schatten, sucht] den Bach und [den Aufenthalt]
   Sylvans, und an [den Ufern hört man]
     Nicht [mehr] der [schwärmenden] Winde [Säuseln.] *Ra²*
Der Hirt [mit] seiner [schmachtenden Heerde sucht
Erschöpft den Schatten,] Bäche, [den kühlen Wald]
   Sylvans, [des Furchtbar'n: keine Lüftchen
     Wehen itzt mehr auf dem] stillen [Ufer.] *Sche¹*
[Es sucht] der Hirt [mit schmachtender Heerde jetzt
Erschöpft] die Bäch' [und Schatten, den kühlen Wald]
   Sylvans, [des furchtbar'n: keine Lüftchen
     Wehen itzt mehr auf dem] stillen [Ufer.] *Sche²*
Schon sucht [mit träger Heerde] der [müde] Hirt
Des Baches Kühlung auf, und des ländlichen

Silvanus Buschwerk: und hinfort nicht
    Streifen am stillen Gestad' die Winde. *Br*[1]
Schon [sucht, ermattet, Schatten und] Bach der Hirt
Und, [schlaff, die Heerde suchet] des [gräulichen]
    Silvanus [Dorngebüsch: es meiden]
    Streifende Winde [das] stille [Ufer.] *Ge*

25–28: Du, [sorgsam] für [die Wohlfahrt] der Bürger, bist
Bekümmert, was die Seren, was Cyrus Volk
    Im alten Baktra, was der Fehden
    Suchende Tanais heimlich brüte. *Ra*[2]
[Des Staats Verfassung sorgest du ängstlich, wachst
Für Romas Wohl,] dich [kümmern] der Serer [und
    Von] Cyrus [einst beherrschten] Bactra
    [Pläne, wie] Tanais, [des Entzweiten.] *Sche*[1]
[Des Staats Verfassung sorgest du ängstlich, wachst
Für Romas Wohl;] dich [kümmern] des Serers [und
    Von] Cyrus [Stab beherrschten] Bactras
    [Pläne, wie] Tanais, [des entzweiten.] *Sche*[2]
Du, [was zur Wohlfahrt fromme der Bürgerschaft,
Besorgend, fürchtest ängstlich für uns're Stadt,]
    Was Serer, [und, beherrscht von] Cyrus,
    Bactra, was Tanais [feindlich rüste.] *Br*[1]
Du sinnst [den Zustand, welcher dem Staate frommt,
Und, für die Hauptstadt ängstlich,] bekümmert [dich]
    Was Serer, was [des] Cyrus [Herrschaft,]
    Bactra, [und] Tanaïs' [Zwietracht rüste.] *Ge*

29–48: [Der Folgezeiten Schicksal] deckt weislich Gott
Mit [Finsterniß,] und lachet des Sterblichen,
    Der weiter als es frommt hinaus sorgt.
    Ruhig beschicke man, was der Tag bringt.
[Die Zukunft ist] dem [trieglichen] Strome [gleich,]
Der heute noch zum Tuscischen Meere sanft
    Die Wellen wälzte; bald wenn wilde
    Fluthen die Wasser in Aufruhr bringen,
Durchnagte Felsenstücke, gestürzte Bäum'
Und Hütten sammt den Heerden im Wirbel fort-
    gerissen mit sich führt: die nahen
    Wälder erbrausen, die Hügel heulen.

[Herr eines] frohen [Lebens ist] der allein,
[Wer] sagen [kann:] Heut hab' ich gelebt; es mag
   Der große Vater nun den Himmel
     Morgen in [düstere] Wolken hüllen,
Er mag [mit Sonnenstrahlen] ihn [überziehn.]
Vergangnes macht sein Wille nicht ungeschehn,
   Und schafft nicht um, was schon die rastlos
     Eilende Stunde davon getragen. *Ra²*
Der Zukunft [Ausgang] dekket mit [finstrer] Nacht
[Die weise Gottheit,] lachend des Sterblichen,
   Der [sonder Fug zu sehr erzittert.
     Ordne mit] ruhigem [Geist] was [itzt ist:
Das Andre geht] dem [fliessenden] Strome [gleich
Dahin,] der [jetzund friedlich in seinem Bett
   Hingleitet] zum [Etruskermeere,
     Itzo im reissenden Laufe fortwälzt
Gewühlte Stein' und Häuser und] Heerden [Vieh,]
Sammt [ausgeriss'nen Stämmen, mit Klaggeschrei
   Der Berge, wie] des nahen Waldes,
     [Regt Überschwemmung die stillen Flüsse.]
Der lebt sein [selber mächtig] und [lebet] froh,
Dem [jeden Tag zu] sagen [vergönnet ist:]
   Ich lebte! mag [mit schwarzen] Wolken
     Morgen der Vater [den Pol umgeben,]
Mag [mit der Sonn'] er [strahlen – doch kann er nicht,
Was rükkwärts liegt, vereiteln, entstellen nicht,]
   Nicht ungeschehn [es] machen, was die
     [Fliehende] Stunde [gebracht einmal hat.] *Sche¹*
Der Zukunft [Ausgang] dekket mit [finstrer] Nacht
[Die weise Gottheit,] lachend des Sterblichen,
   Der [sonder Fug zu sehr erzittert.
     Ordne mit] ruhigem [Geist,] was [itzt ist:
Das Andre geht] dem [reißenden] Strome [gleich
Dahin,] der [itzund friedlich in seinem Bett
   Hingleitet] zum [Etrusker Meere,
     Jetzo im reißenden Laufe fortwälzt
Gewühlte Stein' und Häuser und] Heerden [Vieh,]
Sammt [ausgeriss'nen Stämmen, mit Klaggeschrei

Der Berge, wie] des nahen Waldes,
 [Regt Überschwemmung die stillen Flüsse.]
Sein [selber] lebt der [mächtig] und [lebet] froh,
Dem [jeden Tag zu] sagen [vergönnet ist:]
 Ich lebte! morgen mag [mit schwarzen]
  Wolken der Vater [den Pol umgeben,
Ob mit der Sonn'] er [glänzen – doch kann er nicht,
Was lieget rükkwärts, tilgen, entstellen und]
 Nicht ungeschehn [es] machen, was die
  [Fliehende] Stunde [gebracht einmal hat!] *Sche*[2]
[Klug hüllt] der Zukunft [Schickungen] Gott uns [ein
In] dunkle Nacht, und lachet des Sterblichen,
 [Wann übermässig er sich kümmert.
  Lerne die Gegenwart stets mit Gleichmuth
Benützen! Alles Übrige rollt dahin
Nach Art] des Stromes, der, [in sein Beet gedrängt,
 Jetzt friedlich] zum [Etruskermeere
  Strömet, und jetzo gehöhlte Steine,
Entriss'ne Baumstämm',] Heerden [und Waldungen
Zumal hinabwälzt, nicht ohn' erhebliches
 Getös der] nahen [Berg' und] Wälder,
  [Wann die empörende Fluth die Bäche
Aufschwillt.] Nur der lebt seiner bewusst und froh,
Der [nach vollbrachtem Tage sich] sagen [kann:]
 Ich hab' gelebt; [mit Wolkendunkel
  Decke] der Vater den Himmel morgen,
[Mit] Sonnenglanz [auch schmück'] er ihn: [nimmermehr
Wird, was entfloh'n ist, eitel er] lassen, [nie
 Umbilden,] ungeschehen machen,
  Was [von] der [flüchtigen] Stund' [entführt ward.] *Br*[1]
Der Zukunft [Ausgang] decket ein [weiser] Gott
Mit dunkler Nacht, und [lächelt] des Sterblichen,
 [Wenn ohne Noth er zagt. Was da ist,
  Gleiches Gemüthes dir einzurichten,
Sei nur bedacht: das Andere fährt dahin]
Dem Strome [gleich,] der [mitten in seinem Bett
 Jetzt friedlich] zum [Etruskermeere
  Wallet, und jetzo benagte Steine,

Entwühlte Stämm' und] Heerden [und Wohnungen
Zumal entwälzt, nicht ohne den Wiederhall
   Von Berg' und] nahem Wald, wenn [tobend
   Ruhige Ströme die Überschwemmung
Emporreizt.] Seiner [mächtig] und [fröhlich ist,]
Der [Tag für Tag] »ich lebte« [sich] sagen [kann:
   »Ob] Morgen nun [dem Pol] der Vater
   [Schwarzes Gewölk, ob der Sonne Klarheit
Vorüberführt;] nicht [aber] Vergangenes
[Vereitelt er, nicht wandelt er um, und nicht
   Schafft] ungeschehen [er] was [einmal
   Fliehend] die Stunde [hinabgeführt hat.] *Ge*

49–52:   Fortuna führt [nicht lässig] ihr [strenges] Amt,
Spielt übermüthig lachend ihr altes Spiel,
   [Bald wohlgewogen] mir, [bald] Andern,
   [Ewig bey Spendung der Gaben unstät.] *Ra²*
[Des Glükkes Göttinn, die sich am Unfall letzt,
Und unablässig] spielet ihr [stolzes] Spiel,
   [Umstaltet] ungewisse [Würden,]
   Mir [nun gewogen] und itzt dem Andern. *Sche¹*
[Des Glükkes Göttinn, die sich am Unfall letzt,
Und] spielet [unablässig] ihr [stolzes] Spiel,
   [Umstaltet] ungewisse [Würden,]
   Mir [nun gewogen] und [nun] dem andern. *Sche²*
Fortuna, [froh des] grausamen [Werkes,] spielt
Ihr übermüth'ges Spiel [mit Beharrlichkeit,]
   Und täuscht mit ungewissen Ehren,
   Mir jetzt geneigt, und dem Andern morgen. *Br¹*
Fortuna, [froh solch grausen Geschäftes, und
Beharrlich] spielend Spiele [des Übermuths,
   Vertauscht die] ungewissen Ehren
   Mir itzt [gewogen, itzt einem] Andern. *Ge*

53–56:   Ich [dank' ihr,] bleibt sie; schwingt sie die Fittiche,
So geb' ich [sonder Gram das Geschenk] zurück,
   Und hülle mich in meine Tugend,
   Redlicher Armuth [auch ohne Sold treu.] *Ra²*
Ich lob' es, bleibt sie; schwinget sie [aber nun
Die schnellen Flügel,] dann [o verlass'] ich, was

Sie [gab,] gehüllt in meine Tugend,
 [Such' ohne] Mitgift die [biedre] Armuth. *Sche¹*
Ich lob'es, bleibt sie: schwinget sie [aber itzt]
Den [schnellen] Fittig, dann [o verlass'] ich, was
 Sie [gab,] gehüllt in meine Tugend,
  [Such' ohne] Mitgift die [biedre] Armuth. *Sche²*
Bleibt sie, so lob' ich's; schwingt sie [zu schnellem Flug
Sich auf, zurück] dann [weis'] ich, was sie [verlieh,]
 Und hülle mich in meine Tugend,
  [Leer ein genügsames Loos mir suchend.] *Br¹*
[Ihr] Bleiben lob' ich; [regt] sie die Fittige
[Zur Flucht,] dann [lass'] ich was sie geschenkt und hüll'
 In meine Tugend mich, [und] redlich
  [Such' ich die Dürftigkeit] sonder Mitgift. *Ge*

57–64: Ich mag nicht kläglich flehen, [wann Africus]
Den Mast [umheulet,] mag nicht Gelübde thun,
 Daß meine schwer erkaufte Waare,
  Welche mir Tyrus und Cypern einlud,
Das nimmersatte Meer nicht bereichere.
Ein [Nachen zweyer Ruder] schafft [sichrer] mich,
 Mit Kastors Hülf' und seines Bruders,
  Durch der Ägäischen Wellen Aufruhr. *Ra²*
[Nie werd'] ich, wenn [von Africus Stürmen itzt
Der Mastbaum krachet, mich zu Gebet und] Flehn
 [Herleih'n,] und [durch] Gelübde [heischen,]
  Dass nicht das [gierige] Meer [die Schätze
Von] Cyprus [füg'] und Tyrus [den seinen bei:
Wenn nur behalten führet auf kleinem Boot]
 Mich durch [Ägaeons Meeresstürme
  Günstiger Wind und der Zwilling Pollux.] *Sche¹*
[Nie werd'] ich, wenn [von Afrischen Stürmen je]
Erkracht [der Mastbaum, mich zu Gebet und] Flehn
 [Herleihn,] und [durch] Gelübde [heischen,]
  Dass nicht das [gierige] Meer [die Schätze
Von] Cyprus [füg'] und Tyrus [den Seinen zu:
Wenn sicher nur] mich [führet auf kleinem Boot
Hin] durch [Ägäons Meeresstürme
  Günstiger Wind und der Zwilling Pollux.] *Sche²*

288

Nicht mir [geziemt es, wann von dem Afrikus]
Der Mast erkrachet, kläglichen [Rufs zu] fleh'n,
    Und [durch] Gelübd' [andingen,] dass nicht
        [Etwas von] Cyprus und Tyrus Waare
Des [kargen] Meeres [Schätze vergrössere.
Wenn nur im doppelrudrigen] Kahn [die Luft]
    Durch [Brandung des Ägäermeeres
        Sicher] mich [führt und der Zwilling Pollux.] *Br*[1]
Ich [pflege] nicht, wenn [Stürmen des Africus]
Der Mast [erseufzt, zu niedrigem] Flehen [mich
    Zu beugen, durch] Gelübd' [zu dingen,]
        Dass dem [begierigen] Meer nicht Cyprus'
Und Tyrus' Waare [häufe noch neuen Schatz:]
Mich [wird im doppelrudrigen] Kahne [dann
    Gefahrlos] durch [Ägäer Brandung
        Tragen die Luft und der Zwilling Pollux.«] *Ge*

XV. AUF DEN SIEG DES DRUSUS ÜBER DIE RHÄTIER

(Vgl. »Nachträge« S. 569)

Benutzte Textvorlagen: Ra[2], *Sche*[1], *Sche*[2], *Br*[1], *Ge*

BEARBEITUNGSANALYSE

Überschrift: Sig des Drusus über die Rhäter *Ra*[2] [An die Stadt Rom] *Sche*[1]
Sche[2] [Lob] des Drusus *Br*[1] [Lob] des Drusus *Ge*

1–16:   So wie den Blitze tragenden Adler, [ihn,]
           Den Zevs, der [Götter König, der] Vögel [Reich
               Beherrschen ließ für treue Dienste]
               Bey dem [goldlockigen] Ganymedes,
           Einst [Jugend, die noch keine Gefahren kennt,
           Und väterliche Kühnheit dem] Nest [entriß,]
               Und Frühlingswinde nach verströmtem
               Regen [zu] banger [noch ungewohnter
           Luftreise stärkten;] bald auf [die Wollenschaar
           Die Nahrungsliebe himmelab sinken hieß,
               Und] bald [die Streitgier] auf [entgegen
               Kämpfende Drachen zu] stürzen [antrieb;]
           Und wie den Löwen, der nun der Mutter Milch
           Verschmäht, ein Reh sieht, das auf begras'ter Flur

Sein Futter [spähend] von dem jungen
Zahne den blutigen Tod erleidet: *Ra*[2]
Sowie des Blitzes [Träger,] den Adler, (dem
Der [Götter König, als er] ihn [treu befand]
Beim blonden Ganymed, die Herrschaft
[Über die fliegenden] Vögel [schenkte,)
Vorhin die Jugend] trieb [und] des Vaters [Kraft
Aus seinem] Nest, unkundig [der] Mühe [noch,]
Und Frühlingswind' ihn [ungewohnte
Thätigkeit] lehrte, [da er noch bebte,
Am wolkenlosen Himmel, doch] Ungestüm
Bald [feindlich trieb] auf Hürden [der Schaafe hin,]
Bald [gegen widersteh'nde] Schlangen,
[Folgend der Beut' und der Kampfbegierde:]
Und wie auf [lust'ger Weide beschäftigt] sieht
[Das] Reh den Löwen, den [von der fetten] Milch
[Entwöhnt] die [gelbe] Mutter; [künftig
Es eine Beute] den jungen Zähnen: *Sche*[1]
Sowie [des Blitzstrals Träger,] den Adler, (dem
Der [Götter König, als er] ihn [treu befand]
Beim blonden Ganymed, die Herrschaft
[Über die] schweifenden Vögel [schenkte,)
Vorhin die Kraft vom] Vater [und Jugend] trieb
[Aus seinem] Nest, unkundig [der] Mühe [noch,]
Und Frühlingswind' ihm [ungewohnte
Thätigkeit] lehrten, [da er noch bebte
Am Himmel, frei von Wolken, doch] Ungestüm
Bald [feindlich] ihn auf Hürden [der Schaafe trieb,]
Bald [gegen widersteh'nde] Schlangen,
[Folgend der Beut' und der Kampfbegierde:]
Und wie [das] Reh, [was weidet im lust'gen Gras,]
Den Löwen sieht, den [itzt von der fetten] Milch
[Entwöhnt] die [gelbe] Mutter, [bald, ach,
Selber es Beute] den jungen Zähnen: *Sche*[2]
[Gleichwie des Blitzstrahls fliegenden Diener] einst
– Dem Zeus die Herrschaft schweifender Vögel gab,
Weil ihn getreu der Götterkönig
Bei Ganymedes erfand, dem blonden, –

290

[Die Kraft der Jugend und angestammter Muth
Dem] Nest [enttrieb,] unkundig des Fluges Mühe,
    Und Frühlingswind nach [Sturmentfernung]
        Schwünge gelehrt, die er nie, der Bange,
[Bisher gewohnt war,] bald [in die] Hürden ihn,
[Den] Feind, [hinabstürzt] feuriger Ungestüm;
    Bald, [wo der Drach' entgegenstreitet,
        Gierde nach] Frass und [nach Kämpfen hintrieb.]
Und wie [das Rehkalb, lustigen Waiden nur
Nachspähend, fern von säugender Mutterbrust]
    Den [milchentwöhnten] Löwen [schaute,
        Unterzugeh'n durch] den Zahn [des Neulings:] *Br* [1]
[Gleichwie] den Adler, [Träger des Donnerstrahls,]
– Dem Zeus die Herrschaft schweifender Vögel [lieh,
    Der Götterfürst,] weil [er] ihn [treu fand
        Am] Ganymedes, dem [Blondgelockten, –
Voreinst die Jugend und des Erzeugers Kraft
Aus seinem Horst, nicht kundig der] Mühen, trieb,
    Und nach [geklärten Regenschauern
        Frühlinges Luft ungewohnten Aufschwung]
Den Bangen lehrte; [welchen] auf Hürden bald
Als Feind [hinabstürzt] feuriger Ungestüm,
    Bald [aber Gier nach Schmaus und Fehde
        Gegen] die sträubigen [Drachen hinreisst;]
Und wie [das] Reh auf [lachender Au' vertieft,]
Den Löwen, den [von strömender] Milch [bereits]
    Die [falbe] Mutter [abgestossen,
        Schau't, um zu fallen] dem jungen Zahne: *Ge*

17–24:   So sahn*) die Rhäter jüngst an der Alpen Fuß
    Den Drusus streiten. Horden, die weit umher

[*) Wenn man die Parenthese des Lateinischen Textes hinzufügt,
    so heißt die Übersetzung:
        So sahn die Völker Rhätiens, deren Faust
        Der Amazonen Streitaxt bewehrt, – ein Brauch
            Seit grauen Zeiten, dessen Ursprung
                Ich zu ergründen verschob, (auch forscht man
        Nicht allem glücklich nach) an der Alpen Fuß
        Den Drusus streiten. u. s. w.] *Ra* [2]

Gesiegt, [erfuhren] durch [des Jünglings
 Höhere Kriegeskunst überwältigt,]
Was angeborner Genius, was ein Geist,
Erzogen unter götterbeglücktem Dach,
 Was Vaterlieb' Augustus Cäsars
  Über Neronisches Blut vermögen. *Ra*[2]
So sahn den Drusus [kämpfen] die Rhätier
An [hohen] Alpen, [sahen Vindeliker,
 Die mit dem Amazonenbeil die
  Rechte bewaffnen nach alter Sitte,
Wer weiss, auf welche Weise dahin gelangt:
Wer forscht' auch Alles? Aber es fühlten] itzt
 Die [nah und fernhin sieggewohnten
  Schaaren, besiegt] durch [des Jünglings Rathschlag,]
Was Geist vermag, was [Tugend gebildet und
Gepflegt im Glükk des Hauses, und] was [vermag]
 Augustus [zarte Vaterneigung
  Für die Neronen, die jungen Brüder.] *Sche*[1]
So sahen Drusus [kämpfen] die Rhätier
An [Alpenhöh'n, so sah ihn Vindeliker,
 Die mit dem Amazonenbeil die
  Rechte bewaffnen nach alter Sitte,
Wer weiß, auf was für Weise dahin gelangt:
Ist viel doch unkund. Aber es fühlten] itzt
 Die [nah und fernhin sieggewohnten
  Schaaren, besiegt] durch [des Jünglings Rathschlag,]
Was Geist vermag, was [Tugend, gebildet und
Gepflegt im Glükk des Hauses, und] was [vermag]
 Augustus [zarte Vaterneigung
  Für die Neronen, die jungen Brüder.] *Sche*[2]
So sah'n am Fusse [Rhätischer Alpenhöh'n
Die Vindeliker] Drusus [im Kampf – woher
 Aus alter Zeit entstammte Sitte
  Mit amazonischer Axt bei diesen
Die Rechte waffne, wollt' ich erforschen nicht,
Auch darf man ja nicht alles urkunden – doch]
 Die weit [und breit siegreichen Schaaren
  Wieder besieget] durch Jünglingsklugheit,

[Empfanden wohl,] was [Einsicht und Geisteskraft,
In segensreichen Wohnungen recht gepflegt,]
   Vermögend [sey, und] was Augustus
     [Väterlich Thun am Neronenstamme.] *Br* [1]
So sah'n am Fuss [der Rhätischen Alpenhöhn
Wie Kämpfe] Drusus [kämpft, die Vindeliker;
   – Woher durch alle Zeit ihr Brauch stammt,
     Mit Amazonischer Axt die Rechte
Zu waffnen, das zu forschen versagt' ich mir,
Auch ziemet uns nicht jegliches Wissen; – doch]
   Die [lang' und] weit [siegreichen Schaaren,
     Rächend besiegt] durch [des Jünglings Klugheit,
Empfanden,] was [mit erblichem Muth der] Geist,
[Gebührend in glückseligen Wohnungen
   Genährt,] vermöge, was Augustus'
     [Vatergemüth für die Söhne Nero's.] *Ge*

25–28:   Von [Starken werden Starke gezeugt: der] Stier,
[Das] Roß [verliert die Tugend] des Vaters [nicht;
   Von kriegerischen Sonnenadlern
     Stammen] nicht schüchterne [Turteltauben.] *Ra* [2]
[Nur Tapfre zeugt, wer tapfer und] edel [ist:
Das Rind, das] Ross [besitzet] des Vaters Kraft;
   [Nie] werden [kampfbegier'ge] Adler
     Zeugen [unkrieg'rische schwache] Tauben. *Sche* [1]
[Nur Tapfre zielt, wer tapfer und] edel [ist:
Dem Rind' und] Ross' [ist eigen] des Vaters Kraft;
   [Nie] werden [kampfbegier'ge] Adler
     Zeugen [unkrieg'rische schwache] Tauben. *Sche* [2]
Von Helden [stammen] Helden [und Biedere;]
Es [lebt] im [jungen Farren,] es [lebt] im Ross
   Der Väter Kraft; [kein wilder] Adler
     Zeugete [friedlich gesinnte] Tauben. *Br* [1]
[Der Starke stammt] vom [Starken und Trefflichen;]
Es blüht im Stier, es blühet im Ross die Kraft
   Des Vaters, nicht [muthlose] Tauben
     Zeugete [je] der [beherzte] Adler; *Ge*

29–32:   [Doch eingepflanzter Trieb wird] durch [Unterricht
   Genährt;] durch [Tugendübung] die Brust [gestählt.

Den Pflichten ungetreu, entarten
    Edel geborene Heldensöhne.] *Ra*[2]
[Doch inn're Kräfte fördert Belehrung, und
Es stählt] die Brust [der bildende Unterricht;]
    Wo aber Zucht und Sitten [fehlen,]
        Schändet [das Laster die besten Gaben.] *Sche*[1]
[Die inn're Kraft doch fördert Belehrung, und
Es stählt] die Brust [uns bildender Unterricht;]
    Wo aber Zucht und Sitten [fehlen,]
        Schändet [das Laster die besten Gaben.] *Sche*[2]
[Zwar, Unterweisung stärkt] angebor'ne [Kraft,]
Und [kluge] Bildung [härtet den Muth; allein
Sobald die] Zucht [der] Sitten [nachlässt,]
        Schänden Verbrechen des Geistes Adel. *Br*[1]
[Doch Unterweisung fördert geerbten Geist,]
Und durch gestrenge Bildung erstarkt die Brust;
    Wo aber Zucht und Sitte [mangeln,]
        Schändet [das Laster die besten Gaben.] *Ge*

33–40: O Rom! wie viel du deinen Neronen dankst,
Bezeugt Metaurus Ufer und Asdrubals
    [Vertilgung:] als nach langen Nächten
        Latien endlich der Tage schönster
Erschien; der erste lachende Siegestag,
Seit jener grimme Libyer, gleich dem Sturm
    Im Meer, der Flamm' im Föhrenwalde
        Gleich, durch Italiens Städte [jagte.] *Ra*[2]
[Was] du, o Rom! [verdankst den] Neronen, [dies
Zeugt der geschlagne] Asdrubal, [zeugt der Fluss]
    Metaurus, nach [der] Nacht [des Schrekkens
        Jener entzükkende] Tag, der erste,
[Der] Latium [im herrlichen Glanz'] erschien,
[Da, wie durch Kien] die Flamme, [der Eurus durch
    Siculer Flut, der grause Afrer]
        Durch [die Italischen] Städte ras'te. *Sche*[1]
[Das, was,] o Rom, du dankst [den] Neronen, [zeugt]
Metaurus [Fluss, dies zeuget uns] Asdrubal
    [Geschlagen,] nach [der] Nacht [des Schrekkens
        Jener entzükkende] Tag, der erste,

[Der] Latium [im herrlichen Glanz] erschien,
[Da, wie durch Kien] die Flamme, [der Eurus durch
    Siculer Flut, der grause Afrer]
        Durch [die Italischen] Städte ras'te. *Sche*[2]
Wieviel, o Roma, du [den] Neronen dankst,
[Dess gibt] Metaurus [Zeugniss] und Hasdrubal,
    [Den sie besiegt,] der schöne Tag [auch,
        Welcher aus] Latium [trieb das Dunkel;
Der hold zuerst mit Sieg uns gelächelt hat,
Als schreckenvoll] durch Städte [der Italer
    Der Afrer fuhr, wie Glut durch Kienholz,
        Oder durch Sikulerfluth der Ostwind.] *Br*[1]
[Was] du, o Roma, deinen Neronen dankst,
[Der Strom] Metaurus [zeugt es,] und Hasdrubals
    [Besiegung, und] der schöne [Glückstag,
        Welcher, als] Latiums [Nacht verscheucht
Zuerst mit Siegen prangend uns lächelte,]
Seit [wild der Afrer Italer] Städte durch,
    [Wie Glut durch Kienwald, oder Eurus
        Durch die Siculische Wog' einherfuhr.] *Ge*

41–44: [Forthin verließ den Römer das gute Glück]
In [keiner Arbeit.] Alle von Punischer
    Verruchter Hand gestürzte Götter
        Standen nun [aufrecht] in ihren Tempeln. *Ra*[2]
[Darauf gedieh] in glükklichen Kämpfen stets
[Der Römer Jugend, nahmen die] Götter [ein
    Die] Tempel wieder, [die verwüstet
        Hatte des] Punischen [Krieges Greuel.] *Sche*[1]
[Darauf gedieh] in [jeglichen] Kämpfen stets
Die [Jugend Romas, nahmen die] Götter [ein
    Die] Tempel wieder, [die verwüstet
        Hatte des] Punischen [Krieges Greuel.] *Sche*[2]
Seitdem erhob sich glücklicher stets im Kampf
Die Römerjugend, [und im] verruchten [Krieg
    Mit Pönern ausgeleerte] Tempel
        [Sahen die] Götter [emporgerichtet;] *Br*[1]
Seitdem [gedieh durch] glückliche Kämpfe stets
[Der Römer Jugend, und] in [den] Tempeln, [sonst]

295

Vom [freveln Punersturm verwüstet,]
 Standen [die] Götter [emporgerichtet.] *Ge*

45–48: Und endlich sprach der [triegliche] Hannibal:
»Wir Hirsche, [jener] reißenden Wölfe Raub,
 Verfolgen jetzt sie noch, [nun] unser
  Größter Triumph die geheimste Flucht ist? *Ra²*
Und endlich sprach der [treulose] Hannibal:
»Den Hirschen gleich, [der] reissenden Wölfe Raub,
 Verfolgen [nothlos] wir, [wo trügen
  Und zu entfliehen der schönste Sieg] ist. *Sche¹*
Und endlich sprach der trügrische Hannibal:
»Den Hirschen gleich, [nur] reißender Wölfe Raub,
 Verfolgen [nothlos] wir, [wo trügen
  Und zu entfliehen der schönste Sieg] ist. *Sche²*
Und endlich sprach der trügrische Hanibal:
»Wir, gleich den Hirschen reissender Wölfe Raub,
 Verfolgen [selbst] sie, [die zu täuschen,
  Welche zu fliehen schon Hochtriumph] ist. *Br¹*
Und endlich sprach [voll Tücke] der Hannibal:
»Wir Hirsch', [und Beute] reissender Wölfe, [wir]
 Verfolgen [selbst, wovor sich bergen,
  Denen entfliehen, als Haupttriumph gilt.] *Ge*

49–56: Dieß Volk, das aus dem brennenden Ilion
Gerettet, auf den Tuscischen Wellen trieb,
 Und Götter, Kinder, [alte] Väter
  Nach der Ausonier Städten brachte,
[Schöpft,] gleich [der Eiche,] der [man] in Algidons
[Verwachsnem] Hain [mit] Beilen die Zweige [nimmt,]
 Selbst nach Verlust und Niederlagen
  [Muth von] dem Eisen [und] neue [Kräfte.] *Ra²*
Dies Volk, [was stark und tapfer] aus [Trojas Brand,
Umhergeworfen] auf [dem Tyrrhenermeer,
 Die] Götter, Kinder, greisen Väter
  [Zu den Ausonischen] Städten brachte,
[Zieht,] gleich dem Eichbaum, [welchem das harte] Beil
[Die schwarzen Äst' am fruchtbaren] Algidus
 [Behaut, durch] Niederlag', und [Schaden]
  Selbst [aus] dem Eisen [sich Macht und Kühnheit.] *Sche¹*

Dies Volk, [was stark und tapfer] aus [Trojas Brand,

Umhergeworfen] auf [dem Tyrrhener Meer,

    Die] Götter, Kinder, greisen Väter

        [Zu den Ausonischen] Städten brachte,

[Zieht] gleich dem Eichbaum, [welchem das harte] Beil

[Die schwarzen Äst' am fruchtbaren] Algidus

    [Behaut, aus] Niederlag' und [Schaden]

        Selbst [aus] dem Eisen [sich Macht und Kühnheit.] *Sche*[2]

[Das] Volk, das [muthvoll] rettend aus [Troja's Brand]

Auf [Tuskerwogen] treibendes [Heiligthum,]

    Und Kinder [und bejahrte] Väter

        [Zu den Ausonischen] Städten [hintrug,]

Gewinnt, der [Eiche] gleich [auf dem] Algidus,

[Dem schwarzbelaubten, welche die Axt behaun,

    Durch Missgeschick] und Niederlagen,

        Selbst durch das Eisen, [Gewalt und] Stärke. *Br*[1]

Dies Volk, das [kraftvoll] aus [der Trojanerglut,

Verstürmt] auf [Tusker Wogen, das Heiligthum]

    Und Kinder [und betagte] Väter

        [Trug zu Ausonischen] Städten [über,

Schöpft] gleich dem Eichbaum, [welchen das harte] Beil

[Beschor auf dunkellaubigem] Algidus,

    [Durch] Niederlagen, [durch] Verluste,

        Selber [vom] Eisen nur [Muth und Thatkraft.] *Ge*

57–60:   So wuchs, zerstückt noch wachsend, die Hydra nicht

Dem [ungern überwindlichen] Herkules

    Entgegen; solch ein Wunder [nährte]

        Kolchis nicht, [schuf] nicht Echions Thebe. *Ra*[2]

Nicht [den Verzweiflungshieben] des Herkules

Wuchs [stärker auf] der Hydra [gespalt'ner Leib;

    Kein gröss'res Ungeheuer stellte]

        Kolchis [herbei, noch] Echions Theben. *Sche*[1] *Sche*[2]

Nicht [stärker wuchs] der Hydra [zerstückter Leib

Ihm, den ihr Sieg schon schmerzte,] dem Herkules,

    [Kein gröss'res Ungeheuer schickte]

        Colchis [herbei] und Echions Theben. *Br*[1]

Nicht wuchs [zerstümmelt] Hydra [gewaltiger]

Dem [ungern überwindlichen] Hercules

Entgegen, [und] solch [Scheusal] hat nicht
Colchis [erzeugt,] und Echions Theben. *Ge*

61–64:   Du senkst es in die Tiefe: weit schöner steigt's
Empor; [du ringst:] mit [Ehre besieget es]
Den [ungeschwächten] Sieger, liefert
Schlachten, von [welchen] des Enkels Weib singt. *Ra²*

[Tauchs] in [den Abgrund,] schöner [erstehet] es;
Bekämpfs, [und nieder stürzt] es mit [vielem Ruhm]
Den [unbezwung'nen] Sieger, [kämpfet]
Schlachten, [den] Weibern [daheim zum Mährchen.] *Sche¹*

[Tauch's] in [den Abgrund,] schöner [erstehet] es;
Bekämpf's, [und nied hin stürzt] es mit [vielem Ruhm]
Den [unbezwungnen] Sieger, [kämpfet]
Schlachten, [den] Weibern [daheim zum Mährchen.] *Sche²*

[Zur] Tiefe senk' es: herrlicher steigt's empor;
Bekämpf' es: [glorreich] wirft es mit [neuer] Kraft
In Staub den Sieger, [und vollendet]
Schlachten, von [Gattinnen oft gerühmet.] *Br¹*

[Versenk's zum Abgrund:] herrlicher steigt's empor;
[Ring' gegen: ruhmvoll stürzt] es die [ungeschwächt
Geblieb'nen] Sieger, Schlachten [beut's ihm,]
Deren [noch lange gedenkt die Gattin.] *Ge*

65–68:   Kein stolzer Bote geht nach Karthago mehr.
Dahin ist alle Hoffnung; verschwunden ist
Das Glück, das unserm Nahmen folgte;
Alles, seit Asdrubal fiel, verschwunden.« – *Ra²*

[Fortan o! send' ich prahlende] Boten [nicht]
Mehr nach Karthago: [jegliche] Hoffnung ist
[Sie ist] dahin [sammt] uns'res Namens
Glükke [durch] Asdrubals [Tod gesunken!«] *Sche¹*

[Fortan o! send' ich pralende] Boten [nicht]
Mehr nach Karthago: [jegliche] Hoffnung ist –
[Sie ist] dahin [sammt] unser's Namens
[Ruhme durch] Asdrubals [Tod gesunken!«] *Sche²*

[Nicht werd' ich forthin Siegesverkündiger
Zu dir,] Carthago, [senden; es sank, es sank]
All' [uns're] Hoffnung, uns'res Namens
[Ehre, da] Hasdrubal [nun erwürgt ist.] *Br¹*

Carthago'n [werd' ich prahlende] Boten [nicht

Hinfort] mehr [senden: Unter, ach, unterging

    Die] Hoffnung [ganz, sammt] uns'res Namens

        Glücke, seit Hasdrubal [uns dahinsank.«] *Ge*

69–72:   [Nun mißlingt] nichts [den Händen] der Claudier,

    [Da Zeus] sie [selbst so huldreich vertheidiget,]

        Und [immerwache Vorsicht glücklich]

           Aus dem [gefährlichsten Blutkampf ziehet.] *Ra²*

Nichts lässt der Arm der Claudier unvollbracht;

[Mit seinem Beistand] schützet sie Jupiter,

    [Dem göttlichen,] und [schlaue Klugheit

        Leitet] sie [sicher durch Kriegsgefahren.] *Sche¹ Sche²*

Nichts [ist, das jetzt nicht Claudierarm vollführt,]

Sie schützet huldvoll Jupiters Götterwink;

    [Ein Geist der Sorgfalt, der nie rastet,]

        Führt sie [durch jede Gefahr des Krieges.«] *Br¹*

Nichts [wahrlich, was nicht Claudierarm vollbringt,

Dieweil mit Gnadenwinke] sie Juppiter

    [Beschirmt,] und [eigner Vorsichtsgeist] sie

        Aus [den Gefahren des Kriegs erlöset.] *Ge*

XVI. AN NEÄRA

Benutzte Textvorlagen: Ra², Sche¹, Sche², Ge

BEARBEITUNGSANALYSE

Überschrift: An [die] Neära *Ra²*

1–10: Nacht war es, ohne Gewölk [war] der Himmel, hell [strahlete] Luna,

        Vom [Chore der Gestirn'] umringt,

    Als du, [das] Aug' und Ohr der heiligen Götter zu täuschen,

        Mit schlanken Armen mich umfingst,

    Dichter als Epheu den Stamm der [hohen Pappel umwindet,]

        Und meines [Mundes] Worte schwurst,

    Schwurst: So lange den Schafen der Wolf, dem Schiffer Orion,

        Der Meere Wüthrich, furchtbar ist,

    Und [mit Delius unbeschorenem] Haare die Luft spielt,

        Bestehe dieser Liebesbund! *Ra²*

Es war Nacht, [und] es [leuchtete zwischen den kleinern Gestirnen
  -Am heitern] Himmel hell [der Mond,]
Als, die [höheren] Götter, [die wissenden, trüglich] zu täuschen,
  Du mir [in] meine Worte schwurst,
[Da du] mit [schmiegenden] Armen, [noch] dichter als [windender] Epheu
  Die Eich' [umschlinget,] mich umfingst:
[Dass,] so lange die Schaafe der Wolf, die Schiffer Orion
  [Verfolgte, der im] Meere [stürmt,]
Und in Apollos wallendem Haar noch spielten die [Lüftchen,
  Beständig unsre Liebe sei.] *Sche¹*

Nacht wars, [ach! und] es [leuchtete zwischen den kleinern Gestirnen
  Am heitern] Himmel hell [der Mond,]
Als, die [erhabenen] Götter, [die wissenden, trüglich] zu täuschen,
  Du mir [in] meine Worte schwurst,
[Da du] mit [schmiegenden] Armen [noch] dichter, [wie windender] Epheu
  Die Eich' [umschlinget,] mich umfingst:
[Dass,] so lange die Schaafe der Wolf, Orion die Schiffer
  [Verfolgte, der im] Meere [stürmt,]
Und in Apollos wallendem Haar noch spielten die [Lüftchen,
  Beständig unsre Liebe sei.] *Sche²*

Nacht war's, [und] es [erglänzt' am heiteren] Himmel [die] Luna
  Umringt von [kleiner] Sterne [Schaar,]
Als du, [schon in Beginn] zu täuschen die [höheren] Götter,
  Mit [angeschmiegten] Armen mich
[Enger] umfangend als Epheu [rankt um den] ragenden [Eichbaum,]
  Auf meines [Mundes] Worte schwurst:
[Dass,] so lange der Wolf [feindselig] dem Schaf, [und] Orion
  Der Schiffer [See durch Sturm empört,]
Und [durchs lockige] Haar [des] Apollo spielet [das Lüftchen,
  Erwiedernd unsre Liebe sei.] *Ge*

11–16: Ach, Neära! wie wird einst Flaccus [Gleichmuth] dich kränken,
  Der nicht unmännlich [mehr erträgt,]
Daß du dem neuen Vertrauten die Nächte schenkest, und bald sich
  Durch eine beßre Liebe rächt;
[Dem, wenn er einmal entschlossen ist, nichts mehr sträflicher Liebreiz
  Und späte Nachreu' angewinnt. –] *Ra²*
Ach, Neaera, wie [sehr] wird Flaccus [Tugend] dich [schmerzen,]
  Der's länger nicht [unrühmlich] trägt,

⌠Wenn⌡ du die ⌠steten⌡ Nächte ⌠dem Neubegünstigten weihest,⌡
  Und ⌠zürnend gleiche⌡ Liebe ⌠sucht,⌡
Dessen Entschluss ⌠nie bringet dein⌡ Reiz, ⌠der⌡ verhasste, ⌠zum Wanken,
  Hat er entschied'ne Reu' gefühlt.⌡ *Sche¹*
Ach, Neära, wie ⌠sehr⌡ wird Flaccus ⌠Tugend⌡ dich ⌠schmerzen,⌡
  Der's länger nicht ⌠unrühmlich⌡ trägt,
⌠Wenn⌡ du die ⌠ewigen⌡ Nächte ⌠dem Neubegünstigten weihest,⌡
  Und ⌠zürnend gleiche⌡ Liebe ⌠sucht,⌡
Dessen Entschluss ⌠nie bringt dein⌡ Reiz, ⌠der⌡ verhasste, ⌠zum Wanken,
  Hat er entschiedne Reu' gefühlt.⌡ *Sche²*
⌠O,⌡ wie ⌠klagst⌡ du ⌠dereinst ob meines Beharrens,⌡ Neära!
  ⌠Denn lebt ein Mann in Flaccus noch,
Duldet er⌡ nicht, dass ⌠jegliche⌡ Nacht du schenkst dem ⌠Erwähltern,⌡
  Und ⌠sucht erzürnt ein Herz, wie sein's.⌡
Nicht ⌠beugt festen⌡ Entschluss ⌠des einmal Gekränkten die Schönheit,
  Wenn ernster Unmuth mich durchdrang.⌡ *Ge*

17–24: Aber du Glücklicher, wer du ⌠gleich⌡ bist, der ⌠du⌡ jetzt im Triumphe
  ⌠Mit⌡ meiner ⌠Schmach dich blähen wirst,⌡
Ob du reich ⌠bist⌡ an Heerden ⌠und Ländereyen,⌡ ob ⌠Hermus
  Für dich,⌡ für dich Pactolus fleußt,
Ob dir die ⌠Sprüche⌡ des zweymal gebornen Pythagoras kund sind,
  Und Nireùs an Gestalt dir weicht:
Ach! wie bald wirst auch du die verlorene Liebe beweinen!
  Ich aber lache dann, wie du. *Ra²*
⌠Doch⌡ du Glükklicher, wer du auch bist, der jetzo ⌠einhergeht
  So stolz auf Flaccus Missgeschikk,⌡
Ob ⌠an⌡ Heerden du reich ⌠bist, oder⌡ an ⌠vielen⌡ Gefilden,
  Ob ⌠auch⌡ für dich Pactolus fleusst,
Ob dir die Lehren des ⌠zwiergebornen⌡ Pythagoras kund sind,
  Und ⌠schöner⌡ du, ⌠als⌡ Nireus, ⌠bist,⌡
Ach, wie wirst du ⌠bejammern⌡ die ⌠dir entwendete⌡ Liebe!
  Ich aber lach' ⌠an deiner Statt.⌡ *Sche¹*
⌠Doch⌡ du Glükklicher, wer du auch bist, der jetzo ⌠einhergeht
  So stolz auf Flaccus Missgeschikk,⌡
Ob ⌠an⌡ Heerden du reich ⌠bist, oder⌡ an ⌠vielen⌡ Gefilden,
  Ob ⌠auch der⌡ Pactol fließt für dich,
Ob dir die Lehren des ⌠zwier gebornen⌡ Pythagoras kund sind,
  Und ⌠schöner⌡ du ⌠wie⌡ Nireus ⌠bist,⌡

Ach, wie wirst du die [einst dir entwendete] Liebe [bejammern!]
Ich aber lach' [an deiner Statt.] *Sche²*

[Doch] wer [immer] du sei'st, [o Beglückterer, welcher voll Hochmuth]
Hinschreitet über meinen Schmerz,

Ob an Heerden du reich [sei'st oder unzähligen Hufen,
Und golden] dir Pactolus [strömt,]

Ob du Pythagoras' [Weisheit kundig,] des Zweimalgebornen,
An [Schönheit über] Nireus [siegst;

Ha,] du [jammerst dennoch einst über veränderte] Liebe,
Dann [trifft die Reih', zu] lachen, mich. *Ge*

XVII. SÄCULARISCHER FESTGESANG

(Vgl. »Nachträge« S. 569)

Benutzte Textvorlagen: Ra², Sche¹, Sche², Br¹, Ge

BEARBEITUNGSANALYSE

Überschrift: Secularischer [Gesang] *Ra²* [Horatius Jubellied] *Sche¹* [Jubellied]
Sche² [Der] Saecularische Festgesang *Br¹* [Säculargesang] *darunter* [An Apollo
und Diana] *Ge*

1: *darüber fehlt Dialogsprecherangabe Ra² Sche¹ Sche² darüber* [(BEIDE CHÖRE)] *Ge*

1–8:   [Gott Apoll!] Diana, der Wälder [Göttinn!

Ihr des] Himmels [Zierden, der Feyer würdig,]
Und [gefeyert! höret] am Fest [der Weihe
            Unser Gebet an!

Auf Befehl der heiligen] Bücher singen
[Auserkohrne] Knaben und keusche [Jungfraun
Allen] Göttern, welche die sieben Hügel
            [Lieben,] ein Loblied. *Ra²*

Phoebus, [Waldbeherrscherinn du,] Diana,
[Ihr des] Himmels [leuchtende Zier, erhöret,]
Was wir flehn am heiligen [Tag', ihr stets und
            Immer] Verehrten,

Heut, [da,] nach dem Spruch [der Sibyllenverse,
Lautre Jungfraun] singen und keusche Knaben
[Lob] den Göttern, welchen die sieben Hügel
            [Romas gefallen!] *Sche¹*

Phöbus! [Waldbeherrscherinn du,] Diana!
[Ihr des] Himmels [leuchtende Zier, erhöret,]
Was wir flehn am heiligen [Tag', ihr stets und
                Immer] Verehrten!
Heut, [da] nach dem Spruch [der Sibyllenverse
Lautre Jungfrau'n] singen und keusche Knaben
[Lob] den Göttern, [denen] die sieben Hügel
             [Romas gefallen!] *Sche²*
Phöbus [du,] und Herrin des Walds, Diana,
[Strahlenschmuck] am Himmel! [ihr, stets] verehrbar
Und verehrt, o gebet uns, was am heil'gen
             Feste wir flehen,
[Da] der Sibyllinische Spruch [geboten,
Dass erles'ne] Mädchen und keusche Knaben
[Euch, ihr Schutzgottheiten] der sieben Hügel,
             [Singen] ein Loblied. *Br¹*
Phöbus, und Diana, [du Wälderhort, ihr
Helle Zier des] Himmels! [verehrungswerth,] und
O verehrt [auf] ewig! [verleiht] was wir [zu]
             Heiliger [Zeit] flehn,
[Wo,] nach Sybillinischer Sprüche [Mahnung,
Auserwählt Jungfrauen] und keusche Knaben
[Allen Schutzgottheiten] der sieben Hügel
             Singen [das Chorlied.] *Ge*

9: *darüber fehlt Dialogsprecherangabe* Ra² Sche¹ Sche² *darüber* [(BEIDE CHÖRE)]
Ge

9–12:   [Du, des Sonnenwagens Regierer,] bringest
         [Uns] den Tag und [nimmst ihn, stets neu geboren,]
         Stets [derselbe:] – möchtest du nimmer [etwas]
                  Größers als Rom [sehn!] *Ra²*
         [Holder Phoebus,] der du [auf goldnem] Wagen
         Bringst und birgst den Tag, und erscheinst [als] Andrer
         [Doch derselbe, mög'st] du [beleuchten nie, was]
                  Grösser als Rom [ist.] *Sche¹*
         [Holder Phöbus,] der du [auf goldnem] Wagen
         Bringst und birgst den Tag, und erscheinst [als] andrer,
         [Doch derselb',] o [mög'st] du [beleuchten nie, was]
                  Größer als Rom [ist!] *Sche²*

Sonnengott, Allnährer, dess heller Wagen
Tag [erschafft] und birgt, der du gleich und anders
Stets erscheinst, o [könntest] du Gröss'res [niemals]
       Schauen, als Roma. *Br*[1]
[Nährer Sol, du welcher] den Tag [im lichten]
Wagen bringt und [hehlt,] der, [ein] Andrer, [aufgeht,
Und Derselbe!] möchtest du nimmer schau'n [was]
       Grösser als Roma! *Ge*

13: *darüber fehlt Dialogsprecherangabe* Ra[2] Sche[1] Sche[2] *darüber* [(CHOR DER JUNG-
FRAUEN)] *Ge*

13–16: [Schütze,] die du reife Geburt ans Licht ziehst,
Ilithyja! – [wenn wir] dich [nicht] Lucina
Lieber, oder [Helferinn nennen sollen,]
       Schütze die Mütter! *Ra*[2]
Die du sanft [den Kreissenden hilfst zur rechten
Stunde,] schütz die Mütter, [o] Ilithyia,
Oder heiss'st du lieber Lucina, [oder
       Göttinn der Zeugung:] *Sche*[1] *Sche*[2]
Du, die sorgsam reife Geburt [hervorzieht,]
Sanfte Ilithya, die Mütter schütz' uns,
Ob du [gern] Lucina [dich nennst,] ob [gerne
       Muttergehülfin.] *Br*[1]
Die du [wohl und willig gereifte Leibsfrucht
Förderst,] Ilithyia, [beschirm'] die Mütter,
Oder ob Lucina du [gern genannt wirst,]
       Ob Genitalis: *Ge*

17–20: [Laß es nicht der Nachwelt an] Kindern [fehlen;]
Laß gedeihen, [Göttinn, den Schluß] der Väter,
[Der die Ehen fördert,] Gesetze [giebet,
       Rom zu bevölkern.] *Ra*[2]
[O bewahr] das Kind [der Geburt,] und segne
[Unsrer] Väter [Ehegesetz der Weiber,
Und die keuschen Ehen, aus welchen neu die
       Menschheit hervorgeht,] *Sche*[1]
Kindern, [Göttinn, schenke] Gedeih'n, und [Heil dem
Schluss' der Ahnherrn] über der Frauen [Ehe,
Und den keuschen Ehen, wodurch die Menschheit
       Stets sich erneuet,] *Sche*[2]

[Göttin,] lass [Nachkommen uns] blüh'n und segne,
Was die Väter über der Frau'n Vermählung
[Eingeführt,] und [jenes] Gesetz, das fruchtbar
     Zeuget den Nachwuchs. *Br 1*

[Göttin,] lass gedeihen [den Säugling,] segne
Was die Väter über der Frau'n Vermählung
[Ordnen,] und das [Ehegesetz,] das [frische
     Sprösslinge wuchert.] *Ge*

21: *darüber fehlt Dialogsprecherangabe Ra² Sche¹ Sche² darüber* [(BEIDE CHÖRE)] *Ge*

21–24: [Dann wird] nach [dem Kreislauf von] zehn [und hundert]
Jahren, [es dieselben] Gesäng' und Spiele
[Dreymal in der] Nacht und [am lichten Morgen
     Dreymal erneuern.] *Ra²*

Dass [im steten Kreise von hundert] Jahren
[Neu den schönen] Tag [mit] Gesang und Spielen
[Dreimal feir', und dreimal die] holde Nacht, [die
     Strömende Menge.] *Sche¹ Sche²*

Dass nach eilfmal zehen umkreisten Jahren
[Feste Zeit dir] Spiel und Gesang erneue,
Die wir durch drei festliche Tag' und holde
     Nächte [dir feiern.] *Br1*

Dass nach [eilf Jahrzeh'n der bestimmte Kreislauf
Uns] Gesang und Spiele erneu', [gefeiert
Während] drei [hellglänzender] Tag' und [gleichviel
     Lieblicher] Nächte. *Ge*

25–28: Ihr, o [Wahrheit singende Parcen! – Termon,
Der nie wankt, bestätige was wir bitten! –
Laßt auf unsre glücklich] verlebte [Tage]
     Glückliche [folgen!] *Ra²*

[Auch] ihr, [Parzen, seid der Verheissung wahrhaft,
Und der feste Terminus halte,] was [ist
Zugesagt] einmal; zum [Vergang'nen] füget
     Glükkliche Zukunft. *Sche¹*

[Seid auch wahrhaft eurer Verheißung, Parzen!
Und es halt' uns Terminus, er der feste,]
Was [gesagt ward,] füget [uns] zum [Vergang'nen]
     Glükkliche Zukunft. *Sche²*

Ihr sodann, wahrsingende Schicksalschwestern,
Was ihr einmal sprachet, und was der Ausgang

Streng bewahrt, o füget zum schon verlebten
        Glückliche Zukunft. *Br¹*
[Und] ihr [Parzen, ewig der Wahrheit Sänger,
Deren Ausspruch,] einmal [gefäll't,] der Ausgang
[Fest bestätigt, reih't an vergangnes Schicksal]
        Glückliches [künftig.] *Ge*

29–32: Tellus, reich an Früchten und Heerden, [kröne]
Ceres [Haupt] mit [Ähren, und was sie zeuget,
Das erhalte heilsame] Luft, [das] nähre
        Jupiters Regen. *Ra²*
[Und die Erde, fruchtbar] an [Vieh] und Früchten,
[Bringe] Ceres [dar einen Kranz von Ähren,
Und erquikkend Wasser ernähr', was lebt, sammt]
        Jupiters Lüften. *Sche¹*
[Und] an [Vieh] und Früchten [die Erde fruchtbar
Bringe dar von Ähren den Kranz der] Ceres,
[Und erquikkend Wasser ernähr', was lebt, sammt]
        Jupiters Lüften. *Sche²*
Tellus, reich an Früchten und reich an Heerden,
Schmücke Ceres Stirne mit Ährenkränzen,
Nährend auch komm' Jupiters Luft und Regen
        Über die Fluren. *Br¹*
[Und die Erd'] an Frucht und an [Vieh ergiebig
Gürte] Ceres' [Haupt] mit [dem] Ährenkranze;
[Ihr Erzeugniss] nähr' [mit Gedeihen Jovis]
        Regen und [Lufthauch.] *Ge*

33: *darüber fehlt Dialogsprecherangabe Ra² Sche¹ Sche² darüber* [(CHOR DER] KNA-
BEN) *Ge*
35: *darüber fehlt Dialogsprecherangabe Ra² Sche¹ Sche²*

33–36: [Höre die Gebete der] Knaben [gnädig,]
Und verbirg [dein tödlich Geschoß, Apollo!]
Zweygehörnte [Königinn] Luna, höre
        [Gnädig die Jungfraun!] *Ra²*
[Mild und sanft] verbirg [deine Pfeil' im Köcher,]
Und erhör', [Apollo, das] Flehn [der] Knaben;
Luna, Sternenköniginn, Zweigehörnte,
        Höre die [Jungfrau'n.] *Sche¹*
[Mild o birg im Köcher die Pfeil', Apollo,]
Und erhör [das] Flehen [der] Knaben [gnädig;]

Luna, Sternenköniginn, zweigehörnte,

Höre die [Jungfrau'n.] *Sche*[2]

Gnadenreich und gütig verbirg den Bogen,

Und erhör' uns flehende Knaben, Phöbus!

MÄDCHEN

[Sternenglanz, zwiehörnige Göttin,] höre,

Luna, die Mädchen. *Br*[1]

[Dein Geschoss] verbirg, und [mit Huld und Gnade

Höre] uns [kniefälligen] Knaben, Phöbus!

[(CHOR DER JUNGFRAUEN)]

[Sternenfürstin] Luna, [du] Zweigehörnte,

Höre die [Mägdlein.] *Ge*

37: *darüber fehlt Dialogsprecherangabe* Ra[2] *Sche*[1] *Sche*[2] *darüber* [(BEIDE CHÖRE)] *Ge*

37–44: Ist Rom euer Werk, hat ein Heer aus Troja

Stadt und Laren glücklichen [Laufs] verlassen,

Und am [Strand' Etruriens Sitz gefasset,

Eurem Befehl treu;

Hat] Äneas Bahn [ihm gemacht, der] Fromme,

[Der den Flammen] Ilions [und dem Umsturz]

Seines [Landes glücklich entronnen,] mehr giebt,

Als er zurück ließ: *Ra*[2]

[O] ist Rom [durch euch, ist ein flücht'ger Theil der

Trojer hier nach] glükklicher [Fahrt] gelandet

Am [Etruskerufer, der] Stadt und Laren

[Musste vertauschen,

Dem,] sein Vaterland überlebend, [truglos

Freien Weg] Äneas, [der keusche, bahnte]

Durch [die Flammen] Ilions, [ihm ein grösser

Erbe zu schenken:] *Sche*[1]

[O] ist Rom [durch euch, und ein flücht'ger Theil der

Trojer hier nach] glükklicher [Fahrt] gelandet

Am [Etrusker Ufer, der] Stadt und Laren

[Musste vertauschen,

Dem] sein Vaterland überlebend [truglos

Freien Weg] Äneas [der keusche bahnte

Hin] durch [Trojas Flammen,] um [ihm ein größer

Erbe zu schenken:] *Sche*[2]

307

[Wurde] Rom [auf] euern [Befehl gegründet,]
Hat ein Heer aus Troja [die] Stadt verlassen,
[Und nach sicherm Lauf] am Etruskerstrande
           Glücklich gelandet,
Welchem einst durch Iliums Brand Äneas,
[Sonder Trug,] sein Vaterland überlebend,
[Freien Abzug öffnet',] um mehr zu geben,
           Als er [verlassen:] *Br 1*

Ist [die] Roma euere [Schöpfung, fasste
Sitz der Troer Schaar] am Etruskerstrande,
[Aufs Gebot Hausgötter] und Stadt [vertauschend]
           Glückliches [Laufes,
Bahnte Held] Äneas, [der] seine [Heimath]
Überlebt', durch Ilions Brand [gefahrlos
Freien Durchzug ihr,] um [noch] mehr zu [spenden]
           Als er [daheim liess:] *Ge*

45–52:   Götter, so verleihet der [zarten] Jugend
Reine Sitten, [friedlichem] Alter Ruhe,
[Und begnadigt Romuls Geschlecht mit Zuwachs,
           Reichthum und Ehre.
Ihn,] der weiße [Farren] euch [darbringt,] Venus
Und Anchises [heiliges Blut laßt] herrschen;
[Ihn, den Sieger, jetzt den Erhalter eines
           Knieenden] Feindes. *Ra 2*

[Gute] Sitten gebt der [gelehr'gen] Jugend
[Dann, und] Ruh, [ihr] Götter, [dem frommen] Alter,
Gebet [Reichthum Romulus Volke, Dau'r und]
           Jegliches [Ansehn.
Und es] herrsch' Anchises und Venus [hehrer]
Sprössling, der euch [opfert] mit weissen [Stieren,
Überlegen streitenden] Feinden, [aber]
           Mild den Besiegten. *Sche 1 Sche 2*

[Sittenreinheit,] Götter, verleiht der Jugend;
[Götter,] gebt [dem friedlichen] Alter Ruhe,
Gebet [Ansehn Romulus Volk und Nachwuchs,]
           Jegliche [Zier auch.]
Jener, der euch ehret mit weissen Rindern,
Venus und Anchises erlauchter Sprössling,

Herrsche, weit vorragend im Kampf dem Feinde,
  Mild dem Besiegten. *Br*[1]
Götter, so [gebt Zucht] der [gelehr'gen] Jugend,
[Götter,] gebt friedseligem Alter Ruhe:
Gebt dem Römervolke zu Macht und [Anwachs]
  Jegliche Zierde;
[Und warum] euch [fleht] mit [den] weissen Rindern
Venus' und Anchises' erlauchter Sprössling,
[Das erlang' er, kämpfendem] Feind [ein Sieger,]
  Mild dem Besiegten. *Ge*

53: *darüber fehlt Dialogsprecherangabe Ra*[2] *Sche*[1] *Sche*[2] *darüber* [(CHOR DER) KNA-
BEN) *Ge*

53–56: Seinen Arm, in Meeren und Landen [mächtig,
  Seine] Beile fürchtet der Meder; Scythen
  [Suchen] seinen [Götterspruch, und die] stolzen
   [Völker am Indus.] *Ra*[2]
  [Romas Macht zu Wasser] und Lande fürchtet
  Schon der Meder, [fürchtet Albaner Äxte,
  Und Befehl' erwarten die jüngst] noch stolzen
   Scythen und [Hindus.] *Sche*[1] *Sche*[2]
  Seinen Arm, allmächtig in Meer und Landen,
  Fürchtet schon der Meder, und Alba's Beile;
  Seines Ausspruchs warten, noch stolz vor Kurzem,
   Scythen und Inder. *Br*[1]
  Schon [erschreckt zu Wasser] und Land der Meder
  [Sich vor Roma's Macht] und [den] Beilen Alba's,
  [Schon erflehn Befehle die] Scythen, [jüngst] noch
   [Trotzig,] und Inder. *Ge*

57: *darüber fehlt Dialogsprecherangabe Ra*[2] *Sche*[1] *Sche*[2] *darüber* [(CHOR DER JUNG-
FRAUEN)] *Ge*

57–60: Schon kehrt Treue, Frieden und Ehre wieder,
  Alte Zucht und lange vergeßne Tugend
  Wieder, und [die Göttinn des] Überflusses
   [Leeret ihr] Füllhorn. *Ra*[2]
  [Und] schon [kehrt verachtete] Tugend, Treue,
  Alte [Schaam] und Frieden [zurükk] und Ehre,
  [Schon erscheint beglükkender] Überfluss [mit
   Reichlichem] Füllhorn. *Sche*[1]

[Und] schon [kehrt missachtete] Tugend, Treue,
Alte [Schaam] und Frieden [zurükk] und Ehre,
[Schon erscheint glükkseliger] Überfluss [mit
                    Reichlichem] Füllhorn. *Sche* [2]
Treue schon, [und] Frieden und Ehr', [und] alte
[Scheu] und längst vergessene Tugend [kehren
Uns zurück;] glückspendender Überfluss [auch
                    Strömt aus dem] Füllhorn. *Br* [1]
Schon [erkühnt die] Treu' [sich, und] Ehr' und Frieden,
[Und der Vorzeit Scham,] und [verschmähte] Tugend
[Heim zu kehren, segnend mit] Überflusse
                    [Nahet das] Füllhorn. *Ge*

61: *darüber fehlt Dialogsprecherangabe* Ra [2] Sche [1] Sche [2] *darüber* [(CHOR DER] KNA-
BEN) *Ge*

61–68:

[Blickt Apoll, der] Augur, [mit goldnem Bogen
Ausgerüstet, seiner] Kamönen [Ehre,
Mächtig dem ermatteten Körper neue]
                    Kräfte [zu schenken,
Auf die Palatinischen Opfer huldreich:
O, so schütz' er Latien, fördre Roms Heil
Bis in späte] Zeiten, [beglücke jedes
                    Neue Jahrhundert!] *Ra* [2]
Wenn, [geziert mit blitzendem Bogen,] Phoebus,
[Seher er] und Liebling [der] neun Camönen,
[Der] erquikkt [mit heilender Kunst] die kranken
                    Glieder [des Leibes,
Nun die Palatinischen Schlösser gnädig
Ansieht, fördr' er Latiums Glükk, der Römer
Herrschaft, bis] zum [künftigen] Lustrum [mehr] und
                    Besser [für] immer! *Sche* [1] *Sche* [2]
Phöbus, hell im Glanze des Köchers strahlend,
Augur, und eu'r Liebling, ihr neun Camenen,
Welcher durch heilbringende Kraft die kranken
                    Glieder erquicket:
Wann er gnadvoll schaut die geweihten Höhen,
Wird er Roms Wohlfahrt und Latinermacht zum
Nächsten Lustrum stets und auf immer bess're
                    Zeiten verlängern. *Br* [1]

Wenn [der Seher] Phöbus, im Glanz des [Bogens
Herrlich,] und [willkommen den] neun Camönen,
[Der] durch [Heilkunst stärket] die [fiebermatten]
              Glieder [des Leibes,
Wohlgefällig] schaut [Palatinus' Zinnen,]
Wird er Roma's [Macht] und [Latiner] Wohlfahrt
Immer [segensvoller] zu [neuen] Lustern
              [Dehnen] auf [ewig;] *Ge*

69: *darüber fehlt Dialogsprecherangabe* Ra² *Sche¹ Sche² darüber* [(CHOR DER JUNG-
FRAUEN)] *Ge*

69–72:   Aventins und Algidons Göttinn [höre
Mit ihm die] Gebete der Funfzehnmänner.
[Gnädig; gnädig höre] Diana [junger
              Knaben Gelübde.] *Ra²*
[Und] der funfzehn Männer Gebet [erhöre,
Freundlich zu der Knaben Gelübden] neig' [ihr]
Ohr Diana, [die auf dem] Aventin und
              Algidus [waltet!] *Sche¹ Sche²*
[Und o] du, [die] Algidus |Höh'n beherrschet,
Hör'] der fünfzehn Männer Gebet, Diana,
[Wollest] auch [unschuldiger] Kinder [Flehen
              Gnädig Gehör leih'n.] *Br¹*
Auch Diana, [welche den] Aventinus
[Stets beherrscht,] und Algidus, [hör'] der fünfzehn
Männer [Fleh'n] und neige [das] Ohr der Kinder
              Bitten gefällig. *Ge*

73: *darüber fehlt Dialogsprecherangabe* Ra² *Sche¹ Sche² darüber* [CHOR] *Br¹ darüber*
[(BEIDE CHÖRE)] *Ge*

73–76:   [Unser Chor rührt Jupitern, rührt] die Götter
Alle: [mit der Zuversicht gehn] wir [fröhlich
Heim, belehrt Apolls] und Dianens [hohes
              Loblied] zu singen. *Ra²*
[O es hört] uns [Jupiter sammt] den Göttern!
[Diese sich're] Hoffnung [begleit'] uns [heimwärts,]
Uns, den [Chor, Apolls] und Dianens Lob zu
              Singen [gelehret.] *Sche¹*
[O es hört] uns [Jupiter sammt] den Göttern!
[Diese] Hoffnung [bringen] wir [heim, die sichre,]

Wir, der [Chor, Apolls] und Dianens Lob zu
          Singen [gelehret.] *Sche*[2]
Dass uns Zeus [zuwinket] und alle Götter,
Kehren wir nach Hause der frohen Hoffnung,
Kundig [nun] Dianens und Phöbus [Ehre]
          Singend [ein Chorlied.] *Br*[1]
Dass uns Zeus erhört, und die Götter alle,
[Diese] froh' [und sichere] Hoffnung [trag' ich
Heim,] der Festchor, kundig Diana's Lob und
          Phöbus' zu singen. *Ge*

GEREIMTE NACHBILDUNGEN

XVIII. AN MUNATIUS PLANCUS
XIX. AN CHLOE
XX. AN LUCINIUS MURÄNA
XXI. AN MÄCENAS

Zu diesen Übersetzungen sind keine Textvorlagen nachgewiesen. Ihr Verfasser ist, nach Mörikes Angaben im »Vorwort«, Ludwig Bauer (s. Bd. 8,1, S. 12, Z. 21f.). Mörike hat sie bearbeitet. Dies geht aus dem Brief Bauers an Mörike vom 8.2.1840 hervor, in dem Bauer schreibt: Für die Verbesserungen in meinen horazischen Gedichten, die ich unbedingt als Verbesserungen anerkenne, danke ich Dir herzlich *(GSA III, 1). Der Umfang von Mörikes Bearbeitung läßt sich nicht feststellen, da Bauers ursprüngliche Fassung nicht erhalten ist.*

ANMERKUNGEN

Die Quellenbenutzung beschränkt sich nicht nur darauf, aus den genannten Werken auszuwählen, vielmehr formt Mörike nicht selten den übernommenen Stoff neu: Er rafft eine weitschweifige Darstellung der Quelle (242, 32–38; 243, 20–24; 246, 30–41; 249, 35.36; 249, 38–250,1). Er stellt eine ihm wichtig erscheinende Meinung seiner Quelle besonders heraus (240, 20–24. 36.37; 243, 2–4; 249, 39–250,1). Er kritisiert eine Ansicht seiner Quelle (240, 26.27) und trägt auch eine Gegenmeinung vor (244, 34.35). An mehreren Stellen arbeitet Mörike Deutungsansätze aus seinen Quellen heraus (239, 4.5; 242, 38–40; 243, 2–4; 245, 2). Wo für eine Deutung keine Quelle nachgewiesen ist, wird es sich wohl um eine eigene Interpretation Mörikes handeln (245, 32.33). Insgesamt fällt auf, daß Mörike seine Quellen kritischer benutzt als bei den Anmerkungen zu den griechischen Dichtern. Zwar ist fast alles übernommen, und doch spricht er deutlich mit eigener Stimme.

Der Kommentar von Mi unterscheidet sich sehr stark von den sonst benutzten Erläuterungen. Anstatt einzelne Stellen herauszugreifen und isoliert zu erklären, erläutert Mi stets in fortlaufender Paraphrasierung. Dabei läßt er kaum ein Wort der Gedichte unberührt. Der Umfang des Kommentars übertrifft deshalb den des Odentextes um ein Mehrfaches. Viele Einzelheiten übernimmt Mörike. Bei der besonderen Anlage dieser Erläuterungen muß freilich deren größter Teil unbenutzt bleiben. Dieses Verhältnis zur Quelle läßt sich nicht durch Angabe der Verszahlen der übernommenen und der nicht übernommenen Kommentarteile deutlich machen. Nicht überall nennt Mi die Verszahl der erläuterten Stelle, so daß eine Orientierung sehr schwer ist. Eine rein zahlenmäßige Übersicht über Benutzung bzw. Nichtbenutzung würde auch keinerlei Aufschluß geben über das inhaltliche Ausschöpfen dieser Quelle. Zudem müßte hier die Angabe von Verszahlen in die Irre führen, weil diese sich auf den lateinischen Text beziehen – Mi ist kommentierte Ausgabe – und sehr häufig abweichen von der entsprechenden Versfolge der Mörikeschen Übersetzung. Deshalb wird in diesem Falle auf die Zusammenstellung der von Mörike nicht benutzten Erläuterungen der Quelle Mi verzichtet. Dagegen werden die nicht benutzten Erläuterungen der Quelle Ra² wie üblich genannt.

I

Benutzte Quellen: Ra², Mi

Hinweise zur Quellenbenutzung

239,3: [Der Dichter ruft die] Kalliope [besonders an,] weil [diese heroische] Muse [... die vornehmste] unter [ihren Schwestern ist, weswegen er sie auch] Königinn [nennt.] *Ra²* **239**,4–8 Man bemerke *bis* bezeichnete] Praeclaro artificio argumenti tractatio ita exordio adnectitur, ut transitus ludibundum potius poetam quam in certo quodam argumento occupatum defixumque prodere videatur. Quum enim Musas sibi invocanti praesto esse intelligeret, vivide hujus rei sensu percussus inflammatusque pristinorum, quae sibi ab iisdem inde a tenerrima aetate obtigerint, beneficiorum memoriam grata mente recolit, atque ita suo ipsius exemplo sententiam, quae hujus carminis primaria est, luculentissime comprobat, illos, qui Musarum sese addixerint patrocinio, imperturbata securitate frui. Docte autem poeta sententiam: se a pueritia Musis carum fuisse, subjecta statim narratione exponit atque illustrat... Mi **239**,9.10 *Mich deckten bis* vorkommen] Palumbes fabulosae, quarum plura in fabulis ministeria occurrunt, ... Mi **239**,10–13 *Vultur bis* Städte] [Der Berg] Vultur [gehörte zu] Lucanien und [zu] Apulien. [Auf der Apulischen Seite] lag Horazens Geburtsort. Er hatte sich also weit von Hause verlaufen. [Der Ort wird mit Fleiß so genau

bestimmt, damit der Leser eine wahrhafte Begebenheit erwarten soll ... Die
umständliche Anführung der] benachbarten [Örter] Bantia, Ferentum, Acheron-
tia, [verstärkt die Wahrscheinlichkeit der Geschichte...] Ra² **239**,14 *Sabinum bis
Sabiner*-Landschaft] VESTER TOLLOR, DOCTA BREVITATE PRO, VESTRAE TUTELAE
CONFIDO, VOS ME TUTAMINI, DUM PROFICISCOR, EO, PETO SABINOS, AGRUM MEUM IN
SABINIS. PRO HOC MAGIS PROPRIE EST TOLLOR, AD NATURAM SABINAE REGIONIS, QUAE
MONTOSA EST... Mi **239**,14–16 in der *bis* Roma] Tibur, eine Stadt in Latium am
Flusse Anio. Ra² **239**,16–19 *Präneste bis* berühmt] PRAENESTE, LATII OPPIDUM,
IN MONTE SITUM, ... QUO AESTATE SECEDERE SOLEBANT ROMANI, FRIGORIS CAPTANDI
GRATIA. ... BAJARUM SINUS IN AMOENISSIMA CAMPANIAE ORA, MITI AERIS TEMPERIE,
AQUARUMQUE SALUBRITATE ... CELEBRATISSIMUS. Mi **239**,20 *Bemerkung Mörikes*
239,21.22: [... als einen Mann schützt ihn ... Faunus mit geschwinder Hand vor]
einem [niederstürzenden] Baume. Ra² **239**,23.24 Das Vorgebirge *bis* Namen] Das
Vorgebirge Palinurus an der Küste [Italiens,] Sicilien gegenüber, hatte von Äneens
Steuermann den Nahmen [erhalten.] Ra² **239**,24.25 Bei welcher *bis* unbekannt]
... CUJUS PERICULI CUM NULLIBI POETA MEMINERIT, FRUSTRA EOS AGERE ARBITROR, QUI
DE TEMPORE, QUO HORATIUS IBI PERICLITATUS SIT, DISPICIENDO ANXIE LABORANT... Mi
239,26.27: Die Meerengen, [dergleichen die] Thracische [ist,] sind gefährlicher zu
beschiffen, [als die offenen Meere.] Ra² **239**,28.29: ...ASSYRIAM... PRO SYRIA...
A POETA ADHIBERI, VIX DUBITANDUM VIDETUR. DESIGNANTUR ADEO SYRIAE PALMY-
RENAE SOLITUDINES, QUAE USQUE AD PETRAM URBEM ET REGIONEM
ARABIAE FELICIS APPELLATAE PERTINENT, PLIN. H.N.V. 24 ... Mi **239**,30–33:
Die [Einwohner Britanniens] hatten [damals] vielleicht Ursache, die Fremden, die
an ihrer Insel landeten, für Kundschafter zu halten, [die] von Eroberern [abge-
schickt wären: sie kamen ihnen also zuvor und räumten sie aus dem Wege.] Ein
alter Scholiast sagt, sie hätten die Fremden geopfert. Baxter, ein guter Britte,
setzt hinzu: dieß ist von den Irländern zu verstehen. Ra² **239**,34 *Concaner bis*
Spanien] CONCANI, NOTUS CANTABRIAE IN HISPANIA TARRACONENSI POPULUS, ... Mi
239,34–36 *Strom bis* umherstreifte] *Keine Quelle nachgewiesen* **240**,1 *Piërisch bis* ist]
Bemerkung Mörikes **240**,1–3 Augustus *bis* zugeschrieben] Augustus erhohlt sich
von seiner [Arbeit] durch [die Gesänge der Musen ... Man weiß, wie gelinde des
Augustus] spätere Regierung [gewesen ist...] Ra² **240**,4: [... Daß Anfangs
der] Titanen [erwähnt wird, und] hier [lauter] Giganten [genannt werden, ist eine
den alten und neuern Poëten gewöhnliche Verwechslung dieser rebellischen
Riesen...] Ra² **240**,5 *Brüderpaar bis* Anh.] *Bemerkung Mörikes* **240**,5–7 *Typhon
bis* sind] DE TYPHOEO SEU TYPHONE VID. HESIOD. THEOG. 821. APPOLLOD. I. 6.3 ...
VULGARIOR QUIDEM NARRATIO DIVERSUM A GIGANTIBUS MONSTRUM FACIT TYPHOEA,
... SED ET PINDARUS PYTH. VIII. 20. INTER GIGANTAS RECENSET, ... MIMANTA GIGAN-
TEM COMMEMORANT EURIP. JON. 215. SENECA HERC. FUR. 981 ... PORPHYRIONEM

VASTISSIMAE MOLIS ET ROBORIS GIGANTEM REFERT APOLLOD. LOCO SAEPIUS ... DE
RHOETO CF. II, 19.23. – *ENCELADUS* DIVERSUM A TYPHOEO MONSTRUM ... Mi
240,8–11 Delos *bis* Orakel] Auf [der] Insel Delus [war] Apollo [unter einem Öhl-
baum und Palmenbaum] geboren worden. [Von dieser Insel führt er den Nahmen Delius, und den Nahmen Pataréus von der Stadt Pátara in Lycien an der
Asiatischen Küste des Mittelländischen Meeres, wo eins seiner berühmtesten]
Orakel [war. Von beiden Örtern sagt Virgil:

Wie wenn Apoll das Ufer des Xanthus und Lyciens kalte

Fluren verläßt, und wieder sein mütterlich Delos besuchet. Äneide IV, 143.144
Wobey Servius diese Anmerkung macht: Es ist bekannt, daß Apollo in den sechs
Wintermonaten bey] Pátara, einer [Stadt in] Lycien, Orakel [ertheilte, und] in
den [sechs] Sommermonathen [bey Delus.] *Ra²* **240**,11.12 *Kastalia bis* Phocis]
CASTALIA FONS IN JUGIS PARNASSI, APOLLINI SACER. Mi **240**,13.14 *Gyas bis* ver-
mischt] *GYGES, COTTUS ET BRIAREUS*, CENTIMANI, COELI ET TERRAE FILII, A PATRE
IN TARTARA DETRUSI, INDEQUE A JOVE AD DEBELLANDOS TITANOS REDUCTI, HISQUE IN
TARTARUM CONJECTIS CUSTODES ADPOSITI. VID. HESIOD. THEOG. INDE A V. 617. SED
H.⟨OC⟩ l.⟨OCO⟩ ITERUM SATIS MANIFESTAM COSMOGONICARUM ISTARUM FABULARUM DE-
PREHENDERE LICET CONFUSIONEM, QUA CENTIMANI, QUI MULTO ANTIQUIORES SUNT, ET
QUOS A PARTIBUS DEORUM STETISSE PERHIBENT, CUM GIGANTIBUS REBELLIBUS PERMIS-
CENTUR ... Mi **240**,14 *Orion bis* Anhang] *Bemerkung Mörikes* **240**,15 *Die bis*
Giganten] ... *TERRA* MATER *DOLET INJECTA*, GRAECE PRO, SE INJECTAM, IMPOSI-
TAM, *MONSTRIS*, FILIIS *SUIS*, GIGANTIBUS, ... Mi **240**,15.16 *So bis* speit] [Den]
Feuer speyenden [Riesen] Typhon [... schleuderte Jupiter mit seinen Blitzen zu
Boden, und legte] den [Berg] Ätna [auf ihn.] *Ra²* **240**,16 Die *Brut bis* Titanen]
PARTUS MISSI AD ORCUM, SUNT TITANES ... Mi **240**,16.17 *Tityos bis* Anh.] *Be-
merkung Mörikes*

*Von Mörike nicht benutzte Erläuterungen der Quelle Ra²: v. 18.19, v. 34–36, v. 42–44,
v. 45–47, v. 47.48, v. 58–64, v. 69.70, v. 77.78, v. 78–80*

II

Benutzte Quellen: **240**,19.20 *Soracte bis* sichtbar *Ra²* **240**,20–22 Mehrere *bis* ge-
schrieben Mi **240**,24.25 *Ra²* **240**,26.27 *Ra²* Mi
Keine Quelle nachgewiesen: **240**,22.23 Die ganze *bis* Winter
*Von Mörike nicht benutzte Erläuterungen der Quelle Ra²: v. 2.3, v. 6–8, v. 10–12, v.
13.14, abschließende Bemerkung zum Versmaß*

IV

Benutzte Quellen: **240**,29–31 *Quirit bis* Laren Mi **240**,32–34 Mi **240**,35 Mi
240,37.38 Die *Trotzer bis* Cassius *Ra²* Mi **240**,38 Die Schlacht *bis* beschrieben

Ra² **240**,39.40 *Mercur* bis genug *Mi* **240**,40–**241**,5 Horaz bis zurück *Mi* **241**,6
Schuldiges bis Gelübde *Mi* **241**,6.7 *Massiker* bis Weine *Mi* **241**,7–9 *Die blan-
ken* bis gleichen *Mi* **241**,9 *Muscheln* bis Muschelform *Mi* **241**,9–12 Der glück-
lichste bis berüchtigt *Ra²* *Mi*
Keine Quelle nachgewiesen: **240**,36.37 Dieß bis beschäftigt
Bemerkung Mörikes: **240**,29 *Brutus* bis Horaz
Von Mörike nicht benutzte Erläuterung der Quelle Ra²: v. 21.22

V

Benutzte Quellen: **241**,16 *Ra²* **241**,17 *Mi* **241**,19–21 *Ra²* *Mi* **241**,24.25 *Ra²*
241,26 *Mi* **241**,28.29 *Ra²* **241**,30.31 *Teucer* bis Attika *Mi* **241**,31 *Sthenelus* bis
Diomedes *Ra²* *Mi* **241**,32.33 *Ra²* *Mi* **241**,34 *Mi* **241**,35–37 *Mi* **241**,38.39 *Ra²*
241,40.41 Das *Achaiische F.* bis Griechen *Mi*
Keine Quelle nachgewiesen: **241**,14.15; **241**,22.23; **241**,40 *Phrygien* bis gelegen
Bemerkungen Mörikes: **241**,18; **241**,27
Von Mörike nicht benutzte Erläuterungen der Quelle Ra²: Einleitende Bemerkung, v. 3,
v. 19.20, v. 21, v. 23.24, v. 27.28, v. 32

VI

Benutzte Quellen: **242**, 2–6 *Ra²* *Mi* **242**,7.8 *Mi* **242**,9–17 *Mi* **242**,18.19 *Ra²* *Mi*
242,20–22 *Ra²* *Mi* **242**,23–25 *Ra²* **242**,26.27 *Ra²* **242**,28.29 *Ra²* **242**,32–38 Als
bis verschieden *Ra²* **242**,38–40 Horaz bis darstellt *Mi* **242**,41 *Ra²*
Keine Quelle nachgewiesen: **242**,30.31
Von Mörike nicht benutzte Erläuterungen der Quelle Ra²: Einleitende Bemerkung, v.
6–8, v. 13, v. 23.24

VII

Benutzte Quellen: **243**,2–4 *Mi* **243**,6–8 *Mi* **243**,9 *Mehr* bis Anbeter *Mi* **243**,10 *Mi*
Keine Quelle nachgewiesen: **243**,5; **243**,9 *Im Fliehn* bis Spröde
Von Mörike nicht benutzte Erläuterungen der Quelle Ra²: v. 1–8, v. 9.10, v. 11, v. 18.19

VIII

Benutzte Quellen: **243**,12.13 *Dunkl.* bis Styx *Mi* **243**,14 *Mi* **243**,15 *Ra²* **243**,17
Ra²
Bemerkungen Mörikes: **243**,12 *Geryon* bis Orkus **243**,16; **243**,18
Von Mörike nicht benutzte Erläuterungen der Quelle Ra²: Einleitende Bemerkung, v.
7.8, v. 8.9, v. 9–12, v. 17.18, v. 18.19, v. 19.20, v. 21, v. 23, v. 25, v. 26–28, v. 27.28

IX

Benutzte Quellen: **243**,20–24 *Ra²* **243**, 25–29 *Ra²* **243**, 30–33 *Ra²* **243**,34 *Mi*

*Von Mörike nicht benutzte Erläuterungen der Quelle Ra²: Einleitende Bemerkung, v. 1,
v. 14–16, v. 17–20*

X

Benutzte Quellen: **243,**36 *»Evö!«* bis Bacchantinnen Mi **243,**38.39 *Schone* bis erliege Mi **244,**4.5 *Der Ariadne* bis versezt Ra² **244,**7–10 Ra² Mi **244,**11–14
Ra² Mi **244,**15–18 Ra² **244,**19–21 Ra² Mi **244,**23 Ra² **244,**24.25 Ra² **244,**26
Ra²

Keine Quelle nachgewiesen: **243,**38 *Liber* bis des B. **244,**1.2 *Singen* bis hervorbricht
244,22

Bemerkungen Mörikes: **243,**36.37 s. im bis Bacchus **244,**2.3 *Thyade* bis im Anh.
244,5.6 s. im bis Bacchus

*Von Mörike nicht benutzte Erläuterungen der Quelle Ra²: Einleitende Bemerkung, v.
1, v. 3.4, v. 9, v. 10–12, v. 30.31*

XI

Benutzte Quellen: **244,**28–30 Ra² **244,**31 Mi

Keine Quelle nachgewiesen: **244,**32

*Von Mörike nicht benutzte Erläuterungen der Quelle Ra²: v. 4, v. 5–7, v. 9, v. 10, v. 14,
v. 22.23*

XII

Benutzte Quelle: **244,**36.37 Ra² **244,**38–40 Ra² Vgl. außerdem die Anmerkung zu
Tibull I, v. 27: s. Horaz XII, 9. Anm. (Band 8,1, S. 278, Z. 25)*

Keine Quelle nachgewiesen: **244,**34.35

Von Mörike nicht benutzte Erläuterungen der Quelle Ra²: v. 13, v. 14.15, v. 15.16

XIII

Benutzte Quellen: **245,**2–9 Ra² Mi **245,**10.11 Ra² Mi **245,**12–15 Ra² Mi **245,**16.17
Ra² Mi **245,**18 Ra² **245,**19 Mi **245,**20.21 Ra² **245,**22–24 Ra² **245,**25–27 Mi
245,29.30 Mi

Keine Quelle nachgewiesen: **245,**28; **245,**31–33

*Von Mörike nicht benutzte Erläuterungen der Quelle Ra²: v. 6, v. 11.12, v. 18–24, v.
26–28*

XIV

Benutzte Quellen: **245,**35 *Tyrrhenien* bis Etrurien Mi **245,**35–37 Mäcenas bis ab Mi
245,38.39 *Laß* bis Umgebung Mi **245,**39–**246,**1 *Äsula* bis erbaut haben Ra²
246,1–3 Mäcenas bis überschaute Ra² Mi **246,**4–6 Ra² **246,**7–9 Ra² **246,**10
Ra² **246,**11–16 Ra² Mi **246,**17.18 Ra² Mi **246,**19–21 Mi **246,**22–24 Ra²
246,25.26 Mi

Keine Quelle nachgewiesen: **246,**27.28

Bemerkungen Mörikes: **245,**35 Siehe bis Anm. **245,**39 *Tibur* bis Anm.

Von Mörike nicht benutzte Erläuterungen der Quelle Ra²: v. 3.4, v. 9.10, v. 11.12, v. 23.24, v. 33–39, v. 55.56, v. 57–61, v. 62–64

XV

Benutzte Quellen: Ra², Mi

HINWEISE ZUR QUELLENBENUTZUNG

246,30–41: Diese Ode [hat die Herausgabe des ganzen vierten Buches] veranlaßt. [Dem Dichter, der mit dem dritten Buche seine lyrischen Gedichte beschließen wollte, ward nach einigen Jahren, wie sein alter Biograph erzählt, vom] Augustus [aufgegeben, den Sieg seines] Lieblings, [des jüngsten] Sohnes [seiner] Livia, [zu] besingen. [Horaz wußte, warum es dem ehrgeizigen Regenten am meisten zu tun war: er wollte gern öfter von einem Dichter besungen seyn, dessen Werken man die Unsterblichkeit versprechen konnte. Der Poët richtet also seinen Gesang so ein, daß Augustus die größte Ehre erhält: bloß die Erziehung, die er] seinen Stiefsöhnen [gegeben hat, macht sie zu geschickten Heerführern. Auch ist der Dichter, der sich bey seinen Zeitgenossen und bey der Nachwelt nicht herabwürdigen will, so behutsam, daß er den] Drusus, [der damals drey und zwanzig Jahr alt war, nicht zu übertrieben lobt. Er sagt, daß der Vorältern tapferes Blut noch in den Adern der Neronen walle, und ergreift sogleich die Gelegenheit von diesen Vorältern und von der Tapferkeit des Römischen Volkes überhaupt zu reden.] *Ra²* ... EST ILLUD ἐπινίκιον, IN DRUSI AC TIBERII, NERONUM, PRIVIGNORUM AUGUSTI, LAUDIBUS BELLICIS, A DEVICTA RHAETORUM ET VINDELICORUM GENTE REPORTATIS, OCCUPATUM, IPSIUSQUE AUGUSTI JUSSU, UT DISERTE TRADIT SUETONIUS ... ET HAUD DUBIE INDE PORPHYRION ... COMPOSITUM ... VINDELICI, RHAETIS CONTERMINI τὰ ἐκτὸς παρώρεια, ADEOQUE PLAGAM SEPTENTRIONALEM ... TENEBANT. UTERQUE HIC POPULUS QUUM PARTIM GALLIAM TOGATAM, PARTIM ITALIAE FINITIMAS PARTES ADSIDUIS INCURSIONIBUS VEXARET, MISSUS PRIMUM AB AUGUSTO DRUSUS CONTRA RHAETOS CUM EXERCITU (A. U. DCCXXXIX) IN TRIDENTINIS AD ALPIUM RADICES EOS OBVIAM SIBI FACTOS FUDIT FUGAVITQUE; MOX, QUUM AB ITALIA REPRESSI GALLIAM TOGATAM URGERENT, CUM TIBERIO, ADJUTORE EI AB AUGUSTO DATO, CUM DIVISIS COPIIS VINDELICIS EOS AGGRESSUS, PERDOMUIT. *Mi* **246**,42: *Bemerkung Mörikes* **247**,1.2: VENTOS AUTEM *VERNOS* COGITA VERIS ADULTIORIS, PRIMAM AESTATEM, UNDE PASSIM POETA COLORES IN VERIS DESCRIPTIONEM INFERT ... *Mi* **247**,3.4: Rhätia, [an den] Alpen, zwischen [der Donau] und dem Rhein [gelegen, begriff viele Völkerschaften in sich, nehmlich die Vindeliker, die Genaunen, die Breunen und einige andere ...] *Ra²* RHAETI QUIDEM, GENS BELLICOSISSIMA ATQUE CRUDELISSIMA, INCOLEBANT ALPIUM DECLIVIA, AB ORIENTE MERIDIEM VERSUS VERGENTIA ... ET AD VERONAM USQUE COMUMQUE PERTINGEBANT ... VINDELICI, RHAETIS CONTERMINI ... PLAGAM SEPTENTRIONALEM ... TENEBANT

318

... Mi **247**,5: *Bemerkung Mörikes. Vgl. Quellenhinweise zu* 246,30–41; **247**,6–14:
... SATIS AUTEM HABUIT, UNUM AD SPLENDIDISSIMUM AVITAE VIRTUTIS EXEMPLUM IN
C.CLAUDIO NERONE PROPONERE. QUI BELLO PUNICO II. A. U. DXLVI QUUM HASDRU-
BALEM CUM NOVA BELLI MOLE ITALIAE FAUCIBUS IMMINERE INTELLEXISSET, RELICTIS
CLAM CUM DELECTO MILITE, QUAE IN LUCANIA ADVERSUS HANNIBALEM TENERET, CASTRIS
IN UMBRIAM PROFECTUS HASDRUBALIS EXERCITUM PRAEVALIDUM COLLATIS CUM M.LIVIO
SALINATORE SIGNIS AD METAURUM FLUVIUM ADGRESSUS MAXIMA CLADE PENITUS CON-
TRIVIT ... Mi **247**,15: *FUGATIS LATIO A LATIO*, AB ITALIA *TENEBRIS*, ... Mi
247,16: HINC δεινῶς *DIRUS AFER* SIMPLICITER HANNIBAL DICTUS; ... Mi **247**,17:
PUBES ROMANA, EXERCITUS ROMANUS ... Mi **247**,18–21: *PERFIDUS*, QUI, EXCISA
SAGUNTO, FOEDUS RUPERAT, BELLUM NEFARIE INCEPERAT ... *PERJURIA PUNICI FURO-
RIS* ISTUD BELLUM ET STAT. SILV. IV. 6. 77 IPSUM HANNIBALEM *PERJURO ENSE SU-
PERBUM* VOCAT ... Mi **247**,22–29: [Hannibal spricht in der vielfachen Zahl; er
schreibt den Gefährten des] Äneas [eben dasselbe zu, was er von diesem aus der
Geschichte wußte. Er nennt sie ein herumschweifendes Volk, das sich] aus dem
verbrannten Troja nach Italien geflüchtet [hatte. Als Feind mußte er so spre-
chen.] *Ra²* ... *GENS*, STIRPS GENTIS ROMANAE, AENEADAE, QUI NE PATRIAE QUIDEM
INTERITU ... ANIMO CONCIDERUNT, SED NOVIS SEDIBUS QUAERENDIS INTENTI *FORTES*
... PETIERE ITALIAM ... *SACRA*, θεοὺς πατρῴους, VESTAM, CAETEROSQUE DEOS
PATRIOS, MAXIME PENATES ... *JACTATA*, QUATENUS IPSI TROJANI GRAVISSIMAM TEM-
PESTATEM IN *TUSCO*, TYRRHENNO MARI EXPERTI; DOCTE ... *PII* AENEAE MAXIME
RESPECTU, *NATUM* JULUM ET *MATURUM* AETATE ANCHISEN SECUM ASPORTANTIS, HAEC
COMMEMORARI EXISTIMA ... Mi **247**,30: ... *AUSONIAE URBES* DOCTE ITALIA DICTA,
AB AUSONIBUS, ANTIQUIS ITALIAE INCOLIS ... Mi **247**,31: Algidum, [eine Stadt in
Latien, an einem] Berge, [der mit Wald bewachsen war ...] *Ra²* ... ALGIDUS,
PROPE ROMAM, IN VIA APPIA ... Mi **247**,32: *Bemerkung Mörikes* **247**,33–38 Kadmus
bis half] [...] Theben [wird das Echionische genannt, weil es] Cadmus [mit]
Echions [Hülfe] erbauet [hatte. Dieser Echion war der tapferste unter den] fünf
[aus der Schlacht] übrig gebliebenen [Sparten, das heißt, unter den] Männern,
[die aus den von Cadmus] gesäeten [Drachenzähnen hervorgekommen und zur
Schlacht gegen einander gereizt worden waren.] *Ra²* **247**,38.39 Ein Rest *bis* han-
delte] *Keine Quelle nachgewiesen* **247**,40: ... *JAM NON*, NON AMPLIUS MITTAM,
MITTERE LICEBIT *CARTHAGINI*, CARTHAGINIENSIBUS, *NUNTIOS SUPERBOS*, QUI
VICTORIAM *SUPERBAM* ... ANNUNTIENT ... Mi **247**,41–43: [Als] der Consul [Cajus]
Claudius [nach der Niederlage] Asdrubals, [der nebst sechs und funfzig tausend
Mann niedergehauen war, in sein heimlich verlassenes Lager zurück kam,] ließ
[er den] Kopf [desselben] vor Hannibals Lager werfen, [sandte auch von den fünf
tausend vier hundert gefangenen Africanern zwey zu ihm ins Lager. Hannibal,
der von ihnen den Verlust der ganzen Armee und den Tod seines tapfern Bru-

ders erfuhr,] soll ausgerufen haben: Nun [hat] Karthago [sein Glück verloren. Liv. XXVII, 51 ...] *Ra²* ... ITA ACCEPTUM CONVENIT FERE IIS, QUAE IDEM APUD LIV. XXVII. 51 DICIT, *AGNOSCO FORTUNAM CARTHAGINIS;* ... Mi

Von Mörike nicht benutzte Erläuterungen der Quelle Ra²: v. 1–13, v. 42–44, v. 46–48, v. 61–63, v. 64

XVI

Benutzte Quellen: **248**,2 *Ra²* **248**,3 *Ra²* Mi   **248**,4.5 *Ra²* **248**,6–9 *Ra²* Mi   **248**,10.11 *Ra²*

XVII

Benutzte Quellen: **248**,13–23 Mi   **248**,24.25 Mi   **248**,26.27 Mi   **248**,28.29 *Ra²* **248**,30–32 Mi   **248**,35.36 *Ra²*   **248**,37 Mi   **248**,39–41 Mi   **249**,1.2 *Ra²*   **249**,3.4 *Mit weißen bis* Opfer Mi   **249**,8–16 Die *Meder bis* vergrößert *Ra²* Mi   **249**,16–19 Der *Parther bis* vorgetragen wurden *Ra²* Mi   **249**,19.20 Rom *bis* longa Mi   **249**, 21.22 Die *Skythen bis* zurückgetrieben hatte Mi   **249**,22–25 Suetonius *bis* bewerben *Ra²*   **249**,27 *Ra²* Mi   **249**,28.29 Mi   **249**,31.32 Mi   **249**,33.34 Mi   **249**,35.36 *Ra²* *Keine Quelle nachgewiesen:* **248**,38;   **249**,4–7 *Venus bis* herleitete   **249**,30 *Bemerkung Mörikes:* **249**,26

Von Mörike nicht benutzte Erläuterungen der Quelle Ra²: Einleitende Bemerkung, v. 1, v. 9, v. 25.26, v. 34, v. 57–59, v. 69–71

XVIII

Benutzte Quellen: **249**,38–**250**,1 Lucius *bis* widerrathe *Ra²* Mi   **250**,3.4 Von *bis* aufgezählt *Ra²* Mi   **250**,4–7 *Rhodus bis* Peloponnes Mi   **250**,8–11 *Ra²* Mi   **250**, 12–16 Mi   **250**,17–19 Mi   **250**,20.21 *Ra²* Mi   **250**,22–25 *Ra²*   **250**,26.27 *Ra²* **250**,28 *Ra²*   **250**,29.30 *Ra²* *Keine Quelle nachgewiesen:* **250**,1.2 Doch *bis* Sinn

Von Mörike nicht benutzte Erläuterungen der Quelle Ra²: v. 15–17, v. 19, abschließende Bemerkung

XX

Benutzte Quellen: **250**,32–35 *Ra²* Mi   **250**,36.37 Mi   **250**,38 Mi

XXI

Benutzte Quellen: **250**,40–42 *Ra²* Mi   **251**,1.2 Mi   **251**,3.4 Mi   **251**,5–7 *Ra²* Vgl. *außerdem die Anmerkung zu Tibull II, v. 48:* S. Horaz XXI, 11. Anm. *(Band 8,1, S. 279, Z. 31)* **251**,8.9 Augustus *bis* Italiens Mi   **251**,9–12 Die *Geten bis* Niederlage *Ra²* Mi   **251**,14–18 *Meder bis* suchte *Ra²*   **251**,18.19 *Der span. bis* besiegt *Ra²* Mi **251**,19 *Nordische bis* Anm. *Ra²* *Keine Quelle nachgewiesen:* **251**,12–14 Zum *Capit. bis* mitgingen *Von Mörike nicht benutzte Erläuterungen der Quelle Ra²: v. 4.5, v. 6.7, v. 13.14, v. 14.15, v. 15.16, v. 25.26*

320

TIBULL

Band 8,1   Seite 255–284

EINLEITUNG

Benutzte Quellen: Re, Vo³

255,2–4 *Albius Tibullus bis* Geschlecht] Albius Tibullus, [mit ungewissem Vornamen,] aus ritterlichem Geschlechte, war [einer] der [geistreichsten] Römer, [die am Strale der scheidenden Republik in das augustische Zeitalter hinüber blüheten...] *Vo³* **255**,4–9 Bei Gelegenheit *bis* geblieben war] [... Allein er verlohr den] größten Theil seiner [Güter wahrscheinlich dadurch, daß sie, als August] nach der Schlacht [bey Aktium ... sich zum Oberherrn aufgeschwungen hatte, ... der Habsucht der Soldaten preisgegeben wurden. Unsers Dichters schöne Seele erhob sich über diesen Verlust, und] begnügte sich mit dem [wenigen, was er noch gerettet hatte;...] *Re* [... Tibull um sein zwanzigstes Jahr war entweder noch im vollen Besize des väterlichen Landgutes ... oder seit kurzem durch die] Äckervertheilung [auf ein] mäßiges [Einkommen beschränkt: ...] *Vo³* **255**,9.10 Horaz *bis* Freunde] [Gleiche Reife des Urtheils hatte er an dem] Freunde [schon längst erkannt, da er ihn anredet:

    Albius, lauterer Richter von unseren Worten des Umgangs.

... Wen] Horaz [in so ausgebildeter Kraft, und zwar bei so lebenskundigen und] feinen [Darstellungen der Poesie,] als Kunstrichter [neben Quintilius zu Rathe zog, der mußte schon damals die Reife der ersten dreißiger Jahre erlangt haben, ...] *Vo³* **255**,10–12 Sein *bis* wünschte] Markus Valerius Messala Korvinus [ein edler Römer ...] war sein [vorzüglichster] Gönner [und sein Freund. ... Ihn begleitete Tibull in seinen] Feldzügen, [...] *Re* [Im Anfange dieses Jahrs empfahl sich Tibull dem Konsul] Messala [durch ein glückwünschendes Gedicht, ... Der achtundzwanzigjährige Konsul gewann] den Dichter [so lieb, daß er ihn als näheren Kriegsgefährten für die bevorstehenden] Feldzüge wünschte; [...] *Vo³* **255**,12.13 Man *bis* Gestalt] [... Tibulls] schöner [und dauerhafter Wuchs ward nicht lange vor seinem Tode von Horaz in der vierten Epistel des ersten ... Buchs gelobt: ...] *Vo³* **255**,13–17 und er starb *bis* gemäß] *Keine Quelle nachgewiesen*

I. GENÜGSAMKEIT

Benutzte Textvorlagen: Re, Vo³, Str

BEARBEITUNGSANALYSE

Überschrift: Erste [Elegie] *Re* I.Genügsamkeit *Vo³* [Die] erste [Elegie] *Str*

1–4: [Mag] ein Anderer [Schätze von röthlichem] Golde sich [häufen!]
  Mögen mit [Früchten] ihm weit prangen die Felder umher!
  [Wenn dann stete Gefahr von] nahen Feinden [ihn] ängstet;
    [Wenn] ihm vom Auge den Schlaf [Mavors Drommete verjagt.] *Re*
  Mög' ein anderer reich an funkelndem Golde sich sammeln,
    [Werd'] ihm [ein großes Gebiet fruchtbarer Äcker bestellt:
  Welchen beständiger Frohn in der Näh' abängstet] des Feindes,
    [Welchem] den Schlaf [Kriegsruf] schmetternder Hörner [ent-
                                                      scheucht!] *Vo³*
  [Schätze von glänzendem] Gold mög' [immer] ein Andrer sich [häufen,]
    Möge [Besitzer er seyn mancher beackerten Flur:
  Ihn beängstige stets die Furcht vor] dem [nahenden] Feinde,
    Ihm [verscheuche der Schall krieg'rischer] Hörner den Schlaf. *Str*

5.6: [Aber] mich soll [führen zum thatlosen] Leben [die Armuth,
    Leuchtet beständig] nur mir [von der Flamme] der Heerd. *Re*
  Mich [führ'] arme Genüge [zum Pfad' unthätiges] Lebens,
    Nur daß ein Feuerchen mir helle den eigenen Heerd! *Vo³*
  [Armuth müsse] mich [still] durch das ruhige Leben geleiten,
    [Wenn auf] eigenem Heerd [immer das Flämmchen] nur [glänzt.] *Str*

7–10: Selber Landmann will ich [den zarten Weinstok am guten
    Tag,] und mit glücklicher Hand [pflanzen vollkommenes] Obst,
  [Nur verlasse mich] nie die Hoffnung! Sie [mehre zu] Haufen
    Mir [die Früchte,] mit Most fülle die [Kelter] sie mir – *Re*
  Pflanz' ich selbst, [wann grade die Zeit] will, kindliche Reben,
    [Bäuerlich;] pfropf' [ich geschickt] edleres Obst mit [der] Hand!
  Nie [auch] teusche die Hofnung; [gehäuft stets biete] sie Feldfrucht,
    [Biete] sie [voll von süßklebrigem] Most [das Geschirr!] *Vo³*
  Zeitig dann will ich mir selbst [die rankenden] Reben, ein Landmann,
    Und [den größeren Baum] pflanzen mit glücklicher Hand.
  [Nicht] von der Hoffnung getäuscht; sie schenke mir Haufen der Feld-
                                                      frucht,
    Und mit köstlichem Most fülle die Kufen sie mir. *Str*

11–14: [Denn ich verehre den einsamen Stamm] der Flur, und den alten

Stein am [Wege, wenn ihm] Blumen umkränzen [das Haupt.

Und des Obstes, das] mir [die neue Jahrszeit heranzieht,

Pflück ich selber; und dann setz ich dem Feldgott es vor.] *Re*

[Denn ich verehr', ob selten besucht] auf [dem Acker ein Holzbild,

Ob an der Wegscheid'] alt prange mit Blumen [ein] Stein.

[Und] was immer das Jahr [von heurigem Obste] mir [aufzieht,

Gleich vor des Anbaus] Gott [stell'] ich die Erstlinge dar. *Vo³*

[Denn erblick' ich bekränzt] den [moosigen] Stein [an dem Kreutzweg,

Oder im Felde den Stamm, beug' ich verehrend das Knie.]

Was [die erscheinende Zeit] des Jahrs mir an Früchten erzogen

[Leg'] ich dem Gotte [der Flur dankend auf seinen Altar.] *Str*

15–18: Blonde Zeres, dir spende mein Feld ein Kränzchen von Ähren,

An die Pforte gehängt, [welche] dein [Heiligthum schließt.

Aufgestellt] in den Gärten, [ihr Hüter,] der rothe Priapus,

[Schröcke] die Vögel mit drohender [Sichel hinweg!] *Re*

Dir, [blondlockige] Ceres, [geweiht, hang' unseres] Feldes

[Ährengeflecht] an [der Thür] deiner Kapelle [herab.]

Auch im Garten das Obst mit [furchtbarer] Hippe bewachend,

Stehe der rothe Priap [allem Gevögel ein Schreck.] *Vo³*

[Goldene] Ceres, ein [Kranz] von Ähren [des eigenen] Feldes,

Schmückend [des Tempels Thür, sey] dir [zur Gabe geweiht;

Und] der rothe Priap, mit drohender [Sichel,] bewache

Mir in [den] Gärten das Obst, [scheuchend] die Vögel [hinweg.]

Str

19. 20: [Aber auch] euch [sind Gaben verheissen, ihr] Laren, [Beschützer]

Des nun [ärmeren,] einst [reichen und glücklichen Guts.] *Re*

Ihr, des gesegneten einst, nun dürftigen Feldes Berather,

[Ihr,] o Laren, [auch] sollt [euere Gaben empfahn.] *Vo³*

Ihr, des [glücklichen] einst, [jetzt] dürftigen [Ackers Beschützer,

Eure Geschenke nun] sollt, Laren, [empfangen auch ihr.] *Str*

21–24: Damals sühnt' ein [geschlachtetes] Kalb [unzälige Stiere;]

Nun ist [des kleineren Felds wichtiges] Opfer ein Lamm.

Fallen soll euch [ein] Lamm, und rings [die] ländliche Jugend

Rufen: Io gebt uns [Segen zur Erndte und Herbst!] *Re*

Damals blutet' ein Kalb zur [Sühn'] unzählbaren Rindern;

Nun ist der winzigen Flur feierlich Opfer ein Lamm.

Euch soll fallen das Lamm, und [ringsum] ländliche Jugend

Rufen: Ió! gebt Korn, gebt uns [gedeihenden] Wein! *Vo³*

Damals [ward] ein Kalb [für unzählige] Rinder [geschlachtet;
Für mein Feldchen ist jetzt viel das geopferte] Lamm.
Wohl, euch [sink' ein] Lamm! und [es] rufe [die] ländliche Jugend:
Io! [Ihr Laren, verleiht Erndten und köstlichen] Wein! *Str*

25–28: [Nur] vermag ich's [noch nicht mit] Wenigem [glücklich] zu leben;
Nur nicht immer zu [gehn langen ermüdenden Weg:
Süsser ist mir der] Schatten [des] Baums, zu meiden [des Hundssterns
Sommerglut, neben des Bachs] rieselnder [Welle] gestreckt. *Re*
[Jezo doch, jezo] vermag ich, [mit] wenigem [fröhlich] zu leben,
Und nicht [stets in der Fern' eifrig] die Welt zu durchziehn;
Sondern [des flammenden Hunds Aufgang] zu [vermeiden] im dunkeln
Schatten [des] Baums, am [vorbeirinnenden Bache] gestreckt. *Vo³*
[Jetzt] vermag ich es, froh bey weniger Habe zu leben,
Und nicht immer die Welt, [suchend nach Krieg,] zu durchziehn;
Sondern des Sirius Gluth im Schatten [des] Baumes zu meiden,
An den [blumigen] Bord rieselnder Quellen gestreckt. *Str*

29–32: [Aber] auch [scheu'n will ich's nicht, zuweilen die Hacke zu fassen,]
Oder [zu spornen des] Stiers [Trägheit] mit spitzigem Stab.
Gerne [will ich zuweilen das Lämmchen, oder die Ziege]
Wenn [sie] die Mutter vergaß, tragen im [Schooße] nach Haus. *Re*
Doch [misfalle] mir nicht, auch den Karst einmal zu versuchen,
Oder [dem trägen] Stier [laut] mit [dem Stachel] zu drohn. *Vo³*
Gern auch ein Lamm [von der Weid',] und gern ein verlassenes Zicklein,
Wann es die Mutter vergaß, trag' ich im Busen [zurück.] *Vo³*
Doch verdrieß' es mich nicht, [bisweilen] den Karst zu versuchen,
Oder mit spitzigem Stab säumenden Stieren zu drohn;
[Noch, am] Busen nach Haus [das Junge der Ziege zu] tragen,
[Oder] ein [bebendes] Lamm, [welches] die Mutter vergaß. *Str*

33. 34: Aber, ihr [Räuber] und Wölfe, verschont [der mäßigen Heerde!
Leichter gewähren] euch Heerden [der Reichen den Raub.] *Re*
Aber verschont, ihr Diebe, [verschont mir,] Wölfe, des Viehes
[Kleinliche Trift, und wählt] größere Heerden [zum Raub!] *Vo³*
Aber, ihr Diebe, verschont, und [ihr] Wölfe, des wenigen Viehes,
Größere Heerden [wählt,] Beute [zu] suchen, euch aus. *Str*

35–38: [Denn] hier [bringen wir] jährlich [für ihren] Hirten [ein Opfer;]
Hier besprengen [wir dich, gütige] Pales, mit Milch!
[Seyt mir gnädig,] ihr Götter! Verschmäht nicht [die Gaben] vom [armen]
Tisch, [und] aus [reinlichem Töpfergeschirre sie nicht.] *Re*

324

Hier gewähr' ich dem Hirten der Reinigung jährliche Feier,
    Hier bespreng' ich dein Bild, friedliche Pales, mit Milch.
Kommt, o Götter, [zum Mahl, und] verschmäht nicht [unseres] Tisches
    [Armes] Geschenk, [nicht dies reinliche] irdne [Geschirr.] *Vo³*
Jährlich [ist es mein Brauch allhier zu sühnen] den Hirten,
    [Und zu] besprengen dein Bild, friedliche Pales, mit Milch.
Kommt, o ihr Götter! Verschmäht von dürftigen Tischen, aus reinem
    Irdenen Opfergeschirr nicht das geringe Geschenk! *Str*

39. 40: [Töpfergeschirr hat] zuerst [ein Landmann] der Vorzeit [erfunden,
    Hat vom lenksamen] Thon [sich die Gefässe geformt.] *Re*
Irdnes Geschirr [hat] zuerst [der Vorwelt Bauer gebildet,
    Und] aus geschmeidigem Thon [Becher zum Trunke] gehöhlt. *Vo³*
Hirten der Vorzeit machten zuerst sich irdne Geschirre;
    Aus geschmeidigem Thon höhlten sie selber den Kelch. *Str*

41–44: [Ich verlange nicht wieder den Reichthum] der Väter, [die Früchte,
    Die in die Tennen die Erndt' älteren Ahnen gebracht;
Mir genüget ein kleiner Ertrag, genüget ein Bettchen,
    Darf ich die Glieder nur dehnen auf eigenem Pfül. –] *Re*
[Nicht habseliger] Väter Besiz, [noch] die Nuzung [verlang' ich,]
    Welche dem [Urahnherrn] lastende Speicher gezollt.
Wenige Saat ist genug; [o] genug, wenn [ich ruhn auf dem] Lager
    [Darf, und kehren bei Tisch zu dem gewöhnlichen Pfühl.] *Vo³*
Nein, ich wünsche mir [nicht die Schätze] der Väter und [jene
    Reichen Erndten, die] einst [brachte den Ahnen das Feld.
Mir] ist wenige Saat genug, und genug wenn im Hüttchen
    [Pflegen ich darf der] Ruh, [liegend auf eigenem Pfühl.] *Str*

45–48: O wie [süß ist's,] hören [auf sanftem Lager des Sturmwinds
    Ungestüm, und dabey wiegen sein Mädchen im Schooß!
O wie süß,] wenn kalte Gewässer der [Südwind] herabgießt,
    Sicher [schmecken] den Schlaf, sanfter durch's Plätschern gewiegt. *Re*
O wie [behagts, die Tumulte der Wind' anhören] im Bette,
    [Weil] sich ein Liebchen [vertraut] an den umarmenden [schmiegt;]
Oder, wenn [frostigen Wintererguß ausschüttet der Auster,
    Sorglos folgen] dem Schlaf, [welchen der Regen versüßt!] *Vo³*
[Ha, der Wonne! des Sturmwind's Brausen] im Bette zu hören,
    [Seine Gebietherinn] fest drückend [ans zärtliche Herz!]
Oder wenn kaltes Gewässer der Süd im Winter herabgießt,
    Sicher zu ruhn, in den Schlaf [von dem Geplätscher gerauscht.] *Str*

49–52: [Mir geschehe nun so] – Mit Recht [sey] reich, wer des Meeres
  Wuth zu [tragen] und [euch, furchtbare] Stürme, vermag!
[Schätze von] Gold und Smaragd, eh [mögen sie alle vergehen,
  Als der] Mädchen [nur] Eins [weinen bey meinem Entschluß.
Dir, Meßala, geziemt's, zu Land und Meere zu kriegen,
  Daß vom Feinde den Raub zeige dein hoher Pallast!
Aber mich halten die Bande des schönsten Mädchens gefangen,
  Und ich bewahre des Nachts ihr unerbittliches Thor.
Hab ich, Delia, dich, was kümmert Lob mich und Ehre!
  Nennt ihr Andre mich dann träg und den Mann ohne That!
Auf dich blick ich, wenn einst die letzte der Stunden mir nahet;
  Halte sterbend dich noch mit der entsinkenden Hand.
Weinen wirst mich auch du, wenn ich auf bald brennendem Lager
  Liege, wirst mir noch weih'n Küsse mit Thränen vermischt!
Weinen wirst du! Nicht hartes Eisen umfesselt die Brust dir,
  Und ein Kiesel nicht starrt dir in der zärtlichen Brust!
Ach der Jünglinge keiner, und keine der blühenden Jungfraun
  Kehrt von der Leiche Tibulls trocknes Auges zurück.
Doch betrübe zu sehr nicht meine Manen! Der Wangen
  Schone, Delia! du; schone des fliegenden Haars!
Aber so lang es das Schicksal vergönnt, verein' uns die Liebe:
  Bald wird kommen der Tod mit umnachtetem Haupt;
Bald herschleichen das kraftlose Alter: Dann ziemt sich's zu lieben
  Und mit grauendem Kopf ziemt sich's zu tändeln nicht mehr.
Dienen wir dann der gefälligen Venus, so lang wir uns Pfosten
  Niederzureissen nicht scheun, uns noch erfreuen des Zwists!
Hier ich Krieger und Feldherr! Entfernt euch Posaunen und Fahnen,
  Und bringt Männern, die selbst Wunden verlangen, sie nur,
Und auch Reichthum. – Ich will bey eingesammelten Früchten
  Lachen des Reichthums, und dein, Hunger! vor beyden geschützt.] *Re*
[Mir sei solches vergönnt!] Reich werde mit Recht, wer des Meeres
  Wut, und zu [tragen] vermag [finstres Hyadengestirn!
O mit dem] Golde [vielmehr] und [allem] Smaragd' in den [Abgrund,]
  Eh um [unseren Zug irgend] ein Mädchen sich härmt!
[Dir, Messala, geziemt, Landkrieg zu verwalten und Seekrieg,
  Daß mit eroberten Feldrüstungen prange dein Haus.
Mich hier hält wie in Ketten das rosige Mädchen gefesselt,
  Und als Pförtner des Hofs siz' ich am grausamen Thor.

Nicht mir steht nach Ruhme das Herz! Dir, Delia, dir nur
    Sei ich gesellt; gern dann nennet mich träg' und verzagt!
Dich soll schauen mein Blick, wann die endende Stunde genaht ist,
    Dich soll halten mit absterbendem Drucke die Hand.
Weinen mir, Delia, wirst du am bald auflodernden Lager,
    Reichen mir wirst du betrübt Küsse mit Thränen gemischt.
Ja du weinst! Nicht ist von gehärtetem Stahle die Brust dir
    Rings umstarrt, noch stockt drinnen ein Herz dir von Stein.
Keiner der Jünglinge kehrt von jenem Leichenbegängnis,
    Keine der Jungfraun kehrt trockenes Auges zurück.
Doch nicht kränke den Geist des Erblichenen! Schone, du Mägdlein,
    Deines entrollenden Haars, schone der Wängelein doch!
Sein wir indeß, da das Schicksal vergönnt, durch Liebe vereinigt!
    Bald wird nahn, um das Haupt finstere Nebel, der Tod.
Bald schleicht trägeres Alter daher; nicht Liebe geziemt dann,
    Nicht bei greisendem Haupt schmeichelndes Reden und Thun.
Jezo der schwärmenden Venus gedient, da Thüren zu schmettern
    Nicht missteht, da Zank noch zu beginnen erfreut!
Hier bin Ich Heerführer und Held! Doch, Fahnen und Hörner,
    Fern mir hinweg! und bringt Wunden dem gierigen Volk!
Bringt ihm auch Gut! Ich hier, sorglos bei gesammeltem Vorrath,
    Blick' auf den Reichen hinab, und auf den Bettler hinab!] *Vo*[3]
Wäre dieß Glück [doch] mein! Mit Recht [sey] reich, wer [der Meersfluth
    Wüthen,] und Regen und Sturm kühn zu erdulden vermag.
[Lieber vergeh] was an Gold und Smaragden [fasset der Erdkreis,]
    Eh' Ein Mädchen auch nur [meine Entfernung beweint.
Dir, Messala, geziemt, zu Land' und auf Meeren zu kriegen:
    Daß dir schmücke der Glanz feindlicher Waffen das Haus.
Mich hält aber gefesselt ein reitzendes Mädchen; ich sitze
    Auf der steinernen Schwell', ähnlich dem Wächter der Thür.
Mich bekümmert kein Lob. Bin ich, Geliebte, bey Dir nur,
    Nun, dann nenne man mich immerhin müßig und träg!
Darf ich schauen nur Dich, kommt einst die Stunde des Todes,
    Halt' ich, o Mädchen, nur Dich dann mit der sterbenden Hand!
Ja, du weinest gewiß, wenn aufs Flammenbett sie mich legen;
    Küsse, mit Zähren gemischt, Delia, giebst du mir dann.
Ja, du weinest gewiß, du hast nicht den Busen von Eisen,
    Und ein steinernes Herz nicht in der zärtlichen Brust. –

Trockenen Blickes geht dann gewiß kein Jüngling von jenem
    Leichenbegängniß, und kein zärtliches Mädchen nach Haus. –
Aber betrübe du nicht des Entschlafenen Schatten, Geliebte,
    Schone des flatternden Haars, schone des zarten Gesichts!
Weil das Geschick es noch will, laß freuen uns süßer Umarmung,
    Bald wird kommen der Tod mit dem umnachteten Haupt.
Trägeres Alter wird schnell uns beschleichen; wo dann sich die Liebe,
    Wo sich mit silbernem Haar Mädchen zu schmeicheln nicht ziemt.
Jetzt ist es Zeit zum Dienst Cythereens, da man noch Thüren
    Sich zu erbrechen nicht schämt, tändelnder Zwiste sich freut.
Führer und braver Soldat bin hier ich; Trompeten und Adler,
    Fern entfliehet, und bringt Wunden dem gierigen Mann.
Bringt ihm auch Schätze; doch Ich, zufrieden bey weniger Habe,
    Blicke so sorglos auf Gold als auf den Hunger hinab.] *Str*

II. PREIS DES FRIEDENS

(Vgl. »Nachträge« S. 569)

Benutzte Textvorlagen: Re, Vo³, Str

BEARBEITUNGSANALYSE

Überschrift: [Zehnte Elegie] *Re* [XI. Sehnsucht nach] Frieden *Vo³* [Die zehnte
Elegie] *Str*

1.2: [Wer hat ans Licht, der erste, gebracht] die [furchtbare] Schwerdter?
    [Er ein Menschenfeind, er selber von] eiserner Brust! *Re*
    [Wer doch] wars, [der zuerst] die [entsezlichen] Schwerdter [hervortrug?
    O wie wild, und wie ganz] eisernes [Sinnes, der Mann!] *Vo³*
    Welcher der Sterblichen war der [schrecklichen] Schwerter Erfinder?
    Wahrlich, ein eisernes Herz [hatte] der [wilde] Barbar! *Str*

3.4: Mord begann nun im Menschengeschlecht [und] Schlachten: [Nun wurden
    Ihm zum scheußlichen] Tod kürzere Wege [gebahnt.] *Re*
    [Da kam] Mord [dem] Menschengeschlecht, [da blutige Feldschlacht;
    Da ward] kürzer [der] Weg, gräßlicher Tod, dir [gebahnt.] *Vo³*
    Nun begannen [der] Mord im Menschengeschlecht [und] die Schlachten;
    Und [dem] gräßlichen Tod [wurde] nun kürzer [der] Weg. – *Str*

5–8: [Aber nicht er hat Strafe verdient:] Wir kehrten [die Waffen
    Gegen uns selber, die] er [wider die Bestien gab.]

Gold! Dieß danken wir dir! [Da hölzerne Becher] noch [prangten
 Auf dem mäßigen Tisch, wütheten] Kriege [noch] nicht! *Re*
Doch [nichts hat ja] der Arme [verübt!] Wir [wandten] zu [unserm
 Unheil,] was er [zur Wehr grausames Wildes verliehn.]
Gold, [das bereichernde Gold hat Schuld!] Nicht [walteten] Kriege,
 Als noch ein buchner [Pokal] stand vor dem heiligen [Schmaus.] *Vo³*
Doch, der Arme [verbrach nichts.] Wir kehrten zum eignen Verderben,
 Was er gegen die Wuth reißender Thiere [verlieh.]
Dieses [verdanken dem] Gold wir; denn damals [waren] nicht Kriege,
 Als ein büchener Kelch stand vor dem heiligen Mahl. *Str*

9.10: Keine [Schlösser,] kein Wall [erhoben sich;] unter [der bunten
 Heerde] pflegte der Hirt [seines geruhigen Schlafs.] *Re*
[Nicht] war [Burg, nicht Schanze bekannt; und] es pflegte des Schlummers
 Sorglos unter den buntwolligen Schafen der Hirt. *Vo³*
Festen waren noch [nicht und Verschanzungen; zwischen den satten]
 Schafen [gelagert,] pflog [sicher der Schäfer der Ruh.] *Str*

11–14: Hätt' ich damals gelebt, [so] kennt' ich nicht Waffen [des Pöbels,]
 Hätte mit klopfender Brust nicht [die Drommete] gehört.
[Und] nun reißt man [zum] Kriege mich [hin: Das Schwerdt,] das die Seite
 Mir durchboren [soll,] schon trägt [es ein Krieger vielleicht.] *Re*
Hätt' ich doch damals gelebt! Nicht [traurige] Waffen [des Pöbels]
 Kennt' ich, [noch] klopfte [das Herz vor] der Trompete Getön.
[Jezo werd' ich] in Kriege [geschleppt;] und [es blinket vielleicht] schon
 [Feindesgeschoß,] das [bald] mir [in] die Seite [sich taucht.] *Vo³*
Hätt' ich [doch] damals gelebt, dann kennt' ich nicht Waffen des Volkes,
 Nicht der Trompete Getön hört' ich mit [wogender] Brust!
Aber nun reißt man mich [hin] in den Krieg, und einer der Feinde
 Trägt wohl schon das Geschoß, das mir die Seite durchbohrt. *Str*

15–18: Häusliche Laren, erhaltet mich! Als, ein Kind noch, vor [euern]
 Füssen ich [trippelte, schon damals] beschützet ihr mich.
[Schämt] euch [deß] nicht, daß ihr aus [alten Stämmen] geformt seyt:
 [Schon in des Ahnherrn Sitz habt ihr ja also gewohnt.] *Re*
[Aber beschirmt, ihr] Laren [des Heerds! Ihr waret ja Pfleger,]
 Euch [ja lief ich] ein Kind [oft] vor den Füßen [herum.
Seht] euch nicht [mit Verdruß aus bejahretem Stamme gebildet;]
 So herbergte vorlängst euch in dem Hause der Ahn. *Vo³*
Häusliche Laren, beschützt mich. Ihr habt mich [schon damals] erhalten,
 Als ich, ein munteres Kind, euch vor den Füßen noch sprang.

329

[Auch] aus alterndem Holz geformt [zu seyn müss'] euch nicht [leid thun;]
   So [habt einst ihr den Sitz edeler Ahnen bewohnt.] *Str*

19. 20: Damals [hielten sie] Treue noch [besser, da noch im geringen
   Haus ein] hölzerner Gott [stand ohne köstlichen] Schmuck. *Re*
[Da ward besser gehalten die] Treu, als ärmliches Schmuckes
   [Stand ein] hölzerner Gott unter dem niedrigen Dach. *Vo³*
[Da ward besser erhört das Gebet,] als ärmlich [gepfleget,
   Noch in dem] niedrigen [Haus] wohnte der hölzerne Gott. *Str*

21–24: [Der war gnädig, wenn ihm zum Opfer] die Traube man [hingab,]
   Oder [um's] heilige Haar [Kränze von Ähren ihm] wand.
Selber brachte, [wer ihm gelobet hatte,] den Kuchen,
   [Und sein] Töchterchen trug [reinen Honig] ihm nach. *Re*
[Diesen] versöhnete [schon, wer Erstlingstrauben] ihm [darbot,]
   Oder [das] heilige Haar [kränzte mit Ährengeflecht.
Mancher, des Wunsches gewährt, trug] selbst [die gelobeten Fladen;]
   Reinlichen Honigseim trug ihm das Töchterchen nach. *Vo³*
[Diesen] versöhnte man leicht, man [mocht'] ihm weihen die Traube,
   Oder den Ährenkranz winden ins heilige Haar.
[Wurde der Wunsch erhört, so] brachte [man] selber den Kuchen,
   [Während den] Honigseim [folgend] das Töchterchen [trug.] *Str*

25–28: [Laren! Entfernt die Pfeile von mir:] Zum ländlichen Opfer
   [Soll dann werden ein Schwein] euch [vom gefüllteren] Stall.
[Diesem] folg' ich in [reinem] Gewand, und trage, [bekränzt mit
   Myrten] Körbe, [das Haupt] selber mit Myrten bekränzt. *Re*
[Aber von uns treibt, Laren, hinweg die] Geschosse [des Erzes:]
   Ländlich [blut' euch] aus vollwimmelndem [Kofen der Dank;
Reines] Gewands dann folg' ich, und [myrtenumkränzete] Körbe
   Trag' ich [daher, mein Haupt] selber mit Myrten [umkränzt.] *Vo³*
Eh'rne Geschoss' [entfernt von mir;] und zum ländlichen Opfer,
   [Laren,] fall' euch [ein Schwein aus dem gefülltesten] Stall.
[Diesem] dann folg' ich im weißen Gewand, und [mit Myrten geschmückte]
   Körbe dann trag' ich, das Haar selber mit Myrte bekränzt. *Str*

29–32: [Also seyt ihr mir hold!] Ein andrer sey tapfer in [Schlachten,
   Lege, von] Mavors [beschützt,] feindliche Führer in Staub.
[Beym Gelage dann mag] mir seine Thaten [der Krieger
   Rühmen,] und auf den Tisch zeichnen das Lager mit Wein. *Re*
So [mög'] euch ich gefallen! Ein anderer, tapfer in [Rüstung,]
   Strecke mit günstigem Mars feindliche Führer in Staub:

Daß er mir [trinkenden könne die eigenen] Thaten [im Feldzug

Kundthun,] und auf den Tisch zeichnen das Lager mit [Most.] *Vo³*

[Wenn] ich euch so [nur] gefall'! Ein Andrer sey tapfer in Waffen,

Streck', [ein Günstling des] Mars, Führer [der Feind'] in [den] Staub;

Daß [die] Thaten [der Held beym Trinkgelag] mir erzählen,

Und das Lager mit Wein zeichnen [mir könn'] auf den Tisch. *Str*

33. 34: Welche Wuth [doch] den [schwarzen] Tod [herrufen] durch Kriege!

Immer [laurt er und kommt heimlich mit schweigendem] Fuß. *Re*

[Welcherlei] Wut, durch Kriege den dunkelen Tod zu berufen!

[Selbst schon drängt er,] und hebt leise den nahenden [Tritt.] *Vo³*

[Was für] Wuth [ist es wohl,] den Tod durch Kriege [zu rufen?

Stets, ach,] droht er [und kommt heimlich mit schleichendem Schritt.] *Str*

35–38: Keine [blühende] Saat, kein [Weinberg] ist drunten: [Der wilde]

Zerberus nur, und des Styx [häßlicher] Schiffer [ist] dort.

[Dort] die Wange verzehrt, versenget die [Haare, so] irrt [an

Dunkeln Seen] die Schaar bleicher [Schatten umher.] *Re*

[Nicht] grünts [drunten von] Saat, [noch edeler] Reb'; [es erschreckt nur]

Cerberus, nur [dein Graun, Lenker des stygischen Kahns.

Dort, mit starrenden] Wangen [der Angst und] versengetem [Haupthaar,

Hin] zum [nächtlichen] Pfuhl irret [das] bleiche [Gewühl.] *Vo³*

Drunten grünet [nicht] Saat, kein [Berg] mit Reben, [der kühne]

Cerberus und des Styx scheußlicher Schiffer sind dort.

Und es irret, verzehrt die Wangen, versenget die Locken,

Traurig die bleiche Schar hier zu dem düstern Pfuhl. *Str*

39–42: [Aber] zu preisen ist der, den [in der mäßigen Hütte,]

Unter den Kindern [um ihn, ruhiges] Alter [besucht:

Seine] Schaafe [begleitet er] selbst, [sein Knabe] die Lämmer,

[Und ein wärmendes] Bad [rüstet dem Müden sein Weib.] *Re*

O [weit mehr sei gepriesen der Mann, den, blühet der Anwachs,]

Sanft im Hüttchen von [Halm lässiges] Alter beschleicht!

Selber treibt er die Schaf', und [der Sohn zur Weide] die Lämmer,

Und dem ermüdeten wärmt Wasser zum Bade die Frau. *Vo³*

[Wie viel werther ist der des Preises,] den unter den Kindern

Sanft, [in dem winzigen Haus,] müßiges Alter beschleicht.

Selber [folgt er nach] den Schafen, das Söhnchen den Lämmern;

[Kehret er müde zurück,] wärmt [ihm die Gattinn ein] Bad. *Str*

43–46: Dieß mein [Schicksal! So müssen mir] grauen [die Haare! So müß'] ich

[Oft von der vorigen] Zeit Thaten erzählen, [ein] Greis!

[Bau'] indessen [der] Friede die Flur: [Der glänzende] Friede
[Hat zusammen] zuerst [Stiere zum Pflügen gejocht.] *Re*
[Sei mir solches vergönnt, und schimmere grau mir die Scheitel;
Mög'] ich [veralteter] Zeit Thaten erzählen, [ein] Greis!
Friede bestell' indessen die Flur! Du, Göttin des Friedens,
Führtest, o heitre, zuerst [furchende] Farren ins Joch. *Vo³*
[Könnt' ich] doch [also seyn!] und dürft' einst grauen mein Haupthaar!
[Dürft'] ich erzählen als Greis Thaten vergangener Zeit!
Friede bestell' indeß die Fluren. [Der nährende] Friede
[Lenkt'] im [gekrümmeten] Joch pflügende [Stiere] zuerst. *Str*

47–50: Friede [nährte den Weinstock, und goß den Saft in] die Trauben,
Daß [des] Vaters [Gefäß reichte dem] Sohne [den] Wein.
[Pflug und Egge sind thätig] im Frieden: [Hartherziger] Krieger
[Traurige Waffen] verzehrt [dann] in den Winkeln der Rost; *Re*
Fried' [auch nährte die] Reb', [und spündete Säfte der Kelter,]
Daß [Kraftweine dem] Sohn [gösse das Vatergeschirr.
Reg' ist] Karst im Frieden [und Schar; da] des grausamen Kriegers
Jammergeräth [sich] im [Staub dunkeler Ruhe verliegt.] *Vo³*
Reben erzog der Fried' [und] verwahrte den Nektar der Trauben,
Daß dem Sohne noch Wein [ströme des] Vaters [Gefäß.]
Pflugschar glänzet und Karst im Frieden [auch; aber] des [harten]
Kriegers [verderbliches Schwert naget] im [Finstern] der Rost. *Str*

51. 52: [Und] vom Haine zurück führt, [nicht mehr nüchtern,] der Landmann
Auf dem Wagen [das] Weib und [die Kinder nach Haus.] *Re*
[Aber der Ackerer fährt aus] dem Hain, [nicht sonderlich nüchtern,
Selbst im Karren das] Weib und [die Familie heim.] *Vo³*
[Kinder und Gattinn] führt der [nicht ganz nüchterne] Landmann
Auf dem Wagen zurück [aus] dem geheiligten Hain. *Str*

53–56: [Aber dann glühn] die Kriege [Cytherens; dann klaget zerrauftes]
Haar das Mädchen, [und klagt] Thüren [gewaltsam bestürmt;]
Weint [um zarte beschädigte] Wangen – [bald] weint [auch] der Sieger,
Daß [sein thörichter Arm ach! so nervigt ihm war:] *Re*
[Dann sind Kämpfe der Venus] entbrannt: [um zerrütteten Haarschmuck
Und um der] Thür' [Einbruch klaget] das Mädchen [betrübt.
Ach sie] weint [an der] Wange [den Stoß; auch selber] der Sieger
Weint, daß [im Unsinn ihm also geschaltet die Hand.] *Vo³*
[Aber dann glühet der] Krieg Verliebter; das Mädchen bejammert
Sein zerrissenes Haar, seine zerbrochene Thür.

Weint, daß die liebliche Wang' ihm der Jüngling schlug, und der Sieger
　　Weint, daß die [thörichte] Faust [dieses] Verbrechen [gekonnt.] *Str*
57–60: [Dann reicht beissende] Worte [zum] Zank [der schelmische Amor,
　　Und] sitzt [voll Schalkheit] zwischen dem zürnenden Paar.
[Aber] von Stein und Eisen ist, [wer] sein Mädchen [mißhandelt;
　　Dieser Frevler – er] reißt Götter vom Himmel herab. *Re*
[Amor] der Schalk [indessen gewährt Scheltworte dem Hader;
　　Sorglos] sizet er [da] zwischen dem [eifernden] Paar.
[Ha!] Stein wahrlich und Eisen ist [der, wer etwa] sein [Mägdlein]
　　Schlägt in der Wut! der reißt Götter vom Himmel herab! *Vo³*
Aber Cupido, der Schalk, leiht bittere Worte dem Zanke,
　　Während gelassen er sitzt zwischen dem zürnenden Paar.
Wahrlich, von Eisen und Stein ist [Jeglicher,] welcher sein Mädchen
　　Schlägt; [es] reißt [der Barbar] Götter vom Himmel herab. *Str*
61–64: [Strafe] genug, [wenn vom] zarten Gewand [du die Glieder enthüllest;
　　Strafe genug, wenn] du [ihr Lockengebäude] zerstörst;
[Strafe genug, wenn du Thränen erregst – ein] glücklicher [Mann, bey
　　Dessen scheltendem Zorn seine Geliebte] noch [weint!] *Re*
Sei es genug, [um die Glieder] das zarte Gewand zu [durchschlizen;
　　Sei es genug, vom] Geflecht [ihr zu entbinden] das Haar.
[Sei, schon Thränen zu wecken, genug! Glückselig der Jüngling,]
　　Welchem [gerührt,] wenn er tobt, [weinen] das [Mägdelein kann!] *Vo³*
[Laß] ihr das zarte Gewand [von den Gliedern zu reißen] genug seyn,
　　[Und genug, wenn] des Haars [reitzenden Schmuck] du zerstörst.
[Thränen erregen, sey schon genug; wie] glücklich [ist der der nicht,]
　　Welchem noch, wenn er zürnt, [Zähren ein] Mädchen [vergießt!] *Str*
65–68: Aber wer [mit Fäusten] sich [rächt, von] der gütigen Venus
　　Sey [der] ewig [entfernt;] trage [den Wurfspieß] und Schild!
[Aber erschein' uns, nährender] Fried', in [den] Händen die Ähre;
　　Und [von güldenem] Obst [triefe dein] glänzender Schooß! *Re*
[Doch] weß Hand Grausames [verübt, o mit] Schild und [mit] Stange
　　[Zieh' er,] und [bleibe] der [sanftmütigen] Venus [entfernt!
Uns] komm, [friedsame Göttin,] o [komm,] in [den] Händen die Ähre;
　　Und dir [ströme] das Obst [vorn] aus dem glänzenden Schooß! *Vo³*
Aber wer [mit der Faust] sich [rächt,] mag Schild nur und [Schanzpfahl]
　　Tragen, und ewig fern Venus, der Gütigen, seyn. –
Heiliger Fried', o komm, in [den] Händen haltend die Ähre;
　　[Vor] dir regne [herab] Obst aus dem glänzenden Schooß. *Str*

III. DER ENTFERNTE

(Vgl. »Nachträge« S. 569)

Benutzte Textvorlagen: Re, Vo³, Str

BEARBEITUNGSANALYSE

Überschrift: Dritte [Elegie] *Re* [IV. Die Genesung] *Vo³* [Die] dritte [Elegie] *Str*

1–4: Ohne mich, [ach] Meßala! durchschifft [das] Ägeische [Meer] ihr?

[Nun] so denke doch [oft] mit den [Gefährten du] mein!

[Aber] mich [hält] gefesselt im fremden [Phäazien] Krankheit.

[Mitternächtlicher] Tod, [zähme] die gierige Hand! *Re*

Ohne mich [durchsteurt] ihr ägäische Fluten, Messala.

Denkt [zum wenigsten] doch, [du und die Deinigen,] mein!

Mich [den krankenden hält das] fremde [Fäakiereiland.

Zeuch] die [begierige] Hand, finsterer Tod, [doch hinweg!] *Vo³*

[Durch die] Ägäische Fluth [schifft] ohne mich ihr, Messala!

[Sey] mit den [Freunden] auch fern meiner [nicht uneingedenk!]

Krankheit fesselt mich hier im fremden Phäacier-Lande.

O laß, finsterer Tod, ab mit der gierigen Hand! *Str*

5–10: [Zähme sie, mitternächtlicher] Tod! [Fern ist ja] die Mutter,

Die das verbrannte Gebein [samml'] in den traurigen Schooß!

Fern die Schwester, die [Syriens Gerüche der] Asche [vermische,

Und] am Grabe [mir nach] weine mit [fliegendem] Haar!

Delia [fern!] die, [ehe sie mir zu scheiden vergönnte,]

Alle Götter befragt' [um des Geliebten Geschick:] *Re*

[Zeuch doch,] finsterer Tod, [sie hinweg! Nicht] hier [ist] die Mutter,

Die das verbrannte Gebein les' in den traurigen Schooß;

[Nicht] die Schwester, zur Asch' [assyrische Düfte zu bergen,

Und] mit [ergossenem] Haar weinend am Grabe [zu stehn;

Auch nicht] Delia hier, die, [als] sie [von] Rom mich [hinwegließ,]

Alle die Götter zuvor, [saget] man, [ängstlich] befragt: *Vo³*

Finsterer Tod, laß ab, ich flehe! Die Mutter [ist] hier [nicht,]

Die das verbrannte Gebein les' in [ihr Trauergewand.]

Ach, die Schwester ist fern, die [mit] Syrischem Balsam [des Bruders]

Asche [benetz', und] am Grab weine, mit flatterndem Haar.

Hier [ist] Delia [nicht,] die, wie man [erzählet,] die Götter

Alle zuvor befragt', eh' sie aus Rom mich entließ. *Str*

11–14: Dreymal zog sie [geheiligte] Loose [vom] Knaben; [der] Knabe
    [Brachte vom Kreutzweg zurück glückliche Ahndungen] ihr.
  Alles [bürgte Zurückkunft: Und dennoch enthielt sie sich nie der
    Thrän', und] des [ängstlichen] Blicks [hin auf den furchtbaren Weg;] *Re*
  Dreimal [hob] sie des Knaben geweihete Loose; und dreimal
    Ward ihr der Loose Geschick deutlich vom Knaben erklärt.
  Alles verhieß Rückkehr; [doch gehemmt durch keine Verheißung,]
    Weinete sie, [und schaut'] immer [auf unseren Weg.] *Vo³*
  [Aus] des Knaben [Gefäß] zog dreymal sie [heilige] Loose;
    [Glückliche Zukunft sah] dreymal [der] Knab' [in] dem Loos.
  Alles [verkündete zwar die] Rückkehr, [aber die Theure]
    Weinte [beständig, und sah traurig dem Scheidenden nach.] *Str*

15–18: [Und ihr Tröster,] ich selbst, [schon gab ich die letzten Befehle,
    Ach! und] suchte [doch stets sorgsam] noch längern Verzug;
  [Schützte] die Vögel [nun] vor; [nun] hielten [trauriger] Zeichen
    [Ahndungen,] oder Saturns [heiliger] Tag mich [zurück.] *Re*
  Ich der Tröstende selbst, da ich alles bestellt und geordnet,
    Suchte [mir unruhvoll neuen auf neuen] Verzug.
  [Bald dann waren] die Vögel [mir Schuld, bald Winke des Unheils;
    Bald auch hatte] Saturns [heiligen] Tag [ich gescheut.] *Vo³*
  Selber [war] ich [ihr Trost. Nach schon genommenem Abschied]
    Sucht' ich, mit wachsender Angst, immer noch längern Verzug.
  [Dann beklagt' ich mich laut, es hindern] mich schreckliche Zeichen,
    [Oder] der Vögel Flug, oder der Tag des Saturn. *Str*

19–22: Wenn ich [die Reise begann,] wie oft [dann sagt ich: Mir drohe
    Unglück, denn] an der [Thür habe gestrauchelt mein] Fuß!
  [Niemand] wag' es, zu [gehn, wenn es] Amor [verboten hat;] oder
    [Fühlen] lern er's, [er geh'] ohne [den] Willen des Gotts! *Re*
  [O] wie oft, wenn ich schon [abwanderte, sagt' ich, vor Misglück
    Habe] der [gleich] an der [Thür strauchelnde] Fuß mich [gewarnt!]
  Wag' es keiner, hinweg ohn' Amors Willen zu scheiden;
    Oder er lern', [in den Gang tret' ihm ein zürnender] Gott. *Vo³*
  Oft [auch] rief ich [alsdann,] wenn ich [endlich begonnen die Reise:]
    Böse Bedeutung! Ich stieß mir an der Schwelle den Fuß! –
  [Niemand] wag' es, [sich je zu entfernen, verbiethet es] Amor,
    Oder er lern' es, er ging gegen] des Gottes [Verbot.] *Str*

23–26: Deine Isis, was hilft sie mir nun, o Delia? Was [mir]
    Jene [Zimbeln, die du schlugst mit der künstlichen] Hand?

335

Daß du [zu ihrem Dienste] dich [weihtest durch reinliches Waschen,
  Und von keinem berührt lagst] in [dem einsamen] Bett? *Re*
Was nun, Delia, [frommt] mir deine [Beschüzerin] Isis?
  Was [mit eigener] Hand häufig geschwungenes Erz?
Oder daß, heiligem Brauche gemäß, du [selber] dich [wuschest,
  Und, o Erinnrung! allein] ruhtest im [sauberen] Bett? *Vo³*
Was hilft Isis mir nun, o Delia? [Sag, und] was [hilft mir]
  Jenes von deiner Hand [öfter ertönende] Erz?
[Hilft es,] daß rein gebadet, du [fromm die Feste gefeyert,]
  Daß du im züchtigen Bett [(nimmer vergeß' ich's)] geruht? *Str*

27–30:   [Itzt o] Göttin! [itzt hilf] mir! [Es zeugen die] Wundergemälde
  Deiner Tempel [ja laut,] daß du zu helfen vermagst!
[Hilf, daß ihre Gelübde] dir dann [mein Mädchen] erfülle,
  [Und vom Schleyer bedeckt] sitz' [an des Heiligthums Thor!] *Re*
Nun, nun rette mich, Göttin! [Wie mächtig du seist der Genesung,]
  Manches [Gemäld' an der Wand] deiner [Kapellen] bezeugts.
Dann wird Delia dir [die] gelobeten [Töne bezahlen,
  Und,] in [Leinen] gehüllt, sizen [am] heiligen [Thor.] *Vo³*
[Jetzt steh,] Göttinn, mir [bey! denn] so manches Wundergemählde
  Deines Tempels bezeugt, daß du zu helfen vermagst.
[Hilf, daß] Delia, dir [die] gelobten [Gesänge bezahlend,]
  Vor der heiligen Thür sitze, [mit Leinen bedeckt;] *Str*

31–34:   [Daß sie die Haare] gelöst [des Tages] zweymal, [die schönste]
  Unter der Pharischen [Schaar,] Hymnen dir singe [zum Lob!]
Aber mir [glück'] es, zu [grüssen] die Vater Penaten, [dem alten
  Hausgott Opfer zu] streun [wieder für] jeglichen Mond! *Re*
Zweimal singen [des Tags, mit entfesselten Haaren, ein Loblied
  Müsse] sie dir, [glanzvoll] unter der [Pharierschaar.]
Mir sei vergönnt, zu [begehn ihr Fest den Penaten der Väter,]
  Weihrauch jeglichen Mond streuend dem altenden Lar! *Vo³*
[Und daß] zweymal [des Tags das Mädchen,] die Locken [entfesselt,
  Stimm' in] dem Pharischen Chor [festliche] Hymnen dir [an. –]
Aber es sey mir vergönnt, zu feyern [des Vaters Penaten,
  Und an] jeglichem Mond [Opfer zu bringen] dem Lar. *Str*

35–38:   O wie lebten [sie] glücklich, da [König] Saturn [war, und eh zu
  Langem gefährlichem Weg offen] die Erde noch [stand;]
Da [der Fichtenbaum nicht] den blauen [Wogen] noch [Trotz bot,
  Und] den Busen [noch nicht hingoß] dem [stürmenden] Wind! *Re*

[Unter] Saturns [Obhut] wie lebte man glücklich, bevor man
    [Lang auslaufende Weg'] über die Erde gebahnt!
Noch [nicht hatte die Fichte] getrozt [blaudunkeler Brandung,
    Oder] den Winden [emporschwellende] Segel [gespannt.] *Vo³*
O, wie lebte [der Mensch, als] Saturnus noch herrschte, [so] gücklich,
    [Als] die Erde noch [nicht offen dem Reisenden stand!
Damals bothen nicht Trotz die Fichten der bläulichen Meersfluth,
    Und den schwellenden Schooß] gaben [sie] Winden [nicht Preis;] *Str*

39–42: [Da der schweifende] Schiffer [um ferne Gewinnste zu holen]
    Noch mit des fremden [Lands] Waaren nicht [drückte sein Schiff.]
Damals beugten noch nicht die [starke] Stiere dem Joch sich,
    [Biß] mit [bezwungenem Mund noch] in den Zaum [nicht das Pferd;] *Re*
Noch nicht hatt', [auswärts] dem Gewinn nachschweifend, ein Schiffer
    Schwer mit des fremden Gefilds Waare belastet den Kiel.
Damals [ließ] in das Joch [kein tapferer] Stier sich [entadeln;
    Nicht] mit gebändigtem Maul knirscht' in [die Zügel das] Roß. *Vo³*
Waaren [des Auslands lud auf] den Kiel [kein schweifender] Schiffer,
    [Mühsam suchend] Gewinn fern [am entlegenen Strand.]
Damals [wurde vom] Joch der [mächtige] Stier nicht [gedrücket,]
    Mit [dem] gebändigten Maul [käute das] Roß [nicht] den Zaum; *Str*

43–46: Thüren hatte kein Haus; [kein eingerammelter Gränzstein
    Trennt' ein Eigenthum] noch [auf der weit offenen Flur.]
Selber die Eichen [spendeten] Honig; die Schafe, [sie brachten
    Dem sorglosen Geschlecht] Euter entgegen voll Milch. *Re*
[Nicht auch] hatte [noch] Thüren [ein] Haus; nicht [stand in den Feldern,
    Daß er bestimmte] der Flur [sichere] Grenzen, [ein] Stein.
Honig gaben die Eichen von selbst, [und] willig entgegen
    Trug [Sorglosen von] Milch [strozende] Euter das Schaf. *Vo³*
Thüren [verschlossen das] Haus [nicht;] zu sichern die Grenzen der Fluren
    Waren die Steine noch nicht zwischen die Äcker gesetzt.
Honig [gewährten] von selbst die Eichen; den [sicheren] Menschen
    [Brachte] das Euter voll Milch willig entgegen das Schaf. *Str*

47–50: [Damals flammte] kein Schwerdt, [war Zorn und] Krieg [nicht;] kein [Künstler
    Hatte mit trauriger] Kunst [grausam geschliffen] den Stal. –
[Nun] da Jupiter herrscht, [ist] Mord und [ewige] Wunden,
    [Nun Meer, nun tausend Wege] zum [plötzlichen] Tod! *Re*
[Nicht war Schneide noch Zorn in der Welt, nicht] Kriege; kein Schwert [auch
    Mit hartherziger] Kunst [reckte der grausame] Schmied.

337

Jezt, da Jupiter herscht, [sind Ermordungen immer] und Wunden;
    [Jezo ein Meer, jezt fand mancherlei Wege der] Tod. *Vo³*
[Weder Heere, noch] Krieg, [noch Hader kannte man damals;]
    Schwerter [auch schuf] kein Schmid durch die [verderblichste] Kunst.
Jetzt, da Jupiter herrscht, gibts Wunden und Mord [und Orkane;]
    Tausendfach [ist] der Pfad, [welcher uns] führet zum Tod. – *Str*

51–54: Schone Vater! Mich [Furchtsamen macht] kein Meineid [erzittern,
    Keine Lästerung auf] heilige Götter [gestürzt!]
Aber [sind nun] die Jahre [durchlebt, die das Schicksal mir hinmaaß,
    Müsse mit der Aufschrift decken ein Marmor] mein Grab: *Re*
Vater, geschont! [Nicht schrecken mit Angst] Meineide das Herz mir,
    [Nicht ein] Wort, [das die Ehr'] heiliger Götter [gekränkt.
Hab'] ich [indeß schon izt] die verhängeten Jahre vollendet,
    [Stehe doch über der Asch'] also [bezeichnet] ein Stein: *Vo³*
Schon' o Vater, es [schreckt] mich [Zitternden weder ein] Meineid,
    Noch, daß mit frevelndem Wort heilige Götter ich schalt.
[Hab'] ich [indeß erfüllt] die Jahre, [bestimmt mir vom Schicksal,
    Dann müss' über dem] Grab [stehen] ein Stein [mit der Schrift:] *Str*

55–58: »Hier [liegt Albius, aufgezehrt] vom [unfreundlichen] Tode,
    [Während] zu [Wasser] und Land seinem Meßala er folgt.«
[Mir, der] immer dem Gott [der sanften Liebe] getreu war,
    [Wird in] Elisiums Flur Venus [die Führerin seyn!] *Re*
»Hier ruht, unbarmherzig entraft vom Tode, Tibullus,
    Als er zu Land' und Meer seinem Messala gefolgt.«
[Doch] mich, weil [stets willig] dem zärtlichen [Amor mein Herz ist,]
    Führt [Idalia] selbst [in die elysische] Flur. *Vo³*
[Wandrer,] hier ruhet Tibullus, [ergriffen] vom [bitteren] Tode,
    Als er Messala [getreu] folgte zu Land' und zu Meer.
Weil ich [aber mich stets] dem zärtlichen [Amor geweihet,]
    Führet mich Venus auch selbst hin zu Elysiums Flur. *Str*

59–62: [Hier lebt] Tanz und [Gesang, und hüpfende] Vögelchen [wirbeln
    Lieder voll Anmuth] aus [niedlichen] Kehlen [hervor.
Ungewartete Saat bringt] Kasien; duftende Rosen
    [Blühn in der gütigen Flur ganze Gefilde hinab.] *Re*
Dort ist ewiger Tanz und [Gesang; hellstimmige Vögel
    Schwärmen umher, und erhöhn rings ihr] melodisches [Lied.]
Kasia trägt ungebauet das Feld, [und durch ganze] Geländ' [hin
    Blüht willfährig, von süßduftenden] Rosen [die Flur.] *Vo³*

[Hier lebt] Tanz und Musik, [und] aus [den] melodischen Kehlen
 Flatternder Vögelchen tönt ewig [ein] süßer Gesang.
Kasien trägt [die Flur ungezwungen,] mit duftenden Rosen
 Schmücket [die gütige Erd' ihre Gefild' überall.] *Str*

63–66: [Frischer] Jünglinge [Reihn,] gemischt [zu lieblichen] Mädchen,
 [Tändeln hier] immer, und [stets paart sie die Liebe zum Kampf.
Jeder Verliebte, vom trennenden] Tod [ereilet, ergötzt sich]
 Hier, und [mirtenumkränzt trägt er sein glänzendes] Haar. *Re*
[Fröhlicher] Jünglinge [Reigen, verschränkt] mit [niedlichen Jungfraun,]
 Spielt, und [eiferig ist] Amor [zu mischen den Kampf.
Dort] ist der Liebenden [Schaar,] die der Tod frühzeitig hinwegriß;
 [Auf schönlockigem Haupt tragen sie Myrtengeflecht.] *Vo³*
Chöre der Jüngling' [erblickt] man, gemischt mit [zärtlichen] Mädchen,
 Spielend, und lieblichen [Zwist stiftet Cupido hier stets.]
Hier ist der Liebenden Sitz, die der Tod frühzeitig [dahinriß,
 Duftende] Myrte bekränzt ihnen das lockige Haar. – *Str*

67–70: Aber [der Sitz der Verdammten] liegt tief [verborgen in tiefer
 Nacht, und Ströme von Pech] rauschen [um seinen Bezirk;]
Und Tisiphone [scheuslich verwirrt] statt der Haare die Schlangen,
 Wütet, [und überallhin] flieht die verworfene Schaar. – *Re*
Aber [der Schlund der Verdammten ist] tief in gräßliches Dunkel
 [Abgesenkt, wo ihn rings] schwarzes [Gestrudel umhallt.]
Und Tisífone, [struppig umhaart mit verwilderten Nattern,]
 Wütet, daß links und rechts [flüchtet der frevele Schwarm.] *Vo³*
Aber in [dunkele Nacht] versenket liegt der Verruchten
 Wohnung, [um welche der Styx] rauschet [mit düsterer Fluth.]
Und Tisiphone, [graus] die Schlangen, Statt Haare, [verwirret,]
 Wüthet, [und hierhin und dort] fliehet der [Freveler] Schar. *Str*

71–74: [Aber alsdann wacht] zischend mit [schlangenhaarichtem Haupte
 Vor dem eisernen Thor] Zerberus, [fürchterlich] schwarz.
Dort drehn [flüchtige] Räder Ixions [frevelnde] Glieder:
 [Denn Saturnien] hatt' er [zu] versuchen [gewagt;] *Re*
[Auch die schwärzliche Hyder] am Thor, [auch] Cerberus [Häupter]
 Zischen, [der draußen] die erzflüglichte Pforte bewacht.
Dort [wird jenem] Ixíon, [der] Juno [frechem Versucher,
 Sein misthätiger Leib rasch an dem] Rade gedreht. *Vo³*
Schrecklich zischet am Thor mit den [Vipernzungen] der schwarze
 Cerberus, [er, so nie weicht von der ehernen Thür.

Und] dort [werden] gedreht auf [beflügeltem] Rad des Ixion
Sträfliche Glieder, [der frech] Juno versuchen [gewollt.] *Str*

75–78: [Und die schwarzen Gedärme muß] ewig [quälenden] Geyern
[Durch] neun Morgen gestreckt Tityus [reichen] zum Fraß.

[Dort] ist Tantalus, [rings sind Seen; aber das] Wasser
[Flieht den brennenden Durst, wenn er] zu trinken [sich bückt.] *Re*

[Tityos auch, weithin des Gefilds neun Hufen bedeckend,
Nährt mit schwarzem Geweid' haftende Vögel des Raubs.

Auch] ist Tantalus [dort, und umher Sumpf; aber wie] lechzend
Schon schon trinken [er will, schwindet] die Welle [dem Durst.] *Vo*[3]

Auf neun Morgen gestreckt, liegt Tityus, [sieh,] des Verruchten
Blutige Leber, sie dient ewigen Geyern zum Fraß.

Hier ist Tantalus, [rings ist] Wasser; [versucht] er zu trinken,
[Flieht von] des [Durstenden] Mund [eilig die Woge hinweg.] *Str*

79–82: Dort [schöpft] Danaus [Brut] in [hole] Fässer [den Lethe:
Denn sie hatten gereizt] Venus, [der Göttlichen, Zorn.

Dorthin komme der Frevler, der] meine Liebe [beleidigt,]
Und [im zögernden Krieg] lange [Entfernung] mir wünscht. *Re*

Danaus Töchter [zugleich,] die [an Cypria's Macht sich versündigt,]
Tragen [letheïsche Flut] in [ein] durchlöchertes Faß.

[Wohne mir] dort, wer irgend an meiner Liebe gefrevelt,
Und mir langen Verzug unter den Waffen gewünscht! *Vo*[3]

Danaus Töchter sind dort, die der Venus Gottheit beleidigt;
In's durchlöcherte Faß tragen sie Wasser des Styx. –

Dort [sey,] wer [es gewagt, zu verletzen die zärtlichste] Liebe,
[Wer] mir [zögernden Dienst] unter den Waffen gewünscht. *Str*

83–88: [Aber] bleibe du [rein! Die Amme, der unverletzten]
Keuschheit [Hüterinn, sey immer geschäftig] um dich;
[Schwatze] Mährchen dir [vor,] und ziehe beym [Scheine der Lampe]
Lange Fäden [von der] strotzenden Kunkel herab;
[Und] die Mädchen [im Kreis,] an [ernste Geschäfte geheftet,
Treiben] mählich [das Werk läßiger, nickend vor] Schlaf. *Re*

Doch du bleib mir, fleh' ich, getreu; und die ämsige Mutter
[Size, der] heiligen [Scham Wächterin, immer] um dich.
[Mancherlei Mähr'] erzähle sie dir, und [im] Schimmer des Lämpchens
Zieh aus [dem Wockenflausch] langes [Gespinnst sie] herab.
[Fleißig zunächst am schweren Gewicht arbeitet das Mägdlein;
Doch allmählich] vom Schlaf [müde verläßt sie das Werk.] *Vo*[3]

340

[Aber,] ich fleh' [es,] getreu bleib, [Theure.] Die emsige [Alte,]
    Heiliger Keuschheit Schutz, weile beständig [bey] dir.
Mährchen [schwatze sie vor, indeß sie dem] strotzenden [Rocken]
    Langes [Gespinnst entzieht, vor sich die Lampe gestellt;]
Während dem Mädchen zur Seit', an die drückende Arbeit [geheftet,]
    Schon vom Schlafe besiegt, mählig die Spindel entsinkt. *Str*

89–94: Plötzlich komm' ich alsdann, von [Niemand angesagt komm' ich:]
    Wie vom Himmel gesandt [schein' ich gekommen zu seyn.]
Wie du dann bist, die Haare [schon losgebunden, mit blossem]
    Fuß; so, [Delia! komm] du mir [entgegengestürzt!
Einziger Wunsch! Nur] dieses, [nur dieses Morgensterns Schimmer
    Bringen uns] Aurora's rosige Pferde [zurück!] *Re*
[Schnell dann tret' ich herein, und es habe mich] keiner gemeldet;
    [Nein,] wie vom Himmel gesandt, [scheine zu nahen der Freund.]
Dann, wie du bist, [in Verwirrung die langhinwallenden Locken,]
    Laufe [mit] nackendem Fuß, [Delia] mir in den Arm!
Dies [erfleh' ich, ja dies! mög' uns] so [schimmernden Aufgang
    Heiter] Aurora [daher] führen [mit Rosengespann!] *Vo³*
Plötzlich komm ich alsdann, [und vorher] meldet [mich Niemand;]
    Wie vom Himmel [geschickt,] steh' [ich, Geliebte, bey] dir.
Wie du dann bist, so läufst du mir in die [Umarmung,] die langen
    Flatternden Haare verwirrt, nackend den reitzenden Fuß.
Dieß [mein einziger Wunsch! Es bringe der goldnen] Aurora
    [Rosenfarbnes Gespann] bald mir [den strahlenden] Tag! *Str*

IV. DIE LEHRE DES GOTTES

AN TITIUS

(Vgl. »Nachträge« S. 569)

Benutzte Textvorlagen: Re, Vo³, Str

BEARBEITUNGSANALYSE

Überschrift: Vierte [Elegie] *Re* [V.] Des [Priapus] Lehre *darunter* An Titius *Vo³*
[Die] vierte [Elegie] *Str*
  1–6: [Rede,] Priap – so wahr du [ein Freund bist von schattichtem] Obdach,
    Daß nicht Schnee [dir] und nicht Sonne [dir treffe] das Haupt!

[Welche] Künste [von dir bezaubern] die [artige] Knaben?
    Glänzt dir [doch] nicht der Bart, ist [nicht gekräuselt dein] Haar.
Nackend [stehst] du den [trockenen] Tagen des [Sommer-Hundsterns,]
    Nackend [immer] dem Frost [stürmische] Winter [hindurch.] *Re*
[Sei von dunkelem Schatten gewölbt] dir, Priapus, [das] Obdach,
    Daß nicht Sonne das Haupt [schädigen könne, noch] Schnee!
[Welche Behendigkeit fing dir] reizende [Jünglinge?] Wahrlich,
    Nicht [ist] glänzend der Bart, [nicht] dir [die Locke] geschmückt.
Nackt [ja schleppst du die Kälte dahin] des [beeiseten] Winters,
    Nackt [ja die Gluten des wild tobenden Hundes dahin.] *Vo³*
O Priapus, so wahr du dir wünschest ein schattendes Obdach,
    Daß nicht [die] Sonne dem Haupt schade, nicht Regen und Schnee:
Sag [mir,] durch was für Kunst fingst du [denn] die reitzenden Knaben?
    Wahrlich, dir glänzt nicht der Bart, noch ist das Haar dir geschmückt;
Nackend erträgst du den Frost in den kürzesten Tagen des Winters,
    Nackend die [trockene] Zeit, welche der Sirius bringt. – *Str*

7–10: Also sprach ich: [Da] gab [mit krummer] Sichel [bewaffnet]
    Bacchus ländlicher Sohn [so] mir die [Antwort] zurück:
[O!] Vertraue dich [nicht] den [zart gebildeten] Knaben;
    [Jeder hat sein Verdienst, welches zur Liebe dich reitzt.] *Re*
[So ich. So antwortet des] Bacchus ländlicher [Sprößling,
    Weil sein krummes Gewehr drohend] erhebet der Gott:
[Meide dem zärtlichen Schwarme der Knäblein] dich zu vertrauen;
    Denn [stets bieten sie Grund billiger Liebe dir dar.] *Vo³*
[Dieß hier] sprach ich. Der Gott, [mit gekrümmeter] Sichel [bewaffnet,]
    Bacchus ländlicher Sohn, gab mir die Worte zurück:
»Hüte dich ja, zu vertrau'n dem [Schwarme] der [reitzenden] Knaben,
    [Jeder verstehet die Kunst, welche zu lieben uns zwingt.] *Str*

11–14: Dieser [bändigt das Pferd mit engen Zäumen, und seitwärts
    Treibt die Welle des Bachs jener] mit blendender Brust.
[Dieser rührt] dich: [In ihm lebt] Muth [und Kühnheit;] und jenem
    [Hat] jungfräuliche Schaam [sittsame] Wangen [gedeckt.] *Re*
Dieser gefällt, [weil] straf er [den Gaul einzwänget] im Zügel;
    Der mit [schneeiger] Brust [dränget entschlüpfende] Flut;
Der, weil troziger Mut ihn [kräftiget, fing] dich; [dem andern
    Ruht] jungfräuliche Scham [über dem zarten Gesicht.] *Vo³*
[Der] gefällt, [weil] das Roß [mit verkürzetem] Zügel er [zähmet,]
    Der, [weil] mit blendender Brust [ruhige] Fluthen er theilt.

Der, weil [edeler] Muth ihn [beseelet,] reitzt [uns,] und Jener,
   Weil jungfräuliches [Roth] liebliche Wangen ihm färbt. *Str*

15–20: Aber [versagt er dir auch die erste Bitte, doch sey nicht
   Zaghaft: Mählich wird er beugen den Nacken] dem Joch.
[Hat doch] die Zeit [selbst] Löwen gelehrt dem Menschen gehorchen;
   [Harte Steine so gar hat sie mit Wasser durchnagt:
Trauben bringet die Zeit] auf [schwülen] Hügeln [zur Reife,
   Dreht] in [bestimmtem] Kreis [leuchtende Zeichen herum.] *Re*
[Doch nicht werde dein Herz,] wenn [zuerst er etwa verweigert,
   Ärgerlich;] nach und nach [beugt] er dem Joche den Hals.
[Daurende] Zeit [hat] dem Menschen [gebändiget] Löwen [der Wildnis,]
   Zeit [hat mit weichem Getropf starrende] Felsen [durchäzt.
Jahrlauf führet zur Reif'] auf sonnigem Hügel [die Traube,
   Jahrlauf rollt im Verhalt leuchtende Stern' auf der Bahn.] *Vo³*
Aber verzweifle nur nicht, wenn [zuerst] er [Liebe versaget;
   Mählig wird er gewiß] schmiegen den Hals in das Joch.
Einzig die Zeit [hat] gelehrt die Löwen, dem Menschen gehorchen,
   Einzig die Zeit [durchnagt] Felsen mit [schlüpfriger Fluth.
Zeit] ist's, welche den Wein auf sonnigen Hügeln uns reifet,
   [Zeit,] die im ewigen Kreis [glänzende Sterne] bewegt. – *Str*

21–24: [Selbst] zu schwören scheue dich nicht: [Denn] Zipriens [Meineid
   Führt ungültig der Sturm schnell] über [Wasser] und Land.
[Dank] dem [mächtigen] Zeus! Er [wollte, wenn thörichte] Liebe
   [Lüstern ihn that, daß dann gelten nicht sollte der Schwur.] *Re*
[Niemal sei] auch zu schwören [verzagt. Meineide der Venus]
   Trägt der vereitelnde Wind [fern durch Gewässer] und Land.
[Dank] dem [Jupiter, Dank! es] erklärt' [ungültig der Vater,]
   Was mit [hizigem Eid'] alberne Liebe beschwur. *Vo³*
[Fürcht'] auch zu schwören dich nicht; [ungültig] tragen die [Stürme]
   Über das Land und [das Meer Schwüre Verliebter] hinweg.
[Inniger Dank sey] dem Zeus! [Gebothen hat] selber [der Vater,
   Gültig nicht solle der Eid thörichter Liebender seyn.] *Str*

25–28: [Kühn betheure du] dich bey'm [güldenen] Pfeile [Dictynnas,
   Kühn] bey [Minerva's] Haaren, [sie rächen es nicht.
Nur durch Trägheit verfehlst du das Ziel:] Schnell fliehen [die Jahre;
   Langsam stehn sie nicht still, kommen nicht wieder zurück.] *Re*
[O dich] läßt ungestraft bei den eigenen Pfeilen Diana,
   Dich bei dem eigenen Haar Pallas betheuren ein Wort.

343

[Doch wenn du Zauderer bist, dann irrest du. Hin ist] die Jugend,
　　[Ach, wie] so schnell! Nicht [faul steht er, noch] kehret, der Tag. *Vo³*
[Straflos erlaubt dir den Schwur] bey [ihren Geschossen Dictynna,
　　Selbst] bey [Minerva's] Haar [ist dir zu schwören vergönnt.]
Aber, o Jüngling [du irrst, wenn du] lange [verzögerst;] die Jugend
　　Fliehet so schnell! Der Tag weilt nicht und kehrt nicht [zurück.] *Str*

29–32: [O] wie [plötzlich] verliert [die Erde] die purpurne Farben,
　　[Weiße] Pappeln wie bald [ihr anmuthiges] Haar!
[Und] wie [kraftlos liegt,] gebeugt vom Alter, [das Pferd da,]
　　Welches [vor Zeiten zuerst Elischen] Schranken [entstürzt!] *Re*
[Schnell] ach! [sind dem Gefilde die Purpurfarben entschwunden,
　　Schnell] dein [zierliches Laub,] silberne Pappel, [verweht!]
[O] wie [verfällt, wann das Schicksal genaht des entkräftenden] Alters,
　　[Jenes] Roß, [das voran elischen] Schranken [entflog!] *Vo³*
[Ha!] wie verlieret die Flur so bald die purpurnen Farben!
　　Du dein reitzendes Haar, silberne Pappel, wie bald!
[O,] wie [liegt] dort das Roß, vom [Schicksal des] Alters [getroffen,]
　　Welches in Elis [zuvor muthig] den Schranken entsprang! *Str*

33–38: [Jünglinge] sah' ich, [wenn nun die spätere] Jahre [sie drückten,
　　Trauren,] daß thöricht [verlebt] ihnen [die] Jugend entfloh.
Grausame Götter! Verjüngt [entkleiden] sich Schlangen [vom] Alter –
　　[Aber] holder Gestalt [gaben] die Dauer [sie nicht.]
Bacchus allein und Phöbus [hat] ewige Jugend: Wie wallen
　　[Unbeschnitten] so schön ihnen die Locken herab! *Re*
[Selbst] schon sah ich [den Jüngling, dem anwuchs reifere Mannheit,
　　Schwermutsvoll,] daß [vorbei] thörichte [Tage geflohn.]
Grausame Götter! die Schlange [mag jung aus Veralterung schlüpfen?
　　Nur nicht Schönheit gewann einigen Halt vom Geschick?]
Bacchus allein und Phöbus erfreuen sich ewiger Jugend.
　　[O] wie [prangt ungestuzt beiderlei Gotte das Haar!] *Vo³*
Manchen [erblicket] ich schon, der, [vom späteren Alter belastet,]
　　Jammerte, daß ihm die Zeit thörichter Jugend entfloh.
Grausame Götter! die Schlang' [entlastet,] verjüngt, sich [der Jahre;
　　Aber das Schicksal hält fliehende Reitze nicht auf.
Einzig nur blühen Apoll und] Bacchus [in] ewiger Jugend;
　　[Sie, die Gefeierten, schmückt nimmer geschorenes Haar. –] *Str*

39–44: [Aber gestatte du ja, so viel er verlanget, dem Liebling:
　　Manchen Anstoß hat schon folgsame] Liebe [besiegt.

Folg' ihm willig, wenn er] auch [lange] Wege [dir vorschlägt;]
    Wenn [auch] Sirius Gluth [senget die lechzende] Flur;
[Wenn auch] der regenbringende Bogen den Himmel [umwebt mit
    Schwarzem Firnis, und bald näher den Wasserguß bringt.] *Re*
[Du,] was [immer der Knab' anfängt in der] Laune, [sei folgsam.]
    Durch [Dienstfertigkeit schaft] Liebe [sich großen Gewinn.]
Auch [vor dem Mitgehn sträube] dich [nie, ob ferne] der Weg sei,
    [Und mit lechzender] Glut Sirius [senge die] Flur;
[Ob in Dunkelheit auch pechschwarz einhüllend den Äther,
    Iris die nahende Wolk' eiliger dränge zum Guß.] *Vo³*
Was [der] Geliebte sich wünscht, [das zögere nie, zu] gewähren;
    Durch [Dienstfertigkeit schafft] Liebe [sich meistens den Sieg.]
Weigre dich nicht, [wenn] der Weg auch [lang] ist, ihn zu begleiten,
    [Selbst] wenn [das Hundesgestirn] schmachtende Fluren versengt;
Oder [verkündete gleich] der Regen bringende Bogen
    [Ungewitter, die Luft schwärzend] mit [finsterm] Gewölk. *Str*

45–48: [Oder] will er [den] bläulichen [Fluß im Nachen durchirren,]
    Treibe den [leichten] Kahn selbst mit dem Ruder [du fort!
Unverdrossen entziehe] dich [nie der härteren Arbeit;]
    Und, [kein Tagwerk gewohnt, lerne zerreiben] die Hand. *Re*
[Oder wenn blaues Gewog' auf dem Kiel zu durchwallen er wünschet,]
    Selbst [die Gewässer hindurch rudre das] schwebende [Boot.]
Auch nicht [sei] dir [Verdruß, zu bestehn anstrengende Arbeit,
    Oder] die Händ' [ungewohnt schwielendem Werke zu leihn.] *Vo³*
Will die bläuliche Fluth auf dem Schiff [der Geliebte] befahren,
    Treibe den schwebenden Kahn selbst mit dem Ruder durch's Meer.
Auch [gereu'] es dich nicht, [beschwerliche] Mühen zu dulden;
    [Noch, zu zerreiben] die Hand [am ungewöhnlichen Werk.] *Str*

49–52: [Oder] will er mit Netzen ein [Thal umzingeln, so weigr' es,
    Wirst du beliebter doch, nicht] selber [zu] tragen das Garn.
[Will] er Waffen, so [tändle mit ihm mit bezwingbarem Arme;]
    Gieb die Seite, [daß er siege zuweilen,] ihm bloß. *Re*
[Auch wenn] mit trüglichem [Fang' er begehrt zu] umstellen ein Waldthal,
    [Willig, nur daß du gefallst,] trag' auf der Schulter [das] Garn.
[Steht nach] Waffen [sein Wunsch,] leicht spiele [die Recht' ihm entgegen;
    Oft auch biete] die Seit' ihm [zum Besiegen entblößt.] *Vo³*
Will er mit [triegendem] Garn [verborgene Thäler umschließen,
    – Machst du] dich [Ihm nur beliebt] – trag auf der Schulter das Netz.

345

Wünscht er zu kämpfen, so [ficht mit] leichter und spielender [Rechte;]
    Gib ihm die Seit' [oft] bloß, [daß dich der Knabe besiegt.] *Str*

53–56: [Dann ist biegsam er dir, läßt süsse] Küsse [sich] rauben:
    [Ringen wird er, und doch selber] dir bieten den Mund;
[Erst] sie [geben] geraubt, [bald willig] dem Bittenden [reichen:]
    Endlich [wünscht er es selbst, dir zu umschlingen] den Hals. *Re*
[Jezo wird er dir] mild; [jezt] feurige Küsse [zu] rauben,
    [Ist dir vergönnt: er kämpft, aber doch giebt er sie voll.
Gab er] geraubte zuerst, [bald] reicht er dem bittenden selber,
    Endlich sogar um den Hals schlingt er die Arme mit Lust. *Vo³*
[Hierdurch] machst du ihn [sanft;] nun [kannst] du ihm [zärtliche] Küsse
    Rauben; wenn [gleich er sich] sträubt, [reicht] er dir [dennoch] den Mund.
[Anfangs wird er] geraubt sie, [dann willig] dem Bittenden [geben;]
    Endlich [kosend] sogar schlingen den Arm um den Hals. – *Str*

57–60: [Wehe, dieses Jahrhundert ergiebt sich niedrigen] Künsten,
    [Und] der Knabe [sogar] ist an Geschenke gewöhnt.
[Aber] wer du [auch] bist, der [zuerst] die Liebe verkaufen
    Lehrte, dir drücke [das Grab schwer ein unglücklicher Stein!] *Re*
Ach, armselige Künste, wie [schlecht nun achtet] die Welt euch!
    [Jezt auf Vergeltung zu schaun hat sich der Zärtling] gewöhnt.
[Doch] dir, der [zu] verkaufen [der Venus Wonne] gelehret,
    Wer du [auch] bist, [ehrlos] laste [die Asch' ein Gestein!] *Vo³*
[Schlecht,] ach, [werden die] Künste [von unseren Zeiten behandelt!
    Selbst] der [reitzende] Knab' ist an Geschenke gewöhnt. –
Dir, sey [welcher] du willst, der du lehrtest die Liebe verkaufen,
    Drücke das schnöde Gebein ewig ein lastender Fels. *Str*

61–64: [Liebt] die Musen, [ihr] Knaben, und liebt [vielwissende Dichter;]
    Über] die Musen [und sie siege] kein goldnes [Geschenk!]
Nisus [Purpurhaar glänzt im Gedicht; und wäre kein Sänger,
    Schimmerte] von Pelops [Hüfte dann] Elfenbein [auch?] *Re*
[Liebt doch Musengesang,] liebt [kundige Dichter,] o Knaben;
    [Und] kein goldener Lohn [gehe vor Musengesang!]
Purpurnes Haar dankt Nisus [dem Liede] nur; ohne [das Lied nicht
    Trüge] von Elfenbein Pelops die Schulter [umblinkt.] *Vo³*
[Liebt die Kamönen,] o Knaben, und liebt die begeisterten Sänger;
    [Durch] kein gold'nes [Geschenk sey die Kamöne besiegt!]
Purpurn [ist] Nisus Haar [durch Gesang;] von der Schulter des Pelops
    Glänzte kein Elfenbein ohne der Dichter Gesang. *Str*

65–68: [Wen] die Muse [besingt,] der lebt, so lange der Himmel
Stern', [und] Eichen [der Hain fasset,] und Wasser der Strom.
[Aber] wer [die Musen] nicht hört und die Liebe [verhandelt,]
Sey der Idäischen Ops Wagen zu folgen verdammt.
[Unstät irr' er umher in tausend Städten; die feile
Mannheit mög' er sich selbst rauben nach Frygischem Takt.] *Re*
Wessen die Muse gedenkt, der lebt, [weil] Eichen [das Erdreich,
Weil Sternbilder der Pol führet, und Fluten] der Strom.
Wer nicht hört [auf Musengesang, wer] Liebe [verkaufet,
Mag] der [Idäerin] Ops Wagen [begleiten im Zug;
Und dreihundert der Städt' in schwärmender Irre durchwandernd,
Schneid' er nach phrygischem Hall schmähliche Glieder hinweg.] *Vo³*
[Wen] die Muse [besingt,] der lebt, so lange die Erde
Eichen, und Wasser der Strom, Sterne der Himmel besitzt.
Doch, wer [die Muse] nicht hört, und schändlich die Liebe [verkaufet,]
Folg', Idäische Ops, [deinem Gespanne nur nach;
Und dreyhundert der Städte durchirr' er mit flüchtigem Fuße,
Und nach Phrygischem Takt schneid' er die Mannheit sich weg.] *Str*

69–74: [Zärtliches] Schmeicheln gebietet [die Göttin] selber, [und stets ist]
Klagen [voll Demuth, und Thränen voll Jammers sie hold.]
Also der Gott, [daß von mir den Ausspruch Titius hörte:
Aber die Gattin hat ihn solcher Gedanken entwöhnt.]
Er gehorche [der theuren Gemahlin:] Ihr [wählt] mich [zum Lehrer,]
Die [durch vielfache] Kunst listig ein Knabe [verstrickt.] *Re*
Schmeichelndes Flehn [wünscht Venus begünstiget; jen' ist der Demut
Klagender Stimm', und jen' ächzendem Grame geneigt. –
Dieses, damit ichs sänge dem Titius, tönte] der Gott [mir.
Aber dem Titius wehrt, dies zu bedenken, ein Weib.
Diene] denn [jener dem Weib'! Hört] Ihr mich [lehrenden zahlreich,]
Die [voll Truges] ein [arglistiger] Knabe [zerquält.] *Vo³*
Schmeichelnde Worte gebeut [uns Venus] selber; [die sanften]
Klagen [und zärtliches] Fleh'n [Liebender] höret sie gern.« –
Also des Gottes [Mund, daß Titius höre den Ausspruch;]
Doch die Gebietherinn läßt [dieß zu bedenken] nicht zu.
[Nun,] so gehorch' er denn Ihr; mich aber besuchet, den [Lehrer,]
Ihr, die mit mancherlei Kunst listig ein Knabe bestrickt. *Str*

75–78: Jeder [hat] eigenen Ruhm: Mich [frage, wer liebt und] verschmäht [wird:]
Allen ist offen [die Thür', allen der Zugang vergönnt.

347

Es] wird kommen die Zeit, da mich, [der Venus Gesetz gab,

    Wenn ich Greis bin, umgiebt ehrender] Jünglinge [Schaar! –] *Re*

Jedem sein eigener Ruhm! mich [kann, weß Liebe verhöhnt wird,

    Fragen um Rath; frei] ist allen [die Thüre; herein!

Künftig einmal] wird mich, [der Idalia's Lehren verkündigt,

    Ämsiger] Jünglinge [Schwarm öffentlich] führen, [den Greis.] *Vo³*

Jedem ein eigener Ruhm; [die] verschmähten [Liebenden] mögen

    Mich befragen, [die Thür hab' ich geöffnet] für [sie.]

Einst wird kommen die Zeit, da mich [alternden] Lehrer [der Liebe,]

    Wie im Triumphe, die Schaar [dankender] Jünglinge führt. – *Str*

79–82: [Aber] wehe, wie quält mich Marathus zögernde Liebe!

    [Da verläßt mich] die Kunst, ach [da verläßt mich] die List!

[Schone,] Knabe, [daß] ich zum Mährchen nicht werde! Wie wird der

    Lehren ohne Gewicht spotten der Jüngling und Mann.] *Re*

Wehe! wie [unablässig] des Marathus Liebe mich [foltert!

    Nichtig erscheinet] die Kunst, [nichtig auch jegliche] List!

[Schone doch,] Knab', [o schone, daß] ich [kein lästerlich Mährlein]

    Werd', [ob] meiner [in Luft schwindenden] Weisheit [verlacht!] *Vo³*

Wehe! wehe! wie quält mich des Marathus zögernde Liebe!

    Hier ist vergeblich die Kunst, [hier ist] vergeblich die List.

Knab', [ich flehe, verschon', daß] ich [schändlich zur Fabel] nicht werde,

    [Wenn als eitelen Wahn, was ich gelehrt, man verlacht.] *Str*

V. AN MARATHUS, DEN LIEBHABER DER PHOLOE

Benutzte Textvorlagen: Re, Vo³, Str

BEARBEITUNGSANALYSE

Überschrift: [Achte Elegie] *Re* [IX.] An Marathus, *darunter* den Liebhaber der
Pholoë *Vo³* [Die achte Elegie] *Str*

1–4: [Lehrt] mich nicht [erst,] was [ein] heimlicher Wink [der Verliebten]

                                                   bedeute,

    [Und] mit zärtlichem Ton [Worte gelispelt in's Ohr.

Zwar mir weissagt kein Loos, und kein mit Göttern vertrautes

    Eingeweide: Mich lehrt Zukunft kein Vogelgesang.] *Re*

Nicht mir [kann unbemerkt es entgehn,] was [zärtlicher] Wink [doch

    Andeut', oder ein sanft lispelndes Wörtchen ins Ohr.

Zwar nicht melden mir Loos', und nicht gottkundige] Fibern,

  [Auch nicht singt den Erfolg Vogelgesang mir voraus;] *Vo³*

Mir ist nicht [unbekannt,] was heimliche Winke bedeuten,

  [Nicht,] was mit zärtlichem Ton flüsternd, [der] Liebende sagt.

Und doch lehren Orakel mich nicht und prophetische Fibern,

  Und der Vögel Gesang kündet mir nicht, was geschieht. *Str*

5–8: Venus selber, [sie band] mir den Arm mit magischen Knoten;

  Und [so hab' ich's von ihr] nicht ohne [Schläge gelernt.

O verheel' es nicht länger:] Nur [grausamer rächet an dem sich

  Amor, von welchem er sah,] daß er [ihm sträubend] erlag. *Re*

Venus, die selbst mir die Arm' [in] magischem Knoten zurückband,

  Hat mich [genau,] nicht ohn' [häufige Schläge, belehrt.

Gieb] die Verstellung [nur auf! Noch grausamer brennet] der Gott den,

  [Welchen er sieht ungern ihm sich bequemen ins Joch.] *Vo³*

Venus hat [es] mich selbst, nicht ohne zu schlagen, gelehret,

  [Während des Lernenden] Arm [fesselt' ein] magisches [Band.]

Laß die Verstellung; es [glüht Cupido stärker im Busen

  Dessen, von welchem er sieht,] daß er nicht willig erlag. *Str*

9–14: [Aber] was [nützt] es [dir] itzt, [die Seidenhaare zu kräuseln,

  Und nach jeglicher Mod' anders die Locken zu reihn?

Oder] daß [du mit künstelnder] Hand die Nägel [beschnittest,

  Und mit] glänzendem Saft dir die Wange [beludst?

Ach! vergebens] wechselst [du nun Gewänder] und Toge,

  Und [umschränkt] dir den Fuß [enger ein drückender] Schuh. *Re*

Was [nun] frommts, daß du ämsig der seidenen [Haare gewartet,

  Und dir] das Haar [nach oft ändernder Sitte gelockt?

Was dir,] daß [du] die Wange [mit gleißender Tünche] verschönert?

  [Daß du] die Nägel [dem kunstfertigen Schnizler gereicht?

Schon] wird umsonst [dein] Kleid, und [umsonst dein Mantel] gewechselt,

  Und [im] knappen [Geriem enget] gepreßt sich der Fuß. *Vo3*

[Sag,] was [hilft] es [dir] jetzt, daß [einst] du die Locken [gekräuselt,

  Und dir sorgsam geschmückt öfter verändertes] Haar?

Daß [du mit] glänzendem Saft dir die Wangen [beladen? Daß Künstler

  Dir mit geschickter] Hand zierlich die Nägel gekürzt?

Jetzo wechselst umsonst [du den Rock] und die [wallende] Toga,

  Und der [drückende] Schuh preßt dir vergeblich den Fuß. *Str*

15–18: [Sie] gefällt, [und käme] sie [gleich nachläßig und putzlos;

  Hätte] mit [langsamer] Kunst [gleich sie] das Haupt nicht geschmückt.

Hat [dich mit Zaubergesang,] hat dich mit [mächtigen] Kräutern
   In [der] schweigenden Nacht [eine der Hexen] verwünscht? *Re*
[Jene] gefällt, [ob] sie [gleich ungeschmückt hertrage das Antliz,
   Und] nicht [langsame] Kunst [locke] das [glänzende] Haupt.
Hat mit [Beschwörungen dich ein Mütterchen,] hat sie mit Kräutern
   [Seltsamer Kraft] in tief schweigender Nacht dich verwünscht? *Vo³*
[Denn das Mädchen] gefällt, auch wenn [es] die Wangen nicht färbte,
   Nicht mit zögernder Kunst schmückte das reitzende Haupt. –
Hat ein [zauberndes] Weib mit [Liedern und magischen] Kräutern
   Dich in [der] schweigenden [Zeit finsterer] Nächte verwünscht? *Str*

19–22: Zaubergesang entführet [das Korn benachbarten] Äckern,
   [Und hat oft schon den Gang] wüthender Schlangen [gehemmt.
Zaubergesang] versuchet vom Wagen Luna zu [zaubern,
   Und vermöcht' es sogar,] tönten [die Zimbeln dann nicht.] *Re*
Zaubergesang [kann] Frucht von des Nachbars Acker [daherziehn,]
   Zaubergesang [hemmt selbst] wütende Schlangen im Lauf.
Zauber versucht [auch] Luna herab vom Wagen zu ziehn;
   [Ja, er thät' es, wo] nicht tönte geschlagenes Erz. *Vo³*
Zaubergesang entführt von [benachbarten] Äckern die Früchte;
   Wüthende Schlangen im Lauf [hemmet der] Zaubergesang.
Lunen vom Wagen zu ziehn versuchen [die magischen Lieder;]
   Wenn nicht geschlagenes Erz tönte, geläng' es gewiß. – *Str*

23–26: Doch was klag' ich, daß [zaubrische Lieder, daß] Kräuter [dich elend
   Machten!] Ach! Schönheit [bedient] magischer [Hülfe sich nicht!
Jenes süsse Berühren und] lange verweilende Küsse,
   Hüft' an Hüfte gedrückt – das [hat dich elend gemacht.] *Re*
Klag' ich, [ach!] daß dem Armen [Gesang] und Kräuter geschadet?
   [Nicht ja] bedarf Schönheit magischer Künste [Gebrauch.
Aber den Leib anrühren,] das [schadete; aber der] langen
   Küsse [Verein, und die] Hüft' [eng] an [die] Hüfte [geschmiegt.] *Vo³*
Doch, was klag' ich, daß Kraut und [Gesang] dem Armen geschadet?
   Ach, die Schönheit bedarf nimmer der magischen Kunst!
[Aber ihm schadet, berührt den himmlischen Körper zu haben,]
   Schmeckend [den zögernden] Kuß, [Schenkel] an [Schenkel ge-
                    schmiegt. –] *Str*

27–30: Aber [Mädchen,] o sey nicht [zu] spröde [dem bittenden] Knaben:
   [Grausamkeiten verfolgt] Venus mit [strafendem] Zorn.
Fodre nicht Lohn: [Ihn] gebe [der graue Geck nur, damit die
   Kalte] Glieder du ihm wärmest im [seidenen] Schooß. *Re*

Sei du [dem] Knaben [indeß] nicht [allzu schwierig, ermahn' ich!
Finstere Thaten verfolgt Cypris] mit rächendem Zorn.
Lohn auch fodere [nie!] Lohn gebe der [buhlende] Graukopf,
    Daß du im schwellenden Schooß [frostige] Glieder [erwärmst.] *Vo³*
[Auch] du, Pholoë, sey [dem reitzenden] Knaben nicht spröde;
    Stolz und Härte [bestraft] Venus mit rächendem Zorn.
Fordre [Geschenk'] auch [nie; sie] gebe [der buhlende Greis dir,]
    Daß du [mit] schwellender [Brust starrende] Glieder [erwärmst.] *Str*

31–34: [Wünschenswerther] als Gold ist der Jüngling [von glänzender] glatter,
    [Wange, deß rauher] Bart nicht [in Umarmungen sticht.
Solche Lenden umfasse dein] blendender Arm – und auf [aller]
    Könige [stolze Pracht schau dann] verächtlich herab. *Re*
[Theuerer] ist [ein] Jüngling [denn] Gold, [wenn] glatt [ihm das] Antliz
    [Stralt, und] umarmende nicht [reibet ein] stachlichter Bart.
[Diesem umschlinge du gern mit] blendendem Arme die Schulter;
    Und auf [der Mächtigen Schaz] blicke verächtlich [hinab.] *Vo³*
[Theurer] als Gold ist der Jüngling, mit glatter, [noch] blühender [Wange,
    Welcher] mit stachlichem Bart, [wenn er] umarmt, nicht verletzt.
[Diesem,] o Mädchen, nur [schmieg] den blendenden Arm um [den
                                      Nacken,]
    Und auf der Könige Gold blicke [verachtend] herab. *Str*

35–38: Venus [zeigt dir den Weg,] dich [seiner Liebe zu freuen;
    Und an deinem wird dann pochen sein männliches Herz.
Süsser] athmend [werdet] ihr [wechseln] mit kämpfenden Zungen
    Feuchte Küsse, der Zahn [zeichnen mit Malen] den Hals! *Re*
Rath [wird] Venus [ersehn,] dich geheim zu ergeben dem Jüngling,
    [Daß ihm, der blüht, du selbst jugendlich fügest] die Brust,
[Daß] du dem athmenden Küsse, [von] kämpfenden Zungen [gefeuchtet,
    Darreichst, daß du am] Hals [Male] des Zahnes ihm [prägst.] *Vo³*
[Lehren wird Venus dich selbst, ungestraft erliegen dem Knaben,
    Während] er [glüht und] die Brust fester und fester dir preßt;
[Lehren,] mit kämpfender Zunge dem schwerer Athmenden feuchte
    Küsse [spenden,] und ihm [zeichnen mit Mahlen] den Hals. *Str*

39–42: Perlen und [Steine sind] d e r nicht [Ersatz,] die [allein in der Kälte
    Schlafen muß, und nicht mehr Männerbegierden entflammt.]
Ach zu spät, wenn [grauendes] Alter [die Wange verhäßlicht,]
    Ruft man die Liebe, zu spät ruft man die Jugend zurück. *Re*
Nicht [kann] Perl' und Juwele sie freun, die das einsame Lager
    Hütet im [Frost,] der [nicht irgend] ein Mann [noch begehrt.]

Ach! zu spät [wird Amor,] zu spät [noch] gerufen die Jugend,
  [Hat] das [veraltete] Haupt [winternde Gräue gefärbt.] *Vo*³
[Jener nicht helfen Gestein und Perlen,] die einsam im Winter
  [Schläft, und den] Männern [nicht mehr süße Begierden erregt.]
Ach, [wir] rufen zu spät zurück die Lieb' [und] die Jugend,
  Wenn das [veraltete] Haupt bleichendes Alter [uns färbt.] *Str*

43–46: Dann erkünstelt man Reitz; [die grüne] Schale [von] Nüssen
  Färbt [dann schwärzer, daß es hehle] die Jahre, das Haar.
[Jedes weisse keimende] Härchen entwurzelt [man mühsam;
  Jagt die Runzeln hinweg,] schaft sich [ein] neues Gesicht. *Re*
Dann [hebt Fleiß die Gestalt: dann fälscht] man, [daß es Bejahrung
  Hehle,] das Haar mit der Nuß grünender Schale sich braun;
[Jegliches weiße Gesproß] wird [dann sorgfältig] entwurzelt,
  Und, [ablegend] die Haut, [wieder erneut] das Gesicht. *Vo*³
Dann erkünstelt man Reitz, und färbt, zu [verbergen] die Jahre,
  [Dann] mit [der] Schale der Nuß [silberne] Haare sich [schwarz.]
Sorgsam entwurzelt [man dann ein jegliches greisendes] Härchen,
  Und durch Wechsel der Haut schafft man sich neu das Gesicht – *Str*

47–50: Aber [Mädchen, so lang] die [erste] Jugend [dir blühet,
  Brauche] sie: Nicht langsam [schwebet] ihr [Fußtritt dahin.]
Quäle Marathus nicht! Ists Ruhm, [wenn du über den] Knaben
  [Siegst?] Dem veralteten Greis [magst unerbittlich du seyn.] *Re*
[Doch] du, [weil dir] eben die frischeste Jugend [erblüht ist,
  Brauche] sie; nicht langsam [schlüpfet] von dannen ihr Fuß.
Quäle den Marathus nicht! [Was] Ruhms [in des] Knaben [Besiegung?]
  An dem veralteten Greis' übe [du,] Mädchen, den Troz! *Vo*³
Aber [so lange der Lenz des jüngeren Lebens noch blühet,]
  Nütz' [auch] seiner; [er eilt flüchtigen] Fußes [hinweg.]
Quäl' [auch] den Marathus nicht. Ist Knaben besiegen [ein] Ruhm [wohl?
  Gegen den alternden] Greis, Mädchen, [sey immerhin hart.] *Str*

51–54: Schone des [Zärtlichen du!] Nicht [schwere] Krankheit [entstellt ihn;
  Seine Wangen hat ihm] heftige Liebe [gebleicht.
Ja] der Arme! wie oft verfolgt' er mit [traurigen] Klagen,
  [Auch] entfernt, [dich!] Wie oft [war er von] Thränen [durchnetzt!] *Re*
Schone des zarten, [o du! Kein heimliches Übel verzehrt ihn;
  Nur zu] heftige Lieb' [hat ihn mit Gilbe gebleicht.
Dir abwesenden, ach!] wie [betrübt wehklaget] der Arme
  Oft [dir nach! und] wie [voll strömet ihm Thränenerguß!] *Vo*³

Schone des Zarten, ich fleh' [es, ihn zehret] nicht [schreckliche] Krankheit;
   [Sondern es hat das Gesicht] heftige Lieb' [ihm gebleicht.]
Wie verfolgte [so] oft die [ferne] Geliebte mit [herben]
   Klagen der Arme! Wie oft [war er von] Thränen [benetzt!] *Str*

55–60: »[Was] verachtet sie mich? Sie konnte [die Wächter betrügen;
   Gab den Verliebten ja] selbst Amor, [zu täuschen, die List!
Und] ich kenne [verstohlene Liebe;] leiser [zu] ziehn den
   Athem, und [ohne Geräusch] weiß [ich zu setzen den Fuß.
Sey es Mitternacht auch, so schleich' ich zu ihr] mich: [Die Thüre
   Will ich öffnen; doch soll knarren im Angel sie nicht.] *Re*
»[Was] mich [verschmähn? seufzt jener: besiegt doch] konnte [die Hut sein!
   Macht zu belisten ja gab] Liebenden selber [der Gott.
Wohl sind] Schliche [der] Venus [mir kund:] wie man leiseren Athem
   [Anhält,] und [wie] der Kuß [ohne Geräusch wird] geraubt.
[Ja, ich könnt' auch im] Dunkel der Nacht [einstehlen den Fußtritt,
   Und ohn' einigen Laut öfnen der Thüre das Schloß.] *Vo³*
»Warum verachtet sie mich? Sie konnte die Hüter gewinnen,«
   Sprach er, »es lehrt den Betrug Amor die Liebenden selbst.
[Heimliche Lieb' ist mir kund, ich] weiß, wie man leise den Athem
   Ziehet, und [ohne Geräusch zärtliche] Küsse [sich] raubt.
Weiß [in der Mitte] der Nacht [verstohlen zu Mädchen zu schleichen;]
   Kann [auch ohne Geknarr] heimlich eröffnen [die Thür.] *Str*

61–66: Aber was helfen [mir Ränke,] wenn [sie mich Armen verachtet;]
   Wenn [herunter] vom Bett [selber die Grausame flieht?]
Oder wenn sie verspricht, und [treulos plötzlich mich täuschet –
   Ach! dann in zehnfacher Qual muß ich durchwachen] die Nacht!
[Oft] dann wähn' ich, sie komme [zu mir – und was sich beweget –]
   Nun [erscheinet sie mir, ruf' ich; nun] rauschet [ihr] Fuß!« *Re*
[Armer!] was hilft [mir die Kunst,] wenn [den] Liebenden [jene verachtet,
   Und] von [dem Polster] sogar [grausam das Mädchen entflieht?]
Oder wenn [jene] verspricht, doch [sogleich wortbrüchig betrieget;]
   Wehe! [wie säumt schlaflos unter] Verdruß [mir] die Nacht!
[Während der] kommenden [Bild] mir [vorschwebt; was sich auch reget,
   Sie dann, glaub' ich, ja sie] habe gerauscht [mit] dem Fuß.« – *Vo³*
Aber was hilft [mir die Kunst,] wenn [das Mädchen den armen Verliebten
   Hasset, und selbst aus dem] Bett seiner Umarmung [entflieht?]
Oder auch, wenn sie verspricht, und [dennoch,] die Falsche, [betrieget?
   Ach, dann muß ich] die Nacht wachen in [schrecklicher Qual!]

Immer dann bild' ich mir ein, sie komme; bey [jeglichem Schalle
   Glaub' ich,] es habe der Fuß meiner Geliebten gerauscht.« – *Str*

67–70: Knabe! [weine nicht mehr! Sie läßt sich nicht beugen! Von Thränen
   Aufgeschwollen ist dein mattes] Auge [ja] schon!

[Haß] der Götter [verfolgt die Spröden!] Dich, Pholoe, warn' ich –
   Weihrauch [sühnt sie dann nicht, den zum Altare du bringst.] *Re*

[Nicht mehr wein',] o Knabe, [hinfort! Unerweichlich ist jene;
   Und von Thränen erstarrt] schwillet das Auge dir schon.

Pholoe, [sei mir] gewarnt, [Unsterbliche] hassen Verachtung;
   [Und nichts frommt] Weihrauch, [heiliger Flamme] gestreut. *Vo³*

– Laß [das Weinen,] o Knabe, du [wirst das Mädchen nicht] rühren,
   Müde von Weinen, ach, schwillt, Armer, das Auge dir schon. –

[Höre mein] Warnen! [den Stolz, o] Pholoë, hassen die Götter;
   Weihrauch [nützet dann nicht, heiligen] Herden gestreut. *Str*

71–74: [Also] spottete Marathus [einst] der Verliebten, [und wußte]
   Nicht, daß ein rächender Gott hinter dem [Nacken] ihm stand.

Oft [auch,] sagt man, [hab' er verlacht der Trauernden Zähre,]
   Und [mit] verstelltem Verzug [ihre Begierden geäfft.] *Re*

[Einst hat Marathus selber gescherzt mit liebender Sehnsucht,
   Ohne Bewußt, rachvoll] hinter ihm [wandle der] Gott.

[Oftmals] Thränen [auch,] sagt man, [des Traurenden, hab' er verspottet,
   Und mit des Trugs Aufschub falsch die Begierde gesäumt.] *Vo³*

So hat Marathus jüngst der Verliebten gespottet, nicht [wissend,]
   Daß ein rächender Gott hinter dem Rücken ihm stand.

[Oft schon hat er] – so sagt man – gelachet [der] Thränen [des Armen,]
   Und [mit] verstelltem Verzug Schmachtende öfter geneckt. *Str*

75–78: [Aber nun haßt er jeglichen] Stolz, verwünschet [die] Thüren,
   [Wo das bevestigte Schloß] ihm entgegen [sich stemmt.

Aber] dein [warten noch Strafen, wo nicht du den Übermuth ablegst:]
   Diese Tage, sie rufst du [mit Gelübden] zurück. *Re*

[Nun ist verhaßt] ihm alles [Gezier, nun regt ihm den Unmut
   Jegliche Pforte, die streng' irgend im Schlosse sich sperrt.

Doch] dein harret [die Strafe! Wo nicht du, Stolze, noch umkehrst,
   Gern mit Gelübden einmal] rufst du [die] Tage zurück! *Vo³*

Jetzt [ist jeglicher] Stolz ihm [verhaßt,] er verwünschet [die] Thüren,
   [Welche so] grausam [ein Schloß seinen Begierden verschließt.]

Dein harrt [Strafe gewiß,] wenn [spröde zu seyn du nicht aufhörst.]
   Tage, wie diese, [wird oft flehen] zurück [dein Gebeth!] *Str*

CERINTHUS UND SULPICIA

Bei der Vorbemerkung zu dem Zyklus benutzt Mörike die Quelle Vo³.

Hinweise zur Quellenbenutzung

271 Cerinthus *bis* Poesie] Cerinthus, ein reicher Jüngling von griechischer Her-kunft, gewann Tibulls Freundschaft, und die Liebe der schönen Sulpicia, die, [aus] einer der vornehmsten Familien Roms [gebürtig,] näheren Umgang mit Mes-sala und Tibull hatte. Gesezliche Vereinigung war der Wunsch beider Liebenden. Ob aber die Eltern der Sulpicia einwilligen würden, schien zweifelhaft, weil dem Cerinthus bei aller Liebenswürdigkeit der Adel römischer Geburt fehlte. [Die reizenden Verhältnisse der keuschen Liebe, von geheimer Vertraulichkeit bis nach der Verlobung, sind in den meisten der folgenden] Gedichte, den zartesten [der römischen Kamöne, dargestellt. Ihnen gab der] Dichter [die Form flüchtiger] Briefchen [von sich selbst und den Liebenden, indem er zu den Episteln der] Sulpicia den Stof aus ihren [dem] Cerinthus gesandten [Täflein] nahm. [...] *Vo³ (aus den »Anmerkungen« zu »Epistel« I). Voß setzt sich in seiner Vorrede ausführlich mit der Meinung einiger Philologen auseinander, es handele sich bei Sulpicia um eine dichtende Dame der römischen Gesellschaft. Mörike faßt in den beiden Schlußsätzen sei-ner Vorbemerkung zu dem Zyklus die umfangreiche Darstellung von Voß und seine eigene, darauf gründende Meinung so knapp zusammen, daß die Benutzung der Quelle an dieser Stelle fast nicht mehr in der Übernahme des Wortbestands nachgewiesen wer-den kann. Die wichtigsten Passagen der Quelle Vo³ werden trotzdem in dem gebotenen Umfange wiedergegeben, weil nur auf diese Weise Mörikes Abhängigkeit deutlich wird:* [... Sie wollten anderswohin, diese Kritiker, und mochten sich nach den stören-den Zeugnissen nicht umsehn. Brouckhuysen wünschte dem beweislosen Einfalle Caspar Barths ohne Beweis Glauben zu erschleichen: jenes seien Gedichte der unter Domitian berühmt gewordenen Sulpicia; nur das, in welchem Tibull sich genannt, müsse dem dritten Buche der tibullischen Elegieen, wofür er die des Lygdamus hielt, angehängt werden. Dem anderen, nachdem Volpi die Nich-tigkeit solches Wunsches gezeigt hatte, schien es doch immer hübsch, wenn für die honigsüßesten Gedichtchen des römischen Alterthums eine römische Saffo zu gewinnen wäre. Sei denn die bekannte Dichterin Sulpicia zu spät in die Welt gekommen, um des von Tibull besungenen Cerinthus Geliebte zu sein; so hindere ja nichts anzunehmen, daß eine Sulpicia des augustischen Zeitalters die in ihrem Namen geschriebenen Gedichtchen selber verfertigt habe, und die paar übrigen von verschiedenen wizigen und vornehmen Herren herrühren ... In der That, hätte unter Augustus ein schönes Mädchen vom edlen Stamme

der Sulpicier durch so vortrefliche Gedichte sich hervorgethan; der Ruhm sol-
cher, den Römern ungewöhnlichen Erscheinung wäre von Zeitgenossen und Nachkommen mit dem eifrigsten Lobe bezeugt worden. ... Wie konnte der galante
Ovid stumm sein von dieser pierischen Nachtigall? ... Hinderlich also wäre der
Annahme einer früheren Sulpicia nichts? Vielmehr alles! Auf nichts, auch nicht
Scheinbares einmal, gründet sich die flatternde Vermutung, die der leichtsinnige
Kritiker für so glaubwürdig gab, daß er keck die Gedichtchen, Sulpiciae et
aliorum elegidia, überschrieb. Oder wollen wir dies Trachten nach einer Dichterin entschuldigen mit dem mädchenhaften Tone, der in diesen Gedichten
herrscht? Wer wollte nicht gern? Hätte der Kritiker nur irgend ein Gefühl, nur
eine Ahnung davon geäußert! Hätte er wenigstens nur verhehlt, daß in den
Gedichten, die seinem Geschmacke die honigsüßesten und anmutigsten des ganzen römischen Alterthums sind, die Stimme der zärtlichen Sulpicia, z.B. in der
sechsten Epistel, ihm gelautet habe, wie – einer schamlosen Buhlerin! Wir anderen haben ihn anmutiger gehört, den mädchenhaften, einem Manne kaum nach-
ahmbaren Ton jener, wie aus dem Herzen der edel liebenden Jungfrau, der
feurigen Braut, geschriebenen Episteln. Dieser Ton, diese warme, der wirklichen
Natur abgeborgte, umständliche Darstellung, scheint allerdings den mitwirken-
den Geist der Sulpicia zu verrathen. Bei näherer Untersuchung erhellt deutlich,
daß Tibull die] geistreiche [Geliebte seines Freundes ganz nach dem Leben ge-
malt, und ihre in abwechselnden Verhältnissen des kleinen Romans geäußerten
Empfindungen aus eigenhändigen Liebesbriefchen entlehnt habe.] Den Stof nahm
[der] Dichter [von dem Mädchen, das, unsträflicher Liebe sich bewußt, mit Feuer
und Beharrlichkeit auf ewige Verbindung drang; er selbst, durch Auswahl des Be-
deutenden, durch zweckmäßige Anordnung, durch gediegenen Ausdruck des
Wortes und der Versmelodie, bildete ihn zu Kunstwerken, die würdig der he-
fästischen Charis sind. ...] *Vo³ (aus der »Vorrede«)*

I

Bei der Vorbemerkung benutzt Mörike die Quelle Vo³.

Hinweise zur Quellenbenutzung

271 Sulpicia *bis* geheim] Sulpicia meldet durch einen Vertrauten dem noch
[heimlich verbundenen Cerinthus,] mit welchen Empfindungen sie seinen Ge-
burtstag in der Stille feire. [Sie erfleht ihm, wenn er es redlich meint, von dem
Genius Erfüllung seiner Wünsche, und von der Venus sich beiden unauflösliche
Vereinigung.] *Vo³*

Benutzte Textvorlagen: Re, Vo³, Str

BEARBEITUNGSANALYSE

Überschrift: [Viertes Gedicht] *Re* [IV. Sulpicia an Cerinthus] *darunter* [Zu dessen Geburtstage] *Vo³* [Das vierte Gedicht] *Str*

1–4:   Der dich, Cerinthus, mir gab, [der] Tag soll immer mir heilig,
    [Unter den] festlichen mir [immer der festlichste] seyn!
[Da] du gebohren wardst, [prophezeyten] die Parzen den Mädchen
    Neue Fesseln: Dir ward [prächtige Herrschaft zu Theil.] *Re*
Dieser Tag, o Cerinthus, der dich mir [schenkte, geheiligt]
    Sei er mir [stets, und geehrt unter den Festen des Jahrs.]
Als dich die Mutter gebar, weissagten die Parcen den [Mägdlein]
    Neuen [Frohn, und verliehn dir unumschränkte Gewalt.] *Vo³*
[Jener] Tag, der, Cerinth, mir Dich gab, [ewig wird] heilig,
    [Ewig wird] er ein Tag festlicher Freude mir seyn.
Als gebohren du wardst, [da sangen] die Parzen den Mädchen
    Neue Fesseln, und Du wurdest zum Herrscher bestimmt. *Str*

5–8:   [Und] Ich brenne vor allen – [O] gerne [duld' ich die Flamme,
    Lodert im Busen ein Theil nur von der meinigen dir!
Gegenliebe – sie] fleh' ich bey deinen Augen, bey jenen
    Heimlichen [Freuden,] und beym Genius, welcher dich schützt. *Re*
[Doch] Ich brenne vor allen; [mit Lust auch] brenn' ich, Cerinthus,
    Wenn [der meinigen gleich] innige Glut dich [entflammt.
Gleich sei die] Lieb'! ich flehe bei deinen Augen, [o Jüngling,]
    Bei [der verstohlenen] Wonn', und bei [des] Genius [Macht!] *Vo³*
[Mehr als] alle, [Cerinth, glüh' ich, und Wonn' ist die] Gluth [mir,
    Lodern in deiner Brust ähnliche Flammen für mich.
Lieb' mich wieder!] Ich fleh' [es] bey deinen Augen, [dem süßen]
    Heimlichen [Liebesgenuß,] bey dem dich schützenden [Geist.] *Str*

9. 10:   Nimm die Gaben [doch] an, [und] erfülle die Wünsche [du, grosser
    Genius – wenn nur Er, denket er] meiner, [entglüht.] *Re*
Herlicher Gott, nim [freundlich] die Gab', [und hold das Gelübd'] an,
    Wenn [ja, so oft er an] mich [denket, das] Herz [ihm erglüht.] *Vo³*
[Mächtiger Schutzgeist, nimm die Geschenk', und] erfülle die Wünsche:
    Aber des Jünglings Herz glühe, wenn mein er gedenkt. *Str*

11. 12:   [Aber athmet er hin] vielleicht nach anderer Liebe,
    Heiliger! dann verlaß, [bitt' ich, den treulosen Heerd.] *Re*
[So er] vielleicht schon jezo nach anderer Liebe [sich sehnet,]
    Dann, [o du] heiliger, [fleuch, bet' ich, den trüglichen Heerd!] *Vo³*
[Sehnet er] jetzo vielleicht [sich] schon nach anderer Liebe,
    Ha, dann fleh' ich, verlaß, Heil'ger, [des Triegenden Herd!] *Str*

357

13. 14: Du auch, Cypria! sey [nicht ungerecht! Gib du in deinem
Dienste die] Fesseln [uns] gleich, [oder erleichtre sie] mir. *Re*
Du auch, Cypria, [halt auf Gerechtigkeit!] Gleich [in der] Fessel
[Nöthige beide zum Dienst, oder entfessele] mich! *Vo³*
Sey mir [nicht ungerecht, o Venus;] entweder er trage
Fesseln [der Liebe, wie ich, oder entfess'le] mich [auch.] *Str*

15. 16: Laß ein mächtiges Band [auf ewig] uns beyde vereinen,
Das [kein künftiger Tag] löse [mit eisernem Arm. –] *Re*
[Aber vielmehr sein] beid' [in] mächtiger [Kette vereinigt,
Die zu] lösen [hinfort keiner der Tage vermag!] *Vo³*
[Doch,] ein mächtiges Band laß [lieber] uns beyde vereinen,
[Welches die Dauer der Zeit] nimmer [zu] lösen [vermag. –] *Str*

17. 18: Ja! dieß wünscht mein Jüngling sich auch, nur heimlicher wünscht ers;
Nur nicht offen gestehn will der Verschämte [den Wunsch.] *Re*
[Einerlei] wünscht [der] Jüngling [mit uns, doch verschlossener] wünscht er;
[Denn nicht läßt ihn dies Wort öffentlich sagen die Scheu.] *Vo³*
[Eben so] wünscht [der Geliebte wie ich; doch,] heimlicher wünscht er,
[Weil er den zärtlichen Wunsch laut zu bekennen sich schämt.] *Str*

19. 20: Bist ja ein Gott, Natalis, und weiß'st das alles: Gewähr's ihm,
[Mag er sichs öffentlich nun oder nur heimlich erflehn.] *Re*
[Auf denn, o] Gott [der Geburt! da du Himmlischer] alles [erkennest,
Segne! was macht es,] er fleh' [öffentlich, oder geheim?] *Vo³*
[Du,] Natalis, [erfüll das Gebet, da du] alles, ein Gott, weißt;
Ist es nicht gleich, ob er laut, [oder] ob [heimlich] er fleht? *Str*

II

Bei der Vorbemerkung benutzt Mörike die Quelle Vo³.

Hinweise zur Quellenbenutzung

273 Sulpicia *bis* drückte] Sulpicia empfängt an ihrem Geburtstage [im Herbst
(Epist. 7)] glückwünschende Besuche mit Geschenken. [Unter den Verehrern]
erscheint auch, als Freund des Hauses, der heimlich begünstigte Cerinthus, [v. 6,
mit einer, für seinen Reichthum bescheidenen Gabe, die nicht, wie die spätere
(Epist. 1, 15–20), genannt wird.] Indem Tibull, der Vertraute des Geheimnisses,
sein Geschenk überreicht, drückt [er] dem Mädchen [diesen gewiß willkomme-
nen] Glückwunsch in die Hand. *Vo³*

Benutzte Textvorlagen: Re, Vo³, Str

BEARBEITUNGSANALYSE

Überschrift: [Fünftes Gedicht] *Re* [V. Tibull an Sulpicia] *darunter* [Zum Geburts-
tage] *Vo³* [Das fünfte Gedicht] *Str*

1.2: Juno, [Geburttagsgöttinn!] Empfang des heiligen Weyhrauchs
Opfer! Mit holder Hand [weiht es die Sängerinn dir!] *Re*
Juno, Geburtsgöttin, [nim] heilige [Ehre] des Weihrauchs,
[Den dir] mit [niedlicher] Hand streuet [das Mädchen voll Geist!] *Vo³*
[Du des Geburtstags Schutz,] empfang, [o] Juno, den Weihrauch,
[Welchen die Dichterinn Dir] streuet mit [zärtlicher] Hand. *Str*

3.4: Ganz ist heute sie dein: [Dir hat] sie [sich festlicher heute,
Daß sie] vor deinem Altar [prächtig erscheine, geschmückt.] *Re*
Ganz [dir lebet sie] heut; [dir] lockte [sich fröhlich das Mägdlein,]
Um vor deinem Altar [werth der Betrachtung zu stehn.] *Vo³*
Ganz ist heute sie dein; [dir schmückte] sie [festlich die Locken,
Daß sie] vor deinem Altar [steh' in bewundertem Reitz.] *Str*

5–8: [Daß sie also sich schmückt, bist du zwar, Göttinn, ihr Vorwand,
Doch] ist jemand, [den noch heimlich] zu [rühren] sie wünscht.
[Aber, Himmlische, gib,] daß [die Nacht nicht] die Liebende trenne:
[Mit dem nämlichen] Band feßle den Jüngling [du auch.] *Re*
[Zwar dich will sie dem] Schmucke [zum Vorwand geben, o Göttin,
Doch] ist [wer,] dem [geheim wohlzugefallen] sie wünscht.
[Aber,] o [Hehre,] sei hold, daß nichts die Liebenden trenne!
[Schaffe dem] Jünglinge [doch] Bande [gewechselter Treu!] *Vo³*
[Himmlische, zwar bist du, sich zu schmücken, dem Mädchen der Vor-
wand;]
Aber [sie möchte doch gern heimlich] noch jemand gefall'n.
Du sey, Göttinn, [ihr] hold, daß [die Nacht nicht] die Liebenden trenne;
[Aber dasselbige] Band fess'le den Jüngling und sie. *Str*

9.10: [So vereinest du dann zwo glückliche Seelen: Denn] seiner
[Ist kein] Mädchen, [und kein] Jüngling ist ihrer so werth. *Re*
[So wohl füge das Paar, als ihm kein anderes Mägdlein
Werther der Gunst, noch] ihr werther ist [irgend ein Mann.] *Vo³*
[So sind Beyde gerecht vereint; kein] Mädchen [ist] seiner
[Werther als sie; kein Mann] werther [des Mädchens als er.] *Str*

11.12: [Und] kein Hüter [ertappe die Liebedürstenden: Täuschen]
Lehre Kupido sie, [mit tausendgestaltiger] List. *Re*
[Mög'] auch [die sehnenden nie wachsam ausspähen ein] Hüter;
[Wege zu Teuschungen biet' Amor bei tausenden dar.] *Vo³*

[Nimmer] auch [müsse das liebende Paar ein] Hüter [ertappen!]
Tausendfachen [Betrug] lehre [die Zärtlichkeit] sie. *Str*

13. 14: Wink' Erfüllung, und komm im [glänzenden Purpurgewande:]
Keusche! Wir opfern des Mehls dreymal [dir,] dreymal des Weins. *Re*
Winke [geneigt,] und komm, [das] Gewand [durchscheinend des] Purpurs!
Dreimal opfert [sie dir Fladen, o Göttin,] und Wein. *Vo³*
[Beyfall] wink, und [erschein mit strahlendem Purpurgewande.]
Dreymal opfern wir Mehl, dreymal [dir, Züchtige, Most.] *Str*

15. 16: [Sieh, ihr gebeut,] was sie [wünschen] soll, die [sorgsame] Mutter:
Aber ein anderer [Wunsch hebt die verschwiegene Brust.] *Re*
Eiferig lehrt die Mutter das Töchterchen, was sie erflehn soll:
[Heimlich] ein anderes wünscht [jene mit] stillem [Gebet.] *Vo³*
[Sorgend] lehrt die Mutter dem Töchterchen [fromme Gebete;]
Andere [Wünsche verbirgt] aber [die schweigende Brust:] *Str*

17. 18: Ach! sie brennt, wie [auf] dem Altar [hier] die [flüchtige] Flamme,
[Und] genesen will, auch [wenn sie es könnte,] sie [nicht.] *Re*
Ach sie [flammt, so] wie [rege der Brand] des Altares [emporflammt;
Nie] auch, [könnte sie gleich, mag] sie genesen der Glut. *Vo³*
[Gleich der lodernden] Flamm' [auf] dem Altar brennet [das Mädchen,
Welches, und könnt' es dieß gleich, dennoch] genesen nicht will. *Str*

19. 20: [Also müsse, nicht neu mehr alsdann, sie feyern die Liebe,
Theuer dem Jüngling, wie ihr, kommt nun das folgende] Jahr! *Re*
[Sei sie dem Jünglinge lieb; und erscheint der folgende Jahrstag,
Nahe der selbige] schon trauliche Amor [dem Flehn!] *Vo³*
[Komme das folgende] Jahr, [so finde] noch [schön] sie [der Jüngling,
Eben die Liebe] wie [jetzt, älter nur, fühl' er für sie.] *Str*

III

Für die Vorbemerkung ist die Benutzung einer Quelle nicht nachgewiesen.

Benutzte Textvorlagen: Re, Vo³, Str

BEARBEITUNGSANALYSE

Überschrift: [Zehntes Gedicht] *Re* [X. Sulpicia an Cerinthus] *darunter* [In der
Krankheit] *Vo³* [Das zehnte Gedicht] *Str*
1–6: [Ängstet] um deine [Geliebte,] Cerinth! [dich zärtliche] Sorge,
[Nun mir fiebrische Glut zerrt am ermattenden Leib!
Auszuhalten] ach! [wünscht' ich] nur dann [die traurige Krankheit,]
Dürft' [ich hoffen, es sey meine Genesung dein] Wunsch!

Denn was [frommte] mirs, [auszuhalten die Krankheit, indessen

    Du gleichgültig und kalt dächtest an meine Gefahr?] *Re*

[Hast du gewiß,] Cerinthus, auch herzliche Sorg' um dein [Mägdlein,

    Weil den ermatteten Leib brennendes Fieber mir quält?]

Ach [sonst nimmer] verlang' [ich die traurige Qual zu besiegen,

    Als] wenn [glauben ich] darf, [dir auch sei solches erwünscht!]

Denn was [frommte] mir [wohl, die Qual zu besiegen,] wofern du

    [Mit gleichgültiger Seel' unsere] Leiden [erträgst?] *Vo³*

[Hegst du für deine Geliebte, Cerinth, nicht zärtliche Sorgfalt,]

    Während [mir] Fiebergluth wüthet im matten Gebein?

Ach, dann [wünsch' ich mir] nur, [zu besiegen die schreckliche Krankheit,

    Wann ich wüßte, daß dieß wäre, Geliebter, dein] Wunsch.

Denn was [hülf' es] mir [wohl, zu besiegen die Krankheit, wenn] meine

    Leiden [mit lauerer Brust Du zu ertragen vermagst?] *Str*

IV

(Vgl. »Nachträge« S. 569)

Bei der Vorbemerkung benutzt Mörike die Quelle Vo³.

HINWEISE ZUR QUELLENBENUTZUNG

275 Sulpicia *bis* Geheimhalten] [Die beiden Liebenden … hatten in] einer [der heimlichen] Zusammenkünfte [… bei den Hindernissen ihrer Verehlichung sich ausdauernde Treue gelobt. Die edle] Sulpicia, [stolz auf] den Geliebten und [sich,] verschmäht alles fernere Geheimhalten; [selbst ihre Briefchen an ihn sollen, wie das gegenwärtige, öffentlich und ohne Siegel gehn. …] *Vo³*

Benutzte Textvorlagen: Re, Vo³, Str

BEARBEITUNGSANALYSE

Überschrift: [Sechstes Gedicht] *Re* [VI. Sulpicia an Cerinthus] *darunter* [Nach einer Zusammenkunft] *Vo³* [Das sechste Gedicht] *Str*

1–4: Endlich erschien [die Liebe. Von ihrer Wonne zu] schamhaft

    [Schweigen, als sie gestehn, wäre mir weniger Ruhm –]

Citherea [sandte sie] mir, erbeten von meinen

    [Liedern,] und [senkte sie] mir [tief in] die hüpfende Brust. *Re*

Endlich [kam] mir [ein] Amor, [so hold, daß,] ihn [blöde verhüllen,

    Weniger, als ihn nackt zeigen, mir wäre zum Ruhm.]

Ihn [hat Cypria] selbst, [die Erhörerin meiner Kamönen,
   Hergebracht,] und mir [sanft niedergesezt in den Schooß.] *Vo³*
Endlich [doch ward] mir [der Liebe Genuß; aus Scham dieß zu hehlen
   Brächte mir weniger Ruhm, als zu verkünden das] Glück.
Cytherea [erweicht durch meine Gesänge, hat selber]
   Mir [den Jüngling] gebracht, mir an [den Busen] gelegt. *Str*
5–10: Venus hat die Verheissung erfüllt – und [schildre] nun [immer]
   Meine [Vergnügungen,] wer – [nie noch ein Mädchen umarmt.]
Nicht versiegelter Schrift will ichs vertrauen: Sie sollens
   Alle lesen, und selbst [eher] es lesen, [dann] Er.
[Solches] Vergehn ist [Himmel! Ich sollt' um den Leumund die Mine
   Künsteln? War ich doch werth dessen, der meiner es] war. *Re*
[Wohl ist] erfüllt, [was] Venus [verhieß! Rüg' unsere Freuden,
   Welchem man nachsagt, nicht hab' er] ein Liebchen gehabt!
[Niemals möcht'] ich [geheim etwas den] versiegelten [Täflein,
   Daß ja keiner mich] läs', [eh mein Geliebter,] vertraun.
[Nein, das] Vergehen [behagt! Dem Gerücht mich verstellen ist widrig!]
   Sage man, daß ich bei ihm, würdig des würdigen, war! *Vo³*
[Jetzt] hat Venus erfüllt [ihr Versprechen; es mag] nun [erzählen]
   Meine [Wonne,] wer [nie seiner Geliebten genoß.
Was ich empfand, das] will ich ve r s ie ge l t e r Schrift nicht vertrauen,
   [Daß sie keiner vorher] les' [eh der Meine sie laß.
Wonn'] ist [solch] ein Vergehn; [sich des Rufes wegen verstellen,
   Haß' ich; da Jeglicher spricht: werth war] des Würdigen [sie.] *Str*

V

(Vgl. »Nachträge« S. 569)

Bei der Vorbemerkung benutzt Mörike die Quelle Vo³.

Hinweise zur Quellenbenutzung

276 Cerinthus *bis* zurückbleibt] Cerinthus, erklärter Bräutigam [der] Sulpicia,
ist im Herbst auf dem Landgute [des] Servius Sulpicius mit anderen Gästen zu
Besuch: [… An diesem Tage] hat der Wirt die Gesellschaft auf die Jagd geführt.
[Gern hätte das Töchterchen ihren Geliebten in die Bergwaldungen begleitet,
und als untrennbare Gefährtin sich dem gutmütigen Hohne der Mitjagenden
ausgesetzt. Daß er auf das baldeste, noch vor dem Vater, zu seinem harrenden

Mädchen in die Villa zurückkehre, bittet sie in dem nachgesandten Briefchen,
woraus Tibull dies süße Gedicht bildete.] *Vo³*

Benutzte Textvorlagen: Re, Vo³, Str

BEARBEITUNGSANALYSE

Überschrift: [Zweytes Gedicht] *Re* [II. Sulpicia an Cerinthus] *darunter* [Als dieser
auf der Jagd war] *Vo³* [Das zweite Gedicht] *Str*

1–4: Schone meines [Geliebten, du] Eber, der du des Thales
    [Fette] Weyden bewohnst, oder [den] schattichten [Berg.]
Schärfe [sie] nicht zum [schröcklichen Kampf die grausame Zähne:
Unverletzt] bringe mir ihn Amor sein Hüter zurück! *Re*
Schone mir meinen Cerinth, [ob] du üppige Weiden [des Blachfelds,
    Ob du des Schattengebirgs Wilderung,] Eber, bewohnst.
[Nicht sei bemüht, so zu wezen] die [trozigen] Hauer zum Angrif;
    [Ganz unbeschädiget] bring' Amor, sein Hüter, ihn [heim!] *Vo³*
Schone [des Jünglings,] Eber, der [graus] du [die] Weiden [der Fluren,]
    Oder [des] schattigen [Bergs öde Gehölze] bewohnst.
[Gegen] ihn [mußt] du zum [Kampf] die [schrecklichen] Hauer nicht
                                              [wetzen;
Unverletzet erhalt'] Amor, [der Schützer,] ihn mir. – *Str*

5–10: Weit [von hinnen] entführte [mir ihn] Diana [und] Jagdlust!
    [Dorrten] die Wälder [doch, und träfe] die Hunde [doch Pest!]
Ach! der sinnlosen Lust,] mit [dem] Garn [umzingeln der Wälder
Dickigt,] und sich mit Lust ritzen die zärtliche Hand!
[Oder ists Wonne,] die [Hölen] des Wilds durchkriechen, [den weissen
    Schenkel] am [dornigten Strauch zeichnen] mit blutigem Mal? *Re*
[Doch fern führt ihn] Diana [hinweg] durch eifrige Jagdlust!
    [Ha, es verderbe der Forst! schwinde] der Hunde [Geschlecht!]
Welch [ein Gedanke der Wut, dichtbuschige Thale mit Fanggarn
Schließend, verlezen sich selbst wollen] die zärtliche Hand?
Was [denn] für [Lust, einschleichen zur] Schluft des [gelagerten] Wildes,
    [Und] sich das schimmernde Bein röthen am [Stachelgewächs?] *Vo³*
[Doch, es] entführet [ihn fern] durch [Begierde zum Jagen] Diana.
    [Möge vergehen] der Wald, [treffen] die Hunde [der Tod!
Unsinn ist es und Wuth, umschließen das Dickicht] der Hügel
    [Schlau] mit [dem] Garn, und sich [gern] ritzen die zärtliche Hand!
[Oder] was [frommt es, mit List] die [Höhlen] des Wildes [erspähen?
Oder] am [Brombeerstrauch zeichnen den blendenden Fuß? –] *Str*

363

11–14: Dennoch, [könnt'] ich [umher] mit dir nur [schweifen,] Cerinthus,
Selber trüg' ich das Netz durch die Gebirge dir nach;
Selber [spürt'] ich dann [auf die Tritte des flüchtigen Rehes,]
Löste dem [rüstigen] Hund selber [das] eiserne [Band.] *Re*
Dennoch, [werde] mit dir nur [vergönnt zu schwärmen,] Cerinthus,
Selbst, die Gebirge [hindurch,] trag' ich das [maschige] Nez;
Selbst auch forsch' ich die Spuren [des leichtgeschenkelten] Hirsches,
[Und aus] dem eisernen Ring [send' ich den Bracken zum Lauf!] *Vo³*
[Aber] o dürft' ich mit dir, Cerinth, die Forsten durchstreifen,
Trüg' ich [willig das Garn über die Berge] dir nach.
Selber dann [würd'] ich die Spur [der flüchtigen Hindinn verfolgen;]
Selbst dem [beflügelten] Hund [nehmen das] eiserne [Band.] *Str*

15–18: Dann, [dann sollte] der Wald mir gefallen! und möchten sie immer
Flüstern: Neben dem Netz lieg' [ich,] umarmet von [dir!]
Käme der Eber aus Garn, [uns] trabt' er [unverletzt immer,
Daß er] nicht störe [die Lust feuriger] Liebe, [zurück.] *Re*
Dann [sei, dann] mir [erwünscht das Gehölz; und treffe der Hohn mich,
Daß ich, mein Trauter, mit dir selbst an dem Garne geruht!
Dann mag gern er] kommen [zum Nez, ungefährdet entrinnt er,]
Störe der Eber nur nicht [feuriger] Liebe Genuß. *Vo³*
[Ha,] dann [sollten] mir [schon] die Wälder gefallen! [Geliebter,
Spräche man gleich, beym Garn] liegt sie, umarmet von [ihm.
Dann mag] kommen an's [Netz] der Eber, [und ohne Verletzung
Kehr' er, damit er die Lust glühender] Liebe nicht stöhrt. *Str*

19–24: [Nur] ohne mich [nicht opfre du] Venus: Nach Deliens [Sitte
Stelle] mit [keuscher] Hand, Keuscher! die Netze du [aus.
Und das] Mädchen, [das heimlich] in meine Liebe sich [einstihlt,]
Von [den] Thieren [des Walds] werde sie [grausam] zerfleischt!
Aber du, [Einziger!] laß [die Begierde zu] jagen dem Vater,
Ach, und komm' an dieß Herz ohne Verweilen zurück! *Re*
Ohne mich sei Venus entfernt; nach Delia's Ordnung
[Rühre] mit züchtiger Hand, [züchtiger Knabe,] das Nez.
Oder wo irgend ein Mädchen in [unsere] Liebe sich einschleicht,
[Grausam stürme daher, sie zu zerreißen, ein Wild.]
Aber o du, laß jagen, so lang' ihn lüstet, den Vater;
[Eilig kehre du selbst mir an den Busen zurück!] *Vo³*
Ohne mich [aber] sey [jetzt die Lieb'] entfernt! nach [Diana's
Vorschrift] spanne [das Garn,] Keuscher, mit züchtiger Hand.

[Wenn es] ein Mädchen [dann wagt,] sich in Liebe [die] mein [ist zu stehlen,
Ha, dieß] werde vom Zahn reißender Thiere zerfleischt. –
[Doch, mein Jüngling,] du laß [des] Jagens [Vergnügen] dem Vater;
Komm! an [Sulpicia's Brust kehre beflügelt] zurück. *Str*

VI

(Vgl. »Nachträge« S. 569)

Bei der Vorbemerkung benutzt Mörike die Quelle Vo³.

HINWEISE ZUR QUELLENBENUTZUNG

277 Mit diesen Zeilen *bis* Specereien] Mit diesem [Gedicht] überreicht Cerinthus der [Sulpicia] zum ersten Merz, dem altrömischen Neujahrstage, seine Bescherung, Purpur, Specerei [und Juwelen. Ein so glänzendes Geschenk, öffentlich dargebracht, ist Beweis, daß Cerinths Bewerbung schon von den Eltern genehmigt war.] *Vo³*

Benutzte Textvorlagen: Re, Vo³, Str

BEARBEITUNGSANALYSE

Überschrift: [Erstes Gedicht] *Re* [I. Cerinthus an Sulpicia] *darunter* [Zum ersten Merz] *Vo³* [Das erste Gedicht] *Str*

1–4: Mars! Sulpicia schmückte sich dir an deinen Kalenden:
Hast du [Empfindung,] so komm selber vom Himmel und sieh!
Venus [wird] es verzeihn: [Nur] hüte, [Gewaltiger!] du dich,
Daß [dem] Erstaunenden nicht [schimpflich sinke der Speer.] *Re*
[Schön] dir geschmückt, [feirt heute] Sulpicia deine Kalenden,
[Mavors;] hast du Gefühl, [eile] vom Himmel [zu schaun.
Dies wird] Venus verzeihn. [Nur sei, o du] Heftiger, [wachsam,]
Daß dir [staunenden] nicht schmählich [entfalle] die Wehr. *Vo³*
Mars, Sulpicia [hat] sich an deinem [Fest] dir geschmücket;
[Steig herab] vom [Olymp,] hast du Gefühl, [sie zu] sehn.
Venus verzeiht es gewiß; doch, [mußt] du dich, [Schrecklicher,] hüten,
Daß dir nicht [schändlich der Schild, wenn du sie schauest, entfällt.]
Str
5–10: [Will er] Götter [entflammen, so zündet zwo] Fackeln an [ihrer]
Augen [ätherischer Glut] Amor [der Peiniger an,]
Was sie immer beginnt, [und] wohin die Schritte sie lenkt, [das
Ordnet heimlich, dahin] folgt ihr [die Grazie] nach.

Hat sie die Haare [gelöst – sie ist schön in den wallenden Locken:
  Reiht sie sie auf – und sie ist anbetungswürdig im Schmuck.] *Re*
Ihr an den stralenden Augen, wenn [glühn soll einer der] Götter,
  [Zündet] die Fackeln [beid'] Amor, [das mutige Kind.]
Was [auch jene betreibt,] wohin sie [den Fuß] auch [beweget,]
  Immer [ordnet geheim, immer] ihr folget [der Reiz.
Kommt] sie, die Haare [gelöst,] wohl stehn ihr die schwebenden Ringel;
  Kommt sie gelockt, [Ehrfurcht fodert die lockige Pracht.] *Vo³*
[Will der quälende] Amor [die] Götter [entflammen, so zündet]
  An [Sulpicia's Blick] doppelte Fackeln [er an.]
Was sie beginne, wohin sie immer auch lenke die Schritte,
  Folgen ihr ungesehn schmückende [Grazien] nach.
[Wenn] sie entfesselt das Haar, [so reitzt sie mit wallenden Locken;
  Wenn sie es schmücket, entzückt Jeden der Himmlischen Schmuck.]
                                                                    Str

11–14: Sie [entflammt,] sie [schwebe nun stolz im tyrischen Mantel,]
  Oder [sie wandle daher schimmernd] im [weissen Gewand.
Also] hat im ew'gen Olymp der [erhabne] Vertumnus
  Tausend Gestalten, und er ist in den Tausenden schön! *Re*
Ach sie [entflammt, ob] sie [wollt' in tyrischem Mantel hervorgehn;
  Ach sie entflammt, ob sie hell schimmert im weißen Gewand.]
So in [der] ewigen [Burg der Olympier schaft sich] Vertumnus
  Tausend [Hüllen zum Schmuck;] tausend [umhüllen ihn wohl.] *Vo³*
[Sie entflammet das Herz, wenn] im Purpur-Gewand sie [einhertritt;
  Kommt sie mit] schneeichtem Kleid, [lodert ihr jegliches Herz.]
So hat im ewigen [Himmel] der [hochbeglückte] Vertumnus
  Tausend Gestalten, [es schmückt jede] der tausend [ihn gleich.] *Str*

15–20: Sie [von den Mädchen allein ists werth, daß] Tyrus ihr [sende
  Feine] Wolle, [getaucht] zweymahl [in kostbaren] Saft;
[Werth zu besitzen, so viel] der [reiche] Araber erndtet
  Von der düftenden Flur, [dicht] mit Gewürzen bepflanzt;
Und [so viele der Muscheln am rothen Gestade] der schwarze
  Indier [aufliest, Er, Nachbar der] Rosse [des Osts.] *Re*
Sie [allein] vor [den Mädchen verdient weichwollige Vließe,]
  Die mit köstlichem Saft Tyros ihr zweimal getränkt;
Sie [allein,] was irgend [Arabia's reicher Besteller
  Auf wohlriechender] Flur [würziger Saaten gewinnt;]
Und [welch edles Gestein am] röthlichen Strande der [dunkle]
  Indier nahe bei Sols östlichen Rossen sich liest. *Vo³*

Sie [von den Mädchen allein ist würdig, daß] Tyrus ihr [spende]
   Zarteste Wolle, [getaucht] zweymal in köstlichen Saft;
Sie [zu besitzen] nur [werth,] was der glückliche Araber ärntet
   Von der duftenden Flur, [die] mit Gewürz [er bestellt;]
Was [am gerötheten] Strand der [versengete] Inder an Perlen
   [Sammelt, er welcher so] nah [wohnet den] Rossen [des] Sol. *Str*

21–24: [Sie, Pieriden! besingt] an den [segenvollen] Kalenden;
   Sing [in die Leyer von Gold,] Phöbus [Erhabner, von] ihr!
Dieser [festliche Tag sey lange Jahre] noch heilig:
   Eures [Chores ist kein Mädchen] so würdig, wie sie. *Re*
[Sie,] o Musen, [besingt] am fröhlichen Tag der Kalenden;
   Mit [schildpattenem] Spiel prangender Phöbus, auch du:
[Daß sie das jährige] Fest [viel kommende Jahre genieße!
Nie] war eueres [Chors] würdiger [irgend ein Weib.] *Vo³*
Musen, [dieß Mädchen besingt] am [festlichen] Tag der Calenden;
   Mit [der gewölbeten Ley'r,] Phöbus, [begleite das Lied.
Manches der Jahre] noch müsse [gefeyert] dieß heilige Fest [seyn:
Ist doch der Mädchen nicht] eins [werther des Musengesangs.] *Str*

ANMERKUNGEN

*Außer dem Hinweis auf die vorgenommene Kürzung (Band 8,1, S. 278, Z. 3) sind die An-
merkungen zum größten Teil wörtliche Übernahme von Vo³. Mörike hat nur ausgewählt
und an wenigen Stellen den Zusammenhang geändert.*

I

Benutzte Quellen: Vo³, Str

HINWEISE ZUR QUELLENBENUTZUNG

278,3–8: Im [Anfange des] Jahrs [723,] welches den erneueten Streit zwischen
Cäsar Octavianus und Antonius [am 2. September] durch die [aktische] See-
schlacht entschied, [hatte] Tibull dem [M. Valerius] Messala [Corvinus … in
einem glückwünschenden Gedichte sich und sein Landgütchen zum Schutz emp-
fohlen. Bald gewann ihn der geistvolle Messala so lieb, daß er für den] Kriegszug,
[der mit dem Anfange des Frühlings gegen Antonius aufbrach v. 49, ihn in seinem
Geleite zu haben wünschte. Der Dichter entschuldigte sich mit der Anhänglich-
keit an sein ihm genügendes Feld, und … mit der Liebe zu seiner Delia, … Da
Tibull v. 25 seiner vorigen Kriegsdienste in fernen Gegenden erwähnt, und er

nach der aktischen Schlacht mit Messala gegen die Aquitaner zog, so hatte er wohl ernsthaftere Gründe für die jezige Weigerung ...] Cäsars Sache war ihm nicht [die] Sache des Vaterlands; [...] Vo^3 **278**,9.10: In den Kriegen der römischen Staatsumwandlungen gelangten viele, durch Raub und Äckervertheilungen, zu unermeßlichen Reichthümern. Vo^3 **278**,11.12: [Welchen im Feldlager den Tag hindurch anhaltende Kriegsarbeit ... abmüdet, und] bei Nacht die zur Wache rufende Trompete immer nach drei Stunden [aus dem Schlafe] weckt. [...] Vo^3 **278**,13.14: Mancherlei Feldgötter wurden auf Äckern und Scheidewegen durch unförmige Pfähle und Steine mehr vorgestellt, als [gebildet.] Vo^3 **278**,15: [Die durch das ganze Landgut ... verbreiteten Baumfrüchte dankte der Landmann in Latium dem] Silvanus.[...] Vo^3 **278**,16.17: [Dem Silvanus und der Ceres, welche das Feld schüzen, wird der nähere Gartengott] Priapus, [ein übermenniges] Holzbild, [samt den häuslichen Laren, hinzugefügt.] Vo^3 Der rothe Priap. Man [pflegte] ihn mit Mennig [zu bemahlen.] Str **278**,18–21: Die Laren ... wurden in dem Feldumgange der Frühlingsweihe, [Ambarvalia,] zugleich mit Ceres und Bacchus und anderen Feldgöttern, um Gedeihn der Saaten, des Weins und der Heerden angefleht. Ihr dreimal um die Felder geführtes Opfer war bei den Reichen ein Kalb, bei Ärmeren ein Lamm, wenigstens ein Ferkel: [...] Vo^3 **278**,22–24: Hieraus erhellt, daß Tibull, sein Schicksal zu erleichtern oder zu vergessen, mehrere Jahre gegen auswärtige Feinde gedient hatte; und daß er erst neulich, [als zum entscheidenden Kampfe zwischen Octavian und Antonius das römische Reich samt den Grenzvölkern im Aufstand war, vor dem ausbrechenden Ungewitter] in sein Landgütchen sich zurückgezogen. Vo^3 **278**,25: S. Hinweis zur Quellenbenutzung bei Horaz XII (244, 38–40) **278**,26–28: Der Hirtengöttin Pales feierte man am 21. April das Palilienfest; man besprengte ihr Bild flehend mit lauer Milch, und ließ die Hirten zur Entsündigung über brennende Schober [hinwegspringen: ...] Vo^3 **278**,29–32: Die Götter, glaubte man, kamen unsichtbar zu den Opferschmäusen, um, samt dem süßen Geruch, die Erstlinge des Tranks und der Speise, jene gesprengt, diese auf ein Näpfchen gelegt, in Empfang zu nehmen. [...] Vo^3 **278**,33–35: Das Köstlichste, was man im Heere des Antonius zu erbeuten hofte, war Gold und Edelgestein. Nächst Diamanten und Perlen schäzte man die Smaragde so hoch, daß sie zu schneiden verboten war.[...] Vo^3 *Von Mörike nicht benutzte Erläuterungen der Quellen: Einleitende Bemerkung zum Inhalt der Elegie Str; v. 6 Vo³; v. 9 Str; v. 10, v. 41–44, v. 49.50 Vo³*

II

Benutzte Quelle: **279**,2–4 Vo^3 **279**,5 Vo^3 **279**,6.7 Vo^3 **279**,8.9 Vo^3 **279**,10 Vo^3 **279**,11 Vo^3 **279**,12.13 Vo^3 **279**,14–17 Vo^3 **279**,18.19 Vo^3 **279**,20.21 Vo^3 **279**, 22–25 Man glaubte *bis* gehabt Vo^3 **279**,26.27 Vo^3 **279**,28–30 Vo^3 **279**,31 *s. Hin-*

weis zur Quellenbenutzung bei Horaz XXI (251,5–7) **279**,32–36 Vo³ **279**,37.38 Vo³
279,39.40 Vo³ **279**,41.42 Vo³

Keine Quelle nachgewiesen: **279**,22 Bekanntlich *bis* Leichen

Von Mörike nicht benutzte Erläuterungen der Quelle Vo³: v. 1–6, v. 59–66

III

Benutzte Quellen: **280**,2–6 Vo³ **280**,7.8 Vo³ **280**,9–12 Vo³ **280**,14.15 Vo³ **280**,
16.17 Vo³ **280**,18–20 Vo³ **280**,21–24 Re Vo³ **280**,25.26 Vo³ Str **280**,27–29 Vo³
280,30.31 Vo³ **280**,32.33 Re Vo³ Str **280**,34 Vo³ **280**,35–38 Vo³ **280**,39.40 Vo³
280,41.42 Re **281**,1 Vo³ **281**,2 Re Vo³

Keine Quelle nachgewiesen: **280**,13

Von Mörike nicht benutzte Erläuterungen der Quellen: v. 1, v. 3, v. 7, v. 11.12 Re; v.
18 Str; v. 23–32 Vo³; v. 23 Re Vo³ Str; v. 33.34 Vo³; v. 35 Re; v. 47, v. 49.50 Vo³; v.
55 Str; v. 61 Re Str; v. 65, v. 67, v. 71.72, v. 73–80 Vo³; v. 74, v. 76, v. 77, v. 79 Re; v.
81.82, v. 83, v. 85, v. 89 Vo³

IV

Benutzte Quellen: **281**,5.6 Vo³ **281**,7–9 Vo³ **281**,10–13 Vo³ **281**,14–16 Vo³
281,18.19 Vo³ **281**,20–24 *Nisus bis* verwandelt Re Vo³ **281**,24–27 *Pelops bis* ausgefüllt Re Vo³ **281**,28–30 Vo³ **281**,31.32 Vo³

Keine Quelle nachgewiesen: **281**,17

Von Mörike nicht benutzte Erläuterungen der Quellen: Einleitende Bemerkung zum Inhalt der Elegie Re Vo³; v. 7, v. 14, v. 21 Vo³; v. 25, v. 26, v.31 Re; v. 35 Re Vo³; v. 37
Re; v. 51, v. 57 Vo³; v. 60, v. 68 Re; v. 77, v. 81 Vo³

V

Benutzte Quelle: **281**,34 Vo³ **281**,35–37 Vo³ **281**,38–41 Vo³ **282**,1 Vo³ **282**,2–6
Vo³ **282**,7–9 Vo³ **282**,10.11 Vo³ **282**,12.13 Vo³ **282**,14.15 Vo³ **282**,16.17 Vo³
282,18 Vo³

Von Mörike nicht benutzte Erläuterungen der Quelle Vo³: Einleitende Bemerkung zur Elegie, v. 1–8, v. 9–16, v. 17–26, v. 27–38, v. 35, v. 39–48, v. 39, v. 49–66, v. 55, v. 69–78,
v. 75, v. 77

ZU CERINTHUS UND SULPICIA

I

Benutzte Quelle: Vo³

HINWEISE ZUR QUELLENBENUTZUNG

282,21.22: [Du, sein] Genius, [laß dir sein] Opfer [von] Weihrauch, [Fladen] und
Wein [... gefallen, und begünstige, was er mit Gelübden fleht, wofern er mich

liebt; ...] *Vo³* **282**,23.24: [...] Wie Cerinthus, hat in ihrem Gemache Sulpicia ein Venusbild aufgestellt, zu welchem sie mit gestreuetem Weihrauch fleht: [...] *Vo³* **282**,25 Genius *bis* Geburtsgott] *Keine Quelle nachgewiesen* **282**,25–29 Die Götter *bis* Genius] Die Götter [des Alterthums] hörten den Betenden aus der Ferne nicht anders, als wenn er, die Arme aufstreckend, mit wehklagendem Tone [schrie;] ein leises Gebet aus der Ferne vernahmen nur Götter der Weissagung: [...] Wenn sie genaht waren, merkten sie mit feinerem Ohr, als Sterbliche [es] haben, auch das leiseste Flehn; wie [El. II, 1,84 Amor, und] hier der eingeladene Genius. [...] *Vo³*
Von Mörike nicht benutzte Erläuterungen der Quelle Vo³: v. 3, v. 17

II

Benutzte Quelle: **282**,31 *Vo³* **282**,33–35 *Vo³* **282**,36–39 *Vo³* **283**,1.2 *Vo³*
Von Mörike nicht benutzte Erläuterungen der Quelle Vo³: v. 3, v. 6, v. 7.8, v. 9.10, v. 11.12, v. 19

III

Benutzte Quelle: **283**,4.5 Die feurige *bis* ausgelegt *Vo³* **283**,7–13 ein Argwohn *bis* Genesung *Vo³*
Keine Quelle nachgewiesen: **283**,5–7 und aus einem *bis* glaubte
Von Mörike nicht benutzte Erläuterung der Quelle Vo³: v. 1

IV

Benutzte Quelle: **283**,15 *Vo³* **283**,16–19 *Vo³* **283**,20–24 *Vo³* **283**,25.26 *Vo³* **283**,27–31 Briefchen *bis* lesen sollte *Vo³* **283**,31 solche *bis* herbei *Vo³*

V

Benutzte Quelle: **283**,33 *Vo³*
Von Mörike nicht benutzte Erläuterungen der Quelle Vo³: v. 1, v. 3, v. 5, v. 7, v. 11, v. 15, v. 21, v. 23

VI

Benutzte Quelle: **283**,35–38 an den *Kalenden bis* Brandopfern *Vo³* **283**,38.39 Wie die Gattin *bis* Verehrer *Vo³* **284**,1 *Vo³* **284**,2.3 *Vo³* **284**,4 *Vo³* **284**,5–7 *Vo³*
Von Mörike nicht benutzte Erläuterungen der Quelle Vo³: v. 13, v. 21–24

THEOKRITOS

Band 8,1 Seite 287–335

TEXTVORLAGEN

Bin Theokrits Idyllen und Epigramme aus dem Griechischen metrisch übersetzt und mit Anmerkungen von Ernst Christoph Bindemann. Berlin, 1793
in der Frankeschen Buchhandlung

Mö Classische Blumenlese. Eine Auswahl von Hymnen, Oden, Liedern, Elegien,
Idyllen, Gnomen und Epigrammen der Griechen und Römer; nach den
besten Verdeutschungen, theilweise neu bearbeitet, mit Erklärungen für
alle gebildeten Leser. Herausgegeben von Eduard Mörike. Erstes Bändchen.
Stuttgart. E. Schweizerbart'sche Verlagshandlung. 1840

Vo² Theokritos, Bion und Moschos von Johann Heinrich Voss. Tübingen, in J.G.
Cotta's Buchhandlung 1808

*Als Textvorlagen für die von ihm selbst bearbeiteten Idyllen nennt Mörike im »Vorwort«
die Übersetzungen von Voß und Bindemann (s.Bd. 8,1, S. 288). Die Arbeiten von Witter und
Naumann, die er für die in der »Classischen Blumenlese« erschienenen Idyllen Theokrits
neben Voß und Bindemann benutzt hatte, standen ihm bei der Vorbereitung der späteren Übersetzung Theokrits nach eigenen Angaben nicht mehr zur Verfügung. Dagegen
hat Mörike bei denjenigen Idyllen, die schon in der »Classischen Blumenlese« erschienen
waren, vieles vom Text seiner früheren Übersetzung in die Neufassung übernommen. Es sind
dies die Idyllen II, VI, XI, XIV, XV, XVI und XXVIII b. Deshalb ist bei diesen Gedichten
zu den Übersetzungen von Voß und Bindemann jeweils auch die Textfassung der »Classischen Blumenlese« als weitere Vorlage in die Bearbeitungsanalyse einbezogen worden.*

IDYLLEN

Band 8,1 Seite 291–335

I. THYRSIS

(Vgl. »Nachträge« S. 570)

Benutzte Textvorlagen: Bin, Vo²

BEARBEITUNGSANALYSE

Überschrift: darunter [Thyrsis, ein Schäfer. Ein Ziegenhirt] *Bin*

1–6: Lieblich, o [Ziegenhirt, läßt ihr sanftes Geflüster die Fichte
Dort ertönen] am [Ufer des Quells; doch tönet] auch lieblich
Deine [Flöte.] Nach Pan wird dir der [zweite der] Preise;
[Dir] die Ziege, wenn ihm der Bock, der gehörnte, [zu Theil wird;
Lohnet] die Ziege [den Gott, so muß] dir [werden] das Zicklein,
[Weicher] ist [immer] das Fleisch [der Zicklein, bevor] du [sie] melkest. *Bin*
Lieblich [ertönt das Geräusch,] das die Pinie drüben, o Geishirt,
[Dort] an [dem] Felsengequell [uns herabschwirrt.] Lieblich ertönt auch
Deine Syring'; [es gebührt nächst] Pan dir der andere [Kampfpreis.]
Wenn er den Bock sich [gewann,] den gehörneten; nimst du die Ziege.
Wenn zum Lohn er die Ziege [sich eignete;] folget das Zicklein
Dir; und das Fleisch ist [schön dem] Zickelchen, bis du es melkest. *Vo²*

7: *darüber* [Der Ziegenhirt] *Bin*

7–11: Lieblicher tönt, o Schäfer, dein Lied, als [der Quelle] Geplätscher,
[Jener, die] dort vom [Gipfel] des [hohen] Felsen [herabfällt.]
Wenn [sich] die Musen ein Schaf zum Preise [des Liedes ersingen,]
Nimmst du [für] dich [ein entwöhnetes] Lamm; [doch wollen die Musen]
Lieber [nehmen] das Lamm, [gehst] du mit dem Schafe [nach Hause.] *Bin*
Lieblicher tönt, o Schäfer, dein Lied mir, als mit Geplätscher
Dort von dem Fels hochher in das Thal sich ergießet der Bergquell.
Wenn die singenden Musen ein Schaf wegführen zum Preise;
Nimst du [ein] Lamm [des Gehegs] zum Lohne dir. [Wenn] sie [erwählen,]
Lieber das Lamm [zu empfahn;] wirst du mit dem Schafe davongehn. *Vo²*

12–14: Willst du, o [Ziegenhirt] nicht, bei den Nymphen! [die Flöte] nicht [spielen?
Lieblich säßest du] hier [in den] Tamarisken, am [Abhang
Dieses Hügels,] die Ziegen [will ich indessen dir hüthen.] *Bin*
Willst du [dort,] bei den Nymfen! o Geishirt, willst du, dich sezend,
Am [abhangenden Fuße] des Hügelchens voll Tamarisken,
[Deine] Syring' anstimmen? Ich achte derweil auf die Ziegen. *Vo²*

15: *darüber* [Der Ziegenhirt] *Bin*

15–20: [Nein wir dürfen] nicht, Schäfer, [wir dürfen] nicht [flöten des] Mittags,
[Scheuend die Rache des Pan; er schlummert,] vom Jagen ermüdet,
Immer um [diese Zeit, und leicht] ist [der Böse zu reizen.
Zürnend] schnaubt er [stets] aus der Nase [die] bitterste [Galle.]
Aber – [du, o] Thyrsis, du kennst ja die Leiden des Daphnis,
[Hast es auch weit gebracht] in [der Kunst des] Hirtengesanges – *Bin*
[Nimmer geziemt, o] Schäfer, [am] Mittag, [nimmer geziemt uns
Jezo Syringengetön!] Pan fürchten wir! Denn von [der Wildjagd
Will er sodann ausruhn, der] ermüdete: [störrisch ja] ist er,

Und ihm schnaubt beständig der bittere Zorn [in] der Nase.

Aber [o du, mein] Thyrsis, du kennst ja die Leiden des Dafnis,

Und du [erreichtest die Höhe des ländlichen] Hirtengesanges: *Vo*²

20–26: Komm [hier] unter die [Ulme,] den Nymphen des Quells und [dem] Priap

[Laß] gegen über uns sitzen; [es laden die Rasen der Hirten

Sammt] den [schattigen] Eichen [uns ein; und] singest du [jetzo,]

Wie du im [Wettgesang einst] mit Chromis dem Lybier sangest,

[Geb' ich] dreimal [dir dort die Zwillingsmutter] zu melken,

[Die zwei Böckchen itzt] säugt und doch zwei Kannen mit Milch füllt. *Bin*

[Sezen] wir unter die [Ulm' uns dorthin,] gegen Priapos

Über, und gegen des Quells [Schuzgöttinnen,] wo sich der Schäfer

Bänke gemacht in der Eichen Umschattung. Wenn du mir sängest,

Wie du [jüngst] mit Chromis dem Libyer sangest im Wettkampf;

Eine Ziege bekämst du mit Zwillingen, dreimal zu melken,

[Die, zwei] Böcklein [nährend, zugleich] zwei [Gelten dir vollmilcht;] *Vo*²

27–31: Auch ein [Becher wird] dein, mit [süßem] Wachse [bemahlet,]

Tief, zweihenklig und neu; noch [duftet] das Holz von [dem Schnitzwerk.]

Epheu [webet] sich oben [um ihn] am [Rande der Lippen,]

Epheu, [welcher bestreut] mit [goldenen] Blumen [sich] schlingt durch

[Immergrün, das] mit safranfarbigen [Beeren dich] anlacht. *Bin*

Auch ein [tiefes] Gefäß, mit duftendem Wachse gebonet,

[Zweigeöhrt, neufertig,] das Holz noch riechend vom Meißel;

[Welchem hoch] an der Mündung umher sich schlinget [der] Efeu,

Efeu, [fleckig vom] Golde der Blum' Helichrysos; [denn] durch sie

[Kriecht das Gerank,] anlachend mit safranfarbigen Träublein. *Vo*²

32–38: [In der Mitt'] ist ein [Mädchen gebildet, ein göttliches Kunststück,

Mit dem] Gewande geschmückt und [der Binde des Kopfes; daneben]

Streiten [im Wechselgesang] zwei Männer [mit] lockigen [Haaren

Gegen einander für] sie; doch rührt [das alles] ihr Herz [nicht.]

Jetzo [blicket sie lächelnd] zu einem [der Männer, und wendet]

Jetzt zu [dem Nebenbuhler das Herz; von Thränen der] Liebe

[Schwillt] das Auge [der] beiden, [sie quälen] sich [immer vergeblich.] *Bin*

Mitten darauf ist ein Weib, wie ein [göttliches Wunder, gebildet,

Schön mit] langem Gewand' und dem Stirnband. Neben [ihr] stehen

Männer, [die Haare gelockt, und zanken sich dorther und daher]

Mit [wetteifernden] Worten; doch rühret es wenig das Herz ihr.

Jezo [schaut auf den] einen [ihr hold anlachendes Antliz,]

Jezo neigt sie den Sinn zum anderen: [jene] vor Liebe

[Eifern stets,] vorschwellend das Aug', [in vergeblicher Mühsal.] *Vo*²

39–44: [Hinter] diesen ist [dann] ein bejahrter Fischer [gebildet]
Und ein zackichter Fels; auf [diesen] schleppet der Alte
[Eilig] zum Wurfe sein Netz, so recht wie ein Mann, der sich [angreift.]
Alle Kräfte [die strengt] er, so glaubst du, [jetzo] zum [Wurf an,]
So [sind allenthalben die Muskeln] am Halse geschwollen,
[Ist er ein Graukopf gleich;] doch die Kraft ist würdig der Jugend. *Bin*
Diesen [zunächst] ist ein [fischender Greis] und ein Felsen [gebildet,
Rauhgezackt, wo er ämsig die maschigen Garne] zum [Auswurf]
Schleppt, [hochalt, dem mit Macht arbeitenden] Manne [vergleichbar.]
Alle Kraft der Glieder, so glaubest du, [strengt] er zum [Fischfang:
Also] starren ihm rings die geschwollenen Sehnen [des] Halses,
Zwar bei grauendem Haupt; doch die Kraft ist würdig der Jugend. *Vo²*

45–51: Wenig [weiter] entfernt vom [Meerbeschäftigten Alten]
Steht [recht] lieblich [umhangen von reifen] Trauben ein Weinberg,
Welchen ein Knäblein bewacht, das sitzet am Dornengehege.
Auch zwei Füchse sind dort; der eine durchwandert die [Reihen,
Und zerfrißt an den Stöcken die] zeitigen Trauben, der andre
[Schleichet mit jeglicher] List [um] die Tasche des [Kleinen,] und [will]
                                                                 nicht
Gehn, bis [dieser] das Frühstück [im ledigen Sacke sich suche;] *Bin*
Nur ein wenig entfernt von dem [meeranringenden] Greise,
[Prangt] mit [gefärbeten] Trauben ein Weinberg lieblich belastet:
[Den ein winziger Knabe] bewacht, am [bedornten Steinwall]
Sizend; auch [zeigen umher] zween Füchse [sich:] einer durchwandert
[Rebengäng', und benaschet das reifeste; dort] auf die Tasche
[Laurt] der andre [mit] List, und nicht zu [verlassen das Knäblein
Droht er, bevor er aufs Trockne den Frühstücklosen gesezet.] *Vo²*

52–56: [Aber es] flicht sich [der Knab'] aus [Goldwurzstängeln ein schönes
Grillenhäuschen,] mit Binsen [es festend;] ihn kümmert die Tasche,
[Kümmern die Reben nicht] so, als [itzt] das Geflecht ihn [ergötzet.
Zarter] Akanthus [umflattert auf allen Seiten den Becher;]
Wirst [mit Erstaunen ihn sehn;] es ist ein Aiolisches [Kunstwerk.] *Bin*
Jener flicht sich [von] Halmen die zierliche Grillenfalle,
Wohl mit Binsen gefügt; [auch] kümmert ihn weder der Weinberg,
Weder die Tasche so sehr, als nun das Geflecht ihn erfreuet.
Ringsher [dann] umläuft das Geschirr biegsamer Akanthos.
[Traun,] ein äolisches [Wundergebild, das mit] Staunen du [anschaust!] *Vo²*

57–63: Eine Ziege bezahlt' ich dem Kalydonischen Schiffer
[Sammt] dem größesten [Fladen aus weißen Molken gebacken.

Meine] Lippen berührt' er noch [nie,] er stehet noch [immer]
Ungebraucht; [doch will ich ihn gern] dir, [Lieber,] itzt schenken,
[Wenn du das liebliche Lied von Daphnis Liebe mir singest.
Denke nur nicht, es sei Spott. – Heb' an] denn! Deine [Gesänge]
Wirst du [doch] nicht [für] den allesvergessenden [Hades versparen?] *Bin*
Eine Zieg' [auch] bezahlt' ich dem kalydonischen [Krämer
Deß zum Preis, und] den großen [geründeten] Käse von Geismilch.
[Nimmer annoch] berührt' es die Lippe mir, sondern es [liegt] noch
Ungebraucht. Dies [möcht' ich] mit [williger Seele] dir schenken,
[Wenn du anizt, du Theurer, die liebliche Weise mir sängest.
Nicht misgönn' ich es dir! Auf, Trautester! Jenen Gesang] ja
Wirst du dem [Aïdes] nicht, dem allvergessenden, sparen! *Vo²*

64–69:   [Lasset den] Hirtengesang, [o laßt ihn,] ihr Musen, [beginnen!]
Thyrsis vom Aetna [singt,] und [dieß ist] die Stimme des Thyrsis.
Wo, ihr Nymphen, wo wart [ihr,] als [Liebe den] Daphnis [verzehrte?
Etwa] im [lieblichen] Tempe [des Peneus,] oder am Pindos?
[Sicher] weiltet ihr nicht [am breiten] Strom des Anapos,
[Noch auf] des Ätna [Höh,] noch [an] Akis heiligem Wasser. *Bin*
Hebet Gesang, ihr Musen, geliebteste, Hirtengesang an!
Thyrsis vom Ätna ist hier, [euch ruft] die Stimme des Thyrsis!
Wo wart ihr, als Dafnis verschmachtete? wo doch, o Nymfen?
Fern im peneiischen Tempe, dem [lieblichen?] oder am Pindos?
Denn nicht weiletet ihr um den mächtigen Strom des Anapos,
Nicht um des Ätna Geklüft, noch Akis heilige Wasser. *Vo²*

70–75:   [Lasset den] Hirtengesang, [o laßt ihn,] ihr Musen, [beginnen!]
Wölfe haben [um ihn, [um] ihn [die] Schakalen [geheulet.]
Ihn [hat selber] der Löwe des Waldes [im Tode] bejammert.
[Lasset den] Hirtengesang, [o laßt ihn,] ihr Musen, [beginnen!]
Kühe brüllten [um ihn, zu [den] Füßen [des Hirten gelagert,]
Stier' in [Herden um ihn,] und Färsen und Kälber [in Scharen.] *Bin*
Hebet Gesang, ihr Musen, geliebteste, Hirtengesang an!
Ihn ja haben Schakal', ihn heulende Wölfe bejammert;
Ihn [auch hat] aus [Gebüsch] der Löwe [beweint,] da er hinsank!
Hebet Gesang, ihr Musen, geliebteste, Hirtengesang an!
[Viel] der Kühe gestreckt zu [den] Füßen ihm, [viel auch der Farren,
Viel der Stärken] umher und Kälber [auch, jammerten kläglich!] *Vo²*

76–80:   [Lasset den] Hirtengesang, [o laßt ihn,] ihr Musen, [beginnen!]
Hermes kam zuerst [herab] vom Gebirge: [»Mein] Daphnis,«
[Fragt' er,] »wer quält dich [denn so?] Wen [liebst] du, Guter, [so heftig?«

Lasset den] Hirtengesang, [o laßt ihn,] ihr Musen, [beginnen!]
Schäfer kamen [herbei und Hirten der Rinder und Ziegen.] *Bin*
Hebet Gesang, ihr Musen, geliebteste, Hirtengesang an!
Jezt kam Hermes zuerst vom Gebirg' her: Dafnis, begann er,
Wer doch [peiniget] dich? wen, [Trautester, liebest] du [also?]
Hebet Gesang, ihr Musen, geliebteste, Hirtengesang an!
Jezo kamen die Schäfer, der Kuhhirt kam, und der Geishirt. *Vo²*

81–88: Alle fragten: »Was [fehlt] dir, [o Hirt?« Es] kam auch Priapos:
[»Thörichter] Daphnis,« [so sagt' er,] »was schmachtest du? [Siehe dein
Mädchen
Flüchtet zu jeglichem] Quell und irret [in jeglichem] Haine.«
[Lasset den] Hirtengesang, [o laßt ihn,] ihr Musen, [beginnen!
»Ach! dich quälet zu sehr unheilbarer Kitzel] der Liebe:
[Rinderhirt heißest] du [zwar,] doch [gleichst] du [dem Hirten der Ziegen:
Wenn ein Ziegenhirt] sieht die Brunst [der meckernden Herde,]
Schmachtet sein Auge [vor Gram,] daß er nicht selber ein Bock [ist.«] *Bin*
Alle [befrageten ihn:] Was [fehlet] dir? Selbst auch Priapos
Kam: [Unglücklicher] Dafnis, [wie] schmachtest du? rief [er;] das Mägdlein
Irrt ja [um jeglichen] Quell, und die [Waldungen] alle [durchschweift sie!]
(Hebet Gesang, ihr Musen, geliebteste, Hirtengesang an!)
[Spähend nach] dir! [Nein allzu verbuhlt, ein unheilbarer] bist du!
Kuhhirt [wardst] du genannt; doch ein Geishirt [scheinest] du [jezo!]
Sieht die [meckernden] Ziegen [der Geishirt brünstig geliebkost;]
Schmachtend zerfließt sein Auge, daß nicht er selber ein Bock ward. *Vo²*

89–93: [Lasset den] Hirtengesang, [o laßt ihn,] ihr Musen, [beginnen!]
»Dir auch, wenn du [Dirnen erblickst, die] scherzen und [tanzen,]
Schmachtet [das] Auge [vor Gram,] daß du nicht [tanzest mit ihnen.«
Diesen erwiederte] nichts der [Rinderhirt,] sondern [er nährte
Seine] quälende Lieb', [er nährte sie] bis zum [Tode.] *Bin*
Hebet Gesang, ihr Musen, geliebteste, Hirtengesang an!
Also auch dir, wenn du siehst, wie die Jungfraun scherzen und lachen,
Schmachtend zerfließt dein Auge, daß nicht [mit den frohen] du [tanzest!]
Nichts antwortete jenen der Kuhhirt; sondern im Herzen
Trug er die quälende Lieb', und trug bis zum Ende das Schicksal. *Vo²*

94–98: [Lasset den] Hirtengesang, [o laßt ihn,] ihr Musen, [beginnen!
Jetzo nahte sich auch die süße,] lächelnde [Kypris,]
Heimliches Lächeln im Aug' und [verbissenen] Groll in dem [Busen:]
»Daphnis, sprach sie, du [rühmtest dich] ja, zu [besiegen die Liebe;]
Bist du jetzo nicht selbst von [quälender Liebe besieget?«] *Bin*

Hebet Gesang, ihr Musen, geliebteste, Hirtengesang an!
Endlich kam Kythereia, die [wunderholde,] mit Lächeln,
Heimliches Lächeln im Aug', und bitterem Groll in der Seele.
[Ha! den] Eros, [begann sie, den] praltest du, Dafnis, zu [fesseln!]
Bist du nicht selbst von Eros, dem schrecklichen, jezo gefesselt? *Vo²*

99–103: [Lasset den] Hirtengesang, [o laßt ihn,] ihr Musen, [beginnen!

Ihr erwiederte] Daphnis darauf: [»Du] grausame Kypris,
Kypris [von allen gehaßt,] du [menschenfeindliche Göttinn,
Alles verkündigt mir] schon, mir sei die Sonne gesunken;
[Aber dem] Daphnis [bleiben] im Hades [die Qualen der Liebe!«] *Bin*

Hebet Gesang, ihr Musen, geliebteste, Hirtengesang an!
Aber Dafnis darauf antwortete: [Leidige] Kypris!
Kypris, du [Unholdin! du] Kypris, der Sterblichen Abscheu!
Meinest du denn, schon sei [uns jegliche] Sonne gesunken?
Dafnis im Aïdes [selbst,] wird [Qual] noch [bringen] dem Eros! *Vo²*

104–108: [Lasset den] Hirtengesang, [o laßt ihn,] ihr Musen, [beginnen!]

»Geh doch zum Ida nur hin, wo ein Hirt, wie es heißt, Aphroditen –
Geh zum Anchises, da [schatten die Bäume, hier duftet das kleine
Cypergras, hier summen so schön um die Stöcke die Bienen.«

Lasset den Hirtengesang, o laßt ihn, ihr Musen, beginnen!]
»Auch Adonis ist [schön, ein Hüther der wolligen Herde,]
Oder [ein Schütze] des Hasen, [ein Jäger der] Thiere des Waldes.« *Bin*

Hebet Gesang, ihr Musen, geliebteste, Hirtengesang an!
Wo einst [Kypris der] Hirt – [du weißt schon – wandre] zum Ida!
[Wandere] dort zu Anchises! da grünts von Eichen und Galgant!
[Siehe da ziehn schönsummend um Honigkörbe die Bienen!

Hebet Gesang, ihr Musen, geliebteste, Hirtengesang an!
Hold] ist auch Adonis, [dieweil auch Schäfchen] er weidet,
[Weil auch] Hasen er [schießt,] und andere Thiere [verfolget!] *Vo²*

109–116: [Lasset den] Hirtengesang, [o laßt ihn,] ihr Musen, [beginnen!

»Geh doch wieder und stell dich] dem Diomedes entgegen,
Sag: ›ich [besiegte den] Daphnis, den Hirten, [so komm nun und
kämpfe!‹«

Lasset den] Hirtengesang, [o laßt ihn,] ihr Musen, [beginnen!
»Ihr] Schakalen, [ihr] Wölfe, ihr Bären in [Höhlen] der Berge,
Lebet wohl! Ich Daphnis, der [Rinderhirt, geh] in [dem] Walde,
[Und in] den Eichen [nicht mehr] und im Haine: leb' Arethusa
Wohl, [und] ihr [Flüsse, die gießen] die lieblichen Wellen vom Thym-
bris!« *Bin*

377

Hebet Gesang, ihr Musen, geliebteste, Hirtengesang an!
Trit noch Einmal entgegen dem Held Diomedes, und sag' ihm:
Ich bin Dafnis des Hirten Besiegerin! Auf, in den Zweikampf!

Hebet Gesang, ihr Musen, geliebteste, Hirtengesang an!
O ihr Wölf', [o] Schakal', [o] im Berg' [einsiedelnde] Bären,
Lebet wohl! Ich Dafnis der Hirt bin nimmer in Wäldern,
[Nie] in [Gebüsch] und Hainen mit euch! Wohl leb', Arethusa!
Wohl, ihr Bäche, vom Thymbris die lieblichen [Wasser] ergießend! *Vo²*

117–124: [Lasset den] Hirtengesang, [o laßt ihn,] ihr Musen, [beginnen!]
»Daphnis bin ich, [der Hirt,] der hier die Kühe geweidet,
Daphnis, der hier zur Tränke die Stier' und die Kälber geführet.«

[Lasset den] Hirtengesang, [o laßt ihn,] ihr Musen, [beginnen!]
»Pan, o Pan, du [magst] auf Lykaios [hohem Gebirge,
Oder] dem [mächtigen] Mainalos weilen, [o] komm [zur] Sikuler
[Insel, der Heliker Berg] und das thürmende Grabmal verlassend,
Jenes [des Lykaoniden,] das selber die [Seligen] ehren!« *Bin*

Hebet Gesang, ihr Musen, geliebteste, Hirtengesang an!
Dafnis bin Ich, der selbe, der hier die Kühe geweidet,
Dafnis, der hier zur Tränke die Stier', und die Kälber geführet.

Hebet Gesang, ihr Musen, geliebteste, Hirtengesang an!
O Pan, Pan! [ob dich halten] die [luftigen] Höhn des Lykäos,
[Ob du] des Mänalos [Krümmen umgehst:] in der Sikeler Eiland
Komm, [und] verlaß [des Helikas Grab, des] Sohnes Lykaons,
Und [sein erhabenes Mal,] das geehrt [ist] selber [den Göttern!] *Vo²*

125–128: Lasset den Hirtengesang, [nun] laßt [ihn,] ihr Musen [verstummen!]
»Komm, [o König,] und [nimm] die [honigduftende] Flöte,
[Schönverkleibet] mit Wachs, [und zierlich] gebogen [am Mundstück;]
Denn schon [ziehn] mich [die Qualen der Liebe] zum [Hades hinunter!«]

Bin

Laßt den Gesang, ihr Musen, o laßt den Hirtengesang ruhn!
Komm und empfah, o Herscher, die honigathmende schöne
[Waldsyring' in kleibendem] Wachs, um die Lippe gebogen.
Denn [ich muß durch] Eros hinab zum [Aïdes jezo]! *Vo²*

129–134: Lasset den Hirtengesang, [nun] laßt [ihn,] ihr Musen [verstummen!
»O nun] traget Violen, ihr [Brombeerstauden] und Dornen,
[Und den] Wacholdergebüschen [entblüh] die schöne Narcisse!
Alles verkehre sich [itzt,] und Birnen [trage die Fichte!]
Daphnis stirbt: nun schleppe der Hirsch [als Sieger die Hunde,]
Und mit der Nachtigall kämpf' im Gesang von den Bergen der Uhu!« *Bin*

Laßt den Gesang, ihr Musen, o laßt den Hirtengesang ruhn!
[Jezo] tragt [auch] Violen, [o] Brombeerrank', und [o Schleedorn!]
Blühe der schöne Narkissos [sogar Wacholdergesträuchen!]
Alles [verwandele] sich; und die Pinie [prange mit] Birnen,
Jezo da Dafnis stirbt; [auch] den Jagdhund [zause die Hindin;]
Und mit der Nachtigall [töne] des Bergs [Ohreule das Wettlied!] *Vo²*

135–139: Lasset den Hirtengesang, [nun] laßt [ihn,] ihr Musen, [verstummen!]
So die Klage des Hirten; dann schwieg er. Es] wollt' Aphrodite
[Mindern des Leidenden Qual,] doch [hatten] die Moiren [schon alles
Garn versponnen; er kam zu dem Fluß, es umspülte der Strudel
Ihn, den Liebling] der Musen, [und] den auch die Nymphen nicht haßten. – *Bin*

Laßt den Gesang, ihr Musen, o laßt den Hirtengesang ruhn!
Als er solches gesagt, da [endet'] er. [Zwar] Afrodite
[Strebt'] ihn [emporzuheben;] doch [alles] Gespinst von den Mören
[Fehlete.] Dafnis durchging den Acheron, und das Gestrudel
Barg den Geliebten der Musen, der nicht den Nymfen [verhaßt war!] *Vo²*

140–143: Lasset den Hirtengesang, [nun] laßt [ihn,] ihr Musen, [verstummen!]
Gieb mir [den Becher nun her,] und die Ziege, [damit ich sie melke,
Und den Musen [spende die Milch.] O Heil euch, ihr Musen!
Heil [euch, ihr Holden!] Ich sing euch noch [süßere Lieder in Zukunft.] *Bin*

Laßt den Gesang, ihr Musen, o laßt den Hirtengesang ruhn!
Und du gieb mir die [Geis, das Geschirr] auch, [daß] ich, sie melkend,
Sprenge zum Dank den Musen [die Erstlinge.] Heil euch, o Musen!
Vielmal Heil! Euch will ich hinfort noch lieblicher singen. *Vo²*

144: *darüber* [Der Ziegenhirt] *Bin*

144–150: Honig fülle den [lieblichen] Mund dir, o Thyrsis, es füll' ihn
[Honigseim,] und die [köstliche] Feige von Aigilos [müsse
Speise] dir [werden;] du singst melodischer als die Cikade.
Hier [ist der Becher,] o [sieh nur einmal,] wie lieblich er duftet;
[Traun, du meintest,] er sei in [die] Quellen der Horen [getauchet.]
Nun, Kissaitha, komm her! Du melke sie. – [Springet,] ihr [Ziegen
Nicht so herum, daß] der Bock [nicht bäumend] über euch komme! *Bin*

[Voll von] Honige [werde] der reizende Mund dir, o Thyrsis,
[Voll von triefendem] Seim; und die Feige von Ägilos [sei] dir
Süße Kost! [denn] du singst [ja] melodischer, als die Cikade!
Hier, mein Freund, das Gefäß. O schau, wie lieblich es duftet!
[Traun] im Quelle der Horen [wird dir] gebadet es [dünken!]
Komm nun her, Kissätha! Du melke sie! [Aber] ihr [Ziegen,
Nicht so herum mir gehüpft, daß nicht] der Bock euch [bezahle!] *Vo²*

II. DIE ZAUBERIN

(Vgl. »Nachträge« S. 570)

Benutzte Textvorlagen: Bin, Vo², Mö

BEARBEITUNGSANALYSE

1–3:   Auf! wo hast du den Trank? wo, Thestylis, hast du die Lorbern?
Komm, und wind' um den Becher die purpurne Blume [der Wolle,]
Daß ich den [Liebling,] der grausam mich quält, [durch Zauber]
                                   beschwöre! *Bin*
[Bringe mir rasch Buhlzauber, o Thestylis! bringe mir] Lorbern!
Wind' um den [Opferpokal] die purpurne Blume des Schafes!
Daß ich [meinen Geliebten,] der [hart] mich quälet, beschwöre: *Vo²*
Auf! wo hast du den Trank? wo, Thestylis, hast du die Lorbeern?
Komm, und wind' um den Becher die purpurne Blume des Schafes!
Daß ich den Liebsten, der grausam mich quält, [durch Zauber] beschwöre. *Mö*

4–9:   Ach! zwölf Tage sind's schon, seitdem mir der Bösewicht [weg ist;]
Seit er nicht weiß, ob am Leben [ich sei, ob lange] gestorben;
[Seit er nicht ungestüm] mehr an [meine] Thüre [gestürmet.
Sicher] lockt' ihm [zu andern den Flattersinn] Eros und Kypris.
[Morgen mach'] ich [mich auf nach] Timagetos Palästra,
Daß ich ihn [einmal nur] seh, und [wie] er mich [quälet,] ihn [schelte.] *Bin*
[Der] mir schon zwölf Tage, [der Elende! nimmer erscheinet,
Und] nicht weiß, ob [todt] wir [bereits sind,] oder [noch lebend,]
Nie an der Thür' [auch] lermte, der [Leidige!] Anderswohin [traun!
Lenkte sein Herz] ihm Eros, [dem Flatterer! und Afrodita!
Hingehn werd'] ich [am Morgen] zu Timagetos [dem Ringer,
Jenen zu schaun, und zu rügen mit Vorwurf,] was er mir anthut! *Vo²*
Ach! zwölf Tage schon sind's, seitdem mir der Bösewicht [weg ist,]
Seit er fürwahr nicht weiß, ob am Leben wir oder gestorben,
[Gar nicht] mehr an der Thüre mir lärmte, der [Leidige! Sicher]
Lockte den [Flattersinn] anderswohin ihm Eros und Kypris.
[Morgen doch mach'] ich [mich auf nach] Timagetos' Palästra,
Daß ich ihn [einmal nur] seh', und [wie] er mich [quälet,] ihn [schelte.] *Mö*

10–13:   Jetzo beschwör' ihn [mein Zaubergesang.] – O leuchte, Selene,
[Lieblich!] ich rufe zu dir in leisen Gesängen, o Göttinn,
[Und] zu [der] Stygischen Hekate [Thron,] des Schreckens der Hunde,
[Wenn] sie durch [Gräber] der Todten und [blutige Leichen] einhergeht. *Bin*

Jezo beschwör' ich ihn [in Beschwörungen! Auf denn,] Selene,
Leuchte [mir schön;] dir [heb'] ich, o [Himmlische,] leisen Gesang [an!
Drunten der] Hekate auch, [die winselnde] Hunde [verscheucht,]
Wann durch Grüfte der Todten und dunkeles Blut sie einhergeht! *Vo²*
Jetzo beschwör' ihn [mein Zaubergesang.] O leuchte, Selene,
Hold! Ich rufe zu dir in leisen Gesängen, o Göttin!
Rufe zur Stygischen Hekate auch, dem Schrecken der Hunde,
Wann durch Grüfte der Todten und dunkeles Blut sie einhergeht. *Mö*

14–17: [Sei mir,] schreckliche Hekate, [hold,] und hilf mir vollbringen!
Laß [den Zauber noch kräftiger] seyn, als [jenen] der Kirke,
Als Perimedens der blonden, und [als die Künste] Medeias!
    Rolle, Kreisel, mir wieder [zurück zu] dem Hause den Jüngling! *Bin*
Hekate, Heil! [Graunvolle! Sei uns bis zum Ende Gesellin;
Kräftige hier den Zauber] nicht [weniger,] als Perimede's,
Als der Kirke [Gemisch,] und [als] der blonden Medeia!
    Zieh, [umrollender] Kreisel, den [Mann] mir [zurück] in [die Woh-
                                          nung!] *Vo²*
Hekate! Heil! du Schreckliche! komm und hilf mir vollbringen!
Laß [den Zauber noch kräftiger] seyn, als [jenen] der Kirke,
Als Perimedens, der blonden, und [als die Künste] Medeia's!
    Rolle, Kreisel, mir wieder [zurück zu] dem Hause den Jüngling! *Mö*

18–22: [Sieh, das] Mehl verzehret [die Gluth: o] Thestylis, streue
[Neues darauf!] Wo ist dein Verstand, du Thörinn, geblieben?
[Bübinn,] bin ich [sogar] auch dir zum Spotte geworden?
Streue [das Salz] und [sprich:] ich streue [des] Delphis Gebeine!
    Rolle, Kreisel, mir wieder [zurück zu] dem Hause den Jüngling! *Bin*
[Schrot] muß erst in der Flamme verzehrt sein! [Auf denn,] gestreut,
Thestylis! [Unglücksdirne, wohin doch entflog der] Verstand [dir!]
Bin ich vielleicht, [Unholdin,] auch dir [ein Gelächter] geworden?
Streu, und sage dazu: Hier streu' ich Delfis Gebeine!
    Zieh, [umrollender] Kreisel, [den Mann] mir [zurück] in [die Woh-
                                          nung!] *Vo²*
Mehl muß erst in der Flamme verzehrt seyn! Thestylis, hurtig,
Streue mir doch! wo ist dein Verstand, du Thörin, geblieben?
[Bübin du,] bin ich [sogar] auch dir zum Spotte geworden?
Streu', und sage dazu: Hier streu' ich Delphis' Gebeine!
    Rolle, Kreisel, mir wieder [zurück zu] dem Hause den Jüngling! *Mö*

23–27: Delphis [der] hat mich gequält; [nun will] ich [für] Delphis den Lorber
[Jetzt] verbrennen, wie [der, vom Feuer geglühet, zerknistert,

Schnell sich verzehrt,] und nicht [einmal Spur von] Asche zurückläßt,
Also [möge] des Delphis [Gebein] in [Flammen zerstäuben!]

    Rolle, Kreisel, mir wieder [zurück zu] dem Hause den Jüngling! *Bin*
Mich hat Delfis gequält: ich [will] auf Delfis den Lorber
[Brennen.] Wie jezo das Reis mit lautem [Gekrach] sich entzündet,
Plözlich sodann aufflammt, [daß] selbst nicht Asche [gesehn wird:]
Also müss' [auch] Delfis das Fleisch in der Lohe verstäuben!

    Zieh, [umrollender] Kreisel, [den Mann] mir [zurück] in [die Woh-
                            nung!] *Vo²*
Mich quält Delphis, [und drum] verbrenn' ich auf Delphis den Lorbeer.
Wie sich jetzo das Reis mit lautem Geknatter entzündet,
Plötzlich sodann aufflammt und selbst nicht Asche zurückläßt,
Also müsse dem Delphis das Fleisch in der Lohe verstäuben!

    Rolle, Kreisel, mir wieder [zurück zu] dem Hause den Jüngling! *Mö*
28–32: Wie ich schmelze dieß wächserne Bild mit Hülfe der Gottheit,
Also schmelze vor Liebe sogleich der Myndier Delphis;
Und wie [Kypriens Macht] die eherne [Scheibe beflügelt]
Also [flügle] sich jener [zurück zu der Liebenden Thüre!]

    Rolle, Kreisel, mir wieder [zurück zu] dem Hause den Jüngling! *Bin*
Wie dies wächserne Bild ich schmelze mit [waltender] Gottheit,
Also schmelz' [in] Liebe der Myndier Delfis sogleich [hin!]
Und wie die eherne Rolle sich umdreht durch Afrodita,
Also drehe sich jener herum [an] unserer Pforte!

    Zieh, [umrollender] Kreisel, [den Mann] mir [zurück] in [die Woh-
                            nung!] *Vo²*
Wie ich schmelze dieß wächserne Bild mit Hülfe der Gottheit,
Also schmelze vor Liebe sogleich der Myndier Delphis;
Und wie die eherne Rolle sich umdreht durch Aphrodita,
Also drehe sich jener herum [an] unserer Pforte.

    Rolle, Kreisel, mir wieder [zurück zu] dem Hause den Jüngling! *Mö*
33–37: [Nun] die Kleie [verbrannt!] – Du, Artemis [könntest] ja selber
[Jenen] eisernen [Mann] im [Hades] und Felsen [bewegen.]
Thestylis, horch! [es bellen umher] in [den Gassen] die Hunde.
[Sicher ist dort] die Göttinn im [Kreuzweg: hurtig die Cymbel!]

    Rolle, Kreisel, mir wieder [zurück zu] dem Hause den Jüngling! *Bin*
Jezt mit der Kleie gedampft! Dir, Artemis, [weicht in dem [Hades]
Selbst [diamantene Kraft, und was noch sonst unverrückt] starrt.
Thestylis, horch, in der Stadt heult [Hundegeheul! O] die Göttin
[Tritt] in den Dreiweg [ein! Auf, auf! mit dem Erze geläutet!]

Zieh, [umrollender] Kreisel, [den Mann] mir [zurück] in [die Wohnung!] *Vo²*

Jezt mit der Kleie gedampft! – Du, Artemis, [könntest] ja selber
[Jenen] eisernen [Mann] im [Hades,] und Felsen [bewegen.]
– Thestylis, horch, in der Stadt wie die Hunde heulen! Im Dreiweg
Wandelt die Göttin! Geschwind laß tönen das eherne Becken!

Rolle, Kreisel, mir wieder [zurück zu] dem Hause den Jüngling! *Mö*

38–42: Sieh, [es] schweigen [die Wellen] des Meers und es schweigen die Winde.
Aber es schweigt [doch nie] in [meinem] Busen der [Kummer.]
Glühend vergeh ich für den, der, statt zur Gattinn, mich Arme
Ha! zur Buhlerinn macht', und der mir die Blume gebrochen.

Rolle, Kreisel, mir wieder [zurück zu] dem Hause den Jüngling! *Bin*

[Schaue doch!] Still nun [ruhet] das Meer, [still ruhen] die Winde!
Mir [nur ruhet er] nicht im innersten Busen, der Jammer!
[Ganz in Glut] für [jenen zerloder' ich, welcher] mich Arme
Statt der Gattin gemacht zur [ausgeschändeten Jungfrau!]

Zieh, [umrollender] Kreisel, [den Mann] mir [zurück] in [die Wohnung!] *Vo²*

– Siehe! wie still! Nun schweiget das Meer und es schweigen die Winde,
Aber es schweiget mir nicht im innersten Busen der Jammer!
Glühend vergeh' ich für den, der, statt zur Gattin, mich Arme
Ha! zur Buhlerin macht' und mir die Blume gebrochen.

Rolle, Kreisel, mir wieder [zurück zu] dem Hause den Jüngling! *Mö*

43–47: Dreimal [gieß'] ich den Trank, und dreimal ruf' ich, [o Göttinn:]
Mag ein Mädchen ihm jetzt, ein Jüngling ihm liegen zur Seite,
[O so werd' er vergessen,] wie [vormals] Theseus [auf] Dia,
[Nach der Sage,] vergaß Ariadnen, die reizendgelockte!

Rolle, Kreisel, mir wieder [zurück zu] dem Hause den Jüngling! *Bin*

Dreimal spreng' ich des Tranks, und dreimal, Herliche, ruf' ich:
[Ob ihn eine Geliebte beselige, ob ein Geliebter;
Schnell betäube das Herz] ihm Vergessenheit, [so] wie in Dia
Theseus, sagt [man,] vergaß [der lockigen Braut] Ariadne!

Zieh, [umrollender] Kreisel, [den Mann] mir [zurück] in [die Wohnung!] *Vo²*

Dreimal spreng' ich des Tranks, und dreimal, Herrliche, ruf' ich:
Mag ein Mädchen ihm jezt, ein Jüngling ihm liegen zur Seite,
Plötzlich ergreife Vergessenheit ihn, wie sie sagen, daß Theseus
Einst in Dia vergaß Ariadne, die [zierlichgelockte!]

Rolle, Kreisel, mir wieder [zurück zu] dem Hause den Jüngling! *Mö*

48–52: Roßwuth ist ein Gewächs in Arkadien; kosten's die Füllen,
[Kosten's] die flüchtigen Stuten, so rasen sie wild im Gebirge;
Also möcht' ich den Delphis hieher zu dem Hause sich stürzen
Sehen, den Rasenden gleich, aus dem schimmernden Hof der Palästra!
    Rolle, Kreisel, mir wieder [zurück zu] dem Hause den Jüngling! *Bin*
[Fern] in Arkadia [wächst Hippomanes, welches] die Füllen
[Alle zur Wut auf den Bergen und hurtige] Stuten [entflammet.
Schauet' ich so auch Delfis, und stürmt' er daher in die Wohnung,
Einem] Rasenden gleich, aus dem schimmernden Hofe [der Ringer!]
    Zieh, [umrollender] Kreisel, [den Mann] mir [zurück in die Woh-
        nung!] *Vo²*
Roßwuth ist ein Gewächs in Arkadien, kosten's die Füllen,
[Kosten's] die flüchtigen Stuten, so rasen sie wild im Gebirge.
Also möcht' ich den Delphis hieher zu dem Hause sich stürzen
Sehen, dem Rasenden gleich, aus dem schimmernden Hof der Palästra!
    Rolle, Kreisel, mir wieder [zurück zu] dem Hause den Jüngling!
        Mö

53–57: Dieses Stückchen vom Saum hat Delphis [vom] Kleide verloren;
[Jetzo] zerpflück' ich's und [geb']s den [wilden] Flammen [zur Speise.
Ach] unselige [Liebe, was] hängst du wie [Igel] des Sumpfes
Mir am [Herzen,] und saugest mir all mein purpurnes Blut aus?
    Rolle, Kreisel, mir wieder [zurück zu] dem Hause den Jüngling! *Bin*
Dieser [Streif der Verbrämung entsank dem Gewande des Delfis;
Jezo werd' er zerrauft, und geschnellt] in die [stürmische] Flamme!
Wehe [mir! tückischer] Eros, [wie hast du das] Blut [aus den Adern,
Angeschmiegt,] wie ein Egel des Sumpfs, mir alles [gesogen!]
    Zieh, [umrollender] Kreisel, [den Mann] mir [zurück] in [die Woh-
        nung!] *Vo²*
Dieses Stückchen vom Saum hat Delphis am Kleide verloren;
[Nun] zerpflück' ich's und werf' es hinein in die gierige Flamme.
Weh! unselige [Liebe, was] hängst du wie [Igel] des Sumpfes
Mir am [Herzen] und saugest mir all mein purpurnes Blut aus!
    Rolle, Kreisel, mir wieder [zurück zu] dem Hause den Jüngling! *Mö*

58–63: Einen Molch zerstampf' ich und bringe dir morgen den Gifttrank.
Thestylis, nimm [den giftigen Saft,] und [besprütze] die Schwelle
Jenes Verräthers damit! Ach! [angekettet] an diese
Ist noch immer mein Herz, doch er hat meiner vergessen.
Geh, [spuck' aus und sprich:] ich [besprütze des] Delphis Gebeine.
    Rolle, Kreisel, mir wieder [zurück zu] dem Hause den Jüngling! *Bin*

Morgen [zerreib' ich den] Molch, und bringe dir [schlimmes Getränk dar,]
Thestylis. [Jezo empfah] dies [Blumengerank,] und bestreich' [ihm
Unten] die Schwelle damit, [die obere, wo mir] noch [jezo]
Fest [anhaftet das] Herz; doch [achtet] er meiner [so gar nichts!]
Sage [dann, spüzend] darauf: Hier streich' ich Delfis Gebeine!

Zieh, [umrollender] Kreisel, [den Mann] mir [zurück] in [die Wohnung!] *Vo*²
Einen Molch zerstampf' ich, und bringe dir morgen den Gifttrank!
Thestylis, nimm [die] Kräuter, bestreiche die [obere] Schwelle
Jenes Verräthers damit! Ach, [angekettet] an diese
Ist noch immer mein Herz, doch er hat meiner vergessen!
Geh, sag', spuckend darauf: Ich [bestreiche des] Delphis Gebeine!

Rolle, Kreisel, mir wieder [zurück zu] dem Hause den Jüngling! *Mö*

64–69: Jetzo bin ich allein. – Wie soll ich die Liebe beweinen?
Was bejammr' ich zuerst? Woher [dieß schreckliche] Elend?
Eubulos Tochter Anaxo [betrat mit heiligem Korbe
Unsrer] Artemis Hain; dort wurden im festlichen [Pompe]
Viele Thiere geführt, [und unter den Thieren ein Löwe.]

Sieh, o Göttinn, Selene, woher mir die Liebe gekommen! *Bin*
[Nun] allein [und verlassen, woher] bewein' ich die Liebe?
[Welches] zuerst [wehklag' ich? Wer schuf dies Jammergeschick mir?]
Als Korbträgerin ging Eubulos Tochter Anaxo
[Uns] in [der] Artemis Hain; dort führten [sie andres Gewildes]
Viel in [dem Zug ringsher,] auch eine [gewaltige] Löwin.

[Denke,] woher die Liebe mir [nahete, hohe] Selene! *Vo*²
Jetzo bin ich allein. – Wie soll ich die Liebe beweinen?
Was bejammr' ich zuerst? Woher kommt alle mein Elend?
Als Korbträgerin ging Eubulos' Tochter Anaxo
[Damals] in Artemis' Hain; dort wurden in festlichem [Zuge]
Viele Thiere geführt, auch eine [gewaltige] Löwin.

Sieh', o Göttin Selene, woher mir die Liebe gekommen! *Mö*

70–75: Und [Theucharilas] Amme, [die] selige [Thrakerinn die uns]
Nächste Nachbarinn [war, die] bat und beschwor mich, [den Aufzug
Doch] mit [anzusehn; ich Unglückstochter, ich folgt' ihr;
Nieder wallte mein Kleid, ein schönes, aus Byssos gewebtes,
Und mich schmückte dazu Klearista's farbige Xystis.]

Sieh, o Göttinn, Selene, woher mir die Liebe gekommen! *Bin*
[Auch] die thrakische Amme [Theucharila,] (ruhe sie selig!)
[Damals] unserer [Thür' Anwohnerin,] bat und beschwur mich,
[Anzuschauen] den Zug: und ich [unseliges] Mädchen

[Folgte,] schön nachschleppend [ein Kleid von feurigem Byssos,
Prachtvoll drüber gehüllt das] Mäntelchen [von] Klearista.
   [Denke,] woher die Liebe mir [nahete, hohe] Selene! *Vo²*
[Aber] die Thrakische Amme [Teucharila,] (ruhe sie selig!)
[Welche zunächst uns] Nachbarin [war,] sie bat und beschwor mich,
[Anzuschauen] den Zug, und ich unglückliches Mädchen
[Folgte,] schön nachschleppend [ein Kleid von feurigem Byssos,
Und darüber gehüllt das] Mäntelchen [von] Klearista.
   Sieh', o Göttin Selene, woher mir die Liebe gekommen! *Mö*

76–81: [Und] schon [ging ich die mittelste Straße, wo] Lykon [sein] Haus [hat,
Ach! da] sah ich zugleich mit Eudamippos [den] Delphis,
[Ihnen lockte sich] blonder [als gelbe Narcissen das Milchhaar,
Weißer] glänzte die Brust, als [deine Schimmer,] Selene,
Wie sie [kehrten so] eben vom rühmlichen [Kampfe der Rennbahn.]
   Sieh, o Göttinn, Selene, woher mir die Liebe gekommen! *Bin*
Schon beinah um die Mitte des Wegs, am [Palaste] des Lykon,
Sah ich Delfis zugleich [und] Eudamippos einhergehn.
Jugendlich [sproßt' ihr] Kinn, wie die goldene Blum' Helichrysos;
Beiden auch glänzte die Brust weit herlicher, als du Selene,
[So] wie sie eben [gekehrt] von [der Ringschul' edeler Arbeit.
   Denke,] woher die Liebe mir [nahete, hohe] Selene! *Vo²*
Schon beinah' um die Mitte des Wegs, am [Palaste] des Lykon,
Sah ich [den] Delphis zugleich mit Eudamippos einhergehn.
Jugendlich [sproßt' ihr] Kinn, wie die goldene Blum' Helichrysos,
[Weißer noch] glänzte die Brust, [als deine Schimmer,] Selene,
Wie sie [nur] eben [gekehrt] vom [herrlichen Kampfe der Ringer.]
   Sieh', o Göttin Selene, woher mir die Liebe gekommen! *Mö*

82–87: [Sehn und entflammen war Eins, und die Seele der Armen] erkrankte,
[Meine Schönheit verging und des Aufzugs hatt' ich vergessen:]
Wie ich nach Hause gekommen, [das] weiß ich [nimmer zu sagen:
Mir verzehrte das Gift des] brennenden Fiebers [die Kräfte,]
Und ich lag zehn Tage zu Bett, zehn Nächte [nicht minder.]
   Sieh, o Göttinn, Selene, woher mir die Liebe gekommen! *Bin*
[O] wie [ich sah, wie ich tobte! wie schwang sich im Wirbel der Geist mir
Elenden! Ach die Reize verblüheten: nicht des Gepränges
Achtet' ich dort annoch; selbst] nicht, wie [zu] Haus' ich gekommen,
Weiß ich: [sondern mich hatt'] ein brennendes Fieber [verödet:]
Zehn [der] Tag' [auf dem Lager, und] zehn [der] Nächte verseufzt' ich!
   [Denke,] woher die Liebe mir [nahete, hohe] Selene! *Vo²*

[O] wie [ich sah, wie ich tobte! wie schwang sich im Wirbel der Geist mir
Elenden! Ach die Reize verblüheten; nicht auf den Festzug
Achtet' ich mehr; auch] wie ich nach Hause gekommen, ich weiß [es]
Nicht; ein brennendes Fieber [zerstörte mir] Sinn [und Gedanken.]
Und ich lag zehn Tage zu Bett, zehn Nächte verseufzt' ich.
    Sieh', o Göttin Selene, woher mir die Liebe gekommen! *Mö*

88–93: Ach! [da] ward mir die Farbe [der Haut,] wie Thapsos so [bleichgelb,
Meine Locken entflossen dem] Haupt, [mein übriger Körper
War] nur [Knochen] und Haut: [wo hätt' ich ein Haus nicht besuchet?]
Wo [ein Weib, das Beschwörung versteht, zu fragen] vergessen?
Lindrung [spürt' ich] nicht, und [fliehend] eilte die Zeit [fort.]
    Sieh, o Göttinn, Selene, woher mir die Liebe gekommen! *Bin*
[Und] mir ward so völlig die Farb', [als gilbender] Thapsos:
[Auch] die Haare vom Haupt [entschwanden] mir: [übrig zulezt war]
Haut nur noch und [Gebein. Bei] wem [nicht sucht'] ich [Genesung?
Welches] Mütterchens [Haus, das Beschwörungen kannte, versäumt' ich?
Doch] ward [nichts] mir [gehoben;] die Zeit nur [enteilete fliehend.
    Denke,] woher die Liebe mir [nahete, hohe] Selene! *Vo²*
[Ja] schon ward mir die Farbe [der Haut] wie Thapsos so [bleichgelb,]
Und mir schwanden die Haare vom Haupt, die ganze Gestalt [war]
Haut nur noch und [Gebein. Wo hätt' ich ein Haus nicht besuchet?]
Wo [ein Weib, das Beschwörung versteht, zu fragen] vergessen?
[Aber Alles umsonst, und sündlich verlor ich die Tage.]
    Sieh', o Göttin Selene, woher mir die Liebe gekommen! *Mö*

94–99: Meiner Sklavinn gestand ich [am Ende] die Wahrheit und sagte:
Thestylis, schaffe mir Rath für [meine schreckliche Krankheit:
Ganz] besitzt mich Arme der Myndier. – Geh doch und [laure
Meinen Delphis itzt auf] bei Timagetos Palästra:
Dorthin [gehet] er oft, dort pflegt er gerne zu [weilen.]
    Sieh, o Göttinn, Selene, woher mir die Liebe gekommen! *Bin*
[Und so redet' ich] endlich [zur Dienerin lautere Worte:
Auf nun,] Thestylis, [finde] mir Rath für [die peinliche Krankheit.
Ganz beherscht] mich [Verlorne] der Myndier. [Aber o] gehe,
Ihn [zu erspähn, dorthin zu Timagetos dem Ringer;
Denn da lernet er Kunst, da liebet er auch] zu verweilen.
    [Denke,] woher die Liebe mir [nahete, hohe] Selene! *Vo²*
Meiner Sklavin gestand ich [am Ende] die Wahrheit und sagte:
»Thestylis, schaffe mir Rath für dieß unerträgliche Leiden:
[Ganz] besizt mich Arme der Myndier. – Geh doch und suche

Ihn [zu erspähen einmal] bei Timagetos' Palästra;
Dorthin wandelt er oft, dort pfleget er gerne zu [weilen.«]
　　Sieh', o Göttin Selene, woher mir die Liebe gekommen! *Mö*

100–105: [Merkst du dort] ihn allein; [so] wink' ihm verstohlen, [und] sage:
[Lieber, es läßt] Simaitha dich [rufen,] und [führ'] ihn [hieher dann!]
Also [sagt'] ich; sie ging und [führte] den [blendenden] Jüngling,
[Führte] den Delphis [zu] mir: [doch als ich den kommenden hörte,]
Wie [sein schwebender] Fuß [itzt über die Schwelle] der Thür [sprang,]
　　(Sieh, o Göttinn, Selene, woher mir die Liebe gekommen!) *Bin*
Und sobald du allein ihn [antrifst,] winke verstohlen;
Sag' ihm dann: Simätha begehrt dich zu sprechen! und bring' ihn.
Also sprach ich; sie ging, und brachte den glänzenden Jüngling
Mir in das Haus, den Delfis: [Allein] wie ich [eben] ihn sahe
[Über die Schwelle] der Thüre [mit] leichterem Fuße sich schwingen:
　　([Denke,] woher die Liebe mir [nahete, hohe] Selene!) *Vo²*
»Und sobald du allein ihn [antriffst,] winke verstohlen,
Sag' ihm dann: Simätha begehrt dich zu sprechen! und bring' ihn.« –
Also sprach ich; sie ging, und brachte den glänzenden Jüngling
Mir in das Haus, den Delphis. So wie ich ihn aber mit Augen
Sah, wie er leichten Fußes herein sich schwang zu der Thüre,
　　(Sieh', o Göttin Selene, woher mir die Liebe gekommen!) *Mö*

106–111: [O da starrt' ich noch kälter als] Schnee, mir [troff] von der Stirne
[Ängstlicher] Schweiß, [gleich perlendem] Thau, [ich konnte nicht sprechen,]
Nicht so viel [als] im Schlaf ein [Kind] lallt, [wenn es] der Mutter
[Busen] verlangt; [ich versteint',] und [am] ganzen [Körper der Bleichen]
Ward [die liebliche Haut] wie [ein wächsernes Bild so gefühllos.]
　　Sieh, o Göttinn, Selene, woher mir die Liebe gekommen! *Bin*
Ganz [nun, mehr] wie der Schnee, [erkaltet' ich;] und von der Stirne
[Tröpfelte nieder] der Schweiß, [gleich rinnendem] Thaue [des Morgens.]
Keinen [Laut auch zwang ich] hervor, [selbst] nicht wie im Schlafe
Wimmernden [Laut aufstöhnen zur] lieben Mutter [die Kindlein;]
Starr wie [ein Püppchen von Wachs war rings] der blühende Leib mir.
　　[Denke,] woher die Liebe mir [nahete, hohe] Selene! *Vo²*
Ganz kalt ward ich [mit Eins,] wie der Schnee, mir [troff] von der Stirne
[Angstvoll nieder] der Schweiß, wie rieselnder Thau in der Frühe;
Kein Wort bracht' ich hervor, auch nicht so viel [als] im Schlafe
Wimmernden [Laut aufstöhnen zur] lieben Mutter [die Kindlein;]
Starr wie [ein wächsernes Bild war rings] der blühende Leib mir.
　　Sieh', o Göttin Selene, woher mir die Liebe gekommen! *Mö*

112–117: Als der Verräther mich sah, da schlug er die Augen zur [Erde.]

Setzt' auf [den Sessel] sich [nieder,] und sitzend [begann er zu sprechen:

»Daß] du [jetzt] in [dein] Haus mich geladen, noch eh ich von selber

Kam, [da] bist du so [sehr] mir zuvorgekommen, Simaitha,

[Als] ich neulich im Lauf dem schönen Philinos zuvorkam.«

Sieh, o Göttinn, Selene, woher mir die Liebe gekommen! *Bin*

Als mich gesehn [der Verstockte; den Blick] zur [Erde gesenket,]

Sezt' [er] sich hin auf das Lager, und redete sizend die Worte:

[Traun,] mir [eiltest du vor nicht weniger, als ich, Simätha,]

Neulich im Lauf [voreilte] dem [anmutsvollen] Filinos,

[Da] du in [deine Behausung] mich [nöthigtest,] eh ich [daherkam.

Denke,] woher die Liebe mir [nahete, hohe] Selene! *Vo²*

Als der Verräther mich sah, da schlug er die Augen zur [Erde,]

Sezte sich hin auf das Lager, und sitzend [begann er zu sprechen:

»Daß] du [jezt] in [dein] Haus mich geladen, noch eh' ich von selber

Kam, [da] bist du so [sehr] mir zuvorgekommen, Simätha,

[Als] ich neulich im Lauf dem schönen Philinos zuvorkam.«

Sieh', o Göttin Selene, woher mir die Liebe gekommen! *Mö*

118–123: »Bei [der Süße der Lieb',] ich wär', ich wäre [gekommen,

Selbst als dritter und vierter Geliebter, gekommen zur Nachtzeit!

Hätt'] im Busen [für dich] Dionysos Äpfel getragen,

[Hätte mein Haar bekränzt mit] Herakles heiliger Pappel,

Und [die Blätter ringsum] mit [purpurnen] Bändern durchflochten.«

Sieh, o Göttinn, Selene, woher mir die Liebe gekommen! *Bin*

[Selbst auch] wär' ich [gekommen,] ja [trautester] Eros! [gekommen,

Samt] drei Freunden bis [vier, dein] Liebender, [gleich] in der Dämm-

rung,

Tragend die goldenen Äpfel des Dionysos im Busen,

Und [auf dem Haupt Weißpappel, den] heiligen [Sproß des] Herakles,

[Ringsumher durchwunden] mit purpurfarbigen Bändern.

[Denke,] woher die Liebe mir [nahete, hohe] Selene! *Vo²*

»Ja, beim lieblichen Eros, ich wär', ich wäre [gekommen,

Samt] drei Freunden bis [vier,] in der Dämmerung, liebenden Herzens;

Tragend die goldenen Äpfel des Dionysos im Busen,

Und [die Haare bekränzt mit] Herakles' heiliger Pappel,

[Ringsumher] durchflochten mit purpurfarbigen Bändern.«

Sieh', o Göttin Selene, woher mir die Liebe gekommen! *Mö*

124–129: [»Ließet ihr dann mich hinein, wie glücklich wär' ich gewesen!

Unter den] Jünglingen allen da heiß' ich der schöne, der leichte:

Doch mich [hätte befriedigt ein Kuß von] dem reizenden Munde:
[Hättet ihr Delphis verstoßen] und [hättet die Thür ihm verriegelt,]
Sicher [wären] zu euch dann [Beil'] und Fackeln gekommen.«
     Sieh, o Göttinn, Selene, woher mir die Liebe gekommen! *Bin*
[Hättet ihr wohl mich] empfangen; o Seligkeit! [Denn ein gewandter
Werd' ich genannt, und ein] schöner, bei unseren Jünglingen allen.
[Gute Nacht, wenn ich einzig] den [lieblichen] Mund dir geküsset.
[Hättet] ihr, mich abweisend, die Pforte [gesperrt] mit dem Riegel:
Sicherlich kamen zu euch [Streitäxt'] und brennende Fackeln.
     [Denke,] woher die Liebe mir [nahete, hohe] Selene! *Vo²*
»Ward ich dann freundlich empfangen, [was konnte mich glücklicher
                            machen?
Unter den] Jünglingen allen da heiß' ich der schöne, der leichte,
Doch mich [hätte befriedigt ein Kuß von] dem reizenden Munde.
Aber [hättet ihr Delphis verstoßen, die Thüre verriegelt,]
Sicherlich [wären] dann Äxte [bei] euch und Fackeln [erschienen.«]
     Sieh', o Göttin Selene, woher mir die Liebe gekommen! *Mö*

130–135: »Jetzo gebühret zuerst mein Dank der [Göttinn von Kypros,
Und nach dieser] hast du mich, o Mädchen, [den Flammen] entrissen,
[Als du den] halbverbrannten [zu deinem Hause geladen.
Heißere Flammen entzündet der Gott der Liebe wol] öfters,
Als Hephaistos selbst in [den Feueressen] Lipara's.«
     Sieh, o Göttinn, Selene, woher mir die Liebe gekommen! *Bin*
Dank [nun, Dank bekenn' ich] zuerst der erhabenen Kypris
[Schuldig zu sein;] nächst [Kypris entraftest] mich Du [aus] dem Feuer,
Süßes [Weib, mich herein] in [dies] dein Kämmerchen [ladend,
Mich] schon halb [versengten;] denn Eros [zündet ja wahrlich]
Oft [noch entflammtere] Glut, [wie der Liparäer] Hefästos
     [Denke,] woher die Liebe mir [nahete, hohe] Selene! *Vo²*
»Jetzo gebühret zuerst mein Dank der erhabenen Kypris,
[Und] nächst [dieser] hast du mich, o Mädchen, [den Flammen] entrissen,
[Wie] du [den] halbverbrannten in [dieß] dein Kämmerchen riefest;
[Ach,] denn Eros [weiß ja] fürwahr oft wildere Gluthen
[Anzufachen,] als selber [der Liparäer] Hephästos.«
     Sieh', o Göttin Selene, woher mir die Liebe gekommen! *Mö*

136–141: »Jungfraun treibt sein wüthender Brand aus [der] einsamen Kammer,
Frauen empor aus dem Bett, das vom Schlummer des Gatten noch
                            warm ist.«
[So sprach kosend] der Jüngling, und ich, zu [leicht überredet,]

Faßte [des Liebenden] Hand und sank aufs schwellende [Ruhbett.]
Bald [erwarmte nun Brust] an [Brust, die bebenden Wangen
Röthete heißere Gluth, und süßes] Flüstern [umflog uns;] *Bin*
[Er mit verderblicher Wut hat die] Jungfrau [selbst] aus [der] Kammer,
[Auch die Vermählte gescheucht,] das Bette noch warm [zu verlassen,
Ihres Gemahls! – So sprach er;] und ich [schnellgläubige] faßt' ihm
Leise die Hand, und [beugt' ihn herab zum] schwellenden Polster.
Bald ward Leib an Leib wie in Wonne gelöst, und das Antliz
Glühete mehr denn zuvor, und wir flüsterten hold mit einander. *Vo²*
»Jungfraun treibt [er, ein] wüthender [Dämon,] aus einsamer [Zelle,]
Frauen empor aus dem Bett, das vom Schlummer des Gatten noch
                    warm ist!«
Also sagte der Jüngling, und ich [Schnellgläubige] faßt' ihm
Leise die Hand und [beugt' ihn herab zum] schwellenden Polster.
Bald ward Leib an Leib wie in Wonne gelös't, und das Antlitz
Glühete mehr denn zuvor, und wir flüsterten hold miteinander. *Mö*

142–148: [Und damit] ich dir nicht zu lange [schwatze,] Selene,
[Ja, wir kamen zum Ziel und löschten] beide die [Flamme.]
Ach! kein Vorwurf hat mich von ihm, bis [neulich,] betrübet,
Ihn auch keiner von mir; [da] kam die Mutter [von] meiner
[Trautesten] Flötenspielerinn heut, [die Mutter] Melixo's,
[Als der Wagen der Sonne so] eben am Himmel [heraufstieg,]
Aus dem Ocean [tragend] die rosenarmige Eos, *Bin*
Daß ich nicht zu lange dir plaudere, liebe Selene;
Siehe, geschehn war die That, und wir stilleten beide die Sehnsucht.
[Nie ward] mir von [jenem ein] Vorwurf, [ehe denn] gestern,
[Noch] ihm [einer] von mir. Nun kam zum Besuche die Mutter
Meiner [guten] Filista, der [Flöterin,] und der Melixo,
Heute, [sobald] am Himmel [empor] sich schwangen die Rosse,
[Von] dem Okeanos [tragend] die rosenarmige Eos. *Vo²*
Daß ich nicht zu lange dir plaudere, liebe Selene:
Siehe, geschehn war die That, und wir stilleten beide die Sehnsucht.
Ach, kein Vorwurf hat mich von ihm, bis [neulich,] betrübet,
Ihn auch keiner von mir; nun kam zu Besuch mir die Mutter
Meiner Philista, der Flötenspielerin, und der Melixo,
Heute, wie eben am Himmel herauf sich schwangen die Rosse,
Aus dem Okeanos führend die rosenarmige Eos; *Mö*

149–154: Und erzählte mir vieles, auch daß mein Delphis verliebt sei.
Ob ein Mädchen ihn aber gefesselt, [oder] ein Jüngling,

391

Wußte sie nicht; nur [wußte sie,] daß er den Becher [der Liebe
Stets bis oben] gefüllt, [und am Ende treulos entflohn sei;
Daß] er mit Kränzen das Haus [des Geliebten zu] schmücken [ver-
                                            sprochen.]
Dieses hat mir die Freundinn erzählt, und sie redet die Wahrheit. *Bin*
Und viel [anderes sagte] sie mir, [und wie] Delfis verliebt sei.
Aber ob jezt ein Mädchen ihn fessele, [oder] ein Jüngling,
Wußte sie nicht [so genau; dies eine] nur: Lauteren Wein [stets
Schenkt' er] für Eros sich [ein, und zulezt fort wandelt' er hastig,
Da er verhieß,] mit Kränzen [ihm] dort [zu behängen die Wohnung.]
Dieses [that] die Freundin mir [kund;] und [die Freundin ist wahr-
                                            haft.] *Vo²*

Und sie erzählte mir Vieles, auch daß mein Delphis verliebt sey.
Ob ein Mädchen ihn aber gefesselt, [oder] ein Jüngling,
Wußte sie nicht; nur, daß er mit lauterem Wein sich den Becher
Immer für Eros gefüllt, daß er endlich in Eile gegangen,
[Daß er] gesagt, er wolle das Haus dort schmücken mit Kränzen.
Dieses hat mir die Freundin [vertraut,] und [die Freundin ist wahrhaft.]
                                            Mö

155–160: Dreimal kam er [wol sonst] und viermal, mich zu besuchen,
[Ließ so] oft [schon stehen] bei mir [den] Dorischen [Ölkrug:]
Und zwölf Tage sind's nun, seitdem ich ihn [gar nicht] gesehen.
Hat er nicht anderswo [sicher was Liebes,] und [denkt an] mich [gar
                                            nicht?]
Jetzo beschwör' ihn [mein Zauber, und bleibt] er [ferner noch treulos,
Ha!] bei den Moiren! [dann] soll er ans Thor [des] Aïdes [mir] klopfen!
                                            Bin

[Denn wohl] dreimal vordem und viermal pflegt' er [zu] kommen,
Oft bei mir hinsezend das dorische [Krüglein] mit [Salböl.]
Nun sind [schon] zwölf Tage, seitdem ich ihn nimmer [geschauet.]
Hat nicht [andere Lust] er [gesucht,] und [unser] vergessen?
Jezo mit Liebeszauber beschwör' ich ihn. Aber wofern er
[Mehr] mich [betrübt;] bei den Mören! an Aïdes Thor soll er klopfen!
                                            Vo²

Dreimal kam er vordem, und viermal, mich zu besuchen,
Sezte, wie oft! bei mir, [die] Dorische [Flasche] mit Öl hin:
Und zwölf Tage nun sind's, seitdem ich ihn [gar nicht] gesehen!
Hat er nicht anderswo [sicher was Liebes] und [denkt an] mich [gar
                                            nicht?]

Jetzo mit Liebeszauber beschwör' ich ihn. Aber wofern er
Länger mich kränkt: bei den Mören! an Aïdes' Thor soll er klopfen! *Mö*

161–166: Solch ein tödliches Gift bewahr' ich [für] ihn in dem Kästchen;
Ein Assyrischer Gast, o Königinn, lehrt' es mich mischen.
Nun [gehabe dich] wohl, und lenk' [in die Fluthen] die Rosse,
Himmlische, meinen Kummer, den werd' ich fürder noch tragen.
Schimmernde Göttinn, gehabe dich wohl! [Gehabt euch,] ihr andern
Stern' auch wohl, [die] der ruhigen Nacht den Wagen begleiten. *Bin*
Solch ein [verderbliches] Gift bewahr' ich ihm, [mein' ich,] im [Kästlein,
Wie] ein assyrischer [Fremdling,] o [Herscherin,] mir es gelehret.
Lebe nun wohl, und hinab zum Okeanos lenke die Rosse,
[Herliche!] Ich [will] tragen mein [Elend, wie ich es aufnahm!
Lebe denn] wohl, [o Selene, du glänzende! Lebet] auch ihr wohl,
Sterne, so viel den Wagen der ruhigen Nacht [ihr] begleitet! *Vo²*
Solch ein tödtliches Gift bewahr' ich [für] ihn in dem Kästchen;
Ein Assyrischer [Fremdling,] o [Herrscherin,] lehrt' es mich mischen.
Lebe nun wohl, und hinab zum Okeanos lenke die Rosse,
Himmlische! meinen Kummer, den werd' ich fürder noch tragen.
Schimmernde Göttin, gehabe dich wohl! [Gehabt euch] ihr andern
Stern' auch wohl, [die] der ruhigen Nacht den Wagen begleiten. *Mö*

III. AMARYLLIS

Benutzte Textvorlagen: Bin, Vo²

BEARBEITUNGSANALYSE

1–5: Auf, mein Lied Amaryllis zu singen! [es] weiden indessen
[Meine] Ziegen am Berg' und Tityros [wird] sie mir [treiben,]
Tityros, du mein trautester [Hirt, o] weide die Ziegen,
Führe [zur] Quelle sie, Tityros, [hin:] doch [hüthe] dich, [Lieber,
Ja] vor dem [weißlichen] Bock, dem [Libyschen:] denn er ist stößig. – *Bin*
[Reigengesang, Amaryllis, erheb' ich dir. Durch das Gebirg' hier]
Weiden die Ziegen indeß, und Tityros [treibt] mir [die Heerde.]
Tityros, du mein [herzlich geliebtester,] weide die Ziegen;
Führe sie drauf [zu dem Born, o] Tityros. [Aber den Rammbock
Scheue, mit weißlichen Zotten,] den Libyer; [oder er knuft dich.] *Vo²*

6–11: [O warum,] Amaryllis, du [reizende, bückst] du [dich nimmer
Hier] aus der Grotte [hervor,] und nennst mich dein [Liebchen, wie ehmals?

393

Hassest] du mich? – [Scheint etwa] die Nase zu platt dir, o Mädchen,
[Oder] zu lang mein Bart? Du [machst noch, daß] ich mich hänge!
  Sieh hier [sind] zehn Äpfel für dich: [dort sind] sie gepflücket,
Wo du [zu] pflücken [befahlst,] und morgen bring' ich dir andre. *Bin*

  [Liebliche dort,] Amaryllis, warum nicht mehr aus der Grotte
Nennest du mich [vorguckend] dein [Trautelchen?] Bist du mir [abhold?]
Ob ich vielleicht stumpfnasig erschien,] in der Nähe [betrachtet,
Nymfchen, und] lang [von] Bart? [Zur Erdrosselung bringst] du mich
                                      [endlich!]

  Sieh [zum Geschenk] zehn Äpfel [alhier, die] ich droben gepflücket,
Wo du [zu] pflücken [gebotst; noch] andere bring' ich dir morgen. *Vo²*

12–17:   [O blick' her, wie der Kummer am Herzen mir naget!] O wär' ich
Doch die summende Bien' [und] flöge zu dir in die Grotte,
Schlüpfend durch Epheulaub und das [dichtumrankende] Farrnkraut.

  [Ha! nun] kenn' ich den Eros! – Ein schrecklicher Gott! An der Löwinn
Brüsten [sog er;] im [dichtesten Wald'] erzog ihn die Mutter:
[Seine Flamme, sie glüht] mir [tief] im Gebeine das Mark [aus.] *Bin*

  Schaue [die] Herzensqual, [die mich peiniget! Würd' ich, o Götter,]
Doch die [sumsende] Biene; [hinein] in die Grotte dir flög' ich,
Durch [das Efeugerank,] und das Farnkraut, [das dich umwuchert!]

  Jezo kenn' ich den Eros! Ein schrecklicher Gott! [Ja] die Löwin
[Hat] an [der] Brust [ihn] gesäugt, [und] im [Forst] ihn erzogen die Mutter:
[Der mit] verzehrender [Glut durch] Mark und Gebein mich [ent-
                                  flammet!] *Vo²*

18–23:   [Du] mit [dem lieblichen] Blick, du steinerne, du mit den schwarzen
Augenbraunen, o laß im Arme des Hirten dich küssen!
Süße [Wollust] gewährt auch selber der nichtige Kuß schon.

  [Machst noch, daß] ich [sogleich] den Kranz in Stücken zerreiße,
Den ich für dich, Amaryllis, [du trautes Mädchen, bewahre,
Den ich aus duftendem] Eppich [geflochten und Glöckchen des] Epheu.

                                                             Bin

  [Hold anschauende] Nymfe, du steinerne! du mit den schwarzen
Augenbraun! o [nahe mir] Hirten [doch, daß ich] dich küsse!
Auch [in] dem nichtigen Kuß [ist unaussprechliche Wollust!]

  Gleich zerrauf] ich den Kranz in [tausend] Stücke, du willst es!
[Welchen] ich dir, Amaryllis, von Efeu trag' [auf der Scheitel,]
Schön mit knospenden Rosen durchwebt und würzigem Eppich! *Vo²*

24–30:   [Weh mir! wie quält mich die Lieb'!] – Ich Armer! – [O] hörst du
                                        denn gar nicht?

Gut, [so] werf ich mein Fellenkleid [ab,] und spring' in die Fluthen
[Dort hinunter,] wo Olpis der Fischer die Thunnen belauert.
    [Stürb'] ich auch nicht, [so] würdest du doch des [Entschlusses] dich
                                             freuen:
Jüngst erfuhr ich's, [ich forscht',] ob [wohl Amaryllis] mich liebe,
[Aber] es [knallte mir nicht] das Mohnblatt, [das ich versuchte;
Ohne den mindesten Laut verwelkt'] es am fleischigen Arme. *Bin*
    [Wehe! wie quält mich die Pein!] Ich [Elender!] Hörest du gar nicht?
[Nackt aus dem hüllenden Fell] in die [Brandungen] spring' ich [hin-
                                     unter,]
Wo [dort] Olpis der Fischer die [ziehenden] Thunne belauert!
[Sterb'] ich [ja] nicht, doch [schaffet] dir [wenigstens Freude] der Anblick!
    [Wohl] erfuhr ich es jüngst, [mich erkundigend,] ob du mich liebest;
Denn [ein Geklatsch] versagte das angeschlagene Mohnblatt;
[Völlig taub zerplazt'] es, am fleischigen Arme [verwelkend.] *Vo²*

31–36:   Auch was Agroio gesagt, die Siebwahrsagerinn, neulich:
Als sie Ähren sich las, den Schnittern [folgend, ist Wahrheit:
Gänzlich] hing' ich an dir, [und du,] du [liebtest] mich gar [nicht.
    Eine Ziege so] weiß [und] Zwillinge [säugend die füttr' ich]
Dir: Erithakis [quält mich darum, die] bräunliche [Tochter]
Mermnons; – [und mag sie] sie [nehmen; denn dir bin ich doch zum
                                   Gespött] nur. *Bin*
    Auch [hat wahr] Agröo, [die Siebprofetin, geweissagt,
Die jüngst Kräuter zu spähn abirrete: daß] dir [mein ganzes
Herz anhängt, du aber im mindesten meiner nicht achtest!
    Traun] dir [nähr' ich] die weiße, mit Zwillingen [wandelnde Ziege,
Welche von mir auch] Mermnons Erithakis, bräunlich [im Antliz,
Heischt;] und ich [werde] sie geben, dieweil du meiner nur spottest! *Vo²*

37–42:   [Ha! wie blinzelt] mein Auge, [mein] rechtes! – [So] seh ich sie doch
                                        noch?
Hier an die [Fichte] gelehnt, [hier] will ich [sitzen] und singen.
Ist sie doch nicht von Stein; vielleicht [daß ihr Auge mich anblickt.]
    Als Hippomenes [warb um das fürstliche Mädchen, da nahm] er
Äpfel in [jegliche] Hand, [und durchrannte die Bahn;] Atalanta
[Sah, und entflammt', und stürzte sich tief] in [die Wellen] der Liebe. *Bin*
    [Freude!] da hüpft mein Auge, das rechte mir! [Werd'] ich sie
                                      [wirklich]
Sehen? Ich will [fortsingen,] mich hier an die Pinie lehnend.
[Wohl noch blickt sie hervor;] nicht ist [ja ihr Herzchen] von [Demant!]

395

Als Hippomenes einst zur Braut sich wünschte die Jungfrau;
[Trug] in [den] Händen er Äpfel [zum] Wettlauf. [Doch] Atalanta,
[O wie sie sah, wie sie tobte!] wie ganz in die Liebe versank sie! *Vo²*

43–48: [Weit] trieb [vormals] der Seher Melampus die Herde von Otrys
[Höhen] gen Pylos [herab: da] lag in des Bias [Umarmung]
Endlich die reizende Mutter der [weisen] Alphesiboia.

[Trieb] nicht Adonis [wol auch,] der weidet' [auf Bergen] die Schafe,
[Kypris, die reizende,] selbst zu [solchem] Wahnsinn [der Liebe,]
Daß sie nimmer vom Busen ihn ließ, [obschon er entseelt war?] *Bin*

Trieb doch zuletzt vom Othrys daher der Seher Melampus
Froh gen Pylos die Heerd', und [ruht'] in den Armen des Bias
[Doch] die reizende Mutter der sinnigen Alfesiböa!

Hat nicht [Kypris] die schöne [sogar] im Gebirge [der Schafhirt,
Hat nicht ganz sie] Adonis [entflammt] zum äußersten Wahnsinn,
Daß [unverrückt an den] Busen sie [noch den entseeleten anschmiegt?] *Vo²*

49–54: [Glücklich] preis' ich Endymions [Loos, der in ewigem Schlummer
Liegt,] und [glücklich] Jasion [auch, du] trautestes Mädchen,
[Welcher] genoß, was nimmer [euch] Ungeweiheten kund wird.

Weh mir! – [Mein] Haupt! – Du [achtest] es nicht! – So [end' ich]
                                  mein [Lied dann!
Sieh] hier [sink' ich zu Boden,] mich [werden] die Wölfe [zerreißen.
Traun!] das [wäre] dir [doch so] süß, [als] dem Gaumen [der] Honig! *Bin*

[Neidenswerth ist traun] mir Endymion, [der unerwecklich
Ruht' im] Schlaf; [auch neid' ich] Iasion, trautestes [Mägdlein,
Der so vieles] genoß, [als kein] Ungeweiheter [höret.]

Wehe! wie schmerzt mir das Haupt! Dich kümmert es [nichts! O geendet
Sei der] Gesang! Hier lieg' ich, [zerfleischenden] Wölfen [ein Labsal!]
Das wird süß wie Honig [hinab die Kehle] dir [gleiten!] *Vo²*

IV. DIE HIRTEN

Benutzte Textvorlagen: Bin, Vo²

BEARBEITUNGSANALYSE

Überschrift: darunter [Battos. Korydon] *Bin*
  1–5: Sage mir, Korydon, [doch,] wem [gehören] die Kühe? Philondas?

KORYDON

[Nein dem] Aigon, [und] der hat sie mir zu weiden [gegeben.]

BATTOS

Nun und am Abend, [nicht wahr? da] melkst du sie [heimlich] doch
[alle?]

KORYDON

Ja, wenn der Alte die Kälber nicht [brächt',] und mich [immer belau'rte.]

BATTOS

Aber der [Rinderhirt] selbst, [wo ist] er auf einmal [geblieben?] *Bin*
Sage mir, Korydon, [doch,] weß [Rinder] da? [Wohl] des Filondas?

KORYDON

[Nein, des] Ägon [vielmehr,] der mir sie zu weiden vertraut hat.

BATTOS

[Pflegest] du [wohl ingeheim] am Abende [alle zu] melken?

KORYDON

[Nicht doch! der Greis ja erziehet die Kälberchen und er belauscht]
mich!

BATTOS

Aber der Kuhhirt selbst, [in welcherlei Gegend verschwand] er? *Vo²*
6–10: Weißt du [das] nicht? [Er ging] zum Alpheos: Milon der [führt'] ihn.

BATTOS

Ist dem Menschen [denn] je [schon Öl] vor die Augen gekommen?

KORYDON

[O] sie sagen, er [mißt sich an Stärk'] und an Kraft [mit] Herakles.

BATTOS

Mir, [hat] die Mutter gesagt, [muß selbst] Polydeukes [noch nachstehn.]

KORYDON

[Doch] er [begann mit] der Hack' und zwanzig Schafen [die Reise.] *Bin*
[Hörtest] du nicht? zum Alfeios [entführete] Milon ihn [wandernd.]

BATTOS

[Wann hat jener einmal] Salböl vor den Augen [gesehen?]

397

KORYDON

[Nennen] sie doch dem Herakles an Kraft und Gewalt ihn [vergleichbar!]

BATTOS

Mich auch [nennet] die Mutter [noch tapferer,] als Polydeukes!

KORYDON

[Und] er [zog mit] der Hack' und zwanzig Schafen [von hier aus.] *Vo²*

11–16: Milons [Reden die brächten] den Wolf [auf der Stelle] zum [Rasen.]

KORYDON

[Hier] verlangen nach ihm mit [lautem] Brüllen die Kühe.

BATTOS

[Ach! die] Armen! [Wie schlecht ist der] Hirt, [der ihnen zu Theil ward!]

KORYDON

Arme! – Ja [wohl;] – da gehn sie umher und wollen nicht weiden.

BATTOS

[Dort] der Färse [sind doch in der That] die Knochen [nur übrig.]
Lebt sie [vielleicht auf der Weide] vom Thau, wie die [kleine] Cicade? *Bin*
Milon beredet [gewiß, wie ein] Wolf zu [rasen, das Lämmlein.]

KORYDON

[Hier nun schmachten] nach ihm mit [brüllendem Laute die Stärken.]

BATTOS

[Ach armselige Dinger! der] Hirt, [den sie] fanden, [ist unnüz!]

KORYDON

[Wohl armselig genug! nichts] wollen sie [weiter genießen.]

BATTOS

[Jener gewiß, o] siehe! der Färse [da, sind nur Gebeine
Überig!] Ob sie vom Thaue [sich sättiget, gleich] der Cikade? *Vo²*

17–22: Nein beim [Himmel!] Ich [lasse] sie bald am Aisaros [weiden,
Geb'] ihr ein [herrliches Bund vom weichesten] Grase [zum Futter,]
Bald auch [springt] sie [umher] auf dem [schattenreichen] Latymnos.

BATTOS

[Sieh wie mager] der röthliche Stier! [O wenn] doch ein solcher
[Würde den Leuten von Lampra zu Theil, beim Feste der Here
Ihn zu opfern; ein ruchloses Volk sind die Leute von Lampra.] *Bin*
Nein, bei [der Erdgottheit!] Ich [weide] sie bald am Äsaros,
[Oft ein schönes Gebund] des zartesten Grases ihr reichend;
Bald auch [hüpft] sie [umher im] schattigen [Forst] des Latymnos.

BATTOS

[Mager fürwahr auch] der Stier, der röthliche! [Würde beschert] doch
[Jenem gezünfteten Volke] der Lamprier, wann sie der Here
[Opferten,] solch ein [Stier! denn ruchlos traun ist] das Völklein! *Vo²*

23–28: Aber er [wird doch geführt auf Malimnons Weiden] und Physkos,
[Und zum] Neaithos [dazu,] wo die [lieblichsten] Kräuter [emporblühn,
Münz', und Aigipyros auch,] und [die wohlgeruchvolle] Melisse.

BATTOS

[Thörichter] Aigon, [o weh!] dir wandern die Kühe zum Hades,
Während du nur [der Lust nach verderblichen] Siegen [itzt nachhängst.
Ach] und die [Flöte] (du klebtest sie selbst) [verzehret der Moder!] *Bin*
[Dennoch bald den Malimnos umwandelt er, bald auch] den Fyskos,
Auch [des] Neäthos Bord, wo [in Anmut alles emporwächst,]
Dürrwurz, samt Geisweizen, und balsamreiche Melisse.

BATTOS

[Weh, o weh!] dir [gehen] zum Aïdes, [elender] Ägon,
[Selber] die Küh', [indem] du des leidigen Sieges [begehrest;]
Und die Syring' [ist] nun [weißschimmelich, welche du fügtest!] *Vo²*

29–37: Nein, bei den Nymphen, nicht die! denn als er nach Pisa [davonging,]
Ließ er sie mir zum Geschenk, [und traun!] auch ich bin ein Sänger.
Lieblich [spiel'] ich [der] Glauka [Gesäng'] und lieblich [des] Pyrrhos:
Kroton preiset mein [Lied; ein] herrlicher [Ort ist] Zakynthos:
Und Lakinion [auch, gen Osten gelegen,] wo Aigon
[Einst, der Kämpfer,] allein an achtzig Kuchen verzehrte.
Dort [ergriff] er beim Huf [und] schleppte vom [Berge] den Stier [her,]
Bracht' Amaryllis ihn [dann zum] Geschenk; [es erhoben die Weiber
All' ein] lautes [Geschrei, –] doch der [Rinderhirt] lachte [von Herzen.] *Bin*
Nicht die! nein, bei den Nymfen! denn Er, [abscheidend gen] Pisa,
Ließ sie mir zum Geschenk. Ich auch bin [etwas vom] Sänger;

399

[Wohl ja] stimm' ich [der] Glauka [Gesäng'] an, [wohl auch des] Pyrrhos.
Kroton preis' [ich im Lied'!] O herliche Stadt Zakynthos!
[Auch] die östliche Kuppe Lakinion, dort wo der Faustheld
Ägon achzig allein [wegschmausete leckerer] Kuchen.
Dort auch [zog] er den Stier, [am] Hufe gepackt, von den [Berghöhn
Fort,] und bracht' Amaryllen [zur Gab'] ihn; [aber die Weiblein
Schrien mit] lautem [Geschrei; und] der Kuhhirt lachte [behaglich.] *Vo²*

38–43: Ach! Amaryllis, [du holde! Nur du bist mir] immer, [auch] todt, [noch]
In [den Gedanken:] so [lieb] wie die Ziegen [warst] du mir [und schiedest.
Ach, wie ist das] Schicksal [so] hart, [das mich Armen getroffen!]

KORYDON

Muth, [mein] Battos, [gefaßt! Vielleicht ist]'s morgen schon [besser.
Lebenden bleibet die] Hoffnung, [den Todten nur ist sie verschwunden.]
Einmal regnet [der Himmel,] ein andermal [lacht] er [uns] heiter. *Bin*
[Holdes Kind Amaryllis,] dich [einzige, selber im Tod' auch,
Denken wir stets!] Wie die Ziegen mir [werth,] so [werth] mir [ver-
schiedst] du!
[Ach] zu hart ist [der Dämon, der grausame, dem ich geweiht bin!]

KORYDON

[Tapferen] Mut, [mein] Battos! [vielleicht wirds] morgen gebessert!
Hofnung geht mit dem Leben; im Tod' erst [schwindet] die Hofnung.
Zeus auch [erscheint uns jezo in Heiterkeit, jezo in Regen.] *Vo²*

44–49: [Wohl, du hast Recht! – Doch] wirf dort unten die Kälber: [des] Ölbaums
[Blätter benagt das heillose Vieh. Du! Heda!] Du Weißer!

KORYDON

[Bst! am] Hügel [du dort!] Kymaitha! [– Kannst] du nicht hören?
Wart', ich komme! Beim Pan, [ich will] dir ['s] übel [belohnen,
Wenn] du nicht [bald wirst gehn. – Sieh da! da] schleicht sie [schon wieder.]
Hätt' ich den [krummen Knüttel] nur [hier;] wie wollt' ich dich
[prügeln! –] *Bin*
[Mut denn gefaßt!] Wirf unten die Kälber [da! Siehe, des] Ölbaums
[Sprößlinge nagen sie kahl, die verzweifelten! Sitta,] du [Weißbalg!]

KORYDON

[Sitta,] hinauf, Kymätha, [zur Anhöh! Willst] du [mir] hören?
Wart', ich komme, bei Pan! dir [sogleich ein] übel [Vergelter,

Gehest] du nicht dortweg! Nun, [siehe] doch, schleicht sie [mir hieher!]
Hätt' ich [mein Hasengewehr,] den Krummstab! [Ha,] dich [zerbläut']
ich! *Vo²*

50–55: Korydon, sieh doch, [ich bitte dich, her! ein Dorn hat] mich [eben]
Unter dem Knöchel [gestochen:] die Disteln [die stehen entsetzlich
Hoch] auch [hier. – Dein] Kalb [zerbreche sich Hals und Gebeine!
Als] ich['s verfolgte, da stach mich der Dorn. Nun,] siehst du [ihn noch
nicht?]

KORYDON

[Da,] da hab' ich ihn schon mit den Nägeln [gefasset:] hier ist er!

BATTOS

[Sieh doch,] wie [klein ist der] Stich, und [der Kerl wie groß, dem er
obsiegt!] *Bin*
[Schaue] doch [her, bei] Zeus! [o] Korydon; [hier, wo] ein Stachel
Grade mich unter dem Knöchel [verwundete! Gar zu gedeihlich
Wuchert das Distelgewächs!] O fahre [die Kalb'] ins Verderben!
[Als] ich ihr [dort nachjagte, da stach es mich!] Siehest du [etwas?]

KORYDON

[Ja,] ja! schon mit dem Nagel [ertapp'] ich ihn! Hier ist er [selber!]

BATTOS

[Welch] ein winziger Stich, und [welch Großleibigen] zähmt [er!] *Vo²*
56–63: [Wenn du den Berg besteigst,] geh [künftig, mein Battos,] nicht barfuß,
[Denn an dem Berge gedeihen die] Dornen und stachligen Sträuche.

BATTOS

Sage mir, Korydon, [legt] dein [alter Knabe] noch immer
Jenes [Liebchen sich zu] mit den [schwarzen Augen,] wie vormals?

KORYDON

[O noch immer,] du [Thor!] – Ich [hab'] ihn noch [neulich erst] selber,
[Denk',] an der [Mauer des Stalls in voller Arbeit] getroffen.

BATTOS

Nun Glück zu, du [Geiler!] Dir wird's kein Satyr zuvorthun,
[Oder du nimmst es auch auf mit den ziegenfüßigen] Panen. *Bin*
[Geh zum] Gebirg' [hinfort] nicht barfuß wieder, [o Battos;
Denn] im Gebirg' ist [Segen an] Dorn und [gestachelten Ranken!]

BATTOS

Korydon, [sprich im Vertraun;] dein Graukopf, [buhlt er] noch immer
[So vernarrt um das Liebchen] mit [dunkeler Braue,] wie vormals?

KORYDON

[Ganz so, alberner Frager! nur jüngst wars, als] ich ihm selber
[Hinter dem Stall ingeheim auflauerte, wie er es anfing.]

BATTOS

[Ha] du bockischer Alter! [den] Satyren [selber beinah ist
Deine Natur, und selbst] dünnbeinigen Panen, [vergleichbar!] *Vo²*

V. KOMATAS UND LAKON

(Vgl. »Nachträge« S. 570)

Benutzte Textvorlagen: Bin, Vo²

BEARBEITUNGSANALYSE

Überschrift: [Die Waldhirten] *Vo²*

1–7: [Meine] Ziegen, [o flieht] den Schäfer aus Sybaris, Lakon!
Gestern [hat] er mir [erst mein Ziegenfell diebisch entwendet.]

LAKON

[Heda! wollt] ihr [wohl dort] vom Quell [weglaufen,] ihr Lämmer?
[Seht] ihr Komatas [denn] nicht, der [jüngst] mir die [Flöte] gestohlen?

KOMATAS

Welche [Flöte?] Hast du, [Sybaritischer Sklave, dir etwa
Eine Flöte geschafft? Wie?] Ist es dir [jetzt] nicht genug mehr,
Daß du mit Korydon [gehst und pfeiffest auf] schnarrendem [Rohre?] *Bin*
[Sehet, da] kommt der Schäfer aus Sybaris, [trauteste] Ziegen!
[Flieht den] Lakon, [o flieht!] Er mauste mir gestern [das] Geisfell!

LAKON

[Wollet] ihr [nicht] von der [Quell',] ihr [Lämmerchen? Sitta, hinweg]
                                                              mir!
[Scheuet] ihr nicht, der [jüngst] die Syringe mir stahl, den Komatas?

402

KOMATAS

[Eine] Syringe [woher?] Wann [eignete,] Knecht des Sybartas,
[Wann dir] eine Syringe? [Wie, scheints] nicht [länger] genug dir,
Daß mit Korydon du auf der Halmpfeif' [etwas daherschnarrst?] *Vo²*
8–13: [Die,] die Lykon mir [gab, mein adliger Herr;] doch [mit] welchem
Fell [ging] Lakon dir [durch? Ich bitte dich, sage,] Komatas!
Hatte doch selber dein Herr Eumaras keines zum Bette.

KOMATAS

[O mit dem,] das mir Krokylos gab, dem [gefleckten; er brachte
Grade] den Nymphen [zum Opfer] die Geiß; du wolltest schon damals,
[Schändlicher,] bersten vor Neid, [nun bringst du mich endlich ins Bloße.] *Bin*
[Welche] mir Lykon [geschenkt, mein Edeler! Aber woher denn
Hat] dir Lakon [entwendet das Geisfell? Rede,] Komatas!
[Nicht] Eumaras [einmal,] dein Herr, hatt' [eines] zur [Nachtruh!]

KOMATAS

[Welches] mir Krokylos gab, das [fleckige,] als er [zum Opfer
Brachte] den Nymfen die Geis. Du, [Hämischer, härmtest dich] damals,
[Scheel] vor Neid; und [endlich gelang es dir, mich zu entblößen!] *Vo²*
14–19: Nein, beim Pan, [dem Gotte der] Ufer! der Sohn der Kalaithis,
Lakon, er [hat] dir dein Fell [gewiß] nicht [genommen; und lüg' ich,
Sieh, so] will ich mich [rasend] vom Fels in den Kratis hier stürzen.

KOMATAS

[Nun, mein Trauter, und hier] bei den Nymphen des [Sees beschwör' ichs:
Wie] ich [die Gnad' und die Huld der Göttinnen ewig] mir wünsche,
[Eben so wahr] hat Komatas [die Flöte dir nimmer] gestohlen. *Bin*
Nein, bei dem Pan [des Gestads!] nicht Lakon, Sohn der Kaläthis,
[Wars, der das hüllende] Fell dir [entwendete;] oder ich [möge]
Hier von dem Fels, [du Theurer, vor Wut] in den Krathis mich stürzen!

KOMATAS

Nein, bei [allen Najaden,] du Redlicher, [dieses Gesümpfes,
Deren Sinn stets freundlich und wohlgewogen] mir [bleibe!
Nicht] hat deine Syring' [ingeheim dir entzogen] Komatas. *Vo²*
20–24: Wenn ich dir glaube, so mögen die Schmerzen des Daphnis mich treffen.
Willst du [indessen] zum Preis' ein [Böckchen] setzen: [(was] großes
Ist's ja [nicht) so will] ich [im Kampf zu Boden] dich [singen.]

403

KOMATAS

[Stritt] doch [gegen] Athene die Sau. [Da,] siehe! da steht mein
[Böckchen, nun] setz' ein gemästetes Lamm zum Preise dagegen. *Bin*
[Hätt'] ich [Glauben zu] dir, [ich duldete Leiden, wie] Dafnis!
Auf [denn, wagst] du ein Böcklein zum [Wettkampf, (solches] ja ist nichts
Heiliges!) auf,] ich [erschein'] und [zersinge] dich, [bis du es aufgiebst!]

KOMATAS

Trat doch die Sau mit Athene [zum] Wettkampf! Siehe, [das] Böcklein
Steht! [Auf, seze nun Du] ein gemästetes Lamm [in die Wette!] *Vo²*
25–30: Wie, du Fuchs? [So sollten wir beid' ins Gleiche gebracht seyn?
Traun, man] schiert [auch] für Wolle [wohl Haar? frischmelkende Ziegen]
Geht [auch wohl einer] vorbei, [und] melket die garstige Hündinn?

KOMATAS

Wer so gewiß [als] du den Sieg [zu erlangen gedenket;]
Mit der Cicad' [im Streit die summende] Wespe. Das [Böckchen
Ist] dir indessen zu schlecht: sieh hier ist ein Bock! [Nun] wolan [denn!] *Bin*
Wie [doch, Schwänzeler] du! [so wären wir beid' in der Gleichung?]
Wer denn schiert [wohl] Zotten für Wolle [sich? Wer denn verläßt wohl
Die erstjungende Zieg', und] melkt [sich] die garstige Hündin?

KOMATAS

Wer, wie du, sich [vermaß, den anderen leicht zu besiegen,
Und] die Cikad' als Wesp' [ansumsete! Aber] das Böcklein
Dünkt dir [an Werth ungleich; du, schaue den] Bock! [und gekämpft
hier!] *Vo²*
31–38: [Nicht] so geeilt! dich brennt ja kein Feuer: [auch] sängest [du sicher
Lieblicher, setztest du dich hieher in den Schatten des Ölbaums,
Hier in die Kühle des Hains; hier rieselt ein frisches] Gewässer,
[Hier ist] Gras [und ein Lager von] Moos, [hier zirpen die Grillen.]

KOMATAS

O ich eile [ja] nicht. Mich [kränkt's] nur, daß du so frech [bist,]
Mir ins Auge [zu sehn:] du, den ich vor Zeiten als [Knaben
Unterrichtet: o sieh, was nun für ein] Dank [mir geworden!
Füttre Wölfe dir auf und Hunde, damit] sie [dich] fressen! *Bin*
[Sacht, sacht!] Brennt [doch den Fuß] kein Feuer dir! [Lieblicher] singst [du,]
Unter dem Waldoleaster im [Lusthain] drüben [gelagert.]

Schaue, wie] kalt das Gewässer [daherstürzt! Schaue, da sprosset]
Gras [und polsterndes] Moos, [da ertönt] Feldheimengeschwäz [dir!]

KOMATAS

[Sacht? Ich habe nicht Hast!] Nur ärgert [es, wenn] du ins [Antliz]
Grade mich [anzuschaun dir herausnimst, welchen ich vormals]
Selbst als [Knaben] gelehrt! Wo bleibest [du,] Dank [für die Wohlthat!]
Ziehe [dir] Wolfsbrut auf, [zieh Hunde dir, daß] sie [dich] fressen! *Vo²*

39–44: Nun? wann lernt' ich denn [wohl,] wann hört' ich [denn jemals] was
                                                       Gutes,
Daß ich noch wüßte, von dir? Du neidisches, albernes [Männchen!]

KOMATAS

Damals, als [du die Schläge bekamst;] du schriest, und die Ziegen
[Standen und] meckerten [laut, vom brünstigen Bocke bezwungen.]

LAKON

[Liege,] du Krummer, [im Sand', und vermodre, wie] damals [die Ruthe!
Aber] komm nur, [komm! ich will dir das] Singen [verleiden.] *Bin*
Wann [war] Gutes [bei] dir [zu erlernen mir, oder zu] hören,
[Denk' ich umher? neidvolles und faselndes Männchen von Grund aus?]

KOMATAS

Als ich [den Steiß] dir [walkte!] Du [zucktest vor Schmerz,] und die
                                                      Ziegen
[Ringsher] meckerten [laut,] und der Geisbock war so geschäftig.

LAKON

[Wie] du [gewalkt, so seicht, Krummpucklicher, modre] verscharrt [einst!
Aber o] komm nur, [komm! und das leztemal kämpfst du im Feldlied!]
                                                    Vo²

45–49: Nein ich komme dir nicht; da [stehen die Bäume, hier duftet
Cypergras, hier summsen so] schön um die [Stöcke] die Bienen:
Auch zwei Quellen [verrieseln ihr] kühliges [Wasser,] die Vögel
Zwitschern [im Wipfel] des Baums: dein Schatten ist [nicht zu vergleichen
Meinem: hier schüttelt von oben herab die] Zapfen [die Fichte.] *Bin*
Nein, [dort] komm' ich dir nicht! [Hier] grünts von Eichen und Galgant!
[Siehe] da [ziehn] schönsummend um Honigkörbe die Bienen!
Auch zwo kühlige Quellen ergießen sich; und von den Bäumen

[Tönt] der Vögel [Geschwäz; und nicht] ist [der] Schatten [vergleichbar
Jenem bei dir; auch streuet] die Pinie Zapfen [uns hochher!] *Vo²*

50–54: Aber du trätest bei mir auf [Felle von Lämmern] und Wolle,
Weicher [als] Schlaf, wenn du kämst; die Geißbockfelle bei dir da
[Stinken ja häßlicher] noch, [als] du selber [kaum riechest, Komatas.
Einen geraumen Pokal, den weih ich] den Nymphen [zur Gabe,
Voll von weißer] Milch, und [von] lieblichem Öle [den zweiten.] *Bin*
[Wahrlich du sollst Lammvließ'] und [schwellende] Wolle [betreten,]
Wenn du kommst, [viel] weicher, wie Schlaf [ist. Aber] die Geisbocks-
Felle bei dir, [die riechen] noch [häßlicher, als dein] Geruch selbst.
Einen geräumigen Krug weißschäumender Milch für die Nymfen
Stell' ich dar, und einen mit lieblichem Öle gefüllet. *Vo²*

55–59: [Wolltest du kommen zu mir: so] trätst du das zarteste Farrnkraut,
Blühte [dir unter dem Fuß der] Polei: ich [legte] von Ziegen
Felle [dir,] viermal so weich, als die [Felle der Lämmer] bei dir sind.
[Sieh ich weihe] dem Pan acht Kannen mit Milch und [der] Schalen
Acht mit Scheiben [belegt, die triefen vom süßesten Honig.] *Bin*
[Kämst du zu mir, dich empfinge die Streu vom] zartesten Farnkraut,
Und [von] Polei [in der Blüt'; und] ich [breitete] Felle von Ziegen
Unter [dir,] viermal so weich, [wie die Lämmerfelle] bei dir sind.
[Selbst auch] stell' ich dem Pan acht [zierliche Butten] mit Milch [dar,]
Und acht [Mulden dazu,] mit [des Honiges] Scheiben gefüllet. *Vo²*

60–65: [Streite] von dort [mit mir, laß] dort [die Hirtengesänge
Tönen; behalte für] dich [dein Kraut und die] Eichen. – Doch wer [soll,
Wer uns richten? O wenn doch] Lykopas der [Rinderhirt] käme!

KOMATAS

[Kann ich doch singen ohn' ihn: denn willst du, so laß uns] den Mann [dort]
Rufen, [der Holz sich spaltet, der dir zur Seite das dürre
Heidegesträuch itzt fällt. Der Name des Mannes] ist Morson. *Bin*
[Dorther] kämpfe [mir denn, und] dorther singe dein Feldlied!
Nim dir den eigenen Siz, [und die] Eichen [dir! Aber] wer [richtet,
Wer den Streit? O] käm' [uns] der Kuhhirt [jezo,] Lykopas!

KOMATAS

Nicht [verlang' ich seiner] im mindesten! Aber den Mann da
Rufen wir, [wenns dir gefällt, den hauenden; welcher die] Heide
Drüben bei dir [einholet] zu [Brennholz;] Morson [ja] ist es. *Vo²*

66–69: [Ja, das wollen wir.]

KOMATAS

Ruf du ihn [dann!]

LAKON

[Hier!] höre doch, Landsmann,
Komm [doch hieher! Wir beide,] wir streiten uns, [wer wohl] den andern
[Übertreff'] im Gesang. Du, [lieber] Morson, nun richte
Weder mir zu [Gunst,] noch [müssest] du [jenem da beistehn.] *Bin*
Rufen [wir den!]

KOMATAS

Du [lad'] ihn!

LAKON

[Wohlan, Freund,] hör' uns ein wenig,
Komm [hieher!] Wir beide [bestreben uns,] welcher des andern
[Obmann sei] im Gesang. Nun richte du, [trautester] Morson,
Weder mir zu Gefallen, noch [werd' auch jener] begünstigt! *Vo²*
70–73: Ja, bei den Nymphen! [du mußt] Komatas [nicht helfen, o] Morson,
[Aber auch [eben so wenig dich Lakon gefällig bezeigen.
Diese] Herde [von Schafen] gehört dem Sybartas: die Ziegen,
[Die] du hier siehst, [sind, Lieber,] des Sybariten Eumaras. *Bin*
Ja, bei den Nymfen [fürwahr!] ja Morson, [weder] Komatas
[Gelt' im Spruche dir mehr, noch zeige dich diesem gefällig!]
Dort die Heerde gehört dem Thurier, Freund, dem Sybartas;
Und hier [schaust] du die Ziegen des Sybariten Eumaras. *Vo²*
74–79: Aber wer fragte dich denn, beim Zeus! ob die Herde Sybartas,
[Oder dem Lakon] gehört? [Einfältiger, wie du doch schwatzest.]

KOMATAS

[Höre, mein guter] Freund, ich [sage beständig] die Wahrheit,
[Prahlen ist nicht mein Werk: doch] du bist [beständig] ein Zänker.

LAKON

Nun [so sprich dich nur aus:] doch [schicke] den Mann [auch] lebendig
Wieder zur Stadt. O Paian! [wie plauderhaft] bist du, Komatas! *Bin*
Wer, bei [dem mächtigen] Zeus! [wer] fragte dich, ob des Sybartas,
Ob mein [eigen, o Bube,] die Heerde [sei? Was du beredt bist!]

KOMATAS

[Treflicher Mann,] ich [liebe] die Wahrheit [immer zu reden,]
Und [kein pralendes Wort;] du bist [mir] ein [zänkischer Kläffer!]

LAKON

Singe [denn, weißt du zu singen,] und laß lebendig den [Gastfreund]
Wieder zur Stadt! O Päan! ein [Plauderer] warst du, Komatas! *Vo²*
80–85: [Zärtlicher lieben] die Musen, [viel zärtlicher] mich, [als] den Sänger
Daphnis; ich [bracht' erst] jüngst [zwei] Zicklein [den Musen zum Opfer.]

LAKON

Mich hat Apollon zum Liebling [gewählt;] ich weide den schönsten
Widder für ihn, [weil das Karneafest schon näher heranrückt.]

KOMATAS

Zwillinge warfen die Ziegen, ich melke [sie] alle, nur zwei nicht:
Melkest du [immer] allein, [du] Armer? – so rufet mein Mädchen. *Bin*
Mir sind freundlich die Musen, ja freundlicher noch, wie dem Sänger
Dafnis; ich habe [zum Dank zwei Zickelchen neulich] geopfert.

LAKON

Mich [auch erkohr] Apollon zum Lieblinge; [und zum Vergelt ihm]
Weid' ich den [stattlichen] Widder; die Karneen [nahn auch heran schon.]

KOMATAS

Zwillinge [trugen die Geiße,] nur zwo nicht; alle die melk' ich!
Armer, so [sagt, mich schauend, das Mägdelein:] melkest du [selber?] *Vo²*
86–91: [Heißa!] Lakon füllt [wohl zwanzig] der Körbe mit Käse,
[Hält in Blumen des Thals] den zartesten Knaben [im Arme.]

KOMATAS

[Schalkhaft] wirft Klearista [wol oft nach] dem Hirten mit [Äpfeln,]
Treibt er die Ziegen vorbei, und [flüstert] ihm [immer was Süßes.]

LAKON

Mich, den Schäfer, [entflammt] der glatte Kratidas; er eilt [mir]
Selbst entgegen, ihm fliegt das glänzende Haar um den Nacken. *Bin*
[Ei, ei!] Lakon [drängt ja] der Körbe [dir zwanzig beinah voll]
Käs', und [im Blumengefilde] den [blühenden] Knaben umarmt er.

KOMATAS

[Mich geishütenden] wirft mit Äpfelchen [schon] Klearista,
Treib' [ich] die Ziegen vorbei, und ein [freundliches Bisch! ist der Nachruf.]

LAKON

Mir [auch, so oft glattwangig mir] Kratidas [naht bei den Schafen,
Klopfet das] Herz; [wild] fliegt um den Nacken ihm glänzendes [Haupt-
haar.] *Vo²*

92–97: Aber vergleichet man doch Anemonen und [Blüthen der Schlehe
Nie] mit den Rosen, die [lieblich den Kelch in den Hecken entfalten.]

LAKON

Eicheln mit [Äpfeln] auch [nie; die Früchte der Eiche sind immer
Häßlich von Schalen und rauh, die Äpfel von honigem Ansehn.]

KOMATAS

[Heute noch soll mein Mädchen] ein Ringeltäubchen [bekommen.
Vom Wacholderbusch hohl' ich es her, da sitzt] es im Neste. *Bin*
[Nimmer ja sind] Hambutten [an Lieblichkeit, noch] Anemonen,
[Gleich] den Rosen, die [voll in Pflanzungen] blühen am [Steinwall.]

LAKON

[Ungleich sind Bergäpfel der stachlichten Eiche Gewächsen:
Glatt ist diesen die Schale von Ansehn, jenen] wie Honig.

KOMATAS

Ich [auch schenke sofort] ein Ringeltäubchen dem Mägdlein,
[Vom Wacholder geholt;] dort brütet es oben im Neste. *Vo²*
98–103: [Und] Kratidas [erhält die zarteste] Wolle zum [Kleide;]
Scher' ich mein Schaf [nur erst,] mein schwarzes, [so geb' ich sie selbst
ihm.]

KOMATAS

Heda! vom Ölbaum fort, ihr [Meckernden!] Hier an des [Hügels]
Abhang [weidet umher, in den Tamariskengesträuchen!]

LAKON

Willst du, Konaras [dort] und Kynaitha, [nicht] weg von der Eiche?
[Geht doch gen Osten, hieher,] wie Phalaros [im Grünen zu weiden! –]
Bin

Aber [ich werde dereinst] weichflockige Wolle zum Mantel,
Scher' ich [das dunkele] Schaf, [dem] Kratidas [selber verehren.]

KOMATAS

[Sitta!] vom Ölbaum [dort,] ihr [Meckernden!] Hier [mir geweidet,]
Am [abhangenden Fuße des Hügelchens,] voll Tamarisken!

LAKON

Willst du mir weg von der Eiche, du Konaros, und du Kynätha?
Dorthin sucht euch Futter, zum Aufgang [hin,] wie Falaros! *Vo²*
104–109: Mein ist ein [Melkgefäß,] ein cypressenes, mein ein [Pokal] auch,
[Welchen] Praxiteles schnitzt'; ich [verwahre] sie beide dem Mädchen.

LAKON

[Mein ist ein Hüther] der Herd', ein Hund, der würget die Wölfe:
Diesen [erhält mein] Knabe, [zu] jagen [die Thiere des Waldes.]

KOMATAS

[Grillen, die] ihr mir [gern des] Weinbergs Zaun [überhüpfet,
Naget] mir [meine Stöcke nicht an: denn] die Reben sind zart noch. *Bin*
Mein ist ein Melkgeschirr, ein cypressenes, mein auch ein Mischkrug,
Den Praxiteles schnizt'; [und dem Mägdelein heb'] ich sie beid' [auf.]

LAKON

Mir [auch folget] ein Hund, [ein wachsamer Würger des Raubwolfs;
Den] verehr' ich dem Knaben, [um alles Gewild zu verfolgen.]

KOMATAS

[O die] ihr über den Zaun, [Grashüpferchen, stets] mir [hereinspringt,]
Daß ihr nicht mir die Reben beschädiget, weil sie noch zart sind! *Vo²*
110–115: Seht, ihr Cicaden, [o seht,] ich reize [den Hirten der Ziegen:
Eben] so reizet [auch] ihr [durch liebliche Lieder] die Schnitter.

KOMATAS

Mir sind die Füchse [verhaßt,] die [wollichtgeschwänzten,] die Mykons
Weinberg immer am Abend besuchen, [und] Trauben [sich] naschen.

LAKON

Mir [sind wieder die Käfer verhaßt, die die] Feigen Philondas
[Immer benagen,] und [welche] der Wind [in den Lüften] davon [führt.] *Bin*

[Schauet, wie sehr, o] Cikaden, der Geishirt [dort] mir gereizt [wird!
Also] pfleget [auch] ihr [arbeitende] Schnitter zu reizen.

KOMATAS

[Widerlich] sind mir die Füchse [mit zottigen] Schwänzen, die Mikons
Weinberg immer besuchen am Abende, Trauben zu naschen.

LAKON

Mir [sind grade die Käfer so widerlich, die] des Filondas
Feigen [am Baum annagen,] und [hoch in die Luft sich entschwingen.]

Vo^2

116–121: Weißt du [nicht mehr,] wie [Komatas] dich [schlug?] du [knirschtest
die Zähne,]
Wandest dich [recht geschickt und hingst hier fest] an der Eiche.

LAKON

Nein [das] weiß ich [nicht mehr;] doch wie dich Eumaras [gebunden,]
Dort, und dir [tüchtig den Rücken] gegerbt, das [weiß ich recht gut]
noch.

KOMATAS

Morson, hast du gemerkt? [es ärgert sich] schon [ein Gewisser:]
Geh doch, [und rupfe geschwind] mir [vertrocknete] Skillen vom
Grabe! *Bin*
Weißt du [annoch,] wie ich [einst] dich [knuffelte,] und wie du grinzend
[Wippertest, leicht von Gelenk, und dort] an die Eiche dich [schmieg-
test?]

LAKON

Nein, nichts weiß ich davon; wie [jedoch einst] dort dich Eumaras
[Band, und behend' ausstrich,] das [schwebet] mir [hell im Gedächtnis.]

KOMATAS

[Sieh, es geräth] schon einer [in Ärgernis;] merkest du, Morson!
Gehe doch, [raufe sogleich] mir trockene Skillen vom [Grabmal!] Vo^2
122–125: [Schmerzlich fühlet den Stich ein Gewisser:] du siehst es, [o] Morson:
[Eile zum] Haleus [doch] und grabe mir tüchtige Knollen!

KOMATAS

Himera ströme [für] Wasser mir Milch; dir [färbe sich,] Krathis,
Purpurn [die Welle] von Wein, und [es] trage mir Früchte die [Weide.] *Bin*

411

[Mir auch zeigt] hier einer [Empfindlichkeit;] Morson, du siehst [ja!
Flugs] an den Hales [geeilt,] und grabe mir [wurzelndes Saubrot!]

KOMATAS

Ströme [für] Wasser mir Milch, [o] Himera; und du, o Krathis,
[Walle mit] purpurnem Wein; [ja] Frucht [auch] trage das [Sumpf-
kraut!] *Vo²*

126–131: Ströme mir, [Sybaris] Quell, [von] Honig, [und frühe des Morgens
Tauch' in Honigseim statt] Wasser das Mädchen [den] Eimer.

KOMATAS

Cytisus weiden bei mir und [Geißblattranken] die Ziegen,
[Treten auf Riedgras einher,] und [ihr] Lager [ist unter dem Hagdorn.]

LAKON

[Meinen] Schafen [ist rings die süße] Melisse zum [Futter
Aufgesproßt, und] wie Rosen [so voll] blüht Cistus [in Menge.] *Bin*
Ströme mir [auch] Sybaritis [von] Honige; [dann, wenn es taget,]
Schöpfe für Wasser das Mädchen [die seimige Wab'] in [den] Eimer!

KOMATAS

Cytisus können bei mir und Ägilos weiden die Ziegen;
Mastyxlaub [schwellt] ihnen, und [Arbutussprossen, das] Lager.

LAKON

Aber den Schafen bei mir [ist genug der] Melisse zu [Futter]
Ringsum, häufig auch blüht [mit rosiger Blume] der Kistos. *Vo²*

132–140: [Nein,] Alkippen [die] lieb' ich nicht mehr; ich bracht' ihr [ein Täub-
chen]
Neulich, [und küßte die Dirne] mich [wohl,] bei den Ohren mich fassend?

LAKON

[Gänzlich hängt an Eumeden mein Herz: denn] als ich ihm [neulich
Schenkte die Flöte, da ward der süßeste Kuß mir zum Lohne.]

KOMATAS

Elstern [dürfen] wohl nicht mit der Nachtigall streiten, [mein] Lakon,
Widehöpfe mit Schwänen [auch nicht, und du ruhst nicht, du Stümper.]

MORSON

[Schweige] der Schäfer [anitzt, so] gebiet' ich, [und] dir, o Komatas,
[Giebt hier] Morson das Lamm, doch [wirst] du es opfern den Nymphen,
[Denk' an] Morson [dann] auch, [und schick' ihm] ein leckeres Stück-
                                                                    chen. *Bin*
[Unlieb ward] mir Alkippe; sie [bot] kein Küßchen mir neulich,
[Sanft an] den Ohren mich fassend, [zum Dank für] die Taube [des
                                                                    Waldes.]

LAKON

Aber ich lieb' Eumedes [mit Innigkeit; denn da] ich [neulich]
Meine Syring' ihm [reichte,] wie [wonniglich] küßte mich [jener!]

KOMATAS

Lakon, [man hört ungern] mit der Nachtigall streiten die Elstern,
[Und] mit dem Schwan Wiedhopfe; [du, Kläglicher, liebst ein Gezänk
                                                                    nur!]

MORSON

[Jezt ermahn'] ich den Schäfer [zu endigen.] Dir, o Komatas,
Schenkt [hier] Morson das Lamm. Doch wann du den Nymfen es
                                                                    opferst,
Send' auch dem Morson [sogleich] des [niedlichen] Fleisches ein [An-
                                                                    theil!] *Vo²*
141–150: Ja das [schick'] ich, beim Pan! die [ganze] Herde [der] Böcke
[Meckre] nun [laut. O höre, wie schallt mein lautes Gelächter
Hinter] dem Schäfer dem Lakon [einher; daß] ich [endlich] ihm doch
                                                                    [nun]
Abgewonnen das Lamm: ich möcht' in den Himmel [euch] springen.
Lustig, [ihr] Ziegen, [nun heut,] ihr Hörnergeschmückten! Ich [bade]
Morgen euch [allesammt] im [Wasser des] Quells Sybaritis.
[He!] du stößiger [Weißer! berührst] du mir eine [der Ziegen,
Sieh, so] schlag' ich dich lahm, noch eh ich den Nymphen [zum Opfer
Abgeschlachtet] das Lamm. – Da ist er schon wieder. – [So] will ich
[Doch] Melanthios [seyn] und Komatas [nicht,] wenn ich dich [schone! –]
                                                                    Bin
[Wohl!] das send' ich, bei Pan! Nun jubele [laut] mir die Heerde
[Aller der Böckchen umher! und] ich selbst, [mit wie hellem Gelächter
Will] ich den Schäfer [belachen,] den Lakon, [weil] ich ihm [endlich]
Abgewonnen das Lamm! [o] ich möcht' in den Himmel [euch] springen!
[Meine gehörneten] Ziegen, o [freuet] euch! Morgen, [ja morgen

Bad'] ich euch alle gesamt in [dem sprudelnden Born] Sybaritis!
Heda, da Weißbalg dort, du stößiger! wo du mir anrührst
Eine Geis, ich [komm' und zergerbe] dich, eh ich [zum Opfer
Weihe] den Nymfen das Lamm! Schon wieder da! Nun [denn, so]
heiß' ich,
[Wo ich dein Fell nicht gerbe,] Melanthios, [statt des] Komatas! *Vo²*

VI. DIE RINDERHIRTEN

(Vgl. »Nachträge« S. 570)

Benutzte Textvorlagen: Bin, Vo², Mö

BEARBEITUNGSANALYSE

Überschrift: [Damötas und Daphnis] *Bin Mö*

1–5: Daphnis der [Rinderhirt trieb mit] Damötas [einmal] auf derselben
[Trift die Herde] zusammen, Aratos; der eine war [bräunlich,]
Milchhaar sproßte dem andern [erst auf. Heiß brannte der] Mittag,
[Als] sie beide, [gelagert] am Quell, [im Gesange sich übten,]
Daphnis [begann nun] zuerst: denn zuerst bot [dieser den Kampf an:] *Bin*
Dafnis der [Rinderhirt] und Damötas [hatten] zusammen
Einst [die Heerd', o] Aratos, [vereiniget. Diesem] war röthlich
Schon das Kinn, dem sproßt' [es von] Milchhaar. Beid' an der Quelle
[Hingelehnt] im Sommer am Mittag, sangen sie [also.]
Dafnis zuerst hub an, denn zuerst auch [hatt' er gefodert.] *Vo²*
Daphnis, der [Rinderhirt,] und Damötas weideten [einstmals
Beide die Heerden] zusammen, Aratos; [diesem] war röthlich
Schon das Kinn, dem sproßt' [es von] Milchhaar. [Nun] an der Quelle
[Hingelehnt] im Sommer am Mittag, sangen sie [also.]
Daphnis zuerst hub an, denn zuerst auch bot er die Wette. *Mö*

6–12: [Sieh,] Polyphemos, da wirft [dein Mädchen die Schafe] mit Äpfeln,
Galate [ruft] dich, und schilt [den Hirten der Ziegen gefühllos.]
Doch du [merkest es] nicht, [du trauriger Träumer;] du sitzest,
Flötend [ein liebliches Lied.] O sieh [doch,] da wirft sie schon wieder
Nach dem Hüther der Schafe, dem Hund: der bellet und blicket
[Stets] in das Meer, und es [mahlen die ruhigschwankenden Wogen
Hell im Wasser sein Bild, so] wie [er am Ufer dahinläuft.] *Bin*
Schaue, [sie] wirft, Polyfemos, mit Äpfeln [wirft] Galateia
Dir die Heerd', und sie [ruft:] O [zur Lieb' einfältiger] Geishirt!

Doch nicht siehst du sie an, [Kaltherziger;] sondern du sizest,
[Froh des Syringengetöns.] Schon wieder da, wirft sie den Hund [dir,
Welcher,] der Schaf' [Aufseher, dir nachfolgt. Aber er belfert,
Meerwärts wendend den Blick. Dort] zeigen [sie] liebliche Wellen,
Sanft am Gestad' aufrauschend, wie unter der Flut sie daherläuft. *Vo²*
»Schau, Polyphemos! da wirft sie Galateia die Heerde mit Äpfeln
Dir; und Geishirt schilt sie dich, ›o du [stöckischer] Geishirt!‹
Doch du siehst sie nicht an, [Kaltherziger;] sondern du sitzest
Flötend [ein liebliches Lied.] O sieh [doch,] da wirft sie schon wieder
Nach dem Hüter der Schafe, dem Hund, der bellet und blicket
[Immer] in's Meer, und es zeigen die Nymphe die lieblichen Wellen,
Sanft am Gestad aufrauschend, wie unter der Fluth sie daherläuft. *Mö*

13–16: [Hüthe dich,] daß er nicht gar in die Füße [dem Mädchen] noch fahre,
[Wenn es] dem Meer [entsteigt,] und [die liebliche Haut ihm] zerfleische.
[Schmachtend] spielt [sie ihr mädchenhaft Spiel, so recht] wie der Distel
Trockenes Haar sich wiegt, [vom] lieblichen Sommer gedörret. *Bin*
[Hüte dich,] daß er [dem Mädchen nur] nicht in die [Waden sich] stürze,
Wann aus dem Meere sie steigt, und den blühenden [Wuchs] ihr zer-
fleische.
[Sie nun schwärmt dir] von selber [in Üppigkeit,] wie [von] der Distel
[Flattert das] trockene Haar, wann der liebliche Sommer es dörret: *Vo²*
[Hüte dich,] daß er nicht gar in die Füße [dem Mädchen] noch fahre,
Wann aus dem Meere sie steigt, und den blühenden Leib ihr zerfleische!
– [Sieh, wie verbuhlt sie nun tändelt] von selbst! [ganz so] wie der Distel
Trockenes Haar sich wiegt, wann der liebliche Sommer es dörrte; *Mö*

17–19: [Liebst du sie, siehe] sie flieht; und [liebst du sie nicht,] sie verfolgt dich,
[Zieht] von der Linie [weg mit] dem Stein: [das Auge] der Liebe
Nimmt, Polyphemos, [so] oft [das Häßliche selber] für [Schönheit.] *Bin*
[Dich den] zärtlichen flieht sie, [dem nicht mehr zärtlichen folgt sie;]
Ja sie [bewegt auch] den Stein von der Linie. [Wahrlich] der Liebe
[Hat] ja oft, Polyfemos, [nicht reizendes reizend geschienen.] *Vo²*
Bist du zärtlich, sie flieht, unzärtlich, und sie verfolgt dich.
Ja von der Linie rückt sie den Stein! [Das Auge] der Liebe
Nimmt, Polyphemos, [so] oft Unschönes ja [selber] für [Schönheit.«] *Mö*

20–24:   [Ihm erwiederte drauf Damötas mit lieblichem Liede.]

DAMÖTAS

Ja, beim Pan! ich hab' es gesehn, wie sie warf in die Herde,
[Ja, es entging mir nicht, und dem] süßen einzigen [Auge.

(Säh ich mit diesem nur stets! O, daß doch] nach Hause das Unglück
Telemos trüge, der [Unglücksprophet,] und den Kindern behielte!) *Bin*
Jezo hub auch Damötas sein Vorspiel, und den Gesang an.

DAMÖTAS

Ja, [wohl] sah ich, bei Pan! wie sie [herwarf unter] die Heerde!
Nicht fehl schaute [das Eine,] mein süßestes: das mir [zum End' hin
Schauen soll! Doch] der Profet, [der] Telemos, [welcher nur] Böses
[Weissagt, nehme das Böse zu] Haus', und [bewahr'] es den Kindern! *Vo²*
    [Ihm erwiderte drauf mit holdem] Gesange Damötas:

DAMÖTAS

»Ja, beim Pan! ich hab' es gesehn, wie sie warf in die Heerde,
[Ja, es entging mir nicht und dem] süßen, einzigen [Auge –
(Dieses] bleibe mir [stets!] und Telemos trage das Unglück
Selber nach Haus, der böse Prophet, und behalt' es den Kindern!) *Mö*
25–28: Aber ich [quäle] sie wieder dafür, und bemerke sie gar nicht,
Sag' auch, ein anderes [Mädchen sei mein: doch] wenn sie das höret,
Paian! wie eifert sie dann, und [schmachtet!] Sie springt aus [dem Meere
Wüthend empor und blicket umher] nach [Grotten] und Herden. *Bin*
[Nur daß ich selber dagegen] sie ärgere, [seh' ich] sie nicht [an;]
Sag' auch, ein' andere [sei mein Trautelchen.] Wenn sie das höret,
[Eifersüchtig, o] Päan, [verschmachtet sie!] Wild aus der Meerflut
[Stürmt] sie hervor, [umschauend zur Berghöhl',] und [zu] der Heerde. *Vo²*
Aber ich ärgre sie wieder dafür und bemerke sie gar nicht,
Sag' auch, ein anderes [Mädchen sey mein: Ha!] wenn sie das höret,
Päan! wie eifert sie dann und [schmachtet!] Sie [stürmt] aus der Meer-
                                                                    fluth
[Wüthend] hervor, und schaut nach der Höhle dort und nach der Heerde. *Mö*
29–33: [Reizt'] ich doch selber den Hund, [ihr entgegen zu] bellen: [ach! ehmals,]
Als ich sie liebte, [da] winselt' er freundlich [und leckt'] ihr die Hüfte.
Sieht sie mich [öfter das] thun, [so] schickt sie, [das hoff' ich,] mir Bothen.
[Aber gewiß,] ich [verschließe] die Thür, bis [sie] schwört, daß sie selber
Hier auf der Insel mir will [ein herrliches Bette] bereiten. – *Bin*
[Aber ich hißt' ihr zu] bellen den Hund [an]. Denn [da] ich [jene]
Liebete, [knurrt' er leise,] die Schnauz' an die Hüften ihr legend.
Sieht sie mich also thun, vielleicht noch [sendet sie oftmals
Botschaft her.] Doch die [Pforte verschließ'] ich [ihr,] bis sie geschworen,
Selbst mir [schön zu] bereiten das Brautbett, hier in der Insel! *Vo²*

Ließ ich doch selber den Hund auf sie bellen! Denn als ich sie liebte,
[Ehmals,] winselt' er freundlich, die Schnauz' an die Hüften ihr legend.
Sieht sie mich [öfter so] thun, [ja] vielleicht sie schickt mir noch [Botschaft.
Aber fürwahr,] ich [verschließe] die Thür, bis [sie] schwört, daß sie selber
Hier auf der Insel mir köstlich das Brautbett wolle bereiten. *Mö*

34–40: Traun! ich bin [doch so häßlich] auch nicht, [als die Leute mich machen.
Neulich sah] ich im Meere [mein Bild, da] es ruhig und still war:
[Reizend wallte] mein Bart, [es blitzte] mein einziges [Auge
Reizend, (so dünkt' es] mich [da)] und es strahlten [im Wasser] die Zähne
Weißer spiegelnd zurück, [als] Schimmer des Parischen [Steines.
Aber um sicher zu seyn vor Bezauberung,] spuckt' ich mir dreimal
Gleich in den Busen. Die alte Kotyttaris lehrte mich [dieses,
Die am Hipokoon jüngst auf der Pfeife den Schnittern was vorblies.] *Bin*
Nicht von Gestalt auch bin ich so unhold, wie sie [mich ausschrein.]
Denn ich schauete [jüngst] in [die Meertief'; alles] war [windstill:
Und] schön [zeigte der] Bart, auch schön mein einziger Lichtstern,
Wie mirs wenigstens daucht', [in der Tiefe] sich; und [von] den Zähnen
[Schien ein hellerer] Schimmer [empor, als] parisches Marmors.
Daß kein Zauber mich [träfe, so spüzt'] in den Busen ich dreimal.
[Denn mir hat] die alte Kotyttaris solches gelehret,
[Welche den Mähenden jüngst am Bach Hippokoon vorblies.] *Vo²*
Bin ich so [häßlich doch] auch von Gestalt nicht, wie sie [mich aus-
                                                      schrein.]
Unlängst [sah] ich [hinein] in das Meer, [da] es ruhig und still war:
Schön ließ [wahrlich] mein Bart, [sehr] schön mein einziger Lichtstern,
Wie mir['s] wenigstens däucht', und es strahlten [im Wasser] die Zähne
Weißer spiegelnd zurück [als] Schimmer des Parischen Marmors.
Daß kein schädlicher Zauber mich [treffe, so] spuckt' ich mir dreimal
Gleich in den Busen. Die alte Kotyttaris lehrte mich solches,
[Die am Hippokoon jüngst auf der Pfeife den Schnittern was vorblies.«]
                                                              Mö

41–45:   [So das Lied des] Damötas: [er] küßte den Daphnis; die Flöte
[Macht'] er ihm [drauf zum Geschenk,] ihm [ward] die [liebliche] Pfeife.
[Daphnis, der Rinderhirt spielte die Flöt' und die Pfeife Damötas,]
Und [es] tanzten [alsbald] im [weichen] Grase die Kälber.
Keiner [hatte gesiegt,] sie [waren sich] beide [gewachsen.] *Bin*
   [Als den Gesang] Damötas geendiget, küßt' [er] den Dafnis.
Dieser schenkt' ihm die Pfeif', er [dem] die [gefügete] Flöte.
Pfeifend stand Damötas, es flötete Dafnis der Stierhirt.

[Ringsher] tanzten [sofort] in dem üppigen Grase die Kälber.
Sieger jedoch war keiner, denn fehllos sangen sie beide. *Vo²*
　　[So das Lied des] Damötas. [Er] küßte den Daphnis; die Flöte
[Macht'] er ihm [drauf zum Geschenk,] ihm [ward] die [herrliche] Pfeife.
Pfeifend stand nun Damötas, es flötete Daphnis der [Kuhhirt,]
Und [es] tanzeten rings im üppigen Grase die Kälber;
Sieger jedoch war keiner, [sie waren sich beide gewachsen.] *Mö*

XI. DER KYKLOP

Benutzte Textvorlagen: Bin, Vo², Mö

BEARBEITUNGSANALYSE

1–6:　Gegen die Liebe, mein Nikias, [wächst] kein anderes [Heilkraut,
　　　　Giebt es nicht] Salben noch Tropfen, die Musen [nur können sie lindern.
　　　　Dieses Mittel,] so [lind und so süß,] erzeuget sich mitten
　　　　Unter [uns Menschen, und doch ist's] jedem [zu] finden [so leicht] nicht.
　　　　[Du, so] mein' ich, du kennst [es gewiß:] wie sollt' es [ein] Arzt nicht,
　　　　Und ein Mann vor [allen] geliebt von den neun Pieriden? *Bin*
　　　　[Nie ward] gegen die Lieb' [ein] anderes Mittel [bereitet,]
　　　　Nikias, weder in Salbe, so [scheint] es mir, noch [in Latwerge,
　　　　Als Pieridengesang. Ein kräftiger Linderungsbalsam,
　　　　Wuchs er] unter [den Menschen; wiewohl] nicht jeder ihn findet.
　　　　Doch du kennst ihn, mein' ich, genau, [ein Vertrauter der Heilkunst.]
　　　　Und [so herzlich] geliebt von den neun [tonkundigen Schwestern.] *Vo²*
　　　　Gegen die Liebe, mein Nikias, [wächst] kein [heilendes] Mittel,
　　　　[Gibt es nicht] Salbe, noch Tropfen, die Musen [nur können sie lindern.
　　　　Dieser] Balsam, so lieblich und mild, erzeuget sich mitten
　　　　Unter dem Menschengeschlechte, [wiewohl] nicht Jeder ihn findet.
　　　　Du, [so] mein' ich, [du] kennst ihn [gewiß:] wie sollt' es der Arzt nicht,
　　　　Und ein Mann, vor [Allen] geliebt von den neun Pieriden? *Mö*

7–11:　[Leichter wurde bei uns Polyphemos, der Vorzeit Kyklopen,
　　　　Einst sein Leben dadurch: er liebte die Galate, da ihm
　　　　Eben das Milchhaar erst die] Schläf' und [die] Lippen [umbräunte.]
　　　　Rosen vertändelt' er nicht und Äpfel und Locken; [ihn brachte
　　　　Ganz von Sinnen die Lieb'] und alles vergaß er darüber. *Bin*
　　　　Also schuf der Kyklop sich Linderung, unseres Landes
　　　　Alter Genoß Polyfemos, der [loderte] für Galateia,

Als kaum jugendlich Haar ihm Lipp' und Schläfen [umkeimte.
Und] nicht [liebt' er mit] Rosen, [mit Äpfelchen, oder mit] Locken;
[Nein, mit verderblicher Wut;] und vergaß [sich selber und] alles. *Vo²*
    Also schuf der Kyklop sich Linderung, unseres Landes
Alter Genoß, Polyphemos, der glühete für Galateia,
Als kaum [gelblicher Flaum] ihm [gesproßt] um Lippen und Schläfe.
Rosen vertändelt' er nicht und Äpfel und Locken: [ihn brachte
Ganz von Sinnen die Lieb',] und Alles vergaß er darüber. *Mö*

12–18: Oftmals [kehrten] die Schafe von selbst [von der blumigen Weide
Wieder zur] Hürde [zurück,] doch Er [lag,] Galate [singend,
Seit dem] Morgenroth, und schmachtet' am [schilfigen Ufer.
Ach! er trug von der mächtigen] Kypris die [schmerzende] Wunde
Tief in [dem Busen; sie hatte] den Pfeil in [das] Herz ihm [gebohret.]
Aber er fand [das heilende Kraut:] er saß auf dem [hohen]
Felsen, [und sah in die Wellen hinab und stimmte sein Lied an:] *Bin*
Oftmals kehrten die Schaf' am Abende selbst in die Hürde
Heim aus der grünenden Au. Doch er, Galateia besingend,
Schmachtete dort in Jammer am Felsgestade voll Seemoos,
Frühe vom Morgenroth, und krankt' an der Wunde [des] Herzens,
[Welche der] Kypris [Geschoß] ihm tief in [das Leben gebohret.]
Aber er fand [die Genesung;] denn hoch auf der Jähe des Felsens
Saß er, den Blick zum Meere gewandt, und hub den Gesang an: *Vo²*
Oftmals kehrten die Schafe von selbst in die Hürden am Abend
Heim aus der grünenden Au. Doch er, Galateia besingend,
Schmachtete dort in Jammer am [schilfigen Meeresgestade,]
Frühe vom Morgenroth, und krankt' an der Wunde [des] Herzens,
[Welche der] Kypris [Geschoß] ihm tief in [das Leben gebohret.]
Aber er fand, was ihm frommte; denn hoch auf der Jähe des Felsens
Saß er, den Blick zum Meere gewandt, und hub den Gesang an: *Mö*

19–24: »Weiße Galate, [sage, was stößt du] den Liebenden [von dir?
Bist so] weiß wie geronnene Milch und [so] zart wie ein Lämmchen,
[Munter und wild] wie ein Kalb, und [blank] wie die [reifende] Traube.
[Öfters] kommst du [hieher,] wenn der [liebliche Schlummer] mich
                                          [fesselt,
Aber du fliehest sogleich,] wenn der [liebliche Schlummer entweichet,
Eilst davon,] wie ein Schaf, das [die] grauliche [Wölfinn] gesehn [hat.] *Bin*
    O Galateia, du weiße, den Liebenden so zu verschmähen?
Weiß wie geronnene Milch von Gestalt, und zart wie ein [Lämmlein,]
Und wie ein Kalb mutwillig, und [prall] wie [der] schwellende [Herling!

Stets] so kommst du [zurück,] wenn der süße Schlaf mich [gefesselt;
Schnell dann] eilst du hinweg, wenn der süße Schlaf mich [gelöset;
Und] du entfliehst, wie ein Schaf, das den [falbigen] Wolf [kaum wahr-
nahm.] *Vo²*

»O Galateia, du weiße, den Liebenden so zu verschmähen!
[Bist so] weiß wie geronnene Milch, und [so] zart wie ein [Lämmlein,
Munter] und [wild] wie ein [Kälbchen,] und [prall] wie die schwellende
Traube!
Immer nur kommst du [hieher,] wenn der [liebliche Schlummer] mich
[fesselt,
Aber] du [fliehest sogleich,] wenn der [liebliche Schlummer entweichet;
Eilest davon] wie ein Schaf, das [von fern] den graulichen Wolf sah. *Mö*

25–29: [Mädchen,] ich liebte dich [schon,] als du [hier] das erstemal [herkamst,
Von der] Mutter [geführt, Hyacinthen auf unserer Bergflur
Dir] zu pflücken; ich war's, [der damals die Steige] dir [zeigte.
Nimmer verlor] ich seitdem [dein Bild aus den Augen;] es [will nicht
Weichen:] doch du, beim Zeus! du [kehrst an das alles dich] gar [nicht.]
Bin

Damals liebt' ich bereits dich, Mägdelein, als du mit meiner
Mutter [zuerst herkamst, dir buschige Sträuß' Hyakinthen
Aus] dem Gebirge zu pflücken, [und ich] die Wege dir nachwies.
Immer dich anzuschaun, [seit jenem Tage bis jezo
Hab' ich nicht] Ruhe [davor;] doch [traun!] nichts achtest du, gar nichts!
Vo²

Damals liebt ich bereits dich, Mägdelein, als du mit meiner
Mutter [zuerst herkamst, dir buschige Sträuß' Hyakinthen
Aus] dem Gebirge zu pflücken, [und] ich die Wege dir nachwies.
Seitdem möcht' ich dich immer nur anschaun, immer! es läßt mir
Keine Ruh; doch du, bei'm Zeus, nichts achtest du, gar nichts! *Mö*

30–35: [O,] ich weiß [es, du liebliches Mädchen,] warum du mich fliehest!
Weil mir die [ganze] Stirn die borstige [Braune bedecket,
Und] von Ohr zu [Ohr,] Ein mächtiger Bogen, sich [ausspannt;
Weil Ein] Aug' und breit auf [den Lippen] die Nase [mich mißziert.]
Aber so [häßlich] ich bin, [so] weid' ich [doch] Schafe [zu] tausend,
[Trinke] die fetteste Milch, [aus ihren Eutern] gemolken. *Bin*
[Ach] ich weiß, holdseliges Kind, warum du [entfliehest!]
Weil [mit] borstigem [Haare die Augenbraun' auf] der Stirn' [hin
Ganz] vom Ohre sich streckt zu dem anderen, [lang auslaufend;
Drunten] das einzige Aug', und die breite Nas' auf der Lefze!

420

Aber auch so, wie ich bin, ich weide dir Schafe bei Tausend:
[Selbst dann] melk ich von [diesen] die [köstlichste] Milch mir zum
                                                   Leibtrunk; *Vo²*
[Ach,] ich weiß, holdseliges Kind, warum du mich fliehest:
Weil mir über die [ganze] Stirn sich die borstige Braue
[Zieht,] Ein mächtiger Bogen von einem Ohre zum andern,
Drunter das einzige Aug', und die breite Nas' auf der Lefze.
Aber auch so, wie ich bin, ich weide dir Schafe bei Tausend,
[Trinke] die fetteste Milch, und melke [sie selber] von ihnen. *Mö*

36–41: Käse mangelt mir [nimmer] im Sommer [und nimmer im Herbste,
Nie] im härtesten Frost, [schwer bleiben mir immer] die Körbe.
Kein Kyklope versteht [es,] wie Ich [auf der Flöte zu spielen,]
Wenn ich [bis] spät in die Nacht oft dich, [mein trautestes Lämmchen,]
Sing' und mich selbst [dazu.] Elf [Kälber der Hindinn erzieh ich
Dir, mit gesprenkeltem Fell,] vier Junge der Bärinn [nicht minder.] *Bin*
Käs' auch mangelt mir nie, im Sommer nicht, oder [im Herbste,]
Noch im härtesten Frost; schwervoll sind die Körbe beständig.
Auch die Syringe versteh' ich, wie keiner umher der Kyklopen,
Dir, o [du] Honigapfel, [zugleich] mir selber, [was] singend,
Oft in der Nacht [Ruhstunden!] Auch eilf [Hirschkälber] dir [nähr'] ich,
[All' um die] Hälse [Geschmuck,] und [dann] vier Jungen der Bärin. *Vo²*
Käse mangelt mir [nimmer] im Sommer [und nimmer im Herbste,]
Noch im härtesten Frost, schwervoll sind die Körbe beständig.
Auch die Syringe versteh' ich, wie keiner umher der Kyklopen,
Wenn ich [bis tief] in die Nacht, o [du] Honigapfel, dich singe
Und mich selber [dazu.] Elf [Kälber der Hindin erzieh ich]
Dir, mit Bändern am Hals, und [dann] vier Junge der Bärin. *Mö*

42–49: Komm doch, [o Nymphe] zu mir, [und] du sollst nicht [weniger haben!]
Laß [die] blaulichen [Wogen nur immer das] Ufer [beschäumen. –
Süßer wirst du] die Nacht bei mir in der Höhle [verschlummern:]
Lorberbäume sind [hier,] und [hochgesproßte] Cypressen,
[Epheudunkel] ist [hier,] und [mit lieblichen Trauben der] Weinstock,
[Hier ein kühliger Quell,] den Ätna, [der Wälderumkränzte,
Hoch] aus [blendendem] Schnee zum Göttergetränk mir herabgießt.
O, wer wählte dafür sich das Meer und die Wellen zur Wohnung! *Bin*
Komm [nur gerne] zu [uns;] du sollst nicht schlechter es finden!
Laß du das bläuliche Meer, wie es will, aufschäumen zum Ufer:
Lieblicher soll in der Höhle bei mir [ja] die Nacht dir vergehen.
Dort sind Lorberbäum', und [dort auch geschlanke] Cypressen;

Dunkeler Efeu ist dort, und ein gar süßtraubiger Weinstock;
Kalt dort rinnet ein Bach, den mir der bewaldete Ätna
Aus hellschimmerndem Schnee, zu [ambrosischem Trunke, dahergießt.]
Wer [doch möchte] dafür sich Meer [auswählen und Fluten?] *Vo²*
Komm [nur kecklich] zu mir; du sollst nicht schlechter es finden.
Laß du das blauliche Meer, wie es will, aufschäumen zum Ufer;
Lieblicher soll dir die Nacht bei mir in der Höhle vergehen.
Lorbeerbäume sind dort und schlank gestreckte Cypressen,
Dunkeler Epheu ist dort, und ein gar süßtraubiger Weinstock,
[Kühl auch] rinnet ein Bach, den mir der bewaldete Ätna
Aus hellschimmerndem Schnee zum Göttergetränke herabgießt.
O wer wählte dafür sich das Meer und die Wellen zur Wohnung? *Mö*

50–59: Aber [wenn ich vielleicht,] ich selber, zu haarig dir [scheine,]
Hier ist eichenes Holz und [glimmende] Gluth in der Asche:
[Sieh,] ich [erduldet'] es gern, und wenn du [das Herz] mir versengtest,
Oder mein einziges Auge, [mein] Liebstes [von allem auf Erden.]
Weh [mir!] o hätte mich doch mit [Flossen] die Mutter geboren!
[Daß] ich [mich] tauchte zu dir, und mit Küssen die Hand dir [bedeckte,]
Wenn du den Mund nicht gäbst. – Ich brächte [dir Liliensträuße,
Oder die Blume des] Mohns, [die zarte,] mit [röthlichem Klatschblatt.]
Aber es blühet im Sommer die eine, die andre [des] Winters,
[Also] könnt' ich zugleich nicht alle die Blumen dir bringen. *Bin*
Aber wofern ich selber dir [zottiger] dünke von Ansehn;
Eichene [Kloben] sind hier, in der Asch' [auch glimmet genug] Glut!
Gern, und [verbrennetest] Du mir die Seel' [auch, würd'] ich es dulden,
[Auch] mein einziges Auge, das mir [vor dem theuersten werth ist!
Ach, daß] die Mutter mich [nicht kiemöhrig] gebar [und mit Flossen!
Grundab] tauch' ich zu dir, und [küßte] die Hand dir mit [Inbrunst,]
Wenn du den Mund [mir entzögst!] Bald silberne Lilien brächt' ich,
Bald zartblumigen Mohn, mit purpurnem Blatte zum Klatschen.
[Doch] die blühn ja im Sommer, [und] die [bei winternden Schauern:
Wohl] nicht alle zugleich sie dir [zu] bringen [vermöcht'] ich! *Vo²*
Aber wofern ich dir selber zu [zottig erscheine] von Ansehn,
Hier ist eichenes Holz und [glimmende] Gluth in der Asche:
Schau, gern duld' ich's, und wenn du mir [gleich] die Seele versengtest,
Oder mein einziges Auge, das Liebste mir, was ich besitze!
[Ach, daß] doch die Mutter mich [nicht] mit [Flossen] geboren!
Zu dir taucht' ich hinab, und deckte mit Küssen die Hand dir,
Wenn du den Mund nicht gäbst. Bald brächt' ich [dir] silberne Liljen,

Bald zartblumigen Mohn, mit purpurnem Blatte zum Klatschen.

Aber es blühn ja im Sommer die einen, die andern im Winter,

Drum nicht alle zugleich dir könnt' ich sie bringen die Blumen. *Mö*

60–66: [Doch noch jetzt – ja, Liebchen,] gewiß, ich lerne noch schwimmen, –

[Steuert' ein Fremder mir nur sein] Schiff [an dieses Gestade,]

Daß ich säh, was es süßes euch ist in der Tiefe zu wohnen. –

[Steig', o] Galate, [auf,] und bist du [am Lande,] vergiß [dann,]

(So wie ich, am [Ufer] hier sitzend,) nach Hause zu kehren.

Weide die Herde zusammen mit mir, und melke die Schafe,

Gieße das [sauere] Lab in die [Molken] und presse dir Käse! – *Bin*

Nun [dann, trautestes] Kind, o [sofort nun] lern' ich [die Schwimmkunst,]

Wenn einmal seefahrend [im] Schif anlandet ein Fremdling:

[Um doch zu] sehn, was [für Wonne des Abgrunds Wohnung] euch [darbeut.]

Komm [hervor,] Galateia, und [kamst] du [hervor,] so vergiß auch,

[Gleich mir selber alhier nun] sizenden, [heim dich zu wenden.

Möchtest du doch hier] weiden, [gesellt] mir, melken die [Euter,]

Und dir pressen die Milch, [von] bitterem Labe [geronnen!] *Vo²*

[Doch,] nun lern' ich – [ach ja, lieb] Kind, ich lerne noch schwimmen!

[Steuerte nur] ein Fremdling einmal [an diese Gestade,]

Daß ich sähe [vom] Schiff, was ihr [Wonniges habt] in der Tiefe!

Komm [hervor,] Galateia, und [kamst] du [hervor,] so vergiß auch,

So wie ich, hier sitzend am [Ufer,] nach Hause zu kehren.

Weide die Heerde zusammen mit mir, und melke die Schafe,

Gieße das [sauere] Lab' in die Milch, und presse dir Käse. *Mö*

67–71: Meine Mutter allein [nur] ist Schuld, und ich [schmähl' auch auf diese,

Weil] sie von mir [wohl nie] ein freundliches [Wort] dir [gesagt hat;]

Und doch sah sie [dahin] von Tage zu Tage mich [schwinden.]

Aber ich [klag' ihr gewiß, wie der Kopf] und [die] Füße mir [weh thun;

Dann] grämt Sie sich [auch; muß Ich doch beständig mich grämen. –] *Bin*

[Unglück bringt mir die] Mutter [allein,] und ich [tadle] sie billig:

Niemals [sagte] sie dir Ein freundliches Wörtchen von mir vor;

Sahe sie [gleich, wie] von Tage zu Tag' [ich schmächtiger einschwand!]

Sag' ich [denn, oben] im Haupt und [hinab] in [die] Füße mir klopf' es

[Fieberisch: daß] sie sich gräme; dieweil ich selber [vergrämt] bin! – *Vo²*

Meine Mutter allein ist Schuld, und ich schelte sie billig;

Niemals [sagte] sie dir ein freundliches Wörtchen von mir vor,

Und doch sah sie von Tag' zu Tage [dahin] mich [schwinden.]

Aber nun sag' ich, im [Kopf bis hinab] in [die] Füße mir klopf' es

[Fieberisch, daß] sie sich gräme, dieweil ich selber voll Gram bin. *Mö*

423

72–81: O Kyklope, Kyklope, [wie ist dein] Verstand dir [verflogen!]
Wenn du gingest und flöchtest dir Körb', und [streiftest für deine]
Lämmer [dir junges] Laub, [in Wahrheit] da thätest du klüger.
Melke das stehende Schaf: was willst du dem flüchtigen [folgen?
Eine zweite] vielleicht [und] schönere Galate findst du.
Laden mich Mädchen genug doch öfters zu nächtlichen Spielen;
[Geb'] ich ihnen [Gehör, so] kichern [sie alle vor Freude.]
Traun! ich gelte [doch] auch in [diesem] Lande noch etwas!« –
    Also linderte [dort] Polyphemos durch [Lieder] die Liebe:
[Besser war ihm, als hätt' er den Arzt] mit Golde [bezahlet. –] *Bin*

O Kyklop, Kyklop! wo schwärmete dir der Verstand hin?
Gingst du [dafür an der] Körbe [Geflecht,] und [trügest] den Lämmern
Abgeschnittenes Laub; [wohl] thätest du klüger [bei weitem.
Erst die nächste] gemelkt! [Wozu dem Fliehenden] nachgehn?
Finden [sich doch] Galateien, vielleicht noch schönere, [sonst wo!
Oftmals] laden mich Mädchen [in] nächtlicher Spiele [Gesellschaft;
Hell dann] kichern [sie alle, wenn ich gutwillig gefolgt war.
Glaubt mir,] auch Ich [bin, scheint es,] in unserem Lande noch etwas.
    Also [bezwang] Polyfemos [dir einst] die [schwärmende] Liebe
Durch den Gesang, und schafte sich Ruh, die [das] Gold nicht [erhandelt.] *Vo²*

– O Kyklop, Kyklop! wo schwärmete dir der Verstand hin?
Wenn du gingest und flöchtest dir Körb', und [streiftest für deine]
Lämmer [dir junges] Laub, [ja fürwahr] da thätest du klüger!
Melke das stehende Schaf! was willst du dem flüchtigen nachgehn?
Finden [sich doch] Galateien, vielleicht noch schönere, [sonst wo.]
Laden mich doch oft Mädchen genug zu nächtlichen Spielen;
Geh' ich einmal mit ihnen, [da] kichern [sie alle vor Freuden.]
Traun, ich gelte [doch] auch in unserem Lande noch etwas!«
[Siehe so wußte] sich [einst der Kyklop] die Liebe [zu] lindern
Durch den Gesang, und schaffte sich Ruh, die [das] Gold nicht [erhan-
               delt.] *Mö*

XIV. DIE LIEBE DER KYNISKA

Benutzte Textvorlagen: Bin, Vo², Mö

BEARBEITUNGSANALYSE

Überschrift: Kyniska *Vo²* darunter [Aischines und Thyonichos] *Bin*
1–4: Sei mir [herzlich] gegrüßt, Thyonichos!

THYONICHOS

Sei es mir gleichfalls,
Aischines!

AISCHINES

[O wie verlangt' ich nach dir!]

THYONICHOS

So? – [Nun denn,] was hast du?

AISCHINES

[Ach! mir] geht's nicht zum besten, Thyonichos.

THYONICHOS

Darum so mager
Auch, und so lang dein Bart, und so [wildverworren dein Haupthaar!] *Bin*
[Freude zum Gruß dem Manne Thyonichos!]

THYONICHOS

[Freude dir selber,
Äschines!]

ÄSCHINES

[O wie so spät!]

THYONICHOS

Wie so [spät?] Was [bekümmert dich also?]

ÄSCHINES

Hier gehts nicht zum besten, Thyonichos!

THYONICHOS

Drum auch so mager,
Und so [gewaltig der] Bart, und [leer von Glanze] die Locken! *Vo²*
Sey mir [herzlich] gegrüßt, Thyonichos!

THYONICHOS

Sey es mir gleichfalls,
Äschines!

ÄSCHINES

Endlich einmal!

THYONICHOS

Wie so [denn endlich?] Was hast du?

ÄSCHINES

Hier geht's nicht zum Besten, Thyonichos.

THYONICHOS

Darum so mager
Auch, und so lang dein Bart, und so wild und struppig die Locken! *Mö*

5–9: [Eben] so kam [hier jüngst ein Mann aus Pythagoras Schule,
Bleich und ohne Schuh;] er sei aus Athene [gebürtig,]
Sagt' er; es war ihm an Brot, [so glaub' ich,] am meisten gelegen.

AISCHINES

[Wie] du scherzest, o Freund! – Mich höhnt die schöne Kyniska.
Rasend macht es mich noch; kein Haar breit fehlt, und ich bin es. *Bin*
[Neulich] kam so einer hieher, ein Pythagoräer,
[Bleichgelb,] und ungeschuht; er [kam von] Athen, wie [er vorgab.
Er auch hatt' ein Gelust, mir schiens, nach geröstetem Mehle.]

ÄSCHINES

Du kannst scherzen; o Freund: mir [ward von] der [holden] Kyniska
[Bitterer Hohn! Unversehns, und ich rase dir! Nur noch ein] Haarbreit! *Vo²*
[Neulich] kam so einer hieher, ein Pythagoräer,
[Bleich und ohne Schuh:] er sey aus Athene [gebürtig,]
Sagt' er; es war ihm an Brot, [so glaub' ich,] am meisten gelegen.

ÄSCHINES

Du kannst scherzen, o Freund! – Mich [narrt] die schöne Kyniska!
Rasend macht es mich noch! kein Haar breit fehlt und ich bin es! *Mö*

10–17: Immer bist du [doch so,] mein Aischines; [fürchterlich heftig;
Stets soll] alles nach Wunsch [dir] gehn. – [Doch] was giebt es denn

neues?

AISCHINES

[Sieh,] der Argeier und ich, und dann der Thessalische Reiter
Apis, [und] Kleunikos auch, der Soldat, wir tranken zusammen.

[Einst im Hause] bei mir: zwei [Hühner] hatt' ich geschlachtet,
Und ein saugendes Ferkel; auch stach ich Byblinischen Wein an,
[Der] vierjährig und [leicht] wie [ein eben gekelterter Most war.]
Zwiebeln auch [langt'] ich [hervor,] und Schnecken; ein herrlicher
Trunk war's! *Bin*
Immer der selbige [doch, Freund Äschines! Plözlich in Feuer!]
Gehn [soll] alles nach Wunsch! Nun [heraus!] was giebt es denn neues?

ÄSCHINES

Wir, der Argeier, und ich, und [zugleich] der thessalische Reiter
Apis, auch Kleunikos [der Heersmann,] tranken zusammen
Jüngst auf dem Lande bei mir. Zwei [Küchlein] hatt' ich geschlachtet,
[Ein Spanferkelchen] auch; [und ich öfnete feinen Bybliner,
Schön von Gedüft,] vierjährig beinah, und wie [frisch] von der Kelter;
Zwiebeln auch [wurden genascht, gleich kolchischen; süßes Getränk]
wars! *Vo²*
Immer derselbige [doch,] mein Äschines! [Plötzlich in Feuer!
Stets soll] Alles nach [Willen dir] gehn. Was gibt es denn Neues?

ÄSCHINES

Wir, der Argeier und ich, und dann der Thessalische Reiter
Apis, [und] Kleunikos auch, der Soldat, wir tranken zusammen
Auf dem Lande bei mir. Zwei Hühnlein hatt' ich geschlachtet,
Und ein saugendes Ferkel; auch stach ich Biblinischen Wein an,
Lieblichen Dufts, vierjährig beinah', und wie von der Kelter;
Zwiebeln auch [langt'] ich [hervor] und Schnecken; ein herrlicher Trunk
war's. *Mö*

18–22: [Späterhin gossen wir uns voll reinen Weines die Becher]
Auf [der Geliebten Wohl,] nur [mußt' ein jeder sie] nennen.
Und wir riefen [die Namen] und tranken [nach Herzensgelüsten.]
Sie kein Wort: [– da saß] ich – wie [glaubst] du [wohl,] daß mir zu Muth war?
»Bist du stumm, scherzt' einer, du sahst, [wie es heißet,] den Wolf
[wohl?«] *Bin*
[Als so die Zeit fortging, da beliebten wir] lautren aufs [Wohlsein,]
Wessen [er] wollt', [ein jeder;] nur [mußt' auch, wessen, gesagt sein.]
Laut [nun] riefen wir [aus, und leereten, ganz nach der Willkühr.]
Sie kein Wort! [da] ich [neben ihr war! Was,] meinst du, [empfand ich?
Fehlt dir der Laut?] scherzt' einer: den Wolf [wohl] sahst du [im Sprich-
wort.] *Vo²*

[Späterhin fülleten wir mit] lauterem [Weine die Becher]
Auf [der Geliebten Wohl;] nur [mußt' ein Jeder sie] nennen.
Und wir riefen [die Namen] und tranken [nach Herzensgelüsten.]
Sie – kein Wort: [da saß] ich; wie meinst du [nun,] daß mir zu Muth war?
»Bist du stumm?« scherzt einer, »du sahst, [wie es heißet,] den Wolf
                                        [wohl?«] *Mö*

23–26: [Ha, wie sie glühte!] du konntest ein Licht an [der Brennenden] zünden.
Lykos, [das] ist [ihr] der Wolf, des Nachbars [Söhnchen,] des Labas,
Schlankgewachsen und zart, [von] vielen für reizend gehalten.
[Nur um diesen allein zerschmolz sie vor glühender] Liebe. *Bin*
[Und sie entbrannt'; o] du konntest ein Licht [anzünden] am [Glut-
                                                         brand!]
Lykos, der Wolf, [der] ist [es, der Sohn] des [benachbarten] Labas,
[Lang] und zart [von Gewächs, und, wie] viel' [urtheilen, ein Schöner.
Diesem zerfloß ihr Herzchen in so weltkündiger Sehnsucht.] *Vo²*
[Ha, wie sie glühte!] Du konntest ein Licht an [der Brennenden] zünden.
Lykos, [das] ist [ihr] der Wolf! des Nachbars [Söhnchen,] des Labas,
Schlank gewachsen und zart, es halten ihn Viele für reizend.
[Diesem zerfloß ihr Herzchen, und wie! das frage die Leute.] *Mö*

27–33: [Heimlich] kam mir einmal [die schöne Geschichte] zu Ohren,
Aber ich forschte nicht [nach: ich,] dem nur [vergebens] der Bart wuchs.
[Als es] uns [allen nun] schon zu Kopfe gestiegen, [da gab uns
Der von Larissa das Stück] von [meinem Lykos zum Besten. –
Ist] ein Thessalisches [Lied:] der Bube! – Doch meine Kyniska
Weinte [so bitterlich gleich, als] kaum sechsjährige Mädchen,
Wenn sie stehn, und der Mutter im Schooß [zu ruhen begehren.] *Bin*
Auch kam [solches] einmal zum Ohre mir, [ganz ingeheim so;
Doch nie] forscht' ich [den Grund, ich] umsonst [schautragend den
                                                      Mannsbart!]
Schon [nun waren wir] viere [vom Weintrunk tief in Beneblung,]
Als der Larisser [von vorn] sein Lied vom Wolfe mir anhub,
[Recht] ein thessalisches [Liedchen, der Hämische! Aber] Kyniska
[Plazte heraus, und weinte so bitterlich, als um] die Mutter
[Ein] sechsjähriges Mädchen, [indem auf] den Schooß [es] verlanget. *Vo²*
[Heimlich] kam mir einmal [die schöne Geschichte] zu Ohren,
Aber ich forschte nicht [nach, ich,] dem nur [vergebens] der Bart wuchs!
[Gut; nun war] uns der Wein schon wacker zu Kopfe gestiegen,
Als der Larisser [von vorn] sein Lied vom Wolfe mir anhub –
Ganz ein Thessalisches [Stückchen,] der Bube! Doch meine Kyniska

[Hält sich nicht mehr, und] weint dir, wie kaum sechsjährige Mädchen,
Wenn sie stehn und hinauf in den Schoos der Mutter verlangen: *Mö*

34–38: Da – du kennst mich [ja wohl – da] schlug ich ihr [wüthend] die Backen
Links und rechts [mit der Faust:] sie nahm [sich] zusammen, und eilte
[Schnell] hinaus. – »Gefall' ich dir nicht, du schändliche Dirne?
[Liegt] dir ein anderer [näher am Herzen? So] geh denn und hege
Deinen [Trauten; für ihn rinnt über die Wange die Thräne.«] *Bin*
Ich [nun, welchen] du kennst, [o] Thyonichos, schlug ihr die Backe
[Eins, und abermal eins. Wohlan! die] Gewande [dir hebend,
Wandere schleunig] hinaus! [Du Plagerin,] nicht dir gefall' ich?
Taugt dir ein anderer [mehr] zum Schooßkind! Geh [zu dem andern!
Herz' ihn nach Lust!] Ihm [laß für Äpfelchen rinnen] die Thränlein! *Vo²*
Da, du kennst mich [ja wohl, da] schlug ich ihr [wüthend] die Backen
Rechts und links: sie nahm ihr Gewand zusammen, und [hurtig
Auf und davon.] »Gefall' ich dir nicht, du schändliche Dirne?
Taugt dir ein Anderer besser zum Schooskind? Geh denn und hege
Deinen Knaben! [Für] ihn [rinnt über die Wangen] das Thränlein.« *Mö*

39–43: Wie die Schwalbe, die [itzt] den Jungen unter dem Dache
Atzung gebracht, [schnell eilt, um anderes Futter] zu hohlen;
So, und schneller noch, lief vom [weichen] Sessel [Kyniska
Fort] durch den Hof und [die äußerste Thür,] so weit sie [ihr] Fuß trug.
[Weg] ist der Stier in den Wald, so heißt es [nicht unrecht im] Sprich-
wort. Bin

[Oft wenn] die Schwalbe [geäzet die Nestlinge] unter dem Dache,
Fliegt [sie in] Eile zurück, [um andere Speise] zu [sammeln:
Hurtiger] noch lief [jene] vom weichgepolsterten Sessel
[Grad' aus der vorderen Thür' und dem Hofthor,] so [wie] der Fuß trug.
[Recht wohl lautet der Spruch: Weg floh auch] der Stier in [die Wal-
dung.] Vo²

Wie die Schwalbe, die unter dem Dach den Jungen nur eben
Atzung gebracht, mit Eile zurückfliegt, wieder [nach Futter:]
So, und schneller noch, lief vom [weichen] Sessel [das Mädchen]
Weg durch den Hof und zur Pforte hinaus, so weit sie der Fuß trug.
»Fort ist der Stier in den Wald!« so heißt es [nicht unrecht im] Sprich-
wort. Mö

44–49: Zwanzig Tage, [noch] acht, und neun, zehn Tage dazu noch,
Heut ist der elfte, noch zwei, und es sind zwei völlige Monat,
Seit wir [uns trennten,] und [seit] ich [den Kopf] nicht Thrazisch geschoren.
Ihr ist Lykos nun alles: zu Nacht wird dem Lykos geöffnet;

429

Wir, wir gelten nun nichts, wir werden nun gar nicht gerechnet,
[Wie] Megareer [so] klein, [nichts werth, und] von allen verachtet. – *Bin*
Zwanzig [der] Tag', [und] acht, neun [andere,] zehn noch [darüber,]
Heute der elft'; [ein Paar nur hinzu:] zween Monate sind es,
Seit auseinander wir sind, und Ich [kaum] thrakisch [das] Haar schor!
Ihr ist Lykos nun alles, [auch Nachts] wird dem Lykos geöfnet!
Wir [sind weder der Schäzung gewürdiget, noch auch der Zählung,]
Megarer, ganz armselig, und [theillos jegliches Werthes!] *Vo²*
Zwanzig Tage, dann acht, und neun, zehn Tage dazu noch,
Heut ist der elfte; noch zwei, und es sind zwei völlige Monat,
Seit auseinander wir sind, und ich [kaum] Thrakisch [das] Haar schor.
Ihr ist Lykos nun Alles, zu Nacht wird dem Lykos geöffnet;
Wir, wir gelten nun nichts, wir werden nun gar nicht gerechnet,
[Wir] Megareer, [so] klein, [nichts werth,] und von Allen verachtet. – *Mö*

50–56: Wär' ich nur kalt dabei, [dann würd' es auch] alles [recht gut gehn;
Doch nun] bin ich die Maus, die Pech, wie sie sagen, gekostet,
Weiß auch [gar nicht, wodurch] unsinnige Liebe geheilt [wird.]
Simos indeß, der vordem Epichalkos Tochter geliebt hat,
Kehrte [vom Seezug] gesund: [wir gleichen einander an Jahren. –]
Ich auch stech' in die See, der schlechteste unter den Kriegern
Nicht, und auch nicht der beste vielleicht; doch [immer zu brauchen.] *Bin*
Könnt' ich [das Herz abkälten, zum Besseren ginge] noch alles.
[Doch wie] die Maus, [nach der Sage, Thyonichos, nagten wir] Pech [an.]
Auch [kein] Mittel [erdenk' ich der ganz unheilbaren] Liebe;
[Eins doch: Simos, vom Mädchen des Epichalkos gefesselt,
Schifte] zum [Streit,] und kehrte gesund, mein Jugendgenosse.
[Selbst denn schiff' ich getrost durch die Meerflut: nicht der geringste,
Noch der erste] vielleicht, [so ein mitteler Schlag vom Soldaten.] *Vo²*
Könnt' ich nur kalt dabei seyn, [es] wäre noch [wohl zu verschmerzen,]
Aber so bin ich die Maus, die Pech, wie sie sagen, gekostet,
Weiß auch nirgend ein Mittel, unsinnige Liebe zu heilen.
[Doch –] ja! Simos, der [einst] Epichalkos' Tochter geliebt hat,
Ging zu Schiff und kehrte gesund, mein Jugendgenosse.
Ich auch stech' in die See, der schlechteste unter den Kriegern
Nicht, und auch nicht der beste vielleicht, doch [immer zu brauchen.]
                                                                      Mö

57–60: Möge dir was du beginnst nach [Wunsch gehn,] Aischines; aber
[Hast du's beschlossen einmal, das Vaterland ganz zu verlassen,
Sieh dann] lohnt Ptolemaios [am besten mit] fürstlicher [Großmuth.

430

AISCHINES

Aber wie ist er denn sonst, der Mann mit der fürstlichen Großmuth?

THYONICHOS

Gnädig,] ein Musenfreund [und liebenswürdig und freundlich;] *Bin*
Möge nach Herzenswunsch dir [hinausgehn,] was du [verlangest,]
Äschines! [Wenns dir denn also gefällt,] in die Fremde zu wandern;
[Würdig belohnt Ptolemäos, ein edeler Mann, wie der beste!

ÄSCHINES

Sonst denn welcherlei Sinns?

THYONICHOS

Ein edeler Mann, wie der beste!
Huldreich, Freund des Gesanges, bezauberisch, äußerst gefällig;] *Vo²*
Möge dir, was du beginnst, nach [Wunsch gehn,] Äschines; aber
[Hast du's beschlossen einmal, dein Glück] in der Fremde zu [suchen,
Siehe,] da wär' Ptolemäos, [ein Mann von] fürstlicher [Großmuth.

ÄSCHINES

Ja? Wie ist er denn sonst?

THYONICHOS

Ich sag' ein Fürst, und ein ächter!
Gnädig,] ein Musenfreund, [und liebenswürdig und freundlich;] *Mö*
61–66: Freunde kennt er [genau] und [die heimlichen Feinde] noch besser,
[Giebt so] vielen so viel, und [verweigert dir nimmer die Bitte,]
Wie's dem Könige ziemt; du mußt nur um alles nicht bitten,
Aischines. – [Willst du] nun [auf] der [rechten] Schulter das Kriegskleid
[Fest] dir [heften mit Spangen,] und, [trotzig] die Füße gestämmet,
[Stehn, und den kommenden Feind, den] beschildeten [Krieger, erwar-
ten;] *Bin*
[Welcher die Liebenden] kennt, [und auch nicht liebende durchschaut;
Manchem auch manches] gewährt, und dem bittenden [nimmer ver-
weigert,
Was dem] Könige ziemt; nur bitt' [ihn keiner] um alles,
Äschines! [Fühlest du denn ein Gelust,] dir [oben ein] Kriegskleid
Rechts um die Schulter [zu schnallen,] und [fest] auf die Füße gestemmet
[Auszuharren] den [graß mit dem Schild' anwandelnden] Streiter; *Vo²*

Freunde die kennt er [genau] und [heimliche Feinde] noch besser,
[Spendet] an Viele so viel, und [verweigert dir nimmer die Bitte,]
Wie's [dem] Könige ziemt; du mußt nur um Alles nicht bitten,
Äschines. Lüstet dich's nun, dir rechts [an] der Schulter das Kriegskleid
[Umzuschnallen] und, [kräftig] gestemmt auf die Füße, dem [Schnauben]
Dich des beschildeten Streiters beherzt entgegenzustellen: *Mö*

67–69: Nach Ägyptos [geschwind!] Es [bleichet das Haar um] die Schläfe
[Immer] das Alter zuerst; dann schleichen [die weißenden Jahre]
Uns in den Bart: drum Thaten gethan, da die Kniee noch [fest sind!] *Bin*
[Ohne Verzug] nach Ägyptos! Zuerst [von] den Schläfen [beginnet
Allen das grauende Haar;] dann schleicht [allmählich zum Kinne]
Uns [die] bleichende [Zeit.] Drum [handele, welchem] das Knie grünt! *Vo²*
Nach Ägyptos [geschwind!] Es [entfärbet die Haare] das Alter
[Immer] zuerst [um die Schläfe,] dann schleichen die bleichenden [Jahre]
Uns in den Bart: Drum Thaten gethan, da die Kniee noch grünen! *Mö*

XV. DIE SYRAKUSERINNEN AM ADONISFEST

Benutzte Textvorlagen: Bin, Vo², Mö

BEARBEITUNGSANALYSE

Überschrift: Die Syrakuserinnen *darunter* [Gorgo. Praxinoa. Eunoa. Eine Alte.
Zwei Fremden. Eine Sängerinn] *Bin*

1–3: Ist Praxinoa drinnen?

EUNOA

O Gorgo, wie spät! Sie ist drinnen. –

PRAXINOA

Wirklich! du bist schon hier! Nun, Eunoa, [hohle] den Sessel!
Leg' auch ein [Küssen] darauf!

GORGO

[Vortrefflich!]

PRAXINOA

So setze dich [nieder!] *Bin*

[Weilt noch Praxinoa hier?]

EUNOA

O Gorgo, wie spät! [Ja sie weilt noch.]

PRAXINOA

[Wunder, daß endlich du kommst! Flink,] Eunoa, stell' ihr den Sessel;
Leg' auch ein Polster [zum Haupt.]

GORGO

[O genug schön!]

PRAXINOA

Seze dich, [Gorgo.]
Vo²

Ist Praxinoa drinnen?

EUNOA

O Gorgo, wie spät! Sie ist drinnen. –

PRAXINOA

Wirklich! du bist schon hier? – Nun, Eunoa, stell' ihr den Sessel!
Leg' auch ein Polster darauf.

GORGO

[Vortrefflich!]

PRAXINOA

So setze dich, Liebe. *Mö*

4–7: Ach! [hier galt es den Muth!] Praxinoa, Lebensgefahren
Stand ich aus, bei der Menge des Volks und der Menge der Wagen.
Stiefeln [all] überall, [überall nur gepanzerte Männer!
Endlos dazu ist] der Weg; du wohnst [von] mir gar zu entfernt auch. *Bin*
[Ha, das kostete Mut, Praxinoa! Kaum bin ich lebend –
Angelangt, vor] der Menge des Volks, und der Menge der Wagen!
[Voll ist alles der] Stiefel, und [voll der gemäntelten] Krieger!
[Aber] der Weg [endlos!] Auch gar zu [ferne] mir wohnst du! *Vo²*
Ach! [das war dir ein Ernst,] Praxinoa! Lebensgefahren
Stand ich aus, bei der Menge des Volks und der Menge der Wagen.
Stiefel und überall Stiefel, und nichts als Krieger in Mänteln!
Dann der unendliche Weg! du wohnst auch gar zu entfernt mir. *Mö*

433

8–12: Ja da hat der [verrückte Kerl] am Ende der Erde
Solch ein Loch, nicht ein Haus, mir genommen, damit wir doch ja nicht
Nachbarn würden; nur mir zum Tort, mein ewiger Quälgeist.

GORGO

Sprich doch, [liebstes Kind,] nicht so von [dem Manne;] der Kleine
Ist ja dabei. – Sieh [Frau,] wie der Junge verwundernd dich ankuckt! *Bin*
[Freilich, der quere Genoß!] am [äußersten] Ende der [Welt hier]
Nahm [er] ein Loch, [kein] Haus; [daß] wir nicht [beide benachbart
Wohneten!] mir zum [Verdruß! der Peiniger, immer sich ähnlich!]

GORGO

[Rede] von deinem [Gemahl] nicht [also, liebe Diona!]
Ist [doch] der Kleine dabei! Sieh, [Schwesterchen,] wie [er] dich anguckt! *Vo²*
Ja, da hat der [verrückte Kerl] am Ende der Erde
Solch ein Loch, nicht ein Haus, mir genommen, damit wir doch ja nicht
Nachbarn würden: nur mir zum Tort, mein ewiger Quälgeist!

GORGO

Sprich doch, Beste, nicht so von deinem [Manne;] der Kleine
Ist ja dabei. Sieh, Weib, wie der Junge verwundert dich anguckt. *Mö*

13: *darüber* [PRAXINOA] *Bin Vo² Mö*

13–17: Lustig, Zopyrion! [süßer Knab'! ich] meine Papa nicht.

[GORGO]

Ja [beim Himmel!] er merkt es, der Bube. – Der liebe Papa der!

[PRAXINOA]

Jener Papa ging neulich; (wir sprechen von neulich ja immer,)
Schminck' und Salpeter für mich aus dem Krämerladen zu hohlen,
Und kam wieder mit Salz; der dreizehnellige Dummkopf! *Bin*
Lustig, Zopyrion, [freundliches] Kind! [Ich] meine Papa nicht!

[GORGO

Wahrlich der Junge bemerkt, bei der] Heiligen! [Wacker Papachen!

PRAXINOA]

Jener [Genoß war] neulich, [(des] Neulichen [nur zu erwähnen!)]
Schmink' und Salpeter zu [kaufen, zur Krämerbude gewandert,]

Und kam wieder mit Salz, [ein] dreizehnelliges [Mannthier!] *Vo²*
Lustig, Zopyrion, [Herzenskind! ich] meine Papa nicht.

[GORGO]

Ja, [beim Himmel,] er merkt es, der Bube. – Der liebe Papa der!

[PRAXINOA]

Jener Papa ging neulich (wir sprechen ja immer von neulich),
Schmink' und Salpeter für mich aus dem Krämerladen zu holen,
Und kam wieder mit Salz, der dreizehnellige Dummkopf! *Mö*
18–25: Meiner [ist eben] so [arg,] Diokleidas, der [saubre Verschwender.]
Sieben Drachmen bezahlt' er für fünf Schafsfelle [mir] gestern:
[Hündische] schabige Klatten! Nur Schmutz! nur Arbeit auf Arbeit! –
Aber lege den Mantel doch an, und das Kleid mit den Spangen!
Komm zu des Königes Burg, Ptolemaios [des reichen Gebieters,]
Dort den Adonis zu sehn. Ich hör', [ein prächtiges Fest] giebt
[Heut] die Königinn [da.]

PRAXINOA

[Hoch lebt man im Hause] der Reichen.
[Aber] erzähle [mir] was [du] gesehn; [ich weiß noch von gar] nichts. *Bin*
Grade so [hält] es der meine, der Geldabgrund Diokleidas!
Sieben Drachmen bezahlt' er für fünf [Hundsklatten] noch gestern,
[Alter gebrechlicher Schafe!] Nur [Unrath,] Arbeit auf Arbeit!
[Rasch] nun, lege den Mantel [dir] an, und das [Leibchen] mit Spangen.
[Gehn wir] zur Burg Ptolemäos, des hochgesegneten Königs,
[Anzuschaun] den Adonis. Ich hör', [ein prächtiges Schauspiel
Ordne] die Königin dort.

PRAXINOA

Bei Reichen [ja waltet der Reichthum.
Sagst du mir nicht, du] sahst [ja, ein weniges,] was [du] gesehen? *Vo²*
Grade so macht es der meine, der Geldabgrund Diokleidas!
Sieben Drachmen bezahlt' er für fünf Schafsfelle noch gestern:
[Hündische,] schäbige Klatten! nur Schmutz! nur Arbeit auf Arbeit! –
Aber [so] lege den Mantel doch an, und das Kleid mit den Spangen!
Komm zur Burg Ptolemäos', des hochgesegneten Königs,
Dort den Adonis zu sehn. Ich hör', [ein prächtiges Fest] gibt
[Heute] die Königin dort.

PRAXINOA

[Hoch lebt man im Hause] der Reichen.

[Aber] erzähle [mir,] was [du] gesehn; [ich weiß noch von gar] nichts. *Mö*

26: *darüber* [GORGO] *Bin Vo² Mö*

26–33: [Mach'!] es ist Zeit daß wir gehn: stets hat der Müßige Festtag.

[PRAXINOA

Eunoa, bring mir das Becken!] So, [setz'] es doch mitten ins Zimmer
Wieder, [du zieriges Mensch!] Weich [mögen] die Katzen [sich legen.]
Rühr dich! [Hurtig das] Wasser! [Denn] Wasser brauch' ich am ersten.
[Wie sie das Becken trägt! So] gieb! [Unersättliche,] gieß doch
Nicht so viel! [Du] Heillose, mußt du [das Kleid] mir begießen? –
Höre [nun] auf! Wie's den Göttern gefiel, so bin ich gewaschen. –
Nun, wo steckt denn der Schlüssel zum großen Kasten? So hohl' ihn! *Bin*
Zeit [wohl wär'] es [zu] gehn; der Müssige [kennet nur] Festtag.

[PRAXINOA]

Eunoa, nim [das] Gespinnst! [und] leg' es [mir,] Träumerin, wieder
[So in den Weg!] Den Kazen [ist] weich [zu] liegen [behaglich.
Rege] dich! [bringe mir] Wasser geschwind'; erst Wasser [bedarf ich!
Wie am Gespinnste sie schleppt! Doch reiche nur!] Halt, [du beströmst
mich;]
Gieße [mit Maß!] Heillose, [warum] mir den Rock [so gefeuchtet?]
Höre [doch] auf! Wie den Göttern gefiel, so bin ich gewaschen!
Wo [ist] der Schlüssel zur [Lade, der] größeren? [Bring'] ihn [sogleich
her!] *Vo²*
[Mach'!] es ist Zeit, daß wir gehn: stets hat der Müssige Festtag.

[PRAXINOA

Eunoa, bring' mir das Becken!] – So [setz'] es doch mitten in's Zimmer
Wieder, [du schläfriges Ding!] Weich [mögen] die Katzen [sich legen!]
Rühr' dich! [Hurtig, das] Wasser! [denn] Wasser ja brauch' ich am ersten.
[Wie sie das Becken trägt! So] gib! [Unersättliche,] gieß doch
Nicht so viel! Heillose, was mußt du [das Kleid] mir begießen! –
Höre [nun] auf! Wie's den Göttern gefiel, so bin ich gewaschen.
Nun, wo steckt denn der Schlüssel zum großen Kasten? So hol' ihn! – *Mö*

34–37: [Schön,] Praxinoa, steht dir dieß faltige [Kleid mit den Spangen.]
Sage mir, [Liebe,] wie hoch ist das Zeug vom Stuhl dir gekommen?

PRAXINOA

Ach! erinnre mich gar nicht daran! Zwei Minen und drüber
Baar, und ich setzte beinah mein Leben noch zu bei der Arbeit. *Bin*
[Was, o] Praxinoa, [doch das] faltige Spangengewand dir
[Herlich] steht! [O] sage, wie hoch kam dirs von [dem Webstuhl?]

PRAXINOA

[Davon schweige mir, Gorgo! Noch mehr] baar [Geld, wie die] Mine,
[Oder auch] zwo; und ich [wagte das] Leben [sogar an] die Arbeit! *Vo²*
Einzig, Praxinoa, steht dir dieß faltige [Kleid mit den Spangen.]
Sage mir, [Liebe,] wie hoch ist das Zeug vom Stuhl dir gekommen?

PRAXINOA

Ach erinnre mich gar nicht daran! Zwei Minen und drüber,
Baar; und ich sezte beinah' mein Leben noch zu bei der Arbeit. *Mö*
38–43: Aber sie [ist] dir gerathen nach Wunsch.

PRAXINOA

     [Ei, sieh doch! sie] schmeichelt. –
[Bring mir] den Mantel nun her und den [Sonnenhut! Recht wie es seyn
           muß]
Setz' [ihn] mir auf! [Du,] Kind, [bleibst hier.] Bubu da! das Pferd beißt!
Weine so [viel dir's beliebt! Lahm] sollst du mir [draußen] nicht werden. –
[Komm! – Du,] Phrygia, spiel' [unterdeß] mit dem Kleinen ein wenig,
[Rufe] den Hund [herein,] und verschließ die Thüre des [Vorhof's. –] *Bin*
Aber auch ganz nach Wunsche gerieth sie dir.

PRAXINOA

     Wahrlich, du schmeichelst!
[Rasch mir] den Mantel [gereicht,] und seze den schattenden Hut [auch
Ordentlich!] Nicht mitgehen, [mein] Kind! Bubu da! Das Pferd beißt!
Weine, so lange du willst; [ein] Krüppel mir sollst du nicht werden!
Gehn wir denn! Frygia, [komm, und hübsch] mit dem Kleinen gespielet!
Locke den Hund in das Haus, und verschließ die [Pforte] des Hofes! *Vo²*
Aber sie [ist] auch [darnach; ganz hübsch!]

PRAXINOA

     [Wahrhaftig, sie] schmeichelt!
– Gib den Mantel nun her, und setze den schattenden Hut [auch

Ordentlich! –] Nicht [mitnehmen, mein] Kind! Bubu da! das Pferd beißt!
Weine, so lange du willst! zum Krüppel mir sollst du nicht werden. –
Gehn wir denn. – Phrygia, [du] spiel' mit dem Kleinen ein wenig;
Locke den Hund in das Haus und verschließ die Thüre des Hofes! – *Mö*

44–50:　Götter! welch ein Gewühl! Durch dieses Gedränge zu kommen,
Wie und wann wird das gehn? – Ameisen, unendlich und zahllos!
[Hast,] Ptolemaios, doch schon viel [löbliche Thaten verrichtet;]
Seit dein Vater [den Himmel bewohnt, beraubet] kein schlauer
Dieb den Wandelnden mehr, ihn fein auf Ägyptisch beschleichend:
Wie vordem aus Betrug zusammengelötete Kerle,
All' einander sich gleich, [Spitzbuben! schlechtes] Gesindel! – *Bin*
Götter, o welch ein Gewühl! Wie kommen [wir durch?] wann [entfliehn
　　　　　　　　　　　　　　　　　　　　　　　　　　　wir
Diesem Tumult?] Ameisen, [unzählbar rings] und unendlich!
Viel [hast Du, Ptolemäos, und herliche Thaten vollendet!]
Seit [mit Unsterblichen lebt, der dich zeugete, schadet dem Wandrer]
Kein [Heimtückischer] mehr, [der sacht anschleicht] auf ägyptisch:
[So] wie vordem aus Betruge [zusammengeknätete Gauner
Schalteten,] alle sich gleich, [Erzlotterer, Rabengesindel!] *Vo²*
　　　Götter! welch ein Gewühl! Durch dieß Gedränge zu kommen,
Wie und wann wird das gehn? Ameisen, unendlich und zahllos!
Viel Preiswürdiges doch, Ptolemäos, danket man dir schon;
Seit dein Vater [den Himmel bewohnt, beraubet] kein schlauer
Dieb den Wandelnden mehr, ihn fein auf Ägyptisch beschleichend,
Wie vordem aus Betrug zusammengelöthete Kerle,
All' einander sich gleich, [Spitzbuben! Rabengesindel!] *Mö*

51–55:　Süßeste Gorgo, wie wird es uns gehn! Da kommen des Königs
[Kriegesrosse.] Mein Freund, mich nicht übergeritten! das bitt' ich!
[Sieh] den unbändigen Fuchs, wie er bäumt! Du verwegenes Mädchen,
Eunoa, [willst] du nicht [fliehn?] Der bricht dem Reiter den Hals noch.
O [wie gut ist es nun,] daß [der Kleine zu Hause] geblieben! *Bin*
[Herzensfreundin, o Gorgo, was machen wir?] Siehe, des Königs
[Reisige traben daher! Nun sacht,] Freund, [reite] mich nicht [um!
Hochauf] bäumt [sich] der Fuchs! Wie [der rasende tobt!] Du verwegne
Eunoa, [willst] du nicht [fliehn?] Der [macht unglücklich den Lenker!
Wahrlich ein frommender Rath,] daß mir [mein] Junge daheim blieb! *Vo²*
Süßeste Gorgo, wie wird es uns gehn! Da [traben] des Königs
[Reisige her!] – Mein Freund, mich nicht übergeritten, das bitt' ich! –
[Sieh] den unbändigen Fuchs, wie er bäumt! du verwegenes Mädchen,

Eunoa, wirst du nicht weichen? Der bricht dem Reiter den Hals noch.
[Wahrlich] nun segn' ich mich erst, daß mir der Junge daheimblieb! *Mö*
56–59: [Auf,] Praxinoa, Muth! wir sind schon hinter den Pferden;
Jene reiten zum Platz.

PRAXINOA

Ich erhohle mich [jetzt auch von selbst schon.]
Pferd' und [kalte] Schlangen, die scheu, ich [von allem] am meisten
Von Kind an. O [komm!] was dort [für] ein Haufen uns zuströmt! *Bin*
Mut gefaßt! [nun] sind wir, Praxinoa, [endlich dahinter;]
Jene [ziehn in das Feld.]

PRAXINOA

[Schon selbst] erhol' ich mich [jezo.]
Pferd' und [kältende] Schlangen, die scheu' ich immer am meisten,
[Schon als] Kind. O [geeilet! Wie dicht das Gedräng'] uns [heranströmt!] *Vo²*
[Jezt,] Praxinoa, Muth! wir sind schon hinter den Pferden;
Jene reiten zum Platze.

PRAXINOA

Bereits erhol' ich mich wieder.
Pferd' und [kalte] Schlangen, die scheut' ich immer am meisten,
Von Kind an. O geschwind! Was dort [für] ein Haufen uns zuströmt! *Mö*
60–62: Mütterchen, aus der Burg?

[DIE] ALTE

Ja, Kinderchen.

GORGO

Kommt man hinein denn
[Ohne Müh?]

DIE ALTE

Durch Versuche gelangten die Griechen nach Troja,
Schönstes Kind; [der] Versuch macht alles [auf Erden gelingen.] *Bin*
[Mutter, vom Hofe zurück?]

ALTE

Ja, Kinderchen.

439

GORGO

              [Ist es bequem] noch
[Einzugehn?]

ALTE

[Mit] Versuch [erreichten die Danaer] Troja,
[Mein holdseliges] Kind; [mit] Versuch [wird] alles [erlanget.] *Vo²*
Mütterchen, aus der Burg?

[DIE] ALTE

Ja, Kinderchen.

GORGO

            Kommt man denn auch noch
[Leidlich] hinein?

DIE ALTE

    Durch Versuche gelangten die Griechen nach Troja,
Schönstes Kind; durch Versuch ist Alles und Jedes zu machen. *Mö*

63–65: Fort ist die Alte, die uns Orakelsprüche [verkündigt.]
Alles weiß doch ein Weib, auch [die] Hochzeit [des] Zeus [und] der Hera.
Sieh, Praxinoa, sieh, was dort [für] Gewühl um die Thür ist! *Bin*
[Ei,] mit Orakelsprüchen [verläßt] uns die alte [Profetin!]
Weiß doch alles ein Weib, auch [wie] Zeus [liebkoste] mit Hera.
[O] Praxinoa, [schau] um die Thüre [da, welch ein Getümmel!] *Vo²*
Fort ist die Alte, die nur mit Orakelsprüchen uns abspeis't!
Alles weiß doch ein Weib, auch Zeus' Hochzeit mit der Hera.
Sieh, Praxinoa, sieh, was dort ein Gewühl um die Thür ist! *Mö*

66–71: Ach! ein erschrecklicher! – Gieb mir die Hand! Du, Eunoa, fasse
Eutychis an, und laß sie nicht los, [daß] du [nicht dich] verlierest.
Alle mit Einmal hinein! Fest, Eunoa, an uns gehalten! –
[Ach, ich arme Frau!] schon [ist mir] mein [Sommerkleid doppelt
Aufgerissen,] o Gorgo! – Bei Zeus, und soll es dir jemals
Glücklich [gehen,] mein Freund, so hilf mir und rette den Mantel! *Bin*
[Ha, zum Graun!] Gieb, [Gorgo,] die Hand mir! Eunoa, du [auch]
Fasse [mir] Eutychis an; [fest halte] sie, [daß] du [nicht abirrst!]
Alle [zugleich nun] hinein! [Dicht,] Eunoa, [schließe dich] uns [an!]
Weh mir [armen, o weh!] da [zerriß] mein Sommergewand schon
Mitten entzwei, o Gorgo! Bei Zeus, und [was du] dir [irgend

Wünschest zum Heil, du Guter, o] hilf mir retten den Mantel! *Vo²*
Ach, ein erschreckliches! – Gib mir die Hand! Du, Eunoa, fasse
Eutychis an, und laß sie nicht los, sonst gehst du verloren.
Alle mit Einmal hinein! Vest, Eunoa, an uns gehalten! –
Wehe mir Unglückskind! Da riß mein Sommergewand schon
Mitten entzwei, o Gorgo! – Bei Zeus, und soll es dir jemals
Glücklich [gehen,] mein Freund, so hilf mir, rette den Mantel! *Mö*

72: *darüber* [FREMDLING] *Vo²*

72–77: Ja wer's könnte; doch [will ich] versuchen.

PRAXINOA

Ein [schrecklich] Gedränge!
Stoßen sie [doch] wie die Schweine.

DER FREMDE

[Nur Muth! schon sind] wir [in] Ruhe.

PRAXINOA

Jetzt und künftig sei Ruhe dein Loos, du bester der Männer,
Daß du für uns so gesorgt. – Der gute mitleidige Mann der! –
[Eunoa wird uns gedrückt! – Dich durchgedränget, du Feige!]
Schön, wir alle sind drinnen; so sagt, wer [die] Braut [hat verschlossen.]
Bin
[Hier ist Rettung umsonst;] doch es [gilt!]

PRAXINOA

[O wie fürchterlich drängt
man!]
Stoßen sie nicht, wie die Schweine?

[FREMDLING]

Getrost! nun haben wir Ruhe!

PRAXINOA

[Mögest du nun und immer, du Redlicher,] Ruhe [genießen,
Weil] für uns du gesorgt! [O wie edel] der Mann, [und wie liebreich!]
Eunoa steckt in der Klemm'! [Auf, Elende,] frisch! mit Gewalt durch!
Schön! wir alle darin! so sagt zu [der] Braut, wer sie einschloß. *Vo²*
[Wird schwer halten;] doch [wollen wir sehn.]

441

PRAXINOA

Ein gräulich Gedränge!

Stoßen sie nicht wie die Schweine?

DER FREMDE

Getrost! nun haben wir Ruhe.

PRAXINOA

Jezt und künftig sey Ruhe dein Loos, du bester der Männer,
Daß du für uns so gesorgt! – Der gute, mitleidige Mann der! –
Eunoa steckt in der Klemme! Du Tröpfin! frisch, mit Gewalt durch!
Schön! wir alle sind drinn! so sagt zur Braut, wer sie einschloß. *Mö*
78–82: Hier, Praxinoa, komm, sieh erst den künstlichen Teppich,
[Sieh,] wie [reizend] und zart; du nähmst es für Arbeit der Götter.

PRAXINOA

[Himmlische Göttinn] Athena, wer hat die Tapeten gewebet?
Welcher Mahler [hat hier] so [künstliche] Bilder gezeichnet?
Wie natürlich sie stehn, [und] wie [sie] natürlich [sich drehen!] *Bin*
[Komm doch,] Praxinoa, komm; den künstlichen Teppich [betracht']
erst!
[Fein!] und wie [anmutsvoll! Ein Gewirk der Unsterblichen scheint dirs!]

PRAXINOA

Heilige Pallas Athene, [wie kunstreich wirkten die Weiber!]
Welch [ein] Maler [vermöchte,] so [lebende] Bilder [zu malen!]
Ganz Natur,] wie sie stehn, [und Natur] in jeder Bewegung! *Vo²*
Hier, Praxinoa, komm: sieh erst den künstlichen Teppich!
Schau, wie lieblich und zart! Du nähmst es für Arbeit der Götter.

PRAXINOA

Heilige Pallas Athene, wer hat die Tapeten gewoben?
Welch [ein] Maler [vermöchte] so [lebende] Bilder [zu malen?]
Wie natürlich sie stehn, [und] wie [sie] natürlich [sich drehen!] *Mö*
83–88: [Das ist] beseelt, nicht gewebt! – [Welch] kluges Geschöpf doch der
Mensch ist!
Aber er selber, wie reizend er dort auf dem silbernen Ruhbett
Liegt, und die Schläfe herab ihm keimet das früheste Milchhaar!
Dreimalgeliebter Adonis, der selbst noch im Hades geliebt wird!

ZWEITER FREMDER

Schweigt doch, ihr Klatschen, einmal [mit eurem dummen Geschwätze!]
Schnattergänse! Wie breit und wie platt sie die Wörter verhunzen! *Bin*
Wahrlich beseelt, nicht gewebt! Ein kluges Geschöpf ist der Mensch
doch!
[Dann] wie [bewunderungswürdig] er selbst auf silbernem [Lager
Ruht, um] die Schläfen [gebräunt von der Erstlingsblüte der Jugend!]
Dreimal geliebter Adonis, im [Acheron] selber geliebt noch!

[EIN ANDERER]

Schweigt, [unselige dort, ihr endlos plappernden Weiber!
Turtelchen!] Breit [ausziehend, zerkauderwelschen sie alles!] *Vo²*
Wahrlich beseelt, nicht gewebt! – Ein kluges Geschöpf ist der Mensch
doch!
Aber er selber, wie reizend er dort auf dem silbernen Ruhbett
Liegt, und die Schläfe herab ihm keimet das früheste Milchhaar!
Dreimal geliebter Adonis, der selbst noch im Hades geliebt wird!

ZWEITER FREMDER

Schweigt' doch, ihr Klatschen, einmal [mit eurem dummen Geschwätze!]
Schnattergänse! Wie breit und wie platt sie die Wörter verhunzen! *Mö*
89–93: [Ba! Wer bist du,] Mensch? Was geht dich unser Geschwätz an?
Warte bis du uns kaufst: [Syrakusern willst] du befehlen?
Wiss' auch dieß noch dazu: von [Korinth stammt unser Geschlecht her,
Wo auch] Bellerophon war; wir reden Peloponnesisch.
Doriern wird's doch, denk' ich, erlaubt seyn, Dorisch zu sprechen? *Bin*
[Ba! von wannen, o] Mensch? was [schert] dich unser [Geplapper?
Eigenen Mägden gebeut!] Syrakuserinnen [gebeutst] du?
[Daß du] auch dieses [vernehmst:] Wir sind von korinthischer Abkunft,
Gleich wie Bellerofon war! wir reden [dir] peloponnesisch!
Wird doch dorische [Sprache dem] Dorier, denk' ich, erlaubt sein! *Vo²*
Mein doch! was will der Mensch? Was geht dich unser Geschwätz an?
Warte, bis du uns kaufst! Syrakuserinnen befiehlst du?
Wiss' auch dieß noch dazu: wir sind Korinthischer Abkunft,
Gleichwie Bellerophon war, wir reden Peloponnesisch;
Doriern wird's doch, denk' ich, erlaubt seyn, Dorisch zu sprechen? *Mö*
94–99: O Melitodes, [daß nimmer] uns [mehr als Einer beherrsche!]
Streich mir [das] ledige [Maß! das will ich noch ruhig erwarten.]

GORGO

Still, Praxinoa! Gleich [wird] nun von Adonis [uns singen
Jene] Sängerinn dort, [die künstliche] Tochter [Argeias,]
Die den Trauergesang auf Sperchis so treflich gesungen.
Die macht's [sicher recht schön;] schon [prüft sie in Trillern die Stimme.] *Bin*

[Komm' uns nie, o du süße Persefone, noch ein Beherscher!
Einer genügt!] Streich' [immer nach Lust] mir den ledigen Scheffel!

GORGO

Still, Praxinoa, [höre; sie will den] Adonis [besingen,
Jene] Sängerin dort, der Argeierin kundige Tochter,
[Welche jüngst auch den] Sperchis [im] treflichsten [Liede geklaget.
Schön, das weiß ich, erklingt ihr Gesang. Wie behende sie trillert!] *Vo²*
O so bewahr' uns vor einem zweiten Gebieter, du [süße]
Melitodes! [Da heißt's:] streich' mir den ledigen Scheffel!

GORGO

Still, Praxinoa! Gleich [wird] nun von Adonis [uns singen
Jene] Sängerin dort, der Argeierin kundige Tochter.
Die den Trauergesang auf Sperchis so trefflich gesungen.
Die macht's sicherlich [schön: sie prüft] schon [trillernd die Stimme.] *Mö*

100: *darüber* SÄNGERIN *Vo²*
100–105:　　Herrscherinn, die du erkorst Idalions [Fluren] und Golgos,
[Sammt] des Eryx [Höh,] du [spielend mit Gold',] Aphrodita!
Sage, wie kam dir Adonis zurück von [des] Acherons [Strome]
Nach zwölf Monden? [geführt von den] Horen [mit reizenden Füßen.]
Langsam gehn vor [den übrigen] Göttern die [lieblichen] Horen,
Aber sie kommen mit Gaben auch stets, und von allen ersehnet. *Bin*
[Hohe,] die Golgos erkohr, und Idalions Haine [beherschet,]
Auch des Eryx Gebirg, goldspielende du, Afrodita!
Wie [doch] kam dir Adonis von Acherons ewiger [Strömung]
Nach zwölf Monden zurück, im Geleit sanftwandelnder Horen?
Langsam gehn die Horen vor anderen seligen Göttern;
Aber sie kommen [erwünscht den Sterblichen, immer was bringend.]　　　*Vo²*

Herrscherin! die du Golgos erkorst und Idalion's Haine,
Auch des Eryx Gebirg, goldspielende du, Aphrodita!
Sage, wie kam dir Adonis von Acheron's ewigen Fluthen

Nach zwölf Monden zurück im Geleit sanftwandelnder Horen?
Langsam gehn die Horen vor anderen seligen Göttern,
Aber sie kommen mit Gaben auch stets, und von Allen ersehnet. *Mö*

106–111: Kypris, [Tochter] Dionens, du [hast zu] unsterblicher [Hoheit,
Wie es] die Sag' [uns erzählt, das Weib] Berenika erhoben,
Träufelnd [der Götter] Ambrosiasaft in [der Sterblichen Busen.]

Dir zum Dank, vielnamige, Tempelgefeierte Göttinn,
[Ziert] Berenikas Tochter Arsinoa, [welche der schönen]
Helena [gleicht,] mit [mancherlei] Gaben [den holden] Adonis. *Bin*

Kypris, Diona's Kind, du [hobst, wie] die Sage [verkündigt,
Zur] unsterblichen [Wonne den] sterblichen [Geist] Berenika's,
[Sanft] Ambrosiasaft in die Brust der Königin träufelnd.

Dir, [o] Göttin, zum Dank, vielnamige, tempelgefeirte,
Ehrt Berenika's Tochter, an Liebreiz Helenen ähnlich,
Ehrt Arsinoa heut mit allerlei [Gut den] Adonis. *Vo²*

Kypris, Diona's Kind, du erhobst, so meldet die Sage,
In der Unsterblichen Kreis, die sterblich war, Berenika,
[Sanft] Ambrosiasaft in die Brust der Königin träufelnd.

Dir zum Dank, vielnamige, tempelgefeierte Göttin,
Ehrt Berenika's Tochter, an Liebreiz Helenen ähnlich,
Ehrt Arsinoa heut mit allerlei Gaben Adonis. *Mö*

112–117: [Früchte] liegen [bei] ihm, [so viele die Wipfel nur tragen,
Liebliche Gärten bei] ihm, [bewahrt in] silbergeflochtnen
Körbchen, [und] goldene [Flaschen,] mit Syrischer [Narde] gefüllet;
[Kuchen, so vielerlei Art die Weiber in Pfannen nur backen,]
Mischend mit weißestem Mehl [so] mancherlei [würzige] Blumen,
Was sie [aus] lieblichem Öl' und [süßem] Honig [bereiten;] *Bin*

Neben ihm [steht] anmutig, was hoch auf dem Baume gereifet;
Neben ihm auch Lustgärtchen, [in] silbergeflochtenen Körben
[Wohl] umhegt; auch [Syrergedüft in] goldenen Krüglein;
Auch des Gebackenen viel, was Fraun in [der Pfanne gebildet,]
Weißes Mehl mit der Blumen [verschiedener] Würze [sich mengend;]
Was sie mit [lauterem] Öle getränkt, und der Süße des Honigs: *Vo²*

Neben ihm liegt anmuthig, was hoch auf den Bäumen gereifet;
Neben ihm auch Lustgärtchen, [in] silbergeflochtenen Körben;
Goldene Krüglein [dann,] mit Syrischer [Narde] gefüllet;
Auch des Gebackenen viel, was Fraun in den Formen bereitet,
Mischend [ihr] weißestes Mehl mit mancherlei Würze der Blumen,
[Oder] mit lieblichem Öle getränkt und der Süße des Honigs. *Mö*

118–122: Alles ist hier, das Geflügel der Luft und die [kriechenden] Thiere.
Grünende [Lauben sind hier, mit weichem] Dille [behänget;
Über sie flattern umher die jungen Götter der Liebe,
Wie] der Nachtigall Brut, [im schattigen] Baume [verstecket,]
Flattert von Zweig zu Zweig, die [wachsenden Flügel versuchend. –]
Bin

Alles [erscheint wie] Geflügel und [wandelndes Leben um jenen.]
Grünende Laubgewölbe, vom zartesten Dille beschattet,
Bauete man; und oben, als Kinderchen, fliegen Eroten,
[So wie] der Nachtigall [Söhn', im schattigen] Baume [geherbergt,
Fliegen] von Zweig' [auf] Zweig, die Fittige [jugendlich] prüfend. *Vo²*
Alles ist hier, das Geflügel der Luft und die Thiere der Erde.
Grünende Laubgewölbe, vom zartesten Dille beschattet,
Bauete man; und oben, als Kinderchen, fliegen Eroten,
Gleichwie der Nachtigall Brut, [im schattigen] Baume [geborgen,]
Flattert von Zweig zu Zweig, die [schüchternen Flügel versuchend.] *Mö*

123–127: [O] des Ebenholzes und Goldes! [des] Adlers aus [weißem]
Elfenbein, [der] zu [Zeus] den reizenden Schenken [emporträgt! –]
Auf den purpurnen Teppichen hier – (noch [weicher als] Schlummer
[Rühmte] Miletos sie, und [jeder, den] Samos [ernähret,)]
Ist bereitet ein [Bett, ein andres] dem schönen Adonis. *Bin*
[O wie umher] Gold [pranget, und Ebenos! O wie die] Adler,
[Schimmerndes] Elfenbeins, [hintragen das Kind] zu Kronion!
Auf [meerpurpurnem Glanze] der Teppiche (sanfter wie Schlummer
[Rühmt] sie [die samische Stadt,] und wer Miletos [bewohnet:)]
Ward] ein Lager [gedeckt, und dabei] dem schönen Adonis. *Vo²*
Seht [mir] das Ebenholz! und das Gold! und [den] Adler aus [weißem]
Elfenbein, [der] zu [Zeus] den reizenden Schenken [emporträgt!]
Auf den purpurnen Teppichen hier (noch sanfter wie Schlummer
Würde Milet sie nennen und wer da wohnet in Samos),
Ist ein Lager bereitet, [ein zweites] dem schönen Adonis. *Mö*

128–135: Hier ruht Kypris, und dort mit rosigen Armen Adonis:
Achtzehn Jahre nur zählt [der Bräutigam,] oder auch neunzehn;
[Noch] sticht [nicht] sein Kuß, noch [hängt um] die Lippen ihm Gold-
haar.

Kypris [freue] sich jetzt des [wiedergeschenkten] Gemahles:
Wir [gehn] morgen [im Thau, und] tragen, [in Haufen gedränget,
Frühe den Holden] hinaus [zu den Uferbeschäumenden Wellen.
Luftig flattert das] Haar, [um] die Knöchel [wallen die Kleider,

Bloß ist] die Brust; so [gehn] wir, [und] stimmen den [hellen Gesang]

an. *Bin*

[Dort hält] Kypris [die Ruh,] und [hier der holde] Adonis,

Ihr [rothwangiger Jüngling von] achzehn oder [von] neunzehn.

Kaum [noch] sticht sein Kuß, noch [blühts um] die Lippen ihm

[röthlich.]

Jezo mag sich Kypris erfreun des schönen Gemahles.

Morgen [wollen] wir ihn, mit [dem Frühthau] alle versammelt,

Tragen hinaus in die [Woge,] die [wild] am Gestad' [emporschäumt:

Alle] mit fliegendem Haar, [und] die Schöße [gesenkt] auf die Knöchel,

[Alle mit] offener Brust; so [heben] wir hell den [Gesang] an: *Vo²*

Hier ruht Kypris, und dort mit rosigen [Wangen] Adonis.

Achtzehn Jahre nur zählt ihr Geliebtester, oder auch neunzehn;

Kaum [noch] sticht sein Kuß, noch [glänzt um] die Lippen ihm Gold-

haar.

Jetzo mag sich Kypris erfreun des schönen Gemahles:

Morgen [wollen] wir ihn, mit [dem Frühthau] Alle versammelt,

Tragen hinaus in die Fluth, die [gegen die Küste] heraufschäumt:

[Alle] mit fliegendem Haar, [um] die Knöchel [wallen die Kleider,

Bloß ist] die Brust; so [gehn] wir, [und] stimmen den hellen [Gesang]

an: *Mö*

136–144:   Holder Adonis, du [kommst zu] uns [und zu] Acherons Ufer,

[Im] Halbgötterchor [der einzige, heißt's:] Agamemnon

[Durfte] dieß [nie,] nicht Aias, der [große, der muthige Kämpfer,]

Hektor auch nicht, von Hekaba's zwanzig Söhnen der erste;

Nicht Patroklos, noch Pyrrhos, der [wieder] von Troja [zurückkam,]

Nicht [in früherer Zeit] die Lapithen und Deukalionen,

[Nicht des] Pelops [Geschlecht,] noch die [alten] Pelasger in Argos. –

[Sei,] Adonis, uns [hold,] und bring' [uns auch Freuden auf's] Neujahr:

Freundlich kamst du [uns jetzt;] o komm, wenn du kehrest, auch

freundlich! *Bin*

Holder Adonis, [o] du, [wie man] sagt, [der einzige] Halbgott,

Nahst bald uns, bald [wieder dem] Acheron. Nicht Agamemnon

Traf dies Loos, [nicht] Ajas, der [große gewaltige] Heros,

Hektor auch nicht, [ehrwürdig vor] Hekabe's zwanzig Söhnen,

Nicht Patroklos, noch Pyrrhos, der [stolz heimkehrte] von Troja,

Nicht die alten Lapithen, und nicht die Deukalionen,

Pelops [Enkel auch nicht,] noch Argos [Beginn,] die Pelasger.

Schenk' uns Heil, o Adonis, und bring' ein fröhliches Neujahr!

447

Freundlich kamst du, Adonis; o komm, wenn du kehrest, auch

freundlich! *Vo²*

»Holder Adonis, du nahst bald uns, bald Acheron's Ufern,
Wie kein anderer Halbgott, sagen sie. [Auch] Agamemnon
[Durfte] dieß [nicht,] noch Aias, der [große, gewaltige] Heros,
Hektor auch nicht, von Hekabe's zwanzig Söhnen der erste,
Nicht Patroklos, noch Pyrrhos, der wiederkehrte von Troja,
Nicht die alten Lapithen und nicht die Deukalionen,
Pelops' [Enkel auch nicht,] noch die grauen Pelasger in Argos.
Schenk' uns Heil, o Adonis, und bring' ein fröhliches Neujahr!
Freundlich kamst du, Adonis, o komm, wenn du kehrest, auch

freundlich!« *Mö*

145–149: [Traun! ein trefliches] Weib, Praxinoa! Was sie nicht alles
Weiß, das glückliche Weib! wie [so] süß der Göttlichen Stimme! –
Doch es ist Zeit, daß ich geh; Diokleidas erwartet das Essen.
Bös' ist er immer, und hungert ihn [vollends,] dann bleib ihm vom

Leibe! –

Freue dich, [trauter] Adonis, und kehre zu Freudigen wieder! *Bin*
[Was, o Praxinoa, gleicht doch jener an Kunst! O ein selig,
Überseliges] Weib! was sie weiß, und wie [hold ihr Gesang ist!]
Doch [heim rufet die Stund'; ungespeist noch harrt] Diokleidas.
[Heftig] ist immer [der Mann;] und hungert ihn, [wehe da lauft nur!]
Freue dich, lieber Adonis, und [komm] zu freudigen wieder! *Vo²*
[Traun! ein treffliches] Weib, Praxinoa! was sie nicht Alles
Weiß, das glückliche Weib! und wie süß der Göttlichen Stimme!
Doch es ist Zeit, daß ich geh'; Diokleidas erwartet das Essen.
Bös ist er immer, und hungert ihn [vollends,] dann bleib ihm vom Leibe!
– Freue dich, lieber Adonis, und kehre zu Freudigen wieder! *Mö*

XVI. DIE CHARITEN

Benutzte Textvorlagen: Bin, Vo², Mö

BEARBEITUNGSANALYSE

Überschrift: Die [Grazien] *Bin*

1–4: Immer [bemüht es] die Töchter des Zeus, und immer die [Dichter,]
Götter zu [preisen,] zu [preisen der treflichen Sterblichen Ehre.]
Himmlische sind sie, die Musen, und Himmlische singen von Göttern;
Sterbliche nur sind wir, und Sterbliche singen von Menschen. – *Bin*

Immer [erfreun] Zeus Töchter [des Amtes sich,] immer die Sänger,
[Himmlischer Lob zu tönen, und Lob gutwirkender] Männer.
[Göttinnen] sind sie, die Musen, und [Göttinnen] singen von Göttern.
Wir sind Sterbliche nur, und Sterbliche singen von [Männern.] *Vo²*
Immer [bemüht es] die Töchter des Zeus und immer die Sänger,
Götter zu [preisen,] zu [preisen die Werke der herrlichsten] Männer.
Himmlische sind sie, die Musen, und Himmlische singen von Göttern,
Sterbliche nur sind wir, und Sterbliche singen von Menschen. *Mö*

5–12: Wer von allen [indeß,] so viele der [Morgen beglänzet,]
Öffnet unseren [Grazien] wohl, und nimmt sie mit Freuden
Auf in das Haus, und schickt sie nicht ohne Geschenke von dannen?
[Mürrisch] kehren sie wieder mit nackten Füßen nach Hause,
Schelten [zornig mit] mir, daß [ich immer vergeblich sie sende;
Setzen] dann wieder [sich hin auf] den ledigen Boden des Kastens,
[Überdrüssig, das Haupt] auf die kalten Kniee [gestützet:]
Dort ist ihr trauriger Sitz, wenn nichts [den Gesendeten glückte.] *Bin*
Wer doch [rings,] so viele der bläuliche Tag [auch bestralet,]
Öfnet das Haus [zum Empfange den] Chariten unseres [Liedes,
Herzlich vergnügt,] und [läßt] nicht ohne Geschenk sie [entwandern?
Unmutsvoll dann gehn sie] mit [nackenden] Füßen nach Hause,
[Wo sie hart mir verweisen die eitele Mühe des Ganges.
Wiederum] mit Verdruß am Boden des ledigen Kastens
Harren sie, niedergebeugt auf [erkaltete] Kniee das Antliz.
[Wüst herbergen sie] dort, wann nichts [vollbrachte der Ausgang.] *Vo²*
Wer von allen doch nun, so vielen der blauliche Tag scheint,
Öffnet unseren Chariten wohl, und nimmt sie mit Freuden
Auf in das Haus, und schickt sie nicht ohne Geschenke von dannen?
[Mürrisch] kehren sie wieder mit nackten Füßen nach Hause,
Schelten bitter auf mich, daß umsonst den Weg sie gewandert.
[Setzen] dann wieder [sich hin] am Boden des ledigen Kastens,
[Gramvoll,] niedergebeugt auf die kalten Kniee das Antlitz.
Dort ist ihr trauriger Sitz, wenn gar nichts frommte die Sendung. *Mö*

13–21: [Wer ist jetzo so groß?] wer liebet den rühmenden [Dichter?
Keinen weiß ich: – es streben nicht mehr die Menschen,] wie [ehmals,
Eifrig nach Thatenruhm; die] Gewinnsucht beherrschet sie [alle.]
Jeglicher hält [die Arme verschränkt,] und sinnet, [wie größer
Werde sein Schatz:] er verschenkte nicht Ein verrostetes Scherflein,
Sondern da [heißet es] gleich: [»sich selbst ist ein jeder der nächste,]
Hätt' ich selber nur [was!] den Dichter, [den] segnen die Götter:

Aber was brauchen wir ihn? Homeros [kann] allen genug seyn:
Der ist der beste der Dichter, der nichts von dem Meinen davonträgt.« –
Bin

[Wer ist jezt ein solcher?] wer liebt den [Verkünder des Guten?]
Nein, nicht trachten die Männer, um [edele] Thaten, wie vormals,
Jezo gepriesen zu sein; sie [bewältigte] schnöde Gewinnsucht.
Jeglicher hält im Busen die Hand, und [laurt,] wie das Geld ihm
Wuchere; nicht [auch] verschenkt' er [den abgeschabeten Grünspan.]
Gleich [ist dieses sein Wort: Viel] näher das Knie, wie das Schienbein!
Hab' ich nur selbst [Auskommen; ein] Gott [mag] segnen die Dichter!
[Wer wollt' andere hören?] Genug ist allen Homeros!
[Das] ist der [treflichste] Dichter, der nichts [mir des Meinigen abnimmt!]
Vo²

Sagt, wo ist noch ein Freund? wer liebt den rühmenden Sänger?
[Keinen weiß ich: es] trachten nicht [mehr] die [Menschen] wie vormals
[Eifrig nach Thatenruhm,] sie beherrscht nur schnöde Gewinnsucht.
Jeglicher [lauert, die Arme verschränkt,] und sinnt, wie das Geld ihm
Wuchere, traun, er verschenkte nicht Ein verrostetes Scherflein,
Sondern da [heißet es] gleich: »mir ist näher das [Kleid] wie [der Mantel!]
Hab' ich nur selber etwas! den Dichter, [den] segnen die Götter:
Aber was brauchen wir ihn? für alle genug ist Homeros.
Der ist der beste der Dichter, der nichts von dem Meinen davonträgt.« Mö

22–28: Thoren! was [hilft es] euch denn, [daß] im Kasten [die Tausende liegen?]
Das ist nicht der Gebrauch, den [Weise] machen vom Reichthum,
Sondern [selbst zu genießen, und Dichter genießen zu lassen,]
Vielen Verwandten [zu helfen] und vielen der [übrigen] Menschen,
[Und] mit Opfern [stets] der Götter Altären [zu nahen.
Nie unwirthlich zu] seyn, [den Fremden nicht ziehen zu lassen,
Wenn er nach Hause begehrt, bis er erst sich] am Tische [geletzet;] Bin

[Thörichte!] was [doch] nüzt [ein unendlicher Klumpen] des Goldes,
[Liegend daheim?] Nicht [brauchen] Verständige [also] des Reichthums!
[Lieber] ein Theil dem Herzen [geschenkt,] und ein Theil [auch dem
Sänger!
Wohl] an vielen Verwandten, und [wohl an] vielen der andern
Menschen gethan; [stets] Opfer [gebracht den] Altären der Götter!
[Nicht] dem Gaste gekargt [mit Bewirtungen,] sondern am Tisch ihn
[Gütlich] gepflegt und entlassen, wann selbst er zu gehen verlanget! Vo²
Thoren! was nützen euch denn im Kasten die Haufen des Goldes?
Das ist nicht der Gebrauch, den Verständige machen vom Reichthum;

Sondern dem [eigenen] Herzen ein Theil, und ein Theil den [Geliebten!]
Gutes an vielen Verwandten gethan und vielen der andern
Menschen [zugleich; stets] Opfer [gebracht den] Altären der Götter;
[Nie unwirthlich] dem Gaste [begegnet,] sondern am Tisch ihn
Reichlich gepflegt und entlassen, wann selbst er zu gehen verlanget. *Mö*

29–33: Aber [vor allem zu ehren] die heiligen Priester der Musen:
Daß du, verborgen im [Aïs,] noch werdest gepriesen [auf Erden,]
Und nicht ruhmlos traurest an Acherons kaltem [Gewässer;
Wie] ein Mann, dem [die Hacke mit Schwielen] die Hände [genarbt hat,]
Weinet die väterererbte, die [drückende] klägliche Armuth. – *Bin*
Aber [geehrt vor allen] die heiligen Priester der Musen;
Daß dir, [auch] in [des Aïs Umnachtungen, gutes Gerücht sei,]
Und [du] nicht [ein Vergeßner] am [frostigen] Acheron trauerst:
Gleich wie ein Mann, dem die Hände [der] Karst inwendig [durch-
schwielte,
Hülflos, und für ein Erb' armseligen Mangel beweinend.] *Vo²*
Aber [geehrt vor Allen] die heiligen Priester der Musen!
Daß du, verborgen im [Aïs,] noch werdest gepriesen [auf Erden,]
Und nicht ruhmlos traurest an Acheron's kaltem Gestade,
Gleichwie ein Mann, dem die Hände vom Karst [mit Schwielen bedeckt] sind,
Weinet sein Loos, die väterererbte, die [drückende] Armuth. *Mö*

34–39: In [des] Antiochos Haus' und des [Königs] Aleua [vertheilten]
Viele [der Diener in jeglichem Monde die Kost dem Gesinde,]
Viele Kälber auch [wurden zum] Stall der Skopader getrieben,
[Wandelten blökend einher den gehörnten] Kühen [zur Seite:]
Auf den [Kranonischen] Fluren [da weideten Hirten] die [schönsten]
Schafe zu tausend [vordem] den Kreondern, [den Freunden der Fremden;] *Bin*
Viel in Antiochos Haus', und des mächtigen Fürsten Aleuas,
[Kamen,] die Monatskost [zu empfahn,] dienstpflichtige [Knappen;]
Viel auch einst, [dem Skopadengeschlecht] in die [Hürden] getrieben,
Brülleten Kälber daher um hochgehörnete Kühe;
[Zahllos durch die Gefild'] um Kranon ruhten im Mittags-
Schatten [erlesene] Schafe den [fremdlingsholden] Kreondern: *Vo²*
– In [des] Antiochos Haus und des mächtigen Fürsten Aleuas,
Holten die Monatskost sich viel dienstpflichtige [Männer;]
Viel auch einst, [dem Skopadengeschlecht] in die [Hürden] getrieben,
Brülleten Kälber daher, um hochgehörnete Kühe;
Und auf den Fluren um Kranon zu Tausenden ruhten im Mittags-
Schatten die [herrlichen] Schafe der gastlichgesinnten Kreonder: *Mö*

40–47: Aber die Freude daran ist [dahin,] da das liebliche Leben
Weg ist, die Seele den Kahn des traurigen Greises bestiegen.
[Ruhmlos] hätten sie [sicher] verlassen [den herrlichen Reichthum,]
Lägen [Äonen hindurch mit schlechteren] Todten [vergessen,]
Hätte der [mächtige] Sänger [von Keos,] der [reizende Lieder]
Zum vielsaitigen [Barbiton] sang, sie kommenden Altern
[Nimmer gepriesen:] es theilten den Ruhm die hurtigen Rosse,
Die mit Kränzen [für sie heimkehrten] von heiligen Spielen. *Bin*
[Doch nicht] Freud' ist [dessen, nachdem ihr Geist aus den Gliedern
Sehr ungern in die Fähre des schaudrichten Acheron einstieg.
Nimmer erwähnt, so] viel auch und köstliches [jene] verließen,
Lägen sie ewige [Tag' im] Schwarm [unedeler] Todten;
Wenn nicht der [mächtige Barde, der Keïer, wunderbar tönend]
Zur vielsaitigen Laute, sie [namhaft schuf bei den Männern
Jüngerer Zeit;] Ruhm [ward auch] den hurtigen Rossen [zum Antheil,]
Die [aus] heiligem [Kampf] mit [dem Siegskranz jenen gekehret.] *Vo²*
Aber die Freude daran ist hin, da das liebliche Leben
Weg ist, die Seele den Kahn des traurigen Greises bestiegen.
Namlos jetzo, wie Viel und wie Köstliches auch sie verließen,
Lägen auf ewig sie unter dem Schwarm unrühmlicher Todten,
Wenn der [mächtige] Sänger [von Keos, wunderbar tönend]
Zur vielsaitigen Laute, sie nicht den kommenden Altern
Hätte [gepriesen:] es theilten den Ruhm die hurtigen Rosse,
Die mit Kränzen zurück von den heiligen Spielen gekehret. *Mö*
48–57: Auch der Lykier Helden, wer kennte sie? wer die umlockten
Priamiden? und wer den Mädchenfarbenen Kyknos?
Hätte [nimmer ein] Dichter der Vorzeit Schlachten gesungen.
Auch Odysseus, der hundert und zwanzig Monden [umherzog
Unter] jeglichem Volke [der Erd',] und [lebendig] zum [tiefen
Aïs stieg und der Höhle des wilden Kyklopen entflohe,
Hätte verloren den] Ruhm, der Schweinhirt wäre [vergessen,
Sein] Eumaios, Philoitios auch, der den Herden der Rinder
Vorstand, [selber] sogar der [großgesinnte] Laërtes,
Hätte sie nicht der Gesang des Ionischen [Dichters gepriesen. –] *Bin*
Wer auch kennte [die] Helden der Lykier, wer die umlockten
[Söhne des Priamos wohl,] und den [jungfraufarbigen] Kyknos;
[Hätten nicht Schlachtengewühl verewiget Barden] der Vorzeit?
Nicht auch Odysseus [einmal,] der hundert Monden und zwanzig
[Irrte zu] jeglichem Volk, [der] zum äußersten Aïdes einging,

Lebend annoch, und den Klüften entrann des kyklopischen Unholds,
Freute sich dauerndes Ruhms; [von dir, Sauhüter Eumäos,
Schwiege die Red', und dem Hirten Filötios, welcher des Hornviehs]
Treu [wahrnahm,] ja sogar [vom] hochbeherzten Laërtes:
Hätten nicht ihnen [gefrommt] des ionischen [Mannes Gesänge.] *Vo²*
Auch der Lykier Helden, wer kennte sie? wer die umlockten
Priamiden? und wer den mädchenfarbenen Kyknos,
Hätte [nimmer ein] Dichter der Vorzeit Schlachten gesungen?
Nicht auch Odysseus [einmal,] der hundert Monden und zwanzig
[Irrte zu] jeglichem Volk, und zum äußersten Aïdes einging,
Lebend annoch, und [entfloh aus der Höhle des grausen Kyklopen,]
Freute sich dauernden Ruhms; der Schweinhirt wäre [vergessen,
Sein] Eumäos, Philötios auch, der den Heerden der Rinder
Vorstand, [selber] sogar der [großgesinnte] Laërtes,
Hätte sie nicht der Gesang des Ionischen Sängers erhoben. *Mö*

58–65: Nur [von] den Musen [erhalten] die Menschen den [treflichen] Nach-
ruhm,
Aber die Schätze der Todten [vergeuden] die lebenden Erben.
Doch es ist eben so schwer am [Gestade] die Wellen zu zählen,
[Wie] sie von blaulicher [See] der Wind [an das Ufer hinaufpeitscht,]
Oder im [schwärzlichen Wasser] den [frischen] Ziegel zu waschen,
Als zu dem Manne zu sprechen, den [schon] die Gewinnsucht [ver-
dorben. –]
Mag er doch gehn! und mag unendlich sein Geld sich [vermehren!
Mag] die Begierde nach mehr ihm [immer fesseln die Seele!] *Bin*
[Traun,] durch Musen [empfahn die Sterblichen edelen] Nachruhm;
Aber [das Gut] verprassen [Gestorbenen] lebende Erben.
Doch [gleich] schweres [Geschäft,] an [dem Meerstrand] Wellen zu
[mustern,
Welche] der Wind zum Gestad' [andrängt aus der] bläulichen [Salzflut,]
Oder im [dunkelen] Quell den thonigen Ziegel zu waschen;
[Und zu ermahnen] den Mann, den [tief durchdrang] die Gewinnsucht.
[Fahre denn hin ein solcher,] und häufe sich [jenem unzählbar]
Geld [auf Geld,] und die [Gier] nach [mehrerem quäl' ihn beständig!] *Vo²*
Nur [von] den Musen [empfahn] die Menschen den herrlichen Nach-
ruhm,
Aber die Schätze der Todten verprassen die lebenden Erben.
Doch, [gleich] schweres [Geschäft,] die Wellen zu zählen am Strande,
Wenn sie vom blaulichen Meere der Wind zum Gestade dahertreibt,

Oder im [glänzenden] Quell den [thönernen] Ziegel zu waschen,
[Und] zu dem Manne zu sprechen, den ganz hinnahm die Gewinnsucht.
Mag er doch gehen! und mag unendlich sein Geld sich [vermehren,
Mag] die Begierde nach Mehr ihm rastlos zehren am Herzen: *Mö*

66–70: Ich will lieber die Ehr' und die freundliche Liebe der Menschen
Haben, als viele Gespanne von Rossen, und Mäuler in Haufen.
[Suchend forsch' ich umher,] wer unter den [Menschen mit meinen]
Musen willkommen mich heißt. Schwer sind [sie] die Pfade des Liedes,
Ohne [die Musen, die] Töchter [des Zeus,] des [allwaltenden] Gottes. *Bin*
[Aber] ich [selbst] will Ehr' und [gewogene] Liebe der Menschen
[Vorziehn allem Gewühle der] Ross' und [der trabenden] Mäuler.

    Wem der Sterblichen [doch,] o sagt mir! [nah' ich bewillkommt,
Ich] in der Musen Geleit? Denn schwer sind die [Wege] des Liedes,
Ohne Kronions Töchter, [des hoch obwaltenden Herschers.] *Vo²*
Ich will lieber die Ehr' und die freundliche Liebe der Menschen
Haben, als viele Gespanne von Rossen und Mäuler in Haufen.

    Wer [von] den Sterblichen [aber,] o sagt mir, heißet willkommen
Mich in der Musen Geleit? Denn schwer sind die Pfade des Liedes
Ohne Kronion's Töchter, des mächtig waltenden Gottes. *Mö*

71–75: Noch [ist] der Himmel [nicht müd' uns] Jahr und Monden [zu bringen,]
Noch wird [öfters das] Roß umrollen die Räder [des] Wagens.
[Sieh es erstehet] der Mann, der meines Gesanges [bedürfe,]
Wenn er [Thaten gethan wie] Achilleus und Aias der [Große,
Auf] des Simoeis Flur, [wo] des Phrygischen Ilos [Gebein liegt.] *Bin*
[Rastlos dreht] noch Monden und Jahr' [uns] der [kreisende] Himmel;
Manches Roß auch [künftig bewegt] umrollende Räder.
Einst wird kommen der Mann, dem noth ist meines Gesanges,
Wann er vollbracht, was Achilleus der Held, und der trozige Ajas,
Dort in des Simois Flur, am Mal des frygischen Ilos. *Vo²*
[Immer doch kreiset] der Himmel noch [fort] in Monden und Jahren,
Manches Roß auch wird noch das Rad umrollen am Wagen:
[Und es] wird kommen der Mann, der meines Gesanges [bedürfe,]
Wann er vollbracht, was Achilleus, der Held, und der trotzige Aias
Dort in des Simoïs Flur am Mal des Phrygischen Ilos. *Mö*

76–81: Schon [erbebet der Punier Volk, das die Länder bewohnet
Unter] der [westlichen] Sonn' auf der [Spitze] von Lybiens [Fuße,]
Schon [ergreifet] den Speer [bei] dem Schafte [das Volk Syrakusas,
Schwer die Schultern] belastet mit [weidengeflochtenen] Schilden.
[Unter ihnen erhebt sich in Waffen,] wie [Helden der Vorzeit,

Hieron; ihm umschattet] den Helm [der wallende Roßschweif. –] *Bin*
Schon der Föniker [Geschlecht, das] nah an der [tauchenden] Sonne
Wohnt auf der äußersten Ferse von Libya, starrt [voll Schreckens.]
Schon, schon gehn Syrakuser, die Speer' an der Mitte des Schaftes
Tragend einher, um die Arme mit weidenen Schilden belastet.
Hieron selbst in der [Meng',] an Gestalt wie Heroen der Vorwelt,
Stralet von Erz, auf dem Helme die schattende Mähne des Rosses. *Vo²*
Sieh! der Phöniker [Geschlecht, das] nah an der sinkenden Sonne
Wohnt, auf der äußersten Ferse von Libya, starrt [voll Schreckens!
Sieh!] schon gehn Syrakuser, die Speer' an der Mitte des Schaftes
Tragend, einher, um die Arme mit weidenen Schilden belastet!
Hiëron selbst in dem [Zug,] an Gestalt wie Heroen der [Vorzeit,]
Strahlet von Erz, auf dem Helm die schattende Mähne des Rosses! *Mö*

82–87: [Zeus, erhabenster Vater, du göttliche Pallas und Kore,]
Die du [zugleich mit] der Mutter [der reichen Bewohner Ephyras
Mächtige] Stadt dir erkorst an Lysimeleias Gewässer!
[Jagte] doch [wieder] die Feind' aus der Insel ihr [hartes] Verhängniß
Durch das Sardonische Meer, [den Weibern] und Kindern der Freunde
[Tod zu verkünden, vom mächtigen Heer] ein zählbares [Restchen!] *Bin*
    Wenn doch, o Zeus, ruhmvoller, und Pallas Athen', und o Tochter,
Die du, der Mutter gesellt, habseliger Efyräer
Große Stadt dir erkohrst an der [flutenden] Lysimeleia:
Wenn [er] die Feind' aus der Insel [mit graulichem Zwange verscheuchte]
Durch das sardonische Meer, daß der [Ihrigen Loos] sie erzählten
Frauen daheim und [Erzeugten,] ein zählbarer [Troß] von so vielen! *Vo²*
    Wenn doch, o Zeus, ruhmvoller! und Pallas Athen' und o Tochter,
Die du, der Mutter gesellt, habseliger Ephyräer
Große Stadt dir erkorst an der [fluthenden] Lysimeleia:
Wenn [er] die Feind' aus der Insel, [ein schrecklicher Rächer, verjagte]
Durch das Sardonische Meer, daß der Freunde Geschick sie erzählten .·
[Weib] und Kindern daheim, ein zählbarer Rest von so vielen! *Mö*

88–97: [Möchten] die vorigen Bürger [doch] wieder die Städte bewohnen,
Welche [von Grund aus jetzt die Faust] der Feinde [zertrümmert!]
Würden die grünenden [Äcker] gebaut! und blökten der Schafe
[Tausend' unzählbar im] Thale, gemästet [von Kräutern der Wiese!
Möchten] die Rinder [doch wieder, in Herden zurück zu den Ställen
Kehrend,] des langsamen Wanderers [Fuß mit] Eile [beflügeln!]
Würden die Brachen gepflüget zur [Saat,] wenn [nun] die Cicade
[Auf dem Felde die Schäfer] belauscht, [und] im Wipfel des Baumes

455

Singet ihr Lied! O dehnte die Spinn' ihr zartes Gewebe
Über die Waffen doch aus, und verschwände der Name des [Feldrufs! –]
Bin

O [daß] wieder die Städte bewohneten vorige Bürger,
[So viel Städt' in den] Schutt [der Beleidiger] Hände [getrümmert!
Daß sie in blühender] Flur [arbeiteten! daß ungezählte
Tausende doch] der Schafe, [von] grasiger Weide gemästet,
Durch [die Gefild' herblöckten;] und [mutige Küh' im Gedränge,
Kehrend zur] Hürd', antrieben den langsam schreitenden Wandrer!
[Daß sie] die Brach' [umkehrten] zur Einsaat, wann die Cikade,
Ruhende Hirten belauschend am Mittag, [hoch] in den Bäumen
[Tönt vom schwanken Gesproß! daß ämsig] die Spinn' [um] die Waffen
[Dünnes] Geweb' [ausstreckt', und genannt nicht würde] der Schlachtruf!
Vo²

O [daß] wieder die vorigen Bürger die Städte bewohnten,
Welche des Feindes Hände zu Schutt und Trümmer verkehrten!
Würden die grünenden Fluren gebaut! und blöckten der Schafe
Wimmelnde Schaaren durch's [Feld,] auf grasigen [Triften] gemästet!
Möchten die Rinder [doch wieder,] in [Heerden zurück zu den Ställen
Kehrend,] des langsamen Wanderers [Fuß] zur Eile [gemahnen!]
Würden die Brachen gepflügt zur Einsaat, wann die Cikade,
Ruhende Hirten belauschend am Mittag, singt in der Bäume
Wipfel ihr Lied. O dehnte die Spinn' ihr zartes Gewebe
Über die Waffen doch aus, und der Schlachtruf [wäre vergessen!] *Mö*

98–103: Trügen [dem] Hieron dann [den gepriesenen] Namen die Dichter
Über das Skythische Meer und [das Land,] wo die [mächtige] Mauer
Festigend mit Asphalt, [vor Zeiten] Semiramis herrschte!
Einer der Dichter wär' Ich: doch lieben die Töchter Kronions
Auch viel andre, die alle Sikeliens Quell Arethusa
Singen, zusammt dem Volk und [des tapferen] Hieron [Thaten. –] *Bin*

[Daß] dann [herlichen Ruhm dem] Hieron trügen die [Sänger]
Über [die] skythische [Flut,] und hin, wo, [das breite Gemäuer
Bindend] mit [zähem] Asfalt, Semiramis [mächtig] geherschet!
Einer sei Ich! doch viel' auch [der] anderen lieben die Töchter
[Zeus; und] allen [gefeirt sei der Sikeler] Quell Arethusa,
[Und] das [umwohnende] Volk, und Hieron, [rasch in dem Speer-
wurf!] *Vo²*

Trügen dann Hiëron's [Ruhm, den unsterblichen, feiernde Sänger]
Über das Skythische Meer und [das Land,] wo, die riesige Mauer

Vestigend mit Asphalt, [vor Zeiten] Semiramis herrschte! –
Einer der Dichter sey Ich! Doch lieben die Töchter Kronion's
Auch viel andre, die alle Sikeliens Quell Arethusa
Singen, zusammt dem Volk und Hiëron's herrliche Stärke. *Mö*

104–109: Die ihr Orchomenos liebet, [das] Minysche, [das] den Thebaiern
[Einst so] verhaßt [war, ihr,] Eteokles [göttliche Töchter,]
Laßt [doch nimmergerufen] mich [bleiben,] doch [fröhlichen Herzens]
In der Rufenden [Haus] mit [meinen] Musen mich [kommen!]
Euch [verlaß] ich [wol nie:] was [haben] die Menschen [doch süßes]
Ohne die [Grazien? – Könnt'] ich nur stets mit den [Grazien] leben! – *Bin*

    Mynische Huldgöttinnen, geheiliget von Eteokles,
Die ihr Orchomenos liebt, die verhaßte vordem den Thebäern:
Laßt, wenn keiner [beruft,] mich zurückstehn; doch in des freundlich
Rufenden [Haus mutvoll] mit unseren Musen [hineingehn!]
Bleibt mir entfernt nicht] Ihr! Denn was, [wenn] die Chariten [fehlen,
Ist noch] holdes den Menschen? [O] stets [bei] den Chariten [sei ich!]
                                                          Vo²

    Minysche Huldgöttinnen, geheiliget von Eteokles,
Die ihr Orchomenos liebt, die verhaßte vordem den Thebäern,
Laßt, wenn Keiner uns ruft, mich zurückstehn, doch in des freundlich
Rufenden Wohnung getrost mit unseren Musen mich eingehn!
Nimmer [ja] laß ich von euch! Denn was bleibt Holdes den Menschen
Ohne die Chariten? [– Könnt'] ich nur stets mit den Chariten leben! *Mö*

XXVIIIb. DIE SPINDEL

In der von Mörike und Notter gemeinsam besorgten Übersetzung stammt XXVIIIa *von
Notter. Das Gedicht trägt die Überschrift* Der Spinnrocken *und hat unter der Über-
schrift das metrische Schema des* ASCLEPIADEUS MAIOR. XXVIIIb *ist von Mörike
bearbeitet. Unter der Überschrift steht der Vermerk* (In bekannterem Silbenmaße). *
Dieser Hinweis bezieht sich also auf die vorangehende, von Notter verfaßte Übersetzung.
Da er ohne diese sinnlos bleibt, ist er in Band 8,1 weggelassen (vgl. S. 334f.).*

Benutzte Textvorlagen: Bin, Vo²ᵃ *(Übersetzung im* ASCLEPIADEUS MAIOR*),* Vo²ᵇ
(Übersetzung im Hexameter), Mö

BEARBEITUNGSANALYSE

Überschrift: darunter [Ode] *und metrisches Schema des* ASCLEPIADEUS MAIOR
Vo²ᵃ *darunter* (In bekannterem Silbenmaße) Vo²ᵇ

1–6: O Spindel, Wollefreundinn, [du Geschenk
Athene's mit den blauen Augen,] du,
[Nach der in jeder klugen Wirthinn Brust
Ein Wunsch sich regt, o] komm getrost mit mir
Zu Neleus [hochberühmter] Stadt, allwo
[Im schlanken Schilf der] Kypris [Lustsitz grünt! –] *Bin*
[Wollarbeiterin] du, Spindel, der [blauäugigen] Göttin [Gab',
Immer stehet den wirtschaftlichen Hausfrauen nach dir das Herz.
Folg' uns jezo] getrost [hin] zu [der stolzblühenden Neleusburg,
Wo der] Kypris [ein Prachttempel in hellgrünem Geröhr sich hebt.] *Vo²ᵃ*
Spindel, [der Wolle vertraut,] o [Geschenk der blauen Athene,
Nach dir stehet das Herz] der [wirtschaftkundigen] Frauen:
[Folg' uns jezo] getrost [in die blühende Veste des] Neleus,
[Wo der] Kypria Tempel [umgrünt von sprossendem Rohr ist.] *Vo²ᵇ*
O Spindel, Wollefreundin du, [Geschenk
Athene's mit den blauen Augen, du,
Nach welcher jede wackre Hausfrau stets
Herzlich verlanget,] komm getrost mit mir
Zu Neleus' glanzerfüllter Stadt, allwo
Aus zartem Schilfgrün Kypris' Tempel steigt. *Mö*

7–15: Dorthin erbitt' [ich mir] von [Kronos Sohn
Den besten Wind zur Reise,] daß ich bald
[Des Anblicks meines Lieben] mich [erfreu,
Und] Nikias, [der holde Göttersproß]
Der Charitinnen [mit dem süßen Mund
Die Liebe mir erwiedr'. –] Ich lege dann
Der Gattinn meines Freundes in die Hand
Zur Gabe dich, [des glatten] Elfenbeins,
[Des Mühevollen Tochter.] *Bin*
Dorthin [richtend den Lauf, flehen] wir [schönathmenden Wind] von Zeus,
Daß ich [fröhlich den mitfröhlichen Wirt schaue,] den Nikias,
Den zum [Liebling mit Huld] weiheten [sanftredende] Chariten.
Dich dann, [welche der mühselige] Fleiß glättet' aus Elfenbein,
[Mög' als] Gab' in die Hand [Nikias Ehgattin von uns empfahn.] *Vo²ᵃ*
[Denn] dorthin [erflehn] wir von Zeus [schönathmenden] Fahrwind,
Daß ich [den Wirt als] Gast, [den fröhlichen fröhlich, besuche,]
Nikias, [welchen mit Huld sanftredende] Chariten weihten.
Dich dann, [welche der] Fleiß aus Elfenbeine geglättet,
[Nehm' als] Gab' in die Hände [des Nikias freundliche] Gattin. *Vo²ᵇ*

458

Dorthin erbitten wir von Vater Zeus
Uns schönen Fahrwind, daß ich bald des Freunds
Von Angesicht mich freuen möge, selbst
Auch ein willkommner Gast dem Nikias,
Den sich die Chariten zum Sohn geweiht,
Die lieblichredenden. Dann leg' ich ihr,
Der Gattin meines [Wirthes,] in die Hand
Zur Gabe dich, aus hartem Elfenbein
Mit Fleiß geglättete.   *Mö*

15–24:   Künftighin
[Wirst] du mit ihr zu [Männerkleidern oft,
Und] zarten [Röcken,] wie die Frauen [dort]
Sie tragen, [schön] vollenden [ein] Gespinst.
[Denn] zweimal müßten [wohl in Einem] Jahr
Der Lämmer Mütter auf [der Wiesen Grün
Geschoren werden, daß für] Theugenis
[Mit schönem Fuß genug der Wolle sei.]
So [arbeitsam ist sie;] sie liebet [nur]
Was kluge Frauen lieben.   *Bin*
[Viel] Gespinnstes [hinfort schafst] du mit ihr männlichem [Festgewand',]
Auch viel, [welches] die Fraun [ziere mit] meerfarbenen [Kleidungen.]
Zweimal [biete der] Schur [jährlich] des Lamms [fromme Gebärerin]
Weiche [Woll' in] der Au, [wegen] der nettfüßigen Theugenis;
So [gar eiferig wirkt' jen', und] sie liebt, was [die verständigen.]   *Vo²ᵃ*
[Viel] Gespinnstes [hinfort] zu männlichen [Feiergewanden
Schafst] du mit ihr, auch viel meerfarbene Hüllen [der Weiber.]
Zweimal [trage der] Schur [die Lämmergebärerin jährlich]
Weiche [Woll' in] der Au, [für] Theugenis, [niedliches Fußes;]
So [gar eiferig wirkt sie, und] liebt, was [verständige Frauen.]   *Vo²ᵇ*
                Wohl künftighin
Vollendest du mit ihr manch [schön] Gespinnst
Zu männlichen Festkleidungen, auch viel
Meerfarb'ne zarte Hüllen, wie die Frau'n
Sie tragen. Zweimal müssen [wohl im] Jahr
Der Lämmer [fromme] Mütter auf der Au
Zur Schur die weichen Vließe bringen, [sonst
Hat unsre] nettfüßige Theugenis,
[Die emsige, nicht Wolle gnug;] sie liebt
Was kluge Frauen lieben.   *Mö*

24–32:   In [ein] Haus,
[Wo Trägheit herrscht und Müßiggang, da] hätt'
Ich [nimmer] dich gebracht, o Landsmänninn.
Dein [Vaterland] ist jene Stadt, die einst
Der Ephyraier Archias erbaut,
Das Mark Trinakria's, der Edlen Sitz.
Nun [kommst du hin in] jenes Mannes Haus,
Deß Kunst so manches [schöne] Mittel weiß,
Das von den Menschen böse Krankheit scheucht. *Bin*
[Nicht fürwahr] in [ein] Haus [ohne Geschäft, ohne Betriebsamkeit,]
Hätt' ich [gern] dich [geschenkt, weil du ein Kind unseres Landes bist.
Dir] ist [heimisch,] die einst [Efyra's Sohn] Archias [angepflanzt,
Als] Trinakria's Mark, [jene, der ehrliebenden Männer Stadt.]
Nun [Hausfreundin des] Manns, [welcher] so [viel Kräfte der] Kunst [gelernt,
Um der Sterblichen wehdrohende] Krankheiten [zu bändigen,] *Vo²ᵃ*
[Nicht fürwahr] in [ein] Haus, [das geschäftlos läg' und betrieblos,]
Hätt' ich [gern] dich [geschenkt, dich Zöglingin unseres Landes.
Dir] ist [heimisch die] Stadt, die der Efyrer Archias [weiland
Baute,] Trinakria's Mark, [die Gemein' ehrliebender Männer.]
Nun [Hausfreundin des] Manns, [der viel' und künstliche Mischung
Kennt im Geist, um zu wenden der Sterblichen traurige] Krankheit, *Vo²ᵇ*
                          In [ein] Haus,
[Wo sorglos gern die Hände ruh'n,] hätt' ich
Dich nimmermehr gebracht, o Landsmännin.
Dein Heimathort ist jene Stadt, die einst
Der Ephyräer Archias erbaut,
Das Mark Trinakria's, der Edlen Sitz.
Nun [kommst du hin in] jenes Mannes [Haus,]
Deß' Kunst so manches [schöne] Mittel weiß,
Das von den Menschen böse Krankheit scheucht. *Mö*

33–41: Im lieblichen Miletos wohnst du [dann,]
Im Kreis der Jonier, daß Theugenis
[Vor allen] ihres Volks [Besitzerinn]
Der [schönsten] Spindel [nun gepriesen sei,]
Und daß du [stets der Lieben] ihren [Freund,]
Den Liederdichter, ins Gedächtniß rufst.
[Denn mancher,] der dich siehet, sagt [gewiß:
»O seht,] wie [sie die] kleine [Gabe liebt!
Wie] werth ist alles, was von Freunden kommt!« – *Bin*

Wohnst du [dort] in Milets [holdem Bezirk unter] Ioniern:
Daß [schönspindliche Frau] Theugenis heiß' [allen Genossinnen,]
Und [Andenken] du ihr [stets des gesangübenden] Gastes [seist.
Ihr] sagt eine [hinfort, schauet sie] dich: [Siehe,] wie [groß geschäzt
Wird] ein kleines Geschenk! Alles ist werth, was von [Geliebten] kommt!

Vo²ᵃ

Wohnest du [unter] Ionen im [anmutsvollen] Miletos:
Daß [schönspindliche Frau den Genossinnen] Theugenis heiße,
Und du ihr [bleibst Andenken des liederkundigen] Gastes.
[Ihr] sagt eine [hinfort,] die dich [anschaut: Groß] doch [geschäzt wird
Solch] ein kleines Geschenk! Wie [geehrt] ist alles von Freunden! *Vo²ᵇ*

Im lieblichen Miletos wohnst du [dann,]
Im Kreis der Jonier: daß Theugenis
[Vor allen] Weibchen [dort Besitzerin]
Der [schönsten] Spindel [nun gepriesen sey,]
Und daß du [stets der Lieben] ihren Gast,
Den Liederdichter, in's Gedächtniß rufst.
[Denn Manche,] die dich siehet, sagt [gewiß:]
»Wie [hoch sie] doch [die] kleine [Gabe hält!]
So werth ist Alles, was von Freunden kommt.« *Mö*

ANAKREON

UND DIE SOGENANNTEN

ANAKREONTISCHEN LIEDER

Band 8,1 Seite 339–490

TEXTVORLAGEN UND QUELLEN

Al   Arundell, Francis Vyvyan Jago: A visit to the seven churches of Asia. London 1828

Bk¹   Anacreontis carminum reliquias edidit Theodorus Bergk. Lipsiae, sumtu Reichenbachiorum fratrum. 1834

Bk²   Poetae lyrici Graeci. Recensuit Theodorus Bergk. Editio altera et emendatior. Lipsiae, apud Reichenbachios. 1853. Londini, Williams and Norgate. David Nutt

Br²   Virgil's Werke. Deutsch in der Versweise der Urschrift von Dr. Wilhelm Binder. In drei Bändchen. Zweites Bändchen. Äneis. Erster bis sechster Gesang. Stuttgart Krais und Hoffmann. 1865

Br³   Die Elegien des Theognis nebst Phokylides Mahngedicht und Pythagoras Goldenen Sprüchen, Deutsch im Versmaße der Urschrift von Wilhelm Binder. Stuttgart 1859. Hoffmann

Bru   Geschichte der griechischen Künstler von Dr. Heinrich Brunn. Erster Theil. Braunschweig, C. A. Schwetschke u. Sohn. (M. Bruhn). 1853
Zweiter Band. Stuttgart. Verlag von Ebner und Seubert. 1859

By   Grundriß der Griechischen Litteratur; mit einem vergleichenden Überblick der Römischen. Von G. Bernhardy. Zweiter Theil: Geschichte der Griechischen Poesie. Halle bei Eduard Anton. 1845

De¹   Anakreons Lieder. Aus dem Griechischen von Johann Friedrich Degen. Anspach, verlegts Benedict Friedrich Haueisen, Hochfürstl. Commercien-Commissair und privil. Hofbuchhändler 1782

De²   ΑΝΑΚΡΕΟΝΤΟΣ ΩιΔΑΙ ΚΑΙ ΑΛΛΑ ΛΥΡΙΚΑ. Anakreons Lieder nebst andern lyrischen Gedichten von Joh. Fried. Degen. Altenburg bey Gottlob Eman. Richter 1787

De³   Anakreons Lieder. Aus dem Griechischen nebst einer Abhandlung über dessen Leben und Dichtkunst von Johann Friedrich Degen. Zweite sehr verbesserte und vermehrte Ausgabe. Ansbach in der Gassertschen Buchhandlung 1821

De⁴ ANAKPEONTOΣ KAI ΣAΠΦOYΣ ΩιΔAI KAI AΛΛA ΛYPIKA.
Anakreons und Sapphos Lieder nebst andern lyrischen Gedichten. Text und Übersetzung von Joh. Fried. Degen. Mit Anmerkungen für Freunde des griechischen Gesanges. Zweite sehr vermehrte und verbesserte Ausgabe. Leipzig 1821 bei Aug. Gottl. Liebeskind

Do Homer's Werke. Deutsch in der Versart der Urschrift von J.J.Chr. Donner. 2 Bände. Stuttgart 1857. 1858

Er Allgemeine Encyklopädie der Wissenschaften und Künste in alphabetischer Folge von genannten Schriftstellern bearbeitet und herausgegeben von J.S.Ersch und J.G.Gruber. Leipzig 1818–1850
Mörike hat die folgenden Artikel benutzt (Name des Verfassers in Klammern): ANAKREON *(Fr.* Jacobs*),* PEITHO *(L.H.Krahner)*

Goe Johann Wolfgang von Goethe: Gedichte. *Hier zitiert nach:* Goethe's sämmtliche Werke in vierzig Bänden. Vollständige, neugeordnete Ausgabe. Unter des durchlauchtigsten deutschen Bundes schützenden Privilegien. Stuttgart und Tübingen. J.G.Cotta'scher Verlag. 1840. Bände 1.2

Hd L.APULEII OPERA OMNIA EX FIDE OPTIMORUM CODICUM AUT PRIMUM AUT DENUO COLLATORUM RECENSUIT, NOTAS OUDENDORPII INTEGRAS AC CETERORUM EDITORUM EXCERPTAS ADIECIT, PERPETUIS COMMENTARIIS ILLUSTRAVIT, PROLEGOMENIS ET INDICIBUS INSTRUXIT DR. G.F.HILDEBRAND. PARS II. LIPSIAE. SUMTIBUS C.CNOBLODNII. 1842

Hu PLUTARCHI CHAERONENSIS QUAE SUPERSUNT OMNIA. CUM ADNOTATIONIBUS VARIORUM ADJECTAQUE LECTIONIS DIVERSITATE. OPERA JOANNIS GEORGII HUTTEN. TUBINGAE 1791. VOL. XI

Jac¹ ANTHOLOGIA GRAECA SIVE POETARUM GRAECORUM LUSUS. EX RECENSIONE BRUNCKII. INDICES ET COMMENTARIUM ADIECIT FRIDERICUS JACOBS. TOM.1–(13). LIPSIAE 1794–1814

Jac² Leben und Kunst der Alten. Von Friedrich Jacobs. Ersten Bandes erste und zweyte Abtheilung. Der Griechischen Blumenlese I. bis XII. Buch. Gotha, Ettingersche Buchhandlung. 1824

Jac³ Claudius Älianus Werke. Viertes Bändchen. Thiergeschichten. Übersetzt von Friedrich Jacobs. Erstes Bändchen. Stuttgart. Verlag der J.B. Metzler'schen Buchhandlung. 1839

Jah Otto Jahn: Über Darstellungen griechischer Dichter auf Vasenbildern. *In:* Abhandlungen der philologisch-historischen Classe der Königlich Sächsischen Gesellschaft der Wissenschaften. Dritter Band. Mit acht Tafeln. Leipzig bei S.Hirzel. 1861. S. 697–760

Kl   *Julius Klaiber an Mörike. Unveröffentlichter Brief vom 14.2.1864. SNM 10419; 10420*

Ku   Ariost's rasender Roland. Neu übersetzt von Hermann Kurtz. Zweite unveränderte Ausgabe. Erstes Bändchen. Mit einem Stahlstich. Pforzheim. Verlag von Dennig Finck u. Co. 1842

Le   Gotthold Ephraim Lessing: Laokoon. *Hier zitiert nach:* Sämmtliche Schriften. Neue rechtmäßige Ausgabe. Herausgegeben von Karl Lachmann. Bände 1–13. Berlin, Voß'sche Buchhandlung. 1838–1840. Band 6

Lü   Grundriß der Kunstgeschichte. Von Wilhelm Lübke. Stuttgart 1860

Me   ANACREONTEA QUAE DICUNTUR SECUNDUM LEVESQUII COLLATIONEM CODICIS PALATINI RECENSUIT, STROPHIS SUIS RESTITUIT, STEPHANI NOTIS INTEGRIS, ALIORUM SELECTIS SUISQUE ILLUSTRAVIT DR. FRIDERICUS MEHLHORN, GLOGOVIAE IN LIBRARIA NOVA GUENTERIANA 1825

Mi   Q. HORATII FLACCI OPERA ILLUSTRAVIT CHR. GUIL. MITSCHERLICH, PROFESSOR PUBL. ORDIN. IN ACADEMIA GOTTINGENSI. TOMUS PRIMUS. REUTLINGAE, IN OFFICINA LIBRARIA MAECKENIANA 1815. TOMUS SECUNDUS 1816

Mö   Classische Blumenlese. Eine Auswahl von Hymnen, Oden, Liedern, Elegien, Idyllen, Gnomen und Epigrammen der Griechen und Römer; nach den besten Verdeutschungen, theilweise neu bearbeitet, mit Erklärungen für alle gebildeten Leser. Herausgegeben von Eduard Mörike. Erstes Bändchen. Stuttgart. E.Schweizerbart'sche Verlagshandlung. 1840
Mörike hat das Gedicht »Der todte Adonis« schon für den Theokritteil der »Classischen Blumenlese« bearbeitet. Mit geringen Änderungen übernimmt er es in die Sammlung der »Anakreontischen Lieder«, wohl wissend, daß das Stück ... früher dem Theokrit mit gleichem Unrecht wie nachher dem Anakr. beigelegt wurde (Band 8,1, S.487, Z.31.32). Die »Bearbeitungsanalyse« des »Anakreontischen Liedes« geht deshalb von der Fassung Mö aus.

Mü   Handbuch der Archäologie der Kunst. Von K.O.Müller. Breslau 1830

Nr   Theokritos, Bion und Moschos. Deutsch im Versmaße der Urschrift von Dr. E. Mörike und F.Notter. Stuttgart. Hoffmann'sche Verlagsbuchhandlung. 1855

Ov   Pompeji in seinen Gebäuden, Alterthümern und Kunstwerken dargestellt von J.Overbeck. Leipzig 1856

Pa¹   Real-Encyclopädie der classischen Alterthumswissenschaft in alphabetischer Ordnung. Herausgegeben von August Pauly, nach dessen Tode fort-

gesetzt von Chr. Walz und W.S. Teuffel. Stuttgart. Verlag der J.B. Metzler'-
schen Buchhandlung. 1837–1864

Mörike hat die folgenden Artikel benutzt (Name des Verfassers in Klammern):
ADONIS *(W. Heigelin),* AMALTHEA *(W. Heigelin),* ANAKREON *(G. Bernhardy),*
BOOTES *(L. Öttinger),* CHORUS *(A.Witzschel),* EUROPA *(W. Heigelin),* GYGES
(C. Krafft), HORAE *(W. Heigelin),* LOTUS *(A. Baumstark),* MAIA *(W.S. Teuf*
fel), NARTHEX *(Ch.Walz),* ORION *(Ch. F. Bähr),* PETAURUM *(W. S. Teuffel),*
PLEIADES *(J. A. Pfau),* PONTUS *(J. A. Pfau),* SILENUS *(A.Westermann)*

Pa² Real-Encyclopädie der classischen Alterthumswissenschaft. 2. Auflage herausgegeben von W.S. Teuffel. Stuttgart 1864. 1866

Mörike hat von der zweiten Auflage wohl nur den Artikel ANAKREON *(W. S. Teuf*
fel) benutzt.

Schn DELECTUS POETARUM ELEGIACORUM GRAECORUM. EDIDIT F.G. SCHNEIDEWIN.
GOTTINGAE APUD VANDENHOECK ET RUPRECHT. 1838

Sta QUAESTIONUM ANACREONTICARUM LIBRI DUO, SCRIPSIT CAROLUS BERNHARDUS
STARK. LIPSIAE, PROSTAT APUD VOIGT ET FERNAU. 1846

Thu Die griechischen Lyriker oder Elegiker, Jambographen und Meliker. Ausgewählte Proben, im Versmaß der Urschrift übersetzt und durch Einleitungen und Anmerkungen erläutert von Dr. G. Thudichum, Oberstudienrath und Gymnasialdirektor in Büdingen. Stuttgart, Verlag der J.B. Metzler'schen Buchhandlung 1859

Vo¹ ΥΜΝΟΣ ΕΙΣ ΤΗΝ ΔΗΜΗΤΡΑΝ. Hymne an Demeter. Übersezt
und erläutert von Johann Heinrich Voss. Heidelberg bei Christian Friedrich
Winter. 1826

Vo² Theokritos Bion und Moschos von Johann Heinrich Voss. Tübingen, in
J. G. Cotta's Buchhandlung 1808

Web Die elegischen Dichter der Hellenen nach ihren Überresten übersetzt und
erläutert von Dr. Wilhem Ernst Weber, des Gymnasiums der freien Stadt
Frankfurt Prorektor und Professor. Frankfurt am Main. Verlag der Hermannschen Buchhandlung 1826

Wel¹ THEOGNIDIS RELIQUIAE. NOVO ORDINE DISPOSUIT, COMMENTATIONEM CRITICAM
ET NOTAS ADJECIT FRIDERICUS THEOPHILUS WELCKER. FRANCOFURTI AD MOE
NUM SUMTIBUS ET TYPIS H.L. BROENNERI. 1826

Wel² Rheinisches Museum für Philologie. Herausgegeben von F.G. Welcker und
A. F. Näke. Dritter Jahrgang. Bonn, bei Eduard Weber. 1835. *Darin:* F. G.
Welcker. Anzeige. ANACREONTIS CARMINUM RELIQUIAS EDIDIT THEODORUS
BERGK. LIPSIAE, 1834. S. 128–160, 260–314

EINLEITUNG

LEBENSUMSTÄNDE UND SCHRIFTEN DES DICHTERS

Band 8,1   Seite 341–349

*Für die Darstellung der »Lebensumstände und Schriften des Dichters« greift Mörike vor
allem auf die Arbeiten von Bergk (Bk[1]) und Stark (Sta) zurück. Bergks sorgfältig kom-
mentierende Ausgabe der »Fragmente« trägt im wesentlichen den Hauptteil der »Einleitung«: die Lebensgeschichte Anakreons. Starks grundlegende Untersuchung der »Anakreonteen« ist die Hauptquelle für die Darstellung »Über Anakreons Poesie und die sog.
Anakreontea«. Die deutschsprachigen Quellen (Er, Jah, Pa[1], Pa[2]) werden vor allem bei Ein-
zelproblemen herangezogen und dabei z.T. ausführlich und wörtlich zitiert. Insgesamt hält
sich Mörike eng an die Ergebnisse dieser Untersuchungen. Und doch zeigen beide Einfüh-
rungstexte Mörikes formenden Zugriff. Sein Stil durchdringt das übernommene Material.
Besonders aufschlußreich ist hier die Art, wie Mörike die Ergebnisse der lateinischen Untersuchungen in den Gang der Darstellung einbringt: Während in der Verwendung der
deutschsprachigen Quellen kein Unterschied festzustellen ist gegenüber der »Classischen
Blumenlese« – wörtliche Übernahme ist durchaus die Regel –, lassen alle diejenigen Stellen,
die den lateinischen Quellen entsprechen, eine andere Form der Abhängigkeit erkennen.
Nur selten folgt Mörike hier einem längeren Quellenabschnitt Wort für Wort. Häufiger
greift er dagegen eine Bemerkung auf und gibt sie frei wieder, indem er einzelnes ausfaltet,
eigenes Wissen und Urteil einbringt, entstehenden Fragen nachgeht und oft erst spät wieder zum Gedankengang seiner Quelle zurückkehrt. Doch ist auch das umgekehrte Verfahren zu beobachten: Mörike drängt die weit ausladende Darstellung der Quelle auf eine
knappe Formulierung zusammen. Bei relativ enger Bindung an das Wesentliche der benutzten Quellen ist in beiden Einführungstexten ein hohes Maß an Eigenständigkeit der
Darbietung charakteristisch.*

*Die »Hinweise zur Quellenbenutzung« können nicht vollständig sein. Dem Bearbeiter
sind hier schon durch sein Gedächtnis Grenzen gesetzt. Doch verringert sich die Anzahl*

derjenigen Stellen, für die eine Quelle nicht nachgewiesen ist, bei genauerem Zusehen be-
trächtlich. Viele davon sind nämlich mit hoher Wahrscheinlichkeit originale Äußerungen
Mörikes.

Die an solchen Stellen häufig verwendete Redeform der ersten Person Pluralis kann im all-
gemeinen wohl als Zeichen dafür gelten, daß Mörike sich hier ohne Benutzung einer Quelle
äußert. (Vgl. z.B. Band 8,1, S. 344, Z. 28.29; S. 346, Z. 5.6; S. 347, Z. 5–14 u.a.m.)
Benutzte Quellen: Jac², Bk¹, Wel², Pa¹, Wel³, By, Sta, Bk², Jah, Kl, Er, Pa²

HINWEISE ZUR QUELLENBENUTZUNG

341,3–5 Anacreon, aus Teos *bis* geboren] ANACREON, aus Teos in Ionien, nach der
gewöhnlichen Annahme geb. 559 v. Chr. [und gestorben 478, so daß seine Blüthe-
zeit von dem Jahr 533 an gerechnet wird...] *Pa¹* **341**,5.6 Sein Vater *bis* genannt]
... DE PATRIS NOMINE ... MAGNA EST DISCEPTATIO, OMNIUM TAMEN PROBABILISSIMUM
EST, EI SCYTHINI NOMEN FUISSE ... *Bk¹* **341**,6–19 Zur Zeit *bis* erzog] ... LOQUITUR
... POETA DE TEO, URBE PATRIA, QUAM αἰνοπαθῆ APPELLAT, ... NAM CUM HARPAGUS
ILLAM URBEM OBSIDIONE CINXISSET ET EXPUGNAVISSET, TEII COACTI SUNT PATRIA RE-
LICTA NOVAM SEDEM QUAERERE, ET ABDERAM SE CONTULERUNT ... CONSENTANEUM
AUTEM EST ILLO TEMPORE ETIAM ANACREONTEM PATRIAM RELIQUISSE, IDQUE CONFIR-
MARE QUODAMMODO VIDETUR STRABO, ... NEQUE VERO, QUOD VULGO EXISTIMANT,
CUM RELIQUIS TEIIS SE CONTULIT ABDERAM NIHIL CERTE USQUAM REPERI, QUO ISTA
OPINIO POSSIT CONFIRMARI: ... NON IGITUR CREDIDERIM ANACREONTEM SE ABDERAM
CONTULISSE, SED SAMUM, INSULAM VICINAM, A POLYCRATE ARCESSITUM. ET HIMERIUS
QUIDEM DICIT POLYCRATEM FILII PRECIBUS PERMOTUM, QUI MAGNOPERE ANACREONTIS
CARMINIBUS FUERIT DELECTATUS, POETAM INVITAVISSE AD FILIUM ISTUM ERUDIENDUM:
ID CERTE CONJICERE POSSUMUS EX LACERIS ET CORRUPTIS VERBIS, QUAE LEGUNTUR ORAT.
XXX, 3: – – – – βασιλεὺς Σάμου μόνον, ἀλλὰ καὶ τῆς Ἑλληνικῆς ἁπάσης
θαλάσσης, – – – μουσικῆς καὶ μελῶν καὶ τὸν πατέρα ἔπειθε συμπρᾶξαι αὐτῷ
πρὸς – – – πεμψάμενος, δίδωσι τῷ παιδὶ τοῦτον τῆς ἐπιθυμίας διδάσκαλον
– – – κἢν ἔμελλε πληρώσειν εὐχὴν τῷ πατρὶ Πολυκράτει πάντα – – – ὃν τὸν
Ἀχιλλέως τὸν Φοίνικα, ὅτι διδάσκαλος ἔργων καὶ – – – τὴν ἀρετὴν ἐπαί-
δευεν ... ANACREONTEM AUTEM JAM TUM CLARUM FUISSE INGENII LAUDE VERISIMILLI-
MUM EST ... *Bk¹* (Welckers Ergänzung *der* lückenhaften Stelle *findet sich Wel³*
S.252f.) **341**,20–**342**,3 Polykrates *bis* unentbehrlich geworden] ... SAMI ENIM ILLO
TEMPORE POLYCRATES RERUM ERAT POTITUS, ... SUMMA ... PRUDENTIA ET CALLIDI-
TATE EX PRIVATO AD SUMMUM IMPERIUM EVECTUS EST, ... OMNE ... EJUS INCEPTUM
OMNEMQUE VOLUNTATEM PROSPERA SEMPER SUCCESSIO CONSECUTA EST. SED NON SOLUM
SAMIORUM RES PUBLICAS MAGNOPERE AUXIT, VERUM ETIAM CIVES IPSOS LOCUPLETAVIT,
URBEM DELUBRIS ET IMAGINIBUS TABULISQUE DECORAVIT, ... ITA UT GRATIA PLURIMUM

APUD CIVES VALERET. IPSE FUIT DITISSIMUS, ET SUMMA AMOENITATE OMNIQUE VOLUPTA-
TEM COPIA PERFRUEBATUR: NAM ET DELICATO VICTU ET ELEGANTI CULTU UTEBATUR, ...
PRAECIPUO AUTEM AMORE POESIM AMPLEXUS EST, ID QUOD VEL INDE COLLIGAS, QUOD
IN ANNULO ILLO A THEODORO SAMIO EGREGIA ARTE FACTO LYRA INSCULPTA ERAT, ...
ET VERSATUS EST APUD POLYCRATEM ALIQUAMDIU IBYCUS RHEGINUS ... EODEM CAR-
MINUM GENERE INSIGNIS QUO ANACREON. IS IGITUR POLYCRATES ANACREONTEM ARCES-
SIVIT, QUEM TANTOPERE AMAVIT, UT NEMO EI FUERIT GRATIOR ACCEPTIORVE: ... *Bk¹*
342,4.5 In der Üppigkeit *bis* Element] ... QUARE QUID TANDEM MIRETUR POETAM,
CUM AMOENISSIMA ET DELICATISSIMA VITA APUD POLYCRATEM PERFRUERETUR, VOLUP-
TATE NIMIA DIFFLUXISSE? ... *Bk¹* **342**,5–9 Dem Fürsten *bis* vergönnt] *Keine Quelle
nachgewiesen* **342**,9–14 Polycrates *bis* zu müssen] ... PRAECIPUE AUTEM IN PUERO-
RUM VENUSTORUM AMOREM EFFUSUS ERAT, ... APUD POLYCRATEM ENIM SMERDIES,
CLEOBULUS, BATHYLLUS ... ALIIQUE ADOLESCENTES EXIMIA PULCRITUDINE CONSPICUI
VERSATI SUNT ... QUIS PUTET MIRANDUM ESSE, SI ANACREON TANTO AMORE PUERORUM
FLAGRAVIT, CUM POLYCRATEM, CUJUS CONSORTIONE ATQUE FAMILIARITATE UTEBATUR,
PULCRAS PUBERUM FORMAS SUMMO STUDIO APPETERE VIDERET? ... *Bk¹* **342**,14–21 Das
Verhältniß *bis* geworfen haben wird] *Keine Quelle nachgewiesen* **342**,21–25 Als
Beweis *bis* Schlaf rauben] ... IPSE ENIM ANACREON FUIT LIBERALI INGENIO: QUI QUAM
FUERIT PECUNIAE CONTEMTOR, DOCUMENTO EST ID, QUOD EX ARISTOTELE REFERT
STOBAEUS XLIII. 38. T. III. P. 209. ED. LIPS. Ἀνακρέων ὁ μελοποιὸς λαβὼν τάλαν-
τον χρυσίου παρὰ Πολυκράτους τοῦ τυράννου, ἀπέδωκεν, εἴπων, μισῶ
δωρέαν, ἥτις ἀναγκάζει ἀγρυπνεῖν ... *Bk¹* **342**,25–30 Bedeutend ist *bis* An-
theil gehabt] [... Eine Gesandtschaft] des Oroetes [fand unsern Dichter in dem
Zimmer des Tyrannen,] Herodot [III, 121. p. 258,] woraus Le Fevre schließt, [daß]
er auch an [Angelegenheiten des Staates Theil genommen.] *Er* **342**,31–**343**,3
Nach dem unglücklichen Ende *bis* abholen] POLYCRATE AUTEM OCCISO ANACREON-
TEM NON AMPLIUS SAMI, UBI TURBAE GRAVISSIMAE ET LUCTUOSISSIMAE EXORTAE SUNT,
VERSATUM ESSE EXISTIMO; SED AB HIPPARCHO, QUI ET INGENII LAUDE ET LITTERARUM
AMORE INSIGNIS ERAT, ATHENAS ARCESSITUS ET IN DOMUM RECEPTUS EST. (PLATO IN
HIPPARCHO P. 228. D: καὶ ἐπ’ Ἀνακρέοντα τὸν Τήιον πεντηκόντορον στείλας
ἐκόμισεν εἰς τὴν πόλιν ...) ... *Bk¹* **343**,3–11 Er war *bis* genommen worden
sein] *Keine Quelle nachgewiesen* **343**,11–19 Sonst weiß man *bis* lebte] ATHENIS
AUTEM ANACREON VIRIS SUMMIS FAMILIARITER USUS EST; ITA IBI ETIAM XANTHIPPI ILLIUS,
QUI PERICLIS FUIT PATER ... CONSUETUDINE USUS ESSE VIDETUR; ... HOC AUTEM CAR-
MEN *(gemeint ist Fragment 55 nach Bk¹)* ... SCRIPTUM FUIT AD CRITIAM, DROPIDAE
FILIUM, CUJUS FAMILIARITATE USUS EST ANACREON, ... PLATO QUIDEM IN CHARMIDE
DICIT CRITIAM AB ANACREONTE, SOLONE, ALIIS POETIS ELATUM ESSE SUMMIS LAUDIBUS,
... NOTAVIT AUTEM ... ANACREON SIMONIDIS AVARITIAM, POETAE AEQUALIS, QUOCUM
UNA VERSATUS EST ATHENIS APUD HIPPARCHUM, ... *Bk¹* **343**,20–25 Nun *bis* gehen] ...

Verum Hipparcho interfecto non diutius Athenis commoratus esse videtur, sed reversus est, ut puto, Teum, quam quidem postea eo tempore, quo Iones et Histiaeus a Persarum rege defecerant, deseruit et tunc primum se contulit Abderam, ... *Bk¹* **343**,25–29 Er erreichte *bis* genommen] [... A.] starb [... im] 85sten Jahre [..., angeblich] an einer [getrockneten Weinbeere] erstickt [..., wohl ein] symbolischer Ausdruck des Gedankens daß der Gott dem er diente, Dionysos, ihn zu sich genommen [habe....] *Pa²* **343**,29–32 Die Teïer *bis* Namen] [... Die Stadt Teos] setzte sein Bild auf ihre Münzen. [...] *(dazu Anmerkung:)* [Eine] sitzende Figur mit dem Bart und die Leier schlagend [auf einer Münze von Teos, wird mit vollem Rechte für einen Anakreon gehalten... auf] einer andern [...] steht [er] aufrecht mit beigeschriebenem Namen. [...] *Er* **343**,32–35 Die Abbildung *bis* Vasenbildern] *Bemerkung Mörikes* **343**,35–**344**,2 Auf der *bis* singend] [...] auf der Akropolis zu Athen [sah man] seine Bildsäule, [als] eines Singenden, mit Zeichen [der] Trunkenheit. [...] *(dazu Anmerkung:)* Pausan. I. 25. [I. T. I. p. 93...] *Er* **344**,3.4: [... Es ergibt sich aus dem Bemerkten, daß ich nicht mit Brunn übereinstimmen kann, wenn er nach Brauns Vorgang in der] schönen Marmorstatue der Villa Borghese [eine Copie der Statue auf der Akropolis erkennt...] *(dazu Anmerkung:)* [Die Statue ist] im Jahre 1835 bei Montecalvo in der Sabina [an der Straße von Rieti] gefunden, [...] *Jah* **344**,5–8: [... Die Andeutung, seine] Haltung [sei die eines in der Trunkenheit singenden Mannes gewesen, findet ihre Erläuterung in] drei Epigrammen der Anthologie auf ein Bild des [Anakreon] (Anth. Plan. IV, 306–308). [Das erste] dem Leonidas von Tarent zugeschriebene [lautet: ... und das zweite spricht in anderer Form genau dieselben Pointen aus, wie es denn auch den Namen desselben Dichters trägt:

ἴδ’ ὡς ὁ πρέσβυς ἐκ μέθης Ἀνακρέων
ὑπεσκέλισται καὶ τὸ λῶπος ἕλκεται
ἐσάχρι γυίων· τῶν δὲ βλαυτίων τὸ μέν
ὅμως φυλάσσει, θάτερον δ’ ἀπώλεσεν.
μελίσδεται δὲ τὰν χέλυν διακρέκων
ἤτοι Βάθυλλον ἢ καλὸν Μεγιστέα.
φύλασσε Βάκχε τὸν γέροντα μὴ πέσῃ.]   *Jah*

344,9–15: *Zitat nach Jac²* **344**,16–22 Alle *bis* bezeichnet] [... Auch das] dritte Epigramm, [das von einem unbekannten Eugenes herrührt, hebt] dieselben Motive [hervor: ... Das charakteristische Moment ist die stark hervortretende Trunkenheit, ... Anakreon hat im Gehen den einen Schuh verloren, ohne es zu merken, den anderen ist er bei seinem schwankenden Gange auch zu verlieren in großer Gefahr; dies wird durch ὅμως φυλάσσει und lebendiger durch ἐν δ’ ἐτέρᾳ] ῥικνὸν [ἄραρε πόδα anschaulich gemacht, denn] dadurch wird der unsichere Schritt der [durch] irgendwelche Ursache schwach gewordenen Füße bezeichnet. [... Aber auch der Dichter war über dem trunkenen Greise nicht vergessen, er spielte auf der Leier und in seinem] feuchten Blick drückte [sich] nicht nur die Erregung des Weins sondern auch der sehnsüchtigen Liebe aus, deren Lied man von seinen Lippen zu vernehmen glaubte. [...] *Jah* **344**,22–27 Welcker *bis* geben] [...] Daß die [Epigramme nur] näher [ausführen was Pausanias kurz andeutet und dieselbe Statue auf der Akropolis genauer beschreiben, wie auch Jacobs annahm, ist an sich] wahrscheinlich, [obwohl eine so drastische Darstellung des trunkenen Dichtergreises in einem statuarischen Werk auffällt...] *(dazu Anmerkung:)* Welcker [...] nahm an den starken Zügen [derselben] so großen Anstoß, daß er glaubte, sie seien frei erfunden ohne sich auf eine wirkliche Statue zu beziehen, und rührten nicht von dem Tarentiner Leonidas, sondern von dem späteren Alexandriner her (kl. Schr. I. p. 266). *Jah* **344**,28.29 Wir *bis* mitzutheilen] *Bemerkung Mörikes* **344**,29.30 wobei *bis* sind] [...] (Restaurirt: [Nasenspitze; rechter Arm, vom Ellbogen bis zur Hand; diese selbst außer dem Daumen erhalten; ferner] die Finger der linken Hand u. die [ganze] Lyra.) [Denkt man sich den rechten Vorderarm etwas erhoben, u. die Finger der linken Hand gestreckt, so bleibt sehr wohl der Raum für ein schildkrotähnliches Instrument ...] *Kl* **344**,31–40 *und* **345**,5–14 Auf einem *bis* Tav. 25] Auf einem stattlichen von Löwenfüßen gestützten Sessel sitzt hier der bejahrte Dichter, die Füße übereinandergeschlagen, an welchen Sandalen mit zierlichem Riemenzeug befestigt sind. Ein Mantel von starkem, derbem Zeug – wohlgewählt für das höhere Alter, das wärmerer Kleidung bedarf – verhüllt den Unterkörper; der eine von der rechten Schulter herabgeglittene Zipfel ist über den Schoos gesunken. Dies ist die natürliche Folge von der Bewegung des rechten Arms, welcher vorgestreckt ist, damit die Hand mit dem Plektron die Saiten der Leier berühre, welche die erhobene Linke von der anderen Seite her oben an den Hörnern berührte, so daß dieser Arm das Gewand festhalten konnte. Mit dem Kopf macht er eine Wendung seitwärts, welcher auch der Oberkörper folgt, wodurch nicht nur die ganze Haltung lebendiger wird, sondern die für den Liebesdichter bezeichnende Vorstellung, daß er sein Lied an einen Anwesenden richte, im Beschauer hervorgerufen wird. Die Meisterschaft, mit welcher in dem nackten Oberkörper die viridis senectus anschaulich gemacht wird, steigert sich in dem lebendigen Ausdruck des bärtigen Kopfes, welcher mit dem unverkennbaren Charakter des Alters [soviel Kraft und Feuer,] soviel Geist und Gemüth vereinigt, daß eine ganz eigenthümliche, hochbedeutende Individualität mit unwiderstehlicher Anziehungskraft hervortritt. *(Dazu Anmerkung:)* Die Statue ist mit Brunns Erklärung publicirt [zu Welckers Jubiläum] in der [Schrift: ANACREONTE, AL CH. CAV. F. T. WELCKER STRENNA FESTOSA OFFERTA DELL' ISTITUTO DI CORR. ARCH. (Rom 1859 fol.), wiederholt] ANN. XXXI p. 155 ff.

M. I. D. I. VI, 25. *Jah* **345**,14–16 Der *bis* Vorstellung] [... Und selbst] der herrliche [edle] Kopf [erinnert an die Begleiter des Dionysos, wie er an Sokrates erinnert ...] *Kl* **345**,16–19 Nach *bis* Gestalt] [... Es ergibt sich aus dem Bemerkten, daß ich nicht mit] Brunn [übereinstimmen kann, wenn er nach Brauns Vorgang in der schönen Marmorstatue der Villa Borghese eine Copie] der Statue [auf der Akropolis erkennt] und [die in] den Epigrammen [hervorgehobenen Motive in derselben wiederfindet, ... Der Haupteindruck war ... der eines Mannes, der ohne Acht auf sich zu geben unsicher im Rausch daher schwankt, man fürchtet, er möchte fallen ... Dies weist deutlich darauf hin daß die Statue Anakreon] stehend oder vielmehr schreitend [vorstellte; nur so konnten diese Motive, diese Gesamtauffassung zur vollen Geltung kommen, ...] *Jah* **345**,20–23 Eine *bis* 1845] Eine andere Darstellung des Anakreon, welche durch eine Anspielung auf eine bedeutsame Begebenheit seines Lebens ihn charakterisire, hat Sam. Birch auf einem Vasenbilde zu finden geglaubt. *(Dazu Anmerkung:)* [Sam. Birch] observations on the figures of Anacreon and his dog [as represented upon some greek fictile vases in the British Museum.] London 1845. [...] *Jah* **345**,23–41 *und* **346**,31–35 Auf einer *bis* wiederholt] Auf einer [vulcentischen] Amphora [im] britischen Museum [(794)] ist auf der einen Seite ein mit Lorbeer bekränzter Mann, nackt bis auf die über die Arme geschlungene Chlamys vorgestellt, der im Vorwärtsschreiten die Leier spielt und mit stark zurückgelehntem Kopfe laut dazu singt; neben ihm läuft ein kleiner Hund her. Auf der anderen Seite ist ein epheubekränzter, ebenfalls bis auf die Chlamys nackter Jüngling dargestellt, der auf der linken Schulter eine Amphora trägt, die er mit der linken Hand hält und, indem er die Rechte in die Seite stemmt, rüstig vorwärts schreitet. Den Grund bei diesem Leierspieler an Anakreon zu denken fand Birch in dem Hündchen welches ihn begleitet, indem er an eine von Tzetzes *(dazu Anmerkung:* [Tzetz.] chil. IV, 131, 234 ff. [...]*)* erzählte Anekdote erinnert, nach welcher einst Anakreon von einem Sklaven und seinem Hund begleitet nach Teos gegangen sei um Einkäufe zu machen; unterwegs habe der Sklave im Gebüsch die Geldbörse abgelegt und als er weiter ging liegen lassen, der Hund aber sei um sie zu bewachen zurückgeblieben und bei der Rückkehr des Herrn sterbend neben dem treu behüteten Gelde gefunden. Allein diese auf den ersten Blick sehr ansprechende Deutung, welche auch mehrere Gelehrte gebilligt haben, ist auf ein unsicheres Fundament begründet, denn ohne Zweifel hat Tzetzes, [wie schon Schneider (peric. crit. p. 98) bemerkte,] eine von Älian *(dazu Anmerkung:* [Älian.] h. an. VII, 29. [...]*)* erzählte Anekdote nur aus Mißverständnis auf Anakreon übertragen, während sie von einem unbekannten Kaufmann aus Kolophon berichtet wird. Aber selbst wenn das Geschichtchen bessere Gewähr für Anakreon hätte, würden sich Bedenken gegen die Richtigkeit der Deutung erheben.

Die Darstellung ist [nämlich] keineswegs eine vereinzelte sondern wiederholt sich mit mancherlei Modificationen auf mehreren Vasenbildern. [...] *Jah* **346**,35.36 (Zu *bis* Abhandl.)] *Bemerkung Mörikes* **345**,1.2: Nach dem einstimmigen Zeugnisse des Alterthums war die Poesie Anakreons einzig dem berauschenden Genusse des Lebens geweiht.[...] *Er* **345**,3.4 dennoch *bis* Anerkennung] [... so werden doch von] den einsichtsvollsten [der Alten seine Lieder ... würdevoll (σεμνὰ) genannt, ...] *Er* **345**,4 *und* **346**,1–5 So *bis* (σωφροσύνην)] [...] So wie Sokrates, sagt einer seiner großen Bewunderer, der platonische Maximus Tyrius, so liebte auch der tejische Dichter jede schöne Gestalt, und pries sie alle, und seine Lieder sind voll von des Smerdies schönem Gelock und Kleobulos Augen und der Jugendblüthe Bathylls; aber [mitten in dem Rausche der Liebe bewahrt er die] Zucht. [...] *Er* **346**,5–7 mit diesen *bis* ausspricht] *Bemerkung Mörikes* **346**,7.8 schön *bis* einzuhalten] καλὸν εἶναι τῷ ἔρωτι τὰ δίκαια... *Bk²* **346**,8 Bergk *bis* 120] *Bemerkung Mörikes* **346**,8.9 und endlich *bis* Fragm. 16] *Keine Quelle nachgewiesen* **346**,9–21 In Beziehung *bis* unmöglich] [... Denn ob ihn schon seine jonische Weisheit und der Hang zum Genuß in übeln Ruf gebracht, weil] die Menge nicht wußte, daß er nüchtern Trunkenheit dichte, *(dazu Anmerkung:* ATHEN. [L. X. P. 429. B.]) [so werden doch von den einsichtsvollsten] der Alten seine [Lieder nicht blos süß und anmuthig, sondern] auch würdevoll (σεμνὰ) genannt, und einer der Tischgenossen Plutarchs, indem er den Gebrauch tadelt, die Dialogen Platons mit dem Nachtische zu mischen, setzt hinzu,» auch wenn Sappho's und Anakreons Lieder gesungen würden, würde er aus Achtung und Scheu den Becher niedersetzen.« [Daher wird er auch selbst nicht nur mit allen Beiworten des Wohlgefallens geehrt,] *(dazu Anmerkung:* Der süße. [Athen. XIV. p. 634. C.] Der anmuthige. [das. L. XI. p. 463. Der schöne. das. L. XV. p. 674. C.]) sondern auch [von] Platon und andern der *Weise* (σοφός) [genannt,] in solchen Verbindungen, wo von Kunstfertigkeit allein nicht die Rede seyn kann. [... als Anakreon mit ihm zugleich um die Gunst des Smerdies buhlte, scheint Polykrates zwar dem Knaben, nicht aber dem dreisten Dichter gezürnt zu haben, von dem man rühmt, daß er durch seine Kunst] den Sinn des [Tyrannen milder gemacht.] *(Dazu Anmerkung:* MAXIM. [TYR. DISS. XXXVII 5. P. 209...]) *Er* **346**,22–24 Daß *bis* annehmen] ... POLYCRATES ET PISISTRATIDAE, QUIBUSCUM CONJUNCTISSIMUS ERAT ANACREON, PRIMI BIBLIOTHECAS CONDIDERUNT LIBROSQUE UT HOMERI SIC ALIORUM COLLIGENDOS CURAVERUNT ... QUID AUTEM? NUM EJUS POETAE, QUEM SUMMIS HONORIBUS CUMULARUNT, QUEM HIPPARCHUS NAVE, QUAE QUINQUAGINTA REMIS AGEBATUR, MISSA ACCERSIVERAT, CARMINA CONSCRIBI CONSCRIPTAQUE SERVARI IN BIBLIOTHECIS NON CURAVISSENT? ... *Sta* **346**,24.25 Wie *bis* bleiben] *Keine Quelle nachgewiesen* **346**,25–30 *und* **347**,1–4 Bekannt *bis* verbrannten] CUM FLORE IPSO LITTERARUM GRAECARUM EVANESCENTE UT EX IMMENSA SCRIPTORUM COPIA PRAECLARISSIMOS

QUOSQUE ELIGERENT, IN QUIBUS INTERPRETANDIS ATQUE AB OMNI MENDA CASTIGANDIS
STUDIUM PONERETUR TOTUM, SPECTARENT DOCTI HOMINES ALEXANDRIAE VERSANTES,
LYRICORUM QUOQUE NOVEM CANONA CONSTITUERUNT. ANACREONTEM IN EUM RELATUM
ESSE EX PLURIBUS LOCIS APPARET . . . ARISTARCHUM IN INTERPRETANDO ANACREONTE
VERSATUM FUISSE EX ATHENAEO XII, P. 671 COMPERTUM HABEMUS ; . . . IN ARISTARCHEA
EDITIONE, QUAE AB HEPHAESTIONE ἡ νῦν ἔκδοσις DICITUR, OMNES *(gemeint sind die
im Vorausgehenden genannten Grammatiker)* ACQUIEVERUNT ; EAQUE ET ROMAM TRANS-
LATA VIDETUR, UBI CATULLUS PRIMUS ANACREONTEM IMITATUS EST, ET POSTERIORIBUS
GRAMMATICIS IN USU FUIT. QUAM DIU INTEGRA ANACREONTIS CARMINUM COLLECTIO IN
HOMINUM MANIBUS FUERIT NON LIQUET. MOX QUIDEM EX POPULI ORE PRAE IMITATORUM
ET GRAECORUM ET ROMANORUM TURBA EVANUISSE VIDENTUR CARMINA GENUINA NEQUE
NOTA FUISSE NISI METRICIS ET GRAMMATICIS, QUI ANTIQUA ET OBSOLETA AUCUPABANTUR
. . . NUM GENUINA ANACREONTIS CARMINA USQUE EO SERVATA SINT, DUM SACERDOTUM
GRAECORUM FLAGRANTI ODIO UNA CUM ALIIS UT MENANDRO, DIPHILO, APOLLODORO,
PHILEMONE, SAPPHONE, ALCAEO SUCCUBUERINT, . . . VALDE DUBITAVERIM . . . *Sta*
347,5–14: *Keine Quelle nachgewiesen. Wohl Bemerkung Mörikes* **347**,15–23 Die Samm-
lung *bis* Anhang] QUAE NUNC EXSTAT ANACREONTEORUM COLLECTIO, DUOBUS EX
FONTIBUS PROFECTA EST, AD QUOS QUICUNQUE CRITICAM ARTEM EXERCET, REDIBIT:
ALTER EST STEPHANI EDITIO PRINCEPS A. MDLIV, ALTER CODEX PALATINUS ANTHOLO-
GIAE GRAECAE, CUJUS SCRIPTURAM ET SPALETTI ET LEVESQUIUS REPRAESENTARE STU-
DUERUNT EDITIONIBUS QUAM RELIGIOSISSIME EXPRESSAM . . . IDEM CODEX *(gemeint ist der
Palatinus)* DEINDE IN BIBL. PARIS. TRANSLATUS NOMINE ANACR. VATICANI CELEBRABA-
TUR . . . CODEX VATICANUS SECUNDUM LEVESQUIUM . . . ULTIMAE ANTHOLOGIAE CE-
PHALANAE PARTI AGGLUTINATUS ERAT, EADEMQUE MANU SCRIPTUS ESSE VIDETUR, QUA
NONNULLA FOLIA ITEM ADJUNCTA ANTHOLOGIAE ; PRO SCRIBENDI RATIONE IN DECIMUM
SECULUM REFERENDUS VIDETUR ESSE. NUNC JAM NON INVENITUR IN CODICE PALATINO
HEIDELBERGAM RELATO ; CUI PARS EXTREMA INDE A PAGINA DCXIV DEEST. *Sta* **347**,23–25
Inzwischen *bis* wiedergegeben] . . . NOSTRO TEMPORE POSTEAQUAM SPALETTI 1783
ET LEVESQUIUS CODICE PAL. COMPARATO EX ANTHOL. PALATINA EDIDERUNT CARMINA,
. . . *Sta* **347**,25.26 und ihre *bis* ersetzen] QUARE SPALETTII ET LEVESQUII EDITIONES
NOBIS CODICIS LOCO HABENDAE SUNT. . . *Sta* **347**,27–29 Von *bis* vermischt] [. . . In
der letztern] *(gemeint ist die* pfälzische Handschrift der Anthologie) verheißt
[die Überschrift] Trinklieder Anakreons in Hemijamben und anakreontische Ge-
dichte (ἀνακρεόντεια), also Älteres mit Jüngerem [gemischt. . .] *Er* **347**,29–33
Die *bis* sind] . . . EX HAC IPSA CARMINUM COLLOCATIONE EUM QUI OMNIA COLLEGIT
NON ANACREONTIS IPSIUS EDITIONEM SED DELECTUM QUENDAM CANTILENARUM IN
COMPOTATIONIBUS USITATARUM IN MANIBUS HABUISSE, QUAE ANACREONTIS QUIDEM NO-
MINE CIRCUMFEREBANTUR, SED RECENTI DEMUM TEMPORE COLLECTAE ERANT, LUCULEN-
TER APPARET . . . ATQUE QUOD GRAVISSIMUM EST, PRIMIS STATIM CARMINIBUS POETARUM

474

NOMINA INSCRIPTA SUNT... *Sta* **348**,1–3 Vermöge *bis* Beifall] ... ATQUI QUO MAGIS AEOLICA CARMINA ET A DEORUM CULTU, QUI ALIUS APUD ALIUM POPULUM VEL GENTEM ERAT, ET PLERUMQUE A RERUM PUBLICARUM CONDICIONE RECEDEBANT TOTAQUE IN REBUS VERSABANTUR, QUIBUS OMNIUM HOMINUM ANIMI PERAEQUE AFFICIUNTUR, EO FACILIUS PERCIPIEBANTUR OMNIBUS TEMPORIBUS IMITANDOQUE EXPRIMEBANTUR. QUID IGITUR MIRUM, QUOD EX QUO TEMPORE ANACREONTICA CARMINA H. STEPHANI CURA A. 1554 PRODIERUNT IN LUCEM, QUAE SI NON AEOLICA DIALECTO CONSCRIPTA TAMEN EASDEM RES EADEM RATIONE TRACTARE VIDEBANTUR, NON ALIUS FERE LIBER TANTA TOT DOCTISSIMORUM HOMINUM STUDIA EXCITARIT, TANTA POPULORUM ACCLAMATIONE ATQUE LAUDIBUS CUMULATUS SIT ... *Sta* **348**,3–8 Sie wurden *bis* Muster] *Keine Quelle nachgewiesen* **348**,8–23 ungeachtet *bis* apokryph] ... PRIMUS QUIDEM EXSTITIT *ROBORTELLUS*, VIR VERE CRITICUS, QUI ... HAEC OMNIA CARMINA NIHIL NISI INSULSOS QUOSDAM POSTERIORIS AEVI LUSUS ESSE PROFESSUS EST; CAUSSAS NON ADDIDIT ILLE EX MORE AETATIS, ... SECTATOREM INVENIT ACERRIMUM *PAUUM*, QUI IN SINGULIS CARMINIBUS INTERPRETANDIS EXTERNAS MAXIME NEC ADMODUM GRAVES CAUSSAS AD AUCTORITATEM CARMINUM INFRINGENDAM ATTULIT. MULTO MAGIS AD POETICAM CARMINUM RATIONEM ANIMADVERTIT TANAQ. *FABER* INDEQUE VERISSIME DE CARMINIBUS DIJUDICAVIT. NIHILO MINUS APUD PLURIMOS VIROS DOCTOS TANTA ANACREONTIS NOMINI HIS CARMINIBUS INSCRIPTO TRIBUEBATUR AUCTORITAS, UT ALII, *BARNESIUS* MAXIME, LIBERE IN TEXTU MUTANDO AD IONICAMQUE DIALECTUM CONFORMANDO GRASSARENTUR, ALII, INTER QUOS *BAXTER*, VEL MAXIMA METRORUM VITIA AUT SENTENTIARUM INEPTIAS MIRA PERTINACIA ANIMI DEFENDERENT ... *BENTLEJUS* ... SUMMUS FERE, QUI UNQUAM FUERE CRITICORUM, VIDERAT PAUCA ANACREONTIS GENUINA ADMIXTA ESSE MAGNAE IMITATIONUM EX DIVERSIS TEMPORIBUS REPETENDARUM FARRAGINI, ... *Sta* **348**,23–25 In einem *bis* HOMINUM] [Bentley sagt] in [dem] von Brunck mitgetheilten Briefe [von] 1711: MULTA QUIDEM IN ALIIS ANACREONTIS LOCIS EMENDATIONE INDIGENT: NON PAUCA ETIAM SUNT SPURIA, QUAE A GENUINIS DIGNOSCERE PAUCORUM ERIT HOMINUM: ... *Wel[3]* **348**,26.27: F. A. Wolf [sagt] in den Vorlesungen: »Die mehrsten Stücke sind von seculo 3. an und sind nachahmerische Spielwerke.« *Wel[3]* **348**,28.29 Ebendaselbst *bis* fortlaufe] [... und in den Vorles. über Griech. Litter. S. 222] (um 1800) [von der »leyermäßigen Art« derselben,] von der »monotonischen Leyer, worin das Ganze fortlaufe.« [...] *Wel[3]* **348**,29.30 Das allerwenigste *bis* ächt] ... QUARE OPTIME *HERMANNUS* ... TRIA CARMINUM GENERA IN ILLA ANACREONTICORUM ANTHOLOGIA INESSE STATUIT: »PAUCISSIMA VIDENTUR ANACREONTIS ESSE, PLERAQUE MULTO RECENTIORUM, QUAEDAM ETIAM PLANE IMPERITORUM HOMINUM SUNT,« ... *Sta* **348**,30.31 Während *bis* ausfindet] [... Bey einer in ihrer Art so einzigen Umwandlung des Urtheils ... ist es Herrn] Mehlhorn [nicht sehr zu verdenken, daß er in seiner mit Recht geschätzten Ausgabe der ANACREONTEA QUAE DICUNTUR 1825 nicht bloß davon ausgegangen ist, sondern auch dabey stehn geblieben ist zu

zeigen, was unächt sey und einem höheren Alter nicht angehören könne...
Darauf scheidet er nach den geeigneten Merkmalen ...] die [sicher] unächten
Stücke [aus,] deren er dreyßig ausfindet. [...] *Wel²* **348**,31–34 hebt *bis* zuspricht]
[Wir haben in Übereinstimmung mit den meisten Kritikern die Oden γ' (17),
θ' (12), με (38) nach Zeugnissen als ächte Anakreontische gelten lassen, diesen auch
nach Anspielung alter Autoren ιη (21), κδ' (2), νε (50) beyzufügen gewagt und]
dem Gehalte nach [ή (31), κθ' (7) und λ' (4), und weniger bestimmt auch λβ' (43)
und μδ' (37) ausgemerkt; ...] *Wel²* *(Zu Mörikes Numerierung s. die Synopse in
Band 8,1, S.391.392)* **348**,34.35 Dagegen *bis* Unterschied][...] Bergk [aber] verwirft
[auch das, was alte Autoren dem Anakreon zuschreiben,...] *Wel²* BERGKIUS
ED. ANACR. P. 4. P. 252 ALIIS LOCIS SUMMA ACERBITATE IN EA *(gemeint sind die* ANACREON-
TICA*)* INVEHITUR, OMNIA ANACREONTI ABJUDICANDA CENSET, ... *Sta* **348**,35–**349**,3
und *Bernhardy bis* beschäftigte] [... Doch] weist [uns] nichts in ältere, das
heißt vorchristliche Jahrhunderte zurück; [die früheste Autorität gibt Gellius;]
die Mehrzahl mag wenig vor Justinian entstanden sein, als der Betrieb erotischer
oder gesellschaftlicher Versifikation die feinsten wie die gewöhnlichsten Köpfe
beschäftigte. *By* **349**,4–21: [... Ganz anders] die Deutsche Philologie, [in welcher]
die sehr üble Stimmung gegen das Ganze dieser Gedichte, gegen Geist und Art
derselben aus dem Gefühl und Geschmack zuerst und am meisten, und zwar
nachdem [(merkwürdigerweise)] hierin Joh. Friedr. Fischer den Ton angegeben
hatte, entsprungen ist; eine Stimmung deren Widerstreit, nicht bloß gegen das
Urtheil der vorzüglichsten unter den älteren Philologen *(dazu Anmerkung:* Brunck
[... sagt, Constantin Kephalas habe den Überbleibseln des Anakreon manche
andre Lieder beygemischt, ...]*)*, gegen das eines Lessing und einer ganzen früheren Litteraturperiode, sondern auch gegen die Stimmen bedeutender ausländi-
scher Dichter und andrer Gebildeten unsrer Zeit Befremden und Neugierde erregen muß. Unter der zuletzt genannten Klasse darf man Th. Moore und Esaias
Tegnér auszeichnen. Jener, der durch die wenigstens zehnmal aufgelegte Übersetzung des Anakreon zuerst seinen Namen berühmt gemacht hat, steht nicht an
die Anakreontea für die gebildetsten Überbleibsel des Alterthums zu erklären.
[...] Der Schwedische Dichter schrieb in Lund im Jahr 1801 eine Dissertation
VITA ANACREONTIS [(17 S. in 4),] worin er, die Frage der Unächtheit ablehnend, die
Gedichte preist, einen fast durchgängig belehrenden und bildenden Charakter
derselben behauptet [... und unter andern bemerkt ...:...] *Wel³*

ÜBER ANAKREONS POESIE UND DIE
SOG. ANAKREONTEA

Band 8,1   Seite 350–359

Im Aufbau wie in den Einzelheiten hält sich die Einführung »Über Anakreons Poesie und die sog. Anakreontea« eng an die Untersuchung von Stark (Sta), die Mörike als wichtigste Quelle nennt. (Vgl. Band 8,1, S. 340, Z. 3–8). Daneben treten die anderen Quellen weit zurück. Sie werden jede kaum mehr als einmal benutzt.

Häufiger als in der »Einleitung« äußert sich Mörike in diesem zweiten Einführungsteil auch ohne Quelle. (Man vergleiche dazu die folgenden Stellen: Band 8,1, S. 351, Z. 25.26; S. 352, Z. 30.31; S. 354, Z. 5; S. 355, Z. 2–7; S. 355, Z. 8–11; S. 356, Z. 18; S. 357, Z.1; S. 357, Z. 8.9; S. 357, Z. 11.12; S. 357, Z. 18–21; S. 357, Z. 36 und S. 358, Z. 1.2; S. 358, Z. 24–26.) Dies hängt wohl damit zusammen, daß es sich bei der »Einleitung« mehr um die Vermittlung von Tatsachen der Biographie und der Überlieferung handelt, die leicht übernommen werden können, während hier Mörikes eigenes Urteil unmittelbar angesprochen ist. Auch wird sicher vieles, was Mörike von den angegebenen Quellen übernommen hat, von ihm so frei wiedergegeben, daß eine Übernahme nicht mehr nachgewiesen werden kann. So entsteht eine im ganzen recht selbständige Darstellung von Anakreons Dichtung und deren Nachwirkung in den »sog. Anakreontea«.

Die im folgenden abgedruckten Quellentexte zitieren Anakreons »Fragmente« nach der Ausgabe von Bergk (Bk¹). Mörikes entsprechende Zählung findet der Benutzer mit Hilfe der Synopse in Band 8,1, S.363.364. Die »Anakreontischen Lieder« werden von den Quellentexten nach den Ausgaben von Moebius, Halle 1810, und von Mehlhorn, Glogau 1825, zitiert. Arabische Ziffern in den Quellentexten weisen auf die Ausgabe Moebius. Griechische Buchstaben in den Quellentexten weisen auf die Ausgabe Mehlhorn. Mörikes entsprechende Zählung findet der Benutzer mit Hilfe der Synopse in Band 8,1, S.391.392. Die Ausgabe Moebius erscheint dort als ED. VULG.

Benutzte Quellen: Me, Wel³, By, Sta, Pa²

HINWEISE ZUR QUELLENBENUTZUNG

350,3–5 Es werden *bis* überliefert] ... QUATUOR AUTEM MAXIME LYRICAE POESEOS GENERA COMMEMORANTUR, IN QUIBUS ELABORAVERIT ANACREON, EX OMNIBUSQUE ADHUC EXSTANT FRAGMENTA: ὕμνοι, μέλη (σκόλια), ἴαμβοι, ἐλεγεῖα ... *Sta* **350**,5.6 von den Hymnen *bis* Auswahl] *Keine Quelle nachgewiesen* **350**,6–9 Sie waren *bis* Herzens] [... die Hymnen im Tone der Äolischen (ὕμνοι κλητικοί) gefaßt und mit den schmelzenden glykonischen Rhythmen (besonders im sogenannten METRUM ANACREONTIUM) ausgestattet] verwebten die Götter in die [sehnsüchtigen] Wünsche des Herzens; [...] By   350,10–21 Die *melische* Poesie *bis* aussprachen] ... IN UNIVERSUM QUIDEM μέλος ELEGIS, IAMBIS, EPIGRAMMATIBUS OPPONITUR ... CARMINA ENIM ILLA QUAE μέλη DICUNTUR SEMPER AD INSTRUMENTUM MUSICUM UT LYRAM, CITHARAM CANEBANTUR, NUNQUAM RECITABANTUR. MOX AUTEM INTER MELICA CARMINA DUO MAXIME GENERA DISJUNGEBANTUR; ALTERUM (χορικὴ ποίησις) A CHORIS AD ID IPSUM EXERCITATIS CANEBATUR, STROPHIS UTEBATUR SUMMA ARTE ELABORATIS, SALTATIONE ADJUVABATUR, TOTUM IN PUBLICIS REBUS, IN FESTIS DIEBUS VERSABATUR, ALTERUM A SINGULIS AUT PLURIBUS AD LYRAM CANEBATUR, AUT EODEM PLANE METRO SEMPER REPETITO LEVITER FLUEBAT AUT STROPHIS BREVIBUS NEQUE ARTIFICIOSIS CONTINEBATUR, QUAE POETAE ANIMUM MOVERENT, DECLARABAT. *Sta* 350,21– 351,12 Diese zweite Art *bis* Durchbildung] *Keine Quelle nachgewiesen* 351,12–17 Vor Allem *bis* gehören] IN AMORE AUTEM EJUSQUE ET DELICIIS ET CRUCIATIBUS MAXIME VERSARI ANACREONTIS MELICA CARMINA NON MIRABERE, PRAESERTIM SI IONIAE SITUM, POPULI NATURAE FACILE EXCITATAM ... RESPICIS... QUARE AUT CUM ALCAEO, AUT CUM SAPPHO CONJUNGEBATUR UBI EROTICORUM CARMINUM RATIO HABEBATUR... AT NON IN AMORE SOLUM ANACREONTIS μέλη VERSANTUR; NON TANTO AMORIS ARDORE UT SAPPHO UREBATUR, UT ALIAS RES PLANE NON CURARET, ... DIONYSUM ... NON MINUS QUAM AMOREM CELEBRAVIT. QUARE SUIDAS I. 1. παροίνια ANACREONTIS COMMEMORAT; ... EX PROCLI ENIM CHRESTHOMATHIA ... PLANE APPARET παροίνια NIHIL ALIUD QUAM UNIVERSE CARMINA INTER SCYPHOS CANTATA SIGNIFICASSE, QUORUM SPECIES FUERINT σκόλια ... *Sta* 351,18.19: *Keine Quelle nachgewiesen* 351,20.21: ... PRAECEPTA, QUAE AD MORES EMENDANDOS SPECTANT SAEPISSIMEQUE IN SCOLIIS PROFEREBANTUR, NON APUD ANACREONTEM INVENIMUS, NISI QUOD FR. 62. 69 AD CLAMOREM SCYTHICUM FUGIENDUM ADHORTATUR... *Sta* 351,22–25 Sehr bezeichnend *bis* Polemik dient] QUOD NOVUM SEQUITUR CARMINUM GENUS ἴαμβοι, IN EO POETA MAXIME ET IONICAM STIRPEM ET SUAM IPSIUS NATURAM COMPROBAT. UT ENIM AMORES ATQUE HILARITAS ANIMI VERSIBUS IPSIS EXPRIMEBANTUR, SIC IRAE ATQUE ODIUM NON MENTE RECONDITA MANEBANT SED EFFUNDEBANTUR CARMINIBUS. *Sta* 351,25.26 Bei unserem *bis* mit ein] *Keine Quelle nachgewiesen. Wohl Bemerkung Mörikes* 351,26–31 Begreiflich *bis* Fragm. 15 (und 27)] ... SED ALIA EST CETERORUM IONICORUM LYRICORUM ATQUE ANACREONTIS RATIO ... DUM ENIM ILLI IN REBUS PUBLICIS VERSANTUR ET PRO παῤῥησίᾳ ILLA, QUAM POSTERIORE TEMPORE ATHENIENSES SEMPER LIBERTATIS PALLADIUM ESSE STATUERUNT, ACERRIMIS IAMBIS EOS, QUI AD GUBERNACULA REI PUBLICAE SEDEBANT, PERSEQUEBANTUR, ANACREONTIS, QUI TYRANNIS CONJUNCTISSIMUS A POLITICO ILLO STUDIO ATQUE CONTENTIONE ABHORREBAT, IAMBI AUT IN AMATOS, QUI REPUDIARUNT POETAM ALIIS GRATIAM LATURI, AUT IN EOS, QUI PECUNIA MAXIME AMATAS SIBI CONCILIARANT, CAVILLATIONIBUS INVEHEBANTUR ... NIHILOMINUS PATRIAM IPSI CORDI FUISSE FR. 33. 76 PROBANT, UBI DE PATRIAE MISERIA QUERITUR; ... *Sta* 351,31–33 wenn das *bis* sein könnte] *Keine Quelle nachgewiesen* **351**,33–35 Erwähnt *bis* angehörte] *(vgl. zu* 351,22–25) Quod novum sequitur carminum genus ἴαμβοι, in eo poeta maxime et Ionicam stirpem et suam ipsius naturam comprobat.... *Sta* **351**,35.36 während *bis* anlehnte] *Keine Quelle nachgewiesen* **352**,1–3: *ELEGIAS* denique silentio praetermittere non possumus, ... Quae una servatur ab Athenaeo XI, p. 463 elegia, et ipsa ad compotationem pertinet. Ex epigrammatibus cum nonnulla manifesto ad seriorem aetatem pertineant, in aliis Doricae formae cum Ionicis permixtae sint, difficile aliquid ad Anacreontis imaginem proponendam elicias ... *Sta* **352**,4–10: *Keine Quelle nachgewiesen* **352**,11–25 Was zuvörderst *bis* umhergetrieben denken] Quod ad *AMATORIAM* poesin attinet, ante omnia num ex vero poetae sensu profecta sint carmina ... videndum. Atqui ut de amatis illis, quos urebat Anacreon, loquar, et pueris et puellis illum placuisse constat ... Inter pueros autem tres potissimum amore amplexus est eosque carminibus celebravit Bathyllum, Megisten, Smerdian Thracem ... Smerdian alloquitur poeta fr. 6 eumque sine dubio intellegit, cum fr. 47 de juvene Thraciam comam movente dicat. Megisthae mentionem facit fr. 39, qui jam decem mensibus viticea corona vinctus bibat. Bathylli quidem vestigium non invenitur in fragmentis, sed duorum aliorum, quos summo amore persequitur poeta, Cleobuli et Leucaspidos... Inter puellas autem Eurypyle saepissime commemoratur, quae placuerit poetae.... Eurypylem quod ipsi eripuerit Artemon, acerbissime in eum fr. 19 invehitur. Utrum Lesbia fuerit cf. fr. 19 Eurypyle an Thracia cf. fr. 7, non dijudicarim. Affertur etiam carmen in Callicriten, Cyanae filiam, a Platone Theag. p. 125 D... Transeamus ad varia fata, quae in amore ipso perpessus sit poeta, in carminibus investiganda ... Δυσέρωτα igitur vocat Leonidas lyram, ... Jam fluctuantem Anacreontis animum amore, spe, invidia, dolore distractum nobis fingamus; eundem quam maxime in fragmentis expressum reperiemus... *Sta* **352**,25–28 und wenn *bis* grundlos sein] *Keine Quelle nachgewiesen* **352**,28–30 Bernhardy *bis* geliefert] [... Ein wesentlicher Teil dieses Hofstaates waren Edelknaben, welche] dem [Fürsten und seinem] Dichter [einen reichen] Stoff [für Lustbarkeiten und] ein künstliches Spiel in eifersüchtiger Galanterie lieferten: [...] *By* **352**,30–34 Wir können *bis* behandelt werden] *Keine Quelle nachgewiesen. Wohl Bemerkung Mörikes* **352**,34–**353**,2 Im Ganzen *bis* kein trivialer Zug] Omnia produnt excitatum poetae ingenium, omnia redolent commotum Ionum animum conjunctum cum Aeolico calore, nihil communis atque usitati, nihil ficti atque excogitati; hic vere pectus facit poetam. *Sta* **353**,3–19: Plane alia est Anacreonteorum ratio. Ex pueris, quos amasse amatosque carminibus celebrasse dicitur Anacreon, Bathylli solius mentio fit 17 (γ'), 15. 12 (θ'), 29 (ις') v. 1, 9 (ιδ'), 7, 21 (ιρ'), 10. Cybebes autem quidam 54 (να') commemoratur, ... Puellae nomen nunquam nobis obvenit

NEQUE OMNINO CERTA QUAEDAM SIGNIFICATUR NISI 28 (ιε'), UBI POETA τὴν ἐμὴν ἑταίρην
PINGI JUBET, ... CUM EX PAUCIS ILLIS, QUOS ADAMAVIT ANACREON, PUERIS ET PUELLIS
INNUMERABILEM PAENE AMICARUM ATQUE MINISTRORUM BIBENDI MULTITUDINEM FACTAM
ESSE, CUM FERVIDO AMORIS CALORE COMMUTATAM FESTIVAM QUANDAM ATQUE PETULAN-
TEM LASCIVIAM VIDEAMUS QUAE AB OMNI ANIMI MOTU ALIENA NIHIL SPECTAT NISI UT
LEVISSIMAE CUPIDITATI SATISFACIAT, QUID MIRERE, SI AMORIS ILLIUS JUVENIS ..., QUI
IN SUMMIS MONTIUM CACUMINIBUS VERSATUR, ... CUI OMNES PARENT DII HOMINESQUE
..., QUI SECURI CONCUTIT ANIMUM AUT PURPUREA PILA AD LUSUM INVITAT, HUJUS IGITUR
AMORIS LOCO CONSPICIMUS PUSILLUM ILLUM (βρέφος) IMBRE MADIDUM, PORTAM PUL-
SANTEM ... AUT APICULAE ACULEO LAESUM ATQUE DOLORE CONCLAMANTEM ...? NE
PUGNATOR ILLE QUIDEM AMOR QUALIS FINGITUR 14 (ιβ') NOS POTENTIAM DEI REVERERI
FACIT, STATIM ENIM POETAM DEUM QUASI LUDIBRIUM SIBI FINXISSE APPARET ... ATQUE
RECTISSIME ἐρωτικά ILLA CARMINA, QUAE REPERIUNTUR INTER ANACREONTEA, συμπο-
σιακῶν TITULO CONTINENTUR QUIPPE QUAE A CERTI CUJUSDAM POETAE INGENIO PLANE
ALIENA COMMUNI SODALIUM FESTIVITATI INSERVIANT; ... *Sta* **353**,20–32 Bei den
eigentlichen *bis* absticht] IN PAROENIIS QUIDEM DIFFICILE, PROPRIAM ANACREONTIS
POETICAM RATIONEM, QUIBUS IN REBUS FRAGMENTA AB ANACREONTEIS DIFFERANT DIS-
CREVERIS, CUM ARGUMENTUM FERE IN SODALIBUS EXCITANDIS, VINO EJUSQUE CULTORE
BACCHO LAUDANDO VERSETUR; NIHILOMINUS NUM VESTIGIA QUAEDAM ETSI OBSCURA
APPAREANT VIDEAMUS. AD INITIUM COMMISSATIONIS SPECTANT FR. XL. LXI. LXII, QUIBUS
PUER AQUAM, VINUM, CORONAS APPORTARE JUBETUR; IN SECUNDO STATIM AGNOSCIMUS
POETAM AB IMMODERATA CUPIDITATE ATQUE LASCIVIA ABHORRENTEM, NAM NE SCYTHICUM
CLAMOREM TOLLANT, MONET, POTIUS PULCROS HYMNOS INTER BIBENDUM CANENDOS
ESSE DICIT ... ATQUE VEL IN OPTANDO MODUM NE EXCEDAT VERETUR, QUARE NON
CORNU AMALTHEUM, NON ARGANTHONII AETATEM REGNUMQUE TARTESSIUM EXPETIT
FR. VIII ... MULTO MAJOREM VARIETATEM INVENIES IN ANACREONTEIS MAJOREMQUE
ARTEM, QUAE A SIMPLICITATE ANACREONTIS SAEPE ABHORREAT ... *Sta* **353**,32–34 So
z.B. *bis* Unkenntlichen] Keine Quelle nachgewiesen **353**,34–**354**,4 Wenn sie *bis*
Fragm. 21] ... NULLANE IN FRAGMENTIS SENECTUTIS MENTIO FIT? SANE SENEM SE
PRODIT POETA FR. XLI. LXXX. XV. XXIII.; MORTIS QUOQUE MEMINIT SED HORRORE
AFFECTUS EJULATUR CUM TARTARUM ADSPICIAT, E QUA REDIRE NON LICEAT FR. XLI,
NON ALIUM ESSE CENSET LABORUM FINEM NISI MORS ABSIT FR. XLVIII. ... *Sta* **354**,5
Hier *bis* erlaubt] Keine Quelle nachgewiesen. Wohl Bemerkung Mörikes **354**,5–18 Er
bis gehören] [...] Daß die Lieder der langen späteren und [vielleicht bis zur]
spätesten Lebensperiode, obgleich auch von Wein und Liebe erfüllt, doch dem
Geiste nach von denen aus dem rauschenden Leben in Samos und Athen sich
sehr stark unterschieden, [ist] natürlicherweise vorauszusetzen. In ihnen mag
der Charakter sanfter Freude und Behaglichkeit, eines poetischen Spiels mit der
Lust und jener anmuthigen und naiven Unschuld bey den freyesten Grundsätzen

sich entwickelt haben, der diesen Dichter von allen unterschied und der späterhin wegen der Vorliebe dafür und vermöge der Nachahmungen aus einer Zeit,
welcher die gewaltige Leidenschaft nicht mehr gemäß und [ansprechend] war,
als alleiniger Anakreontischer Styl aufgefaßt worden ist. [. . .] Einen Begriff von
dieser Klasse geben vorzüglich FR. [15.79.80.92 (OD. μέ), und FR. 42.61.62.64] möchten auch dahin gehören. [. . .] Wel³ **354**,20–24: *Keine Quelle nachgewiesen* **354**,25–
355,2 Die Anakreontea *bis* gab] . . . IN EO *(erg.* CARMINUM GENERE*),* QUOD NUNC
NOBIS TRACTANDUM EST, AD POETAE PERSONAM COGNOSCENDAM IMAGINES IPSAE PRO-
POSITAE NIHIL CONFERUNT. IN UNIVERSUM ID QUIDEM TENENDUM EST, LEPIDUM HOC
CARMINUM GENUS, IN QUO ACUMEN QUODDAM INGENII, NON ELATUS POETAE ANIMUS
APPARET, PLANE AB ANACREONTE ABHORRERE NEQUE ANTE ALEXANDRINORUM POETA-
RUM FLOREM PONENDUM ESSE; QUIN PERMULTA JULIANI JUSTINIANIQUE TEMPORE EX
EPIGRAMMATIBUS SOLUTIS EXORTA VIDENTUR . . . ACCEDIT QUOD PINGENDI ARS, QUAE
ANACREONTIS TEMPORE VIX EX PRIMIS RUDIMENTIS EMERSIT SOLUMQUE IN DEIS EFFIN-
GENDIS VERSABATUR, CUM EX DEORUM TEMPLIS IN PRIVATORUM HOMINUM AEDES, EX
DEORUM SEVERITATE AD RES HUMANAS LUSUSQUE LEPIDOS DESCENDISSET, ANSAM SAEPIS-
SIME PRAEBUIT ANACREONTEIS ILLIS PANGENDIS . . . *Sta* **355**,2–13 Uns *bis* Dialekt] *Keine
Quelle nachgewiesen. Wohl Bemerkung Mörikes* **355**,14–18 Natürlich *bis* angemessen
war] . . . UT ERAT EX IONIA ORIUNDUS, ITA IONICA DIALECTO UTITUR, QUAE FORMAS
VERBORUM MAXIME LAEVES, MOLLES ATQUE SUAVES SUPPEDITAT, . . . EI AUTEM MATERIAE,
QUAM POETA TRACTAVIT, NON FUIT QUAEQUAM GRAECAE LINGUAE DIALECTUS ACCOMO-
DATIOR, QUAM IONICA, QUAE QUAM MAXIME LAEVIS ET EXPOLITA EST, QUIDQUID ASPE-
RIUS SONAT, FUGIENS . . . *Me* ANACREONTEM IONICA DIALECTO SCRIPSISSE JAM EX
EO VERISIMILE EST, QUOD IN IONICA URBE TEI NATUS IN IONICIS URBIBUS SAMI, ATHENIS,
ABDERAE PER TOTUM FERE VITAM COMMORATUS EST. NEQUE DESUNT LUCULENTISSIMA
VETERUM TESTIMONIA; . . . *Sta* **355**, 18–22 Nun *bis* was nicht] SED HAEC OMNIA IN
UNIVERSUM DICTA CERTAM QUANDAM REGULAM IN DIJUDICANDIS ANACREONTEIS NON
PRAEBENT; . . . MAGNIS ENIM TENEBRIS DIALECTORUM DOCTRINA ADHUC INVOLUTA
EST . . . *Sta* **355**,22–24 Dessenungeachtet *bis* zukommt] . . . IPSAE CARMINUM RELIQUIAE
SATIS SUPERQUE DOCENT ANACREONTEM IIS VERBIS ET VERBORUM FORMIS USUM ESSE,
QUAE IONIBUS PROPRIAE ERANT . . . *Me* **355**,25–28 Wenn er *bis* Dialekte] . . . ATQUE
VIDEMUS ANACREONTEM IN HIS VERSIBUS ETIAM VERBORUM FORMAS DORICAS, SED CUM
TEMPERAMENTO, ADMISCUISSE IONICIS. HUC ACCEDIT, QUOD ARGUMENTUM ET SENTEN-
TIAE HORUM CARMINUM, QUANTUM QUIDEM EX RELIQUIIS EXIGUIS COLLIGERE POSSUMUS,
NON FUERUNT LEVES ET VOLUPTARIAE, SED SEVERIORES ET GRANDIORES . . . *Me* . . . ID
QUIDEM STATUENDUM EST, RARISSIME TANTUM NEQUE NISI COGENTE QUODAMMODO SEN-
TENTIARUM NATURA AD DORICAM DIALECTUM IMMUTASSE VOCABULORUM VOCALES ANA-
CREONTEM, NUNQUAM PERMISCUE DORICA ET IONICA DIALECTO USUM FUISSE . . . *Sta*
355,28–**356**,4 Dagegen *bis* genommen] . . . MAGNA AUTEM APPARET IN PLURIMIS

CARMINIBUS *(gemeint sind die »Anakreonteen«)* DIALECTORUM CONFUSIO: DORICAE FORMAE INTERMIXTAE USURPANTUR IONICIS SINE ULLA ARGUMENTI CAUSSA; PLANE ATTICAE FORMAE, QUIN QUAE NISI SERIORE AETATE NON LOCIS COMPROBANTUR, AD EPICAS FORMAS APPONUNTUR... TRES POTISSIMUM CAUSSAS HUJUS DIALECTORUM CONFUSIONIS STATUERIS, QUARUM PRIMA IN POETARUM SERIORIS AETATIS MORE, SECUNDA IN EA RATIONE, QUA HAEC CARMINA PROPAGATA SINT INTER HOMINES, TERTIA IN LIBRARIORUM INCURIA INSIT. OPTIME JACOBSIUS PRAEF. AD ANTHOL. PAL. P. XL. P. XLII DEMONSTRAVIT, QUOMODO »POSTQUAM UNUMQUODQUE GENUS POESEOS PATRIAE, UBI NATUM ET EDUCATUM FUERAT, FINIBUS EGRESSUM PEREGRINARI ET CUM EXTERIS POPULIS COMMUNICARI COEPIT, CUM DIALECTI NON JAM IN ORE HOMINUM VIGERENT SED IN PUTRIDIS CHARTIS DELITESCERENT, USU VENIRE COEPERIT UT IIDEM HOMINES DIVERSIS IN SCRIBENDO DIALECTIS UTERENTUR, POETAE ADSUESCERENT DIALECTO IONICAE DORICIS PASSIM FORMIS MODESTE IMMIXTIS MAJOREM CONCILIARE SONUM.« QUAM SECUNDO LOCO POSUI CAUSSAM, EA LATISSIME PATET; CARMINA ENIM, QUAE PER LONGUM TEMPUS POPULI ORE CIRCUMFEREBANTUR, CANENDO PROPAGABANTUR UT INFRA VIDEBIMUS, IIS QUIN ET TEMPORUM ET REGIONUM ET HOMINUM VESTIGIA IMPRIMERENTUR FIERI NON POTERAT; ... NEQUE LIBRARII AB OMNI CULPA LIBERANDI SUNT, CUM UBI IDEM EPIGRAMMA BIS IN MEMBRANIS ANTHOLOGIAE, CUJUS FATIS ANACREONTEA CONJUNCTISSIMA SUNT, EXHIBETUR, RARO EADEM IN UTROQUE LOCO CIRCA DIALECTOS OBTINEAT RATIO... *Sta* **356**,5–10: ...ANACREONTEA CARMINA PERSCRUTANTEM QUIN SUMMA ILLA ASYNDETORUM MULTITUDO OFFENDAT FIERI NON POTEST ... NEGARI NON POTEST IN HAC IPSA PARTICULARUM INOPIA LINGUAE LONGO USU ATTRITAE VESTIGIA APPARERE ... EX HIS OMNIBUS APPAREBIT SINE FRUCTU NE SYNTACTICAM QUIDEM GENUINORUM FRAGMENTORUM QUAMVIS BREVIUM ANACREONTEORUMQUE RATIONEM COMPARARI. *Sta* **356**,11–17: CUM IN UNIVERSUM GRAECORUM POESIS ADMIRABILI ILLA METRORUM VARIETATE ATQUE PULCRITUDINE OMNES QUI UNQUAM FUERE POPULOS FACILE VINCAT TUM ID MAXIME DE LYRICA POESI, QUIPPE QUAE SEMPER ARTISSIMIS VINCULIS CUM MUSICA ARTE CONJUNGATUR, PRAEDICANDUM EST. NON FACILE INTER VETERES ILLOS LYRICOS DICENDUS SIT ALIQUIS, CUJUS NOMINE NON UNUM ALTERUMVE METRUM AB EO INVENTUM INSCRIPTUM SIT; ... ID IPSUM IN ANACREONTEM CADERE ET FRAGMENTA ET SCRIPTORUM TESTIMONIA SATIS AMPLA DEMONSTRANT; ... *Sta* **356**,18: *Keine Quelle nachgewiesen. Wohl Bemerkung Mörikes* **356**,19.20: EX VERSIBUS MIXTIS GLYCONEI AB ANACREONTE NON SOLUM USURPABANTUR SED CERTIS QUIBUSDAM LEGIBUS MAGIS DEFINIEBANTUR; ... GLYCONEIS VERSIBUS AUTEM ADMISCUIT PHERECRATEOS, NON EUNDEM QUIDEM UBIQUE VERSUUM NUMERUM OBSERVANS, ATTAMEN NON SINE REGULA. AUT ENIM BINIS ET QUATERNIS GLYCONEIS INTERPOSUIT PHERECRATEUM CF. FR. I. II. III. V AUT TERNIS CF. FR. IV. VII. VIII. XV. EX GLYCONEO ET PHERECRATEO QUI COMPOSITUS EST VERSUS PRIAPEIUS, EJUS EXEMPLUM AFFERTUR APUD HEPHAEST. P. 59, QUOD AD ANACREONTEM PERTINERE EX ALIO LOCO APPARET, FR. XVI... *Sta* **356**,21–24: ... *TRIMETRO CHORIAMBICO CATALECTO* USUM ESSE ANACREON-

TEM AUCTOR EST HEPHAESTIO P. 52. EXEMPLI LOCO PROPONENS FR. XXVIII ... IDEM
METRUM BIS RESTITUI ANACREONTI FR. XXIX ET XXX ... PRO PRIMO CHORIAMBO PO-
SITA EST IAMBICA DIPODIA FR. XXX: ... *Bk¹* LATIUS PATET *CHORIAMBICORUM*
VERSUUM USUS: TRIMETER *CATALECTICUS* SERVIO TESTE ANACREONTIUS DICEBATUR,
... *Sta* **356**,25–27 III. *Ionische bis* Brechung] ... *IONICI VERSUS* UT EX IONIBUS
NOMEN ACCEPISSE DICUNTUR SCHOL. HEPH. ED. G. P. 160 ITA AD ANACREONTEM VERE
IONICUM POETAM MAXIME PERTINENT. AB EO IPSO AUTEM IMMUTATUS EST VERSUS IONI-
CUS A MINORI; CUM ENIM AEOLENSES LYRICI RELIGIOSE EX PURIS IONICIS PEDIBUS FACE-
RENT, ANACLUSI USUS EST IN EAQUE PRIMAM ARSIM SOLVIT ... *Sta* **356**,27.28 Nr. 16
bis Vorschlagsilbe] FRAGMENTUM XLIV. TETRAMETRUM IONICUM ACATALECTUM ESSE,
CUI ANACRUSIS LONGA PRAEMISSA EST, EXISTIMO: ... *Bk¹* **356**,28.29 19. *bis* bezeichnet]
DIMETROS IONICOS FREQUENTISSIME USURPAVIT ANACREON, UNDE A GRAMMATICIS
HOC GENUS METRI ANACREONTICUM APPELLATUS EST: UT A SERVIO P. 1823: »ANACREON-
TIUM CONSTAT DIMETRO ACATALECTO.« ... *Bk¹* **356**,29–31 Hieher *bis* behandelt
sind] AD EUNDEM TETRAMETRORUM NUMERUM REVOCAVI VENUSTISSIMUM CARMEN (FR.
XLI.), QUOD VULGO MALE IN DIMETROS DIVISUM ERAT: ... *Bk¹* **356**,32: ... EX
DACTYLICIS METRIS TETRAMETER CATALECTICUS ... NOMINANDUS EST; HUC QUOQUE
REFERENDUS VERSUS LOGAOEDICUS, ... CF. FR. LXXIV – LXXVIII ... *Sta* **356**,33.34:
... INTER *TROCHAICA* METRA TETRAMETRO ACATALECTO USUM ESSE POETAM AP-
PARET ... EX FRAGMENTIS LXXIX – LXXXIII, NEQUE DIVERSA VIDENTUR ESSE DIMETRA
ACATALECTA, QUAE A PLOTIO P. 2648. HEPH. ED. G. P. 261 ANACREONTIA DICUNTUR ... *Sta*
356,35.36: ... INTER *IAMBICA* METRA ANACREON TETRAMETRO IAMBICO CATALEC-
TICO FR. LXXXIV, TRIMETRO ACATALECTO FR. LXXXV – LXXXVIII, ... DIMETRO ACA-
TALECTO LXXXIX – XCI, DIMETRO CATALECTO USUS EST FR. XCII, QUOD ET IPSUM
ANACREONTIUM DICTUM ESSE TESTATUR HEPHAEST. L. L.: ... *Sta* **357**,1: *Keine Quelle*
nachgewiesen. Wohl Bemerkung Mörikes **357**,2.3: ... CONTRARIA PLANE EST ANACRE-
ONTEORUM CONDICIO, QUAE ... DUOBUS MAXIME METRIS FACILLIMIS CONSCRIPTA SUNT,
... *Sta* ... ITAQUE IAM DE STROPHARUM RATIONE IN ANACREONTEIS DICENDUM EST.
ET HIC QUOQUE AUCTOR ET DUX MIHI FUIT SUMMUS HERMANNUS, QUI IN ELEM. METR.
P. 479. SQQ. PLURA HORUM CARMINUM NON κατὰ στίχον SED κατὰ σχέσιν SCRIPTA
ESSE, EXEMPLIS ALLATIS DOCUIT ... *Me* **357**,4–6: ... *DIMETRI* IAMBICI CATALECTICI
UT IURE ANACREONTI VINDICANTUR, QUAMQUAM UNUM HOC METRO CONSCRIPTUM
FRAGMENTUM EXSTAT, SAEPISSIME IN ANACREONTEIS REPERIUNTUR; ... *Sta* **357**,7.8
II. *Der katal. bis* Ionikers] INTER DIMETROS IONICOS A MINORI CATALECTICOS PURI
PER UNUM CARMEN TOTUM PERPETUANTUR NEC SINE SINGULARI QUADAM CONDICIONE,
OMNIUM ENIM ANACRUSES CONTRACTAE SUNT ... NEQUE DESUNT EXEMPLA UBI PURI
CUM ANACLOMENIS MISCENTUR ... IN PLERISQUE AUTEM CARMINIBUS DIMETRI IONICI
ANACLASIN HABENT ... *Sta* **357**,8–12 Eben *bis* fehlt] *Bemerkung Mörikes* **357**,13–18
In beiden *bis* gefragt wurde] ... QUAE *(gemeint sind die »Anakreonteen«)* QUANQUAM

DUOBUS MAXIME METRIS FACILLIMIS CONSCRIPTA SUNT, TAMEN ET HORUM IPSORUM PROSODIAEQUE LEGES HAUD RARO OFFENDUNT ... JAM EX METRORUM SIMPLICITATE AC LEVITATE IN POSTERIORUM SECULORUM INSCITIAM ATQUE NEGLIGENTIAM INCIDIMUS, CUJUS VESTIGIA SATIS CLARA IN ANACREONTEIS EXSTANT. ACCENTUS ENIM VIS, QUAE JAM IN LINGUA QUOTIDIANA SUB GRAECARUM CIVITATUM LABEFACTAM LIBERTATEM MAGNOPERE PRAEPOLLEBAT, EO MAGIS AUCTA EST, QUO LATIUS VULGABATUR GRAECAE LINGUAE USUS, NEQUE JAM AURES CANENDIS RECITANDISQUE CARMINIBUS VETERUM QUAN-TITATIS QUAE DICITUR SYLLABARUM LEGIBUS, QUIBUS ADMIRABILIS ILLORUM METRORUM VARIETAS ATQUE EUPHONIA NITEBATUR, IMBUEBANTUR. ITA FACTUM EST UT LABES ILLA EX LINGUA QUOTIDIANA IN DOCTORUM HOMINUM LIBROS, QUIN IN CARMINA IPSA INVA-DERET... *Sta* **357**,18–21 Wir *bis* abgefaßt ist] *Bemerkung Mörikes* **357**,21–23 wobei *bis* habe] ... DUO ENIM EXSTANT CARMINA 24 (λη′). FR. III (λθ′), IN QUIBUS NIHIL ALIUD CURARUNT POETAE NISI UT OCTENAE SYLLABAE VERSUM EFFICERENT IN PENULTIMAQUE PONERETUR ACCENTUS ... *Sta* **357**,23–34 Hier *bis* aufnahm] ... RESTAT ADHUC UT PAUCA DE CONSONANTIA LITTERARUM, QUAE APUD NOSTRATES DICITUR ALLITERATIO, ADJICIAM, QUAE IN ANACREONTEIS LATISSIME PATET NEQUE TAMEN A QUOQUAM NISI LEVITER COMMEMORATA EST. IN UNIVERSUM UT IDEM HIS IN REBUS GRAECAE LINGUAE EVENIAT, QUOD PRAECLARA NAEKII DE ALLITERATIONE DISSERTATIONE CF. MUS. RHEN. 1829 III, 2 NACTA EST LINGUA LATINA, MAXIME OPTANDUM SIT. PAUCA EJUS DE GRAECO-RUM ALLITERATIONE, QUAE DICITUR, VERBA APPONAM: »GRAECI UT VIM FACTAE SUO LOCO ALLITERATIONIS MINIME IGNORAVERUNT NEQUE POTUERUNT IGNORARE QUO ERANT INGENIO AD OMNEM ELEGANTIAM PROMTISSIMO, SED IN SONIS LITTERARUM UBI RES FERE-BAT ATQUE OCCASIO, NULLO NON MODO ELABORAVERUNT ET LUSERUNT, ITA – NUNQUAM CUPIDITATE ALLITERATIONIS – EA SE ABRIPI PASSI SUNT, QUAE POSSIT CUM CUPIDITATE ROMANORUM COMPARARI.« ... CERTO SI QUI FUIT ALLITERATIONIS APUD GRAECOS USUS NONNISI MODICUS FUIT; OMNIA IGITUR CARMINA, IN QUIBUS SAEPE OCCURRIT, AD POSTERIOREM AETATEM RELEGANDA VIDENTUR, UBI HOMINES NON JAM VETERI MUSICAE VETERIBUS RHYTHMIS ASSUETI HOC VOCABULORUM TINNITU GAUDEBANT; ... *Sta* **357**,34–**358**,2 In den *bis* möchte] *Keine Quelle nachgewiesen. Wohl Bemerkung Mörikes* **358**,3–20: ... IN CANENDO IPSO CAUSSA INERAT CUR CANTILENAE FACILE MUTARENTUR. CUM ENIM TRIBUS RATIONIBUS CANI SOLERET IN CONVIVIIS, UT AUT OMNES UNA CANERENT AUT SINGULI SECUNDUM ORDINEM AUT ORDINE NON OBSERVATO QUI PERITISSIMI ESSENT IN CANENDO, ALTER ALTERUM EXCIPERET, SINGULI AUT NOVA PLANE CARMINA, PROUT SUBITO PANGEBANTUR, CANEBANT AUT EASDEM SENTENTIAS MUTATIS VERBIS EXPRIMEBANT AUT INITIA VEL EXITUS, QUOS MEMORIA TENEBANT, RECITABANT NOVIS ADJECTIS. SENSIM FACTUM EST, UT MULTA EODEM TEMPORE CARMINA IN POPULI ORE VERSARENTUR SIMIL-LIMA QUIDEM ARGUMENTO, SIMILLIMA METRO; IMMUTATA TAMEN VERBIS, QUAE A POSTE-RIORIBUS REFERRENTUR OMNIA AD ANACREONTEM. QUOMODO IIDEM CARMINI DIVERSI EXITUS APPONERENTUR, APPARET EX EO CARMINE, QUOD NOBIS GELLIUS 19,9 SERVAVIT,

CUJUS EXITUS IN CODICE PALATINO PLANE ALIUS EST ATQUE APUD STEPHANUM ET GELLIUM. QUO MAGIS TEMPORA, QUIBUS HAEC CARMINA NASCEBANTUR, RECEDEBANT AB ANACREONTIS AETATE, EO MINUS ET DICENDI RATIO ANACREONTIS ET RES, QUAE AD IPSUM PERTINEBANT, RESPICIEBANTUR; NIHIL JAM RELIQUUM ERAT NISI METRUM, QUO IPSE PRIMUS PEPEGERAT CARMINA, ET SENTENTIAE QUAEDAM COMMUNES. *Sta* **358**,21–24 Von dieser *bis* müssen] QUANQUAM IN § 1 QUOMODO MUTARENTUR ANACREONTIS CARMINA NOVAQUE IMMISCERENTUR LONGO TEMPORUM SPATIO, DECLARAVIMUS, TAMEN NONNE VESTIGIA IMITATORUM, QUI NON FORTE AD IMITANDUM ANACREONTEM AGEBANTUR SED CONSILIUM ATQUE RATIONEM QUANDAM SEQUEBANTUR IN EA RE, INVENIANTUR, NOBIS VIDENDUM ERIT ... EX UNA ... URBE GAZA NON MAGNA PLURES EXSTITERUNT ANACREONTIS IMITATORES; QUANTUS EORUM INVENIATUR NUMERUS EX TOTO GRAECOROMANO IMPERIO! ... *Sta* **358**,24–26 Wir *bis* S. 944f.] *Bemerkung Mörikes* **358**,27–**359**,2: [... Der] älteste Sitz [der Anfertigung solcher anakreontischer Lieder] war wohl Alexandria, [wie denn viele kleine Gedichte des Bion und Moschos mit den Anakreontika ganz nahe verwandt sind und der dort herrschende Individualismus ein besonders günstiger Boden war.] Nächstdem wurde in den christlichen Jahrhunderten [die Fabrication solcher anakreontischer Lieder] zu Constantinopel schwunghaft betrieben, und namentlich aus der Zeit des Julian und des Justinian kennen wir eine Reihe von Namen solcher Dichter. So verfaßten Gregor aus Nazianz, Basileios und Synesios ganz ähnliche Lieder theilweise mit christlichem Inhalt [(Welcker kl. Schrr. II. S. 382 f. Stark p. 36–38), und] dann im sechsten Jahrhundert Johannes aus Gaza, Prokopios, Timotheos, Julianos der Ägypter, die Zeitgenossen der Epigrammatiker Paulus (Silentiarius) und Agathias... Weiterhin [(bis ins zehnte Jahrhundert)] färbte sich diese [Production] immer byzantinischer. [...] *Pa²* **359**,3–17: ... CHRISTIANI ... UT PLURIMA PAGANORUM INSTITUTA ATQUE MORES SERVABANT QUIDEM, SED SENSIM SERVATIS EXTERNIS FORMIS ALIAS INTULERUNT SENTENTIAS, ITA HYMNOS CHRISTIANOS CARMINUM POPULARIUM FORMAE SUBSTITUEBANT, UT EO FACILIUS POPULO IN SUCCUM ET SANGUINEM VERTERENTUR. SIC ARIUS PRAECEPTA SUA VERSIBUS SOTADIDIS PEPIGIT CF. ZELL FER. SCR. I, P. 61; SIC SYNESIUS, GREGORIUS NAZIANZENUS, MAXIMUS MARGUNIUS HYMNOS ANACREONTICO METRO, QUO NON FACILE ALIUD MAGIS POPULARE ERAT, CONFECERUNT. QUANQUAM AUTEM SYNESIUS H. I, V. 2 IN SESE

> μετὰ Τήϊαν ἀοιδὰν
> μετὰ Λεσβίαν τε μολπὰν
> γεραρωτέροις ἐφ' ὕμνοις

EVECTURUM ESSE PRONUNCIAT, TAMEN FACERE NON POTEST QUIN ET SENTENTIAS ET VERBA EX ANACREONTE MUTUETUR CF. H. I, V. 25. V. 45. APERTA QUOQUE IMITATIONIS VESTIGIA APPARENT APUD GREGOR. NAZIANZ. CF. CORP. POET. ED. ST. P. 185 SQ., MODO COMPARES ODAM I, V. 3–10 CUM ANACREONTEO 12 (θ'), 1: τί σοι θέλεις ποιήσω.

Neque Margunius repudiavit Anacreontis sententias atque verba cf. h. VII, 16 cum An. 25 (λθ′). Eadem Sophronii odarum nuper ab Ang. Maio editarum ratio est... *CANENDI, CELEBRANDI* notio ut in Anacreonteis, sic apud Sophronium plurimis modis effertur: ... Quod in Anacreonteis maxime locum habet χορεύειν vocabulum genuina notione dictum ..., a Sophronio maxime adamatur ad internum Christianorum gaudium significandum ... Hac ratione factum est, ut Anacreontica carmina a festivis commissationibus avocata sententiis commutatis canerentur in austeris coenobiis atque ecclesiis ad Deum summum, Christum, Mariam celebrandas. *Sta*

ANAKREON. FRAGMENTE etc.

Band 8,1 Seite 363–387

1. AN ARTEMIS

Benutzte Textvorlagen: De⁴, Thu

BEARBEITUNGSANALYSE

1–3:   Flehend nah' ich dir, [o] Jäg'rinn,

Zeusens [blondes Kind, des Wildes

Herrscherinn,] o Artemis! *De⁴*

[Dich Hirschtödterin fleh' ich an,]

Zeus' [blondhaarige] Artemis,

[Wilder Thiere Gebieterin:] *Thu*

4–8:   [Eil' izt] zu Lethäens [Strudeln,

Schaue] huldreich [doch hernieder]

Auf [die] Stadt [beherzter] Männer,

Denn du [weidest keine] Bürger,

[Die der Grausamkeit nur folgen –] *De⁴*

Komm [itzt] zu des [Lethäosstroms

Wirbeln her, und beschaue dir

Der kühnherzigen] Männer Stadt,

[Freudvoll,] denn du [behütest] nicht

[Rohgesittete] Bürger. *Thu*

2. AN DIONYSOS

Benutzte Textvorlage: Thu

BEARBEITUNGSANALYSE

1–11:   [Fürst,] dem [Eros, der uns umjocht,
                 Aphrodite im Purpurglanz,]
                     Und schwarzäugige Nymphen
                 Spielend [folgen, indessen du
                 Durch] hochgipflige Berge [ziehst,
                 Zu] dir fleh' ich; [und] komm [du mild
                 Zu uns her, mit Gewährungshuld]
                     Mein [Anrufen zu hören.
                 Dem Kleubulos ein edler] Rath
                 [Sei du, daß ihm von mir die] Lieb',
                     [O Deunysos, genehm sei.
                 Um Kleubulos von Lieb' erfüllt,
                 Um Kleubulos von Raserei,
                     Um Kleubulos verschmacht' ich.
                 O mein Knabe mit Mädchenblick,
                 Nach dir such' ich, doch hörst du nicht,
                 Weißt nicht daß du die Seele mir
                     Wie am Zügel regierest.] *Thu*

Mörike schließt mit v. 11. Der Schluß des Gedichts in der Fassung von Thu (v. 15–18) er-
scheint bei Mörike als Textvorlage des folgenden selbständigen Gedichts.

3. KNABE DU ...

Benutzte Textvorlage sind die Verse 15–18 des Gedichts An Dionysos *in der Fassung*
von Thu (vgl. 2. An Dionysos*).*

BEARBEITUNGSANALYSE

1–4:   [O mein] Knabe mit Mädchenblick,
                 Nach dir such' ich, doch hörst du nicht,
                 Weißt nicht [daß] du [die] Seele [mir]
                 Wie am [Zügel regierest.] *Thu*

4. MOND POSEIDON ...

Benutzte Textvorlage: Thu

BEARBEITUNGSANALYSE

Überschrift: [Regenzeit] *Thu*

1–4:   [Sieh doch,] Mond Posideion
                  [Trat schon ein, und die Wolken sind
                  Schwer von Regen, es zieht den Zeus
                  Heftig Stürmen hernieder.] *Thu*

5. NICHT DAS HORN ...

Benutzte Textvorlage: Thu

BEARBEITUNGSANALYSE

Überschrift: [Genügsamkeit] *Thu*

1–4:   Nicht das Horn der Amalthea
                  Möcht' ich haben, [und nicht als Fürst
                  Möcht' ich] hundert und fünfzig Jahr'
                  [In Tartessos regieren.] *Thu*

6. AUF MICH WERFEND ...

(Vgl. »Nachträge« S. 570)

Benutzte Textvorlage: Thu

BEARBEITUNGSANALYSE

Überschrift: [Sie verschmäht ihn] *Thu*

1–8:   [Wie mit purpurnem Ball] mich [neu
                  Der goldhaarige Eros] wirft,
                  [Und] mit farbigbeschuhtem Kind
                       Mit zu spielen [ermuntert! –]
                  Doch sie ist aus der [stattlichen]
                  Lesbos [her,] und [sie sieht] mein Haar,
                  [Weil es] grau [ist, verächtlich an,
                       Und gafft lieber nach] Andern. *Thu*

7. VOM DÜNNKUCHEN ...

Benutzte Textvorlage: Thu

BEARBEITUNGSANALYSE

Überschrift: [Ein Ständchen] *Thu*

1–6: Brach vom [dünnen Gebäcke] mir zum [Frühstücken] ein [wenig,]
Trank dazu auch ein [Nößel] Wein, und [nun spiel' ich die holde
Pektis zart,] dem [geliebtesten,] zarten Kinde [zum] Ständchen. *Thu*

8. VOM LEUKADISCHEN FELS ...

Benutzte Textvorlage: Thu

BEARBEITUNGSANALYSE

Überschrift: [Das Meer der Liebe] *Thu*

1. 2:   [Wieder] von [dem] leukad'schen Fels
[Hin mich schwingend in's graufarbige Meer, schwimm' ich berauscht
von] Liebe. *Thu*

9. WER DOCH, DER ...

Unter den oben genannten Anakreonübersetzungen ist eine Textvorlage nicht nachgewiesen.

10. EURYPYLE LIEBT ...

Benutzte Textvorlage: Thu

BEARBEITUNGSANALYSE

Überschrift: [Ein Nebenbuhler] *Thu*

1–14: Die blond' [Eurypyle hat im Sinn
Den umgetragnen Artemon.
Früher den Pflockgürtel am Leib, und eingeklemmte Kleider an,]
Hölzerne [Spielknöchel ins Ohr gehängt,] und um die [Seiten her
Ein abgeschabtes Rinderfell,
Über ein schlecht Schild ein verschmutzt Deckfutteral, mit willigen
Dirnen und Brodweibern im Umgange, der Schächer Artemon,
Erschleichend seinen Unterhalt;]
Oft in die [Holzzwinge den Hals] legend, [und] oft ins [Folterrad,
Rücken] und [Haut] oft [von dem Peitschriemen gegeißelt, und das Haar
An Kopf] und Bart [ihm ausgerauft: –
Aber anitzt fährt er im Kutschwagen,] und trägt [ein Goldgehäng,]
Der Kyke Sohn, [und in der Hand hat er den elfnen Sonnenschirm,
Den] Weibern [ähnlich.] *Thu*

11. HA ZU DEM OLYMP ...

Benutzte Textvorlage: Thu

BEARBEITUNGSANALYSE

Überschrift: [In alle Lüfte] *Thu*

1.2: [Ja] zu dem Olymp [flieg' ich empor, schwebend auf leichten Flügeln,]
Wie [es] mich [die Lieb' heißet: der] Knab' [hasset mit mir zu schäkern.]
Thu

12. ABER SOBALD ER ...

Benutzte Textvorlage: Thu

BEARBEITUNGSANALYSE

Überschrift: [Eros] *Thu*

1–3:   Aber [an meinem] Kinne
[Da] er mich [ergraut] siehet, [so] fliegt wehend mit goldnen Flügeln
Er [an mir] vorbei. *Thu*

13. ABER ICH FLOH ...

Benutzte Textvorlage: Thu

BEARBEITUNGSANALYSE

Überschrift: [Die Flucht] *Thu*

1.2:   [Doch] ich [entfloh wieder so wie ein] Guckuck,
Werfend [hinweg den Schild] an [schönströmenden Flusses] Ufern. *Thu*

14. VON SILBER NICHT ...

Unter den oben genannten Anakreonübersetzungen ist eine Vorlage nicht nachgewiesen.

15. MEIN ARM HEIMATLICH LAND ...

Unter den oben genannten Anakreonübersetzungen ist eine Vorlage nicht nachgewiesen.

16. DURCH DIE HOLDEN REDEN ...

Benutzte Textvorlage: Thu

BEARBEITUNGSANALYSE

Überschrift: [Des Dichters Beliebtheit] *Thu*

1. 2: [Um] die [schönen] Reden [sind] mir die [geliebten] Knaben hold wohl,
[Denn in süßen Tönen] sing' ich, [und] ich weiß auch [süß] zu reden. *Thu*

17. ZUM GENOSSEN ...

Unter den oben genannten Anakreonübersetzungen ist eine Vorlage nicht nachgewiesen.

18. STETS IST DES EROS ...

Benutzte Textvorlage: Thu

BEARBEITUNGSANALYSE

Überschrift: [Spiel des Eros] *Thu*

1: [Aber] des Eros [Knöchelspiel] ist [die Verrücktheit und das Toben.] *Thu*

19. WIE MIT MACHTSTREICHEN ...

Benutzte Textvorlage: Thu

BEARBEITUNGSANALYSE

Überschrift: [Eros ein Schmid] *Thu*

1. 2: [Und auf's Neu] hämmerte mich mit [schwerem Schlägel] Eros,
Wie [ein] Schmied, [löschte] mich [dann in einem Regenflutbach.] *Thu*

20. DEINES HAARS ...

Unter den oben genannten Anakreonübersetzungen ist eine Vorlage nicht nachgewiesen.

21. DASS ICH STERBEN DÜRFTE ...

Benutzte Textvorlage: Thu

BEARBEITUNGSANALYSE

Überschrift: [Letztes Mittel] *Thu*
1.2:   [Es erscheine mir der Tod, denn es] ist [anders]
                             Ja [von aller dieser Noth keine] Erlösung. *Thu*

22. WIE DAS REHLEIN ...

Benutzte Textvorlage: Thu

BEARBEITUNGSANALYSE

Überschrift: [Mädchenscheu] *Thu*
1–3:   Wie [ein Rehkälbchen so friedsam,
             An] der Milch noch [sich ernährend,] das [verlassen]
      In dem [Waldthal von] der horntragenden Mutter, [scheu sich umsieht.]
                                                                    Thu

23. DU BIST JA ...

Benutzte Textvorlage: Thu

BEARBEITUNGSANALYSE

Überschrift: [Die Schenkin] *Thu*
1: Du bist [den Gästen hold, so gib, Mädchen,] für Durst einen Trunk mir. *Thu*

24. HA NACH WASSER ...

Benutzte Textvorlage: Thu

BEARBEITUNGSANALYSE

Überschrift: [Einladung zum Trinken] *Thu*
1–4:   [Mit dem] Wein, [dem] Wasser, [Knabe,
                             Mit den] Blumenkränzen [komm' du
                             Nun herein, damit den] Faustkampf
                             Mit dem Eros ich [bestehn kann.
                             Mit der Kanne komm', o Knabe,
                             Nun herein, in vollem Zug will
                             Ich kredenzen, wenn du zehn erst
                             Von dem Wasser zu fünf Theilen
                             Von dem Wein gemischt, damit ich
                             Mit Bescheidenheit bakchiere.

> Nun wohlan, so laßt uns nicht mehr
> Mit Getös und lautem Zuruf
> Bei dem Wein der Skythentrinkart
> Uns befleißen, nein gemächlich
> Und bei schönen Liedern trinken.] *Thu*

Mörike schließt mit v. 4. Der Schluß des Gedichts in der Fassung von Thu (v. 5–15) erscheint bei Mörike als Textvorlage des folgenden selbständigen Gedichts.

25. DEN POKAL, MEIN SOHN ...

(Vgl. »Nachträge« S. 570)

Benutzte Textvorlagen sind De⁴ und die Verse 5–15 des Gedichts Einladung zum Trinken *in der Fassung von Thu (vgl. 24.* Ha nach Wasser ...*).*

BEARBEITUNGSANALYSE

Überschrift: [Der Trinker] *De⁴*

1–10:
> [Reiche mir den Becher Knabe,
> Um unabgesezt zu trinken;
> Fülle mit dem Zehntel] Wasser
> [Und dem Fünftel Wein denselben,
> Daß ich als vergnügter Trinker
> Nur im süssen Taumel] schwärme!
> [Reich' ihn her! – Denn nicht mit Schreien,
> Nicht mit Lärmen,] wie die Skythen,
> [Wollen wir Lyäen dienen,
> Sondern bei bescheidnen] Liedern
> [Lasset uns die Becher leeren!] *De⁴*
> [Mit der Kanne komm', o Knabe,
> Nun herein, in] vollem [Zug will
> Ich kredenzen, wenn du zehn erst
> Von dem Wasser zu fünf Theilen
> Von dem Wein gemischt, damit ich
> Mit Bescheidenheit bakchiere.
> Nun wohlan, so laßt uns nicht mehr
> Mit Getös und lautem Zuruf
> Bei] dem Wein [der Skythentrinkart
> Uns befleißen, nein gemächlich
> Und bei schönen] Liedern [trinken.] *Thu*

26. ALEXIS HAT NOCH ...

Unter den oben genannten Anakreonübersetzungen ist ein Vorlage nicht nachgewiesen.

27. ABER BERAUBT IST ...

Unter den oben genannten Anakreonübersetzungen ist eine Vorlage nicht nachgewiesen.

28. ICH HASSE ALLE ...

Unter den oben genannten Anakreonübersetzungen ist eine Vorlage nicht nachgewiesen.

29. THRAKISCH FÜLLEN ...

Benutzte Textvorlagen: De⁴, Thu

Bearbeitungsanalyse

Überschrift: [Auf ein Mädchen] *De⁴* [Noch unbezwungen] *Thu*

1–6:   Thracisch Füllen, [was] doch [blickest]
     Du auf mich [mit falschem Auge,]
     Fliehst [vor] mir [so] grausam, [wähnest,
     Daß ich wisse nichts, als Weiser?]
     Wisse, [wisse denn,] ich wollte
     [Sonder Mühe] dich [bezäumen,
     Wollte dann mit] festem Zügel
     Um das Ziel der Bahn dich lenken.
     Izt noch weidest du im Grünen,
     Spielst umher in leichten Sprüngen,
     Denn es mangelt noch ein Ritter,
     [Welcher] kundig ist der Schule. *De⁴*

Thrakisch Füllen, [sprich,] warum du so [mit] schrägen [Augen blickend
Ohne Mitleid] fliehst, [und meinest,] Kluges [wiss' ich nicht zu thun.]
Wisse nur, ich [dürfte schön] dir [auf den Hals den] Zügel [werfen,]
Und dich [mit dem Riemen] haltend [wenden] um [des Laufes] Ziel.
Jetzo waidest du [auf Wiesen,] spielest noch [mit] leichten Sprüngen,
[Weil du keinen roßerfahrnen kunstgeschickten] Reiter [hast.] *Thu*

30. HÖR' MICH ALTEN ...

Benutzte Textvorlage: Thu

BEARBEITUNGSANALYSE

Überschrift: [Guter Rath] *Thu*
1: Höre mich, [den] Alten, schönbehaartes [goldgewandig] Mädchen. *Thu*

31. SCHWELGEND IN ...

Benutzte Textvorlage: Thu

BEARBEITUNGSANALYSE

Überschrift: [Eros] *Thu*
1: [Schaukelt sich auf grünem] Ölbaum und in Lorbeer's dunkelm [Laubdach.]
Thu

32. ERZEIGT EUCH JENEN ...

Benutzte Textvorlage: Thu

BEARBEITUNGSANALYSE

Überschrift: [Bescheidenheit] *Thu*
1. 2: [Ihr müßt den] angenehmen Gästen [ähnlich sein,]
Die [nur ein Obdach] und [ein] Feu'r [bedürftig sind.] *Thu*

33. ICH LIEB' ...

Benutzte Textvorlage: Thu

BEARBEITUNGSANALYSE

Überschrift: [Ungewiß] *Thu*
1. 2: Ich lieb', und lieb' auch [wieder] nicht,
[Und ras', und rase nicht zugleich.] *Thu*

34. AUCH PLAUDRE NICHT ...

Benutzte Textvorlage: Thu

BEARBEITUNGSANALYSE

Überschrift: [Am Heerde] *Thu*

1–4: [Und] plaudre nicht [wie Meereswell',

Indem du] mit der [Schwätzerin]

Frau Gastrodor' [in Einem Zug

Den Magentrunk hinunterschlingst.] *Thu*

35. HAT EINER LUST ...

Benutzte Textvorlagen sind die Verse 8f. des anakreontischen Liedes 26. Der alte Trinker in den Fassungen von De⁴ und Thu (vgl. S. 525).

BEARBEITUNGSANALYSE

Überschrift: [Freies Feld] *Thu*

1. 2: [Wer sich nach Kämpfen sehnet,]

Dem [gönn ich es, er] kämpfe. *De⁴*

[Wer] Lust [verspürt] zu [streiten,

Es steht ihm frei, er streite.] *Thu*

36. DICH ZUERST, ARISTOKLEIDES ...

Benutzte Textvorlage: Thu

BEARBEITUNGSANALYSE

Überschrift: [Tod für's Vaterland] *Thu*

1. 2: [Weh um] dich, [Aristokleides, tapfrer] Freunde [größter du,

Du verlorst dein junges Leben, wehrend ab des Landes Joch.] *Thu*

37. GRAU BEREITS ...

Benutzte Textvorlagen: De⁴, Thu

BEARBEITUNGSANALYSE

Überschrift: [Auf sich selbst] *De⁴* [Alter und Tod] *Thu*

1–6: Grau sind [nun schon] meine Schläfe,

[Silberweiß ist mir der Scheitel,

Und] der Jugend [Reiz entflohen,

496

Auch] die Zähne [färbt das Alter,
Und] nur [wenig Augenblicke]
Süssen Lebens sind mir übrig.
[Stets zerfließt mein Schmerz in] Thränen,
[Und] ich [bebe] vor dem [Hades.]
Denn entsetzlich ist [sein Abgrund
Fürchterlich zu ihm die Reise:
Wer zu ihm hinabgewandert,
Ach! der darf nie wiederkehren.] *De*[4]

[An den] Schläfen bin [ich] grau [schon,] und das [Haar, es] wurde weiß [mir,
Es ist] hin die holde Jugend, [und] die Zähne sind gealtert.
[Es verbleibt wenige] Zeit noch von dem süßen Leben übrig,
[Und in] Thränen [brech'] ich oft [aus, von] dem Tartaros [geängstigt.]
Denn [im Aides ist schreckbar der Versteck, und schwer dahin auch
Ist die] Straße: [wer hinabgieng ist gewiß des Nichtheraufgehns.] *Thu*

38. DER SEI NICHT ...

Benutzte Textvorlage: Thu

BEARBEITUNGSANALYSE

Überschrift: [Willkommener Gast] *Thu*

1–4: Nicht mein [Freund wer sitzend am] Wein bei [dem] vollen [Pokale
Dann] von [Hader] mir [spricht] und dem [beweineten] Krieg;
[Nein wer beide,] der Musen und [Kypria's, herrlicher] Gaben
[Unter des] Frohsinns [Lust süße vermischend] gedenkt. *Thu*

39. NICHT NACH DER THRAKERIN ...

Unter den oben genannten Anakreonübersetzungen ist ein Vorlage nicht nachgewiesen.

40. ZUM WEINTRINKER ...

(Vgl. »Nachträge« S. 570)

Benutzte Textvorlage: Thu

BEARBEITUNGSANALYSE

Überschrift: [Angeboren] *Thu*
1: Zum [Weintrinken ja] bin ich gemacht. *Thu*

497

41. AGATHON, DER …

Benutzte Textvorlage: Thu

BEARBEITUNGSANALYSE

Überschrift: [Kriegerdenkmal] *Thu*

1–4:   Der für Abdera starb, [Held] Agathon, [preislicher Stärke,
      Wurde von sämmtlicher] Stadt [hier an dem Stoße beweint;]
      Denn [so hatte noch keinen] der Jünglinge [blutiger Ares
      Jemals in des Gefechts finsterem Wirbel erlegt.] *Thu*

42. DIESS IST TIMOKRITOS' …

Benutzte Textvorlage: Thu

BEARBEITUNGSANALYSE

Überschrift: [Deßgleichen] *Thu*

1. 2:   [Kraftvoll] war in den [Schlachten] Timokritos, [dessen das] Mal ist;
      Doch nicht [Edle verschont, sondern die Schlechten der Krieg.] *Thu*

43. PHEIDOLAS' WACKERES ROSS …

Benutzte Textvorlage: Thu

BEARBEITUNGSANALYSE

Überschrift: [Weihgeschenk] *Thu*

1. 2:   Pheidolas Roß [allhier, vom geräumigen Lande] Korinthos,
      Steht dem Kroniden geweiht [wegen der Füße Verdienst.] *Thu*

44. DIR ZUM DANK …

Benutzte Textvorlage: Thu

BEARBEITUNGSANALYSE

Überschrift: [Deßgleichen] *Thu*

1. 2:   Dir [als] Dank, Dionysos, [und herrliche Zierde] der [Stadtburg,]
      Stellt' Echekratidas mich, Führer der Thessaler, auf. *Thu*

45. VORDEM WEIHTE KALLITELES ...

Benutzte Textvorlage: Thu

BEARBEITUNGSANALYSE

Überschrift: [Deßgleichen dem Apollon] *Thu*

1.2: [Vormals stiftete] mich Kalliteles; [aber des Mannes
Nachkunft] stellte mich auf; ihnen [vergilt es] mit Dank. *Thu*

46. GABEN, DEN GÖTTERN GEWEIHT ...

Benutzte Textvorlage: Thu

BEARBEITUNGSANALYSE

Überschrift: [Deßgleichen] *Thu*

1.2: [Dieses Geschenk] hier [hat] Praxagoras, Sohn des Lykäos,
Göttern geweiht, [und das Werk führt' Anaxagoras aus.] *Thu*

47. SEMELES SPRÖSSLING ...

Benutzte Textvorlage: Thu

BEARBEITUNGSANALYSE

Überschrift: [Deßgleichen] *Thu*

1.2: [Dir kranzliebendem Sohne der] Semele [weihte] Melanthos
[Siegsdenkzeichen des] Chors, [er des] Areiphilos Sohn. *Thu*

48. PYTHONS SCHILD ...

Benutzte Textvorlage: Thu

BEARBEITUNGSANALYSE

Überschrift: [Deßgleichen] *Thu*

1.2: [Weil] er [den] Python [rettet'] aus [widrigem Kriegesgetöse,]
Hanget [der] Schild [allhier] in Athenäas [Bezirk.] *Thu*

49. DIE MIT DEM THYRSOS ...

Benutzte Textvorlage: Thu

BEARBEITUNGSANALYSE

Überschrift: [Deßgleichen, ein Gemälde] *Thu*
1–4: [Diese,] den Thyrsos [im Arm,] Helikonias, [diese,] Xanthippe,
[Neben ihr,] Glauke sodann, [gehend] im Tanze [daher,
Kommen herab] vom Gebirg, und bringen [dem Gott Dionysos]
Epheu, [Weinstocksfrucht, und die gemästete] Gais. *Thu*

50. DIESES GEWAND, PREXIDIKE ...

Benutzte Textvorlage: Thu

BEARBEITUNGSANALYSE

Überschrift: [Deßgleichen, ein Gewand] *Thu*
1.2: [Von] Prexidike [wurde] gemacht, von Dyseris [gerathen]
Dieses Gewand; [so war's Beider vereinigte] Kunst. *Thu*

51. DU MIT DEM SILBERGESCHOSS ...

Benutzte Textvorlage: Thu

BEARBEITUNGSANALYSE

Überschrift: [Deßgleichen] *Thu*
1.2: [Gott] mit dem Silbergeschoß, sei huldreich Äschylos' Sohne
Naukrates, und nimm [gern diese Gelobungen an.] *Thu*

52. HULD UND GEDEIHN ...

Benutzte Textvorlage: Thu

BEARBEITUNGSANALYSE

Überschrift: [Deßgleichen, Bild des Hermes vor einem Gymnasion] *Thu*
1–4: Für [den] Timonax [bete, daß ihm der Unsterblichen Herold
Mild sei,] welcher mich hier [lieblichem] Hofe [zum Schmuck
Und dem gebietenden Hermes gesetzt hat. Jeden nach Wunsche,
Bürger und] fremd, [nehm' ich in das Gymnasion auf.] *Thu*

53. MAIA'S SOHN ...

Benutzte Textvorlage: Thu

BEARBEITUNGSANALYSE

Überschrift: [Deßgleichen] *Thu*

1–4: [Wonniges Leben] verleih du dem Tellias, [Maiageborner
Und] laß [dieses den Lohn lieblicher] Gaben [ihm sein.
Gib] auch [daß er im Gau rechtrichtender Euonymeer
Wohne, mit einem Geschick edeler Tage begabt.] *Thu*

54. DIR AUCH WURDE, KLEANORIDES ...

Benutzte Textvorlage: Thu

BEARBEITUNGSANALYSE

Überschrift: [Grab des Seefahrer] *Thu*

1–4: Dir auch [brachte den Tod,] Kleanorides, [Liebe zum Heimland,
Als du im Winter] dich [kühn] stürmendem Süde [vertraut.]
Jahrszeit [ohne Gewähr umstrickte] dich, und die [Gewässer]
Spülten [dir feuchte] den Reiz [wonniger] Jugend hinweg. *Thu*

55. WEIDE DOCH ABSEITS ...

(Vgl. »Nachträge« S. 570)

Benutzte Textvorlage: Thu

BEARBEITUNGSANALYSE

Überschrift: [Myron's Kuh] *Thu*

1. 2: [Kuhhirt,] weide die Heerden [entlegener,] daß du nicht Myron's
[Kühlein unter den Küh'n] treibest, [als sei es belebt.] *Thu*

56. NICHT IN DER FORM ...

Benutzte Textvorlage: Thu

BEARBEITUNGSANALYSE

Überschrift: [Deßgleichen] *Thu*

1. 2: [Kühlein,] nicht in Formen gegossenes, sondern vor Alter
[Ehernes, Myron log eigenen Händen dich zu.] *Thu*

ANMERKUNGEN

Die Anmerkungen zu den beiden Teilen des »Anakreon« unterscheiden sich in vieler Hinsicht von denen zur »Classischen Blumenlese«. Die Gründe dafür liegen zum Teil in der Entstehung dieses Werkes. Mit der »Classischen Blumenlese« verfolgt Mörike das Ziel, auch einem nicht gelehrten Publicum die Erzeugnisse antiker Poesie so nahe als möglich zu bringen, und ihm Geschmack für die reine und gesunde Nahrung zu erwecken *(Band 8,1, S.11). Die Übersetzungen der* auf ein bequemes Verständniß eingerichteten Blumenlese *sollen einen großen Kreis von Lesern erreichen (ebenda). Dies gilt auch von dem zweiten Übersetzungswerk, dem »Theokritos«. Mörike spricht hier von einem* für das allgemeine Publikum bestimmten Unternehmen *(Band 8,1, S.287). Die Anmerkungen jedoch, die alle von Notter stammen, berühren häufig auch ganz spezielle Fragen der Wissenschaft, entsprechen also nicht eigentlich Mörikes Vorstellung. Die Erklärungen zu den Gedichten der »Classischen Blumenlese« sind ausdrücklich für* alle gebildeten Leser *gedacht. (Vgl. das Titelblatt der Originalausgabe in Band 8,1 nach Seite 64.) Deshalb begnügt sich Mörike damit, die notwendigen Erläuterungen aus vorhandenen Kommentaren auszuwählen und hie und da Eigenes einzufügen.*

Anders ist dies bei dem letzten Übersetzungswerk, dem »Anakreon«. Mit ihm sollte vor Allem der ächte Anakreon so weit möglich in einer charakteristischen Auswahl seiner Überreste ... repräsentirt werden (Band 8,1, S.339). Textkritik geht hier dem Übersetzen voraus. Beiden Aufgaben unterzieht sich Mörike mit Hingabe und Nüchternheit. Die Ergebnisse dieser Arbeit geben den Anmerkungen zu beiden Teilen des »Anakreon« ihre wissenschaftliche Substanz. Überhaupt dürfen diese Anmerkungen nicht nur als gelehrte Zutat verstanden werden. Sie sind vielmehr – zusammen mit den beiden Einleitungen – ein ganz wesentlicher Bestandteil dieses, auch wissenschaftlich orientierten, Werks. Mit ihnen hat Mörike der Anakreonforschung wichtige Anstöße gegeben. (Vgl. dazu die »Entstehungsgeschichte« in Band 8,2.)

Für die Anmerkungen zu den »Fragmenten« ist Bergk (Bk[1]) die wichtigste Quelle. Dieser Ausgabe des Anakreon verdankt Mörike nicht nur entscheidende Hilfe bei Textkritik und Erläuterungen, sondern auch viele Hinweise auf weitere Quellen, die er nachweislich zu Rate zieht. Es ist mit Sicherheit anzunehmen, daß Mörikes Kenntnisse von der wissenschaftlichen Literatur zu Anakreon vor allem durch Bk[1] vermittelt sind. Die Art der Benutzung dieser Quellen ist recht verschieden: Enge Anlehnung an die Formulierung der Quelle ist selten. Es überwiegt die selbständige Wiedergabe. Aus einem bloßen Stellenhinweis in der Quelle kann die erläuternde Einführung des vollen Textes bei Mörike werden (z.B. 377,28–34). Häufiger ist das Umgekehrte: Ausführliche Darstellung mit Textzitaten in der Quelle faßt Mörike oft in einem Satz zusammen (z.B. 379,27.28; 384,31–33).

Besonders kennzeichnend für die relative Selbständigkeit dieser Anmerkungen sind die häufigen Bemerkungen Mörikes, die er zwischen die von Quellen gestützten Anmerkungsteile einschiebt. Dafür, daß es sich hier um Äußerungen Mörikes handelt, spricht weniger das Fehlen einer Quelle als ihr deutliches Stellungnehmen. Einmal rechtfertigen sie den Wortlaut der Mörikeschen Übersetzung (z.B. 379,4.5; 382,17–27). Ein andermal zeigen sie eine besondere, der Quelle widersprechende Meinung an (z.B. 383,1.2). Zu manchen dieser Bemerkungen Mörikes wird im Rahmen der Erläuterungen (Band 8,2) der Quellentext, der sie auslöst, zitiert.

Alle Quellen, die Mörike für die Anmerkungen zu »Anakreon« benutzt, bieten – abgesehen von Thu und ganz wenigen anderen wie z.B. Bk² mit seinen knappen textkritischen Anmerkungen – im allgemeinen keine nach Stellen gegliederten Einzelerläuterungen. Meist handelt es sich um fortlaufende Erörterungen, aus denen Mörike seine Anregungen und Hilfen holt, z.B. Wel¹ und Wel² und die Artikel aus Paulys Realenzyklopädie. Es ist deshalb nicht möglich, alle diejenigen Erläuterungen dieser Quellen zusammenzustellen, die Mörike nicht benutzt. Angesichts der relativen Selbständigkeit der Anmerkungen könnte ein solcher Versuch auch kaum Erkenntnishilfen bringen.

1

Benutzte Quellen: Al, Bk¹, Bk², Thu

HINWEISE ZUR QUELLENBENUTZUNG

376,3: ... HINC APPARET *INTEGRUM* HOC ESSE *CARMEN*, OCTO VERSIBUS CONSTANS: ET IN VULGARIBUS QUIDEM EDITIONIBUS ... VERSUS UNA PERPETUITATE DECURREBANT, ... *Bk²* **376**,4–7 Lethäos *bis* Fluß] ... ON THE RIGHT ALSO OCCASIONALLY RAN A RIVER, PROBABLY THE LETHAEUS, RUSHING DOWNWARDS OVER A ROCKY BED, AND FORMING A THOUSAND SMALL CASCADES, ... *Al* Lethaeos, Nebenfluß des Maeandros, [...] *Thu* **376**,7.8 Magnesia *bis* sieht] VERI TAMEN SIMILIUS ESSE PUTO ANTIQUITUS MAGNESIAM PROPRIOREM FUISSE LETHAEO QUAM MAEANDRO. DIANAE AUTEM FANUM IN ILLA RECENTIORE URBE FUIT ARTIFICIOSISSIME AEDIFICATUM... *Bk¹* **376**,8.9 Das Lied *bis* bestimmt] *Keine Quelle nachgewiesen*

2

Benutzte Quellen: Bk¹, Bk²

HINWEISE ZUR QUELLENBENUTZUNG

376,11 Ohne Zweifel *bis* Lied] INTEGRUM EST CARMEN, ... *Bk²* **376**,11–14 Die Gunst *bis* erheitert] ... SOLUS EMPERIUS PERSPEXIT, POETAM INVOCARE BACCHI OPEM, UT PROPITIUS CLEOBULI AMOREM SIBI CONCILIET: ... ET JURE ANACREON BACCHUM IM-

503

PLORAT, DEUM SI QUEM ALIUM APTUM AD AMICITIAE VINCULUM CONTRAHENDUM, UT DICIT
ATHENAEUS L. V. P. 185 B: Δοκεῖ γὰρ ἔχειν πρὸς φιλίαν τι ὁ οἶνος ἑλκυστικὸν
παραθερμαίνων τὴν ψυχὴν καὶ διαχέων. *Bk¹* **376**,15–28 *Kleobulos* war *bis*
bezeugt] ... CLEOBULUS AUTEM ILLE PUER FUIT EXIMIA PULCRITUDINE APUD POLYCRA-
TEM TYRANNUM, CUJUS AMORE VEHEMENTISSIME EXARSERAT ANACREON, ... QUANTIS
LAUDIBUS ILLIUS PULCRITUDINEM CELEBRAVERIT, MAXIMUS TYRIUS DOCET ... CLEOBU-
LUM AUTEM ISTUM INFANTEM ANACREON, VINO PLENUS, OBRUERAT MALEDICTIS, ITA UT
NUTRIX EJUS VOVERET, UT POST SUMMO PRAECONIO ORNARET EUM, CUI GRAVISSIMUM
CONVICIUM FECISSET: SI VERA MAXIMUS TYRIUS REFERT XI. P. 116 ED. MINOR. DAV.
(XXVII. P. 321 ED. MAJ.) ... Ἐν τῇ τῶν Ἰώνων ἀγορᾷ ἐν Πανιωνίῳ ἐκόμιζε
τιτθὴ βρέφος· ὁ δὲ Ἀνακρέων βαδίζων, μεθύων, ἄκων, ἐστεφανωμένος, σφαλ-
λόμενος, ὠθεῖ τὴν τιτθὴν σὺν τῷ βρέφει ... καί τι καὶ εἰς τὸ παιδίον ἀπέρ-
ριψε βλάσφημον ἔπος· ἡ δὲ γυνὴ ἄλλο μὲν οὐδὲν ἐχαλέπηνε τῷ Ἀνακρέοντι,
ἐπεύξατο δὲ τὸν αὐτὸν τοῦτον ὑβριστὴν ἄνθρωπον τοσαῦτα καὶ ἔτι πλείω
ἐπαινέσαι ποτὲ τὸ παιδίον, ὅσα νῦν ἐπηράσατο. Τελεῖ ταῦτα ὁ θεός· τὸ γὰρ
παιδίον ἐκεῖνο δὴ αὐξηθὲν γίνεται Κλεόβουλος ὁ ὡραιότατος, καὶ ἀντὶ μικ-
ρᾶς ἀρᾶς ἔδωκεν ὁ Ἀνακρέων Κλεοβούλῳ δίκην δι᾽ ἐπαίνων πολλῶν. *Bk¹*
376,29: ... BACCHO AUTEM OPTIME CONVENIUNT EA, QUAE HOC CARMINE PRIMO LE-
GUNTUR ... *(es folgen v. 1–4)* QUIBUSCUM COMPONAS SOPHOCLIS VERSUS IN OEDIPO REGE
1098: ... *Bk¹* **376**,30.31 *mit Eros' Macht bis* heißen] CETERUM *PAM.* PR. δάμαλις.
Bk² **376**,31–**377**,3 Eros ist *bis* Gewande gesagt] *Keine Quelle nachgewiesen*

3

Benutzte Quelle: Bk¹

4

Benutzte Quelle: Bk¹

5

Benutzte Quelle: **377**,19–22 *Thu*
Keine Quelle nachgewiesen: **377**,13–18

6

Benutzte Quellen: Bk¹, Schn, Nr, Thu

HINWEISE ZUR QUELLENBENUTZUNG

377,24.25 *Den Purpurball bis Liebe war*] *Keine Quelle nachgewiesen* **377**,25 Sich
Äpfel *bis* Liebesbezeugung] – Äpfel schenken, mit Äpfeln werfen, Äpfel mit einander essen war eine Liebesbezeugung, [...] *Nr* **377**,26.27 Vgl. *bis* 88] Bemer-

kung Mörikes **377**,27.28 Hier *bis* anzuknüpfen] *Keine Quelle nachgewiesen* **377**,28–30
In einem *bis* eingeführt] Σφαιριστὰν τὸν Ἔρωτα Meleagri Epigr. 97 *Schn*
377,31–34 *Eine Übersetzung dieser Stelle ist nicht nachgewiesen. Sie stammt wahrscheinlich von Mörike.* **377**,35–**378**,4 *Lesbos bis* bannte] *Keine Quelle nachgewiesen*
378,5–11 Eine alte *bis* sei] Hoc carmen legitur apud Athenaeum L. XIII. p. 599. C:
Ἐν τούτοις ὁ Ἑρμεσιάναξ σφάλλεται συγχρονεῖν οἰόμενος Σαπφὼ καὶ Ἀνα
κρέοντα, τὸν μὲν κατὰ Κῦρον καὶ Πολυκράτην γενόμενον, τὴν δὲ κατ'
Ἀλυάττην τὸν Κροίσου πατέρα. Χαμαιλέων ἐν τῷ περὶ Σαπφοῦς καὶ λέγειν
τινάς φησιν εἰς αὐτὴν πεποιῆσθαι ὑπὸ Ἀνακρέοντος τάδε· Σφαίρῃ – Πρὸς
δ' ἄλλην τινα χάσκει. Καὶ τὴν Σαπφὼ δὲ πρὸς ταῦτά φησιν εἰπεῖν·

> Κεῖνος, ὦ χρυσόθρονε Μοῦσ', ἔνισπες
> Ὕμνον ἐκ τᾶς καλλιγύναικος ἐσθλᾶς
> Τήιος χώρας ὃν ἄειδε τερπνῶς
> Πρέσβυς' ἀγαυός·

Ὅτι δὲ οὐκ ἔστι Σαπφοῦς τοῦτο τὸ ἆσμα παντί που δῆλον.
Antiquus ille et inveteratus error Anacreontem Sapphus amore exarsisse, gravissimus est: tanto enim spatio annorum distincti fuerunt, ut illa ab hoc videri
quidem, sed amari nullo modo potuerit: manifestum est igitur, illam cantiunculam, in qua Sappho Anacreontem Teium senem compellat, non esse ab ea
compositam, ... idque etiam Athenaeus intellexit: ... *Bk¹* **378**,11.12 s. Bergk
bis Übers.] *Bemerkung Mörikes* **378**,13–16: *Zitat nach Thu*

7

Benutzte Quellen: **378**,18.19 *Bk¹* **378**,20.21 *Pa²*
Bemerkung Mörikes: **378**,22

8

Benutzte Quellen: **378**,24–26 Unglücklich *bis* sollte *Bk¹ Thu*
Keine Quelle nachgewiesen: **378**,26.27 Der Sage *bis* gefunden

9

Benutzte Quellen: **378**,31–37 Bergk *bis* Griffbrett-Instrument *Bk¹* **379**,2–4 Wenn
bis Clarinette *Pa²* **379**,7–26 »Auch steht *bis* singt« *Hd* **379**,27.28 Bathyllos *bis* beweisen *Bk¹*
Keine Quelle nachgewiesen: **378**,29.30
Bemerkungen Mörikes: **378**,37–**379**,1 Vielleicht *bis* gebraucht **379**,4.5 In keinem
bis sein **379**,6.7 Die Schilderung *bis* folgt **379**,28.29 vgl. *bis* Nr. 20

10

Benutzte Quellen: Me, Bk¹, Wel¹, Schn, Wel², Pa¹, Bk², Thu, Bru

HINWEISE ZUR QUELLENBENUTZUNG

379,31–34 *Artemon bis* gezüchtigt] ... GRAVISSIMIS AUTEM VERBIS INVEHITUR IN ARTEMONEM QUENDAM, HOMINEM HUMILLIMO LOCO NATUM, ET TURPISSIMA PASSUM, OLIM SERVILI CONDITIONE, UT VIDETUR, USUM ET PAUPERRIMUM, NUNC ET DIVITEM ET OMNIBUS VOLUPTATIBUS DIFFLUENTEM. OBJURGAT AUTEM ISTUM HOMINEM HANC POTISSIMUM OB CAUSAM, QUOD IS EURYPYLAE, PULCRAE PUELLAE AMORE GAUDEBAT, QUAM IPSE ANACREON SUMMO STUDIO EXPETIVERAT; ... *Bk¹* **379**,34.35 Im Einzelnen *bis* auseinander] *Bemerkung Mörikes* **379**,36.37: ... EURYPYLEN AMATAM FUISSE ANACREONTI TESTANTUR DIOSCORIDES EP. XXIV. ANTH. PAL. VII, 31 ET ANTIPATER SID. EP. LXXIII. ANTH. PAL. VII, 27 ... *Me* **379**,38.39: ... UT περιφέρειν ET περιφορεῖν SAEPE DICUNTUR PRO DIFFAMARE, DIFFERRE, RUMOREM SPARGERE, ITA ANACREON ARTEMONEM DICERE VIDETUR περιφόρητον, QUIA FAMOSUS ERAT. *Bk¹* **379**,40–**380**,1 *Den Woll-Gugel bis* wurde] VERSU TERTIO βερβέριον IN OMNIBUS LIBRIS LEGITUR, NEQUE VIDETUR HAEC VOX MUTANDA ESSE, ETSI ALIBI NUSQUAM REPERTA SIT: EA AUTEM SIGNIFICAT, UT CONJICIO, GENUS VESTIMENTI VULGARE ET SERVILE, QUOD RESTI ARCTE CONSTRINGEBATUR. PAUPERES ENIM POTISSIMUM VESTIMENTA IN MEDIO CORPORE ARCTE CONSTRINGEBANT; ... *Bk¹* **380**,1–6 Schömann *bis* möge] PRAECLARE CARMEN ILLUSTRAVIT SCHOEMANNUS IND. LECTT. GRYPHISV. 1835, P. 11 SQ. ... βερβέριον SCHOEMANNO VOX BARBARA VIDETUR FUISSE, QUAE SIGNIFICARET CAPITIS QUODDAM TEGUMENTUM, PILEUM AUT MITRAM AB ASIANIS QUIBUSDAM AUT THRACIBUS ABDERAE VICINIS GESTARI SOLITAM, EAMQUE FORTASSE IN APICIS FORMAM SUPERNE CONSTRICTAM ET COARCTATAM, ἐσφηκωμένα καλύμματα ... *Schn* **380**,6–10 Für eine *bis* werden] ... ITA HIC ILLUD βερβέριον DICITUR καλύμματ' ἐσφηκωμένα. CUM ILLO βερβέριον AUTEM QUODAMMODO COMPONI POTERIT κιμβέριον, QUOD ET IPSUM GENUS VESTIMENTI FUIT. *Bk¹* **380**,11.12: Keine Quelle nachgewiesen **380**,13.14: Ξύλινοι ἀστρ., TESSELLAE LIGNEAE, PRO BACIS AUT GEMMIS INAURIUM A PAUPERIBUS USURPATAE. INAURIUM USUS IN ASIANIS GENTIBUS ETIAM APUD VIROS OBTINUIT, V. PLIN. N.H. XI, 37, 50. SCHOEMANNUS. *Schn* **380**,15.16 Lederne *bis* gebräuchlich] VESTIS CORIACEA BARBARIS USITATA, UT PERSIS, HEROD. I, 71. *Schn* **380**,16 Im Griech. *bis* ἀσπίδος] *Zitat nach Schn Bk²* **380**,16–18 und nach *bis* verglichen] [Der] Artemon wird mit einem schlechten S c h i l d verglichen. *Thu* **380**,18–20 Hienach *bis* Schild] *Bemerkung Mörikes* **380**,21.22: ... PISTRICES AUTEM FAMOSAE ERANT PROPTER VITAM DISSOLUTAM; ... *Bk¹* **380**,23–25 Der *Block bis* betrogen] κίβδηλον βίον INTELLIGE CUM SCHOEMANNO QUAESTUM FRAUDULENTUM, PROPTER QUEM ARTEMO VILISSIMIS POENIS AFFECTUS ERAT ...ἐν δουρὶ τ.⟨ιθεὶς⟩ αὐχ.⟨ένα⟩, π.⟨ολλὰ⟩ δ' ἐν τροχῷ SCHOEMANNUS: Ἐν δουρὶ NON DUBIUM EST QUIN IDEM SIT QUOD ἐν ξύλῳ: ξύλον AUTEM, CUI CERVICES ARTEMO

INSEREBAT, κύφωνα FUISSE APPARET, ... VERBERATUS MULCATUSQUE AB IIS, QUIBUS FRAUDEM FECERAT. *Schn* **380,**25.26 Auch band *bis Rad*] *Keine Quelle nachgewiesen* **380,**26–32 Eine andere *bis* anzubringen] PETAURUM [(πέταυρον, eig. die Stange auf der Nachts die Hühner sitzen, Theokr. XIII, 13.; abgeleitet bald von πέτομαι und αὖρα, bald vom äol. μετέωρος),] ein hölzernes Gerüst [(ALTUM, LUCIL. FRAGM.; VALIDUM, Manil. V, 434.)] für Gaukler [(πεταυρισταὶ, PETAURISTAE; bei] Petron. SAT. 53. 60. [Firmic. MATH. VIII, 15. PETAURISTARII), zu] denken [als] ein freistehendes schwingbares Rad. Auf [dieses] legten sich [die] Gaukler zu zwei so daß der eine es abwärts zu schieben, der andere es oben zu erhalten suchte; siegte jener so wurde dieser in die Luft geschleudert, wobei es Gelegenheit gab kunstreiche Sprünge und Burzelbäume, auch mit Hindernissen, [z.B. durch brennende Reife hindurch,] anzubringen... *Pa*[1] **380,**33.34: *Bemerkung Mörikes (vgl. die Quelle zu* **380,**23–25 *der* Block *bis* betrogen) **380,**35: κύκη AUTEM VIDETUR NOMEN MATRIS ARTEMONIS FUISSE, QUAE MULIER INFIMA SINE DUBIO FUIT CONDITIONE... *Bk*[1] **380,**36–40: [... Einzelnes nun in dieser Schilderung bestimmt den Herausgeber] *(gemeint ist Bergk),* [mit] Casaubon, [den] Artemon [für] einen ehemaligen Sklaven [zu erklären, obgleich] schon Sam. Petit [in dem von Fischer beygefügten Capitel der Miscellaneen, welchem auch Mehlhorn P. 226 beytritt, den Stand oder das] Gewerbe [des] Liederlichen, [welcher dabey] Kunststücke machte, als [den des jetzt mit goldnen Ohrringen und elfenbeinenem Sonnenschirm] weiblich [geschmückten] Weichlings [erkannt hatte ...] *Wel*[1] **380,**41.42 Die nähere *bis* muß] *Bemerkung Mörikes* **380,**42–**382,**8 *(ohne die Anmerkung 381,38–41)* Den Wagen *bis* gar nicht zu] Den Wagen, [worauf derselbe] einherfuhr, darf man sich wohl nicht als seinen eignen denken, sondern als den eines reichen Liebhabers, den er jetzo gefunden hatte. Dieser Stand ist [gleich] durch das berühmt gewordene ὁ περιφόρητος Ἀρτέμων ausgedrückt. [Hr. Bergk erklärt FAMOSUS, weil περιφέρειν, περιφορεῖν oft DIFFAMARE, RUMOREM SPARGERE bedeute, ohne zu bedenken, daß, wenn dieser Sinn hier zulässig wäre, den wir dem Worte nicht schlechthin absprechen wollen, obgleich der Scholiast zu den Acharnern 850 glaubwürdig genug sagt: καὶ πάντες οἱ σοφοὶ περιφόρητοι καλοῦνται, es also umgekehrt im Guten nimmt, daß dann die Alten selbst, welche von der Stelle sprechen, dieß doch auch gewußt haben müßten, und sie nicht, ohne an das zunächst liegende zu denken, verschieden und zum Theil gezwungen und falsch erklärt haben würden.] Nach Plinius machte Polyklet, [was hier ganz übergangen ist:] HERCULEM, QUI ROMAE, AGETERA, ARMA SUMENTEM, ARTEMONA, QUI PERIPHORETOS APPELLATUS EST. Gewiß ist [es nicht glaublich, daß Polyklet einen wirklichen Artemon, ein Bild dieses elenden Menschen, gearbeitet hätte oder daß diesem überhaupt Statuen, wie dem Bathyll eine von Polykrates, errichtet worden, Statuen, welche dann im Rufe so groß geworden seyn müßten, daß ein Polyklet sie aufgesucht und nachgebildet hätte. Vielmehr] ein Charakterbild [haben wir uns zu denken,] welchem der Künstler nach einem berüchtigten Individuum dieses Charakters einen Namen beylegte. [Aber nicht der berüchtigte Artemon konnte] die Statue [füglich] heißen, [sondern] die bezeichnende Eigenschaft [als Beynamen erwartet man ausgedrückt,] den liederlichen. So erhalten wir in diesen [beyden] Statuen nochmals ungefähr dieselben Gegenstücke, welche Polyklet in dem DIADUMENOS MOLLITER JUVENIS und in dem DORYPHORUS VIRILITER PUER dargestellt hatte [(ANNAL. DELL' INST. ARCHEOL. IV, 384),] nur im Alter etwas verschieden. Denn der Herakles ἀγατὴρ war eben der Kriegsmann als Herakles, oder Herakles soldatisch, als Urbild des Kriegsmanns, [ein πρόμαχος, wie er bey Pausanias (IX, 11, 2) vorkommt.] Dieser hielt die Waffen in der Hand, Artemon aber vermuthlich den Sonnenschirm, natürlich unaufgespannt, und trug Ohrgehänge dazu, wodurch die Figur sich als der Anakreontische Artemon sogleich zu erkennen gab.

Daß [Artemon] durch das Lied bekannt genug und zum Charakternamen geschickt worden war, beweist die Anspielung des Aristophanes in den Acharnern, wo er von einem Musiker mit buhlerischem, oder, wie der Scholiast auch behauptet, kinädischem Haarschnitte, sagt:

Κρατῖνος ἀεὶ κεκαρμένος μοιχὸν μιᾷ μαχαίρᾳ,
ὁ παμπόνηρος Ἀρτέμων.

Die [eine dort gegebene] Erklärung, [daß ὁ περιφόρητος] Ἀ. sprichwörtlich gebraucht werde ἐπὶ καλοῦ καὶ ἁρπαζομένου πρὸς πάντων παιδός, ist [offenbar die] richtige, [von Voß nur übel ausgedrückt »der ringsverschändete Artemon«;] es ist der herumgerissene, von einer Hand in die andre gegangene. [Die andre dem guten Scholion angehängte Erklärung, die das Sprichwort von] dem Mechaniker Artemon, Zeitgenossen des Aristides, [der] lahm war und sich daher auf einem Tragstuhle zu den Werken, die er ausführte, herumtragen ließ, [ableitet, ist eine Albernheit, die man nicht dem Ephoros aufbürden sollte; denn dieser sagt nach] Plutarch [im] Perikles (27) [nur, daß man den Mechaniker Artemon] περιφόρητος genannt [habe,] offenbar mit [dem] Doppelsinn oder einer scherzhaften Anspielung auf den andern. [Hiernach ist Sillig im CATAL. ARTIF. P. 336, der dem Polyklet einen Artemon SINE DUBIO CUBANTIS ET RECLINANTIS SPECIE beygelegt, zu berichtigen.] Was aber [soll man von] Heraklides Pontikos [als Ausleger auch bey dieser Gelegenheit halten, der nicht bloß, wie Plutarch anführt, den Ephoros mit Anakreon und den Zeiten widerlegte, sondern auch, worin ihm aber Chamäleon (bey Athenäus) vorangegangen seyn kann, das περιφόρητος von Herumtragen des Artemon auf einem Tragbette erklärt, und um dieß zu erklären, da die Sache an sich gegen allen Gebrauch

und Wahrscheinlichkeit zu sehr verstoßen mochte, eine einfältige Geschichte er-
findet? Daß nach Anakreon selbst dieser] Artemon [sich mit einem] Tragbette
[nicht begnügte, sondern auf Wagen herumfuhr, ohne die ihm angedichtete
Furcht das Haus zu verlassen, bemerkt Hr. B. Was den Ausdruck Plutarchs be-
trifft: τοῦτο μὲν οὖν 'Ηρακλείδης ὁ Π. ἐλέγχει τοῖς 'Ανακρέοντος ποιή-
μασιν, ἐν οἷς ὁ π. 'Α. ὀνομάζεται, so nöthigt er nicht mehrere Gedichte gegen
den Artemon anzunehmen.] Die frühere Lebensart desselben bezeichnet vortrefflich das κίβδηλον εὑρίσκων βίον, was auf einen Sklaven nicht paßt. Eben
so wenig paßt der freye Umgang mit der schlechten Gesellschaft, was Samuel
Petit mit allem Grunde geltend machte, indem er zugleich bemerkte, daß Athenäus nur von Armuth spricht, aus welcher Artemon zu Reichthum emporge-
kommen sey, und daß diesen ein Sklave sich nicht erwerben konnte. Auch die
Peitsche läßt uns hier keinesweges an einen Sklaven denken, da man nicht den
Sklaven auch Haar und Bart ausraufte; bey den Händeln um den herumgerissenen
Jungen und mit ihm ist dieß an seinem Platz und die Prügel dazu. [Nähere Aufklärung vermissen wir über πολλὰ μὲν ἐν δουρὶ τιθεὶς αὐχένα πολλὰ δ' ἐν
τροχῷ. Indessen hat Petit auch das richtig eingesehen, daß dieß] auf Künste eines
PUER MERCENARIUS in Stellungen und Bewegungen geht, wie der Gnytho des En-
colpius bey Petron welche mit dem Scheermesser macht, nur von anderer Art.
[...] Wel[1] 381,38–40 Brunn bis Speer] Der Diadumenos [und] der Doryphoros:
[der erste] MOLLITER IUVENIS, ein Jüngling von mehr weichen Formen, wie er sich
die Binde um das Haupt legt, [der andere,] VIRILITER PUER, [ein] kräftiger mann-
hafter Knabe mit dem Spear: [Plin. 34.33...] Bru 381,40.41 Nach bis Liebes-
Tänia] [Der ältere Polyklet, ebenfalls Zeitgenosse des Prodikos, führte] einen
verdorbenen Jüngling [(MOLLITER JUVENEM)] mit einer Liebes-Tänia [und einen
kräftig und gut erzogenen Epheben mit der Lanze (VIRILITER PUERUM) als Gegen-
stück aus.] Wel[2] 382,8.9 So viel bis 154ff.] Bemerkung Mörikes 382,10.11 Brunn
bis sagt] Bemerkung Mörikes (s. Erläuterung in Band 8,2) 382,11–16 Abgesehen bis
bringen] Zitat nach Bru 382,17–27: Bemerkung Mörikes

11

Benutzte Quelle: 382,29–41 Bk[1]

Bemerkungen Mörikes: 383,1.2 (s. Erläuterung in Band 8,2) 383,3–5 (s. Erläuterung
in Band 8,2)

12

Keine Quelle nachgewiesen

13

Benutzte Quelle: **383**,10–14 Vielleicht *bis* von sich *Bk*[1]

Keine Quelle nachgewiesen: **383**,9.10 Der *Kukuk bis* fangen

14

Benutzte Quellen: **383**,16–20 *Peitho bis* Chariten *Er* **383**,20–25 Das Fragm. *bis* ließ *Wel*[1] *Bk*[1]

15

Benutzte Quelle: *Bk*[1]

18

Benutzte Quelle: *Bk*[1]

19

Benutzte Quelle: *Bk*[1]

20

Benutzte Quellen: **384**,5–18 Das Stück *bis* (Anth. Pal. VII, 31) *Bk*[1] **384**,19–29 Anakreon *bis* Reich *Zitat nach Jac*[2]

Bemerkung Mörikes: **384**,18.19 in Jacobs' *bis* Überschrift

22

Benutzte Quellen: **384**,31–33 *Jac*[3] **384**,34 *Bk*[1]

24

Benutzte Quellen: **384**,36 Nach der *bis* πυκταλίζω *Bk*[2] **384**,36–38 Die gleiche *bis* entgegenstelle *Bk*[1] *(Die deutsche Wiedergabe dieser Stelle stammt sehr wahrscheinlich von Mörike.)*

25

Benutzte Quellen: **385**,2–4 *Bk*[1] **385**,8 Ähnlich *bis* Od. I, 27 *Bk*[1]

Keine Quelle nachgewiesen: **385**,5–8 Die rohen *bis* gewesen sein

27

Benutzte Quelle: *Bk*[1]

28

Benutzte Quelle: **385**,14 *Bk*[1]

Bemerkung Mörikes: **385**,13 *(s. Erläuterung in Band 8,2)*

29

Benutzte Quellen: **385**,16–18 *Me (Eine Übersetzung dieser Stelle ist nicht nachgewiesen. Sie stammt wahrscheinlich von Mörike.)* **385**,19.20 *Me*

31

Keine Quelle nachgewiesen: **385**,22.23 *Schwelgend bis* bezüglich *(wahrscheinlich Bemerkung Mörikes)*

Bemerkung Mörikes: **385**,23.24 Thudichum *bis* schaukelt *(vgl. dazu die »Bearbeitungsanalyse« S. 495)*

33

Benutzte Quelle: **385**,26–28 *Wel¹ (Zitat in Abweichung von der Fassung der »Classischen Blumenlese«. Vgl. dazu die »Erläuterungen« in Band 8,2 und die »Lesarten« in Band 1,2.)*

34

Benutzte Quellen: **385**,30.31 *Schn* **386**,1–3 *Hauspokal bis* zutrank *Bk¹*

Bemerkung Mörikes: **386**,3.4 hienach *bis* Übersetzung

35

Bemerkung Mörikes

37

Benutzte Quellen: **386**,8–11 *Bk¹ By*

Benutzte Quellen: **386**,12–15 Die unserem Dichter *bis* angegeben wird *Er* **386**,16.17 und eben *bis* Stücke *Jac¹* **386**,18 *Thu* **386**,19–26 *Bk¹ Thu* **386**,27 *Bk²* **386**,28–30 *Bk¹* **386**,31.32 Dem Bakchos *bis Chors Jac¹* **386**,34–**387**,5 Die Anordnung *bis* Dreifuß *Pa¹* **387**,10 *Schn* **387**,11.12 *Wel¹ Bk²* **387**,13 *Thu* **387**,14.15 *Schn* **387**,18–20 *Bk¹ Thu*

Keine Quelle nachgewiesen: **386**,15.16 Es sind *bis* (Nr. 43–53) **386**,32–34 Ein Hauptbestandtheil *bis* Tanz **387**,5–9 der nun *bis* in Athen ist **387**,16.17 *(wahrscheinlich Bemerkung Mörikes)*

ANAKREONTISCHE LIEDER

Band 8,1 Seite 391–490

1. DIE LEIER

Benutzte Textvorlagen: De¹, De², De⁴

BEARBEITUNGSANALYSE

Überschrift: [Auf] die Leier *De⁴*
4 Sie tönen] [Ertönen] *De⁴* **7:** [Alcidens Siegeskämpfe] *De⁴* **9** Sie tönte] [Ertönte] *De⁴*

10–12:   [So] lebt [nun] wohl [auf immer]
    Ihr [Helden!] meine [Leier]
    Ertönet nur von Liebe. *De¹*
    [Drum] lebet wohl [auf immer,]
    Ihr [Helden!] meine [Leyer]
    Ertönet nur von Liebe. *De²*
    [So] lebt [nun] wohl, Heroen!
    [Denn] meiner Laute Saiten
    Ertönen nur von Liebe. *De⁴*

2. VERSCHIEDENER KRIEG

Benutzte Textvorlagen: De¹, De⁴

BEARBEITUNGSANALYSE

Überschrift: [Auf sich selbst] *De⁴*
2 Und jener] [Ein andrer] *De⁴*
4–7:   Mich schlägt kein [Heer von Reitern,]
    Kein Fußvolk, keine Flotte;
    [Mit] andern [neuen] Heeren
    [In Augen muß] ich [streiten.] *De¹*
    Kein Reiterheer [besiegt] mich,
    Kein Fußvolk, keine Flotte;
    Ein andres [neues Streitheer]
    Bekriegt mich aus [den Augen.] *De⁴*

3. LIEBESWÜNSCHE

Benutzte Textvorlagen: De², De⁴

Überschrift: [An ein Mädchen] *De⁴*

1.2:   Als Fels stand Tantals Tochter

                    [Einst] auf [der Phryger] Bergen, *De²*

                    Als Fels stand Tantals Tochter

                    Auf Phrygiens [Gebirgen,] *De⁴*

3.4:   Und einst [umher] als Schwalbe

                    Flog [des] Pandions Tochter. *De⁴*

9: Zum Wasser [möcht'] ich werden, *De⁴*   **12:** [Um] salben dich [zu können!] *De⁴*

14:   Zu deines Halses Perlen! *De²*

                   Zur Perle deines [Nackens,] *De⁴*

4. ZWIEFACHE GLUT

Benutzte Textvorlagen: De¹, De⁴

Überschrift: [Auf sich selbst] *De⁴*

1 o Mädchen] [ihr Schönen] *De⁴*   **2** Vollauf, athemlos] [Um unabgesezt] *De⁴*

3.4:   [Denn die Hitze hat mich jetzo,

                    So entzündet, daß ich lechze.] *De⁴*

5–7:   Gebt mir von Lyäens Blumen;

                    [Gebt mir] Kränze, [meine] Stirne

                    [Mit] zu [schmücken, denn ich] glühe. *De¹*

                    [Reichet] mir Lyäens Blumen;

                    Gebt [mir] Kränze, um die Stirne

                    [Sie] zu [schlingen, denn ich] glühe. *De⁴*

8: [Doch die Hitze meiner Liebe,] *De⁴*   **9** mag] [soll] *De⁴*   dämpfen] [stillen] *De⁴*

5. RUHEPLATZ

(Vgl. »Nachträge« S. 570)

Benutzte Textvorlagen: De¹, De², De⁴

513

Überschrift: [An Bathyll] *De⁴*

1–4:	[Setze] dich, Bathyll, im Schatten
	[Dieses] schönen Baumes [nieder.
	Siehe,] bis zum [kleinsten] Zweige
	[Rühret er die] zarten [Blätter;] *De⁴*
6:	Rinnt [vorbei der Suada] Quelle. *De¹ De²*
	Lockt [der Überredung] Quelle. *De⁴*

7 Ruheplätzchen] [Wonnelager] *De⁴*

6. RECHNUNG

Benutzte Textvorlagen: De¹, De², De⁴

Überschrift: [Auf seine Liebschaften] *De⁴*

2 anzugeben] [zu bestimmen] *De⁴*

3–6:	[Weißt] du [mir alle] Wellen
	[Des großen Meers] zu zählen,
	Sollst du allein berechnen
	Die [Menge] meiner Mädchen. *De⁴*
8:	Und dann noch funfzehn andre; *De¹ De²*
	Und dann noch funfzehn [fremde;] *De⁴*
9.10:	Dann [setze von] Korinthus
	[Ein großes Heer] von [Mädchen;] *De⁴*

15 Nimm an] [Nimm dann] *De⁴* **16:** »Was [sprichst] du?« – [Rechne weiter!]
De⁴ **17** zu gedenken] [nicht erwähnet] *De⁴* **18** Schätzchen] [Lieben] *De⁴*

23–26:	Wie könnt' ich [in der Ferne
	Die Mädchen meines Herzens]
	Von [Kadix, Indus,] Baktra
	Dir alle hererzählen? *De¹ De²*
	Wie könnt' ich [meines Herzens
	Entfernte Mädchen] alle
	[Aus] Indien und Gades
	Und Baktra dir [berechnen?] *De⁴*

7. DAS NEST DER EROTEN

Benutzte Textvorlagen: De¹, De², De⁴

Überschrift: [An die Schwalbe] *De⁴*

2 Wohl] [zwar] *De⁴* **5:** Nach Memphis und zum Nile *De⁴*

10:   Und [da halbausgekrochen;] *De¹*
                    [Der] halb [schon ausgekrochen;] *De⁴*

11 . 12:   [Und immer] schrei'n [die Jungen]
                    Mit ofnem Mund [nach Futter.] *De²*
                    [Da rufen stets die Jungen]
                    Mit ofnem Mund [nach Futter.] *De⁴*

13 . 14:   Die älteren Eroten
                    [Zwar] ätzen ihre Jungen; *De⁴*

16 . 17:   So [bringen] sie auch [Jungen.]
                    Wie ist [mir] da zu [helfen?] *De⁴*

18 . 19:   Ich kann ia [all die Amors
                    Aus meiner Brust] nicht [iagen.] *De¹*
                    [Mein Herz] kann ja so viele
                    Eroten nicht [bewirthen.] *De⁴*

8. WEDER RATH NOCH TROST

(Vgl. »Nachträge« S. 570)

Benutzte Textvorlagen: De¹, De², De⁴

Überschrift: [Auf die Liebe] *De⁴*

1 . 2:   [Schwer] ist es, [niemals] zu lieben,
                    [Und auch schwer ist es,] zu lieben. *De¹*
                    Nicht zu lieben, [und] zu lieben,
                    [Beides] ist [ein hartes Schicksal;] *De²*
                    [Etwas hartes] ist, nicht lieben,
                    [Etwas hartes ist es,] lieben; *De⁴*

3 . 4:   Aber [härter ist,] als beides,
                    [Ohne Gegengunst die Liebe.] *De⁴*

5: Liebe siehet nicht auf Adel, *De⁴* **6** stehn] [wird] *De⁴* **8:** O daß der [vernich-tet wäre,] *De⁴*

10–12:   [Seinetwegen] gilt kein Bruder,
                    Seinetwegen [keine Eltern;]
                    Gold [erzeuget] Mord und Kriege; *De⁴*

13.14:   [Ach!] wir Liebende, [wir] müssen
           [Seinetwegen gar] verderben. *De¹*
           Und wir Liebende – das Ärgste –
           [Wir] verderben [seinetwegen.] *De⁴*

9. GENUSS DES LEBENS

Benutzte Textvorlagen: De², De⁴

BEARBEITUNGSANALYSE

Überschrift: [An sich selbst] *De⁴*
1 Sprossen] [Zweige] *De⁴* **4** möge auf] [soll bis an] *De⁴* **5:** Mit [Papyr] das
Kleid sich knüpfen *De⁴* **6:** Und mir so den Becher reichen; *De⁴* **8:** Wie das
Rad [des] Wagens hinrollt, *De⁴* **11** soll's] [hilfts] *De⁴* **15** ein] [mein] *De⁴*
16–18:   [Denn eh'] ich [dorthin] muß wandern
           Zu dem Reihentanz der Todten,
           Will ich mir [den Gram verscherzen.] *De²*
           [Eh'] ich, [Eros,] hin muß wandern,
           Hin zum Reihentanz der Todten,
           Will ich [scheuchen meine] Sorgen. *De⁴*

10. GENÜGSAMKEIT

(Vgl. »Nachträge« S. 570)

Benutzte Textvorlagen: De¹, De⁴

BEARBEITUNGSANALYSE

Überschrift: [Das sorgenlose Leben] *De⁴*
1.2:   Mich [reitzen nicht des Gyges,
           Des Lydschen Königs] Schätze. *De¹*
           [Ich frage nichts nach Gyges,
           Der Sardier Beherrscher;] *De⁴*
3.4:   [Kein] Gold [kann mich berücken,
           Auch] neid ich [keinen Fürsten.] *De¹*
           [Ich hege keine Mißgunst,
           Beneide keinen Fürsten,] *De⁴*
5: Ich [frage nur] nach [Salben,] *De⁴* **7:** Ich [frage] nur nach Rosen, *De⁴* **9** denke] [frage] *De⁴* auf] [nach] *De⁴* **10** es] [dieß] *De⁴*

11.12:   Drum [noch] bei guten Tagen,

            [Freund,] trinke [froh] und [scherze,]   *De⁴*

14–16:   [Damit nicht] einmal Krankheit

            [Das Trinken dir verbiete.]   *De¹*

            [Sonst kömmt und spricht] die Krankheit:

            [Jezt darfst du nicht mehr trinken.]   *De⁴*

11. UNNÜTZER REICHTHUM

Benutzte Textvorlagen: De¹, De², De⁴

BEARBEITUNGSANALYSE

Überschrift: [Auf den] Reichthum *De⁴*

1–4:   Wenn Reichthum [nur an] Golde

            [Dem] Sterblichen [das] Leben

            [Gewährte,] wollt' ich [immer

            Sorgfältig] ihn [bewahren,]   *De²*

            [Verliehen goldne Schätze

            Den] Sterblichen [das] Leben,

            [Bewahrt' ich sie mit Sorgfalt,]   *De⁴*

5:   Daß, wenn der Tod nun käme,   *De¹*

            Daß, wann der Tod [sich nahte,]   *De⁴*

7: Weil [aber] nie kann kaufen *De⁴* **8** Ein] [Der] *De⁴* **9** mag] [kann] *De⁴*

10:   Denn ist mein Loos zu sterben,   *De¹ De²*

            Denn ist [der Tod bestimmt mir,]   *De⁴*

11:   [Was seufz' ich denn vergebens?

            Was tönet meine Klage?]   *De⁴*

12:   Drum will ich [lieber] trinken,   *De⁴*

14:   [Im Kreise meiner] Freunde,

            [Und auf weichem Ruhelager

            Dann mit Aphroditen scherzen.]   *De⁴*

12. LEBENSWEISHEIT

Benutzte Textvorlagen: De¹, De⁴

BEARBEITUNGSANALYSE

Überschrift: [Auf sich selbst] *De⁴*

3–6:   Weis ich [zwar,] wie lang' [ich] walle,

[Aber] nicht, [was] ich [noch wandle.]

Lasset darum mich, ihr Sorgen!

Nichts hab' ich mit euch zu schaffen; *De⁴*

7:   Eh [der Tod] mich überraschet, *De¹*

Ehe mich [ereilt] das [Ende,] *De⁴*

13. SORGLOSIGKEIT

Benutzte Textvorlagen: De², De³, De⁴

BEARBEITUNGSANALYSE

Überschrift: [Auf sich selbst] *De⁴*

1 Traube] [Reben] *De⁴*

3–5:   Was sollten Müh' und Klage,

[Was mich der Kram bekümmern?

Sterben] muß ich, [will ich gleich nicht.] *De⁴*

6:   Was täuscht' ich mich ums Leben! *De³*

[Soll] ich mich ums Leben täuschen? *De⁴*

7 Nein] [Drum] *De⁴*

8:   Des schönen Bacchus Gabe; *De²*

[Den Wein] des schönen Bacchus; *De⁴*

9:   Denn, [Freunde, wenn] wir trinken, *De⁴*

14. SELIGER RAUSCH

Benutzte Textvorlagen: De¹, De⁴

BEARBEITUNGSANALYSE

Überschrift: [Auf sich selbst] *De⁴*

1:   Wann mich Bakchus [Kraft begeistert,] *De¹*

Wann [Lyäus] mich [begeistert,] *De⁴*

3: Dann bin ich reich, wie Krösus, *De⁴* **4** Weisen] [Lieder] *De⁴*

5–8:   Liege [da] bekränzt mit [Eppich,]

Alles [um mich] her verachtend.

[Kriege du, und ich will] trinken. *De¹*

[Dann] lieg' ich [da] bekränzet

Mit Epheu, trete [alles]

In [meinem Sinne] nieder.

[Sei Krieger, ich will] trinken. *De⁴*

10 . 11 :   Besser ist es [ia im Rausche,]

Als [im Grabe da zu] liegen. *De¹*

[Denn betrunken da zu] liegen

Ist viel besser, als – [entselet.] *De⁴*

15. TANZLUST DES TRINKERS

Benutzte Textvorlagen: De¹, De³, De⁴

BEARBEITUNGSANALYSE

Überschrift: [Auf den Bacchus] *De⁴*

1–5 :   Wann [der] Sohn des Zeus, Lyäus,

[Er,] der [Sorgenscheucher] Bacchus,

[Und] des [frohen] Weines Geber,

[Einzug hält] in meiner Sele,

[So] lehret er mich tanzen; *De⁴*

6 . 7 :   [Dann fühl' ich hohe Wonne,

Ich Freund des süssen Taumels.] *De⁴*

8 :   [Nach dem Tanze und] Gesange *De¹*

[Nach Tänzen und nach Liedern] *De⁴*

9 :   Ergezt mich [auch Cythere;] *De³*

[Beglückt] mich Aphrodite; *De⁴*

10 :   Und [dann will] ich wieder tanzen. *De⁴*

16. WECHSELLIED BEIM WEINE

Benutzte Textvorlagen: De¹, De⁴

BEARBEITUNGSANALYSE

Überschrift: [Auf sich selbst] *De⁴*

2 Gleich erwarmet] [Dann wird fröhlich] *De⁴* **3 . 4 :** Und beginnt der Musen [Loblied.] *De⁴* **6** Alsbald] [O dann] *De⁴* **7 :** [Meine sorgenvollen Plane] *De⁴*
8 den Braus der Mereswinde] [des Meeres wilde Stürme] *De⁴*

10–12 :   [Dreht der Grambefreier Bacchus

In der Blütenzeit des Lenzes

Dann] mich süßberauscht im Tanze. *De⁴*

14:   [Dann] wind' ich mir [Blumenkränze,] *De⁴*

15.16:   Schmücke meine [Scheitel,] singe

              [Meines] Lebens stille [Freuden.] *De¹*

              [Kröne] meine Stirne, singe

              Von des Lebens stillem Glücke. *De⁴*

18–20:   [Salb] ich [mich mit Wohlgerüchen]

              Und, [mein] Mädchen in [den] Armen,

              Singe von [dem Lob] Cytherens. *De¹*

              [Dann, benezt mit süsser] Salbe,

              [Schlingt mein] Arm [sich um mein] Mädchen,

              [Und] ich singe von Cytheren. *De⁴*

22–24:   [Dann] erweitern tiefe Becher

              [Meinen] Geist, und [süsse Labung

              Sind] mir [frohe Mädchenkreise.] *De⁴*

26.27:   [So ist dieß allein der Vortheil,

              Den] ich [einst von hinnen] nehme, *De⁴*

28:   [Denn ich muß] doch [einmal sterben.] *De¹*

              [Weil] der Tod [ja kömmt am Ende.] *De⁴*

17. TRINKLIED

(Vgl. »Nachträge« S. 570)

Benutzte Textvorlagen: De¹, De⁴

BEARBEITUNGSANALYSE

1.2:   Wir [Vergnügte wollen] trinken,

              Und den [Rebengott besingen.] *De⁴*

4 volle Kraftgesänge] [frohe Rundgesänge] *De⁴* **5:** Er ist Eros gleich [am Sinne,]
De⁴ **6** Ist] [Er] *De⁴*

7–9:   [Durch ihn ist] der Rausch geboren,

              [Durch ihn] ist [erzeugt] die Freude,

              [Durch ihn wird] der Kummer [ruhig,] *De⁴*

10:   [Durch ihn sinkt der Gram] in [Schlummer.] *De¹*

              [Durch ihn wird] der Schmerz [gestillt.] *De⁴*

11–14:   Denn [wenn den gemischten Becher]

              Zarte Knaben [dar] uns [reichen,

              Dann entflieht] der Gram [und mischt sich]

              In [die] Wirbel [wilder Stürme.] *De⁴*

15 zum] [die] *De⁴* greifen] [nehmen] *De⁴* **17** Wozu] [Denn was] *De⁴* helfen]
[frommen] *De⁴*

18–20:   [Wenn du quälest] dich mit Sorgen?

          [Weis der Mensch woher die Zukunft?]

          Ist [ihm nicht] sein Ziel verborgen? *De⁴*

21   vom Gott beseligt] [in frohem Taumel] *De⁴*

22 . 23:   Tanzen [und, von Salbe düftend,]

          Mit [den schönsten] Mädchen scherzen. *De⁴*

24:   *fehlt in De¹, De², De³ und De⁴. Vgl. dazu Bd. 8,1, S. 466, Z. 27f.*

25–28:   Mögen [drum sie, die es] wollen,

          [Quälen] sich mit [ihren] Sorgen!

          Wir [Vergnügte wollen] trinken,

          Und den [Rebengott besingen.] *De⁴*

18. HARMLOS LEBEN

Benutzte Textvorlagen: De¹, De⁴

BEARBEITUNGSANALYSE

Überschrift: [Auf sich selbst] *De⁴*

1–4:   [Gott der Reben, Freund der Scherze,]

          Mir [gefallen deine] Tänze.

          [Mir ists Wonne, wenn mit jungen

          Trinkern ich zur Laute singe;] *De⁴*

5–8:   Doch [ist mir die gröste Wonne,]

          Wenn ich [mit Violenkränzen

          Meine Schläfe mir umschlinge

          Und mit] iungen Mädchen [scherze.] *De¹*

          [Aber sind mit Lilien

          Mir die Schläfe sanft umflochten,

          Und ich kann mit] Mädchen [scherzen,

          Ist mir das die] süßte [Freude.] *De⁴*

11   mag ich ferne bleiben] [such' ich zu entfliehen] *De⁴*

12–16:   Hasse [das Gezänk der Trinker]

          Bei [dem fröhlichen Gelage,

          Wenn mit jungen holden] Mädchen

          [Ich zum Spiel der Laute tanze.

          Ruhig lasset drum uns leben!] *De⁴*

19. BEIM WEINE

Von Basilios

Benutzte Textvorlagen: De¹, De², De³, De⁴

BEARBEITUNGSANALYSE

Überschrift: [Von ebendemselben] *De⁴*
1 Gebt] [Reicht] *De⁴* **2:** Ohne [blutbefloßne] Saiten, *De⁴*
3. 4:   [Reicht] des Trinkgesetzes Becher,
                 Nach [der Vorschrift ihn] zu [füllen,] *De⁴*
6–8:   [Daß ich in die Laute] singe
                 Und, [doch] im [bescheidnen] Taumel,
                 [Dann ein Zecherlied anstimme.] *De¹*
                 [Daß ich taumelnd] noch [als Weiser
                 Fröhlich in die Laute] singe
                 [Und ein Zecherlied anstimme.] *De²*
                 [Daß ich taumelnd] noch [als Weiser
                 Fröhlich in die Saiten] singe
                 [Und] ein Trinklied [laut anstimme!] *De³*
                 [Daß im Wahnsinn ich als Weiser
                 Fröhlich in die Saiten] singe
                 [Und] ein Trinklied [laut anstimme!] *De⁴*
9. 10: *fehlen in De¹, De², De³, De⁴. S. Erläuterung der Stelle in Band 8,2.*

20. DAS GELAGE

(Vgl. »Nachträge« S. 570)

Benutzte Textvorlagen: De¹, De², De³, De⁴

BEARBEITUNGSANALYSE

Überschrift: [Liebes- oder Trinklied] *De⁴*
1–3:   Um [die] Schläfe Rosenkränze
                 Trinken [wir und lachen frölich,] *De¹ De²*
                 Lasset Kränze [von der Rose]
                 Um [die] Schläfe izt uns winden,
                 [Und mit sanftem Lachen] trinken, *De⁴*
4–7:   [Und ein niedlichfüßges Mädchen
                 Mit dem] Thyrsus in den Händen,

Welchen Epheulaub umrauschet,
[Schwebt] im [Tanze nach] der Laute. *De⁴*

8–11:   Und ein [sanftgelockter] Knabe
Läßt [dabei von süssen] Lippen
Zu [harmonischer Begleitung
Reine Melodien fließen;] *De¹*
Einem weichgelockten Knaben,
[Welcher rührt der Laute Saiten,
Fließen von der süssen] Lippe
[Silberhelle Melodien.] *De⁴*

12:   [Amor mit den] goldnen [Locken,] *De²*
Eros [mit den] goldnen [Locken,] *De³*
Eros, [er der Goldgelockte,] *De⁴*

14:   Mit der [reizenden] Cythere, *De⁴*

15.16:   [Wohnet gerne bei] dem Schmause,
[Wo] die Greise sich [erfreuen.] *De¹*
[Wohnet gern beim frohen] Schmauße,
[Welchen muntre] Greise [lieben.] *De⁴*

21. DIE RASENDEN

Benutzte Textvorlage: De⁴

BEARBEITUNGSANALYSE

Überschrift: [An sich selbst] *De⁴*
1: [Aus Liebe zu Cybeben] *De⁴*   **5:** An Klaros Quellenrande, *De⁴*   **6** Wunderborne] [Zauberborne] *De⁴*   **8:** [Noch] rasen [andre schreiend;] *De⁴*

22. VERSCHIEDENE RASEREI

Benutzte Textvorlagen: De¹, De², De⁴

BEARBEITUNGSANALYSE

Überschrift: [Auf sich selbst] *De⁴*
1.2:   Laßt [doch] bei den Göttern mich
[Jezt] trinken! Trinken will ich *De⁴*

5 nackten] [weißen] *De⁴*

8:   Bezecht von rothem Weine. *De¹*
Bezecht von [goldnem] Weine *De⁴*

9: [Nur] will ich, will ich rasen. *De⁴*   **13:** Auch rasete [einst] Aiax, *De⁴*
14.15:   Als er das Schwerd des Hektors
                    [Und] seinen Schild [geschwungen.] *De¹ De²*
                    Als er sammt [dessen] Schilde
                    Das Schwerd des Hektor schwenkte; *De⁴*
16–18:   Ich [nur] will mit dem Becher,
                    Und mit bekränztem Haupthaar,
                    [Und nicht mit Schwerd und Bogen,
                    So will,] so will ich rasen. *De⁴*

23. RECHTFERTIGUNG

Benutzte Textvorlagen: De¹, De², De⁴

BEARBEITUNGSANALYSE

Überschrift: [Nothwendigkeit zu trinken] *De⁴*
2:   [Es] trinken sie die Bäume; *De¹ De²*
                    Die Bäume trinken [jene,] *De⁴*
3:   Es trinkt das Meer die [Flüsse,] *De¹ De²*
                    Das [Weltmeer] trinkt die [Flüsse,] *De⁴*
5: Sogar der Mond die Sonne. *De⁴* **6** doch, o] [denn, ihr] *De⁴*

24. ANTWORT

Benutzte Textvorlagen: De¹, De², De⁴

BEARBEITUNGSANALYSE

Überschrift: [Auf sich selbst] *De⁴*
3:   Nimm [nur] den Spiegel; siehe, *De⁴*
4:   Du hast [ia keine] Haare, *De¹*
                    [Nicht mehr ein Härchen] hast du *De⁴*
5:   [Und] kahl ist deine Stirne! *De¹*
                    [Auf] deiner kahlen Stirne! *De⁴*
7 ausgegangen] [ausgefallen] *De⁴*
8:   [Das] weis ich nicht; [dieß] weis ich, *De⁴*
9–11:   Daß [Scherz und Freude desto]
                    Mehr [sich für] Alte [schicken,]
                    Je näher [sie dem Grabe.] *De²*

Daß [Freud' und Scherz dem Greise
Nur desto] mehr [geziemen,]
Je näher [ihm das Grab ist.] *De⁴*

25. AN EIN MÄDCHEN

Benutzte Textvorlagen: De¹, De⁴

BEARBEITUNGSANALYSE

1–5:   Fleuch nicht, [o] Mädchen, [wenn] du
[Mein] graues Haar [erblickest!]
Nicht, weil [bei] dir noch [blühet]
Der Jugend [holde] Blume,
[Entzeuch dich] meiner [Liebe!] *De⁴*

6–8:   Sieh nur wie [in den] Kränzen
Mit Rosen weiße Lilien
[Verbunden niedlich sehen!] *De¹*
Sieh [doch,] wie selbst [in] Kränzen
Mit Rosen weiße Lilien
[Durchflochten] lieblich [sehen!] *De⁴*

26. DER ALTE TRINKER

Benutzte Textvorlagen: De¹, De⁴, Thu. Die Verse 8 f. sind in den Fassungen De⁴ – dort Verse 6 f. – und Thu zugleich Textvorlagen des Fragments 35. Hat einer Lust ... Thu übersetzt den bei Bk¹ und Bk² überlieferten Originaltext des Fragments, der nur diese beiden Verse hat. (Vgl. S. 496)

BEARBEITUNGSANALYSE

Überschrift: [Auf sich selbst] *De⁴*

2–6:   [Noch stärker, als] ein Jüngling;
Und [ruft man mich zum Tanze,]
Nehm' [ich] den Schlauch zum Stabe; *De⁴*

7:   [Was soll ein Tänzerstab mir;] *De⁴*

8.9:   [Wer] Lust [verspürt] zu [streiten,
Es steht ihm frei, er streite.] *Thu*
[Wer sich nach Kämpfen sehnet,]
Dem [gönn ich es, er] kämpfe. *De⁴*

10–12:   Mir [reich] den Becher Knabe,
                       [Füll ihn] mit [süssem] Weine. *De¹*
                       Mir [nur,] o Knabe, [reiche]
                       Voll honigsüssen Weines
                       Den [vollgefüllten] Becher! *De⁴*

13 . 14:   Zwar bin ich alt, doch [tanz] ich
                       [Nachahmend den Silenus,
                       Daß jedermann mich siehet.] *De¹*
                       Zwar bin ich [schon ein] Alter;
                       [Allein ich schwebe gerne
                       Noch wie Silen im Tanze.] *De⁴*

27. BESTE WISSENSCHAFT

Benutzte Textvorlage: De⁴

BEARBEITUNGSANALYSE

Überschrift: [Auf die Lebensfreuden] *De⁴*

1–4:   [Warum willst] du [die Gesetze]
                       Und des Redners Kunst mich lehren?
                       Wozu soll mir [doch die Kenntniß
                       Dieser Dinge, die] nichts frommen? *De⁴*

6: [Ihn,] den [milden] Saft Lyäens; *De⁴* **9:** Graues Haar kränzt meine Scheitel. –
De⁴ **13:** [Und ein Todter wünschet] nichts mehr. *De⁴*

28. GREISEN-JUGEND

Benutzte Textvorlagen: De¹, De², De⁴

BEARBEITUNGSANALYSE

Überschrift: [Der Greis] *De⁴*

4 wohl] [zwar] *De⁴*

5:   Doch [Jüngling] an [der Seele.] *De¹ De²*
                       Doch [nach dem] Geist [ein Jüngling.] *De⁴*

29. JUNG MIT DEN JUNGEN

Benutzte Textvorlage: De⁴

BEARBEITUNGSANALYSE

Überschrift: [Auf sich selbst] *De⁴*

1–5:   [Wann] ich Jünglingskreise sehe,

          [Dann kehrt] wieder meine Jugend,

          Dann [sogar,] dann zu [dem] Tanze

          [Werd'] ich Alter noch beflügelt.

          Bleibe [du] bei mir, Kubebe,   *De⁴*

6 Rosen her] [Reiche mir] *De⁴*   **7:** [Bleibe fern, du] graues Alter! *De⁴*   **8:** Jung
mit Jünglingen [ich] tanze. *De⁴*

9–11:   Reiche [wer] mir von [dem Tranke,

          Welcher fleußt aus Bacchus Traube,

          Daß] ihr seht [des] Alten Stärke,   *De⁴*

30. AUFTRAG

Benutzte Textvorlagen: De², De⁴

BEARBEITUNGSANALYSE

Überschrift: [Auf einen silbernen Becher] *De⁴*

1–5:   Arbeite dieses Silber

          Hephäst für mich; [nur] mache

          [Mir keine Waffenrüstung,

          Denn was geht mich der Krieg an?]

          Nein, einen Becher mache

          So [weit] und tief [als möglich.] *De⁴*

6–8:   Nur [bilde auf demselben]

          Mir keine [Sternenbilder,

          Den grosen] Wagen, [oder

          Den stürmischen] Orion. *De²*

          Nur [auf demselben bilde]

          Mir [nicht] Gestirne, [auch nicht

          Den großen] Wagen, [oder

          Den traurigen] Orion. *De⁴*

10:   Und was [soll mir] Bootes? *De²*

          Was [das Gestirn] Bootes? *De⁴*

11 . 12:   [Nein!] bilde Rebenstöcke

          Und Trauben [an denselben,

          Zu Winzern die Mänaden;

          Dann eine Weinbeerkelter,] *De⁴*

31. DAS BILDNISS DER GELIEBTEN

Benutzte Textvorlagen: De¹, De², De⁴

Bearbeitungsanalyse

Überschrift: [Für seine] Geliebte De⁴

1 bester aller] [treflichster der] De⁴ **2** allerbester] [treflichster der] De⁴ **5:** Die entfernete [Geliebte!] De⁴

7:   Und, [wenn] es [das] Wachs [erlaubet,] De¹ De²
                 [Auch, wird] es [das] Wachs [gestatten,] De⁴

9–19:   Male, wo die Wange endet,
                 Unter [ihren] dunkeln Locken
                 Weiß, wie Elfenbein, die Stirne.
                 Laß der [Augenbraunen] Bogen
                 Sich nicht trennen, nicht verbinden,
                 Sondern [sanft,] wie bei [der Holden,]
                 In einander sich verlieren.
                 [Gib ihr schwarze Augenlider,
                 Und] den Blick [in ihrem] Auge
                 [Male] du [mir ganz von] Feuer; De⁴

21:   Liebe [schmachtend,] wie Cytherens. De⁴

24 . 25:   Gib ihr Lippen, [wie der Suada,
                 Welche sanft] zum Kusse [laden.] De⁴

26–28:   [Laß] im [sanften] Kinn [das Grübchen
                 Und den weißen Marmornacken]
                 Alle [Grazien umschweben.] De¹
                 Um des weichen Kinnes [Grübchen
                 Und den weißen Marmornacken]
                 Schweben alle Charitinnen! De⁴

29 in lichtem] [von sanftem] De⁴ **30:** [Das] Gewand [der Holden werden,] De⁴
31: [Etwas von dem] Fleisch durchschimmern, De⁴ **32:** Und [sich] nur den Umriß [zeigen.] De⁴

33 . 34:   [Nun] genug! [ich seh die Holde.
                 Bald, o Bildnis,] wirst du reden. De¹ De²
                 [Gut! ich sehe] schon [die Holde;
                 Bald, o] Bild, wirst du auch [sprechen.] De⁴

32. DAS BILD DES BATHYLLOS

Benutzte Textvorlagen: De¹, De⁴

BEARBEITUNGSANALYSE

Überschrift: [Für den] Bathyll *De⁴*

4: [In] dem Grunde [finst'res] Dunkel, *De⁴* **5:** [Doch von] aussen Sonnenschimmer; *De⁴*

6–11:
[Ungekünstelt] nur gebunden

Laß sie, wie sie selber wollen,

Sich in freie Locken legen.

[Seine weiche] zarte Stirne

[Kränze mir mit] Augenbraunen,

[Welche] dunkler [sind,] als Drachen. *De⁴*

13: Doch [durch Heiterkeit gemildert;] *De⁴* **15** lieblichen] [reizenden] *De⁴*

16. 17:
Daß man [sich] vor [jenem fürchte,

Doch] bei dem [mit Hofnung schmeichle.] *De⁴*

20–29:
Und [begeuß sie, so wie möglich,

Mit des Schamroths sanfter Farbe.]

Seine Lippen – [noch] weis ich [nicht,]

Wie du diese mir [sollst] malen –

Weich [und voll der] Überredung.

Wisse kurz, das [Bildniß] selber

[Spreche doch bei seinem] Schweigen.

Unter [seinem Angesichte,

Schöner, als] Adon ihn hatte,

[Sei von Elfenbein der Nacken.] *De⁴*

32. 33:
[Nimm des Pollux runde] Hüfte

Und [den] Bauch vom Dionysus. *De¹*

[Von dem Pollux nimm die] Schenkel,

Und [den] Bauch vom [Dionysus.] *De⁴*

34–40:
[Über seinen] weichen Schenkeln,

[Seinen] feuervollen [Schenkeln,]

Gib ihm eine glatte [Unschuld,]

Die [sich] eben [sehnt nach Liebe.

Ist doch] deine Kunst [so] neidisch,

[Denn] du kannst [ja seinen] Rücken,

Doch [das Schönste, mir] nicht zeigen. *De⁴*

43:
Und [verändre] diesen Phöbus, *De⁴*

33. AUF EIN GEMÄLDE DER EUROPA

(Vgl. »Nachträge« S. 570)

Benutzte Textvorlagen: De¹, De⁴

BEARBEITUNGSANALYSE

1–4: [Der] Stier da, Knabe, [glaub' ich,

soll] einen Zeus [bedeuten;]

Denn er trägt eine [Schöne

Von Sidon] auf dem Rücken, *De⁴*

5: [Durchschwimmt] das Meer und theilet *De¹*

[Durschschwimmt die Flut] und theilet *De⁴*

7–10: [Es ist auch von] der Heerde

[Noch nie] ein Stier [entflohen,

Der] durch die [See geschwommen,]

Als [wie allein] nur [dieser.] *De¹*

[Auch ist von einer] Heerde

[Kein andrer] Stier [entflohen,

Der auf dem Meere] schifte,

Als [wol allein] nur [dieser.] *De⁴*

34. APHRODITE AUF EINEM DISKOS

Benutzte Textvorlagen: De¹, De², De³, De⁴

BEARBEITUNGSANALYSE

Überschrift: Auf einen Diskus [mit dem Bildniß der] Aphrodite *De⁴*

1–7: [Wer doch hat] dieß [Meer gebildet?

Welche Götterkunst] hat Wellen

Ausgegossen auf dem Diskus

[Über des Gewässers Rücken?]

Welcher [gotterhabne] Geist [wol

Bildete] die zarte Cypris,

[Sie,] die Mutter selger Götter,

Auf den [Fluten dieses] Meeres? *De⁴*

8–10: Nackend [läßt] er sie [uns sehen,

Und] nur [das die] Wellen decken,

Was [das Auge] nicht [darf] schauen. *De¹ De²*

Nackend zeigt er sie dem Blicke
[Und,] was nicht [gebührt dem Auge,
Dieses] nur [bedeckt die] Welle. *De⁴*

11–15:   Gleich dem weißen [Moose webt sie]
Auf des Meeres [glattem Spiegel,
Senkt den Körper] in die Fluten,
[Zieht nach sich die laute Welle;] *De⁴*

16 ros'gen Busen] [Rosenbusen] *De⁴* **17** Halse] [Nacken] *De⁴*

19 . 20:   In des [stillen] Meeres Furche
Glänzt [die göttliche] Cythere *De⁴*

22–25:   [Über ihm,] dem Silber, [fahren
Hin] auf tanzenden Delphinen
Eros und [der Gott der Sehnsucht
Ob] der Menschen [Tücke lächelnd;] *De⁴*

27 in] [auf] *De⁴*

29:   Wo sie schwimmt mit [sanftem] Lächeln. *De³*
Wo [dieselbe] lächelnd schwimmet. *De⁴*

35. AUF DIE ROSE

Benutzte Textvorlagen: De¹, De², De⁴

BEARBEITUNGSANALYSE

2:   [Mit] Lyäen [uns vermischen;] *De⁴*

3–5:   Mit der Rose [Wonneblüten]
Lasset uns die Schläfe kränzen,
[Und bei sanften] Scherzen [trinken!] *De¹*
Mit der Rose [holden Blüte
Und mit wohlbekränzten] Schläfen
[Trinken uns und fröhlich lachen!] *De⁴*

6: Rosen [sind] die schönsten Blumen, *De⁴* **7:** Rosen [sind] des Lenzes [Sorge;]
De⁴ **9** die gelben Ringelhaare] [den Flaum der schönen Locken] *De⁴*

10:   Zu [dem Tanz] mit Charitinnen. *De¹*
Mit den Charitinnen tanzend. *De⁴*

11–15:   [Drum so] will [auch] ich mich kränzen,
[Will] bei deinem Tempel [singend,]
Bakchus, mit dem [schönsten] Mädchen
[Und mit Rosenschläfen] tanzen. *De¹*

[Drum so] will [auch] ich mich kränzen,
Bacchus, [will] mit [einem] Mädchen,
[Dem ein voller Busen bebet,
Rosen um das] Haupt [und singend]
Froh bei deinem Tempel tanzen. *De²*
[Drum so] will [auch] ich mich kränzen,
Bacchus, [will] mit [einem] Mädchen,
[Dessen voller Busen reizet,
Hauptbekränzt] die Laute rührend,
Froh bei deinem Tempel tanzen. *De⁴*

36. LOB DER ROSE

Benutzte Textvorlagen: De¹, De², De⁴

BEARBEITUNGSANALYSE

Überschrift: [Auf] die Rose. [Ein Wechsellied] *De⁴*

1–13:   [Nebst] dem [kranzgeschmückten] Lenze
Sing' ich dich, [o] holde Rose.
Auf [Geliebte, hilf mir singen!]

Wohlgeruch haucht sie den Göttern,
Sie ist Wonne [für den Menschen;]
Sie ist in der [Blumenblüte,]
Wo die [Liebesgötter walten,
Für] die Charitinnen [Zierde,
Und die Freude] Aphroditens;
[Sie, sie ist des] Dichters [Freundinn
Und] der Musen Lieblingsblume.

Lieblich [haucht] sie [dem entgegen,
Der sie pflückt] am [Dornenpfade;] *De⁴*

14–16:   [Labeduft] haucht [Amors] Blume
[Dem, der] sie [mit milden] Händen
[Reibend sanft zur Nase bringet.] *De¹*
Lieblich [athmet] Eros Blume
[Dem, der] sie, [mit mildem Finger
Reibend, sanft zur Nase bringet.] *De⁴*

17–20:   [Sie, sie ist] des Sängers [Wonne]

Bei dem Schmauß, bei Trinkgelagen

[Und] Lyäens frohen Festen.

[Wo wär' etwas ohne] Rosen? *De⁴*

21–24:   [Singen nicht] die [weisen] Dichter

[Von Aurorens Rosenhänden,

Von] der Nymphen [Rosenarmen,

Von der Rosenhaut Cytherens?] *De¹*

[Rosenfinger hat Aurore,

Und] die Nymphen [Rosenarme.

Aphroditens Haut von Rosen

Wird gepriesen von] den Dichtern. *De²*

Rosenfingerig ist Eos,

Rosenarmig sind die Nymphen,

[Und die Rosenhaut Cytherens

Wird gepriesen von den Weisen.] *De⁴*

27: [Widersteht der Macht] der Zeiten; *De⁴* **30:** [Auf! laßt uns den Ursprung
singen!] *De⁴* **31** dem] [vom] *De⁴* **33:** Einst [der Ocean gebohren,] *De⁴* **35:**
Des Olympus [ernste Göttinn,] *De⁴* **38:** Der [bewundernswerthen] Rose, *De⁴*
39 Wunderwerkes] [Meisterstückes] *De⁴*

41–45:   Und die Schaar der sel'gen Götter

Nezte [die enthüllte Blüte

Dann] mit Nektar, [und so prangend]

Stieg [empor] aus Dorngesträuchen

Bacchus ewigjunge Blume. *De⁴*

37. DER FRÜHLING

Benutzte Textvorlagen: De¹, De⁴

Überschrift: [Auf] den Frühling *De⁴*

1–3:   Siehe, wie dem jungen Lenze

[Rosen streu'n] die Charitinnen; *De⁴*

5:   [Dann] in [glatter Stille webet;] *De¹*

Sich [mit sanfter Stille] wieget; *De⁴*

6.7:   Siehe, wie die Ente rudert,

[Siehe,] wie der Kranich ziehet, *De¹*

Siehe, wie der [Entrich] rudert,

[Siehe,] wie der Kranich ziehet, *De⁴*

8: [Und wie] Titan [heiter stralet;] *De⁴* **9:** [Wie] der Wolken Schatten fliehen, *De⁴* **10** glänzet] [leuchtet] *De⁴* **11:** [Wie] des Ölbaums Frucht [gedeihet,] *De⁴*

12–14: Und die Rebe [sich bekränzt;

    Unter] Blättern, [unter Zweigen]

    Blühen schon die [iungen Früchte.] *De¹*

    [Sich Lyäens] Rebe [kränzet!

    Unter] Blättern, [unter Zweigen

    Sprießet] schon die [junge Traube.] *De⁴*

38. KELTERLUST

Benutzte Textvorlagen: De¹, De², De³, De⁴

BEARBEITUNGSANALYSE

Überschrift: [Kelterlied] *De⁴*

1–3: [Dunkelfarbne Traubenbeere

    Tragen] Jünglinge in Körben

    [Hier] und Mädchen auf den Schultern; *De⁴*

4–6: ˙In die Kelter aber schütten

    Sie [allein die Jünglinge,]

    Treten [dann die Trauben,] lösen

    [So] den Most [von seinen Banden.] *De¹ De² De³*

    In die Kelter schütten jene

    [Jünglinge allein] und lösen

    [Dann] den Most, [die Traube] tretend. *De⁴*

9–11: Sehen sie den jungen Bacchus

    [Freudig] in den Tonnen brausen.

    Wann der Greis [denselben] trinket, *De⁴*

14 junge, schöne Bursche] [liebetrunkne Jüngling] *De⁴* **16:** Das, [besiegt von süssem] Schlummer, *De⁴*

19–24: Reizet es [durch frühe Liebe,]

    Hymens [Fest mit ihm zu feiern.

    Können] Worte nichts [vermögen,]

    Weis er durch Gewalt zu siegen,

    Denn der trunkne [Bacchus reizet

    Jünglinge] zu [Frevelthaten.] *De⁴*

39. AUF DIONYSOS

Benutzte Textvorlagen: De^1, De^2, De^3, De^4

BEARBEITUNGSANALYSE

Überschrift: Auf [den Bacchus] De^4

1. 2:	Der den Jüngling in [Gefahren
	Kraftvoll, muthig] in der Liebe, De^4
3. 4:	[Und] beim Schmaus [zum Tänzer machet,]
	Gott [Lyäus ist erschienen.] De^1 De^2 De^3
	[Und] beim Schmaus [zum schönen Tänzer
	Macht, Lyäus ist erschienen.] De^4
5:	Seinen Wein, das Kind der Rebe, De^1
	Seinen Wein, den [Sohn] der Rebe, De^4
6–10:	[Ihn,] den [milden] Trank der Liebe,
	Ihn, den [süssen Quell der Freude,]
	Bringt er [für die Sterblichen.]
	Ihn [verschleußt] er in der [Traube,
	Ihn bewacht er in der Rebe;] De^4
11–13:	[Wer den Most] der Traube [trinket,
	Bleibt gesund] und schön am Leibe, De^1
	Daß, [wer liest die Frucht der Rebe,
	Sei gesund und frei von Krankheit,
	Sei gesund] und schön am Leibe, De^4

14: [Sei gesund] und froh am [Geiste] De^4 **15** Wiederkehr] [Wiederkunft] De^4

40. AN DIE CIKADE

(Vgl. »Nachträge« S. 570 f.)

Benutzte Textvorlagen: De^1, De^2, De^3, De^4, Goe

BEARBEITUNGSANALYSE

Überschrift: An die Cikade *darunter* [nach dem Anakreon] Goe

2:	Die du auf der Bäume Wipfel, De^4
4. 5:	Singend, wie ein König lebest!
	Dir gehöret eigen alles, Goe
	Wie ein König [glücklich] singest.
	[Dein umher ist ja dort] alles, De^4

535

7:   Alles, was die [Stunden] bringen; *Goe*
                   [Und] was [jede] Hora bringet. *De³*
                   [Und] was bringen [unsre Haine.] *De⁴*
8:   [Auch bist] du des Landmanns [Freundinn,] *De¹ De²*
                   Dich [auch liebet unser] Landmann, *De⁴*
10:   Du den Sterblichen Verehrte, *Goe*
                   Du [bist aller Menschen Wonne,] *De⁴*
12:   Du bist [aller] Musen Liebling, *De¹ De² De³*
                   Bist der Liebling [aller] Musen, *De⁴*
13:   Selbst der Liebling [von] Apollo, *De⁴*
14:   Gaben dir die Silberstimme; *Goe*
                   Der [den Silberton] dir [schenkte.] *De⁴*
15 versehret] [beschweret] *De⁴*
16–19:   Weise, [zarte, Dichterfreundin,]
                   Ohne Fleisch und Blut Geborne,
                   Leidenlose [Erdentochter,]
                   Fast den Göttern zu vergleichen. *Goe*
                   [Weisheitsvolles Kind] der Erde,
                   Liederfreundinn, [die du Schmerzen,
                   Die du] Fleisch und Blut [nicht kennest,]
                   Fast [bist du] den Göttern [ähnlich.] *De⁴*

41. BESUCH DES EROS

(Vgl. »Nachträge« S. 571)

Benutzte Textvorlagen: De¹, De², De⁴

BEARBEITUNGSANALYSE

Überschrift: Eros [Nachtbesuch] *De⁴*
1–7:   Jüngst [hin] in [der Mitternacht,]
                   Als sich schon der [große] Wagen
                   An [der] Hand Bootens drehte,
                   Und, von Arbeit [abgemattet,
                   Ruhig] schliefen alle Menschen,
                   Kam und pochte [Cypris Knabe]
                   An die Türe meines Hauses. *De⁴*
8. 9:   Wer [ist's] rief ich, [der] so lärmet
                   [Und mir] meine Träume störet? *De²*

Wer [ist's,] rief ich, [der] so [poltert
Und mir] störet meine Träume? *De⁴*

10:   »Öfne mir, [war Eros Antwort;] *De⁴*

12.13:   Triefend, [und] im mondelosen
[Dunkel] hab' [ich] mich verirret.« *De⁴*

15 Nahm in Eile] [Schnell ergriff ich] *De⁴*

16:   [That ihm auf] und sah ein Knäbchen, *De¹*
[Thu' ihm auf] und seh' ein Knäbchen, *De²*
[That ihm auf,] sah' einen [Knaben,] *De⁴*

17.18:   Welcher Pfeil und Bogen führte
[Und] am [Rücken] Flügel hatte. *De⁴*

19–22:   [Jetzo setz'] ich ihn zum Feuer,
Wärme [zwischen] meinen Händen
Seine [Händchen;] aus den Locken
Drück' ich ihm den [nassen Regen.] *De⁴*

23:   Als ihn drauf der Frost verlassen, *De²*
Als ihn [izt] der Frost verlassen, *De⁴*

24–26:   Sprach er: »laß uns doch versuchen
[Diesen] Bogen, ob vom Regen
Nicht die Sehne schlaff geworden!« *De⁴*

27.28:   Spannend [schoß er] in [die Mitte
Meiner Brust,] wie [Wespenstachel.] *De¹*
[Plötzlich] spannt [er,] trift ins [Herz] mich
[Als mit einem Wespenstachel.] *De⁴*

29.30:   [Hüpfend rief] er [aus] und lachte:
[»Trauter] Wirth, [sei mit mir fröhlich!] *De⁴*

32:   Doch du wirst [im] Herzen [leiden.«] *De¹*
[Aber] du wirst [Heimweh fühlen.] *De⁴*

42. DIE PROBE

Benutzte Textvorlagen: De¹, De³, De⁴

Bearbeitungsanalyse

Überschrift: [Auf den Amor] *De⁴*
1 Lilienstengel] [Lilienstabe] *De⁴* **2:** Schlug Eros mich, [der Lose,] *De⁴* **4:** [Ich
lief] durch [schnelle] Ströme, *De⁴*

5:   Durch Wälder und durch [Schluchten,] *De³*
Durch Wälder, [tiefe Thäler,] *De⁴*

537

7–9:   Schon [eilte nach] den Lippen

Die Sele, [und] ich wäre

[Beinahe ausgeloschen.] *De¹*

Schon [eilte] mir die Sele

[Zur] Lippe, [und] ich wäre

[Beinahe – todt geblieben;] *De⁴*

12 Mir auf die] [An meine] *De⁴* **13:** »Freund! du kannst noch nicht lieben.« *De⁴*

43. BEDEUTSAMER TRAUM

Benutzte Textvorlage: De⁴

BEARBEITUNGSANALYSE

Überschrift: [Auf seinen] Traum *De⁴*

1:   [Wars] mir [doch,] ich lief im Traume, *De⁴*

6–10:   [Da] ich schon [so] mancher Liebe,

[Deren Netze mich umfingen,

Stets] bisher noch bin entronnen,

[Glaub' ich] immer, [endlich werde

Wol einmal ich] hängen bleiben. *De⁴*

44. DER WÄCHSERNE EROS

Benutzte Textvorlagen: De¹, De², De⁴

BEARBEITUNGSANALYSE

Überschrift: [Auf einen] wächsernen Eros *De⁴*

1–4:   [Von] Wachs [verkaufte neulich]

Ein [Jüngling] einen [Amor.]

Da [stund] ich ihm zur [Seite]

Und frug: [wie theuer gibst du

Das Bildchen mir zu kaufen?] *De¹*

[Von] Wachs [verkaufte jüngsthin]

Ein [Jüngling] einen [Eros.

Ich stand bei] ihm und fragte:

Was kostet [dieses Bildchen?] *De⁴*

5.6:   [Der Jüngling sprach] auf dorisch:

»Nimm ihn [nach Gutbefinden!] *De¹*

         [Der Jüngling sprach] auf dorisch,
         [»Gieb mir, was dir beliebet!] *De⁴*

7:   [Denn ich muß dir] gestehen, *De⁴*

9–11:   Nur mag ich [nicht mehr wohnen
         Bei] diesem Eros, [welchen
         Nach allem so gelüstet.«] *De⁴*

12. 13:   [So gib ihn,] gib [ihn] mir [denn]
         – Nimm [hin dafür] die Drachme, –
         Den schönen Schlafgesellen! *De¹*
         [So gieb, so] gieb [ihn] mir [denn]
         – Hier [hast du eine] Drachme –
         Den schönen Schlafgesellen. *De²*
         [So] gib mir [für] die Drachme
         Den schönen Schlafgesellen! *De⁴*

14–16:   Du aber, Eros, [setze]
         Mich [schnell in Flammen,] oder
         [Ich werfe] dich ins Feuer. *De⁴*

45. DER KAMPF MIT EROS

(Vgl. »Nachträge« S. 571)

Benutzte Textvorlagen: De², De⁴

BEARBEITUNGSANALYSE

Überschrift: [Auf den] Eros *De⁴*

3. 4:   Ich, [abgeneigten Sinnes,]
         Wollt [aber] nicht [gehorchen,] *De²*
         Ich [aber unentschlossen
         Ließ mir von ihm nicht rathen.] *De⁴*

7: [Und rief] mich auf zum [Zweikampf.] *De⁴* **8** Rasch] [Izt] *De⁴* **9** Harnisch]
[Panzer] *De⁴*

10. 11:   [Ergreife] Schild und Lanze
         Und kämpfe gegen Eros; *De⁴*

12–18:   Er schoß, ich – [floh zurücke.
         Als er geleert den Köcher,
         So ward er bös,] fuhr selber,
         [Statt eines] seiner Pfeile,
         [Mir] in des Herzens [Mitte;

Da lag ich überwunden.] *De²*

Er schoß, ich – ⌈flohe seitwärts.

Schon war ihm leer der Köcher;

Da ward] er zornig, ⌈drang mir,

Statt eines] seiner Pfeile,

[Bis] in des Herzens [Mitte,]

Und ⌈ich – lag überwunden.] *De⁴*

19:   Was soll ⌈ich mit dem] Schilde? *De²*

[Umsonst ist] nun ⌈die Rüstung.] *De⁴*

20.21:   Was ⌈schirm' ich mich von] außen?

[Der Streit] ist ⌈ja im Herzen] *De⁴*

46. WIDMUNG DES EROS

Benutzte Textvorlagen: De¹, De², De⁴

BEARBEITUNGSANALYSE

Überschrift: [Auf] den Eros *De⁴*

1–3:   Mit [Blumenketten] banden

[Den Amor] einst die Musen,

Und ⌈führten] ihn zur Schönheit. *De¹*

Mit [Blumenketten] banden

[Den Amor] einst die Musen

Und [gaben] ihn der Schönheit, *De²*

Die Musen banden Eros

Mit Kränzen, [gaben] ihn [dann]

Der Schönheit zum [Bewachen.] *De⁴*

7.8:   Will wer ⌈auch los ihn kaufen,]

Er gehet nicht, er bleibet; *De⁴*

47. DER VERWUNDETE EROS

Benutzte Textvorlagen: De¹, De², De³, De⁴

BEARBEITUNGSANALYSE

Überschrift: [Auf] den Eros *De⁴*

1–7:   [Einst schlief] in einer Rose

Ein Bienlein; Eros [sah's] nicht

[Und ward] von ihm verwundet

Am Finger. Schreiend schlug er

[Die Hände] dann [zusammen;]

Halb lief er [und] halb flog er

Hin zu der schönen Cypris: *De⁴*

8: »O weh! [geliebte] Mutter, *De¹*

»Weh mir! [geliebte] Mutter, *De⁴*

9: Weh [mir!] rief er, ich sterbe. *De⁴*

10–13: Gebißen bin ich worden

Von einer kleinen Schlange,

[Die aber] Flügel [hatte;

Der Landmann nennt] sie Biene.«   *De² De³*

Von einer kleinen Schlange

Bin ich gebissen worden,

[Die aber] Flügel [hatte,

Der Landmann nennt] sie Biene! *De⁴*

14–17: Sie sprach: [»macht dir] der Stachel

[Des] Bienchens [solche Schmerzen,

Wie mögen] die [wol] leiden,

Die du, [mein Sohn,] verwundest?« *De¹*

Sie sprach: »schmerzt [schon] der Stachel

So [sehr, der] von [der Biene,

Wie,] meinst du, leiden die [erst,]

Die, Eros, Du verwundest?« *De⁴*

48. DIE PFEILE DES EROS

Benutzte Textvorlage: De⁴

BEARBEITUNGSANALYSE

Überschrift: Des Eros Pfeile *De⁴*

1–6: [Er,] der Mann der Cytherea,

Nahm in Lemnus Feuereßen

Stahl und [schmiedet' aus demselben]

Pfeile [für die Liebesgötter,

Und der Pfeile] Spitzen tauchte

Cypria in süsses Honig,

Das ihr Sohn mit Galle mischte. *De⁴*

9: spottete [des] Eros Pfeile. *De⁴*   **10:** »Schwer ist [dieser hier,] sprach Eros, *De⁴*

13 heimlich] [lieblich] *De⁴*   **15:** »Er ist schwer; [hier,] nimm ihn wieder!« *De⁴*

49. EROS GEFANGEN

VON JULIANOS DEM ÄGYPTER

Benutzte Textvorlagen: De², De⁴

BEARBEITUNGSANALYSE

Überschrift: [Des] Julianus des Ägypters *De²* [Auf den] Eros *De⁴*
1–6:   [Jüngst wand] ich einen Kranz mir,
                Fand in den Rosen Eros,
                [Und faßt'] ihn bei den Flügeln,
                Warf ihn in meinen [Becher,]
                Und trank ihn [mit] hinunter. *De⁴*
7 peinlich] [innen] *De⁴* **8:** [Im] Herzen, mit [den] Flügeln. *De⁴*

50. DER TODTE ADONIS

(Vgl. »Nachträge« S. 571 ff.)

Benutzte Textvorlagen: De⁴, Mö

BEARBEITUNGSANALYSE

Überschrift: Der todte Adonis *Mö* [Des Theokritus. Auf den Tod des] Adonis *De⁴*
1–6:   Als Kypris den Adonis
                Nun todt sah vor sich liegen,
                Mit wildverworrnen [Locken,]
                Und mit erblaßter Wange:
                Den Eber ihr zu bringen
                Befahl sie den Eroten. *Mö*
                Als Cypris den Adonis
                [Izt] sah' [entselet] liegen
                Mit [aufgesträubten Haaren]
                Und [todtenblassen] Wangen,
                [Hieß] sie [zu] ihr den Eber
                [Die Liebesgötter führen.] *De⁴*
7–10:   Sie liefen gleich geflügelt
                Umher im ganzen Walde,
                Und fanden den Verbrecher,
                Und banden ihn mit Fesseln. *Mö*

542

[Stracks flogen sie wie Vögel,]
Umher im [weiten] Walde,
Und [knebelten und] banden
[Den ausgespürten Hauer.] *De⁴*

11–16: Der eine zog am Seile
Gebunden den Gefangnen,
Der andre trieb von hinten,
Und schlug ihn mit dem Bogen.
Des Thieres Gang war traurig.
Es fürchtete Kytheren. *Mö*

Der zog an [einem] Seile
[Das böse Thier] gefangen;
Der andre trieb [es vorwärts,]
Und schlug [es] mit dem Bogen.
[Das Wild ging melancholisch,
Weil] es Cytheren [scheute.] *De⁴*

17–20: Nun sprach zu ihm die Göttin:
»Du böses Thier, du Unthier!
Du schlugst in diese Hüfte?
Mir raubtest du den Gatten?« *Mö*

Zu ihm sprach [Aphrodite:
»Grausames Ungeheuer!]
Du [rissest auf die] Hüfte?
Du [schlugst] mir [meinen Liebling?«] *De⁴*

21–27: Der Eber sprach dagegen:
»Ich schwöre dir, Kythere,
Bei dir, bei deinem Gatten,
Bei diesen meinen Fesseln,
Und hier bei diesen Jägern:
Ich [wollte] deinen [schönen]
Geliebten nicht [verletzen,] *Mö*

[Das Wild gab ihr zur Antwort:]
»Ich schwöre dir, Cythere,
Bei dir, bei deinem [Liebling,]
Bei diesen meinen [Banden,]
Und hier bei diesen Jägern,
[Daß] deinen [schönen] Liebling
Ich nicht [verwunden wollte.] *De⁴*

28–32: [Ich nahm ihn für ein Bildniß;]

543

Voll [brünstigen] Verlangens
Stürmt' ich hinan, zu küssen
Des Jägers nackte Hüfte,
Da traf ihn, [weh'!] mein Hauer. *Mö*
[Ich sah ihn wie ein Bild an,
Und in der Glut der Liebe
Trieb mich die Brunst,] zu küssen
[Die unverhüllte] Hüfte,
[Wo ihn mein Zahn verlezte.] *De⁴*

33–39: Hier nimm sie denn, o Kypris,
Reiß mir sie aus zur Strafe!
Was soll mir das Gezeuge,
Die buhlerischen Zähne!
Wenn das dir nicht genug ist,
Nimm hier auch meine Lippen,
Die sich den Kuß erfrechten!« *Mö*
Nimm [hin dafür,] o Cypris,
[Und brich] sie aus zur Strafe
– Was [führ' ich sie vergebens? –]
Die buhlerischen [Hauer!
Und] wenn [noch dieß] nicht [gnüget,
Hier sind] auch meine Lippen;
[Denn was wagt' ich zu küssen?] *De⁴*

40–42: Das jammert' Aphroditen;
Sie hieß die Liebesgötter
Ihm lösen seine Bande. *Mö*
[Dieß regte Cypris Mitleid.]
Sie hieß die Liebesgötter
[Von] ihm [die] Bande lösen. *De⁴*

43–46: Er folgte nun der Göttin
Und ging zum Wald nicht wieder;
Und selbst ans Feuer laufend
Verbrannt' er seine Liebe. *Mö*
[Seitdem] folgt' er der Göttinn
Und [zog] nicht [mehr] zu Walde,
[Sogar ins] Feuer [warf er
Die buhlerischen Zähne.] *De⁴*

51. DIE TAUBE

Benutzte Textvorlagen: De^1*, De*^{4}

Überschrift: [An] die Taube *De*^{4}
1: *darüber* [Er] *De*^{4} **1:** Woher, [geliebtes Täubchen,] *De*^{4}
3–5:   [Woher die Salbendüfte,
                        Wodurch den hohen Äther]
                        Mit Wohlgeruch du füllest? *De*^{1}
                        [Woher] so [viele] Salben,
                        [Die düftend von] dir [träufeln,
                        Wann du] die Luft [durchschwebest?] *De*^{4}
6: Wer bist du? was [besorgst] du? *De*^{4} **7:** *darüber* [Die Taube] *De*^{4}
7–14:   »Anakreon [mich sendet]
                        Zum Liebling, zum Bathyllus,
                        Der [gegenwärtig] alles
                        [Besieget und beherrschet.]
                        Cythere [jüngst vertauschte]
                        Mich [für] ein [kleines] Liedchen.
                        Anakreon vertraut mir
                        Die [wichtigsten Geschäfte;] *De*^{4}
15.16:   [Nun] siehst du, [bin ich [seine
                        Bestellerinn der] Briefe. *De*^{1}
                        [Und,] siehe, jetzt bestell' ich
                        [Die] Briefe [von demselben.] *De*^{4}
17 Wohl] [Zwar] *De*^{4} **19:** Doch läßt [er auch mich] frei [sein,] *De*^{4}
20:   [So] blieb ich seine [Sklavinn.] *De*^{1}
                        Ich [werd' ihm dennoch dienen.] *De*^{4}
21–23:   [Denn was] sollt ich auf Bergen
                        Umher und [Fluren fliegen?]
                        Auf Bäume [hin] mich setzen, *De*^{1}
                        [Was] soll ich [denn] auf Bergen
                        Umher und [Fluren fliegen?
                        Warum] auf Bäumen [sitzen,] *De*^{4}
24 schlingen] [essen] *De*^{4}
25–27:   [Jezt eß] ich Brod [und] pick' [es
                        Selbst] aus [Anakreons] Händen. *De*^{1}

[Jetzt speis'] ich von dem Brode,
Das [ich] mir aus [den] Händen
Des [lieben] Dichters nehme. *De⁴*

30–32:   Und nach dem [Trinken tanz'] ich
Um meinen Herrn und [decke
Denselben mit] den Flügeln; *De⁴*

34–37:   Auf [meines Dichters] Leier.
Nun weißt du alles – [gehe!]
Du machtest [ja so] schwazhaft
Mich, [Freund, als eine] Krähe.« *De⁴*

52. ANAKREONS KRANZ

Von Basilios

Benutzte Textvorlagen: De¹, De², De⁴

BEARBEITUNGSANALYSE

Überschrift: [Auf] Anakreon *De¹* [Des] Basilius *De² De⁴*

1–5:   Anakreon, der Sänger
Von Teos, [hat im Traume]
Mich [jüngst zu sich] gerufen.
[Da] lief ich [eilends] zu ihm
Umarmend ihn, und küßt' ihn; *De⁴*

9. 10:   [Und an der] Hand [izt führte
Den] wanken [Alten] Eros. *De⁴*

11–18:   [Er] nahm von [seiner Scheitel]
Den Kranz, der Wohlgerüche
Des [Dichters] von sich hauchte,
[Und] reichte mir [denselben;]
Ich nahm ihn, ich [Bethörter,
Schlang] ihn um [meine Stirne;
Und ach!] seit iener Stunde
[Treibt mich umher die] Liebe. *De¹*
[Er] nahm von [seiner Stirne]
Den Kranz, der Wohlgerüche
Des Sängers von sich [wehte,
Und] reichte mir [denselben.]
Ich Thor, ich nahm [denselben.

546

Schlang] ihn um [meine] Schläfe.
[Und ach!] seit iener Stunde
[Treibt mich umher die] Liebe. *De²*
[Der] nahm von [dessen Stirne]
Den Kranz, der Wohlgerüche
Des Sängers von sich hauchte,
[Und] reichte mir [denselben.]
Ich Thor, ich nahm [den Kranz an,]
Und band ihn um die [Stirne;
Und ach!] seit jener Stunde
[Laß' ich nicht ab zu lieben.] *De⁴*

53. EIN TRAUM

Benutzte Textvorlage: De⁴

Überschrift: [Auf seinen] Traum *De⁴*
1 frohgemuthet] [freudetrunken] *De⁴*
3–12:   [Tändelte] mit [holden] Mädchen
                Und [im raschen Gange glaubt' ich]
                Auf den Zehen [fortzueilen.]
                Knaben [hört' ich mich verhöhnen,]
                Schöner, als der Gott der Reben,
                Mich mit bittern [Worten] schelten
                Jener holden [Mädchen] wegen.
                [Als] ich [jetzt] sie wollte küssen –
                [Ach da] waren [sie] mir alle
                [Mit dem Traumgesicht] entflohen, *De⁴*

54. AN EINE SCHWALBE

Benutzte Textvorlage: De⁴

3–7:   [Soll ich die] schnellen Schwingen
                [Ergreifen] dir, und [kürzen?]
                [Wie?] oder soll ich etwa

Wie Tereus, jener [Wüthrich]
Die Zunge [weg] dir [nehmen?] *De⁴*
8: Was aus [dem] süßen Traume *De⁴* **10:** Raubst [du] mir den Bathyllus? *De⁴*

55. NATURGABEN

Benutzte Textvorlagen: De¹, De², De⁴

BEARBEITUNGSANALYSE

Überschrift: [Auf die Schönen] *De⁴*

1.2:	Natur gab Stieren Hörner,
	Den Rossen [gab sie] Hufe, *De²*
	[Zeus] gab den Stieren Hörner;
	Den Rossen [gab er] Hufe, *De⁴*
3–7:	Schnellfüßigkeit den Hasen,
	Den Löwen Rachenzähne;
	Den Fischen ihre Flossen,
	Den Vögeln ihre Schwingen,
	Den [höhern Geist] dem Manne. – *De²*
	Schnellfüssigkeit den Hasen,
	Den Löwen [Zähnerachen;]
	Den Fischen [gab er] Flossen,
	Den Vögeln [Flugeskräfte,]
	Und [hohen Geist] dem Manne. *De⁴*
8:	[Verlieh er] nichts den Frauen? *De¹*
	Blieb [übrig] nichts dem [Weibe?] *De²*
	[Verlieh er] nichts dem [Weibe?] *De⁴*
9:	Was gab sie diesem? – Schönheit. *De²*
	Was gab [er] diesem? – Schönheit, *De⁴*
12.13:	[Drum] sieget [eine] Schöne
	[Auch] über Stal und Feuer. *De⁴*

56. DER LIEBENDEN KENNER

Benutzte Textvorlagen: De², De⁴

BEARBEITUNGSANALYSE

Überschrift: [Auf] die Liebenden *De⁴*

1: Das Roß führt an der Hüfte *De⁴* **2** Zeichen] [Merkmal] *De⁴*

3.4:   Und am gespizten Hute

              [Erkennet] man den Parther; *De²*

              [Auch] kennet man den Parther

              An [dem] gespizten Hute; *De⁴*

5–8:   So [kann beim ersten Anblick]

              Ich Liebende erkennen;

              Sie [haben ja] ein zartes

              [Kennzeichen] in der Sele. *De⁴*

ANMERKUNGEN

Über Art und Bedeutung der Anmerkungen zu den »Anakreontischen Liedern« ist Wesentliches bereits an früherer Stelle ausgeführt (s. S. 502f.). Die folgenden Bemerkungen beschränken sich deshalb auf die Frage des Verhältnisses zu den einzelnen Quellen.

Wichtigste Quelle ist Sta. Die Ergebnisse dieser Untersuchung bilden das Gerüst aller Anmerkungen. Viele Stellen hat Mörike lediglich übersetzt. Ebenso häufig aber drängt er wortreiche Erörterungen auf wenige Sätze zusammen. Dabei ist das Einschmelzen des Philologenlateins in seinen eigenen Stil eine besondere Leistung Mörikes. Neben der Hauptquelle Sta benutzt Mörike gelegentlich Bk², vor allem wenn es sich um Fragen der Textkritik handelt. Immer wieder sind auch Spuren von Me zu entdecken. Dagegen ist De⁴ als Quelle von geringer Bedeutung.

Manche Stellen, für die eine Quelle nicht nachgewiesen ist, sind in ihrem Inhalt wohl weitgehend übernommen. Doch ist die Wiedergabe so selbständig, daß die Abhängigkeit nicht bewiesen werden kann. Dies gilt vor allem für die Einzelerklärungen (mythologische und geographische Namen u.ä.).

Aufs Ganze gesehen ist trotz der intensiven Benutzung von Sta ein hohes Maß an selbständiger Beurteilung kennzeichnend für diese Anmerkungen. In Einzelheiten geben sie meist die Meinung der genannten Quellen wieder, doch erscheint in der zusammenfassenden Beurteilung eines Gedichts wie im Duktus der Gesamtdarstellung unverkennbar Mörikes Urteil und sein Stil.

DIE ANAKREONTEEN

in Bezug auf Originalität und Zeit der Entstehung muthmaßlicherweise geordnet. Nach Stark, QUAEST. ANACR. PAG. 90

Benutzte Quelle: Sta

Zahlen und griechische Buchstaben im Text von Sta beziehen sich auf die von ihm benutzten Ausgaben. Arabische Zahlen weisen auf die Ausgabe Moebius, Halle 1810. Griechi-

sche Buchstaben weisen auf die Ausgabe Mehlhorn, Glogau 1825 (Me). Die entsprechen-
den Zahlen der Anordnung Mörikes ergeben sich aus der Synopse in Band 8,1, S. 391.392.
Die Ausgabe Moebius erscheint dort als ED. VULG.

Hinweise zur Quellenbenutzung

458,5–12: *Bemerkung Mörikes* **458,**13.14: I. Genuina Anacreontis quae videntur esse carmina: 17 (γ'). 38 (με'). 43 (λβ'). *Sta* **458,**15–17: II. Carmina, quorum argumenta ad Anacreontem pertinent forma mutata, aut quae ex genuinis fragmentis composita videntur: 1 (κγ'). 2 (κδ'). 4 (λ'). 6 (μα'). 12 (θ'). 13 (ια'). 14 (ιβ'). 21 (ιζ'). 22 (ιζ'). 23 (λδ'). 26 (μς'). 34 (μθ'). 37 (μδ'). 42 (μ'). 46 (κζ' +). 47 (λζ'). 50 (νε'). *Sta* **458,**18.19: III. Carmina non genuina sed a Graecarum litterarum flore non admodum aliena: 11 (ς'). 16 (κς'). 28 (ιε'). *Sta* **458,**20.21: *Keine Quelle nachgewiesen. Wohl Bemerkung Mörikes (s. Erläuterung in Band 8,2)* **458,**22.23: IV. Carmina Juliani Justinianique aetate maxime secundum epigrammata composita: 3 (λα'). 6 (μα'). 7 (κθ'). 9 (ιδ'). 10 (ι'). 19 (κα'). 30 (ιθ'). 32 (ιγ'). 33 (κε'). 35 (νβ'). 40 (λγ'). 44 (κη'). 45 (κζ'). 52 (νη'). 53 (νγ'.νδ'). 55 (κς +). fr. I. (α'). *Sta* **458,**24.25: V. Carmina secundum Anacreonteorum exempla composita, quae negligentiore jam metro utuntur: 15 (ζ'). 20 (κβ'). 25 (μγ'). 27 (μζ'). 29 (ις'). 31 (η'). 36 (ν'). 39 (μη'). 49 (κδ' +). 54 (να'). *Sta* **458,**26.27: VI. Carmina, quae propter prosodiam immutatam nonnisi septimo et octavo p. Chr. n. seculo adscribi possunt: 8 (λε'). 51 (νς'). 62 (ξδ'). fr. II. (ιζ'). *Sta* **458,**28.29: VII. Carmina politicis versibus conscripta, quae ad nonum et decimum p. Chr. n. seculum pertinere videntur: 18 (δ'). 24 (λη'). fr. III (λθ'). *Sta*

1

Benutzte Quelle: Sta

Hinweise zur Quellenbenutzung

459,2–14: ... Ad epicum genus significandum tres maxime insignes cyclos nominat: Trojanum, Thebanum, Herculeum. Neque injuria, cujusnam potius poetae carmina quasi heroici carminis exempla proponere poterat quam Homeri, ad quem Thebais ab antiquissimis jam refertur cf. Od. Muell. Hist. litt. I. p. 123, et Pisandri ...? ... Maxima autem simplicitas in hoc carmine apparet ... Versus optime fluunt ... Quod ad dialectum pertinet, etiamsi illud ἀ βάρβιτος mutetur in ὁ βάρβιτος ..., restat tamen et genitivus Ἡρακλέους plane ad atticam rationem conformatus, cum Iones Ἡρακλέος dicant et ἄθλους pro ionico ἀέθλους. Quae cum ita sint, num Anacreonti ipsi tribuendum sit carmen, quaeritur. Latinos poetas jam novisse carmen quamquam ex Horatii Od. II, 12 ... non liquet, tamen et Propertii El. III, 7, 37 ... et Ovidii Am. I, 1 ... et

AM. I, 1, 28 … ANIMIS OBVERSATUM VIDETUR ESSE. CARMINIS IGITUR ARGUMENTUM AB ANACREONTE ABJUDICANDUM NON VIDETUR, QUANQUAM FORMAE PER TEMPORUM SERIEM EX IONICA DIALECTO AD ATTICAM DEFLEXAE SUNT … *Sta*

2

Benutzte Quellen: **459**,16–19 Anders *bis* herrühren *Sta* **459**,23.24 *Jac²*
Keine Quelle nachgewiesen: **459**,19–22 Zu vergleichen *bis* zuruft

3

Benutzte Quellen: De⁴, Jac², Sta, Thu

HINWEISE ZUR QUELLENBENUTZUNG

459,26–**460**,2 Niobe *bis* floß] *Keine Quelle nachgewiesen* **460**,2–4 Über ein *bis* S. 98 ff.] *Bemerkung Mörikes* **460**,5–17: *Keine Quelle nachgewiesen* **460**,18–20: [Die Griechinnen, theils um den schönsten Theil der weiblichen Reize nicht unbemerkt bleiben zu lassen, theils aber auch um immer einen schlanken und leichten Wuchs zu behalten, banden gewöhnlich den weichen Busen mit einer nicht allzubreiten] Binde, die [man von] dem Gürtel [der Jungfrauen wohl unterscheiden muß, leicht zusammen…] *De⁴* **460**,21–23: … IN UNIVERSUM OPTATUM ILLUD SANE POETICUM EST NEQUE INUSITATUM ET APUD VETERES POETAS ET APUD RECENTIORES. HUC PERTINET ET SCOLION ILLUD SATIS ANTIQUUM: *Sta* **460**,24.25:

εἴθε λύρα καλὴ γενοίμην
ἐλεφαντίνη *Sta*

(Übersetzung zitiert nach Thu) **460**,26.27: *Keine Quelle nachgewiesen* **460**,28.29:

v. 5 εἴθ' ἄπυρον καλὸν γενοίμην
μέγα χρύσιον
καί με καλὴ γυνὴ φοροίη
καθαρὸν θεμένη νόον. *Sta*

(Übersetzung zitiert nach Thu) **460**,30–35: … ET TRIA ANTHOLOGIAE PALATINAE EPIGRAMMATA CF. A. P. V. P. 107. N. 83:

εἴθ' ἄνεμος γενοίμην σὺ δὲ δὴ στείχουσα παρ' αὐγὰς
στήθεα γυμνώσαις καί με πνέοντα λάβοις.

N. 84: εἴθε ῥόδον γενόμην ὑποπόρφυρον ὄφρα με χερσὶν
ἀρσαμένη χαρίσῃ στήθεσι χιονέοις. … *Sta*

(Übersetzung zitiert nach Jac²) **461**,1–30: … QUANTOPERE HAEC OPTANDI RATIO POPULARE ILLUD ANACREONTEORUM INGENIUM REDOLEAT, QUOD UBICUNQUE TERRARUM QUOCUNQUE TEMPORE IDEM EST, DEMONSTRAT CARMEN POPULARE NOSTRATIUM CF. UHLAND DEUTSCHE VOLKSLIEDER BD. I. P. 21:

> Wolt Got dat ich wär ein hundlin klein!
> gair freundlich wollt ich mich neigen to ir
> freundlich so wolt ich scherzen etc.
> Wolt Got dat ich wär ein ketzlin klein
> und lief in irem hause etc.
> Wolt Got dat ich wär ein vöglin klein
> und säss up einem groenen zweige.
> ich wolt ihr fliegen in's herzen grunt etc.

MULTO MAGIS AD ANACREONTEI SIMILITUDINEM ACCEDIT CARMEN A POETA SUB INITIUM SECULI DECIMI OCTAVI CONFECTUM, QUOD INVENIES IN LIBRO: KNABEN WUNDERHORN III. P. 113:

> Wollt Gott wäre ich ein lauter Spiegelglas
> Dass sich die allerschönste Frau
> All morgen vor mir pflanziert,
> Wollt Gott wäre ich ein seiden Hemdlein weiss
> Dass mich die allerschönste Frau
> An ihrem Leibe trüge.

... QUIN GOETHII CARMEN AFFERRE LICEBIT, QUOD INSCRIBITUR: »Liebhaber in allen Gestalten.« IN UNIVERSUM IGITUR SENTENTIAM QUAE INEST IN CARMINE, NON ABJUDICARIM AB ANACREONTIS INGENIO LEPIDO ET AMORE INFLAMMATO, SED RES IPSAE EX ABACO SOLO DESUMTAE POTIUS TRIBUENDAE SUNT GRAMMATICO SERIORIS AETATIS QUAM POETAE IONICO. QUANTO MAGIS POETICUM SENSUM REDOLENT LYRA AUT LEBES AUREA A MULIERE PORTATA AUT AURA AFFLANS AUT ROSA IN PECTORE RECONDITA! AT SI INITIUM CARMINIS SPECTAMUS, MANIFESTA GRAMMATICI VESTIGIA APPARENT. NONNE ENIM PLANE RIDICULUM EST AFFERRE NIOBES EXEMPLUM, QUAE DOLORE SUPERATA MUTATUR FORMA, AUT PROCNES, QUARUM FABULIS NON ALIA MAJOREM EXCITAT COMMISERATIONEM IN LUSU AMATORIO! TUM DEMUM HAEC COMPARARE LICEBAT, CUM FABULAE IPSAE EX POPULI RELIGIONE ATQUE CULTU PLANE EVANUISSENT NEQUE ESSENT NISI ORNAMENTA QUAEDAM A GRAMMATICIS SUMMO STUDIO CONQUISITA CARMINIBUSQUE ADDITA ... CUMULUS QUASI AD HAEC OMNIA ACCEDIT, QUOD PLURIMA HOMOEOTELEUTA IN VERSUUM EXITU INVENIUNTUR, QUAE JAM SUPRA NONNISI SERIORIS AETATIS ESSE DECLARAVIMUS. ITA IGITUR REM DIJUDICATAM VELIM UT SECUNDUM GENUINUM ANACREONTIS CARMEN PLURA COMPOSITA SINT EAQUE NON PLANE ABJECTA; POSTEA AUTEM A GRAMMATICO QUODAM INEPTO DUO HUJUSMODI CONSUTA SINT PLANE DISJUNCTA. *Sta*

4

Benutzte Quellen: **461**,32.33 *De⁴* **461**,34 nach der Lesart προδοθείς *Bk²*
Keine Quelle nachgewiesen: **462**,7.8 *Lyäos bis* helfen

Bemerkungen Mörikes: **461**,34–**462**,6 Wir denken *bis* Leidenschaft   **462**,8.9 Übrigens *bis* Numer

5

Benutzte Quellen: **462**,11.12 nach Stephanus' *bis* καθίσω *Bk²*   **462**,14 Degen *bis* Quelle *De⁴*   **462**,17–20 Mehrere *bis* Bathyllos *Sta*   **462**,20–24 Dabei *bis* Ganze *De⁴ Me Wel³ Sta*   **462**,25–27 *Wel³*
Bemerkungen Mörikes: **462**,12.13 Über *bis* Anm.   **462**,14–16 nach *bis* strömend

6

Benutzte Quellen: **462**,29 Nach Degen *bis Fremde De⁴*   **462**,29–33 allein *bis* wollen *Me*   **462**,34–**463**,1 Schon Homer *bis* verkaufte *De⁴*   **463**,3.4 *Bk²*   **463**,6.7 In gleichem *bis* Cadix *De⁴*   **463**,8 *De⁴*   **463**,9–13 *Sta*
Keine Quelle nachgewiesen: **463**,1.2 daher *bis* Sache   **463**,5.6 *Kanobos bis* Nil   **463**, 13–15 Der Spaß *bis* profitirt

7

Benutzte Quellen: **463**,17 *De⁴*   **463**,18–23 Nach der *bis* unächt *De⁴ Me Sta Bk²*
Keine Quelle nachgewiesen: **463**,23.24 mit V. 17 *bis* Schluß   **463**,25–34

8

Benutzte Quellen: **463**,36–40 *Sta Bk²*

9

Benutzte Quellen: **464**,2.3 *Pa¹*   **464**,4.5 *Eros bis* gehalten *Sta*   **464**,5–9 Die inneren *bis* verarbeitet *Pa¹*   **464**,19.20 Zitat nach *Br²*   **464**,22–24 Wie *bis* geschöpft *Sta* **464**,24.25 Bekannt *bis* Rasen u. s. w. *Wel³*
Keine Quelle nachgewiesen: **464**,10–18

10

Benutzte Quellen: **464**,27.28 *Gyges bis* v. Chr. *Pa¹*   **464**,30.31 Das Märchen *bis* 359f. *Pa¹*   **464**,31.32 *Sardes bis* Könige *Pa¹*   **464**,34.35 Der beste *bis* hatte *Mi*   **464**,37– **465**,2 *Sta Bk²*   **465**,3–7 Zitat nach *Thu*   **465**,8.9 Einem Dichter *bis* genannt haben *Me*   **465**,12–16 Die letzten *bis* Sammlers *Sta*
Keine Quelle nachgewiesen: **464**,28–30 Herodot *bis* gelangte   **464**,33.34 Griechen *bis* Trinken   **465**,9–12 Das Gedicht *bis* entstanden
Bemerkung Mörikes: **464**, 36

11

Benutzte Quelle: **465**,18.19 Vielleicht *bis* zurückgegeben *Sta*

Keine Quelle nachgewiesen: **465**,20.21 *(Eine Übersetzung der Stelle ist nicht nachgewiesen. Sie stammt wahrscheinlich von Mörike.)*
Bemerkung Mörikes: **465**,19 s. Einleit. S. 342

12

Benutzte Quelle: Sta

13

Benutzte Quelle: Sta

14

Benutzte Quellen: **465**,34 *Sta* **465**,35.36 Anstatt *bis* will *Me* **466**,1–4 *Sta Bk²*
Bemerkung Mörikes: **465**,36 Vgl. *bis* Fragmente

15

Benutzte Quellen: **466**,6–8 Ein schlecht *bis* will *Me Sta* **466**,8 Von Mehlhorn *bis*
bezogen *Me Bk²*
Bemerkung Mörikes: **466**,9

16

Benutzte Quellen: **466**,11–14 Nicht ohne *bis* stehe *De⁴ Me Sta* **466**,14.15 In Str. 1
bis ausgefallen *Me Bk²* **466**,19–24 Metrum *bis* Anderes mehr *Me Sta*
Bemerkung Mörikes: **466**,15–19 wir *bis* ausgefüllt

17

Benutzte Quellen: **466**,26 *Me* **466**,27.28 *Me Bk²* **466**,29–**467**,2 *Me Sta*

18

Benutzte Quellen: **467**,4–6 *Vo¹* **467**,7–9 *Sta*

19

Benutzte Quellen: **467**,11–13 *Me Sta Bk²* **467**,14.15 *Me* **467**,17.18 *Sta* **467**,19.20
Selbstzitat Mörikes (Vgl. Band 8,1, S. 378, Z. 20.21)
Bemerkung Mörikes: **467**,16

20

Benutzte Quellen: **467**,23–28 *Sta* **467**,29 *Me Bk²*
Bemerkung Mörikes: **467**,22

21

Benutzte Quellen: **467**,31–37 *De⁴ Me* **468**,1–4 Klaros *bis* geschah *De⁴ Me*
Bemerkung Mörikes: **468**,4.5 Über *bis* Stück

22

Benutzte Quellen: **468**,27.28 » Mit *nackten bis* Wahnsinnigen *Me Sta* **469**,1.2 V.15 ist *bis* geschenkt *Me* **469**,5–7 *Sta* **469**,8–20 *Sta* **469**,21 Im Übrigen *bis* Tadel *Sta* **469**,21.22 Der Zeit *bis* nachgesetzt *Sta*

Keine Quelle nachgewiesen: **468**,7–27 *Alkmäon bis* entschied **468**,29–41 *Eurytos bis* wurden **469**,2–4 wogegen *bis* gab

23

Benutzte Quellen: **469**,25 *De⁴ Me Bk²* **469**,26–33 Außer *bis* hätte *Sta*
Keine Quelle nachgewiesen: **469**,24 **469**,33 Der *bis* gesucht

24

Benutzte Quelle: Sta

25

Benutzte Quellen: De⁴ Sta

26

Benutzte Quellen: **470**,8–10 *Silen bis* Bildwerken *Pa¹ Sta* **470**,12–16 *Stecken bis* heißt es *Pa¹* **470**,16–18 wie *bis* schlagen *Hu (Eine Übersetzung dieser Stelle ist nicht nachgewiesen. Sie stammt wahrscheinlich von Mörike.)* **470**,20–24 Die Ächtheit *bis* bemerkt *Me Sta* **470**,24–27 Nach der *bis* wegzuwerfen *Me*
Keine Quelle nachgewiesen: **470**,10.11 Im *Chor bis* ausmachen
Bemerkung Mörikes: **470**,19

27

Benutzte Quelle: Sta

29

Benutzte Quellen: Me Sta

30

Benutzte Quellen: De⁴, Me, Pa¹, Sta, Bk², Bru, Do

HINWEISE ZUR QUELLENBENUTZUNG

471,2–6: ... SUMMA INEST IN CARMINE SIMPLICITAS ATQUE VENUSTAS, QUAE AUGETUR, MODO HOMERICI LOCI MEMINERIMUS, QUEM SINE DUBIO POETA RESPEXIT. SICUT ENIM HEPHAESTUS THETIDE JUBENTE ACHILLI πανοπλίαν FABRICATUR IL. XVIII, SIC NUNC

CRATERA FABRICARI JUBETUR A POETA; QUAE APUD HOMERUM CAELANDO EFFINXERAT
v. 486: Πληϊάδας θ' Ὑάδας τε τότε σθένος Ὠρίωνος Ἄρκτον τε, EA POTANDI
AMANTISSIMUS POETA REPUDIAT, CONTRA QUOD DESCRIBIT HOMERUS VINETUM IN SCUTO
CAELATUM V.560–573, ID POETAE ODARII GRATISSIMUM EST ... *Sta* **471**,7–11: *Zitat
nach Do* **471**,12: *Bemerkung Mörikes* **471**,13–15: *Zitat nach Do* **471**,16.17 Orion
bis brachte] ORION [... Das Sternbild] Orion [macht sich durch viele helle Sterne
sehr kenntlich ... Es] stellt [einen] kämpfenden Helden vor, [der gegürtet und
bewaffnet ist und in der einen Hand eine] Keule [hält ... Der kosmische Untergang dieses Sternbildes, der für die Alten im Spätherbst erfolgte,] brachte Sturm
[und Regen,...] *Pa¹* **471**,17.18 *Die Plejaden bis* Siebengestirn] PLEIADES, PLEIA-
DES, PLIADES, ...] die Plejaden, Töchter des Atlas und der Okeanide Pleione,
[... Aus Schmerz über den Tod ihrer Schwestern, der Hyaden ... gaben sie sich
selbst den Tod und wurden als Sternbild] (das Siebengestirn) [an den Himmel
versetzt...] *Pa¹* **471**,18–20 *Bootes bis* reicht] Bootes [nehmlich] reicht mit [ausge-
streckter] Rechte an den [Schweif] des großen Bären. [...] *De⁴* Bootes, ARCTO-
PHYLAX, Bärenhüter [...], ein Sternbild in [der nördlichen Halbkugel, ... Es
wird als] ein Mann [vorgestellt ... Nach Arat PHAENOM. 92 ff. rührt der Name
dieses Sternbildes davon her, daß er] den großen Bären [vor sich herzutreiben
scheint ...] *Pa¹* **471**,21: *Bemerkung Mörikes* **471**,22–25 *Stark bis* zukam] ...
SUMMA INEST IN CARMINE SIMPLICITAS ATQUE VENUSTAS, ... IN EO QUOQUE CARMINIS
ANTIQUITAS APPARET, QUOD NON ARTIFEX QUILIBET, SED DEUS HEPHAESTUS FABRICARE
JUBETUR, CUM ARTE HUMANA TALIA EFFINGI NON POSSE VIDERENTUR ... *Sta* **471**,25–28
Wenn Plinius *bis* Gedichts] [... Besonderen Ruhm aber erwarb sich] Phidias [in der
Bearbeitung des Metalles auf dem kalten oder trockenen Wege, in der Ciselie-
rung. Denn darauf müssen wir die Nachricht des] Plinius [beziehen:] PRIMUSQUE
ARTEM TOREUTICEN APERUISSE ATQUE DEMONSTRASSE MERITO IUDICATUR. [Dabei ist
natürlich PRIMUS] nicht streng wörtlich, [sondern in dem Sinne] zu verstehen,
[daß Phidias »die Kunst der Toreutik zuerst offenbar gemacht und gezeigt habe,
was sie leisten könne und solle – ...« ...] *Bru* **471**,28–30 *Das Stück bis* haben
muß] ... INTELLEGITUR HIC LUCULENTO EXEMPLO PER QUOS GRADUS CORRUPTIO HA-
RUM CANTILENARUM SENSIM SERPERE SOLITA SIT ET QUAM LONGE A GERMANA FORMA
EA SPECIES RECEDAT, QUAM CODEX EXHIBET ... *Bk²* **471**,30–32 Wir finden *bis* XIX, 9]
IN ODARIO SEPTIMO DECIMO (γ'), QUOD INVENITUR ET APUD STEPHANUM ET IN CODICE
PALATINO ET IN ANTHOLOGIA GRAECA XI P. 48 ET APUD GELLIUM XIX, 9, HEPHAESTUM
JUBET POETA NON ARMA IPSI PARARE, SED POCULUM PROFUNDUM EXORNARE ... *Sta*
471,32.33 welchem *bis* folgt] *Bemerkung Mörikes (s. Erläuterung in Band 8, 2)*
471,33–35 Die kürzeste *bis* Anthologie] ... EX HIS APPARET, *ANTIQUISSIMAM*
FORMAM ESSE, QUAM ANTHOL. EXHIBET, UBI TENUIS CANTILENA VERSIBUS 11 CONSTAT, ...
Bk² **471**,35–37 Sie nennt *bis* Lyäos] ... EST ENIM CARMEN SEC. ANTHOLOGIAM:

Τὸν ἄργυρον τορεύσας
Ἥφαιστέ μοι ποίησον
πανοπλίαν μὲν οὐχί·
ποτήριον δὲ κοῖλον
ὅσον δύνῃ βάθυνον.
ποίει δέ μοι κατ' αὐτοῦ
μηδ' ἄστρα μηδ' ἁμάξας,
μὴ στυγνὸν Ὠρίωγα,
ἀλλ' ἀμπέλους χλοώσας
καὶ βότρυας χελῶντας
σὺν τῷ καλῷ Λυαίῳ.   *Bk²*

471,37.38 Der Heidelb. Codex *bis* Art] ... RECEPIT BRUNCKIUS POST HUNC VERSUM *(gemeint ist v. 12 im Text von Me, der hier liest:* καὶ βότρυας κατ' αὐτῶν,*)* EX COD. PAL. HOS DUOS καὶ Μαινάδας τρυγώσας· ποίει δὲ ληνὸν οἴνου FORTASSE QUOD NUMERI PURI SUNT: NAM QUOD IN PRIORE EDITIONE CAUSAE SUBIECERAT, ABSOLUTAM NON ESSE VINDEMIAE IMAGINEM ABSQUE DUOBUS HIS VERSICULIS, HOC RIDICULUM EST. *Me* ... EX HIS APPARET *ANTIQUISSIMAM* FORMAM ESSE, QUAM ANTHOL. EXHIBET, UBI TENUIS CANTILENA VERSIBUS 11 CONSTAT, HANC POSTEA ALIUS QUIS AMPLIFICAVIT ADDITIS VERSIBUS 5 (4. 10. 11. 14. 16.) ET IMMUTATA PAULULUM ORATIONE, MAXIME, UT FIERI SOLET, SUB FINEM CARMINIS: HOC AUTEM FACTUM EST ALIQUANTO ANTE GELLII AETATEM, QUARE ILLE POETARUM RECENTIUM IDYLLIA AB HIS CANTILENIS DISTINGUIT. NEQUE TAMEN EX HAC FORMA CONTINUO EA ORTA, QUAM COD. PAL. EXHIBET, SED PRIMUM TERTIUS ALIQUIS RURSUS EXITUM CANTILENAE EXORNAVISSE VIDETUR IN HUNC MODUM:

Ποίησον ἀμπέλους μοι
καὶ βότρυας κατ' αὐτῶν,
καὶ Μαινάδας τρυγώσας.
ποίει δὲ ληνὸν οἴνου,
καὶ χρυσέους πατοῦντας
ὁμοῦ καλῷ Λυαίῳ
Ἔρωτα κἀφροδίτην

TUM DENIQUE ALIUS TRIBUS HIS ULTIMIS VERSIBUS SUBSTITUIT:

ληνοβάτας, πατοῦντας
τοὺς Σατύρους γελῶντας
καὶ χρυσοῦς τοὺς Ἔρωτας
καὶ Κυθήρην γελῶσαν.

HAEC AUTEM OMNIA IN CODICE PAL. CONIUNCTA VIDEMUS ... *Bk²*   **471**,38–**472**,2 und Degen *bis* ab] *Bemerkung Mörikes (s. Erläuterung in Band 8,2)*

31

Benutzte Quellen: Me, Le, Mü, Wel³, Goe, Ku

Hinweise zur Quellenbenutzung

472,4–7: *Bemerkung Mörikes* **472,**7–19 Die eingebrannte *bis* erfolgte] Die |eigent-
liche enkaustische Malerei] fand entweder auf [meist kleinen] Holztafeln oder
auf Elfenbein statt. [. . .] Im Elfenbein mußte, um die Farben durch Wärme hin-
einzutreiben, die Zeichnung eingeritzt werden. Dieß geschah vermuthlich durch
den trocknen spitzen Stift; die Wachsfarben wurden dann [überzogen] und vielleicht die Fläche vor dem Einbrennen abgewischt, indem die Zeichnung, nicht
unähnlich dem Kupferstiche, die Farben festhielt. [. . . Indem wir nun] die Enkaustik [auffassen als] Pinselmalerei mit nassen, kalten, in vielen kleinen Fächern
eines großen Kastens gehaltenen Farben, bei deren Ansetzung Wachs, unbekannt
in welcher [auflösenden] Verbindung gebraucht wurde, worauf das Einbrennen
und damit die Verschmelzung der Farben, [das χραίνειν καὶ ἀποχραίνειν] das
Regeln der hellen und dunkeln Töne vermittelst eines überhin gehaltnen und
[geschickt] geführten [Glühstabs] erfolgte, [so scheint uns entgegenzustehn was
Ovid Fast. 3, 831 sagt: TABULAMQUE COLORIBUS URIS, und ähnlich Appulejus APO-
LOG. p. 420: VEL CERA INUSTUM VEL PIGMENTO ILLITUM. Letronne p. 403 glaubt daß
beide Stellen nur von warm aufgetragenen Farben verstanden werden können.
. . . Letronne behauptet sogar daß κηρόχυτος γραφὴ für am Feuer geschmolzne
und warm aufgetragene Farben (PEINTURE AVEC DES CIRES CHAUFFÉES p. 407) be-
weisend sey; und schließt alsdann daß über diese so schwierig scheinende und
noch nicht wieder aufgefundene merkwürdige Procedur, über welche sie sich
doch nicht getäuscht haben könnten, die Alten einstimmig seyen. Die Procedur,
wenn von der zartesten Art des Colorits und von der feinsten Malerei überhaupt
die Rede ist, scheint mir unmöglich, und bei den Schriftstellern findet sich davon
schwerlich eine wirkliche Spur, und kaum eine die leicht täuschen könnte. Der
einzige von Plinius angegebene Unterschied der Schiffsmalerei von der höheren
Enkaustik wird aufgehoben wenn man auch dieser RESOLUTAS IGNI CERAS zutheilt.
Aus der Glosse des Timäus glaubt Letronne p. 388, gehe DE TOUTE ÉVIDENCE hervor daß ῥαβδίον den Pinsel bedeute. Ich der diese Bedeutung unmöglich zu-
geben kann, sehe in der Stelle den Beweis daß das χραίνειν καὶ ἀποχραίνειν,]
die Erhöhung und Abschwächung des Tons [durch das Glüheisen gegeben wurde,
von welchem eine andere Absicht auch nicht zu vermuthen ist da die Führung
desselben als die höchste Kunst gilt . . .] Wel³ . . . PAUSIAS ET CETERI PICTORES
EIUS GENERIS LOCULATAS MAGNAS HABENT ARCULAS, UBI DISCOLORES SUNT CERAE.
[VARRO DE R.R. III,17.] Das Einbrennen [ist aber die Hauptsache, wie schon der

Ausdruck: Νικίας ἐνέκαε, beweist ...] *Mü* **472**,19–21 Zum Auftragen *bis* an]
Keine Quelle nachgewiesen. Wohl Bemerkung Mörikes (s. Erläuterung in Band 8,2)
472,21–23 So wurde *bis* hingewirkt] [... Was Wiegmann S. 83. 90. 152 über den
Entstehungsgrund der enkaustischen Tafelmalerei ..., von ihren Vorzügen,]
Schmelz, Transparenz, Tiefe der Schatten, [ihrer Tendenz] auf Effect und Illu-
sion, [über das Umständliche und Beschwerliche der Behandlung bemerkt,
stimmt vollkommen mit meinen Vorstellungen überein ...] *Wel³* **472**,23.24
Welck. *bis* Anm. 3] *Bemerkung Mörikes* **472**,25–35 Obgleich *bis* Namen] ... ATQUI
CERIS PINGERE ET PICTURAS INURERE, ETIAMSI PLINIO TESTE JAM A POLYGNOTO EXER-
CERETUR HAEC ARS, TAMEN POST IPSUM DEMUM GRAECARUM ARTIUM FLOREM APUD
THEBANOS SICYONIOSQUE ARTIFICES IN USUM VENIT CF. MUELLER ARCH. P. 135. 433;
PAUSIAS PRIMUS PUERIS, ANIMALIBUS, FLORIBUS PINGENDIS EXCELLUIT, ... QUIN ALIUD
QUOQUE VESTIGIUM EXSTAT, QUO TEMPUS ACCURATIUS DEFINIAMUS; DICITUR ENIM ARTIFEX
Ῥοδίης κάρανε τέχνης. ARS IGITUR CERIS PINGENDI RHODIA VOCATUR SECUNDUM
DISCIPLINAM QUANDAM ARTIFICUM. QUANQUAM RHODIOS PER LONGUM TEMPORIS SPA-
TIUM FLORUISSE CONSTAT PINGENDI STATUASQUE EFFINGENDI ARTE ..., TAMEN POST
PROTOGENEM DEMUM, APELLIS AEQUALEM ET GLORIA RHODIAE ARTIS AUCTA EST ET
ENCAUSTICA ARS EXCULTA ... QUAE CUM ITA SINT, NON JAM NUM ANACREONTI IPSI AD-
SCRIBANTUR CARMINA QUAEREMUS, SED QUAENAM INTER CARMINA NON ANTE QUARTI
SECULI INITIUM CONFECTA INTERCEDAT RATIO ... *Sta* **472**,35.36 Mit Rücksicht *bis* ge-
setzt] *Keine Quelle nachgewiesen. (Die Quelle Sta, die Mörike hier angibt, enthält keinen
Hinweis* auf ein prosodisches Merkmal *als Kriterium für das Alter des Liedes. S.* HIN-
WEISE ZUR QUELLENBENUTZUNG *458*,20.21 *auf Seite 550 und die Erläuterung zu
472,35.36 in Band 8,2)* **472**,37–39 Sie soll *bis* sichtbar sei] ... SI PICTURAS IPSAS ACCU-
RATIUS INTUEARE, ... POETAM AMATAE FACIEM NON TOTAM ATQUE INTEGRAM, NON
PLANE QUOD NOS DICIMUS *EN FACE,* SED ALIQUANTULUM AVERSAM REPRAESENTARE
VOLUISSE UT ALTERA GENA INTEGRA, ALTERA PARTIM APPARERET, VIDEBIS ... *Sta* **472**,39
Jacobs *bis* Wange] *Keine Quelle nachgewiesen* **472**,40–42 Ein kleiner *bis* genannt
sind] *Keine Quelle nachgewiesen. Wohl Bemerkung Mörikes* **472**,42–**473**,1 Von einer
bis 267] μεσόφρυον OVID. ART. AM. III, 201: *ARTE, SUPERCILII CONFINIA NUDA
REPLETIS.* Claudian. X, 267: *QUAM IUNCTO LEVITER SESE DISCRIMINE CON-
FERT UMBRA SUPERCILII. Me* **473**,1–4 Mirum *bis* stomachi] »... VIDERE EST
AUTEM ITA PROPEMODUM COEUNTIA SUPERCILIA IIS, QUI MOESTI FRONTEM CONTRAHUNT
ET CORRUGANT; UNDE ETIAM ILLI, VERBO AB HOC NOMINE DEDUCTO, συνοφρυοῦσθαι
DICUNTUR. MIRUM EST VERO, PLACUISSE ILLIS ITA CONFUSA SUPERCILIA, QUUM NIHIL A
PULCHRITUDINE MAGIS VIDEATUR ALIENUM. SED ALIA MULTA OBSERVABIS VETERIBUS FUISSE
IN DELICIIS, QUAE TUI NON ERUNT STOMACHI. – ...« *STEPH. ... Me* **473**,5–8 Die
Augen *bis* werden] ... PULCHRUM CERTE γλαυκὸν ὄμμα NON VISUM APPARET EX
LUCIAN. DD. XIX ET XX ET FESTIVO LOCO LUCRETII IV, 1154. γλαυκῶπις EXPLICAT

HESYCHIUS φοβερὰ ἐν τῷ ὁρᾶσθαι. TERRIBILES ET CORUSCANTES OCULI DECENT DEAM BELLICOSAM, QUUM CONTRA VENERI CONVENIANT ὑγροί, OCULI UDI, TREMULI, LASCIVI, QUALES IGITUR IN AMICA ESSE VULT POETA, TEMPERATOS TAMEN CAESIORUM GRAVITATE. – *Me* **473**,8 Vergl. *bis* XI] *Bemerkung Mörikes* **473**,9.10: *Zitat nach Goe* **473**,11.12 *Peitho bis* genannt] »SUADELA PRAEESSE FINGEBATUR, UT VENUS, NUPTIIS, COMESQUE ERAT GRATIARUM V. HESIODUS Ἔργ.73 … FISCH. … *Me* Peitho, […] die Göttin der Überredung, [die SUADA oder SUADELA der Römer … Wie bei Hesiod] wird [die Peitho auch sonst häufig] mit den Chariten [zusammen] genannt, […] *Pa¹* **473**,12 S. *bis* 14] *Bemerkung Mörikes* **473**,13.14: *Keine Quelle nachgewiesen. Wohl Bemerkung Mörikes* **473**,15–18: *Bemerkung Mörikes im Anschluß an den folgenden Hinweis der Quelle auf Lessing:* … SED LATURIS DE TOTO CARMINE JUDICIUM ANTE OMNIA ID TENENDUM EST, POETAE NON IN ANIMO FUISSE *PUELLAE IPSIUS* PULCRITUDINEM DESCRIBERE, TUM ENIM NON MULTUM ABESSET A CONSTANTINI MANASSAE INEPTIIS AUT ARIOSTI TUMORE, QUORUM UTERQUE CUM PUELLAM DESCRIBERET QUAM ACURATISSIME, OMNEM PLANE VIM IN ANIMO COMMOVENDO AMISIT CF. LESSING. LAOKOON XX; … *Sta* **473**,19–24 Nach *bis* geht] Der Dichter, [der die Elemente der] Schönheit [nur nach einander zeigen könnte,] enthält sich [daher der] Schilderung körperlicher Schönheit, [als Schönheit, gänzlich. Er fühlt es, daß diese Elemente, nach einander geordnet, unmöglich die Wirkung haben können, die sie neben einander geordnet haben; daß der konzentrierende Blick, den wir nach ihrer Enumeration auf sie zugleich zurücksenden wollen, uns doch kein übereinstimmendes Bild gewähret; daß es über die menschliche Einbildung gehet, sich vorzustellen, was dieser Mund, und diese Nase, und diese Augen zusammen für einen Effekt haben, wenn man sich nicht aus der Natur oder Kunst einer ähnlichen Komposition solcher Teile erinnern kann. Und auch hier ist] Homer [das Muster aller Muster. Er sagt: Nireus war schön; Achilles war noch schöner; Helena besaß eine göttliche Schönheit. Aber nirgends läßt er sich in die umständlichere Schilderung dieser Schönheiten ein. Gleichwohl ist das ganze Gedicht auf die Schönheit der Helena gebauet. Wie sehr würde ein neuerer Dichter darüber luxuriert haben! Schon ein] Constantinus Manasses [wollte seine kahle Chronike mit einem Gemälde der Helena auszieren. Ich muß ihm für seinen Versuch danken. Denn auch ich wüßte wirklich nicht, wo ich sonst ein Exempel auftreiben sollte, aus welchem augenscheinlicher erhelle, wie töricht es sei, etwas zu wagen, das Homer so weislich unterlassen hat … Doch es ist wahr, politische Verse eines Mönches sind keine Poesie. Man höre also den] Ariost, [wenn er seine bezaubernde] Alcina [schildert: …] *Le* **473**,24.25 und *bis* möge] *Bemerkung Mörikes* **473**,26–35: *Zitat nach Ku* **473**,36.37 und **474**,1–5: *Zitat nach Le* **473**,38–40: *Keine Quelle nachgewiesen. Wohl Bemerkung Mörikes* **474**,6–8 Sodann *bis* Kritiker] *Bemerkung Mörikes mit eingefügtem Zitat nach Lessing* **474**,8–12 »die Wendung *bis* vorschreiben] *Zitat nach Le*

474, 12–17 Seine *bis* scheinet] . . . OPTIME QUID SIBI VOLUERIT POETA PERSPEXIT LES-
SINGIUS EODEM LOCO: »Seine (des Dichters) Absicht ist nicht, dass wir in dieser
mündlichen Direction des Malers die ganze Schönheit der geliebten Gegenstände
erkennen und fühlen sollen; er selbst empfindet die Unfähigkeit des wörtlichen
Ausdruckes und nimmt ebendaher den Ausdruck der Kunst zu Hülfe, deren
Täuschung er so sehr erhebt, dass das ganze Lied mehr ein Lobgedicht auf die
Kunst, als auf sein Mädchen zu sein scheint.« QUARE QUAMVIS APTE AC VENUSTE
POETA DESCRIPSERIT IMAGINEM, TAMEN MAJORE MIHI LAUDE DIGNUS VIDETUR ESSE ARTI-
FEX, CUJUS IMAGO POETAE OBSERVABATUR OCULIS. *Sta* **474**, 17–19 Er sieht *bis* werde]
Zitat nach Le **474**, 19–30 Aber *bis* Vermögen] *Bemerkung Mörikes* **474**, 30–32 Das
Motiv *bis* umgeschaffen] . . . CARMINA JULIANI JUSTINIANIQUE AETATE MAXIME SECUN-
DUM EPIGRAMMATA COMPOSITA: . . . *Sta* (*s. die Erläuterung in Band* 8, 2) **474**, 33–**475**, 1
wobei *bis* verwandelt] *Bemerkung Mörikes* **475**, 1–14 »Reiz *bis* suchen möge«] Reiz
ist Schönheit in Bewegung, [und eben darum dem Maler weniger bequem als
dem Dichter. Der Maler kann die Bewegung nur erraten lassen, in der Tat aber
sind seine Figuren ohne Bewegung. Folglich wird der Reiz bei ihm zur Grimasse,
aber in der Poesie bleibt er, was er ist: ein transitorisches Schönes, . . .] Selbst
Anakreon wollte lieber in die anscheinende Unschicklichkeit verfallen, eine Un-
tulichkeit von dem Maler zu verlangen, als das Bild seines Mädchens nicht mit
Reiz zu beleben.

> [Τρυφεροῦ δ᾽ ἔσω γενείου,
> Περὶ λυγδίνῳ τραχήλῳ
> Χάριτες πέτοιντο πᾶσαι.]

Ihr sanftes Kinn, befiehlt er dem Künstler, ihren marmornen Nacken laß alle
Grazien umflattern! Wie das? Nach dem genauesten Wortverstande? Der ist keiner
malerischen Ausführung fähig. Der Maler konnte dem Kinne die schönste Rün-
dung, das schönste Grübchen, »AMORIS DIGITULO IMPRESSUM«, [(denn das ἔσω
scheinet mir ein Grübchen andeuten zu wollen)] – er konnte dem Halse die schönste Karnation geben; aber weiter konnte er nichts. Die Wendungen dieses schönen Halses, das Spiel der Muskeln, durch das jenes Grübchen bald mehr bald
weniger sichtbar wird, der eigentliche Reiz, war über seine Kräfte. Der Dichter
sagte das Höchste, wodurch uns seine Kunst die Schönheit sinnlich zu machen
vermag, damit auch der Maler den höchsten Ausdruck in seiner Kunst suchen
möge. [. . .] *Le* **475**, 14–17 Ob *bis* vorkommen] *Bemerkung Mörikes*

32

Benutzte Quellen: **475**, 20.21 *Adonis bis* starb *Pa*[1] **475**, 21.22 *Maia bis* Hermes *Pa*[1]
475, 23–27 *Pa*[1] **475**, 28–30 Das Stück *bis* Zügen *Sta* **475**, 34–39 Die Beschreibung
bis wurde *Sta* **475**, 39.40 Übrigens *bis* vor *Sta*

Keine Quelle nachgewiesen: **475**,19; **475**,30–34 Besonders *bis* trifft
Bemerkung Mörikes: **475**,40 S. *bis* Anm.

33

Benutzte Quellen: **476**,2.3 Me **476**,4–8 *Pa* [1] **476**,9–17 Das Stück *bis* erkennen *Sta*
476,29–32 *Sta*
Keine Quelle nachgewiesen: **476**,17–28 Allein *bis* denken *(s. Erläuterung in Band 8,2)*

34

Benutzte Quellen: Me, Mü, Ov, Lü

Hinweise zur Quellenbenutzung

476,34–38 Wir *bis* finden] *Keine Quelle nachgewiesen. Wohl Bemerkung Mörikes (s. Erläuterung in Band 8,2)* **476**,38–**477**,3 QUEL *bis* NIAIS] *Keine Quelle nachgewiesen*
477,3–5 Gleichwohl *bis* unten] *Keine Quelle nachgewiesen. Wohl Bemerkung Mörikes
(s. Erläuterung in Band 8,2)* **477**,6–13 Auf *bis* haben] [... Auch gehören hierher
die] auf der Rückseite [gravirten Spiegel (ehemals Pateren genannt), nebst den
sogenannten CISTAE MYSTICAE ...] Mü [... Gewöhnlich bediente man sich ... der]
runden Handspiegel [von Metall, meistens] von Erz, [hie und da] auch von edlen
Metallen, [bei denen] die Rückseite [und der Stil der Ornamentik Raum und
Anlaß boten ...] Ov [... Noch bestimmter tritt diese Verwandtschaft in den gra-
virten Darstellungen hervor, welche in grosser Anzahl auf broncenen Schmuck-
geräthen, besonders] auf der Rückseite [von] Handspiegeln [... sich befinden ...]
Lü **477**,13.14 Vgl. *bis* Kunstgeschichte] *Bemerkung Mörikes* **477**,15.16: *Keine Quelle
nachgewiesen* **477**,17–35 Jedermann *bis* sei] *Bemerkung Mörikes (s. Erläuterung in
Band 8,2)* **477**,35.36 NAM *bis* POTERAT] *Zitat nach Me* **477**,36–**478**,13 Im Vorder-
grund *bis* denken] *Bemerkung Mörikes (s. Erläuterung in Band 8,2)*

35

Benutzte Quelle: Sta

36

Benutzte Quellen: **478**,24–27 *De* [4] *Sta Me* **478**,34.35 *De* [4] **478**,36 *Pa* [1] **478**,37–**479**,1
Pallas *bis* derselben *Sta*
Keine Quelle nachgewiesen: **478**,28; **478**,32.33; **479**,1–3 Sonst *bis* lassen
Bemerkung Mörikes: **478**,29–31 *(s. Erläuterung in Band 8,2)*

37

Benutzte Quellen: **479**,8–10 Nach *bis* wäre Me Sta **479**,14–21 Sta
Keine Quelle nachgewiesen: **479**,5; **479**,22

Bemerkungen Mörikes: **479**,6.7 *(s. Erläuterung in Band 8,2)* **479**,10–13 Bei *bis* verfehlen *(s. Erläuterung in Band 8,2)*

38

Benutzte Quellen: **479**,24–26 Vor Allem *bis* 68 *Sta* **479**,27.28 *Zitat nach Do* **479**,30–32 *Sta* **479**,36–**480**,8 *Zitat nach Web* **480**,9–12 *Web*
Bemerkung Mörikes: **479**,33–35

39

Benutzte Quelle: Sta

Hinweise zur Quellenbenutzung

480,14.15 Diesem *bis* geschehn] *Bemerkung Mörikes (s. Erläuterung in Band 8,2)*
480,15–17 Es hat *bis* störend] Imo aperta serioris aetatis vestigia apparent: lusus ille verborum πόνοις, πόθοις, πότοις grammaticum decet, non Ionicum poetam; ... Offendunt quoque multa epitheta undique conquisita, quibus vinum exornatur. Neque fugiet ullum pluralis ὀπῶραι = uvae rarissime adhibitus cf. Longus IV, 39. Ne metrum quidem recte se habet: in versu octavo syllaba longa pro brevi requiritur ... *Sta*

40

Benutzte Quellen: **480**,19.20 *Sta* **480**,21.22 *Pa[1]* **480**,23–28 Die südliche *bis* Thau *De[4]* **480**,30–37 *Zitat nach Jac[2]* **481**,16–20 die Athener *bis* festzuhalten *De[4]* **481**,25.26 *De[4]* **481**,27.28 *Zitat nach Do*
Keine Quelle nachgewiesen: **480**,28.29 Die Anthologie *bis* möge **481**,1–10; **481**,11.12; **481**,13–16 *Tochter bis* ließ **481**,20–24 Dem jüngeren *bis* 894

41

Benutzte Quelle: **481**,30.31 Die *bis* ausgeführt *Sta*
Keine Quelle nachgewiesen: **481**,31.32 Thorwaldsen *bis* behandelt

42

Benutzte Quelle: **481**,34.35 *Sta*
Keine Quelle nachgewiesen: **481**,36–39 *(wahrscheinlich Bemerkung Mörikes)*

43

Benutzte Quellen: **482**,2 Eine *bis* Traums *Sta* **482**,2–6 Nach *bis* erliegen *Me Bk[2]*

44

Benutzte Quellen: **482**,8–10 *Sta* **482**,11–13 *Me* **482**,15–20 *Sta* **482**,21–23 Welcker *bis* u.s.w. *Wel[3]* **482**,27.28 *Sta* **482**,29–38 *Zitat nach Jac[2]*

Keine Quelle nachgewiesen: **482**,14; **482**,23–26 Für uns *bis* irgendwo *(wahrscheinlich Bemerkung Mörikes)*

45

Benutzte Quellen: **483**,2 Sta   **483**,5–7 Durch *bis* Kindische Sta
Bemerkung Mörikes: **483**,3–5 Nach *bis* unwürdig *(s. Erläuterung in Band 8,2)*

46

Benutzte Quellen: **483**,9–13 Der Sinn *bis* demselben Me   **483**,13–21 Dem großen *bis* erfunden Sta

47

Benutzte Quellen: **483**,23–30 De⁴ Me Sta   **483**,31–38 Zitat nach Vo²   **484**,1–11 Sta

48

Benutzte Quellen: **484**,20–26 De⁴   **485**,14–18 Nun *bis* nehmen Me Sta   **485**,19.20 Zitat nach Vo²   **485**,25–34 Diese *bis* gekonnt Me   **485**,34–37 Nach *bis* macht De⁴ **485**,37.38 Mehlhorn *bis* zurück Me   **485**,40.41 Seinem *bis* Nr. 47 Sta
Keine Quelle nachgewiesen: **484**,13–19; **484**,28–31 *(Die Übersetzung dieser Stelle stammt wahrscheinlich von Mörike.)* **484**,32–**485**,14 Schade *bis* lassen   **485**,21–25 Diese *bis* Krampf
Bemerkungen Mörikes: **484**,27; **485**,38–40 wir *bis* behauptet

49

Benutzte Quellen: **486**,2–13 Me Sta *(Eine Übersetzung des griechischen Textes, den Me zitiert, ist nicht nachgewiesen; sie stammt wahrscheinlich von Mörike.)*

50

Benutzte Quellen: **486**,15.16 Me Sta   **486**,17–22 Man *bis* Rede ist Me   **486**,22–28 Statt *bis* ließ Sta   **486**,28–**487**,3 Einige *bis* MÊME Me   **487**,4–10 Ohne *bis* Handschrift Sta   **487**,12–21 Nach *bis* bringen Sta   **487**,24–27 Übrigens *bis* u.s.w. Sta **487**,28–31 und eben *bis* gemäß ist Sta   **487**,31–33 Das Stück *bis* Lieder Me Sta
Keine Quelle nachgewiesen: **486**,39; **487**,3.4 So *bis* Zeilen   **487**,21–24 In *bis* hervorgetreten *(wahrscheinlich Bemerkung Mörikes)* **487**,27.28 Dem Epigramm *bis* natürlich
Bemerkung Mörikes: **487**,10.11 Zur *bis* Folgendes

51

Benutzte Quellen: **487**,35–37 Während *bis* angesehen De⁴ Me   **487**,37–39 Welcker *bis* könnte Sta   **487**,39–41 Mehlhorn *bis* συγκαλύπτω Me   **487**,41–**488**,2 welches

bis findet *Me*   **488**,2.3 Der Übersetzer *bis* benützt *Me Bk²*   **488**,7–13 Die Herkunft *bis* fremd *Sta*   **488**,14.15 und jedenfalls *bis* anweist *Sta*
Bemerkungen Mörikes: **488**,3–6 Für *bis* spricht   **488**,13.14 Es liegt *bis* Gedichts

52

Bemerkung Mörikes

53

Benutzte Quellen: De⁴, Sta

Hinweise zur Quellenbenutzung

488,19.20: ... Inventio ipsa sane poetica est neque Anacreonte non digna ... Sed quominus Anacreonti tribuamus carmen, impedit et ʋ in ἐκτανύειν productum et v. 11 in arsi pro longa syllaba usurpatum. *Sta*   **488**,21–30: [... Sonst verdient mit diesem schönen Liede ganz vorzüglich] der Traum [von] Uz [verglichen zu werden, weil wol nicht leicht ein neuerer, besonders ein deutscher, Dichter eine Dichteridee aus dem Alterthume glücklicher nachgeahmt haben dürfte. Uz nemlich singt daselbst am Ende:]

> Sie [(die Badende)] fieng nun an, o Freuden!
> Sich vollends auszukleiden;
> Doch ach! indem's geschiehet,
> Erwach' ich, und sie fliehet.
> O schlief ich doch von neuem ein!
> Nun wird sie wohl im Wasser sein. *De⁴*

54

Benutzte Quelle: **488**,33–36 *Sta (Eine Übersetzung des griechischen Textes, den Sta zitiert, ist nicht nachgewiesen; sie stammt wahrscheinlich von Mörike.)*
Bemerkung Mörikes: **488**,32

55

Benutzte Quellen: De⁴, Me, Sta, Br³

Hinweise zur Quellenbenutzung

489,1.2: Ita instituit poeta, ut semper paria animalium nominarentur maxime diversorum: bos et equus, lepus et leo, pisces et aves ... *Sta*   **489**,4–13 Verstand *bis* Manne] [Dieser mysteriöse Ausdruck schien auch guten Erklärern beinahe unerklärbar. So viel indeß wird jedermann glauben, daß der gegen die Schönen so artige Dichter jenen hier keine Unartigkeit ins Angesicht sagen will. Und das scheint er z.B. bei dem Grafen Chr. von Stolberg geradehin thun zu wollen, indem dort die Götter dem Manne gleichsam ein PRIVILEGIUM EXCLUSIVUM für die Vernunft geben. Allein das, wodurch sich der Mann in der Schöpfung auszeichnet, ist, wie sie Lysias in seiner Trauerrede nennt, seine ευψυχια, die höhere Geisteskraft oder der höhere Geist, in welcher Bedeutung das φρόνημα auch beim Demosthenes und beim Xenophon vorkömmt. Wenn es also hier durch] den höhern Geist [übersezt wird, so glaubt man den Sinn des Dichters nicht ganz verfehlt zu haben.] *De⁴* »INTERPRETATUS SUM φρόνημα PRUDENTIAM, UT IDEM SIT HOC LOCO, QUOD φρόνησις. NAM QUIS NESCIT, EAM VIRIS ESSE PECULIAREM, NEC IN MULIEBRE INGENIUM CADERE EAM VIM RATIOCINANDI, QUAE IN VIROS? NON SUM TAMEN INTERIM IGNARUS, φρόνημα ETIAM ANIMI MAGNITUDINEM ET FEROCIAM SIGNIFICARE ...« *STEPH.* PROBAT VOCIS φρόνημα HANC INTERPRETATIONEM BRUNCKIUS; DEGEN EXPL. den höhern Geist ... BARNES. ET BAXTER. ACCIPIUNT DE VIRTUTE BELLICA, FISCHER. DE ANIMO CONIUNCTO CUM FACULTATE ET SOLLERTIA TRACTANDI ARMA ET IIS UTENDI AD SE DEFENDENDUM. MOEBIUS EXPL. ANIMI CELSITUDO VEL VIRTUS BELLICA. EQUIDEM *CONSILIUM* VERTERIM, planmässige Überlegung, Berechnung, Besonnenheit; HOC ENIM MINUS VALENT MULIERES, QUAE FERE NATURALI QUODAM INSTINCTA REGUNTUR; ... Me **489**,13–23 Allein *bis* ward] *Bemerkung Mörikes (s. Erläuterung in Band 8,2)* **489**,24–26 Ganz *bis* 367] ... SED ET PHOCYLIDES (PSEUDOPHOCYLID. FRAGM. XIII. 120 APUD GAISFORD. POETT. MIN. ET APUD STOB. FLORIL. III, 37 SQ.) ... STEPH. ... Me ... IDEM FERE ARGUMENTUM TRACTATUM VIDEBIS IN PSEUDOPHOCYLIDE V. 125 SQU. BERGK. LYR. GR. P.349; ... Sta **489**,26 nach Binders Übers.] *Bemerkung Mörikes (s. Erläuterung in Band 8,2)* **489**,27–30: Zitat nach Br³*

56

Benutzte Quellen: **489**,37–**490**,9 Die Ächtheit *bis* zurücklassen *Me Sta* **490**,11–16 *Zitat nach Jac²*

Keine Quelle nachgewiesen: **489**,32.33; **489**,34–36; **490**,9.10 Derselbe *bis* berührt

NACHTRÄGE ZU BAND 8,1

Die Arbeit an den Bänden 8,1 und 8,3 hat sich insgesamt über mehr als zehn Jahre hingezogen. Unter solchen Umständen war es wohl kaum zu vermeiden, daß sich bei der Analyse der Textvorlagen und bei der typographischen Darstellung von deren Ergebnissen im Textband einige Unstimmigkeiten eingeschlichen haben, die erst bei Abschluß von Band 8,3 – also nach Erscheinen des Textbandes 8,1 – aufgedeckt worden sind und die folgenden »Nachträge« notwendig gemacht haben. Der Herausgeber bittet, dies zu entschuldigen.

CLASSISCHE BLUMENLESE

S. 26, v. 32: Eiresiä

S. 44, v. 387: Stürzte sie sich, ihr entgegen, und schlang inbrünstig die Arme

S. 80, Nr. 70, v. 2: Ehernes weites Gewölb', unseren Alten ein Graun,

S. 124, v. 3: Nach welcher jede wackre Hausfrau stets

S. 184, v. 5: Daß ich der Thyner und Bithyner Flur nunmehr

S. 203, v. 57: Wo Pallas ihren donnernden Götterschild

S. 227, v. 63: Wirft's in den Staub den Sieger, liefert

S. 229, v. 17: darüber KNABEN

S. 231, v. 69: Aventin's und Algidus' Göttin, nimm auch

S. 232, v. 73: darüber KNABEN UND MÄDCHEN

S. 260, v. 29: So gefiel' ich euch gern! Ein Andrer sey tapfer in Waffen,

S. 260, v. 35: Drunten ist keine grünende Saat, kein Hügel mit Reben,

S. 260, v. 44: Und erzählt' ich als Greis Thaten vergangener Zeit!

S. 260, v. 47: Reben erzog der Friede, den Nektar der Traube verwahrt' er,

S. 262, v. 10: Alle zuvor noch befragt, eh sie aus Rom mich entließ.

S. 263, v. 64: Spielend, und immer erneut Amor den lieblichen Krieg.

S. 264, v. 78: Schon vor des Lechzenden Mund schwand auch die Welle hinweg.

S. 265, v. 23: Ha, wie dank' ich dem Zeus! er selbst erklärte für nichtig

S. 275, v. 8: Alle lesen, und selbst früher es lesen als Er.

S. 276, v. 9: Was für ein Glück, die Schluchten des Wilds durchkriechen, am Dornbusch

S. 277, v. 11: Ach, sie reisset uns hin, sie mag sich im Purpurgewande

THEOKRITOS

S. 293, v. 60: Ungebraucht. Dieß sollte dir jetzt mit Freuden geschenkt sein,
S. 293, v. 78: Wer doch quält dich? Um wen, o Guter, in Liebe vergehst du?
S. 298, v. 88: Schon, ach! war mir die Farbe so gelb wie Thapsos geworden,
S. 298, v. 90: Haut noch und Bein! Wen frug ich um Hilfe nicht? oder wo
        hauset
S. 300, v. 150: Ob ein Mädchen ihn aber, ein Jüngling jetzt ihn gefesselt,
S. 300, v. 158: Hat er nicht anderswo Süßes entdeckt und meiner vergessen?
S. 307, v. 1: Kommt mir ja nicht dem Schäfer zu nah', ihr Ziegen, ich rath'
        euch!
S. 308, v. 36: Grad' in das Aug' mir schau'n, du, den ich vor Zeiten als Bübchen
S. 310, v. 64: Einer da drüben bei dir, er sammelt sich Heiden zu Bündlein:
S. 312, v. 103: Dorthin suchet euch Futter, dem Aufgang zu, wie Phalaros!
S. 315, v. 21: Ja, bei'm Pan, ich hab' es geseh'n, wie sie warf in die Heerde!

ANAKREON

S. 367, Nr. 6, v. 4: Spielend mich zu ergötzen.
S. 369, Nr. 25, v. 3: Nur den Becher Wassers zehnfach
S. 370, Nr. 25, v. 6: Mit dem Gott zu schwärmen denk' ich.
S. 370, Nr. 25, v. 8: Wie der Skythe sich des Weins freut –
S. 372, Nr. 40, v. 1: Zum Weintrinker gemacht bin ich.
S. 375, Nr. 55, v. 2: Kuh nicht etwa hinaus treibst mit der lebenden Schaar!
S. 397, Nr. 5, v. 6: Rinnt der Quell und lockt so lieblich.
S. 400, Nr. 8, v. 10: Gold – daneben gilt kein Bruder
S. 402, Nr. 10, v. 5: Nach Myrrhenöl verlang' ich,
S. 411, Nr. 17, v. 26: Sich mit seinen Sorgen plagen.
S. 414, Nr. 20, v. 8: Und ein weichgelockter Knabe
S. 429, Nr. 33, v. 4: Er ein Sidonisch Mädchen
S. 438, Nr. 40: Bei der Unterscheidung zwischen übernommenem und von Mörike selbst formuliertem Wortbestand ist durch ein Versehen die Übersetzung Goethes, auf die Mörike in einer Anmerkung zu diesem Gedicht hinweist (Band 8,1, S. 480, Z. 19f.), nicht berücksichtigt worden. Da Goethes Übersetzung stark eingewirkt hat auf Mörikes Fassung, wird diese in der berichtigten Darstellungsform noch einmal ganz wiedergegeben (»Bearbeitungsanalyse« s. S. 535f.):

AN DIE CIKADE

Selig preis' ich dich Cikade,
Die du auf der Bäume Wipfeln,
Durch ein wenig Thau geletzet,
Singend, wie ein König, lebest.
5   Dir gehöret eigen Alles
Was du siehest auf den Fluren,
Alles was die Horen bringen.
Lieb und werth hält dich der Landmann,
Denn du trachtest nicht zu schaden;
10   Du den Sterblichen verehrte,
Süße Heroldin des Sommers!
Auch der Musen Liebling bist du,
Bist der Liebling selbst Apollons,
Der dir gab die Silberstimme.
15   Nie versehret dich das Alter,
Weise Tochter du der Erde,
Liederfreundin, Leidenlose,
Ohne Fleisch und Blut Geborne,
Fast den Göttern zu vergleichen!

S. 440, Nr. 41, v. 32: Doch dir wird das Herz erkranken«.
S. 444, Nr. 45, v. 18: In's Herz, und machtlos war ich!
*S. 449, Nr. 50: Bei der Unterscheidung zwischen übernommenem und von Mörike selbst
formuliertem Wortbestand ist durch ein Versehen die in der »Classischen Blumenlese«
erschienene Übersetzung dieses Gedichts (Band 8,1, S. 136f.) nicht berücksichtigt worden.
Da Mörike diese Fassung mit nur wenigen Änderungen in die »Anakreontischen Lieder«
übernimmt, wird das Gedicht in der berichtigten Darstellungsform noch einmal ganz
wiedergegeben (»Bearbeitungsanalyse« s. S. 542 ff.):*

DER TODTE ADONIS

Als Kypris den Adonis
Nun todt sah vor sich liegen,
Mit wildverworrnem Haupthaar
Und mit erblaßter Wange:

5   Den Eber ihr zu bringen
Befahl sie den Eroten.

Sie liefen gleich geflügelt
Umher im ganzen Walde
Und fanden den Verbrecher
10   Und banden ihn mit Fesseln.

Der eine zog am Seile
Gebunden den Gefangnen,
Der andre trieb von hinten,
Und schlug ihn mit dem Bogen.
15   Des Thieres Gang war traurig,
Es fürchtete Kytheren.

Nun sprach zu ihm die Göttin:
Du böses Thier, du Unthier!
Du schlugst in diese Hüfte?
20   Mir raubtest du den Gatten?

Der Eber sprach dagegen:
Ich schwöre dir, Kythere,
Bei dir, bei deinem Gatten,
Bei diesen meinen Fesseln
25   Und hier bei diesen Jägern:
Ich dachte deinem holden
Geliebten nicht zu schaden!
Ein Götterbild an Schönheit
Stand er, und voll Verlangen
30   Stürmt' ich hinan, zu küssen
Des Jägers nackte Hüfte,
Da traf ihn so mein Hauer.
Hier nimm sie denn, o Kypris,
Reiß' mir sie aus zur Strafe
35   – Was soll mir das Gezeuge? –
Die buhlerischen Zähne!
Wenn das dir nicht genug ist,
Nimm hier auch meine Lippen,
Die sich den Kuß erfrechten!

40   Das jammert' Aphrodite.
Sie hieß die Liebesgötter

Ihm lösen seine Bande.
Er folgte nun der Göttin
Und ging zum Wald nicht wieder
45   (Und selbst an's Feuer laufend
Verbrannt' er seine Liebe).

NACHWORT

Das Erscheinen eines Apparatbandes zu Mörikes Übersetzungen nehme ich zum Anlaß,
all denen zu danken, die mich bei der über zehn Jahre währenden Arbeit unterstützt
haben. In vieler Hinsicht war ich auf Hilfe angewiesen. Die besondere Aufgabe, die Ent-
stehung des Textes als Kontamination bzw. Bearbeitung von Vorlagen in allen Einzel-
heiten sichtbar zu machen, hat in der Geschichte des Editionswesens kein Beispiel, an dem
ich mich hätte orientieren können. Es mußte ein eigener Darstellungsweg entwickelt wer-
den. Das hier praktizierte Verfahren habe ich in mancherlei Versuchen und auf der Grund-
lage vieler Gespräche mit den Herausgebern und Mitarbeitern der Mörikeausgabe ent-
wickelt. Es ist also zu einem nicht unwesentlichen Teil das Ergebnis gemeinsamer Über-
legungen. Deshalb danke ich vor anderen den Herausgebern, Hans-Henrik Krummacher,
Herbert Meyer und Bernhard Zeller, dafür, daß sie die Arbeit an diesem Bande in
allen Phasen der Entstehung mitgetragen haben. Hubert Arbogast ist mir immer zur
Seite gestanden, sobald es galt, für auftretende Schwierigkeiten eine Lösung zu finden. Bei
der zeitraubenden Aufgabe der Beschaffung der Vorlagen und Quellen, beim Lesen der
Korrekturen und bei vielen Kärrnerdiensten des Editors haben mich die Damen und Her-
ren des Mörike-Archivs des Deutschen Literaturarchivs Marbach a.N., Frau Kunz und
Frau Petermann, Walter Scheffler und Hans-Ulrich Simon, stets bereitwillig unterstützt.
Auch Frau Kohler vom Hölderlin-Archiv der Württembergischen Landesbibliothek hat
sich in alter Verbundenheit einer Bitte um bibliothekarische Hilfe nie versagt. In Fällen
besonders schwieriger Bücherfahndung konnte ich mich immer an Bibliotheksdirektor i.R.
Prof. Dr. Wilhelm Hoffmann wenden. Prof. D. Dr. Hildebrecht Hommel hat mir als
Gräzist so manches Mal geholfen, wo ich mit meinen eigenen philologischen Kenntnissen
nicht mehr weiterkam. Ihnen allen sage ich herzlichen Dank für ihre Hilfe.
Was Prof. Carl Keidel und seine Mitarbeiter von der Offizin Scheufele angesichts der
äußerst schwer zu setzenden Druckvorlage an mühevoller Detailarbeit auf sich genommen
haben, um den hohen Ansprüchen ihres Hauses gerecht zu werden, ist für den Außen-
stehenden kaum vorstellbar. Ich bin ihnen für alle Geduld und Mühe, die sie auf die
graphische Gestaltung dieses Bandes verwandt haben, dankbar verbunden.
Durch eine Sachbeihilfe der Deutschen Forschungsgemeinschaft konnte ich mich für längere
Zeit von meinen Lehrpflichten an der Pädagogischen Hochschule Weingarten befreien

lassen. Dadurch war es möglich, während einer Phase besonders schwieriger Probleme mit ungeteilter Kraft an deren Lösung zu arbeiten. Ich danke der Deutschen Forschungsgemeinschaft und dem Ministerium für Wissenschaft und Kunst Baden-Württemberg für die gewährte Unterstützung.

Daß meine Kollegen an der Pädagogischen Hochschule Weingarten über einen längeren Zeitraum hinweg bereit waren, die durch meine Beurlaubung zusätzlich entstandenen Aufgaben zu übernehmen, sei ihnen unvergessen. Meiner Familie danke ich dafür, wie selbstverständlich sie in schweren Jahren die auch für sie spürbare Last der Forschung mitgetragen hat.

Es berührt mich schmerzlich, daß ich diesen Band dem Manne nicht mehr übergeben kann, der mich für die Aufgabe der Edition gerüstet hat, und der das Erscheinen des Textbandes noch erlebt hat: Friedrich Beißner. Ich gedenke seiner in Dankbarkeit.

Tübingen, im Frühjahr 1980   *Ulrich Hötzer*

VERZEICHNIS DER BEARBEITUNGSANALYSEN
NACH ÜBERSCHRIFTEN UND
ANFÄNGEN DER FASSUNG MÖRIKES

577

INHALT DES ACHTEN BANDES. DRITTER TEIL

Verlagsgemeinschaft Ernst Klett – J.G. Cotta'sche Buchhandlung
Nachfolger GmbH, Stuttgart

Band Acht, Dritter Teil, von Eduard Mörikes Werken und Briefen wurde im Jahr 1981 veröffentlicht. Das Buch gestaltete Professor Carl Keidel. Es wurde in der Dante-Antiqua gesetzt und gedruckt von der Offizin Chr. Scheufele, Stuttgart. Das Papier stammt aus der Papierfabrik Scheufelen, Oberlenningen/Württ. Den Einband fertigte die Großbuchbinderei Ernst Riethmüller & Co., Stuttgart

© Ernst Klett, Stuttgart 1981

ISBN 3-12-909300-1